국제기후변화법제

Daniel Bodansky, Jutta Brunnée, Lavanya Rajamani 공저
박덕영, 이서연, 이일호, 최규연, 최재철 공역

박영사

이 번역서는 2016년 대한민국 교육부와 한국연구재단의
지원을 받아 수행된 연구임. (NRF-2016S1A3A2925230)

역자 서문

이 책은 Daniel Bodansky, Jutta Brunnée 및 Lavanya Rajamani가 공동으로 집필하여 Oxford University Press에서 2017년 출간한 International Climate Change Law를 우리말로 옮긴 것이다. 책의 발간계획에 대한 소식은 상당히 오래전부터 들은 바 있다. 즉, 2014년에 동일 저자들에 의한 동일 제목의 책이 발간될 것으로 공고된 바 있는데, 이것이 미루어지면서 결국 2017년이 되어서야 빛을 본 것이다. 물론 책을 이렇게 미룬 데는 그럴 만한 이유가 있었다. 그 즈음 국제사회는 신기후체제에 대한 논의와 협상을 매우 분주하게 진행했으며, 결국 2015년 12월 파리협정(Paris Agreement)이라는 결실을 이루었다. 결국 본서는 파리협정을 포함하여 유엔기후체제, 그 밖의 기후 거버넌스, 더 나아가 기후변화법제와 국제법의 다른 분과들의 인터페이스에 대해 광범위하게 다루는 개론서로 세상에 나오게 되었다. 이 책은 그 내용과 깊이 모두에서 학계의 인정을 받고 있는 몇 안 되는 개론서로서 미국국제법학회가 분야별로 단 한 권씩만 수여하는 2018년 Certificate of Merit의 특별국제법 분야(specialized area of international law) 수상작으로 선정되기도 하였다.

그만큼 이 책은 기후변화 대응을 위한 국제적 노력과 법제화를 다룬 독보적인 책이다. 이러한 책을 번역하여 비단 우리 학계뿐 아니라, 기후변화에 관심이 있는 사람들 누구에게나 소개하고 싶은 마음이 있었지만, 실행에 옮기기는 어려웠다. 책의 분량이 적지 않을 뿐 아니라, 다루는 분야도 광범위하기 때문이다. 그러던 차에 이 책을 2017년 겨울학기 국제환경법 강의를 위한 주교재로 채택한 바 있는데, 이 수업을 수강했던 법학전문대학원 학생들이 책의 일부를 자발적으로 번역하였다는 이야기를 듣고, 이 원고를 수정 및 보완하고, 번역되지 않은 상당 부분을 번역하여 번역서로 내는 것이 불가능하지 않겠다는 확신을 갖게 되었다. 결과적으로 이 번역서는 공동번역자들의 완전히 새로운 원고들로만 구성될 수밖에 없었지만, 이 방대한 번역 프로젝트의 시발점은 이들의 자발적인 기여였다는 점과 그 노고가 적지 않았다는 점에 대해서는 밝혀두고자 한다.

이 번역서는 연세대학교 SSK 기후변화와 국제법 연구센터 연구사업의 일환으로 계획되고 추진되었다. 대표번역자를 비롯하여 우리 센터의 공동연구원인 최재철 대사님, 전임연구원인 이일호 박사와 최규연 박사가 번역과 감수 작업에 참여했다. 아울러 국제통상법과 국제투자법 전공인 이서연 박사가 번역과 검토에 참여하여 기후변화법제에 관한 국제법적 정확성을 높이는 데 크게 애써 주었다.

이 책이 나오기까지 정말 많은 분들의 도움을 받았다. 먼저 이 책의 번역을 허락해준 Oxford University Press에 감사를 표하고 싶다. 또 이 책의 출간을 허락해주신 박영사 안종만 회장님과 우리 센터의 연구물 발간사업을 위해 늘 애써 주시는 조성호 이사님께도 감사드린다. 이 책이 편집되는 과정에서 실무적인 도움을 준 우리 연구센터 서민지, 이동헌, 정하은 연구보조원과 정진실 양에게도 감사의 마음을 전한다. 끝으로 이 책의 편집과 교정을 담당해주신 박영사 강민정 선생님과 라이선스 문제를 비롯하여 실무적인 부분을 챙겨 주신 송병민 과장님께도 감사드린다.

기후는 변하고 있고, 이는 대부분 인간에 의한 것이다. 기후변화는 현실이며, 우리 인류는 이 문제에 대한 책임을 공동으로 지고 있다. 이 책이 우리의 이러한 책임을 알리고, 기후변화 대응을 위해 더욱 적극적으로 나아가게 하는 계기가 되었으면 하는 바람이다.

2018년 6월 5일 세계 환경의 날을 맞이하여
환경을 위한 세계의 노력을 촉구하며
공동번역 집필진을 대표하여 박 덕 영 씀

저자 서문

국제기후변화법제는 움직이는 목표(moving target)로서의 면모를 보인다. 1990년대 초 동 법제가 탄생한 이래로 이는 국내정치들의 변화무쌍함으로 의해 많은 타격을 입게 되었다. 심지어 그 규칙들이 마무리되기도 전인 2001년 봄, 교토의정서(Kyoto Protocol)는 새로이 선출된 조지 W. 부시(George W. Bush) 행정부로부터 사형 선고를 받은 바 있다. 그리고 20년이 채 지나기 전에, 파리협정(Paris Agreement)을 이끌어낸 끈질긴 몇 해간의 협상은 도널드 트럼프(Donald Trump) 대통령의 당선으로 위기를 맞이하고 있다.

그래서 국제기후변화법제에 대한 책을 집필하는 것은 도전을 수반하게 된다. 그 비정형적 역사를 두고, 우리는 곧 쓸모없는 것으로 될 위험성이 없는 것에 대해 무엇을 말할 수 있겠는가? 우리가 애초에 의도한 바처럼 이 책을 2014년에 완성했더라면, 우리는 현재 국제기후변화법제에 있어 핵심요소인 파리협정을 빠뜨리게 되었을 것이다. 그리고 트럼프 대통령의 선출로 기후변화법제는 앞으로 올 몇 년 동안 어떠한 반전에 직면하게 될 수 있다.

그럼에도 불구하고, 우리는 국제기후변화법제가 가지는 현재의 요소들을 연구하는 것이 계속해서 가치를 지니게 될 것이라고 믿는다. 방대한 양의 노력과 법적 창의성이 국제기후변화법제의 발전에 투영되었다. 그래서 동 법제의 궁극적인 운명이 어떠하든 학자적 식견에서 이 영역은 상당히 흥미로운 것이다.

이보다 더욱 중요한 것은 우리는 국제기후변화법제가 현실에서 매우 결정적인 역할을 하게 될 것으로 믿는다는 점이다. 파리협정은 여전히 매우 광범위한 국제적인 지지를 얻고 있으며, 미국 내에서조차 변화를 야기하고 있으므로 동 협정은 오래 지속되고 번영하게 될 것으로 보인다. 만약 그렇지 않더라도, 기후변화는 현안의 문제로서 사라지지 않을 것이다. 몇 가지 점들에서 국가들은 기후변화를 급한 우선순위의 문제로 다루도록 강요받게 될 것이다. 그리고 그들이 그렇게 할 경우에 풍부한 수의 아이디어들과 접근방법들을 이 책에서 논의하는 기후변화 기본협약(Framework Convention on Climate Change), 교토의정서, 파리협정 및 국제기후변화법제의 다른 요소들에서 발견하게 될 것이다. 심지어 여러 가지가 변화하는 경우라도 이들은 종종 동일한 모습으로 남게 된다. 유엔기후체제(UN climate regime)은 이들 중 하나로서 주목할 정도로 탄력적이었고, 이것의 기초가 되는 원칙들과 절차상의 요소들은 그것의 구불구불한 역사적 여정 내내 두드러진 역할을 해왔다.

우리 저자 모두는 반세기가 넘도록 유엔기후체제에 몸담아 왔다. 이 시간 동안 우리는 학계, 정부, 비정부단체 및 국제적 기관들에서 일하는 수많은 동료들과의 셀 수 없을 정도로 많은 대화를 나누었고, 이로부터 많은 혜택을 입었으며, 이들 모두에 대해 감사하는 일에 너무나 많은 빚을 지게 되었다. 그러나 우리는 특히 Harro van Asselt, Susan Biniaz, Chad Carpenter, Michael Zammit Cutajar, Chandrashekar Dasgupta, Elliot Diringer, Navroz K. Dubash, Andrew Green, Andrew Higham, Jürgen Lefevere, Jane McAdam, Sebastian Oberthür, Franz Perez, Bryce Rudyk, Christina Voight, Jacob Werksman 및 Harald Winkler에게, 그들의 통찰력과 오랜 우애에 대해 그리고 이 책의 장들 중 일부에 대한 그들의 의견제시에 대해 감사드리고 싶다. 그들이 친절하게 그들의 지식과 시간을 나누어 주지 않았다면, 이 책의 출간은 불가능했을 것이다. 우리는 더 나아가 Samuel Bayefksy, Jordan Brunner, Elizabeth Christy, Robert Hersch, Vyoma Jha, Evan Singleton 및 Raag Yadava의 헌신적인 지원으로부터도 혜택을 입었는데, 이들의 탁월한 연구보조 업무는 이 책에 있어 불가결한 것이었다. 특히 우리는 데이터에 대한 특별한 통찰력과 무시무시할 정도의 연구역량을 지닌 Shibani Ghosh에게 감사하는데, 그의 연구력은 이 책에 측정이 불가능할 정도로 반영되어 있다. 끝으로 우리는 우리의 사랑하는, 또 헌신적인 가족들에게, 우리가 원고를 마무리할 때까지 또 오랜 작업기간이 더욱 길어질 때까지 그들이 보여준 인내와 격려에 대해 감사하는 마음이다.

2017년 2월

Daniel Bodansky
Jutta Brunnée
Lavanya Rajamani

차 례

제1장 서 문

제 2 장 기후변화와 국제법

제3장 조약에 기반한 법제정: 규칙, 도구, 기법

제4장 유엔기후체제의 변천

제5장 기후변화 기본협약

제 6 장 교토의정서

제 7 장 파리협정

제 8 장 유엔기후체제 이외의 기후 거버넌스

제9장 국제기후변화법과 기타 국제법

제10장 결 론

역자 일러두기

본서에서는 원서의 번역에 있어서 다음과 같은 원칙들과 세부기준들을 적용하였다. 기구명이나 조약명과 같은 고유명사에 있어서 외교부의 공식번역을 참조하였으나 몇 가지 용어에 있어서는 역자의 견해에 따라 의미전달에 더 효과적인 용어를 사용하였다. 대표적 예가 Nationally Determined Contribution으로 조약의 공식 번역어인 '국가결정기여'가 아닌 '국가별 기여방안'을 사용하였다. 본서에서 사용되는 약어와 그 번역에 대해서는 뒤의 약어목록(List of Abbreviations)을 참조하기를 바란다. 고유명사들은 개별 장에서 최초로 소개될 때는 줄이지 않고 번역어와 원어를 병기하였고, 그 이후로는 원문에 약어로 표시되어 경우에 약어를 그대로 사용하였다. 각주에 담긴 서술 중 출처표시는 원서에 있는 내용을 원어 그대로 옮기는 것을 원칙으로 하되, 조약명에 있어서는 외교부의 번역을 병기하였다. 출처정보 중에서 n 혹은 nn은 단수 혹은 복수의 각주번호를 의미한다. 역자들은 본문의 번역에 있어서 전체적으로 원문의 의미를 그대로 옮기는 직역보다 가독성을 높이기 위한 의역을 더 중요한 원칙으로 적용하였다.

약어목록(List of Abbreviations)

AAU	Assigned Amount Unit	할당배출권
ACESA	American Clean Energy and Security Act	미국 청정에너지와 안전법
ADP	Ad Hoc Working Group on the Durban Platform for Enhanced Action	더반플랫폼 특별작업반
AGBM	Ad Hoc Group on the Berlin Mandate	베를린 위임사항 특별작업반
AIJ	Activities Implemented Jointly	공동으로 이행된 활동
AILAC	Independent Association of Latin America and the Caribbean	중남미카리브연합
ALBA	Bolivarian Alliance for the Peoples of the Americas	아메리카를 위한 볼리바르 동맹
AOSIS	Alliance of Small Island States	군소도서국연합
APA	Ad Hoc Working Group on the Paris Agreement	파리협정 특별작업반
AWG－KP	Ad Hoc Working Group under the Kyoto Protocol	교토의정서 특별작업반
BASIC	Brazil, South Africa, India, and China	BASIC 그룹
BAT	Best Available Technology	가능한 최상의 기술
BR	Biennial Report	격년 보고서
BTAs	Border Tax Adjustments	국경세조정
BUR	Biennial Update Report	격년 업데이트 보고서
CAEP	Committee on Aviation Environmental Protection	항공환경보호위원회
CAF	Cancun Adaptation Framework	칸쿤적응체제
CAIT	Climate Analysis Indicator Tool	기후분석지표기제
CBDRRC	Common But Differentiated Responsibilities and Respective Capabilities	공통의 그러나 차등화된 책임과 국가별 역량의 원칙
CCAC	Climate and Clean Air Coalition to Reduce Short－Lived Climate Pollutants	기후 및 청정대기 연합
CCS	Carbon Capture and Storage	탄소 포집·저장
CDM	Clean Development Mechanism	청정개발체제
CER	Certified Emission Reduction	공인인증감축량
CESCR	Committee on Economic, Social and Cultural Rights	경제적·사회적·문화적 권리에 관한 위원회
CETA	EU－Canada Comprehensive Economic and Trade Agreement	EU－캐나다 포괄적 경제무역협정
CFCs	Chlorofluorocarbons	클로로플루오르카본
CITES	Convention on International Trade in Endangered Species of Wild Fauna and Flora	멸종위기에 처한 야생동식물종의 국제거래에 관한 협약

CMA	Conference of the Parties serving as the Meeting of the Parties to the Paris Agreement	파리협정 당사국회의
CMP	Conference of the Parties serving as the Meeting of the Parties to the Kyoto Protocol	교토의정서 당사국회의
CO_2	Carbon dioxide	이산화탄소
CO_2e	CO_2 equivalent	CO_2 단위
COP	Conference of the Parties	당사국총회
CSO	Civil Society Organization	시민사회조직
DSB	Dispute Settlement Body	분쟁해결기구
DSU	Dispute Settlement Understanding	분쟁해결양해
ECJ	European Court of Justice	유럽사법재판소
ECtHR	European Court of Human Rights	유럽인권재판소
EEA	European Economic Area	유럽경제지역
EEDI	Energy Efficiency Design Index	에너지효율성설계지수
EIA	Environmental Impact Assessment	환경영향평가
EIG	Environmental Integrity Group	환경건전성그룹
EITs	Economies in Transition	체제전환국
ERT	Expert Review Team	전문가검토팀
ERU	Emission Reduction Unit	배출감소단위
ETS	Emissions Trading System	배출권거래 시스템/제도
EU	European Union	유럽연합
EU ETS	European Union—Emissions Trading Scheme	유럽연합 배출권거래 시스템
FCCC	Framework Convention on Climate Change	기후변화협약
FIELD	Foundation for International Environmental Law and Development	국제환경법과 발전을 위한 재단
FIT	Feed-in-Tariff	발전차액지원제도
G-77/China	Group of 77 and China	G-77/중국
G-8	Group of Eight	G-8
GATS	General Agreement on Trade in Services	서비스무역에 관한 일반협정
GATT	General Agreement on Tariffs and Trade	관세와 무역에 관한 일반협정
GCF	Green Climate Fund	녹색기후기금

GDP	Gross Domestic Product	일인당 국내총생산
GEF	Global Environment Facility	지구환경금융
GHG	Greenhouse Gas	온실가스
GPID	Guiding Principles on Internal Displacement	국내실향지침
GWP	Global Warming Potential	지구온난화지수
HCFCs	Hydrochlorofluorocarbons	염화불화탄화수소
HFCs	Hydrofluorocarbons	수소불화탄소
HRC	Human Rights Council	유엔인권이사회
IAComHR	Inter-American Commission on Human Rights	미주인권위원회
IACtHR	Inter-American Court of Human Rights	미주인권재판소
IAEA	International Atomic Energy Agency	국제원자력기구
IAR	International Assessment and Review	국제적 평가와 검토
IASC	Inter-Agency Standing Committee	인도적 지원기관 간 상임위원회
ICA	International Consultation and Analysis	국제적 협의 및 분석
ICAO	International Civil Aviation Organization	국제민간항공기구
ICAP	International Carbon Action Partnership	국제 배출권거래제 파트너십
ICCPR	International Covenant on Civil and Political Rights	시민적 및 정치적 권리에 관한 국제규약
ICESCR	International Covenant on Economic, Social and Cultural Rights	경제적, 사회적 및 문화적 권리에 관한 국제규약
ICJ	International Court of Justice	국제사법재판소
ICLEI	International Council for Local Environmental Initiatives (now, Local Governments for Sustainability)	국제환경위원회
ICSID	International Centre for the Settlement of Investment Disputes	국제투자분쟁해결센터
ICTSD	International Centre for Trade and Sustainable Development	국제무역과 지속가능한 발전센터
IDMC	Internal Displacement Monitoring Centre	역내실향민 모니터링 센터
IISD	International Institute for Sustainable Development	지속가능한 발전 국제연구소
ILA	International Law Association	국제법협회
ILC	International Law Commission	국제법위원회
IMO	International Maritime Organization	국제해사기구
INC	Intergovernmental Negotiating Committee for a Framework Convention on Climate Change	기후변화협약 체결을 위한 정부 간 협의체
INDC	Intended Nationally Determined Contribution	의도된 국가별 기여방안

IOM	International Organization for Migration	국제이주기구
IPCC	Intergovernmental Panel on Climate Change	기후변화에 관한 정부 간 협의체
ISO	International Organization for Standardization	국제표준화기구
ITLOS	International Tribunal for the Law of the Sea	국제해양법재판소
JI	Joint Implementation	공동이행
JUSCANZ	Japan, United States, Canada, Australia, and New Zealand	일본, 미국, 캐나다 및 뉴질랜드
JUSSCANNZ	Japan, United States, Switzerland, Canada, Australia, Norway, and New Zealand	일본, 미국, 스위스, 캐나다, 호주, 노르웨이 및 뉴질랜드
JUSSCANZ	Japan, United States, Switzerland, Canada, Australia, and New Zealand	일본, 미국, 스위스, 캐나다 호주 및 뉴질랜드
lCER	Long－term Certified Emission Reduction	장기적 공인인증감축량
LDCF	Least Developed Countries Fund	최빈개도국기금
LDCs	Least Developed Countries	최빈개도국
LMDCs	Like Minded Developing Countries	유사한 입장의 개발도상국
LPAA	Lima to Paris Action Agenda	리마－파리 행동계획
LRTAP	Convention on Long－Range Transboundary Air Pollution	월경성 장거리 대기오염에 관한 협약
LULUCF	Land Use, Land Use Change and Forestry	토지이용, 토지이용변화 및 임업 활동
MBM	Market－Based Measure	시장기반 조치
MCP	Multilateral Consultative Process	다자간 협의절차
MEA	Multilateral Environmental Agreement	다자간 환경협정
MEF	Major Economies Forum on Energy and Climate Change	기후변화 및 에너지에 관한 주요 경제국포럼
MEM	Major Economies Meeting on Energy Security and Climate Change	에너지안보 및 기후변화 주요 경제회의
MEPC	Marine Environment Protection Committee	해양환경보호위원회
MFN	Most Favored Nation	최혜국대우원칙
MRV	Measurement, Reporting and Verification	측정、보고、검증
NAFTA	North American Free Trade Agreement	북미자유무역협정
NAMA	Nationally Appropriate Mitigation Action	국가별로 적절한 감축행동

NAP	National Adaptation Plan	국가적응계획
NAPA	National Adaptation Programme of Action	국가적 적응행동 계획
NASA	National Aeronautics and Space Administration	미국항공우주국
NAZCA	Non-State Actor Zone for Climate Action	기후행동을 위한 비국가 행위자 영역
NCP	Non-Compliance Procedure	비준수 절차
NDC	Nationally Determined Contribution	국가별 기여방안
NGO	Non-Governmental Organization	비정부기구
NRC	Norwegian Refugee Council	노르웨이난민위원회
NSMD	Non-State Market Driven	비국가 시장주도
NWP	Nairobi Work Programme on Impacts, Vulnerability, and Adaptation to Climate Change	기후변화에 대한 영향, 취약성 및 적응에 대한 나이로비 프로그램
ODA	Official Development Assistance	공적개발원조
ODS	Ozone Depleting Substances	오존파괴물질
OECD	Organisation for Economic Co-operation and Development	경제협력개발기구
OHCHR	Office of the High Commissioner for Human Rights	인권고등판무관실
OPEC	Organization of Petroleum Exporting Countries	석유수출국기구
PAM	Policy and Measure	정책 및 조치
PFCs	Perfluorocarbons	과불화탄소
ppm	Parts Per Million	
PPMs	Processes and Production Methods	공정 및 생산방식
QELRO	Quantified Emission Limitation and Reduction Objective	수량적 배출제한 및 감축목표
RCEP	Regional Comprehensive Economic Partnership	포괄적 경제동반자협정
RED	Reductions in Emissions from Deforestation	산림전용으로부터의 배출감축
REDD+	Reducing Emissions from Deforestation and Forest Degradation	
REIO	Regional Economic Integration Organization	지역적 경제통합기구
RGGI	Regional Greenhouse Gas Initiative	지역 온실가스 이니셔티브
RMU	Removal Unit	흡수배출권
SBI	Subsidiary Body for Implementation	이행을 위한 보조기구
SBSTA	Subsidiary Body for Scientific and Technological Advice	과학 및 기술 자문 보조기구

SCCF	Special Climate Change Fund	기후변화특별기금
SCM Agreement	Agreement on Subsidies and Countervailing Measures	보조금 및 상계조치에 관한 협정
SDM	Sustainable Development Mechanism	지속가능한 발전 메커니즘
SLCF	Short−Lived Climate Forcer	단명성 기후 강화물
SPM	Summary for Policymakers	정책결정자들을 위한 요약보고서
SPS Agreement	Agreement on the Application of Sanitary and Phytosanitary Measures	위생 및 식물위생조치의 적용에 관한 협정
SWCC	Second World Climate Conference	제2차 세계기후회의
TBT Agreement	Agreement on Technical Barriers To Trade	무역에 대한 기술장벽에 관한 협정
tCER	Temporary Certified Emission Reduction	임시 공인인증감축량
TREM	Trade−Related Environmental Measure	무역관련 환경조치
TRIMs	Agreement on Trade−Related Investment Measures	무역관련 투자조치에 관한 협정
TTIP	EU−US Transatlantic Trade and Investment Partnership	EU−미국의 범대서양 무역투자 동반자협정
TPP	Trans−Pacific Partnership	환태평양 전략적 경제동반자협정
UN	United Nations	유엔
UNCED	United Nations Conference on Environment and Development	유엔환경개발회의
UNDP	United Nations Development Programme	유엔개발계획
UNECE	United Nations Economic Commission for Europe	유럽경제위원회
UNEP	United Nations Environment Programme	유엔환경계획
UNGA	United Nations General Assembly	유엔총회
UNHCR	United Nations High Commissioner for Refugees	유엔난민기구
UNTC	United Nations Treaty Collection	유엔조약집
US	United States	미국
USSR	Union of Soviet Socialist Republics	소비에트 사회주의 공화국 연방
VCLT	Vienna Convention on the Law of Treaties	조약법에 관한 비엔나협약
VCS	Verified Carbon Standard	검증된 탄소표준
WIM	Warsaw International Mechanism for Loss and Damage Associated with Climate Change Impacts	기후변화와 관련된 손실과 피해에 관한 바르샤바 국제 메커니즘
WMO	World Meteorological Organization	세계기상기구

WRI	World Resources Institute	세계자원연구소
WTO Agreement	Agreement Establishing the World Trade Organization	WTO 설립을 위한 마라케시 협정
WTO	World Trade Organization	세계무역기구

제1장

서　　문

기후변화는 현실이고, 이미 진행되고 있으며, 인류가 이에 크게 책임이 있다는 것은 이제 의심할 여지가 없다.[1] 인간은 '인류세(Anthropocene)'[2] 동안에 '지구의 기력'을 소진해 왔고 이제 그 한계에 직면하고 있다.[3] 산업혁명이 시작되어 사람들이 화석연료를 태우기 시작한 이래로 대기 중에는 주요 온실가스인 이산화탄소의 농도가 280ppm에서 400ppm 이상으로 증가했는데, 이는 지난 80만 년 중 어느 시기보다 높은 것이다.[4] 기후변화에 대해 여전히 많은 불확실성이 남아 있지만, '기후변화에 관한 정부 간 협의체(Intergovernmental Panel on Climate Change, IPCC)'의 제5차 평가보고서는[5] 다음과 같은 결론들을 도출하였다.

- 기후시스템의 온난화는 "명백하다."[6] 영국기상청의 최신자료에 따르면 현재 지구의 평균기온은 산업화 이전 수준보다 거의 1℃ 정도 높은 것으로 나

---

1) Intergovernmental Panel on Climate Change (IPCC), *Climate Change 2014: Synthesis* Report (2014) Summary for Policymakers (SPM), 4-5.

2) 'Anthropocene'이라는 용어는 1980년대 Eugene Stoermer에 의해 만들어졌으며 2000년경부터 노벨 화학상 수상자인 Paul Crutzen에 의해서 대중화되었다. Will Steffen *et al.*, 'The Anthropocene: Conceptual and Historical Perspectives', *Philosophical Transactions of the Royal Society*, 369/1938 (2011): 842.

3) Johan Rockstrom *et al.*, 'Planetary Boundaries: Exploring the Safe Operating Space for Humanity', *Ecology and Society,* 14/2 (2009): 32.

4) IPCC, *Climate Change 2014: Synthesis Report* (n 1) SPM, 4. Scripps Institution of Oceanography는 1950년대 후반부터 하와이의 Mauna Loa 관측소에서 대기 중 이산화탄소 농도를 직접 측정해왔는데, 이 연구소의 최신자료에 따르면 2017년 1월 22일의 이산화탄소 농도는 406ppm이었다. Scripps Institution of Oceanography, 'The Keeling Curve' <https://scripps.ucsd.edu/programs/keelingcurve/> accessed 22 January 2017.

5) "기후변화에 관한 정부 간 협의체(IPCC)는 기후변화와 관련된 과학적 근거를 평가하는 국제기구이다. IPCC는 세계기상기구(World Meteorological Organization, WMO)와 유엔환경계획(United Nations Environment Programme, UNEP)에 의해 1988년에 설립되었으며, 정책입안자들에게 정기적으로 기후변화의 과학적 기초, 그 영향과 미래의 위험, 적응 및 완화 옵션에 대한 평가를 제공하는 것을 목적으로 한다." IPCC, 'IPCC Factsheet: What is the IPCC?' <http://www.ipcc.ch/news_and_events/docs/factsheets/FS_what_ipcc.pdf> accessed 20 January 2017.

6) IPCC, *Climate Change 2014: Synthesis Report* (n 1) SPM, 2.

타났다.[7)]

- "20세기 중엽부터 관찰된 온난화의 지배적 원인이 인간의 영향이었을 가능성이 매우 높다."[8)]
- "관찰된 많은 변화들은 수십 년에서 수천 년 동안 전례가 없던 것들이다. 대기와 해양이 온난해졌고, 눈과 얼음의 양이 줄어들었으며, 해수면이 상승했고, 온실가스의 농도가 증가했다."[9)]
- 이 변화들은 "모든 대륙과 모든 해양의 자연 및 인간 시스템에 영향을 미쳤다."[10)]
- "온실가스의 지속적인 배출은 온난화를 심화시킬 것이며, … 심각하고, 광범위하며, 돌이킬 수 없는 영향을 미칠 가능성을 증가시킨다."[11)]

본서는 이러한 전지구적 위협에 대한 국제법적 대응에 대해 개관하고자 한다.

Ⅰ. 정책적 난제로서 기후변화

기후변화는 복잡하고 다중심적이며 다루기 힘든 정책적 과제인데, 어떤 이들은 이를 "극악의 악"으로 묘사한 바 있다.[12)] 반기문 유엔사무총장은 이를 "우리시

7) United Kingdom Met Office, 'Global Climate in Context as the World Approaches 1°C Above Pre-Industrial for the First Time' (9 November 2015) <http://www.metoffice.gov.uk/research/news/2015/global-average-temperature-2015> accessed 20 January 2017.
8) IPCC, *Climate Change 2013: The Physical Science Basis* (Cambridge University Press, 2013) SPM, 17.
9) Ibid, SPM, 4.
10) IPCC, *Climate Change 2014: Synthesis Report* (n 1) SPM, 6.
11) Ibid, SPM, 8; IPCC, *Climate Change 2014: Mitigation of Climate Change* (Cambridge University Press, 2014) SPM, 8 (추가적인 온실가스 감축노력 없이는 2100년까지 지구의 평균온도가 산업화 이전 수준보다 3.7°C에서 4.8°C 정도 높아진다고 지적).
12) Richard Lazarus, 'Super Wicked Problems and Climate Change: Restraining the Present to Liberate the Future', *Cornell Law Review* 94/3 (2009): 1133; Horst W. J. Rittel and Marvin M. Webber, 'Dilemmas in a General Theory of Planning, *Policy Science* 4/2 (1973): 155, 160 ('wicked' problem이라는 개념을 도입); Kelly Levin *et al.* 'Playing it Forward: Path Dependency, Progressive Incrementalism, and the "Super Wicked" Problem of Global Climate

대의 결정적 문제"로 규정했다.[13] 기후변화는 분명히 지금까지 직면했던 가장 어려운 정책적 도전 중의 하나이다.

기후변화는 다음의 요인들로 인해 "지옥에서 온 문제"가 된다.[14] 기후변화 문제는 그 범위가 전지구적이고 장기적이고 돌이킬 수 없는 결과를 야기하기 때문에 세대 간의 문제를 가져온다. 기후변화는 광범위한 생산과 소비과정에 의해서 발생한 것이다. 그 원인과 결과는 전세계적이며, 복합적인 집단적 행동을 요구한다. 기후변화는 모든 국가 혹은 적어도 주요 온실가스 배출국들이 협력하여 경제시스템과 에너지시스템에 있어서 고비용의 거시적 전환을 이루어낼 때에만 통제될 수 있는 문제이다. 그런데 기후변화가 완화되면서 생기는 이익의 대부분은 기후변화에 대한 대응행동을 취하는 국가들에게만 돌아가는 것이 아니라 국제사회 전체에게 돌아간다. 이 때문에 개별 국가들은 자발적으로 기후변화에 대응하는 행동을 취하고자 하는 동기가 미약하다. 온실가스 배출량을 줄이기 위한 막대한 투자가 개별 국가의 이익이 되는 경우는 오직 그 기후변화 대응의 행동을 통하여 다른 국가들도 대응행동을 하도록 유도할 때와 타국가들과의 기후변화 협상에 있어서 유리하게 작용할 때만이다.[15]

그런데 다양한 요인들이 국제적 합의의 준수를 보장하는 것을 극도로 어렵게 만든다. 이에 대한 설명들 중 일부는 이미 잘 알려져 있다. 국제법상 집단적 행동으로 문제를 해결하는 데 어려움이 있는 것은 일반적으로 국제법에는 참여와 준수를 보장하는 강력한 수단이 결여되어 있고, 이로 인해 국가들에게 그들이 국제법에 따라 행동하면 타국가들도 같은 양상으로 행동하리라는 것을 보장해주지 못한다.[16] 그런데 기후변화의 몇 가지 특징들은 이러한 국제법의 일반적인 약점을 더

Change' (7 July 2007) (paper prepared for delivery to the International Studies Association Convention Chicago, 28 February-3 March 2007) <http://citeseerx.ist.psu.edu/viewdoc/download?doi=10.1.1.464.5287&rep=rep1&type=pdf> accessed 20 January 2017.

13) UN Secretary General Ban Ki-moon, 'Opening Remarks at 2014 Climate Summit' (23 September 2014) <http://www.un.org/apps/news/infocus/sgspeeches/statments_full.asp?statID=2355#.Vv21uBKANBc> accessed 20 January 2017.

14) Al Gore, *The Future: Six Drivers of Global Change* (New York: Random House, 2013) 314.

15) IPCC, *Climate Change 2014: Mitigation of Climate Change* (n 11) 5.

16) Scott Barrett, *Environment and Statecraft: The Strategy of Environmental Treaty-Making* (Oxford University Press, 2003).

욱 심화시킨다.

- 첫째, 기후변화는 에너지, 농업, 교통, 도시계획 등 경제적으로 상당히 중요한 국내 정책들의 대다수와 관련되어 있다. 그래서 많은 국가들에서 기후변화정책은 국내 정치의 변천에 좌우된다. 예를 들어, 미국에서는 기후변화가 당파적인 문제로 대두되었는데, 두 주요 정당 중 하나가 공개적으로 기후변화의 과학적 근거에 의문을 제기하였고, 입법조치를 거의 불가능하게 만들었으며, 미국이 참여할 수 있는 국제협정의 종류를 제한하였다.[17] 또 호주에서는 정부가 탄소세로 인해 퇴진한 바 있다.[18]
- 둘째, 기후시스템은 변화가 매우 느리게 일어난다는 성질 때문에, 기후변화는 장기적이고 어쩌면 나타나지 않을지도 모르는 미래의 위협에 대처하기 위해 지금 당장 대응행동을 수행할 것을 요구한다.[19] IPCC의 예측에 따르면, 기후변화를 완화시키기 위한 공조를 2030년 이후로 미루면, 온도상승분을 2° C 보다 상당히 낮은 수준으로 낮추고자 하는 파리협정의 목표를 달성하는 것이 "상당히 어려워질" 것이라고 예상된다.[20] 온도상승분을 1.5° C로 제한하고자 하는 의욕적 목표를 달성하는 것은 2020년에서 2030년까지 완화를 위한 의욕을 상당히 높이지 않고는 거의 불가능한 것이다.[21] 그러나

17) Kiley Kroh, Kristen Ellingboe, and Tiffany Germain, 'The Anti-Science Climate Denier Caucus: 114th Congress Edition' *ThinkProgress* (8 January 2015) <https://thinkprogress.org/the-anti-science-climate-denier-caucus-114th-congress-edition-c76c3f8bfedd#.71brt4r1r> accessed 27 October 2016.

18) 2013년 9월 호주 총선에서 자유당 총재 Tony Abbott는 선거에서 탄소세를 국민투표에 붙이겠다고 공약한 후, 노동당을 격파했다. Christopher Rootes, 'A Referendum on the Carbon Tax? The 2013 Australian Election, the Greens, and the Environment', *Environmental Politics*, 23/1 (2014): 166. 다음 해 Abbott 정부는 탄소세를 폐지했다.

19) Levin *et al.*, Playing It Forward (n 12); IPCC, *Climate Change 2014: Synthesis Report* (n 1); IPCC 보고서에 관한 유명한 보도에 관하여는 다음을 참조. Sam Friell, 'UN: Time is Running Out for Climate Change Action, *Time* (13 April 2014) <http://time.com/60769/global-warming-ipcc-carbon-emissions/> accessed 27 October 2016.

20) IPCC가 지적하기를, 공동의 완화조치가 지연되면 기온상승 상한선을 유지하기 위해서 "2030년에서 2050년까지의 배출 감축비율을 상당히 높여야 하고 이 기간 동안 저탄소에너지가 훨씬 더 빨리 성장해야만 하며, 장기적으로는 [이산화탄소 제거]에 크게 의존하게 되고, 과도기적이고 장기적인 경제적 충격을 가져올 것이다." IPCC, *Climate Change 2014: Synthesis Report* (n 1) SPM, 24. Decision 1/CP.21, 'Adoption of the Paris Agreement' (29 January 2016) FCCC/CP/2015/10/Add.l, 2, Annex: Paris Agreement (Paris Agreement).

21) Carl-Friedrich Schleussner *et al.*, 'Science and Policy Characteristics of the Paris Agreement

많은 국가들에 있어 미래의 장기적 문제를 다루기 위해 고비용이 드는 행동을 수행할 의지는 미약하다. 단기적으로 선거주기가 돌아오기 때문에, 정부들은 기후변화와 같이 효과가 바로 나타나지 않는 문제보다는 빈곤퇴치, 에너지 공급, 저렴한 운송 및 경제발전과 같은 즉각적인 문제들에 더 우선순위를 두게 된다.

- 마지막으로 국가에 따라 이해관계, 우선순위, 역량수준 및 미래전망이 매우 상이한데, 이는 국가 간의 합의를 더욱 어렵게 만든다. 국가 간에는 경제적 수준, 온실가스 배출 프로파일 및 기후변화 관련 취약성에 있어서 엄청난 격차가 있다. 기후변화 문제에 있어 그 문제발생에 책임이 있는 국가들이 곧 기후변화에 가장 영향을 받는 국가들이 아니다. 문제를 다루는 데 있어서 승자와 패자가 나올 수 있다. 그리고 국가들은 무엇이 공정한 결과를 만드는 것인지에 대해서 매우 상이한 견해를 가지고 있다. 예를 들어, 기후변화 영향의 최전선에 있는 소도서국들(small island states)은 기후변화에 대응해 행동을 해야 할 강력한 동기를 가지고 있다. 그러나 그들에 의한 온실가스 배출이 그다지 크지 않기 때문에, 그들의 대응행동은 온난화 과정에 거의 영향을 미치지 않을 것이다. 반대로, 국가경제가 화석연료에 의존하고 있고 1인당 온실가스 배출량이 높은 국가들은 회원국으로 두고 있는 석유수출국기구(Organization of Petroleum Exporting Countries, OPEC)는 (적어도 단기적으로는) 기후변화 대응활동을 하지 않을 중요한 동기를 가지고 있다. 그리고 여러 거대 개발도상국들은 엄청난 인구에 에너지를 공급해야 하는 부담을 안고 있다.[22]

이러한 문제들을 감안할 때, 기후변화를 다루는 데 있어 국제법이 지금까지 결정적인 성과를 거두지 못한 것은 놀라운 일이 아니다.

Temperature Goal', *Nature Climate Change*, 6/9 (2016): 827.

22) 예를 들어, 인도에서는 3억 인구에게 전기를 공급해야 한다는 정치적 의제에 비해 기후변화는 덜 중요한 의제이다. India's Intended Nationally Determined Contribution, Working Towards Climate Justice (1 October 2015) <http://www4.unfccc.int/submissions/INDC/Published%20Documents/India/l/INDIA%20INDC%20TO%20UNFCCC.pdf> accessed 20 January 2017 (인도는 "전기를 사용할 수 없는 세계인구의 24퍼센트인 3억 4천만"이 거주하는 곳임을 지적).

Ⅱ. 기후변화 문제에 대한 세 가지 관점

기후변화 문제는 여러 방식으로 이해될 수 있는데, 과학적, 기술적 또는 심지어 종교적 문제로도 이해될 수 있다.[23] 그런데 기후변화에 대한 국제사회의 정책대응에 있어서는 세 가지 관점이 지배적이다. 첫째, 유럽 국가들은 기후변화를 환경문제로 보는데, 이는 유엔기후협상에 환경부장관이 대표로 참여하는 것으로 드러난다. 소도서국들은 기후변화로 인해 생존이 위협받기 때문에 당연히 강한 환경주의적 태도를 취하고 있다. 이와 반대로, 특히 미국과 같이 유럽 이외의 선진국의 대다수는 거의 초기부터 경제적인 시각으로 기후변화를 보는 경향이 있었으며, 이 국가들에서는 경제학자들이 정책수립에 중요한 역할을 한다.[24] 반면에, 많은 개발도상국들은 기후정치활동을 더 큰 역사적 및 경제적 불평등이 표출되는 경향의 일부로 보는데, 이 관점은 1970년대 탈식민화 운동에서 비롯된 '신국제경제질서(new international economic order)'에 대한 논쟁의 연속선상에 있다.[25] 이 관점에 따르면, 선진국들은 기후변화와 싸우는 데 주요한 역사적인 책임을 가지고 있을 뿐 아니라, 개발도상국의 기후변화 대응노력에도 도움을 주어야 한다고 본다.[26] 실제로 일부 개발도상국들은 '보상'을 요구하며 선진국이 그들의 '생태적 채무'를 이행해야한다고 주장한다.[27]

---

23) Pope Francis, 'Encyclical Letter *Laudato Si*' of the Holy Father Francis on Care for Our Common Home' (Vatican Press, 2015) <http://w2.vatican.va/content/dam/francesco/pdf/encydicals/documents/papa-francesco_20150524_enciclica-laudato-si_en.pdf> accesssed 20 January 2017.

24) Daniel Bodansky, 'Transadantic Environmental Relations', in John Peterson and Mark Pollack (eds), *Europe, America, and Bush* (London: Roudedge, 2003) 58 (기후변화에 대한 EU와 미국의 접근방식을 대조).

25) On the New International Economic Order, Jagdish N. Bhagwati (ed), *The New International Economic Order: The North-South Debate* (Cambridge: MIT Press, 1977).

26) Statement by Ambassador Nozipho Mxakato-Diseko from South Africa on Behalf of the Group of 77 and China, at the Opening Plenary of the 12th Part of the 2nd Session of the Ad Hoc Working Group on the Durban Platform for Enhanced Action (ADP 2-12), Paris, France (29 November 2015) <http://www4.unfccc.int/Submissions/Lists/OSPSubmissionUpload/219_137_130932914217320365-G77%20and%20China%20statement%20ADP2-12%2029%20Nov%202015.pdf> accessed 20 January 2017.

27) Peter Neill, 'Ecological Debt and the Global Footprint Network' *The Huffington Post* (4 January

A. 환경문제로서의 기후변화

아마도 기후변화에 대해서 가장 논란의 여지가 없는 시각은 이를 환경문제로 보는 것이다.[28] 이 관점을 취할 때, 국제적 기후정책의 목표는 온실가스의 순배출량(net emissions)을 줄임으로써 인간에 의해 만들어진 위험한 기후변화의 영향을 방지하는 것이다. 대기 중 이산화탄소의 지속적 잔존을 감안할 때, 위험한 기후변화를 막는 목표는 2015년 파리협정이 인정한 바와 같이 순배출량을 언젠가는 완전히 없애는 것을 필요로 한다.[29] 그런데 어느 특정 시점에서 얼마나 배출량을 줄여야 하는가는 세 가지 요인의 상관관계에 의해 결정된다. 첫째, 안전하다고 판단되는 온도상승 수준, 둘째, 온난화가 그 온도상승 상한선을 초과하지 않도록 방지하는 데 필요한 농도수준, 셋째, 그 농도수준을 달성하기 위한 배출경로의 선택이 그것들이다. 파리협정에서 각국은 기온상승을 산업혁명 이전 수준에 비해 2° C 이하로 제한하고, 지구온난화의 수준을 1.5° C로 제한하도록 하는 노력을 하기로 합의했다.[30] 2° C 상한선을 지키기 위해서는 온실가스 농도를 450ppm 이하로 안정화하는 것과 2050년이 되기 전에 전지구적 배출량이 최고치에 이르렀다가 40에서 70 퍼센트 정도 감소되는 것이 필요하다.[31]

우리가 현재 이러한 감축에 이르는 데까지는 근접하지 못하고 있기 때문에, 국제기후체제의 환경적 효과성(environmental effectivenss)은 시간에 따른 전지구적

2015) <http://www.huffingtonpost.com/peter-neill/ecological-debt-the-glob__b_bl01200.html> accessed 20 January 2017 ('생태적 채무(ecological debt)'라는 용어의 기원을 논의); Plurinational State of Bolivia on Behalf of the Alianza Bolivariana Para Los Pueblos De Nuestra America—ALBA, UNFCCC-ADP 2.11 (19 October 2015) <http://www4.unfccc.int/Submissions/Lists/OSPSubmissionUpload/88_129_130897230954649738-Intervenci%C3%B3n%20Final%20ALBA%2019.10.15.pdf> accessed 20 January 2017; ALBA Countries, 'ALBA Declaration on Copenhagen Climate Summit' (28 December 2009) <https://venezuelanalysis.com/analysis/5038> accessed 20 January 2017.

28) 이 절과 다음 부분은 다음 문헌을 참조. Daniel Bodansky, *The Durban Platform Negotiations: Goals and Options* (Harvard Project on Climate Agreements, July 2012) <http://belfer- center.ksg.harvard.edu/files/bodansky_durban2_vp.pdf> accessed 20 January 2017; Daniel Bodansky, *The Art and Craft of International Environmental Law* (Cambridge, MA: Harvard University Press, 2010) 62-70.

29) Paris Agreement, Art 4.1.

30) Ibid, Art 2.1.

31) IPCC, *Climate Change 2014: Mitigation of Climate Change* (n 11) 10-12.

온실가스배출 감축량을 측정하여, 이를 통해 배출량 감축이 2°C 또는 1.5°C의 온도상승 제한에 도달할 수 있는 온도변화 궤도에 얼마만큼 근접하는가를 봄으로써 알 수 있다. 이것은 체제가 가진 배출감축 의무의 엄격성(stringency)에 달려 있는 것으로 보인다. 즉, 그 의무가 엄격할수록 좋은 것처럼 보일 수 있다. 그러나 환경적 효과성은 의무의 엄격성뿐만 아니라 국가들의 참여(participation) 및 의무준수(compliance)의 수준과의 상관관계에서 나오는 결과이다.[32] 이 세 가지 중 어느 하나라도 취약하다면 나머지 두 가지가 잘 수행되더라도 기후체제의 효과가 약화될 것이다. 그리고 엄격성, 참여 및 의무준수는 서로 연결되어 있기 때문에, 우리는 한 요인의 변화가 다른 것에 어떻게 영향을 미치는지를 생각해보아야 한다. 다른 두 요인이 일정하게 유지될 때, 요구사항의 엄격성을 높이면 환경적 효과성은 증진된다. 그러나 엄격성을 높여서 참여와 의무준수 혹은 둘 중의 하나가 낮아지면, 이는 결과적으로 환경적 효과성은 높이지 못한다. 반대로, 높은 참여와 준수는 그 자체로는 바람직하지만, 이를 위해서 합의의 요구사항이 가지는 엄격성을 낮춘다면, 그 결과가 가져오는 환경적 효과성은 높지 않게 된다. 배출감축을 가장 잘 달성하려면 세 가지 요소가 모두 포함된 복잡한 방정식을 풀어야 한다. 더욱이, 기후변화는 특정 시점의 배출량보다는 누적 배출량에 달려 있기 때문에,[33] 우리는 엄격성과 참여를 동적 요인으로 생각해야 한다. 엄격성이 낮은 의무에 대한 참여라도 이 참여가 더 광범위한 행동을 이끌어내는 체제의 진화를 촉발한다면, 이는 장기적으로는 더 큰 환경적 효과성을 가져올 수 있을 것이다.

B. 경제문제로서의 기후변화

기후변화는 경제적인 관점으로 볼 수 있다. 이 관점에서 기후정책은 가장 '효율적인' 성과를 달성하는 것, 즉 가장 높은 순편익(net benefits)을 얻는 것을 목표로 한다.[34] 이에 따르면, 앞으로의 배출량 감축의 이점이 이에 필요한 비용보다 더 큰

32) Barrett, *Environment and Statecraft* (n 16).
33) IPCC, *Climate Change 2013: The Physical Science Basis* (n 8) SPM, 27.
34) 경제적 관점의 사례는 다음 문헌을 참조. William D. Nordhaus, *The Climate Casino: Risk, Uncertainty, and Economics for a Warming World* (New Haven, CT: Yale University Press,

경우에만 배출량을 줄여야 한다. 그리고 적응(adaptation)이 완화(mitigation)보다 비용이 낮다면, 적응에 관한 정책을 더 선호하여야 한다. 물론 여기서 편익과 비용을 계산하는 것은 매우 어려운데, 이는 배출을 줄이는 것에서 오는 많은 편익이 비시장성 재화(non-market goods)로 객관적 가치의 평가가 어렵고, 미래에 실현될 수 있는 것이기 때문이다. 그럼에도 불구하고, 비용과 편익에 대한 대략적인 계산을 하는 것은 정확하지 않더라도 대부분 의사결정의 근거가 된다.

효율성이라는 목표를 정하는 것 외에도, 경제적 관점은 배출목표를 달성하는 수단이 비용 대비 최대한의 효과를 가져오는 방법이어야 한다는 것에 초점을 맞추고 있다.[35] 일반적으로 말해서, 어떤 정책의 결과가 시간과 장소에 상관없이 준수에 따르는 한계비용을 상쇄한다면, 그 정책은 비용 대비 효과적인 것이다. 만약에 온실가스 배출분을 현재보다 미래에 더 적은 비용으로 감축할 수 있고, 어느 한 국가에서 다른 국가에서보다 더 적은 비용으로 감축할 수 있다면, 오염에 대한 감축을 미래로 전환하거나 타지역으로 전환함으로써 같은 환경적 편익을 더 낮은 비용으로 성취할 수 있다.[36] 기후체제에서 비용대비 효과성은 배출권거래와 같은 시장메커니즘(market mechanism)의 사용에 대한 이론적 근거가 되어 왔으며, 이러한 기제는 배출이 가장 값싸게 감축될 수 있는 곳이라면 어디든지 감축이 될 수 있도록 한다.[37]

C. 윤리적 문제로서의 기후변화

기후변화 문제에 대한 세 번째 관점은 형평성(equity)과 기후정의(climate justice)

2013); Nicholas Stern, *The Economics of Climate Change: The Stern Review* (Cambridge University Press, 2007); Gernot Wagner and Martin L. Weitzman, *Climate Shock: The Economic Consequences of a Hotter Planet* (Princeton University Press, 2015).

35) 이 문단과 다음 문단은 다음 문헌에 기반한다. Bodansky, *Art and Craft of International Environmental Law* (n 28) 68-9.

36) 배출감축의 타이밍과 위치는 일반적으로 기후 혜택에 영향을 미치지 않는데, 이는 경제학자들이 말하는 '흐름(flow)'의 문제라기보다 '비축(stocks)'의 문제이기 때문이다. 기후시스템에서 중요한 것은 특정한 시간과 장소에서의 배출량 수준이 아니라, 시간의 경과에 따른 세계 누적배출량이다.

37) 제6장 V 참조.

의 관점이다.[38] 비용－편익 분석은 단순히 경제적 가치의 총합을 극대화하고자 하며, 기후변화로 제기된 윤리적 문제들을 다루지는 않는다. 이러한 경제적 관점에 따르면, 한 국가가 오염을 가져오는 활동으로부터 편익을 얻고 다른 국가는 그 오염의 비용을 부담할 때, 그 총편익이 비용을 초과한다면, 이는 효율적이라고 인식될 수 있다. 반대로, 윤리적 관점은 '분배와 교정적 정의(distributive and corrective justice)'의 문제에 주목한다. 예를 들어, 윤리적 질문들에는 기후변화에 대한 완화 및 적응의 부담을 어떻게 분담하는 것이 공평한가, 그리고 기후변화로 인한 피해에 대한 윤리적 책임은 누구에게 있는가와 같은 것들이 있다.

환경적 효과성과 경제적 효율성에 관해서는 비교적 널리 받아들여지는 평가 기준이 있는데, 형평성과 기후정의가 의미하는 것이 무엇인지에 대해서는 다수가 동의한 합의가 거의 없다.[39] 일부 설명들은 역사적 책임에, 다른 설명들은 미래세대에 대한 의무에, 그리고 또 다른 설명들은 현재의 역량에 기반을 둔 공평한 부담의 분배에, 그리고 다른 설명들은 인간이 '대기 공간'에 대한 동등한 권리를 가진다는 평등주의적 원칙에 기반을 둔다.

예를 들어, 국가 간에 배출감축량을 어떻게 분배해야 하는가라는 질문에 대해 생각해보자. 선진국들은 누적된 CO_2 배출량의 대부분을 배출했으며, 이는 이 국가들이 기후변화 문제에 대한 역사적 책임이 더 크다는 것을 시사한다.[40] 1인당 배출량을 보면, 산업화된 국가들의 배출량은 오늘날 개발도상국의 1인당 온실가스

---

38) Stephen M. Gardiner *et al.*, *Climate Ethics: Essential Readings* (Oxford University Press, 2010); Dale Jamieson, *Reason in a Dark Time: Why the Struggle Against Climate Change Failed - and What It Means for Our Future* (Oxford University Press, 2014); Henry Shue, *Climate Justice: Vulnerability and Protection* (Oxford University Press, 2014).

39) John Ashton and Xueman Wang, 'Equity and Climate: In Principle and Practice', in Joseph E. Aldy *et al.*, *Beyond Kyoto: Advancing the International Effort against Climate Change* (Arlington, Virginia: Pew Center on Global Climate Change, December 2003) 61.

40) 1850년에서 2012년 사이에 부속서I 국가들의 이산화탄소 배출량은 937,952MtCO$_2$이며, 비부속서I 국가들의 배출량은 388,623MtCO$_2$이다. Data for Cumulative Total CO_2 Emissions Excluding Land-Use Change and Forestry from 1850 to selected years—2012 from World Resources Institute (WRI), 'CAIT Climate Data Explorer' <http://cait.wri.org/> accessed 20 January 2017. 또한 FCCC의 전문은 "과거와 현재의 지구전체 온실가스의 큰 부분이 선진국에서 배출되었다"라고 인정하고 있다. 기후변화에 관한 국제연합 기본협약(United Nations Framework Convention on Climate Change), 1992.05.09. 채택, 1994.03.21. 발효, 1771 UNTS 107 (FCCC), preambular recital 3.

배출량의 2.5배에 달한다.[41] 그러나 개발도상국의 총배출량이 선진국의 배출량을 따라잡았고,[42] 대규모 개발도상국의 배출은 지속적이고 뚜렷하게 증가할 것으로 예상된다.[43] 2005년 중국은 세계 최대의 CO_2 배출원인 미국을 추월했으며,[44] 2013년에는 중국이 세계 배출량의 29퍼센트를 차지한 반면, 미국의 경우는 15퍼센트, 유럽연합(European Union, EU)의 경우는 11퍼센트를 차지했다. 중국의 1인당 배출량(7.4톤)은 EU의 배출량(7.3톤)을 약간 웃돌고 있지만, 미국의 1인당 배출량(16.6톤)보다는 현저히 낮았다.[45] 이러한 수치를 감안할 때, 국가들의 배출감축량 비중이 어떻게 될지는 불분명하다. 여러 가지 평가항목들이 수년에 걸쳐 제안되어 왔다. 이러한 평가항목 배출량 기준지표(누적배출량, 총배출량 또는 1인당 배출량 등)에서부터 국가의 역량 및 개발의 필요성과 관련된 지표들(1인당 국내총생산, 유엔 개발계획(UN Developmen Programme)의 인적개발지수 또는 전기보급률)에 이른다.[46] 지금까지 유엔기후체제 당사국들은 정치적 협상이나 국가의 의사결정을 통한 것이 아닌, 국가간 배출감축의 할당에 대한 객관적인 지표나 방법에 대해서 합의한 바가 없다.

또한, 기후정의 문제는 소도서국가와 같이 기후변화에 가장 취약한 국가들이 기후변화가 발생하는 데 가장 적게 기여했다는 사실에 근거하여 제기된다.[47] 기후변화는 개발도상국들에 심각한 영향을 미칠 것이며, 그중 상당수의 국가들은 이 영향에 심각하게 취약하다.[48] 이에 따라 “경제성장을 둔화시키고 빈곤의 감소를

---

41) IPCC, *Climate Change 2014: Mitigation of Climate Change* (n 11) 113.

42) Ibid; Sheila M. Olmstead and Robert N. Stavins, ‘Three Key Elements of a Post-2012 International Climate Policy Architecture’, *Review of Environmental Economics and Policy,* 6/1 (2012): 65, 70.

43) US Energy Information Administration, ‘International Energy Outlook 2013’ (July 2013) <http://www.eia.gov/forecasts/archive/ieol3/pdf/0484(2013).pdf> accessed 20 January 2017, 159-65; IPCC, *Climate Change 2014: Mitigation of Climate Change* (n 11) 125-30.

44) 다음 데이터를 기반으로 한다. WRI, CAIT Climate Data Explorer (n 40).

45) Jos G.J. Olivier *et al., Trends in Global $C0_2$ Emissions: 2014 Report* (The Flague: PBL Netherlands Environmental Assessment Agency, 2014) <http://edgar.jrc.ec.europa.eu/news_docs/jrc-20l4-trends-in-global-co2-emissions-20l4-report-93171.pdf> accessed 20 January 2017, 24.

46) Submission by Swaziland on behalf of the African Group under Workstream I of the ADP (8 October 2013) <https://unfccc.int/files/documentation/submissions_from_parties/adp/application/pdf/adp_african_group_workstream_1_20131008.pdf> accessed 20 January 2017.

47) IPCC, *Climate Change 2014: Impacts, Adaptation and Vulnerability* (Cambridge University Press, 2014) SPM, 30-2.

48) IPCC, *Climate Change 2014: Synthesis Report* (n 1) SPM, 13-16; FCCC, ‘Climate Change: Impacts,

더욱 어렵게 만들며, 식량안보를 파괴하고, 기존의 빈곤을 장기화하며, 새로운 빈곤을 창출할 것"으로 예상된다.[49] 개발도상국은 기후변화에 저항성을 가지는 지속가능한 발전경로를 채택해야 하지만, 기후변화에 대한 적응에는 한계가 있다. 일부 국가, 지역사회 및 생태시스템들은 1.5° C에서 2° C의 온난화 수준에 적응할 수 있지만, 3° C에서 4° C의 온난화에는 적응할 수 없을 것이다. 강력한 국제적 지원 메커니즘이 없는 상황에는, 기후변화에 적응하는 일차적인 부담은 아마도 개발도상국에게 있을 것이며, 이는 그들의 희소한 자원을 다른 중요한 인간발전의 목표를 위하여 사용하지 못하게 할 것이다.

세계은행은 개발도상국의 완화 및 적응을 위한 총비용이 2030년까지 매년 약 2,750억 달러에 이를 것으로 추정하고,[50] FCCC는 적응만을 위해서 필요한 비용이 연간 수십억 달러가 될 것으로 추정한다.[51] 선진국은 높은 경제 및 기술역량을 지니고 있지만, 그들이 어느 정도로 개발도상국을 지원할 책임이 있는가에 대해서는 논쟁의 여지가 있다. 말할 나위도 없이, 기후변화에 따른 요구사항들을 다루기 위하여 시스템 내에 충분한 자금을 조성하는 일은 여전히 진행단계에 있다. 그러나 기후변화의 완화와 적응을 위해 현재 및 앞으로 예상되는 재원에 대한 수요는 이용가능한 자금을 크게 초과한다.

마지막으로, 기후변화는 세대 간 평등 문제를 제기한다. 이는 기후변화의 부담이 미래세대에게 떠맡겨지게 될 것이기 때문인데, 특히 기후변화에 적응하는 데 제한된 자원만을 가지고 있는 개발도상국의 미래세대의 경우에 그러하다. 현 세대

Vulnerabilities and Adaptation in Developing Countries' (Bonn: UNFCCC, 2007) <http://unfccc.int/resource/docs/publications/impacts.pdf> accessed 20 January 2017; The Climate Vulnerable Forum <http://www.thecvf.org/> accessed 20 January 2017.

49) IPCC, *Climate Change 2014: Impacts, Adaptation and Vulnerability* (n 47) SPM, 20.

50) World Bank, *World Development Report 2010: Development and Climate Change* (Washington, D.C.: World Bank, 2010). 2007년 FCCC 사무국 보고서는 2030년까지 개발도상국에서 CO_2e 배출량의 약 25퍼센트를 줄이기 위해 전세계 투자 및 금융 흐름에 연간 2000-2100억 달러가 추가로 필요하다는 추산과 유사한 수치를 보였다. FCCC, 'Investment and Financial Flows to Address Climate Change' (Bonn: UNFCCC, 2007) <http://unfccc.int/resource/docs/publications/financial_flows.pdf> accessed 20 January 2017.

51) FCCC, ibid; UNEP, *Adaptation Finance Gap Report 2016* (Nairobi: UNEP, May 2016), 이 문헌은 개발도상국이 기후변화에 적응하는 비용은 2050년까지 연간 2,800-5,000억 달러까지 증가할 수 있다고 지적했다.

가 미래세대에 대한 의무를 져야 하는 것인가? 만약 그렇다면, 그러한 의무는 무엇이며, 그러한 의무가 기후정책에 대해 가지는 함의는 무엇인가?[52)]

환경적 관점은 때로는 윤리적 관점과 갈등관계에 있을 수 있다. 예를 들어, 선진국이 개발도상국보다 역사적인 배출량과 1인당 배출량이 높기 때문에 배출완화의 주요 책임을 져야 한다고 주장하는 경우에 형평성 원칙이 자주 언급된다. 그러나 환경적 관점에서 볼 때, 개발도상국이 배출을 줄이는 것도 중요하다. 이런 이유로, 많은 선진국은 실제적인 환경문제의 해결을 위해서 혹은 심지어 '공정성(fairness)'을 위해서 개발도상국 참여를 촉구한다.[53)]

그럼에도 불구하고, 환경적 효과성과 환경윤리는 서로 얽혀 있는데, 이는 기후정의를 고려하는 것이 기후변화의 수준(1.5° C 또는 2° C)의 수용가능성을 판단하는 데 중요한 요인이 되기 때문이다. 예를 들어, 소도서국과 최빈개도국에 치명적인 피해를 입히는 것에 대한 우려 때문에 2° C 상한선보다 1.5° C 상한선을 선호할 수 있다. 그러나 1.5° C 상한선의 형평성 문제도 제기될 수 있는데, 이렇게 강한 상한선을 잡으면, 현재 많은 국민들이 에너지에 대한 접근성이 없어서 에너지 공급을 확대해야 하고 그래서 배출량을 늘릴 수밖에 없는 국가들이 탄소배출을 대폭 축소하기 위해서 이러한 공급확대를 하지 못할 수 있기 때문이다. 어느 상황에서든 기후정책이 공평하다고 인식되지 않는다면, 그것이 받아들여지거나 실행되어질 가능성은 낮으며, 이는 결과적으로 환경적 효과성을 떨어뜨린다. 여기서의 과제는 주요 배출국이 되는 선진국과 개도국 모두가 수용할 수 있는 윤리적 고려가 반영된 방법을 찾아내어 참여와 의무준수가 저해되지 않도록 하는 것이다.

---

52) Edith Brown Weiss, *In Fairness to Future Generations: International Law, Common Patrimony, and Intergenerational Equity* (New York: Transnational Publishers, 1989) 참조.

53) Umbrella Group Statement, High Level Segment, <http://unfccc.int/resource/docs/cop18__cmp8_hl_statements/Statement%20on%20behalf%20of%20the%20Umbrella%20Group.pdf> accessed 20 January 2017; J. Timmons Roberts and Bradley C. Parks, *A Climate of Injustice: Global Inequality, North-South Politics, and Climate Policy* (MIT Press, 2007) ch. 5.

Ⅲ. 국제기후변화법제의 구별

기후변화는 1980년대 후반부터 중요한 국제적 문제였고, 국가들은 이에 대응하기 위하여 상당한 국제법상의 총체를 발전시켰다.[54] 그 법의 대부분은 조약기반적(treaty-based)인 것이고, 1992년 유엔기후변화협약(United Nations Framework Convention on Climate Change, FCCC)의 주관하에서 이루어진 것이다. 여기에는 교토의정서,[55] 2015년 파리협정, 그리고 이 문서들에 대한 당사국들의 수많은 결정들이 포함된다. 우리는 이 원칙, 규칙, 규정 및 기관들의 방대한 총체를 유엔기후체제(UN Climate Regime)라고 칭할 것이다. 이는 다양한 기능을 하고 있는데, 여기에는 진행중인 협상을 용이하게 하는 것, 적응·완화 및 지원과 관련된 핵심 의무들의 이행을 추적하고 가능하게 하는 것, 의무준수를 감독하는 것이 포함된다. 이 책의 제3장은 조약기반적 접근에 대한 일반적인 개관을 제공하고, 제4장은 유엔기후체제의 발전을 추적하며, 제5장에서 제7장은 유엔기후체제의 주요 합의사항에 대한 상세한 분석을 제공한다.

유엔기후체제가 국제기후변화법제의 핵심을 형성하고는 있지만, 국제기후변화법은 유엔체제뿐만 아니라 기후변화와 관련된 일반적 국제법의 규정과 원칙, 다른 조약체제 및 국제기구에 의해 개발된 규범과 지역, 국가 및 국가하부적 수준의 규정, 정책 및 제도들, 국가, 지역 그리고 국제수준의 재판소에서의 판례들을 모두 포함한다.[56] 이 책은 유엔기후체제에 초점을 맞추고 있지만, 제2장은 일반국제법, 특히 관습법에 대해 고찰하고, 제8장은 기후변화 문제에 대한 다원적인 거버넌스에 대해 개관한다. 또한 제9장은 인권법, 이주법, 통상법 등 다른 국제법 분야와 기후변화법의 교차점을 검토한다.

우리가 '국제기후변화법제(international climate change law)'라고 말할 때, 이는

---

54) 기후변화 쟁점의 역사에 대해서는 제4장 참조.

55) 기후변화에 관한 국제연합 기본협약에 대한 교토의정서(Kyoto Protocol to the United Nations Framework Convention on Climate Change), 1997.12.11. 채택, 2005.02.16. 발효, 2303 UNTS 162 (Kyoto Protocol).

56) 기후변화 판례들에 대한 간단한 논의는 제8장 VI 참조.

그 자체의 연원, 법제정 방식과 원칙을 가지는 특정한 법들의 독립적인 총체를 칭하는 것이 아니다. 오히려 국제기후변화법은 국제환경법과 국제공법(public international law) 분야에 광범위하게 걸쳐져 있다.[57] 실제로 제2장은 국제법의 광범위한 맥락에서 국제기후변화법의 위치를 규명하는 데 집중한다. 이 맥락에는 일반적인 국제법의 규정과 원칙이 포함되는데, 이들의 진화적 발전은 조약기반적 기후변화법이 두드러진 역할을 하는 이유를 설명해준다. 이와 유사하게 제3장은 조약에 기반한 법제정에 대해 상세하게 다룬다. 그리고 제9장은 국제법의 다른 분야에 대한 기후변화의 함의와 그 반대 경우의 함의에 대해 검토한다. 간단히 말해, 이 책은 '쟁점의 파편화'를 지양하고 국제법상 존재하는 '법의 상호연관성 및 공통점'을 밝히고자 노력한다.[58] 이 책에서 보여주듯이, 국제기후변화법은 어떤 측면에서는 국제환경법의 전형이 된다. 그러나 다른 측면에서 국제기후변화법은 다른 영역의 국제법에는 미래의 위험요소에 대한 전조가 된다.[59] 좀 더 일반적으로 보면, 이 두 경우 모두에서 국제기후변화법은 그 형성의 과정에서 국제법 발전을 위한 실험실의 역할을 한다.

Ⅳ. 국제기후변화법의 주요 문제

국제기후변화법은 네 가지 기본 문제에 중점을 둔다. (1) 기후변화의 완화, 즉 기후변화의 제한과 발생의 방지, (2) 해로운 영향을 제한하기 위한 기후변화에 대한 적응, (3) 완화와 적응을 위한 재정 및 기타 수단들 그리고 (4) 이행, 의무준수 및 효과를 증진하기 위한 국제적 감독이 그것이다.

국제기후변화법의 발전과정에서 국가들은 기후체제가 완화에 우선적으로 초

57) Birnie, Boyle 그리고 Redgwell은 '국제환경법' 및 '국제공법'과 관련하여 유사한 주장을 한다. Patricia Birnie, Alan Boyle, and Catherine Redgwell, *International Law and the Environment* (Oxford University Press, 3rd edn, 2009) 2-4.

58) Elizabeth Fisher *et al.*, 'Maturity and Methodology: Starting a Debate about Environmental Law Scholarship', *Journal of Environmental Law,* 21/2 (2009): 213, 241.

59) Duncan French and Lavanya Rajamani, 'Climate Change and International Environmental Law: Musings on a Journey to Somewhere', *Journal of Environmental Law*, 25/3 (2013): 437.

점을 맞추어야 하는지, 아니면 완화와 적응 사이의 균형을 맞추어야 하는지에 대해 상이한 관점을 취해왔다. 비록 FCCC의 목적에 완화와 적응 모두 언급되고 있지만,[60] 유엔기후체제의 초기 10년 동안 그 초점은 분명히 완화에 있었다. 1995년부터 2001년까지 국가들은 온실가스 배출목표와 선진국의 성취기한을 규정하는 교토의정서를 위한 협상과 그 구체화에 몰두해 있었다. 기후체제에서 적응행동, 협력 및 지원을 강화하는 방법에 대해 심각하게 고려하기 시작한 것은 그 이후부터이다. 한편, 체제의 역사를 통틀어, 개발도상국은 특히 재정지원 및 기타 이행수단에 초점을 맞추어 왔는데, 여기에는 기술이전과 역량강화가 포함된다. 마지막으로, 유엔기후체제는 보고 및 검토를 위한 안정적 시스템을 발전시키는 것도 강조하고 있는데, 이는 투명성(transparency)을 증진시키고 이전까지는 일관적이지 못했던 비준수에 대한 결과를 결정하고 부과하는 강력한 절차를 발전시키는 것이다.

A. 완화

국제기후변화법에서 상당 부분이 완화에 초점을 맞추는데, 여기에는 온실가스 배출량을 제한하는 조치와 흡수원(sinks)을 보존 또는 강화하는 조치가 모두 포함된다.[61] 배출감소 정책에는 에너지 효율표준, 재생에너지 보조금, 탄소세, 배출권거래제, 도시 대중교통시스템에 대한 자금지원, 기술의 연구 및 개발이 포함된다. 흡수원 보존과 관련된 정책에는 일반적으로 '토지이용, 토지이용변화 및 임업활동(land use, land-use change, and forestry, LULUCF)'과 관련되며, 산림벌채 및 산림황폐화로 인한 배출량을 줄이고(REDD+), 조림을 장려하는 조치가 포함된다.

완화와 관련된 문제는 다음과 같다.

- *배출량의 통제를 경제 전반을 단위로 해야 하는가, 아니면 부문의 수준에서 해야 하는가?* 일반적으로 유엔기후체제는 총국가배출량을 다루려고 노력해 왔으며, 전력발전이나 건물과 같은 특정 부문들을 분리하지 않았다.[62] 그러

60) FCCC, Art 2.
61) IPCC, *Climate Change 2014: Mitigation of Climate Change* (n 11) SPM, 4.
62) Ibid. 반면 IPCC 보고서에서 완화에 대한 부분은 부문단위로 되어 있는데, 그 부문들에는 에너지공급, 에너지 최종사용분야, 토지이용, 건물, 기반시설 등이 포함된다.

나 국제해상 및 항공운송으로부터의 배출을 포함한 몇몇 부문들은 특별한 관심을 받는다. 이 부문의 배출문제는 각각 국제해사기구(International Maritime Organization, IMO)와 국제민간항공기구(International Civil Aviation Organization, ICAO)가,[63] 그리고 산림은 REDD+가 담당한다.[64]

- *온실가스를 포괄적으로 규제할 것인가, 아니면 가스의 종류에 따라 따로 규제할 것인가?* 이산화탄소는 총 온실가스 배출량의 3분의 2 이상을 차지하고,[65] 토지이용으로 인한 배출을 제외하고는 배출량을 정확하게 산출될 수 있음에도 불구하고, 유엔기후체제는 이산화탄소에 구체적으로 초점을 맞추지 않은 바 있다. 대신 온실가스를 포괄적으로 다루는 것으로 비용효율성을 증진하고자 하였는데, 이는 국가들이 최소한의 비용으로 줄일 수 있는 모든 가스를 줄이는 데 집중하도록 한 것이다.[66] 이와 반대로, 몬트리올의정서를 통해 기후변화를 해결하려는 노력은 특정 가스에 집중하였는데, 그것은 처음에는 염화불화탄화수소(HCFCs)였으며 현재는 수소불화탄소(HFCs)에까지 이르렀다.[67]
- *특정 조치를 국제적으로 규정할 것인가, 아니면 국가들에게 유연성을 줄 것인가?* 일반적으로 국제기후변화법은 특정한 완화조치를 규정하지 않았다. 대신 아래 V.2에서 논의되는 바와 같이, 국가들이 자체 정책을 개발하고 보고할 수 있도록 하는 상향식 접근방식을 채택하거나, 국제적 규정을 마련한 경우에는, 예를 들어 배출량을 특정한 양으로 줄이는 것과 같은 규정들을 통해 결과에 대한 의무가 부과되었는데, 이는 국가로 하여금 그 부과된 결과에 도달하기 위해서 어떤 정책을 선택할 것인지에 대한 재량을 부여한 것이다. 이 일반규칙에 대한 한 가지 예외는 IMO가 해상운송으로 인한 배출

---

63) 제8장 IV.A.1 및 IV.A.2 참조.

64) Christina Voight (ed), *Research Handbook on REDD+ and International Law* (Cheltenham: Edward Elgar Publishing, 2016) 참조.

65) IPCC, *Climate Change 2014: Synthesis Report* (n 1) SPM, Figure SPM 1.2.

66) 제5장 IV.B.2 참조.

67) 오존층 파괴물질에 관한 몬트리올의정서(Montreal Protocol on Substances that Deplete the Ozone Layer) 1987.09.16. 채택, 1989.01.01. 발효, 1522 UNTS 3 (Montreal Protocol). 몬트리올의정서에 대한 논의에 대해서는 제8장 IV.B 참조.

을 제한하기 위한 조치로서 '선박에 의한 해양오염 방지협약(International Convention for the Prevention of Pollution from Ships, MARPOL)'에[68] 따라 선박에 대한 의무적인 에너지효율표준을 채택한 것이다.[69]

- *배출량 감축 부분을 국가가 융통성 있게 결정할 수 있도록 할 것인가?* 배출권거래와 같은 시장 메커니즘은 국가가 타국가의 배출감축을 통해 자국의 감축의무를 이행하는 것을 허용한다. FCCC는 당사국들이 배출량을 감축하기 위해 공동으로 사업을 수행할 수 있도록 하는 초기적 시장 메커니즘을 포함했다.[70] 교토의정서는 시장 메커니즘을 더 광범위하게 도입하였는데, 이는 국가들로 하여금 (1) 타국가와의 청정개발체제(Clean Development Mechanism)와 공동이행(Joint Implementation)을 통해서 다른 국가에서 감축 프로젝트를 수행하는 것으로 크레딧을 얻을 수 있게 했다. 그리고 (2) 배출 허용량을 타국가들과 거래하는 것을 용인하여, 배출권을 감축비용이 더 높은 국가에게 판매하고, 비용이 낮은 국가로부터 구매할 수 있도록 하였다.[71]
- *각기 다른 역량과 책임에 맞추어 국가의 의무를 어떻게 조정해야 하는가?* 차등화(differentation)의 문제는 완화의 맥락에서 가장 논란이 되고 있는 부분 중 하나로 아래 V.C에서 별도로 논의된다.

B. 적응

과학자들은 기후변화가 연안 지역, 농업, 산림, 보건 및 생물다양성에 극적인 영향을 미치면 적응의 필요성이 생길 것이라고 예측하고 있다. 적응은 "기후변화의 악영향을 예상하고 그것이 야기할 수 있는 피해를 예방하거나 최소화하기 위해 적절한 조치를 취하는 것"을 포함한다.[72] 일부 적응활동은 열저항력이 좋은 작물

68) 1978년 선박으로부터의 오염방지를 위한 국제협약에 관한 1978년 의정서(Protocol of 1978 Relating to the International Convention for the Prevention of Pollution from Ships), 1978.02.17. 채택, 1983.10.02. 발효, 1340 UNTS 61 (MARPOL 73/78).
69) 제8장 IV.A.1 참조.
70) 제5장 IV.B.3 참조.
71) 시장 메커니즘에 대해서는 제6장 V 참조.
72) European Commission, Climate Action, 'Adaptation to Climate Change' <http://ec.europa.eu/clima/

의 개발 및 제방건설과 같은 기후변화의 영향에 특별히 중점을 둔다. 그러나 많은 적응을 위한 활동들은 일반적으로 리스크에 대한 사회의 자가회복력을 향상시키는 것을 목적으로 하는데, 여기에는 역량을 강화하고, 빈곤을 줄이며, 재난에 대한 대비를 강화하는 것이 포함된다.

집단적 행동이 필요한 완화와는 달리, 적응은 대개 개별 국가에서 수행할 수 있다. 더욱이 국가들은 적응행동을 하고자 하는 동기를 가지고 있는데, 이는 적응조치의 이익이 일반적으로 국제사회 전체가 아니라, 각 국가에 돌아가기 때문이다. 이러한 이유로 적응에 있어서의 국제협력의 역할은 완화의 경우와 매우 다르다. 국제기후체제는 적응을 위한 의무를 강요할 필요가 없다. 왜냐하면 국가들은 자국의 이해에 따라 독자적으로 적응행동을 하기 때문이다. 그 대신 국제협력의 주요 기능은 적응을 지원하고, 정보공유를 촉진하는 것이다.

적응과 관련된 국제적 행동에는 세 가지 기본적인 행위논리가 있다. 첫째, 기후변화의 영향을 소도서국들과 같이, 실제로 기후변화가 야기되는 데 거의 영향을 주지 않은 국가들이 더 많이 받게 되는 경우, 기후변화를 주로 야기한 국가들이 복구적 정의(restorative justice)의 차원에서 소도서국 등이 과도한 부담을 지지 않도록 도와준다. 둘째, 기후변화의 영향을 가장 많이 받는 국가들은 약소하고 대응력이 부족한 경우가 많다. 그러므로 국제적 지원으로 이들 국가들의 역량을 키워주어야 한다. 마지막으로 각국이 직면한 적응과제가 유사하기 때문에, 국가는 기후변화 영향의 평가방법이나 성공적인 정책 및 관행에 관한 정보를 교환하여 서로가 배울 수 있도록 해야 한다.

C. 재정

1980년대 후반에 재정(finance)은 국제환경법의 주요 쟁점으로 떠올랐다. 1987년 '오존층 보호를 위한 비엔나 협약(Vienna Convention for the Protection of the Ozone Layer)'은 재원의 이전(transter)에 관하여 규정하지 않았다.[73] 개도국에 대한 구체적

policies/adaptation/index_en.htm> accessed 20 January 2017.

73) 오존층 보호를 위한 비엔나 협약(Vienna Convention for the Protection of the Ozone Layer),

인 통제조치를 수립한 1987년 몬트리올의정서조차도 선진국이 "개발도상국들에게 보조금, 원조, 신용, 보증 또는 보험의 공여를 제공"하는 것에 관한 약한 의무만을 포함했다.[74] 그러나 몬트리올 이후로 개발도상국들은 선진국들이 추가재원과 기술을 제공할 경우에만 오존층 파괴물질을 제한하는 의무를 수용할 것이라는 주장을 하기 시작했다. 이에 1990년 런던개정(London Amendments)은 세계은행이 관리하는 기금을 설립하여 개발도상국들이 몬트리올의정서를 이행하는 것을 돕게 하였다.[75] 유엔기후체제는 런던개정을 위한 협상이 중단되었을 때 개시되었다고 보면 된다.

완화와 적응에 필요한 자원의 규모가 크다는 것과, 완화와 적응 조치를 배출량이 적거나 역량이 약한 개도국들에게 부담지우는 것이 불평등하다는 것을 감안할 때, 그 개도국들에게 재원이 얼마나 지원되는가는 기후변화를 다루는 데 결정적인 요소가 된다. 그러나 재정의 세계는 그 자체가 복잡성과 기술관료제, 민감성이라는 문제를 수반하고 있다. 이러한 문제와 상호연관된 수많은 다른 문제들이 수년 동안 협상가들을 괴롭혀 왔다.

- *국제 자금조달의 전반적인 규모는 어떻게 되어야 하는가?* 이미 언급되었듯이, 세계은행과 FCCC 사무국은 그 금액을 연간 수억 달러에 이를 것으로 예상했다.[76] 이 비용 중 얼마를 국제자금에서 조달해야 하는가? 선진국들이 2009년 코펜하겐 회의와 2015년 파리협정에서 기후재원으로 연간 1천억 달러를 동원하겠다고 합의했으나,[77] 이 금액은 세계은행과 FCCC의 예상비용에는 미치지 못하고 있다. 그리고 이 비교적 작은 기여조차 충족되어 가고 있는지에 대해 서로 다른 보고가 이루어지고 있다.[78]

1985.03.22. 채택, 1988.09.22. 발효, 1513 UNTS 293.

74) Montreal Protocol, Art 5.3.

75) 오존층 파괴물질에 관한 몬트리올 개정의정서(Amendment to the Montreal Protocol on Substances that Deplete the Ozone Layer), 1990.06.29. 채택, 1992.0810. 발효, (1991) 30 ILM 537.

76) 위 nn 50-51 및 그곳의 본문 참조.

77) Decision 2/CP.15, 'Copenhagen Accord' (30 March 2010) FCCC/CP/2009/11/Add.l, 4 (Copenhagen Accord), para 8 (2020년까지 연간 1,000억 달러를 동원하겠다고 약속); Decision 1/CP.21 (n 20) para 53 (1,000억 달러 약속을 2025년까지 연장).

78) Organization for Economic Co-operation and Development (OECD), 'Climate Finance in 2013-2014 and USD 100 Billion Goal' (2015) <http://www.oecd.org/env/cc/Climate-Finance-in-2013-14-and-the-USD-billion-goal.pdf> accessed 20 January 2017 (2014년 동원된 기후재원 620억 달

- *국제자금은 어디에서 오는가? 공공기금, 민간부문 투자의 유출입 또는 탄소세와 같은 자동적 메커니즘에서 오는가?* 선진국의 1천억 달러 재원동원의 의무에는 사적자원에 의한 기금이 포함된다. FCCC 사무국에 따르면, 이는 현재 기후재원의 86퍼센트를 차지한다.[79)]
- *공공기금이 사용되는 경우, 어떤 국가가 기여의무를 가지게 되며, 기여의 수준은 어떻게 결정되어야 하는가?* 지원에 대한 규정과 그 액수는 의무적이어야 하는가, 아니면 자발적이어야 하는가? 유엔기후체제는 FCCC 부속서II에 속한 국가들(1992년 현재 OECD 회원국들을 포함)에 대해서만 재정을 제공할 의무를 부과하지만, 그 당사국들이 그 지원의 규모를 스스로 결정할 수 있도록 했다.
- *어느 국가들이 지원을 받을 수 있는가?* 모든 개발도상국이 포함되어야 하는가? 아니면 최빈개도국(Least Developed Countries, LDCs)과 소도서 개발도상국과 같이 특별한 상황에 처한 하위집단 또는 체제전환국(Economies in Transition, EITs)과 터키를 포함하는 광범위한 하위집단이 포함되어야 하는가? 유엔기후체제는 일반적으로 개발도상국에 대해서만 지원하는데,[80)] 어떤 국가들이 개발도상국인지는 규정하고 있지 않다.
- *어떤 유형의 비용이 포섭되어야 하는가?* 재원이 온실가스 조사나 보고를 준비하는 데 필요한 비용에만 제공되어야 하는지, 아니면 배출량 감축대책, 기후변화 적응 및 기후변화로 인한 '손실 및 피해'의 비용에 대해서까지 제공되어야 하는지가 문제된다. 선진국들은 보고를 위한 재정지원을 제공하고자

러)와 Climate Change Finance Unit, Ministry of Finance, Government of India, 'Climate Change Finance, Analysis of a Recent OECD Report: Some Credible Facts Needed' (2015) <http://pibphoto.nic.in/documents/rlink/2015/nov/p2015112901.pdf> accessed 20 January 2017 (OECD 보고서의 방법론 비판).

79) FCCC, 'Fact sheet: Financing climate change action: Investment and financial flows for a strengthened response to climate change' <http://unfccc.int/press/fact_sheets/items/4982.php> accessed 20 January 2017; Barbara Buchner *et al,* 'The Landscape of Climate Finance 2012' (Climate Policy Initiative, November 2012) <http://climatepolicyinitiative.org/wp-content/uploads/2012/12/The-Landscape-of-Climate-Finance-2012.pdf> accessed 20 January 2017; Smita Nakhooda, Neil Bird, and Liane Schalatek, 'Climate Finance Fundamentals Brief 3: Adaptation Finance' (Heinrich Boll Stiftung and Overseas Development Institute, November 2011) 참조.

80) FCCC, Art 4.3.

하는 의사는 있지만, 다른 범주의 비용에 대해서는 거의 그렇지 않다.

- *재정자원은 어떻게 관리되어야 하는가?* 재원을 어떻게 사용할지에 대해서는 누가 결정해야 하는가? 기여국과 수령국 간의 협상을 통해 양국 간 지출을 결정해야 하는가? 아니면, 재정지원은 지구환경금융(Global Environment Facility, GEF)이나 FCCC에 의해 새로 설립된 기관을 통해 다자적으로 관리되어야 하는가? FCCC는 다자간 재정 메커니즘을 설립하였는데, 이는 처음에는 GEF에 의해 운영되다가 최근에는 녹색기후기금(Green Climate Fund)에 의해 운영되고 있다. FCCC는 또한 국가들이 양자간 관계를 통해 지원을 제공하는 것도 인정한다.[81)]

D. 감독

국제적인 감독은 이행, 의무준수 및 실효성을 촉진하기 위한 메커니즘들을 포함한다. 여기에는 (1) 국가의 온실가스 배출량과 완화 및 적응조치에 대한 국가보고서, (2) 국가들이 제공한 정보에 대한 전문적 검토, (3) 이행 및 의무준수에 대한 평가 메커니즘, (4) 실효성 검토 그리고 (5) 분쟁해결절차가 포함된다. 이들 중 마지막을 제외하고는 모두가 국제기후변화법에서 두드러진 역할을 한다. FCCC는 보고 관련 요구사항을 규정하고, 전문적 검토절차의 개발을 승인하였으며, 실효성의 검토에 대해 규정하였다. 교토의정서는 보다 법적 구속력이 있는 감축목표를 부여하면서 국가들에 대한 더 엄격한 감독체제를 만들었고, 집행조치를 취할 수 있는 의무준수 메커니즘을 도입하였다. 그리고 파리협정은 모든 당사국에게 적용가능한 투명성 체계의 강화와 이행 및 의무준수 메커니즘 그리고 정기적인 진행의 검토를 규정했다.

81) Ibid, Art 11.5.

V. 유엔기후변화체제의 반복되는 주제들

기후변화 문제를 해결하기 위해 유엔기후체제가 다양한 해결책을 시도하면서 그 변화의 방향을 개조하고, 수정하고, 심지어는 변경해왔다. 이렇게 해결책을 모색하는 데서 반복적으로 논의되는 세 가지 쟁점은 기후변화법들의 법적 형태(legal form)와 그 조항들의 법적 특성, 기후문서들의 설계(architecture), 선진국과 개발도상국의 차등화(differentiation)에 대한 것이다.

이 세 가지 반복되는 주제와 관련하여 시도된 기후체제 내에서의 실험들은 당사국들의 효과적이고 공평한 체제를 개발하기 위한 지속적인 노력을 반영한다.[82] 체제가 실효성을 갖기 위해서는 보편적인 참여까지는 아니더라도 폭넓은 참여를 유도해야 하고, 지구온난화에 대한 전지구적 배출에 대한 상당한 감축이 목표로서 규정되어야 하며, 이것이 준수되어야 한다. 그러나 보편적 참여와 배출의 유의미한 감축을 모두 확보하는 것은 호혜성, 경제적 손실, 부담배분의 공정성 혹은 형평성과 관련된 문제들로 인해 어렵다는 것이 드러났다. 또한 협정이 시간이 지나도 효과적이기 위해서는, 과학과 기술의 진화와 국가 및 지역의 경제상황 및 배출량의 변화에 상응하는 변화가 있어야 한다. 그러나 이처럼 시의적절하게 체제를 진화시키는 것 역시 유엔기후체제 내에서 확보되기 어려운 것으로 드러났다. 기후체제에서 참여, 유의미한 감축 및 체제의 진화를 보장하는 것에 대한 어려움들은 참여자들 간의 신뢰의 부족 때문일 수도 있다. 궁극적으로 하나의 협정이 실효성을 가지기 위해서는 주인의식과 헌신에 대한 의식이 생성되어야 하는데, 이는 상호간의 신뢰와 이해가 있을 때만 발전할 수 있는 것이다. 기후체제가 법적 형태, 성격, 구조 및 차등화를 두고 한 실험들은 신뢰의 구축, 참여의 유도, 학습의 증진, 역동성, 규제준수, 실효성의 쟁점들과 관련성을 가진다. 이 쟁점들은 제3장에서 더 자세히 논의될 것이며, 여기서는 이 책의 뒷부분에 나오는 많은 논의의 맥락과 배경을 제공하기 위해 이 세 가지 주제에 대한 기본적인 설명만을 제공하도록 하겠다.

---

82) Kal Raustalia, 'Compliance and Effectiveness in International Regulatory Cooperation', *Case Western Reserve Journal International Law,* 32/3 (2000): 387.

A. 법적 구속력

기후변화에 대한 정치적 입장에 있어서 견해의 차이가 크고 기후변화행동이 잠재적으로 높은 비용이 들기 때문에, 기후변화체제는 상당히 혁신적인 법제와 다양한 수준의 법적 효력을 가지는 조항들을 개발해왔는데,[83] 이로 인하여 법과 '법이 아닌 것(non-law)'의 경계가 불분명해졌다. 법적 구속력이 있는 문서(legally binding instrument)는 '기대들을 통보'하고, '종속성를 생성'하고, '법규 준수로 유도'한다.[84] 이러한 방식으로 법적 구속력이 있는 문서는 '신뢰할 만한 의무'를 생성하고,[85] 이에 대한 위반은 평판을 떨어뜨리는 비용을 수반하게 된다.[86] 법적 구속력이 있는 문서는 구속력이 없는 것에 비해 일반적으로 더 영속성이 있고, 국내의 정치적 변화를 더 잘 극복한다.[87] 그러나 법적 구속력이 있는 문서를 이용하는 것은 또한 상당한 '주권 비용'이 들게 된다.[88] 국가는 협정에 의해 규제되는 일부 영역에서 의사결정에 대한 재량을 잃을 수도 있고, 국가의 의사결정을 국제적 감시에 노출시킬 수도 있다.[89] 따라서 문서에 법적 구속력을 부여하는 것은 참여를 감소시키거나 더 낮은 수준의 의무를 가져올 수 있기 때문에 결과적으로 그 문서의 실효성에 부정적인 영향을 미칠 위험이 있다.[90] 예를 들어, 중국, 인도 및 미국을 비롯한 많은 국가들은 교토의정서의 법적 구속력이 있는 배출량에 대한 제한들을 받

83) 이 절은 다음 문헌을 참조한다. French and Rajamani, Climate Change and International Environmental Law (n 59).

84) Dinah Shelton, 'Introduction', in Dinah Shelton (ed), *Commitment and Compliance: The Role of Non-Binding Norms in the International Legal System* (Oxford University Press, 2000) 8; Thomas M. Franck, *The Power of Legitimacy Among Nations* (Oxford University Press, 1993).

85) Kenneth Abbott and Duncan Snidal, 'Hard and Soft Law in International Governance', *International Organisation*, 34/3 (2000): 421,426.

86) Ibid, 427; Jacob Werksman, 'The Legal Character of International Environmental Obligations in the Wake of the Paris Climate Change Agreement' (Brodies Environmental Law Lecture Series, 2016).

87) Werksman, ibid. 물론 예외도 있다. 캐나다 정부는 교토의정서에 서명하고 비준했지만, 다른 정부가 들어서면서 의정서에 대한 태도를 바꾸면서 탈퇴했다.

88) Abbott and Snidal (n 86) 436-41.

89) Ibid.

90) Daniel Bodansky, 'Legally-Binding versus Non-Legally Binding Instruments', in Scott Barrett, Carlo Carraro, and Jaime de Melo (eds), *Towards a Workable and Effective Climate Regime* (London: Centre for Economic Policy Research Press, 2015) 155.

아들이려 하지 않았으며, 결과적으로 교토의정서는 전세계 배출량의 약 4분의 1만을 다루게 되었다. 결국 이 결과는 더 광범위한 참여를 유도하기 위한 비공식적이고, 연성적이며, 훈시적인 규정을 통한 혁신과 실험으로 이어졌다. 이러한 문제에 대해서는 제3장에서 자세히 설명하겠다.

1. 조약

1992년 FCCC, 1997년 교토의정서 및 2015년 파리협정은 모두 조약이며 법적 구속력이 있는 문서이다. 그러나 이들 문서에 포함된 조항들이 가지는 법적인 의무의 정도가 각기 다른데, 이는 맥락 또는 선언적인 내용의 것에서부터 법적 의무를 형성하는 것까지에 이른다.[91] 조약상 한 조항의 '법적 구속력'은 다음과 같은 많은 요소들에 의해 좌우된다.

- 조약의 전문 또는 본문과 같은 조항의 위치
- 그 조항에서 지칭하는 수범자가 국가의 집단, 개별적 국가 혹은 그외의 대상인지 여부
- 의무적 문언 또는 권고적 문언의 사용
- 문언의 명확성
- 투명성, 책임, 의무준수를 위해 존재하는 제도적 메커니즘[92]

예를 들어, 선진국에게 1990년 배출 수준으로 되돌아가는 것을 '목표로' 정책과 조치를 취할 것을 요구하는 FCCC 제4조 제2항의 온실가스 감축의무는 연성의무(soft obligation) 또는 준목표(quasi-target)이다.[93] 교토의정서 제3조의 온실가스 감축의무는 선진국이 부속서B에 열거된 온실가스 목표를 달성하도록 요구하는데, 이는 "parties shall"을 포함하는 경성의무(hard obligation)이고,[94] 파리협정 제4조

---

91) 제7장 II.A 참조.

92) Lavanya Rajamani, 'The 2015 Paris Agreement: Interplay Between Hard, Soft and Non-Obligations', *Journal of Environmental Law*, 28/2 (2016): 337; Bodansky, Legally Binding versus Non-Legally Binding Instruments (n 90); Daniel Bodansky, 'The Legal Character of the Paris Agreement', *Review of European, Comparative and International Law*, 25/2 (2016): 142 참조.

93) 제5장 IV.B.1 참조.

94) Kyoto Protocol, Art 3.1.

제2항에서 국가별 기여방안(nationally determined contributions, NDCs)을 준비, 전달 및 유지하는 의무도 그러한 경성의무이다. 또한 '행동의 의무(obligations of conduct)'와 '결과의 의무(obligations of result)' 사이의 구별이 중요한데, 국제기후체제는 이 두 가지 사례들이 다수 존재한다. 교토의정서 제3조는 결과에 대한 의무로 참여국들이 부속서B에 열거된 목표를 성취할 의무가 있다. 이와 달리 파리협정 제4조 제2항은 행위의 의무(예를 들어 NDC를 '준비, 전달 및 유지'할 의무)를 설정한다.

2. 당사국의 결정

조약 이외에, 국제기후체제는 FCCC와 교토의정서의 당사국총회에서 내린 수백 가지의 결정들을 포함한다.[95] 당사국총회(Conference of the parties, COP)의 결정들은 그들의 모체가 되는 조약들이 구체적으로 총회결정에 구속력을 부여하지 않는 경우에는 형식적으로 법적 구속력을 갖지 않는다.[96] 그러나 COP 결정들은 기후체제에서 상당히 중요한 운영상 및 법적인 의미를 가져 왔다. 그들은 조약의 규범적 핵심을 강화하고 확대시켰는데, 이는 조약의 규정들을 구체화하고,[97] 기존의무들의 적절성을 검토하며,[98] 추가적 협정들을 채택하기 위한 협상을 여는 방식으로 이루어졌다.[99] COP 결정들은 이행 및 의무준수를 감독하기 위한 정교한 제도적 체계를 마련했다.[100] COP 결정이 가지는 중요한 운영상의 의미를 더 강화시킨

95) FCCC, Art 7; Kyoto Protocol, Art 9; 일부는 다자간 환경협약에서 체제를 점진적으로 발전시키기 위한 입법역량이 '조약의 공식 개정권한'에 해당한다고 주장한다; Volker Roben, 'Institutional Developments under Modern International Environmental Agreements', *Max Planck Yearbook of United Nations Law*, 4/1 (2000): 363, 391 참조.

96) 공식적인 법적 관점에서 COP 결정은 명시적 승인이 없으면 법적으로 구속력이 없다. Jutta Brunnée, 'COPing with Consent: Law-Making under Multilateral Environmental Agreements', *Leiden Journal of International Law,* 15/1 (2002): 1 참조.

97) Kyoto Protocol, Arts 6.2, 12.7, and 17, and Decision 2/CMP.l, 'Principles, Nature and Scope of the Mechanisms pursuant to Article 6, 12 and 17 of the Kyoto Protocol' (30 March 2006) FCCC/KP/CMP/2005/8/Add.1 참조.

98) FCCC, Art 4.2(d)에 따름.

99) Decision 1/CP.l, 'The Berlin Mandate: Review of the adequacy of Article 4, paragraph 2(a) and (b), of the Convention, including proposals related to a protocol and decisions on follow-up' (6 June 1995) FCCC/CP/1995/7/Add.l,4 (Berlin Mandate); Decision 1/CP.17, 'Establishment of an Ad Hoc Working Group on the Durban Platform for Enhanced Action' (11 December 2011) FCCC/CP/2011/9/Add.l, 2 (Durban Platform).

100) 예를 들어, 청정개발체제(CDM)의 집행위원회, 공동이행 감독위원회, 준수 감시위원회와 같

또 다른 근거는 기후체제 조약의 문언이 종종 장기적인 의견불일치를 반영하는 의도적 모호성을 내포하기 때문이다. COP 결정에 의해 합의된 문언은 후속의 문서에서 종종 강조되고, 인용되며, 재생산되곤 하였다. 예를 들어, COP 결정 중 하나인 '베를린 위임사항(Berlin Mandate)'에서 선택된 문언들은 문자 그대로 교토의정서의 운영규정에 포함되었다.[101] 또한, 베를린 위임사항, 발리행동계획(Bali Action Plan)[102] 및 더반플랫폼(Durban Platform)과 같은 새로운 협상 라운드를 개시하는 COP 결정들은 체제 전체의 틀과 당사자들이 거의 이탈하지 않는 행위의 반경을 생성하였다. 예를 들어, 베를린 위임사항은 개발도상국에 대한 새로운 의무를 부과하는 것을 명시적으로 제외하였고, 교토의정서는 이에 따라 이들의 의무를 포함하지 않았다.

또한 COP 결정은 공식적인 법의 연원이 아니지만, 규범적인 힘을 생성하는 많은 특성들을 가지고 있다. COP 결정들은 배출권거래에 참여하기 위한 자격요건에 관한 결정과 같은 구체적인 것일 수 있다.[103] 이러한 결정들은 때로는 강제적인 문언('shall')을 사용한다.[104] 그 결과로 COP 결정은 부정확하거나 권고적인 조약조항들보다 더 높은 수준으로 국가의 행동에 실질적으로 영향을 미치거나 그 행동을 제한할 수 있으며, 이는 실제로 의무준수에 대한 압력으로 작용될 수도 있다.

3. 정치적 합의

당사국의 조약 및 결정 외에도 국제기후체제에는 상당한 중요성을 가지는 정치적 합의들이 포함되며, 그중에 특별히 주목할 것은 2009년 코펜하겐 합의문

은 국가 및 비국가 행위자에게 상당한 영향력이 있는 기관들은 모두 COP 결정으로 구성되었다. Decisions 2-24/CP.7, 'Marrakesh Accords' (21 January 2002) FCCC/CP/2001/13 (Marrakesh Accords) 참조.

101) 제2항 (b)호, 베를린 위임사항 및 교토의정서 제10조의 내용을 비교. 두 나라 모두 부속서I에 포함되지 않은 당사자들에 대한 '새로운 의무를 도입하는 것이 아니라 기존 의무를 재확인하는 것'에 관한 내용을 담고 있다.

102) Decision 1/CP.13, 'Bali Action Plan (14 March 2008) FCCC/CP/2007/6/Add.l, 3 (Bali Action Plan).

103) Decision 11/CMP.l, 'Modalities, rules and guidelines for emissions trading under Article 17 of the Kyoto Protocol' (30 March 2006) FCCC/KP/CMP/2005/8/Add.2.

104) Brunnée, COPing with Consent (n 96) 26, 29.

(Copenhagen Accord)이다.[105] 코펜하겐 합의문은 FCCC에 가입된 28개 당사자 정부의 정상들에 의해 이루어졌으며, 여기에는 주요 배출국과 경제권뿐만 아니라 가장 취약하고 저개발된 국가들을 대표하는 국가들도 참여했다. 그러나 이는 COP에서 언급만 되었을 뿐 공식적으로 채택되지 않았다.[106] 이에 따라 코펜하겐 합의문의 FCCC 제도를 통해 작동될 수 있는 COP 결정도 아니며, 자체적 운영체계 및 법적 의무를 규정하는 복수국 간 협정 또한 아니다. 실제로 FCCC 사무국은 합의문의 조항이 유엔기후체제 내에서 '어떠한 법적 지위도 가지지 않는다'는 것을 분명히 했다.[107] 그러나 이 합의문은 기후협상에서 가장 중요한 영향을 미친 문서들 중 하나라고 할 수 있다. 이 합의문의 설계는 국제적 규율보다 국가의 주권을 더 우선시하고,[108] 국가가 자체적으로 선정한 목표와 행동이라는 개념을 담고 있으며, 투명성 규정에 주목하고 있다. 이러한 구조는 기후체제의 진화에 있어서 큰 변화를 보여주었고, 2015년 파리협정의 원형을 제공하였다.[109] 이 합의문이 중요한 진짜 이유는 그 법적 성격이 아니라 이 합의문이 보여주고 있는 정치적 합의에 있다. 첫째, 코펜하겐 합의문에는 우리가 기억하는 여느 다자간 협정과는 달리, 세계에서 가장 큰 경제국들의 국가원수들이 협상을 했다. 따라서 이 합의문은 불화가 가득한 영역에서 비교불가한 좋은 정치적 지침을 제공한다.[110] 둘째, 세계 온실가스 배

105) 다른 사례들은 다음 문헌을 참조. Report of the Conference of the Parties on its Second Session, held at Geneva from 8 to 19 July 1996, Addendum (29 October 1996) FCCC/CP/1996/ 15/Add.l, Annex: The Geneva Ministerial Declaration; Decision 1/CP.8, 'Delhi Ministerial Declaration on Climate Change and Sustainable Development' (28 March 2003) FCCC/CP/2002/7/Add. 1.

106) Decision 2/CP.15 (n 77) preambular recital.

107) FCCC, 'Notification to Parties, Clarification relating to the Notification of 18 January 2010' (25 January 2010) <http://unfccc.int/files/parties_and_observers/notifications/application/pdf/100125_noti_clarification.pdf> accessed 20 January 2017.

108) 미국의 제출에 대해서는 다음 문헌을 참조. 'Submission of the United States to the AWG-LCA Chair' (30 April 2010) FCCC/AWGLCA/2010/MISC.2,79 ("합의문은 또한 유용한 방향으로 국가주권의 재량을 지향한다"라고 지적).

109) Daniel Bodansky, 'The Paris Climate Agreement: A New Hope?', *American Journal of International Law*, 11/02 (2016): 288 참조.

110) Submission from Japan (30 April 2010) FCCC/AWGLCA/2010/MISC.2, 66 (합의문이 "매우 중요한 문서"이며 "높은 차원의 정치적 지침"을 제공한다고 지적), Submission from New Zealand (30 April 2010) FCCC/AWGLCA/2010/MISC.2,72 ("그것은 정치적 의도의 명확한 증서이며 그 개념에 전례가 없는 것"이라고 지적); the Submission from the United States (16 March 2010) FCCC/KP/AWG/2010/MISC. 1 and FCCC/AWGLCA/2010/MISC.l, 48 (코펜하겐 회

출량의 87퍼센트 이상을 차지하는 141개 국가들이[111] 마침내 합의에 이르렀다.[112] 이와 달리, 교토의정서에는 192개의 당사자가 있지만, 배출감축 의무에 있어서는 오직 세계 배출량의 작은 부분만을 다루게 되었다.[113] 셋째, 이 합의문에서 이루어진 정치적 합의는 이후에 구체화되어 있고, 1년 후에 제16차 당사국총회에서 채택된 칸쿤합의(Cancun Agreements)를 통해 유엔 공식절차로 편입되었다.[114] 코펜하겐 합의문의 영향력은 국제환경법에서 '비공식적이고 구속력이 없는 규범들이 상당히 효과적으로 관행을 형성하게 될 수 있다'는 논제가 점점 더 많은 신뢰를 얻고 있다는 것을 잘 보여준다.[115] 이와 반대로, 교토의정서는 그 법적 구속력과 많은 혁신에도 불구하고,[116] 그 설계의 상당 부분이 2015년 파리협정까지 지속되지 않았다.

코펜하겐 합의문이 파리협정에 가지는 의미에서 보여주는 것 같이, 연성법적 법제가 경성법제의[117] 전신으로서의 역할을 하는 것은 국제환경법에서 드문 일이

의의 "역사적 본질"을 지적) 참조.

111) US Climate Action Network, 'Who's On Board with the Copenhagen Accord?', <http://www.usclimatenetwork.org/policy/copenhagen-accord-commitments> accessed 20 January 2017. 참조.

112) FCCC, 'Copenhagen Accord' <http://unfccc.int/meetings/copenhagen_dec_2009/items/5262.php> accessed 20 January 2017 참조.

113) 일본은 이를 제2차 의무준수기간의 목표를 채택하지 않는 이유로 들었다. Ministry of Foreign Affairs, Government of Japan, 'Japan's Position Regarding the Kyoto Protocol' (December 2010) <http://www.mofa.go.jp/policy/environment/warm/cop/kp_pos_1012.html> accessed 20 January 2017 참조.

114) Decision 1/CP.16, 'The Cancun Agreements: Outcome of the work of the Ad Hoc Working Group on Long-term Cooperative Action under the Convention' (15 March 2011) FCCC/CP/2010/7/Add.l, 2 (Cancun Agreements LCA).

115) Stephen J. Toope, 'Formality and Informality', in Daniel Bodansky, Jutta Brunnée, and Ellen Hey (eds), *Oxford Handbook of International Environmental Law* (Oxford University Press, 2007) 108, 119.

116) 그 혁신의 두 가지 예시로 주요 의무의 차등화와 준수체제의 집행분과가 있다.

117) 예를 들어, 화학물질과 살충제에 대한 무역규제에 있어서 국가들은 처음에 '살충제의 유통과 사용에 관한 국제 행동규약(International Code of Conduct on the Distribution and Use of Pesticides, 유엔 회의의 제23차 세션에서 식량과 농업기구에 의한 결의안 10/85에 의해 1985. 11.28. 채택)'과 '국제무역에서 화학물질에 관한 정보교환을 위한 런던가이드라인(London Guidelines for the Exchange of Information on Chemiclas in International Trade, UNEP의 집행위원회에 의해 제14차 세션에서 도입됨)'을 협상하였다. 이에 대해서 다음 문헌을 참조. UNEP Governing Council Decision 14/2 7 'Environmentally safe management of chemicals, in particular those that are banned and severely restricted in international trade' Official Records of the General Assembly, Forty-second Session (8-19 June 1987) (28 September 1987) Supplement No. 25 (A/42/25). 이 두 문서는 로테르담 협약의 기초가 되었다. 특정 유해 화학물질 및 농약의

아니다. 특이한 점은 FCCC와 교토의정서에 볼 수 있듯이, 연성법이 전체 공식체제를 시간적으로 선행하지 않았고, 기후체제 진화에 있어서 형식적 성격의 퇴보를 수반하는 실험적 단계 속에서 사용되었다는 것이다. 기후체제에서 규범의 진전은 연성에서 경성으로의 직선 궤적을 따르지 않았다. 오히려 두 형태를 반복하였는데, 비교적 모호하고 권고적인 FCCC의 조항에서 강한 의무를 규정하는 교토의정서로 갔다가, 코펜하겐 합의문에서 나타난 연성적 정치적 합의에서 다시 강한 행동의무를 포함하는 파리협정으로 돌아갔다.

B. 설계

국제협정들은 참여국에 주는 재량의 정도가 다르다.[118] 일부는 하향식 접근방식(top-down approach)을 채택하여 당사자들이 수행해야 하는 특정한 정책과 조치를 규정한다. 다른 조약들은 상향식 접근방식(bottom-up approach)을 채택하여 각 참여국이 자체적으로 의무를 정의할 수 있도록 한다. 환경보전 영역에서 '멸종위기에 처한 야생동식물종의 국제거래에 관한 협약(Convention on International Trade in Endangered Species, CITES)'은[119] 하향식 접근법을 보여준다. 이 협약은 어느 종을 어떻게 (수출입을 위한 허용시스템을 통해) 보호할 것인가를 규정하고 있다.[120] 마찬가지로 MARPOL은 유조선의 건조, 설계 및 성능에 관한 매우 구체적인 규정을 마련하고 있다.[121] 반대로 '미국-캐나다 대기질 협정(US-Canada Air Quality Agreement)'은 두 참여국의 국내 대기오염 프로그램을 국제협약으로 성문화하는 상향식 접근방식을 보여준다.[122] 마찬가지로, '습지에 관한 람사르 협약(Ramsar Convention on

---

국제교역 시 사전통보승인 절차에 관한 로테르담 협약(Rotterdam Convention on the Prior Informed Consent Procedure for Certain Hazardous Chemicals and Pesticides in International Trade), 2004.02.24. 채택, 2004.02.24. 발효.

118) 이 단락은 다음 문헌을 참조한다. Daniel Bodansky, 'A Tale of Two Architectures: The Once and Future U.N. Climate Change Regime', *Arizona State Law Journal*, 43/6 (2011): 697.

119) 멸종위기에 처한 야생동식물종의 국제거래에 관한 협약(Convention on International Trade in Endangered Species of Wild Fauna and Flora), 1973.03.03. 채택, 1975.07.01. 발효, 993 UNTS 243.

120) Ibid.

121) MARPOL 73/78 (n 69) Annex I.

Wetlands)'은 각국이 습지의 보전과 현명한 이용을 촉진할 것을 장려하지만, 각국은 이를 위해 사용할 정책과 조치를 결정할 수 있는 재량권을 갖고 있다.[123)]

유엔기후체제에서 참여국들은 자체적인 기후변화정책을 개발하는 데 얼마나 많은 재량권을 부여받을 수 있는가를 두고 지속적으로 씨름해왔다. 어떤 이들은 기후변화의 본질은 고전적인 집단행동의 문제로서 하향식 접근방식이 요구된다고 보고, 집단적으로 결정한 배출목표를 참여국들에게 주어야 한다고 주장한다. 다른 이들은 국제질서가 국내정책에서부터 성장하도록 하고, 이를 반영하는 상향적이고 촉진적인 접근을 지지한다.[124)] 이러한 입장을 취하는 이들은 기후변화가 단순히 국제문제가 아니라, 국내정책의 거의 모든 측면을 다루고 있기 때문에 이 접근이 필요하다고 주장한다.

본질적으로 유엔기후체제의 역사는 이 두 가지 설계방식의 변형으로 구성되어 왔다.

- FCCC는 두 설계적 요소를 모두 가지고 있다. FCCC는 한편으로 국가들이 국제적 검토의 대상이 되는 국가차원의 정책과 조치를 제시하는 '서약과 검토(pledge and review)' 시스템을 확립했다. 다른 한편으로는, 선진국 및 FCCC 부속서I에 열거된 다른 당사자들에 대한 국제적으로 협상된 배출목표를 수립했다.[125)]
- 교토의정서는 좀 더 하향식인 접근방법을 보여준다. 당사자들이 배출목표를 어떻게 이행할 것인가를 결정할 때에는 유연성을 제공하지만, 목표 자체는 국가적으로 결정되기보다는 국제적으로 결정되었다.[126)]
- 코펜하겐 합의문과 칸쿤합의는 국내적으로 결정된 약속을 중심으로 하는 상향식 접근방식으로 옮겨갔다.[127)]

122) 캐나다 정부와 미합중국 정부 간의 대기질에 관한 협정(Agreement Between the Government of Canada and the Government of the United States of America on Air Quality) 1991.03.31. 발효, (1991) 30 ILM 676.
123) 물새서식처로서 국제적으로 중요한 습지에 관한 협약(Convention on Wetlands of International Importance especially as Waterfowl Habitat) 1971.02.02. 채택, 1975.12.21. 발효, 996 UNTS 245 (Ramsar Convention) Art 3.1.
124) Bodansky, Paris Climate Agreement (n 109).
125) 제5장 FCCC 논의 참조.
126) 제6장 교토의정서 논의 참조.

• 마지막으로, 파리협정은 상향식 요소와 하향식 요소가 모두 포함된 혼합적 설계를 가지고 있다.[128]

교토의정서와 코펜하겐 합의문이 보여주듯이 하향식 및 상향식 접근법에는 각각 장단점이 있다. 교토의정서는 다자적으로 결정된 목표와 일정계획, 강력한 측정·보고 및 검증 시스템 및 집행기관이 있는 의무준수 메커니즘의 작동을 통해 동일한 목표를 추구하는 전형적인 '하향식' 구조를 보여준다.[129] 그런데 이 요소들은 모두 의욕을 고취시키기는 했지만, 참여를 저하시켰다. 교토의정서는 개발도상국에 의한 배출분을 그 배출목표의 범주에 포함시키지 못했고, 미국의 참여를 유도하지 못했다. 더욱이 2013년부터 2020년까지인 교토의정서 제2차 의무준수기간에의 참여가 줄어들었고, 일본과 러시아를 포함한 여러 선진국들이 탈퇴했다.[130] 제1차 의무준수기간이 종료되었을 때, 배출목표를 부담하는 당사자들은 모두 의무를 준수한 것으로 평가받았지만, 그 목표들은 2010년 세계 배출량의 겨우 24 퍼센트만을 포함했을 뿐이며,[131] 교토의정서는 관련 개정이 발효된다고 가정하

---

127) Bodansky, Tale of Two Architectures (n 118).

128) 제7장 파리협정 논의 참조.

129) 하향식 설계에 대한 지지의견은 다음 문헌을 참조. William Hare *et al.*, 'The Architecture of the Global Climate Regime: A Top-Down Perspective', *Climate Policy,* 10/6 (2010): 600; Harald Winkler and Judy Beaumont, 'Fair and Effective Multilateralism in the Post-Copenhagen Climate Negotiations', *Climate Policy,* 10/6 (2010): 638.

130) Letter to Ms Christiana Figueres, Executive Secretary of the UNFCCC, from the Head of Roshydromet, National Climate Change Coordinator, The Russian Federation (8 December 2010) <http://unfccc.int/files/meetings/cop_15/copenhagen_accord/application/pdf/russianfederation_ ph10.pdf> accessed 20 January 2017; Letter to Ms Christiana Figueres, Executive Secretary of the UNFCCC, from the Japanese Ambassador for COP16 of the UNFCCC (10 December 2010) <http://unfccc.int/files/meetings/ad_hoc_working_groups/kp/application/pdf/japan_awgkp15.pdf> accessed 20 January 2017. 뉴질랜드는 교토의정서의 두 번째 의무준수기간의 배출목표를 승인하지 않기로 결정했다, Tim Groser, 'New Zealand Commits to UN Framework Convention', *Government of New Zealand Press Release* (9 November 2012) <https://www.beehive.govt.nz /release/new-zealand-commits-un-framework-convention> accessed 20 January 2017. 캐나다는 공식적으로 교토의정서에서 탈퇴했다. United Nations, Kyoto Protocol to the United Nations Framework Convention on Climate Change, 11 December 1997, 'Canada: Withdrawal' (16 December 2011) C.N.796.2011. TREATIES-1 <http://unfccc.int/files/kyoto_protocol/background/ application/pdf/ Canada.pdf.pdf> accessed 20 January 2017.

131) Igor Shishlov, Romain Morel, and Valentin Bellassen, 'Compliance of the Parties to the Kyoto

더라도 제2차 의무준수기간에는 세계 배출량의 훨씬 적은 부분을 다루게 될 것이다.[132)]

이와 대조적으로, FCCC, 코펜하겐 합의문 및 칸쿤합의는 모두 다양한 측면에서 '상향식' 접근을 도입하였으며 더 많은 국가들의 참여를 얻었다. 하향식 접근법이 반드시 유연성과 양립할 수 없는 것은 아니지만, 상향식 접근법은 참여국들에게 더 많은 재량권과 자율성을 부여하기 때문에, 당연히 당사국들의 국가상황의 다양성, 정치적 제약 그리고 개별적 선택이라는 측면에 있어서는 더 적합하다.[133)] FCCC는 보편적인 참여를 이끌어냈으며, 코펜하겐 합의문은 141개국이 전세계 배출량의 85퍼센트 이상을 차지하는 배출에 대한 서약을 하도록 하였다.[134)] 이 광범위한 참여는 기후변화체제의 환경적 성과를 증가시킬 뿐만 아니라, 큰 시장을 통해 저비용으로 감축할 수 있는 선택지들을 포함시킴으로써 비용을 절감할 수 있게 한다.[135)] 그러나 당사자들의 이질성이 커지면, 의욕과 엄격함이 줄어들기 때문에, 더 큰 참여가 반드시 더 큰 효과를 가져오는 것은 아니다.[136)] 코펜하겐 합의문과 칸쿤합의상의 서약들은 의욕 측면에서 절제되어 있었고, 일부의 경우에는 타국의 행동에 강하게 영향을 받았거나 타국의 행동을 전제로 하고 있었다.[137)] 그 결과, 그것의

Protocol in the First Commitment Period', *Climate Policy,* 16/6 (2016): 768.

132) 호주, 벨라루스, EU, 아이슬란드, 카자흐스탄, 노르웨이, 스위스, 우크라이나에서는 토지 부문 배출을 제외하고 2010년 전세계 온실 가스 배출량의 13.96퍼센트를 배출하였다. 전세계 탄소 축적량이나 역사적 책임에 대한 기여도를 변수에 넣는다고 해도, 이들 국가는 1850년-2012년 사이 전세계 누적 이산화탄소 배출량의 24퍼센트만을 차지한다. LULUCF를 제외한 누적 이산화탄소 배출량(세계 총량 대비 비중)은 다음과 같다. EU(24퍼센트), 호주(0.01퍼센트), 노르웨이(0.001퍼센트), 스위스(0.002퍼센트). WRI, CAIT Climate Data Explorer (n 40).

133) 상향식 설계에 대한 지지의견으로 다음 문헌을 참조. Steve Rayner, 'How to Eat an Elephant: A Bottom- up Approach to Climate Policy', *Climate Policy,* 10/6 (2010): 615 참조.

134) US Climate Action Network, Copenhagen Accord (n 111).

135) IPCC의 논의, *Climate Change 2014: Mitigation of Climate Change* (n 11) 1014 참조.

136) LDC가 더반플랫폼 협상에서 경고했듯이, "자발적이고 구속력이 없는 서약 및 검토 제도는 기후 문제를 해결하기 위해 과학적으로 요구된 것을 성취할 수 없으며 4°C 온난화로 이어질 수 있다." Submission by Nepal on behalf of the Least Developed Countries Group on the ADP Work Stream 1: The 2015 Agreement, Building on the Conclusions of the ADP 1-2 (3 September 2013) <http://unfccc.int/files/documentation/submissions_from_parties/adp/application/pdf/adp_ldcs_20130903.pdf> accessed 20 January 2017.

137) Lavanya Rajamani, 'The Making and Unmaking of the Copenhagen Accord', *International and Comparative Law Quarterly,* 59/3 (2010): 824 참조.

종합적인 효과는[138] 산업화 이전수준보다 전지구의 평균기온의 상승을 2°C 이하로 낮추는 목표에 부합하는 배출경로로 진행해 나가기에는 크게 부족했다.[139]

파리협정은 유연성과 참여를 증진하기 위한 상향식 접근방식과 의욕과 책임을 증진하기 위한 국제규칙의 하향식 시스템을 결합한 혼합적 구조를 통해 중간지대를 찾기 위한 방안을 모색한다.[140] 상향식 요소에는 참여국의 NDC가 포함된다.[141] 이러한 것들은 모든 국가의 '진전(progression)'과 '가능한 최대의 의욕(highest possible ambition)'과[142] 선진국의 리더십에 대한 기대에 영향을 받기는 하지만, 궁극적으로는 국가들 스스로 결정하는 것이기 때문에 상이한 국가적 환경을 가진 모든 국가들이 참여할 수 있도록 한다. 하향식 요소는 장기목표와 연속해서 발표되는 NDCs에 대한 집단적 진보를 평가하기 위한 5년 주기의 '전지구적 이행점검(global stocktake)',[143] 모두에게 적용가능한 투명성 체제[144] 그리고 촉진적 의무준수 시스템을 포함한다.[145] 파리협정이 혼합적 구조를 가진 덕분에 191개국이 참여하고 있고,[146] 이 국가들의 배출이 전세계 배출량의 99퍼센트를 차지하고 있어[147] 파리협정이 거의 보편적인 참여를 이끌어냈음을 보여주고 있다. 놀랍게도 175개의 FCCC 당사자들이 2016년 4월 22일에 협정문에 서명했으며,[148] 파리협정은 채택으로부터 1년이 지나기 전인 2016년 11월 4일에 발효되었다.[149] 그러나 당사자들

138) 협약 부속서1에 포함된 당사자에 의해 시행되는 범경제적 배출 감축목표의 집계, Revised note by the secretariat (7 June 2011) FCCC/SB/2011/INK1/Rev.1; 협약 부속서1에 포함되지 않은 당사자들이 시행할 국가적으로 적절한 완화 조치에 관한 정보 수집, Note by the secretariat (18 March 2011) FCCC/AWGLCA/2011/INF.1.

139) UNEP, 'Bridging the Emissions Gap - A UNEP Synthesis Report' (UNEP, 2011).

140) Bodansky, Paris Climate Agreement (n 109).

141) Paris Agreement, Art 4.2.

142) Ibid, Art 4.3.

143) Ibid, Art 14.

144) Ibid, Art 13.

145) Ibid, Art 15.

146) FCCC, 'INDCs as communicated by the Parties' <http://www4.unfccc.int/submissions/indc/Submission%20Pages/submissions.aspx>, accessed 20 January 2017.

147) FCCC, Aggregate Effect of the Intended Nationally Determined Contributions: An Update, Synthesis report by the secretariat (2 May 2016) FCCC/CP/2016/2, 4.

148) 서명자 목록 보기, FCCC, 'List of 175 signatories to Paris Agreement' <http://newsroom.unfccc.int/paris-agreement/175-states-sign-paris-agreement/> accessed 20 January 2017.

149) 비준상태 보기, FCCC, 'Paris Agreement - Status of Ratification <http://unfccc.int/paris_agreement/

이 제출한 국가별 기여방안은 코펜하겐 합의문과 칸쿤합의에서 제출된 서약들과 마찬가지로 2°C 기온상승 상한선을 달성하기에는 부족하다.[150] 더욱이, 협약의 하향식 요소 중 많은 부분이 아직 구체화되지 않았으며, 얼마나 엄격한 수준을 가지게 될 것인지도 두고 보아야 한다.

유엔기후체제의 역사가 보여주는 바와 같이, 참여의 폭과 의무의 심화 사이의 절충이 국제적 문서를 설계하는 데 있어 핵심이 된다. 본질적으로 하향식 및 상향식 구조는 시간의 흐름에 따른 조약체제의 장기적 발전의 두 가지 전략을 반영하는데, 심화된 의무에서 시작해서 참여의 폭을 확장하는 전략(start－deep－and－broaden strategy)과 이미 확장된 참여에서 시작하여 의무를 심화시키는 전략(start－broad－and－deepen strategy)이 그것이다. 교토의정서는 하향식 접근방식을 통하여 참여의 폭이 시간이 지남에 따라 확장될 것이라는 기대에 따라 먼저 의무의 심화를 달성하고자 하였다. 그러나 교토체제에 대한 참여가 오히려 줄어들자, 당사자들은 경로를 변경하고 코펜하겐/칸쿤 접근을 도입하여, 처음부터 참여의 폭을 넓히기 위해 노력했다.[151] 파리협정은 계속해서 참여의 폭에 집중할 뿐만 아니라, '진전'의 기대를 확립하고 장기적으로 의무를 심화하고자 한다. 이 혼합적 접근법이 기후변화에 긴급하게 대응하기에 적합한지 여부는 아직 밝혀지지 않았다.

일반적으로 국제기후변화법에서 감독에 대한 접근법은 '강제적인' 모델이 아닌 '관리적' 방식을 나타낸다. 즉, 강제적으로 국가들이 법적 명령과 제재에 의해 행동하도록 하기보다는[152] 투명성, 다른 당사자들의 압력과 역량강화를 통해 국가적 행동을 장려하고 촉진시키려 노력해왔다. 이 책의 제6장과 제7장에서 살펴보는

items/9485.php> accessed 20 January 2017.

150) UNEP, 'The Emissions Gap Report 2015' (Nairobi: UNEP, November 2015) 26 (INDC는 65퍼센트의 확률로 지구 기온상승을 세기가 끝날 때까지 3°C-3.5°C 이하로 제한하는 장기 시나리오와 가장 일치한다고 볼 수 있다); FCCC, Aggregate Effect of the Intended Nationally Determined Contributions (n 147) 13. (AR5에 따르면, 2011년 이후 세계 총누적배출량은 온도상승이 산업화 이전단계에서 2°C 이하로 유지됐을 때 높은 확률로 (65퍼센트 이상) 1,000Gt CO_2가 된다. INDC의 총 효과를 고려할 때, 세계 누적 이산화탄소 배출량은 2025년까지 1,000Gt CO_2의 53퍼센트(51-56퍼센트), 2030년까지 74퍼센트(70-77퍼센트)에 이를 것으로 예상된다).

151) IPCC 논의, *Climate Change 2014: Mitigation of Climate Change* (n 11) 1014-15 참조.

152) Abram Chayes and Antonia Handler Chayes, *The New Sovereignty: Compliance with International Regulatory Agreements* (Cambridge US: Harvard University Press, 1996) ch. 1.

바와 같이, 교토의정서는 법적 구속력이 있는 배출목표를 준수하기 위한 집행지향적 접근법(enforcement-oriented approach)을 시도했지만, 파리협정은 국제기후변화법을 관리적 모델(managerial model)로 돌려놓았다.

C. 차등화

법적 구속력과 설계의 문제와 마찬가지로, 차등화는 국제기후변화법 발전의 핵심 쟁점이었다.[153] FCCC에서 처음 언급된 '공통의 그러나 차등화된 책임과 국가별 역량(common but differentiated responsibility and respective capacities, CBDRRC)'의 원칙은 국제협정의 모든 당사자에게 공통적인 의무를 정의하는 전통적인 접근법에서 벗어나는 것이다. 이는 기후변화의 원인과 관련된 본질적 형평성의 문제에 대한 동의를 표현한 것으로, 상이한 책임과 역량을 기준으로 당사국의 기후변화에 대한 의무에 차이를 두는 것이다.

CBDRRC의 원칙은 유엔기후체제에 깊이 배태되어 있다. 이는 FCCC 제3조에 규정되어 있다. 또한 교토의정서와[154] 파리협정에도 규정되어 있는데, 파리협정에는 "상이한 국내 여건에 비추어(in light of different national circumstances)"라는 수식

153) CBDRRC에 관해서는 다음 문헌들을 참조. Tuula Honkonen, *The Common But Differentiated Responsibility Principle in Multilateral Environmental Agreements: Regulatory and Policy Aspects* (Alphen aan den Rijn: Kluwer Law International, 2009); Lavanya Rajamani, *Differential Treatment in International Environmental Law* (Oxford University Press, 2006); Christopher D. Stone, 'Common But Differentiated Responsibilities in International Law', *American Journal of International Law,* 98/2 (2004): 276; Jutta Brunnée and Charlotte Streck, 'The UNFCCC as a Negotiation Forum: Towards Common but More Differentiated Responsibilities', *Climate Policy*, 13/5 (2013): 589; Philippe Gullet, 'Principle 7: Common but Differentiated Responsibilities', in Jorge E. Viñuales (ed), *The Rio Declaration on Environment and Development: A Commentary* (Oxford University Press, 2015); D.B. Magraw, 'Legal Treatment of Developing Countries: Differential, Contextual and Absolute Norms', *Colorado Journal of Environmental Law and Policy,* 1/1 (1990): 69; Lavanya Rajamani, 'The Reach and Limits of the Principle of Common but Differentiated Responsibilities and Respective Capabilities in the Climate Change Regime', in Navroz K. Dubash (ed), *Handbook of Climate Change and India: Development, Politics and Governance* (New Delhi: Oxford University Press, 2011); Harold Winkler and Lavanya Rajamani, 'CBDR&RC in a Regime Applicable to All', *Climate Policy,* 14/1 (2014): 50.

154) Kyoto Protocol, Art 10.

어가 포함되어 있다.[155] 나아가 CBDRRC 원칙은 여러 COP 결정에서 강조되었고,[156] 코펜하겐 합의문에도 반영되어 있다.[157]

CBDRRC의 원칙에 대한 보편적인 지지가 있기는 하지만, 특정 상황에서 그 이론적 근거, 핵심적 내용 및 적용에 대해서는 의견의 일치가 거의 되지 않고 있다.[158] 차등화의 근거와 관련해서 개발도상국들은 그들이 '역사적 배출(historical emissions)'의 결과라고 이해하는 '책임'에 집중하는 반면, 일부 선진국 중 특히 미국은 '역량'이라는 용어에 중점을 두었다. 개발도상국들이 주장하는 것처럼 기후변화에 대한 각기 다른 역사적 기여가 차등화의 기준을 제공한다면, 차등화는 비교적 느리게 변할 것이다. 반면에, 역량이 차등화의 기준을 제공한다면, 한 국가가 금융, 기술 및 관리 역량을 키우는 것으로 그 국가의 의무는 급격하게 변할 수 있다. CBDRRC의 원칙은 차등화를 위한 기준으로 '책임'과 '국가의 역량'을 모두 포함시킴으로써 이 대립에서 나타난 두 가지 입장을 모두 지지하였다.

또한 CBDRRC는 의무들이 어떻게 차등화되어야 하는지를 명시하지 않는다. 몬트리올의정서는 선진국과 개발도상국의 의무준수 시기에 있어서 차등화를 둔다. 동일한 통제조치가 모든 국가에 적용되지만, 개발도상국은 의무를 준수하는 데에 있어 10년이라는 여분의 시간을 갖게 된다.[159] 반면에, 기후체제는 국가들의 의무에 있어 그 실질적인 내용을 차등화하였다. 일부는 모든 참여국에 적용되나, 일부는 특정 국가그룹에만 적용된다. 교토의정서는 부속서I 국가들에 대한 정량화된 배출제한목표를 설정하면서 비부속서I 국가들에 대해서는 이를 설정하지 않고 있어, 이러한 차등화의 가장 강력한 형태에 해당한다.

마지막으로, CBDRRC는 일반적으로 '선진국'과 '개발도상국'을 구별하는 것과 이의 연장선상에서 FCCC 및 교토의정서에서 부속서I 국가들과 비부속서I 국가들

155) Paris Agreement, Art 2.2; 제7장 참조.
156) Berlin Mandate; Bali Action Plan; Cancun Agreements LCA; Decision 1/CMP.6, 'The Cancun Agreements: Outcome of the work of the Ad Hoc Working Group on Further Commitments for Annex I Parties under the Kyoto Protocol at its fifteenth session' (15 March 2011) FCCC/KP/CMP/2010/12/Add.1.
157) Copenhagen Accord, para 1.
158) 상세한 분석은 다음 문헌을 참조. Rajamani, CBDRRC Reach and Limits (n 153) 118.
159) Montreal Protocol, Art 5.

을 구별하는 것과 관련되어 있지만, 이것이 차등화에 있어서의 유일한 구별기준은 아니다. 기후체제에서 CBDRRC는 분명히 선진국과 개발도상국 각각의 의무에 주목하고 있으며, CBDRRC의 원용은 FCCC 제3조 제1항 문언인 “따라서 선진국인 당사자는 기후변화 및 그 부정적 효과에 대처하는 데 있어서도 선도적 역할을 해야 한다”와 FCCC 제3조 제2항에서의 개발도상국의 특수한 필요와 상황에 대한 인정에서 찾을 수 있다. 그러면서 유엔기후체제는 그 외에 차등화를 적용하는 데 다른 기준들도 인정하였는데, 여기에는 국가경제구조, 자원기반, 기후변화에 대한 취약성이 포함된다.[160]

차등화 문제에 관한 지속적인 논쟁은 국제기후변화법 내의 상당한 혁신과 실험으로 이어졌다.[161] FCCC와 교토의정서는 차등화에 대한 범주적 접근방식(categorial approach)을 취한다. 이들은 당사자들을 다양한 그룹으로 나누고, 그룹별로 특정한 의무를 적용한다. FCCC는 네 가지 그룹을 설정하였는데, (1) 부속서I에 열거된 당사자들(종종 ‘선진국들’과 동일시되는 국가들), (2) 부속서II에 열거된 당사자들, (3) 부속서I에 열거되었으나 부속서II에 열거되지 않은 당사자들(체제전환국들), (4) 부속서I에 열거되지 않은 당사자들(종종 ‘개발도상국’과 동일시되는 국가들)이 그것이다. FCCC와 교토의정서에서 드러난 차등적 대우의 규범은 몇 가지 일반적인 유형을 가진다.[162] 첫째, 부속서I 국가인지 또는 비부속서I 국가인지에 따라서 조약에 포함된 주요한 의무를 차등화하는데, 그 의무들에는 배출감축의 목표, 기한, 보고에 있어서의 요구사항이 포함된다.[163] 둘째, 국가범주별로 의무준수와 관련해서 차등화를 두는 것으로, 여기에는 준수일정의 연기,[164] 후속목표에 있어 기준연도 채택의 허가,[165] 보고일정의 연기,[166] 비준수에 대한 완화된 접근이[167] 포함된다. 셋

160) FCCC는 국가들의 경제구조, 자원기반, 사용가능 기술과 다른 개별적 기반상황들의 차이를 인정하고(제4조 제2항 (a)호), 또한 의무의 차등화는 부속서I 국가와 비부속서I 국가들뿐만 아니라 과도기의 경제에 있는 국가들(제4조 제6항)에도 적용되었고, 다양한 다른 국가범주를 강조하였는데, 여기에는 특별히 취약한 국가(제3조 제2항, 제4조 제8항), 최빈개도국(제4조 제9항) 그리고 화석연료 의존도가 높은 국가(제4조 제10항)들이 포함된다.

161) Rajamani, Differential Treatment (n 153).

162) Ibid, 93-114.

163) Kyoto Protocol, Art 3.

164) Ibid, Art 3.5.

165) Ibid.

째, 개발도상국들에 대한 원조, 특히 재정[168] 및 기술에[169] 대한 지원을 제공하는 조항이 있다. 이들 중, 주요 의무에 관하여 부속서I 국가들과 비부속서I 국가들을 구별하는 조항들, 예를 들어 부속서I 국가들에게는 온실가스(greenhouse gas, GHG) 완화를 위한 목표와 일정표를 부여하고, 비부속서I 국가들에는 주지 않은 것과[170] 같은 조항들이 가장 논란이 되는 것으로 드러났다. 2001년 교토의정서에 대한 미국의 거부는 부분적으로 그러한 차등화에 기인한 것일 수 있다.[171]

교토의정서 이후의 협상에서, 특히 미국의 거부 이후로, 범주별 또 부속서 기준에 의한 차등화는 서서히 사라지고, '자체적 차등화(self-differentiation)'로 넘어가게 되었다.[172] 이러한 변화는 선진국들이 특정한 감축의무들은 개발도상국으로 확대되어야 한다고 일관적으로 요구한 것에 대응해서 나타난 것이다. 많은 개도국들이 그러한 요구에 적극적으로 저항했다. 일부는 심지어 협상연합인 '유사한 입장의 개발도상국(Like Minded Developing Countries, LMDCs)'을 구성하여 강력하게 부속서 기반 차등화를 유지하고자 하였다. 파리에서 FCCC 부속서를 우회하는 차등화에 대한 타협이 있었고, 자발적 차등화를 기반으로 하면서 여러 영역에서 차등화에 대한 상이한 접근 방식을 취하도록 하였다. FCCC와 교토의정서에서 나타난 부속서 중심의 명백한 범주화와는 대조적으로, 자발적 차등화는 당사자가 자국의 의무를 정의하고, 이를 자국의 국가상황, 역량 그리고 제약이 따라 재단하며, 그렇게 함으로써 스스로를 타당사자들과 차등화할 수 있도록 한다. 2009년 코펜하겐 합의문은 이러한 유형의 자발적 차등화를 중심으로 구축되었고, 2013년 바르샤바 결정(Warsaw Decision)은 당사자들을 '계획된 국가별 기여방안의 국내적 준비를 개시하

166) FCCC, Art 12.5.
167) Decision 24/CP.7, 'Procedures and Mechanisms Relating to Compliance under the Kyoto Protocol' (21 January 2002) FCCC/CP/2001/13/Add.3, 64.
168) FCCC, Art 4.3.
169) Ibid, Art 4.5.
170) Kyoto Protocol, Art 3.
171) Text of a Letter from the President to Senators Hagel, Helms, Craig, and Roberts (The White House, Office of the Press Secretary, 13 March 2001) <https://georgewbush-whitehouse.archives.gov/news/releases/2001/03/20010314.html> accessed 20 January 2017.
172) Lavanya Rajamani, 'The Changing Fortunes of Differential Treatment in International Environmental Law', *International Affairs*, 88/3 (2012): 603.

고 강화하도록' 촉구하면서,[173] 2015년 파리협정에서 이러한 자발적 차등화의 접근방식이 적용될 것임을 예고했다. 이 접근방식의 발전은 기후체제가 한 단계 상승한 것을 나타내며, 파리협정에서 차등화에 대한 더 정교한 접근을 할 수 있는 단계를 마련한 것이다. 파리협정은 FCCC 및 교토의정서와 달리 당사자들에 대한 명시적인 범주를 만들지 않으며, 범주에 따라 의무를 조정하지도 않았다. 그 대신, 각 쟁점의 특수성에 따라서 차등화를 조율하고 있는데, 그러한 쟁점에는 완화, 적응, 재정, 기술, 역량강화 및 투명성이 포함된다.[174] 그 결과, 이 접근법은 서로 다른 문제영역에서 서로 다른 형태의 차등화를 가져왔다. 예를 들어, 완화의 영역에 있어서 파리협정은 자발적 차등화와 관련하여 모든 국가들에 대한 '진전'과 '가능한 최대의 의욕'이라는 규범적 기대와 선진국들에 대한 리더십이라는 규범적 기대를 결합시켰다.[175] 이와 대조적으로, 투명성의 영역에서의 차등화는 역량에 따라 이루어지며, 이는 '그들의 역량에 따라 유연성이 필요한 국가들'에게 이를 제공하는 방식으로 이루어진다.[176]

파리협정에서 세밀하게 조작화된 차등화가 합의를 담보하기에 충분한 것으로 드러났으나, 그럼에도 불구하고 그 합의에는 몇 가지 해결되지 않은 형평성의 문제들이 남아 있다.[177] 예를 들어, 파리협정은 '선진국'과 '개발도상국'이라는 용어를 FCCC와 교토의정서에서처럼 목록화하여 정의하지 않았다. 일부 개발도상국은 FCCC의 부속서를 이용하여 이 용어의 내용을 구체화할 것을 제안할 수 있다. 더욱이 투명성과 관련하여, 당사자들은 어느 개도국이 유연성을 필요로 하는지, 어떤 종류의 유연성이 제공될 것인지,[178] 얼마 동안 제공될 것인지에 대해 고민해야

173) Decision 1/CP.19, 'Further advancing the Durban Platform' (31 January 2014) FCCC/CP/ 2013/10/Add.l (Warsaw Decision).

174) Lavanya Rajamani, 'Ambition and Differentiation in the 2015 Paris Agreement: Interpretative Possibilities and Underlying Politics', *International and Comparative Law Quarterly,* 65/2 (2016): 493.

175) 제7장 II.D.2.a 참조.

176) Ibid, II.D.2.b 참조.

177) T. Jayaraman and Tejal Kanitkar, 'The Paris Agreement', *Economic and Political Weekly,* 51/3(2016): 10.

178) Decision 1/CP.21 (n 20) para 89는 유연성을 "보고의 범위와 빈도, 그리고 보고 및 검토의 범위의 세부적인 수준"으로 규정하고 있다.

할 필요가 있다. 이 분야와 다른 분야들에서 차등화와 관련하여 가장 중요한 것들은 결국 파리협정 이후 협상되는 세부사항에 포함될 것이다.

유엔기후체제는 20년이 넘는 기간 동안의 발전을 통해 차등화에 대한 다양한 접근법을 모색해왔다. 이 시기에 차등화의 성격과 범위는 점진적이나 유의미하게 변화하였다. 이는 교토의정서상 주요 의무의 차이에서 파리협정의 제한된 자발적 차등화와 조정된 유연성으로 변해왔다. 그럼에도 불구하고, 형평성과 차등화는 체제에 있어 여전히 핵심적인 쟁점이며, 체제가 진화함에 따라 같이 진화해 나갈 것이다.

Ⅵ. 더 큰 맥락에서 바라본 국제기후변화법제

기후변화 문제에 대한 대응은 다양한 차원에서 여러 층위의 상이한 포럼에서 나타났으며, 다수의 행위자가 참여했다.[179] 국제 수준에서의 기후협력의 영역은 다음을 포함한다. 다자간 환경협약에 따라 취해진 행동, 다른 조약체제와 국제기구에 의해 취해진 행동 그리고 다자간·복수국간 및 양자간 '클럽'에 의해 제공된 정책지침 및 정치적 신호들을 포함한다.[180] 또한 국가간 행위자와 비국가행위자들 사이의 비공식적인 협력도 있다. 기후협정, 제도, 행위자 모든 영역에 걸친 협력은 국제기후변화법의 격차를 보완하고, 기후변화법을 강화·보충 및 이행하는 데 결정적인 역할을 한다.

거의 모든 인간활동은 기후변화를 유발한다. 그리고 기후변화는 인간과 자연환경 모두에 막대한 영향을 미친다. 그렇기 때문에 당연히 기후변화는 많은 분야의 국제법과 관련되어 있다.

- 기후변화와 기후변화 정책은 모두 인류의 안녕에 영향을 줄 수 있다. 예를 들어, 기후변화는 생명, 식량, 주거 및 건강에 대한 권리를[181] 위협할 수 있

179) IPCC, Climate Change 2014: Mitigation of Climate Change (n 11) Fig 13.1 참조.

180) Robert O. Keohane and David G. Victor, 'The Regime Complex for Climate Change', *Perspectives on Politics*, 9/1 (2011): 7.

181) Office of the High Commissioner for Human Rights (OHCHR), 'Understanding Human Rights

는 반면,[182] 감축 및 적응조치는 토착민의 권리를 침해할 수 있다. 2008년 인권고등판무관실(Office of the High Commissioner of Human Rights)은 인권과 기후변화(Human Rights and Climate Change)라는 일련의 활동들을 시작하였으며, 인권이사회(Human Rights Council)는 국가들에게 인권과 기후변화의 상호연관성을 경고하는 일련의 결의를 채택했고, 국가들에게 인권법에 따른 그들의 의무를 상기시켰다.[183] 이러한 개입과 다양한 비국가행위자들의 활동의 결과로, 2015년 파리협정은 인권과 기후변화 사이에 존재하는 교차점을 인정하였다.[184]

- 상승하는 기온과 해양산성화는 해양환경, 특히 산호초에 영향을 미치므로 해양법상의 문제를 제기한다. 더욱이 해수면의 상승은 국가의 관할수역을 위해 측정되는 기선을 변경하고, 일부 저지대의 도서국가를 침수시킬 가능성이 있다. 이 역시 해양법에 의해 다루어질 문제이다.
- 해수면 상승과 기상이변은 사람들을 국경 내외의 지역으로 이동하도록 강요할 수 있다. 유엔난민고등판무관(United Nations High Commissioner for Refugees)과 국제이주기구(International Organization on Migration)는 최대한 강제이주를 방지하기 위해 다양한 정책, 연구, 실행활동을 하고 있으며, 이주가 발생했을 때 이주민들을 돕고, 적응전략으로서 이주를 지원한다.[185] 그러나 기존

---

and Climate Change: Submission of the Office of the High Commissioner for Human Rights to the 21st Conference of the Parties to the United Nations Framework Convention on Climate Change' (26 November 2015) <http://www.ohchr.org/Documents/Issues/ClimateChange/COP21.pdf> accessed 20 January 2017.

182) OHCHR, 'Human Rights and Climate Change' <http://www.ohchr.org/EN/ Issues/HRAndClimateChange/Pages/HRClimateChangeIndex.aspx> accessed 20 January 2017 참조.

183) Human Rights Council Res 32/33, 'Human Rights and Climate Change' (28 June 2016) A/HRC/32/L.34; Human Rights Council Res 29/15, 'Human Rights and Climate Change' (30 June 2015) A/HRC/29/L.21; Human Rights Council Res 26/27, 'Human Rights and Climate Change' (25 June 2014) A/HRC/26/L.33/Rev.l; Human Rights Council Res 18/22, 'Human Rights and Climate Change' (28 September 2011) A/HRC/18/L.26/Rev.1 참조.

184) Paris Agreement, preambular recital 11.

185) International Organization for Migration (IOM), 'Migration and Climate Change' <https://www.iom.int/migration-and-climate-change> accessed 20 January 2017; United Nations High Commissioner for Refugees (UNHCR), 'Climate Change and Disasters' <http://www.unhcr.org/pages/49e4a5096.html> accessed 20 January 2017.

의 국제법 체계는 기후 및 기타 요인들로 인해 나타나는 그러한 대규모 이주에 대응하기에는 부적절하게 설계되어 있다.[186)]

- 기후변화는 생물다양성과 민감한 생태계에 심각한 영향을 미칠 가능성이 크기 때문에 다른 다자간 환경체제들에 심각한 여파를 갖는데, 그 다자간 환경체제에는 생물다양성협약(Biological Diversity Convention),[187)] 람사르 습지협약(Ramsar Wetlands Convention), 세계유산협약(World Heritage Convention)이[188)] 포함된다. 이 체제들은 모두 기후변화 대응을 위한 다양한 방법을 고려하기 시작했다. 생물다양성협약 당사자들은 생물다양성체제와 기후체제 간의 연계와 상호지원을 장려하기 위한 일련의 결정을 내렸으며,[189)] 여기에는 종과 서식지 보호에 영향을 미칠 수 있는 기후변화 대응조치가 포함된다.[190)] 람사르 습지협약 회의는 특히 습지의 자기회복력을 높이고, 온실가스의 흡수원이 되는 습지를 강화 및 복원하며, 산림기반의 완화조치가 습지의 생태적 특성을 손상시키지 않도록 보장하기 위한 결의를 채택했다.[191)] 그리고 세계유산 위원회는 기후변화가 세계유산에 미치는 영향을 평가하고, 적절한 관리대응책을 수립하기 위한 이니셔티브를 구성했다.[192)]

---

186) 제9장 III 참조.

187) 생물다양성에 관한 협약(Convention on Biological Diversity), 1992.06.05. 채택, 1993.12.29. 발효, 1760 UNTS 79.

188) 세계문화유산 및 자연유산의 보호에 관한 협약(Convention for the Protection of the World Cultural and Natural Heritage), 1972.11.16. 채택, 1975.12.17. 발효, 1037 UNTS 151 (World Heritage Convention); Catherine Redgwell, 'Climate Change and International Environmental Law', in Rosemary Gail Rayfuse and Shirley V. Scott (eds), *International Law in the Era of Climate Change* (Cheltenham: Edward Elgar Publishing, 2012) 119 참조.

189) Decision XI/19, 'Biodiversity and Climate Change related issues: advice on the application of relevant safeguards for biodiversity with regard to policy approaches and positive incentives on issues relating to emissions from deforestation and forest degradation in developing countries; and the role of conservation, sustainable management of forests and enhancement of forest carbon stocks in developing countries' (5 December 2012) UNEP/CBD/COP/DEC/XI/19.

190) Ibid. 예를 들어, 산림녹화는 생물다양성 보호에 긍정적인 영향을 끼칠 수 있는 반면, 해양의 철분비옥화는 해양의 생물다양성에 부정적인 영향을 미칠 수 있다.

191) Resolution XI. 14, 'Climate change and wetlands: implications for the Ramsar Covention on Wetlands' (6-13 July 2012).

192) United Nations Educational, Scientific and Cultural Organization (UNESCO), 'Climate Change and World Heritage' (World Heritage Reports 22, UNESCO, May 2007) <http://whc.unesco.org/en/series/22/> accessed 20 January 2017; UNESCO, 'Development of Policy Document on

- 기후변화는 또한 안보에 영향을 줄 수 있다. 이는 국가안보와 국제안보에의 '위협을 배가시키는 실체'로 작용하며 다른 폭력과 갈등의 요인들을 더욱 심화시킬 수 있다.[193] 지난 10년 동안 유엔 안전보장이사회(UN Security Council)는 기후변화와 관련하여 몇 가지 논쟁을 벌였다. 그중 첫 번째는 유엔총회(UN General Assembly) 결의와[194] 사무총장 보고서로 이어졌다.[195]
- 기후변화를 다루는 조치는 국가 간 경쟁력과 무역의 흐름에 영향을 미칠 수 있다. 반대로 국제무역을 증진시키는 조치는 기후변화에 긍정적 또는 부정적 영향을 미칠 수 있다. 결과적으로 기후변화와 무역체제 사이에 시너지와 갈등의 가능성이 병존하고 있다.

일반적으로 기후변화와 다른 국제법 분야 간의 이러한 관계는 두 가지 일반적 유형 중 하나에 해당된다. 몇몇의 경우에는 다른 국제체제가 직접적으로 기후변화를 해결하려고 노력한다. 해상배출을 제한하는 국제해사기구의 활동과 HFC를 제한하는 몬트리올의정서가 이 경우에 해당된다. 이것들은 제8장에서 다중심적 기후체제 구조의 일부분으로 논의될 것이다. 이보다 훨씬 더 광범위한 국제법 체제가 기후변화와 연관되지만 (아직) 거버넌스 기능을 행사하지는 않는다. 이 책이 모든 것을 다룰 수는 없으므로 특정 범위의 국제기후변화법제에 대해서만 논할 수 밖에 없는데, 본서의 제9장은 기후변화법과 인권법, 이주법 및 통상법의 교차점에 초점을 맞출 것이다.

또한 기후변화는 다양한 다자간 혹은 복수국가 간 '클럽'(multilateral or

Impacts of Climate Change and World Heritage' (UNESCO, 2008) <http://whc.unesco.org/en/CC-policy-document/> accessed 20 January 2017; UNESCO, 'Climate Change: Climate Change and World Heritage' <http://whc.unesco.org/en/climatechange/> accessed 20 January 2017; Redgwell, Climate Change and International Environmental Law (n 188).

193) Permanent Mission of Spain to the United Nations, 'Security Council open Arria-formula meeting on the role of Climate Change as a threat multiplier for Global Security' *Press Office* <http://www, spainun.org/climatechange/> accessed 20 January 2017.

194) United Nations General Assembly Res 63/281, 'Climate Change and its Possible Security Implications' (11 June 2009) UN Doc A/RES/63/281.

195) UN Secretary-General, 'Climate Change and its Possible Security Implications' (11 September 2009) UN Doc A/64/330.

plurilateral 'clubs')에서도 다루어진다.[196] 클럽은 대화의 장으로서의 역할을 할 수도 있고, 이행에 초점을 둘 수도 있다.[197] 대화에 초점을 맞춘 클럽 중 가장 두드러진 것은 기후변화와 에너지에 관한 주요경제국포럼(Major Economies Forum on Climate Change and Energy, MEF)이다. MEF는 선진국과 개발도상국을[198] 포함해 총 17개국으로 구성되어 있으며, 이들 국가들의 배출량은 세계 배출의 약 80퍼센트를 차지한다.[199] 다수의 'G' 클럽은 또한 기후체제에 정치적 방향을 제시한다. 이 클럽은 정식 회원이 있고, 회원들이 객관적으로 비슷한 성격을 가지고 있으며, 의장직을 순환시키고 있고, 의무사항이 기후변화보다 광범위한 영역을 포괄한다는 점에서 협상연합이나 협상그룹과[200] 구별된다. G 클럽은 공동의 입장을 내기도 하지만, 이는 표준을 세우는 목적으로 하는 것이지 블록으로 협상하는 것이 아니다. G-8, G-8+5 및 G-20은 그 정도가 다르지만 모두 중요한 역할을 수행해왔다. 이러한 다자간 혹은 복수국 간 클럽 외에도 국가들 사이의 양자 간 기후협력은 기후협약에 도달하고 그 윤곽을 드러내는 데 중요한 역할을 했으며, 이를 구현하는 데 또한 중요한 역할을 할 것이다. 이 '클럽들'에 대해서는 제8장에서 자세히 다룰 예정이다.

기후변화에 대응하기 위한 다자간, 복수국 간 및 양자 간 이니셔티브가 증가하고, 기후변화법과 다른 국제법 분야 간에 존재하는 많은 상호연결들은 여러 주제에 대한 활발한 논쟁을 야기했는데, 여기에는 지구적 기후 거버넌스 구조의 파편화와[201] FCCC 프로세스의 유용성과 지속적 유의미성[202] 그리고 클럽들의 '혁

196) Keohane and Victor, Regime Complex (n 180).

197) Lutz Weischer, Jennifer Morgan, and Milap Patel, 'Climate Clubs: Can Small Groups of Countries Make a Big Difference in Addressing Climate Change?', *Review of European, Comparative and International Environmental Law,* 21/3 (2012): 177.

198) MEF의 참여국들은 호주, 브라질, 캐나다, 중국, EU, 프랑스, 독일, 인도, 인도네시아, 이탈리아, 일본, 한국, 멕시코, 러시아, 남아프리카 공화국, 영국 및 미국 등을 포함한다. 'Major Economies Forum on Energy and Climate' <http://www.majoreconomiesforum.org/> accessed 20 January 2017.

199) WRI, CAIT Climate Data Explorer (n 40).

200) 기후변화 협상에서 활발한 협상 연합체는 제3장 II 참조.

201) Frank Biermann *et al.,* 'The Fragmentation of Global Governance Architectures: A Framework for Analysis', *Global Environmental Politics,* 9/4 (2009): 14.

202) Keohane and Victor, Regime Complex (n 180) and, compare with Harald Winkler and Judy Beaumont, 'Fair and Effective Multilateralism in the Post-Copenhagen Climate Negotiations', *Climate Policy,* 10/6 (2010): 638.

신'을 가져올 수 있는 잠재력에 대한 것이다.[203] 이러한 논쟁은 지속적으로 유의미하지만, 2015년 파리협정은 국제사회의 기후협력에 있어 새로운 단계를 구축했고, 여기서 국가들은 더 큰 정치적 의지와 주인의식을 보였다. 그러나 다른 수준의 많은 활동가들에 의한 많은 활동들이 국제 기후변화법에서 중요한 역할을 계속할 것이다. 필수적인 것은 다른 국제기구, 국가하부적 및 비국가 행위자, 공공 및 사적 행위자의 클럽 활동이 FCCC 프로세스와 경쟁하기보다 보완해야 한다는 것이다.

주요 참고문헌

Bodansky D., *The Art and Craft of International Environmental Law* (Cambridge, MA: Harvard University Press, 2010).

Carlarne C.P., Gray K.R., and Tarasofsky R. (eds), *The Oxford Handbook of International Climate Change Law* (Oxford University Press, 2016).

Dessler A. and Parson E.A., *The Science and Politics of Global Climate Change: A Guide to the Debate* (Cambridge University Press, 2nd edn, 2010).

Farber D.A. and Peeters M. (eds), *Climate Change Law* (Cheltenham, UK: Edward Elgar, 2016).

French D. and Rajamani L., 'Climate Change and International Environmental Law: Musings on a Journey to Somewhere', *Journal of Environmental Law*, 25/3 (2013): 437.

Gardiner S.M. *et al.* (eds), *Climate Ethics: Essential Readings* (Oxford University Press, 2010).

Lazarus R., 'Super Wicked Problems and Climate Change: Restraining the Present to Liberate the Future, *Cornell Law Review*, 94/5 (2009): 1153.

Nordhaus W.D., *The Climate Casino: Risk, Uncertainty, and Economics for a Warming World* (New Haven, CT: Yale University Press, 2013).

203) Weischer *et al.*, Climate Clubs (n 197).

제2장

기후변화와 국제법

Ⅰ. 도입

국제기후변화법은 고립되어 작동하는 것이 아니다. 그것은 국제환경법 및 국가주권, 법제정 및 국가책임과 같이 본질적인 쟁점들에 관한 일반국제법상의 규칙들에 바탕을 두고 있다. 이 광범위한 법적 영역에 대해서 이 장에서 살펴 볼 것인데, 이는 국제기후변화법의 출현과 변화를 이해하는 중요한 맥락을 제공한다.[1)]

이 장은 국제법의 연원인 국제법 규범이 생성되는 과정에 대한 간략한 개요로 시작한다. 그런 다음, 기후변화와 관련된 국제환경법의 주요 규정과 원칙의 변화에 대해 살핀다. 역사적으로 국제법은 개별 국가의 주권적 이익에 대한 입증된 개입에 초점을 맞추었다. 이는 기후변화와 같이 잠재적 또는 예견된 영향, 지구촌 공동체의 보호 또는 지구의 기후와 같은 공동의 자연체계의 보전과 관련된 문제를 다루기에는 개념적으로 준비가 되어 있지 않은 것이었다. 고전적인 국제법은 국가의 권리와 의무에 초점을 맞추고 있는 탓에 초국경적인 피해로 인해 손해를 입은 개인이나 집단의 문제를 다루는 데도 그 수단이 제한되어 있다. 오늘날에도 국제

---

1) 이 장은 다음 문헌들에 기초하고 있다. Jutta Brunnée, 'Common Areas, Common Heritage and Common Concern', in Daniel Bodansky, Jutta Brunnée, and Ellen Hey (eds), *Oxford Handbook of International Environmental Law* (Oxford University Press, 2007) 550; Jutta Brunnée, 'Climate Change and Compliance and Enforcement Processes', in Rosemary Rayfuse and Shirley Scott (eds), *International Law in the Era of Climate Change* (Cheltenham: Edward Elgar Publishing, 2012) 290; Jutta Brunnée, 'The Global Climate Regime: Wither Common Concern?', in Holger P. Hestermeyer *et al.* (eds), *Coexistence, Cooperation and Solidarity: Liber Amicorum Rudiger Wolfrum* (Leiden, NL; Boston: Martinus Nijhoff Publishers, 2012) 721; and Jutta Brunnée, 'The Sources of International Environmental Law: Interactional Law', in Samantha Besson and Jean d'Aspremont (eds), *The Oxford Handbook on the Sources of International Law* (Oxford University Press, 2017 forthcoming).

법의 개념적 틀은 기후문제가 가지는 다양한 측면을 완전히 다루지 못하고 있다.[2] 이를 보여주는 예로 기후변화 문제에 대한 국제인권법의 적용가능성이 제9장에서 논의된다. 이 장은 국가 간에 적용되는 규정과 원칙들의 범위와 한계에 초점을 맞추고 있다. 또한 초국경적 피해를 방지하기 위해 노력해야 한다는 일반원칙(피해방지원칙)을 세부적으로 검토하는데, 이는 절차적 의무와 함께(이하 III.A.2 참조) 국제환경법의 개념적 기반으로 남아 있는 규범이다. 이러한 국제환경법의 핵심 원칙들을 논의하면서 이 장은 또한 국가책임의 주요한 특징과 제한점을 검토하고, 국가들이 이용할 수 있는 주요 분쟁해결 포럼에 대해 다룬다. 그런 다음 환경영향평가(environmental impact assessment, EIA) 이행의 의무, 인류의 공통관심사(common concern of humankind) 개념, 공통의 그러나 차등화된 책임의 원칙, 사전예방의 원칙, 지속가능한 발전(sustainabie development)이라는 개념과 같은 새로운 규범의 출현에 대해 기술한다. 이러한 규범들은 기후 도전의 세대 간 및 전지구적 본질에 대해 보다 잘 담을 수 있지만, 이는 구속력이 있는 국제법이 되지 않고 이른바 연성법(soft law)으로 남아 있다.

앞으로 분명해질 것이지만, 일반국제법은 기후변화 문제에 있어 중요한 기능을 수행하기는 하나 기후변화를 비롯한 복잡한 환경문제를 해결하는 데는 적합하지 않다. 이 사실은 이와 같은 문제를 다루기 위해 특별히 고안된 조약기반(treaty-based)의 환경체제가 왜 출현했는지를 설명해준다. 그러한 조약체제를 통해 기후정책을 추진하게 된 이유는 충분한 수의 행위자들이 조약의 구속력을 받는 것에 동의하도록 하는 것, 문제의 범위나 이해가 진화함에 따라 체제를 발전시키는 것, 참여국들이 유의미한 의무를 약속하고 그러한 의무들을 지키도록 하는 것에 있다. 이 장에서는 이러한 문제들과 다자간 환경협정들(multilateral environmental agreements, MEAs)이 그 문제들을 해결하기 위해 사용하는 주요 전략들을 집중적으로 다룬다. 그 전략들에는 장기적 조약 발전, 참여유도를 위한 조약설계, 그리고 조약에 기반한 이행과 의무준수를 촉진하기 위한 절차가 있는데, 이들 모두는 국제기후변화법의 진화에 중요한 역할을 해왔다.

---

2) 제1장 I 참조.

Ⅱ. 국제법의 연원

국제법의 전통적인 '연원(sources)'에는 조약(treaty), 관습법(customary law) 및 법의 일반원칙(general principles of law)이 포함된다.[3] 시간이 지남에 따라, 새로운 규범제정의 과정이 나타나면서 이를 통해 '연성법' 규범들이 등장했는데, 이는 행위에 대한 지침의 역할을 추구하기는 하지만, 법적 구속력을 갖지는 않는다. 이러한 국제규범의 전통적인 연원과 다소 새로운 연원 모두 세계적 기후변화에 대한 국제법적 대응을 만들어가는 데 중요한 역할을 한다. 이와 대조적으로 국제재판소 및 국내법원은 구속력 있는 국제법의[4] 존재 및 해석에 관한 분쟁을 해결하기 위해 고안되었기 때문에 현재까지는 기후와 관련해서는 제한된 역할을 수행해왔다.[5]

국제관습법은 국가의 일관되고 광범위한 관행과 그에 따른 법적 의무라는 인식(*opinio juris*)으로부터 나온다.[6] 관습법은 그래서 이론적으로는 역동적인 모습이지만, 일반적으로 느리고 점진적으로 발전한다. 국가들의 관행과 법적 확신은 기존 규범을 유지하려는 경향이 있으며, 충분한 수의 국가들의 관행과 확신을 바꾸기 시작해서 새로운 관습규범을 생성해내는 것은 비교적 어렵다. 그래서 관습법상 규정들은 일반적으로 구체적인 행동규칙보다는 상호작용에 의한 일반적이고 원론적인 원칙들을 정한다. 국제사법재판소(International Court of Justice, ICJ)가 지속적으로 강조한 바와 같이,[7] 하나의 관례가 규범적 구속력을 갖기 위해서는 국가관행과

---

3) 국제사법재판소규정(Statute of the International Court of Justice) 제38조는 재판소가 적용하는 국제법 규칙의 연원을 열거하고 있다. ICJ Statute (26 June 1943) (1945) 39 AJIL Supp 215. '연원' 문제에 대한 더욱 광범위한 분석에 대해서는 다음 문헌을 참조. Brunnée, Sources of International Environmental Law (n 1).

4) Ibid., ICJ Statute, Art 38.1 (d). 이는 국제 사법결정은 국제법의 '연원'이 아니지만, '국제법의 판단을 위한 보조적 수단'이라고 정하고 있다.

5) Christina Voigt, 'The Potential Roles of the ICJ in Climate Change-related Claims', in Daniel A. Farber and Marjan Peeters (eds), *Elgar Encyclopedia of Environmental Law vol 1: Climate Change Law* (Cheltenham, UK: Edward Elgar, 2016) 152; Jacqueline Peel and Hari Osofsky, *Climate Change Litigation: Regulatory Pathways to Cleaner Energy* (Cambridge University Press, 2015) (호주와 미국의 국내 기후 소송의 잠재력 탐구); III.B.2 및 III.C와 제8장 VI 참조.

6) 이를 더욱 구체적으로 다룬 것은 다음 문헌을 참조. Brunnée, Sources of International Environmental Law (n 1).

법적 확신이라는 두 가지 요소를 증명해야 한다. 그러나 그러한 증거를 제시하는 것은 보기보다 어렵다. 국가관행이 충분히 일관되고 널리 확산되어 관습법상의 규정이 창출되었는지 여부를 판단하는 것은 어려운 일이다. 이는 국가가 말을 하는 것과 실제로 하는 행동 간에 차이가 있을 때 특히 그러하다.[8] 그 국가의 관행이 법적 확신이라는 요건을 수반하고 있는지를 증명하는 것은 더 복잡한 일이 될 수 있는데, 이는 대부분의 경우 직접적으로 표출되지 않는 국가의 법적 확신에 대한 증거를 필요로 하기 때문이다.[9]

국가 상호작용에 대한 원론적인 원칙은 ICJ 규정 제38조 제1항 (c)호에 규정된 법의 일반원칙의 형태로도 나타날 수 있다. 그러나 법의 '연원'으로서 법의 일반원칙은 훨씬 더 많은 방법론적인 도전에 직면하고 있다. 이것은 먼저 무엇이 법의 일반원칙으로 간주되는지에 대한 오랜 의견 불일치 때문이다. 몇몇 논평가들은 법의 일반원칙들이 자연법에 근거한다고 본다.[10] 다른 이들은 이 용어가 모든 주요 법체계에서 발견되는 국내법상의 원칙을 의미하며, 이 원칙들이 국제법의 '일반원칙'

---

7) *North Sea Continental Shelf Cases (Federal Republic of Germany/ Denmark, Federal Republic of Germany/ Netherlands)* (Judgment) [1969] ICJ Rep 3, 44-5 (paras 77-8); *Nicaragua Case (Nicaragua v United States)* (Judgment) [1986] ICJ Rep 14, 108-9 (para 107); *Jurisdictional Immunities of the State (Germany v Italy: Greece Intervening)* (Judgment) [2012] ICJ Rep 99,123 (para 55).

8) Daniel Bodansky, 'Customary (and Not So Customary) International Environmental Law', *Indiana Journal of Global Legal Studies*, 3/1 (1995): 105, 113 (국가관행에 대한 실제적인 증거를 수집하는 것이 정통적인 시각이 생각하는 것보다 훨씬 더 복잡하며, 체계적인 조사가 일반적으로 부족하다는 점을 지적).

9) 많은 평론가들은 가장 좋은 접근이 상당한 주의를 기울이면서 국가들의 관행으로부터 법적 확신을 추단하는 것이라고 여긴다. 그러나 이러한 접근에 대해서는 논란이 있다. 논쟁에 대한 생생한 설명에 대해서는 다음 문헌을 참조. Jean-Marie Flenckaerts, 'Study on Customary International Humanitarian Law: A Contribution to the Understanding and Respect for the Rule of Law in Armed Conflict', *International Review of the Red Cross*, 87/857 (2005): 175, 181-2 (추론 접근법에 대한 합리적인 설명 제공); John B. Bellinger III and William J. Haynes II, 'A US Government Response to the International Committee of the Red Cross Study Customary International Humanitarian Law', *International Review of the Red Cross*, 89/866 (2007): 443, 446 ("비록 동일한 행동이 국가관행과 법적 확신의 증거로 작용할지라도, 미국은 법적 확신이 단순히 관행에서 유추될 수 있다는 것에 동의하지 않는다"고 주장).

10) Judge Cançado Trinidade, Case concerning *Pulp Mills on the River Uruguay (Argentina v Uruguay)* (Separate Opinion) [2010] ICJ Rep 135, 142 (para 17), 151 (para 39), 207 (paras 191-3).

으로 간주될 수 있다고 본다. 그러나 다른 사람들은 이 원칙이 국제법에서 직접적으로 지지되었다는 것을 증명할 필요가 있다고 주장하며, 결국 이것이 국제관습법의 일부라고 본다.[11)]

관습법 또는 법의 일반원칙이 국제환경법의 기본적 규범에 있어 더 개연성 있는 '연원'을 제공하는가?[12)] 현 논의의 목적에 있어서는, 둘 다 일반국제법을 형성한다고 말하는 것으로 만족해야 한다. '일반국제법(general international law)'이라는 용어는 모든 국가에 적용되는 국제적인 법적 규정과 원칙들을 의미하며, 조약은 이와 달리 이 조약의 구속력을 받는 것으로 명시적으로 동의하며 그 조약의 당사국이 된 국가들에만 적용된다.

국제기후변화법은 다음 절에서 논의할 '환경손해를 야기하지 않을 책임의 원칙(no-harm rule)'과 같은 일반적인 국제법의 규정과 원칙의 일부와 조약기반 체제를 포함하는데, 이 장의 IV절에서 그 주요 특징들을 설명한다. 조약이 관습법이나 일반원칙들과 다른 점은 조약을 비준한 국가들에게만 영향을 미친다는 것 이외에도 더 광범위하게 합의되고 훨씬 더 상세한 법제정에 관한 규정이 적용된다는 것이다. 조약에 기반한 법제정의 가장 중요한 규칙과 관행은 제3장에서 논의되며, 제4-7장에서는 국제기후변화법이 개발한 법문서에 대한 상세한 검토를 위한 논의를 마련했다.

'연성법'은 보편적 적용을 의도한 기준과 조약기반으로 작동하는 기준을 마련하고 있다. 사실상 많은 분야에서 연성법이 증가하고, 그 중요성 또한 높아지고 있다는 점에도 불구하고,[13)] '연성법'이라는 개념은 많은 논란을 일으키고 있다.[14)]

---

11) Hugh Thirlway, *The Sources of International Law* (Oxford University Press, 2014) 94-6.

12) Daniel Bodansky, *The Art and Craft of International Environmental Law* (Cambridge, MA: Harvard University Press, 2010) 199-203. ICJ의 판례법상 '일반원칙의 표명' 문제에 관해서는 아래 nn 31-32 및 그곳의 본문 참조.

13) Joost Pauwelyn, Ramses A. Wessel, and Jan Wouters, 'When Structures Become Shackles: Stagnation and Dynamics in International Law-making', *European Journal of International Law*, 25/3 (2015): 733; Dinah Shelton (ed), *Commitment and Compliance: The Role of Non-Binding Norms in the International Legal System* (Oxford University Press, 2000); Pierre-Marie Dupuy, 'Soft Law and the International Law of the Environment', *Michigan Journal of International Law*, 12/2 (1991): 420.

14) Malcolm N. Shaw, *International Law* (Cambridge University Press, 7th edn, 2014) 83 (연성법이

'연성법'은 다양한 방법으로 만들어지며, 다양한 형태로 등장하고, 그중 많은 부분이 하나 혹은 다수의 전통적 법의 연원과 상호작용을 하거나 중첩된다.[15] 예를 들어, '연성'법은 관습법의 선구자이기도 하고,[16] 국가에 의해서 '법제정의 전통적인 방식에 따라 구속력 없는 형태로' 형성되기도 하며, 비(非)국가행위자들에 의해 생성되고 기획되기도 한다.[17] 그러나 내용과 효과 측면에서 '경성'법과 '연성'법의 차이는 구별하기가 어려울 수 있다.[18] 예를 들어, '경성'법은 때로 '연성'의 분쟁해결절차 또는 '연성'의 제재와 결합되어 있다.[19] 반면에 '연성'의 규범은 국제재판소에서 허용된 '청구원인(causes of action)'의 형태로 기능하지는 못하지만, 법원·국가 및 다른 국제적 행위자들의 실제 법적 논증에서 기능을 할 수 있다.[20] 그리고 구속력이 있는 조약에 강제성이 없거나 모호한 용어가 포함될 수 있는 것처럼,[21] '연성' 표준에는 의무적이거나 매우 구체적인 용어가 포함될 수 있다.[22] 이

법이 아니라는 것을 명백하게 진술); Jan Klabbers, 'The Redundancy of Soft Law', *Nordic Journal of International Law*, 65/2 (1996): 167, 167-8 (전통적인 이진법 개념이 연성법의 기능을 수행할 수 있다는 점을 고려); Prosper Weil, 'Towards Relative Normativity in International Law', *American Journal of International Law*, 77 (1983): 413 (연성법을 국제법의 위험으로 간주); Alan Boyle, 'Soft Law in International Law-Making', in Malcolm D. Evans (ed), *International Law* (Oxford University Press, 3rd edn, 2010) 118, 122-4 (비록 유동적일지라도 연성법을 다양한 법적 효과를 지닌 규범을 포괄하는 관련 범주로 수용); Kenneth W. Abbott and Duncan Snidal, 'Hard and Soft Law in International Governance', *International Organization*, 54/3 (2000): 421 (합리적 선택의 관점에서 규범의 경성이나 연성의 지표로서 의무, 정밀성, 위임을 제시).

15) Boyle, ibid. 참조.

16) Ibid, 134-7.

17) Christine Chinkin, 'Normative Development in the International Legal System', in Dinah Shelton (ed), *Commitment and Compliance: The Role of Non-Binding Norms in the International Legal System* (Oxford University Press, 2000) 21, 30—1.

18) Bodansky, *Art and Craft of International Environmental Law* (n 12) 96-107 ('법적인/비(非)법적인(non-legal)' 것이 항상 가장 현저한 규범적 특징은 아니라고 주장). Daniel Bodansky, 'Legally Binding Versus Non-Legally Binding Instruments', in Scott Barrett, Carlo Carraro, and Jaime de Melo (eds), *Towards a Workable and Effective Climate Regime* (London: Centre for Economic Policy Research Press, 2015) 155 (법적 구속력, 정밀성, 사법 적용 및 집행을 구별).

19) Chinkin, Normative Development (n 17) 40.

20) Christine Chinkin, 'The Challenge of Soft Law: Development and Change in International Law', *International & Comparative Law Quarterly*, 38/14 (1989): 850, 850-1; Committee on the Legal Principles relating to Climate Change, 'Legal Principles Relating to Climate Change' (International Law Association (ILA), Washington, D.C., 2014) (ILA Legal Principles) Art 2 and Commentary (새로운 원칙과 구속력 있는 원칙이 모두 포함되어 있는 이유를 설명).

러한 '연성법'의 모든 특징들은 국제기후변화법에서 발견될 수 있는데, 이는 특히 유엔기후체제가 보여주듯 다수의 연성규범 형성과정이 국제기후변화법에 중요한 역할을 해왔고, 파리협정(Paris Agreement)이 보여주듯 원래는 '경성적' 수단인 것이 '연성적' 내용으로 회귀하는 경우도 나타나고 있다.[23)]

마지막으로, 국가들에 의해 주도되는 관습법, 조약기반의 법 그리고 '연성'법의 제정과정에 대한 이해가 중요하지만, 기준을 설정하는 것과 관련하여 비(非)국가 및 국가하부적 행위자와 국제기구의 역할이 커지고 있다는 점을 인식하는 것이 중요하다. 유엔기후체제 외에서 이루어지는 이러한 기준설정과정 중 가장 주요한 것은 제8장의 '다중심적' 혹은 '다층적' 기후 거버넌스에 관한 논의에서 다루어진다.

Ⅲ. 국제환경법상의 주요 원칙

A. 환경손해를 야기하지 않을 책임의 원칙 및 관련 원칙

현대의 국제환경법은 서로 경쟁하는 국익 사이의 균형과 관련된 개념들에 기초해 있다.[24)] 기본적인 환경손해를 야기하지 않을 책임의 원칙 및 관련 원칙에 따르면, 국가들이 자국의 영토와 자원을 사용할 수 있다는 주권적 권리는 그 이용이 국경을 넘어 이웃국가에 상당한 피해를 초래할 때 제한될 수 있고, 그 피해가 상당한 정도에 이르지 못할 때에는 이웃국가들은 그 피해를 용인해야 한다. 이 원칙이 처음 등장한 것은 트레일 제련소 중재사건(*Trail Smelter* Arbitration)에서인데, 이는 캐

21) Boyle, Soft Law (n 14) 130-2; Bodansky, *Art and Craft of International Environmental Law* (n 12) 13-14.

22) Jutta Brunnée, 'COPing with Consent: Lawmaking under Multilateral Environmental Agreements', *Leiden Journal of International Law*, 15/1 (2002): 1.

23) 법적 형식에 관한 보다 구체화된 논의는 제1장 V.A 참조. 유엔기후체제에 원용된 법적 수단들에 대해서는 제4장 참조. 체제의 조약들에 대해서는 제4장-제7장 참조.

24) *Island of Palmas Case (The Netherlands v United States)* (1928) 2 RIAA 829,839 ("영토 주권은 다른 나라의 권리, 특히 완전성과 불가침에 대한 권리를 영토 내에서 보호해야 할 부수적 의무가 있다"고 주장).

나다 브리티시 컬럼비아주의 트레일 제련소가 미국 워싱턴주의 가축과 농지에 손해를 끼친 사건이다.[25] 중재판정부는 어느 국가도 '자국의 영토사용으로 생성된 기체가 타국가에 피해를 발생하는 방식으로 그 영토를 사용하거나 사용을 허용할 권리'를 가지지 않는다고 하면서 문제가 되는 침해가 '심각한 결과를 가져오고', '명확하고 설득력 있는 증거'로 검증되어야 한다고 설시하였다.[26] 중재판정부는 캐나다가 접경지대의 피해를 보상해야 할 뿐만 아니라 미래의 피해를 예방할 수 있는 통제적 조치를 도입해야 한다고 판결했다.[27]

자국 영토 내에서 수행되는 활동으로 야기된 초국경적 피해에 대한 책임은 ICJ의 여러 판결에서뿐만 아니라 일련의 MEA들과 여타의 국제법 문서들을 통해 확인되고 구체화되었다. 1972년 '스톡홀름 유엔인간환경회의 선언(Stockholm Declaration of the United Nations Conference on the Human Environment)'의 원칙 21에 따르면, 국가에는 "자국의 환경정책에 입각하여 자국의 자원을 이용할 수 있는 주권이 있으며, 자국의 관할권이나 통제권 내에서의 활동이 타국가나 국가관할의 범위를 벗어난 지역의 환경에 피해를 초래하지 않도록 보장할 의무"가 있다.[28] 원칙 21의 문언은 피해방지의 원칙이 국제적 공유지에도 적용된다는 점을 제시하는데, 여기에는 공해, 남극대륙과 더 나아가 지구의 대기권도 포함된다. 1992년 '환경과 개발에 관한 리우선언(Rio Declaration on Environment and Development)'의 원칙 2는 스톡홀름 선언상의 문언을 재천명하면서 국가는 환경 및 '발전(development)' 정책에 따라 자원을 이용할 권리가 있다고 하였다.[29] FCCC의 전문(preamble)에서도 발견되는 이 문언은 리우회의가 환경과 발전 문제의 균형을 맞추기 위해 광범위한 노력을 기울였으나,[30] 실제로는 주권으로부터 당연히 나오는 권리를 강조하는 것 이상의 의미

25) *Trail Smelter Arbitration (United States v Canada)* (1938 and 1941) 3 RIAA 1905.
26) Ibid, 1965.
27) Ibid, 1974-8 and 1980-1.
28) UN Conference on the Human Environment, 'Declaration of the United Nations Conference on the Human Environment' (16 June 1972) UN Doc A/CONR48/14/Rev 1, 3, reprinted in 11 ILM 1416 (1972) (Stockholm Declaration).
29) UN Conference on Environment and Development, 'Rio Declaration on Environment and Development' (14 June 1992) UN Doc A/CONE151/26/Rev 1 vol I, 3, reprinted in 31 ILM 874 (1992) (Rio Declaration).
30) 아래 nn 127-137 및 그곳의 본문 참조.

를 갖지 않는다는 것을 보여준다.

ICJ는 1996년 *Legality of the Threat or Use of Nuclear Weapons* 권고적 의견(Advisory Opinion)에서 최초로 “그 관할권에 속하고 그 통제하에 있는 활동들이 다른 국가 및 국내의 통제 밖에 있는 영역의 환경을 존중해야 한다는 국가의 보편적 의무가 이제 환경과 관련된 국제법의 일부가 되었다”고 확인한 바 있다. 그러나 재판소는 이 의무가 그 성격상 관습법적인 것인지 법의 일반원칙인지에 대해서는 특정하지 않았다.[31] 재판소는 *Gabčíkovo–Nagymaros* 사건에 관한 1997년 판결에서 이러한 결정을 반복하였고, *Pulp Mills* 사건에 관한 2010년 판결에서 동 의무는 사실상 관습법이라는 점을 확인하였다.[32]

1. 피해방지 및 상당한 주의

Pulp Mills 사건에서 ICJ는 환경손해를 야기하지 않을 책임의 원칙이 가지는 두 가지 중요한 특성에 대해 강조한 바 있다. 첫째, *Trail Smelter* 결정에 의해 제안된 바처럼 환경손해를 야기하지 않을 책임의 원칙은 다른 국가들의 환경 및 지구상의 공유영역에 대한 침해를 방지하기 위한 적합한 조치를 취할 의무를 포괄한다.[33] 둘째, “예방의 원칙(principle of prevention)은 관습법적 규정으로서 자국의 영토에 대해 국가에 요구되는 상당한 주의의무(due diligence)에 그 기원을 둔다”.[34] 결과적으로 상당한 주의를 기울여 행위할 의무는 “적합한 규정 및 조치의 채택뿐 아니라 그것들의 집행과 공적·사적 행위자들에 대해 적용되는 행정적 통제의 행사에 있어 일정 정도의 주의수준”을 수반한다.[35]

---

31) *Legality of the Threat or Use of Nuclear Weapons* (Advisory Opinion) [1996] ICJ Rep 226, 242 (para 29).

32) *Gabčíkovo-Nagymaros Project (Hungary/Slovakia)* (Judgment) [1997] ICJ Rep 7, 41 (para 53); *Case concerning Pulp Mills on the River Uruguay (Argentina v Uruguay)* (Judgment) [2010] ICJ Rep 14, 55 (para 101).

33) ILA Legal Principles (n 20) Art 7A(1) and Commentary.

34) *Pulp Mills* (n 32) 55 (para 101); *Certain Activities Carried Out by Nicaragua in the Border Area (Costa Rica/Nicaragua)* and *Construction of a Road in Costa Rica along the San Juan River (Nicaragua/Costa Rica)*, (Judgment) [2015] ICJ <http://www.icj-cij.org/docket/index.php?p1=3&p2=1&case=150> accessed 27 October 2016.

35) *Pulp Mills*, ibid, 79 (para 197); ILA Legal Principles (n 20) Art 7A(2) and Commentary; ILA

국제해양법재판소(International Tribunal for the Law of the Sea, ITLOS)의 해저분쟁부(Seabed Disputes Chamber)는 2012년 *Responsibilities in the Area* 권고적 의견에서 이러한 접근방식을 근거로 상당한 주의의무 기준의 문맥적 성격을 강조한 바 있다.[36] 분쟁부에 의하면, 상당한 주의의무 기준은 “특정 시점에는 충분히 주의를 기울인 것으로 여겨지던 조치들이 예를 들어 새로운 과학적 또는 기술적 지식의 관점에서 충분히 주의를 기울이지 않은 것이 되는 것처럼 시간이 지남에 따라 변화할 수 있다. 이것은 활동에 의해 발생한 위험과 관련하여서도 변화할 수 있고, 이는 더욱 위험한 활동에 대해서는 더욱 중대할 수 있다.”[37] 더 나아가 상당한 주의의무 기준은 관련 국가의 역량이라는 관점에서도 다양할 수 있는데,[38] 이 점에 대해서는 의견불일치가 더욱 심한 것으로 보인다. 몇몇 대표적 학자들은 개발도상국의 더욱 낮은 기술적 및 규제적 역량에 대해 용인하는 FCCC를 포함한 다수의 국제적 문서들을 인용하면서 상당한 주의의무 기준이 가지는 유연성과 ‘공통의 그러나 차등화된 책임의 원칙(principle of common but differentiated responsibility)’을 비교한다.[39] 그러나 ITLOS의 해저분쟁부는 선진국과 개발도상국에 대한 차등적인 취급이 이것을 뒷받침하는 국제법이 그렇게 규정하고 있는 경우에만 보장되어야 한다는 점에 강조점을 둔 바 있다.[40] 사실 제1장에서 살펴본 바 있고, 이후 이 장과 제4장에서 다시금 살펴볼 공통의 그러나 차등화된 책임의 원칙과 관련하여 미국은 “개발도상국이 국제법상 지는 책임에 대한 어떠한 경감을 승인하거나 받아들

Study Group on Due Diligence in International Law, ‘First Report’ (7 March 2014) and ‘Second Report’ (July 2016) (두 가지 모두 국제법의 여러 영역에 걸쳐서 상당한 주의에 대한 광범위한 평가를 제공).

36) *Responsibilities and Obligations of States Sponsoring Person and Entities with Respect to Activities in the Area* (Advisory Opinion, Order of 1 February 2011) ITLOS Reports 2011, 10 (*Responsibilities in the Area*) paras 115, 117.

37) Ibid, para 117.

38) International Law Commission (ILC), ‘Text of the Draft Articles on Prevention of Transboundary Harm from Hazardous Activities, with commentaries’, in *Report of the International Law Commission on the work of its fifty-third session* (21 April-1 June and 2 July-10 August 2001) UN Doc A/56/10, 370, Art 3 and Commentary, paras 12-13; ILA Legal Principles (n 20) Art 7A(3) and Commentary.

39) Patricia Birnie, Alan Boyle, and Catherine Redgwell, *International Law and the Environment* (Oxford University Press, 3rd edn, 2009) 149.

40) *Responsibilities in the Area* (n 36) paras 151-63.

일 것으로 암시"[41]하는 어떠한 해석에 대해서도 반대한다는 반복적인 입장 표명을 하면서 이 문언이 가지고 있는 잠재적 함의에 대한 방어를 시도한 바 있다.

2. 절차상의 의무

환경손해를 야기하지 않을 책임의 원칙은 일련의 절차상 의무들에 의해 지지되고 있다.[42] 여기에는 잠재적으로 영향을 받을 수 있는 국가들에 통지하거나 경고할 의무[43], 정보를 교환하고 협의하며 협상할 의무[44] 및 초국경적 환경침해를 예방하기 위해 협력할 일반적 의무[45]가 포함된다. *Pulp Mills* 사건, ITLOS의 *Responsibilities in the Area* 권고적 의견과 상호연결되어 있는 코스타리카와 니카라과 사이의 분쟁에 관한 ICJ의 2015년 판결들[46] 모두 국가의 국제관습법상 절차 의무에 따라 그들의 관할권 내에 또는 그들의 통제하에 있는 활동이 그들의 국경 밖으로까지 상당한 악영향을 끼칠 수 있는 경우에 EIA를 실시할 의무가 포함된다는 점을 확인한 바 있다. 이러한 절차상의 의무들은 관습법상의 규범들로서 별개로 존재하고 있지만, 이들은 상당한 주의의무라는 기준을 통해 환경피해를 예방할 실체적 의무 속에 암시된 것들이라고 여겨질 수도 있다.[47] 예를 들어, 잠재적인 초국경적 환경영향에 대한 평가를 수행하는 것은 전형적으로 한 국가가 상당한 주의

---

41) US Department of State, 'U.S. interpretive statement on World Summit on Sustainable Development declaration' (2002) <http://www.state.gov/s/l/38717.htm> accessed 20 January 2017 (1992년 유엔환경개발회의에서 발표한 성명서를 반복함).

42) ILA Legal Principles (n 20) Art 7A(1) and Commentary.

43) *Corfu Channel (United Kingdom of Great Britain and Northern Ireland v Albania)* (Merits) [1949] ICJ Rep 4, 22 ('고의적으로 자국의 영토가 타국의 권리에 반하는 행위를 위하여 이용되는 것을 허용하지 않을' 국가의 일반적 의무 확인).

44) *Lake Lanoux Arbitration (Spain v France)* (1957) 12 RIAA 281.

45) *Pulp Mills* (n 32) 67 (para 145) (국제법에서 신의성실의 원칙에 협조할 의무를 개관함).

46) Ibid, 83 (paras 204-5); *Responsibilities in the Area* (n 36) para 145; *Costa Rica/Nicaragua* and *Nicaragua/Costa Rica* (n 34) para 104.

47) Birnie *et al.*, *International Law and the Environment* (n 39) 147-50; Jutta Brunnée, 'Procedure and Substance in International Environmental Law: Confused at a Higher Level?', *ESIL Reflections*, 5/6 (2016) <http://www.esil-sedi.eu/sites/default/files/ESIL%20Reflection%20Brunnée.pdf> accessed 20 January 2017 (절차적 의무와 실체적 의무 사이의 관계 및 상당한 주의의무와 관련하여 ICJ의 코스타리카/니카라과 및 니카라과/코스타리카 판결에 의해 제기된 모호성에 대한 논의).

의 의무로서 이행해야 할 조치들 중 하나가 될 수 있다.[48)]

3. 예방과 사전주의

상당한 주의의무는 더 나아가 환경피해를 예방할 의무와 "사전주의적 접근이 국가에 의해, 그들의 역량에 따라 널리 적용되어야 한다"[49)]는 입장 사이의 가교로서 등장하는 것으로 보인다. 전통적으로 환경손해를 야기하지 않을 책임의 원칙은 상당한 환경피해에 대해 알려지거나 객관적으로 판단된 위험에만 관련되어 있었다.[50)] 이에 반해 사전주의의 원칙(precautionary principle)에 의하면, 리우선언의 원칙 15에 규정되어 있는 바처럼 심각하거나 회복할 수 없는 피해가 있는 경우에 "완전한 과학적 확실성(full scientific certainty)"이 요구되지 않으며,[51)] 입증 측면에서 더욱 완화된 발동요건은 국제환경법의 보호잠재력을 향상시킬 수 있을 것이다. 그러나 원칙 15가 사전주의에 대하여 가장 보편적으로 거론되고 있다고 하더라도[52)] 국가들과 학자들 사이에서 동 원칙의 명확한 내용과 동 원칙이 국제관습법의 지위를 갖는지 여부에 관하여 논쟁이 이어지고 있다.[53)]

국제재판소들과 중재판정부들은 환경보호에 대한 사전주의적 접근이 지닌 명석함에 대해 암시하고 있기는 하지만,[54)] 사전주의의 원칙의 법적 지위에 관한 견해를 피력하는 것을 회피해왔다.[55)] ITLOS의 해저분쟁부는 *Responsibilities in the*

---

48) *Pulp Mills* (n 32) 83 (para 204) (당사자가 환경영향평가를 수행하지 않았다면, 상당한 주의와 그것이 의미하는 경계와 예방의 의무가 행사된 것으로 간주되지 않을 것이라고 지적); *Costa Rica/Nicaragua* and *Nicaragua/Costa Rica* (n 34) para 104.

49) Rio Declaration, Principle 15.

50) Birnie *et al.*, *International Law and the Environment* (n 39) 153.

51) ILA Legal Principles (n 20) Art 7B and Commentary ('과학적 확실성의 결여'라는 개념을 부정확하다고 비판하고, 대신 '합리적 예측력'에 대한 개념을 채택).

52) FCCC, Art 3.3 (수정된 Rio Principle 15 적용).

53) Birnie *et al.*, *International Law and the Environment* (n 39) 154-64; Daniel Bodansky, 'Deconstructing the Precautionary Principle', in David D. Caron and Harry N. Scheiber (eds), *Bringing New Law to Ocean Waters* (Leiden/Boston: Brill, 2004) 382.

54) *Gabčíkovo-Nagymaros* (n 32) 78 (para 140); *Pulp Mills* (n 32) 71 (para 164) and 76-7 (para 185); *Southern Bluefin Tuna Cases (Australia and New Zealand v Japan)* (Order of 27 August 1999) ITLOS Cases Nos 3 and 4, para 77 <https://www.itlos.org/fileadmin/itlos/documents/cases/case_no_3_4/Order.27.08.99.E.pdf> accessed 20 January 2017.

55) *European Communities - Measures Concerning Meat and Meat Products (EC-Hormones) - Report*

Area 권고적 의견에서 리우선언의 원칙 15에 규정되어 있는 사전주의적 접근을 포함하는 "점점 더 많은 수의 조약들과 다른 문서들"이 "그것을 국제관습법의 일부로 만드는 경향성을 제기해오고 있다"는 점에 주목하면서 이러한 조심스러운 접근방법에 따른 바 있다.[56] 그러나 권고적 의견의 다른 부분에서 분쟁부는 "사전주의적 접근이 상당한 주의라는 보편적 의무를 이루는 불가분의 일부가 된다"고 보면서 앞서 언급한 예방과 사전주의 사이의 '가교를 놓는 일(bridge-building)'을 하기도 했다.[57] 분쟁부에 따르면, 이 의무는 "국가로 하여금 손해를 예방할 수 있는 적합한 모든 조치들을 하도록 그리고 이것이 문제된 활동의 범위와 잠재적인 부정적 효과에 관하여 과학적 입증이 충분하지는 않지만, 잠재적 위험성에 관한 개연성 있는 징후들이 있는 경우들에 적용되도록"[58] 요구한다. 분쟁부는 국가가 "이러한 위험성을 무시하는 경우에 상당한 주의의무를 충족시킬 수 없을 것"[59]이라는 결론에 이르렀다. 위 논증들은 주의의 기준이 다양한데, 특히 "포함된 위험성과 관련하여"[60] 그렇다는 분쟁부의 시각과 틀림없이 그 맥을 같이 하는 것이다. 그러나 이러한 관점이 많은 측면에서 현명한 것 같기는 하지만, 예방과 사전주의에 대한 분쟁부의 차등적 접근방법이 국제적 관행에 의해 포용될 것인지는 지켜보아야 할 문제로 남아 있다.[61]

---

of the Appellate Body (16 January 1998) WT/DS48/AB/R, para 123; *European Communities - Measures Affecting the Approval and Marketing of Biotech Products - Reports of the Panel* (29 September 2006) WT/DS291/R, para 7.89.

56) *Responsibilities in the Area* (n 36) para 135.

57) Ibid, para 131.

58) Ibid.

59) Ibid.

60) 위 n 36 및 그곳의 본문 참조.

61) 분쟁부는 '환경보호의 영역에 있어 환경에 대한 피해가 종종 회복할 수 없다는 성격과 동유형의 손해에 대한 배상체제가 내재하고 있는 본질적 한계를 고려했을 때 경계와 예방이 요구된다는 점'에 주목하면서 ICJ가 *Gabčíkovo-Nagymaros* 사건과 *Pulp Mills* 사건 판결에서 간단하게 언급한 것을 구체적으로 설명했다. *Gabčíkovo-Nagymaros* (n 32) 78 (para 140); *Pulp Mills* (n 32) 76-7 (para 185); ILA Legal Principles (n 20) Art 7A and 7B and Commentary 참조. 그러나 ICJ는 코스타리카와 니카라과 사건(*Costa Rica/Nicaragua* and *Nicaragua/Costa Rica*)에서 이 질문에 대해 의사를 천명할 기회를 받아들이지 않았다; Brunnée, Procedure and Substance (n 47) 6 참조.

B. 환경손해를 야기하지 않을 책임의 원칙의 위반에 대한 국가책임의 형성

1. 일반적 고려

만약 한 국가가 다른 국가에 대해 상당한 초국경적 피해를 방지할 상당한 주의의무를 다할 의무를 위반한 경우에 또는 이에 따라 나오는 절차상의 의무들을 충족하지 못한 경우에 어떠한 일이 발생하게 되는가? 일반국제법은 국가책임법의 '2차적(secondary)' 규칙을 통해[62] 해답을 제공하고 있다. 이들 규칙들에 의해 피해를 입은 국가는 타국의 국제법 위반에 대한 책임을 추궁할 수 있다.[63] 따라서 환경손해를 야기하지 않을 책임의 원칙에 따른 의무 또는 이것과 관련된 절차상의 의무를 주장하는 국가는 위반의 중단 및 책임 있는 국가로부터의 배상을 청구할 권리를 갖는다.[64] 해당 국가가 이러한 2차적 의무를 준수하지 않을 경우, 피해국은 가해국에 대해 대항조치를 취할 자격을 갖게 된다.[65] 달리 말하면, 가해국이 위반행위를 종결하거나 배상을 하도록 하기 위해 피해국은 다른 상황에서는 국제법의 위반이 될 수 있는 행위들에 의존할 수 있는 것이다. 국가책임법이 갖는 가해국 · 피해국 간의 대립적 태도가 기후변화와 같은 전지구적 환경문제를 다루는 데 적합한지에 대해서는 이 장의 뒷부분에서 다루어질 것이다.[66] 지금은 원칙적으로 개별 국가가 가해국이 불법행위를 중단하지 않는 경우에 환경손해를 야기하지 않을 책임의 원칙의 위반에 대한 대응으로서 특정한 '자력구제(self-help)'의 조치를 취하도록 허용한다는 점을 국가책임법이 언급하는 것으로 만족해야 할 것이다.

그렇다면, 기후변화의 국가에 대한 영향을 다룸에 있어 관습법이라는 틀은 어떻게 작동될 것인가? 다른 국가의 기후 관련 피해 또는 위험과 관련된 개별 국가

62) 국가책임에 있어 '2차적 의무'는 환경손해를 야기하지 않을 책임의 원칙과 같은 국제법상의 '1차적 의무'의 위반에 의해 발생한다; Jutta Brunnée, 'International Legal Accountability Through the Lens of the Law of State Responsibility', *Netherlands Yearbook of International Law*, 36/1 (2005): 21, 23 참조.

63) ILC, 'Text of the Draft Articles on Responsibility of States for internationally wrongful acts', in Report of the ILC (n 38) 43 (Draft Articles on State Responsibility) Art 42.

64) Ibid, Arts 30 and 31.

65) Ibid, Art 49.

66) IV.C 하단 참조.

들의 행동에 대해 이의를 제기하는 것에 대한 법적 근거를 가지고 있는 개별 국가에 있어 동 국가는 상대 국가가 환경손해를 야기하지 않을 책임의 원칙을 또는 이와 관련된 절차상의 의무들을 위반했다는 점을 보여야 할 것이다. 이는 이 타국의 관할권 아래에 있거나 통제를 받는 활동이 원고국 영토에 수치화할 수 있는 상당한 피해를 야기하거나 야기할 수 있는 위험이 있다는 점을 설명할 것을 필요로 한다. 상당한 피해로 보이는 일은 해수면 상승, 홍수, 가뭄 또는 혹서의 결과로서 이주, 사망 또는 파괴가 실제로 발생한 경우에는 어렵지 않을 것이다. 하지만 모델링과 귀속성 판단에 관한 역량이 지속적으로 향상되고 있음에도 불구하고, 이를 특정 국가의 행위로만 귀속시키는 것은 물론이고, 충분한 개연성을 가지고 특정한 기후적 상황 또는 영향이 다른 요인이 아닌 사실상 인간에 의해 초래되었다는 것을 입증하는 것[67]조차 여전히 어려울 수 있다. 도리어 인간에 의해 야기된 기후변화가 위에서 언급된 유형의 침해들을 야기할 개연성이 있다고 설명하는 것이 더욱 쉬울 수 있다.[68] 그러나 원고국은 상대 국가가 이러한 위험성에 인과적으로 기여했다는 점에 대해 입증해야 한다.

성공적인 청구를 위한 아마도 더 큰 장애요인은 국가들이 기후변화의 예방에서 상당한 주의만을 실천할 것을 요구받고 있다는 사실이다.[69] 원고국은 피고국이 자신의 관할권 아래서 벌어지는 활동들로부터 온실가스의 배출을 억제하는 합리적이고 적합한 규제적 조치 및 집행조치를 취할 의무를 다하지 않았다는 점을 입증할 필요가 있을 것이다. 기술적 역량과 규제적 역량의 부족이 개발도상국에게 적용되는 상당한 주의의 기준을 낮추는지에 관한 질문을 차치하더라도 국제관습법은 기후변화 관련 주의는커녕 상당한 주의에 관한 보편적이고 명백한 기준을 제시하지도 않고 있다. 역설적이게도 유엔기후체제의 최근 진화는 그들이 상당한 주의의

---

67) Myles Allen, 'The Scientific Basis for Climate Change Liability', in Richard Lord *et al.* (eds), *Climate Change Liability: Transnational Law and Practice* (Cambridge University Press, 2012) 8; 최근 발전에 관한 접근 가능한 조사들에 대해서는 다음 문헌을 참조. Robert McSweeney, 'Q&A: How scientists link extreme weather events to climate change' (CarbonBrief, 14 January 2016) <https://www.carbonbrief.org/qa-how-scientists-link-extreme-weather-to-climate-change> accessed 20 January 2017 (interviewing Myles Allen and Friederike Otto).

68) 인간이 초래한 기후변화에 관한 증거들과 이것의 개연성 있는 영향에 대해서는 제1장 참조.

69) III.A.1 상단 참조.

무를 다하였다는 것을 더욱 쉽게 만들고 있다. 무엇보다 파리협정은 광범위한 국가별 기여방안을 수용하고 있지만, 협정상의 의무를 충족시킨 국가가 상당한 주의를 기울이지 않았다고 주장하는 것이 가능한지에 대한 질문을 낳게 되었다.[70] 이에 더해, 세계가 이제 전지구적 온난화를 '2°C 훨씬 아래로' 유지하고, 이를 '산업화 이전의 수준을 넘어 1.5°C'[71]까지로 제한하기 위해 노력을 경주할 필요에 대해 동의한 것으로 보이지만, 들려오는 다중의 목소리에 의하면, 이러한 온도 목표는 달성하기 어려운 것이라고 한다.[72]

2. 기후피해로 인한 소송의 사례

이러한 냉혹한 평가는 국가책임법이 어떠한 역할도 하지 않는다는 것을 의미할까? 완전히 그런 것은 아니다. 아직까지 국가들은 기후변화와 관련된 피해에 대해 공식적으로 국가책임법을 주장한 바 없다. 그러나 국제재판소에 환경적 쟁점들을 제기하는 국가들이 늘고 있으며, 이는 핵심적 원칙들을 명확히 하는 중요한 작업으로 이어지고 있다.[73] 기후변화의 맥락에서 소도서국가(small island states)들은

70) Christina Voigt, 'The Paris Agreement: What is the Standard of Conduct for Parties' (24 March 2016) <http://www.qil-qdi.org/paris-agreement-standard-conduct-parties/> accessed 20 January 2017 (파리협정과 상당한 주의의무 기준 간의 관계 탐구). 그러나 파리협정은 개별 당사국의 국가별 기여방안이 "각국의 가능한 가장 높은 진취성을 반영할 것"(제4조 제3항)이라고 정하고 있으므로 동 협정이 상당한 주의 기준을 설정한 것이고, 이로써 각 당사자는 '가능한 한 잘' 해야 한다고 주장되어 오고 있다. Christina Voigt, 'On the Paris Agreement's Imminent Entry into Force (Part II of II)' (12 October 2016) <http://www.ejiltalk.org/on-the-paris-agreements-imminent-entering-into-force-what-are-the-consequences-of-the-paris-agreements-entering-into-force-part-ii/> accessed 20 January 2017.

71) Paris Agreement, Art 2.1(a).

72) Oliver Geden, 'Warming World: It's Time to Give Up the 2 Degree Target', *Spiegel Online* (7 June 2013) <http://www.spiegel.de/international/world/climate-change-target-of-two-degrees-celsius-needs-revision-a-904219.html> accessed 20 January 2017; Intergovernmental Panel on Climate Change (IPCC), *Climate Change 2014: Synthesis Report* (IPCC, 2015) 81-9 (시의적절하고 적극적인 배출감축으로 온도 목표를 달성할 수 있음을 지지); United Nations Environment Programme (UNEP), *The Emissions Gap Report 2015* (Nairobi: UNEP, 2015) xvi (온도상승을 2℃ 이하로 유지하는 것은 CO_2 배출량이 2060~2075년까지 순제로(net zero)로 감소함을 의미한다고 지적).

73) *Pulp Mills* (n 32); *Responsibilities in the Area* (n 36); *Costa Rica/Nicaragua* and *Nicaragua/Costa Rica* (n 34). See generally, Tim Stephens, *International Courts and Environmental Protection* (Cambridge University Press, 2009) 참조.

아마도 유엔기후체제에의 적극적인 참여를 넘어 법적 수단의 강구라는 옵션을 고려하는 것에 가장 적극적인 모습을 보이는데, 이는 크게 놀라운 일이 아니다. FCCC, 교토의정서 및 파리협정의 비준 시에 일부 도서국가들은 "서명과 그 이후의 비준이 어떠한 방법으로든 기후변화의 악영향에 대한 국가책임과 관련된 국제법상의 여하한 권리의 포기를 구성하지 않으며, 의정서상의 어떠한 규정도 일반국제법상의 원칙에서 벗어나는 것으로서 해석될 수 없다"는 그들의 이해[74]를 천명했다는 것도 우연의 일치는 아니다.

2002년 투발루는 공개적으로 호주와 미국이 기후변화에 기여한 것을 근거로 이들 국가를 ICJ에 제소하는 것에 대해 숙고한 바 있음을 밝힌 바 있다.[75] 위에서 간략하게 본 고려사항에 비추어 볼 때, 투발루가 제기할 수 있었던 사건의 승소 가능성은 불분명하다. 미국과의 분쟁이라는 점을 감안한다면, 하나의 추가적 장애요인은 미국이 ICJ의 관할권에 동의해야 할 필요가 있다는 점이 될 것이다.[76] 어떠한 경우이든 투발루는 결국 이 논란이 많은 사건을 ICJ에 제기하려는 시도를 하지는 않았다.

2011년 또 하나의 소도서국가인 팔라우는 ICJ로부터 국가들이 가지는, '온실가스를 배출하는 영토 내에서의 어떠한 활동이 다른 국가를 침해해서는 안 된다는 것을 보장하기 위한 법적 책임'에 관하여 권고적 의견을 구할 계획임을 천명한 바

---

74) FCCC, 'Declarations by Parties - United Nations Framework Convention on Climate Change', Declarations by Fiji, Kiribati, Nauru, Papa New Guinea, Solomon Islands and Tuvalu <http://unfccc.int/essential_background/convention/items/5410.php> accessed 20 January 2017; FCCC, 'Declarations by Parties - Kyoto Protocol', Declarations by Cook Islands, Kiribati, Nauru and Niue <http://unfccc.int/kyoto_protocol/status_of_ratification/items/5424.php> accessed 20 January 2017; and FCCC, 'Paris Agreement - Status of Ratification', Declarations by Cook Islands, Marshall Islands, Micronesia, Nauru, Solomon Islands, Tuvalu and Vanuatu <http://unfccc.int/paris_agreement/items/9444.php> accessed 20 January 2017.

75) Rebecca Elizabeth Jacobs, 'Treading Deep Waters: Substantive Law Issues in Tuvalu's Threat to Sue the United States In the International Court of Justice', *Pacific Rim Law & Policy Journal*, 14/1 (2005): 103.

76) 호주는 ICJ 규정 제36조 제2항에 따라 ICJ의 강제관할권에 대한 일반적 수락에 대한 선언을 한 바 있다. ICJ, 'Declarations Recognizing the Jurisdiction of the Court as Compulsory', Australia (22 March 2002) <http://www.icj-cij.org/jurisdiction/?p1=5&p2=1&p3=3&code=AU> accessed 20 January 2017.

있다.[77] 몇몇 국가들은 이에 동조하는 것처럼 보였지만, 다른 국가들은 FCCC 발전과정에 방해가 된다는 점에 대해 우려했는데,[78] 팔라우는 이 계획을 실행하지는 않고 있다. 권고적 의견의 제시를 위한 ICJ의 관할권은 개별 국가의 동의를 요하지는 않는다. 그러나 권고적 의견은 유엔헌장에 따라 요청되어야만 하는 것이다.[79] 헌장 제96조에 의할 경우에 가장 개연성 있는 방법은 총회에 의한 요청이 될 것인데, 이에는 2/3 다수결의 득표가 필요하다.

피해예방의 원칙들이 어떻게 원용될 것인지에 대해 현재까지 아마도 가장 흥미를 끄는 예는 미크로네시아 연방국화국이 Pruněřov II 발전소라는 체코의 화력발전소 계획에 대한 EIA에 개입하고자 시도한 일이었을 것이다. 체코의 국내법에 의하면, 자신의 영토가 사업으로 인해 상당한 환경적 영향을 받을 수 있는 경우에 EIA의 절차에 참여할 수 있도록 되어 있다.[80] 체코의 환경부에 보내는 서신에서 미크로네시아는 사업의 기후변화 영향은 그 영토에도 미친다고 주장하였고, 체코법에 따라 초국경적 EIA가 수행되어야 한다고 요청하였다.[81] 미크로네시아는 더 나아가 계획된 발전소의 현대화 작업은 관련된 EU법 및 체코법에 따른 '가능한 최상의 기술(best available technology, BAT)', 기준을 만족시키지 못한다고 주장했으며,[82] 이 주장은 여러 환경NGO들도 제기한 바가 있다.[83]

---

77) UN News Centre, 'Palau seeks UN World Court opinion on damage caused by greenhouse gases' (22 September 2011) <http://www.un.org/apps/news/story.asp?NewsID=39710&Cr=pacific+island&Cr1#.UbtgAr5zYeg> accessed 20 January 2017 참조.

78) UN Department of Public Information, 'Press Conference on Request for International Court of Justice Advisory Opinion on Climate Change' (3 February 2012) <http://www.un.org/News/briefings/docs/2012/120203_ICJ.doc.htm> accessed 20 January 2017.

79) 국제연합헌장(Charter of the United Nations), 1945.10.24. 발효, 1 UNTS xvi.

80) Greenpeace, 'Legal Steps taken by the Federated States of Micronesia against the Pruněřov II coal-fired power plant, Czech Republic' (2010) <http://www.greenpeace.org/international/Global/international/planet-2/report/2010/3/teia_fsm.pdf> accessed 20 January 2017.

81) Paulo A. Lopes, 'FSM v. Czech: A New "Standing" for Climate Change', *Sustainable Development Law & Policy*, 10/2 (2010): 24, 25.

82) René Lefeber, 'Climate Change and State Responsibility', in Rosemary Rayfuse and Shirley Scott (eds), *International Law in the Era of Climate Change* (Cheltenham: Edward Elgar Publishing, 2012) 321, 336.

83) Bonnie Malkin, 'Micronesia mounts unprecedented legal challenge over Czech power station', *The Telegraph* (24 May 2011) <http://www.telegraph.co.uk/news/earth/environment/climatechange/8532796/Micronesia-mounts-unprecedented-legal-challenge-over-Czech-power-station.html> accessed 20 January

체코 환경부는 노르웨이 컨설팅 회사에 현대화 사업에 대한 제3자 평가를 의뢰했다. 이 평가는 동 사업이 BAT 기준을 충족하지 못한다는 결론에 이르렀고, 그 결과로서 추가적으로 205,082톤의 이산화탄소가 Prunéřov II에 의해 발생할 것이라는 결론을 내렸다.[84] 그럼에도 불구하고 환경부는 발전소가 BAT 기준에 부합해야 한다고 요구하지 않은 상태로 동 현대화를 승인했다. 하지만 환경부는 제안자인 전력회사로 하여금 다른 발전소에 있어서는 초과배출을 상쇄할 수 있는 '배상조치(compensation measures)'에 대해 제안하도록 요구했다.[85]

Prunéřov II 사례는 최소한 두 가지 이유에서 흥미롭다. 첫째, 미크로네시아의 주장은 그것이 체코법에 의존하고 있다고 하더라도 환경손해를 야기하지 않을 책임의 원칙과 연관되어 있는 상당한 주의의 요구 및 초국경적 영향의 평가를 수행할 의무에 터잡고 있다. 체코의 권한 있는 기관들은 사업의 기후영향을 상쇄하도록 할 의무를 받아들이거나 미크로네시아의 요구를 받아들이지는 않았지만, 체코 정부는 같은 시기에 내려진 *Pulp Mills* 사건에 대한 ICJ의 판결에 대해 인식하고 있었을 것으로 생각된다.[86]

둘째, 하나의 발전소에서 나오는 배출이 해수면 상승이나 그 외의 기후영향을 초래했다고 말하기는 어렵더라도 이 사례는 Prunéřov II와 같은 개별적인 대규모 배출원의 잠재적 가능성을 인정한다.[87] 국내적 혹은 여타의 적용가능한 BAT 기준들을 충족하지 못한 것이 상당한 주의의 결여라는 결론에 이르게 할까?[88] 만약 그렇다면, 현재 혹은 장래의 위험에 대한 명확한 증거가 없더라도 일국은 충분히 자

2017.

84) Justice and Environment, 'Climate change aspects within EIA proceedings - Czech Republic: Prunéřov II Power Plant' (2012) <http://www.justiceandenvironment.org/_files/file/2012/CC%20EIA%20case%20study%20Czech%20Republic.pdf> accessed 20 January 2017, 6 (fn 11).

85) Ibid.

86) 위 n 32 및 그곳의 본문 참조.

87) 계획대로 되었다면, Prunéřov II는 체코 제1의 이산화탄소 배출원이 되었을 것이고, 유럽에서도 가장 큰 배출원들 중 하나가 되었을 것이다. Malkin, Micronesia (n 83); Jan Srytr, 'Pacific Island Nation makes legal history', *Frank Bold* (29 March 2012) <http://en.frankbold.org/news/pacific-island-nation-makes-legal-history> accessed 20 January 2017 (EIA 의무에 의존하는 것과 같은 절차적 접근이 강력한 도구가 될 수 있음을 시사).

88) Birnie *et al.*, *International Law and the Environment* (n 39) 148-9.

신에 주어진 상당한 주의의무나 환경영향평가를 할 의무를 위반한 것이라고 판명될 수 있다. ICJ는 *Pulp Mills* 사건에 대한 판결에서 국가들의 절차상 의무들이 피해예방에 대한 실체적 의무와 관련된 것이기는 하더라도 독립적인 의미를 가진다는 의견을 피력했다.[89] 또 ITLOS의 해저분쟁부에 의하면, "잠재적 위험에 대한 개연성 있는 징후들"은 이러한 절차상의 의무들을 발동시키기에 충분한 것이다.[90] 어느 것이든 절차상의 의무들은 국가 또는 재판관이 받아들이기 힘든 실체적 논증이나 환경피해가 다른 국가에 의해 초래되었거나 초래되고 있다는 것을 증명하기가 어렵다고 판단하는 경우에 유용할 수 있다. 일반적으로 절차상의 의무에 대한 위반은 보다 쉽게 입증될 수 있다고 말할 수 있다. 국가들은 그들의 절차상 의무를 준수하면서 위험성이 높은 행동을 시정하는 것을 서두르거나 최소한 더욱 효과적이고 지속적인 예방적 조치들을 취할 수 있다. 이와 같은 방식으로 절차상의 의무들은 환경손해를 야기하지 않을 책임의 원칙의 예방적 측면을 강화하고, 상당한 주의기준을 구체화할 수 있다.

C. 지구상의 공유영역에 가해지는 위험에 대한 국가책임의 주장

앞의 장에서는 일국이 타국에 대해 초래할 수 있는 초국경적 위험의 예에 적용될 수 있는 환경손해를 야기하지 않을 책임의 원칙에 대해 살펴보았다. 이러한 상황들은 국제법의 전통적인 '양자적(bilateral)' 구조에 부합하는 것인데, 이는 오직 직접 피해를 받은 국가가 다른 국가의 위반에 대해 그 책임을 주장할 수 있다는 의미만을 내포하고 있다.[91] 그러나 1970년 ICJ의 *Barcelona Traction* 사건에서 부수적 의견(obiter dictum)이 나온 이래로 "일국의 국제사회 전체에 대한 의무"[92] 역시 존재한다는 것이 받아들여지게 되었다. 이는 대세적으로(*erga omnes*) 준수되어야

---

89) *Pulp Mills* (n 32) paras 78-9; Brunnée, Procedure and Substance (n 47) 4 (코스타리카/니카라과와 니카라과/코스타리카에서 ICJ의 훨씬 모호한 입장에 대해 논평).

90) *Responsibilities in the Area* (n 36) para 131 및 수반된 문헌 참조.

91) Draft Articles on State Responsibility (n 63) Art 42.

92) *Barcelona Traction, Light and Power Company, Ltd. (Belgium v Spain) (Judgment)* [1970] ICJ Rep 3, 32 (para 33).

할 의무로 되어 있다는 것을 의미한다. 이러한 의무들은 "그 근본적인 성격에 따라 모든 국가의 관심사이고", "모든 국가가 그 보호에 있어 법적 이해를 가진다고 여겨질 수 있다".[93] 환경의무들은 ICJ로부터 대세적 성격을 가진 것으로 확인되지는 않았다. 그러나 이미 본 바와 같이 재판소는 환경손해를 야기하지 않을 책임의 원칙과 이와 관련된 절차상의 규칙들이 국내적 통제를 벗어나는 영역에서나 지구의 공동 영역 환경에의 악영향에 대해서도 적용될 수 있다는 점을 반복적으로 확인한 바 있다.[94]

환경손해를 야기하지 않을 책임의 원칙에 대세적 요소가 포함되는 것으로 생각한다면, 개별 국가는 침해국에 대해 책임을 물을 원고적격을 가질까? 많은 논평가들에 있어 개별 국가가 위반에 대해 가지는 책임을 추궁할 권리는 대세적 의무의 본래적 개념에 내재되어 있다.[95] 그러나 ICJ는 이 점에 관하여 천명한 것은 없으며, 이와 관련하여 아직 확고한 국가관행이 존재하는 것 역시 아니다.[96] 뉴질랜드는 1973년 ICJ에 남태평양에서의 핵실험을 중단시키는 임시조치를 신청하면서 프랑스가 국제사회의 모든 구성원이 방사성 낙진과 공해 및 대기의 오염으로부터 자유로울 권리를 침해하고 있음을 그 근거로 삼은 바 있다.[97] 프랑스가 실험을 중단하겠다고 선언했다는 것을 전제로, 재판소는 뉴질랜드에 의해 제기된 사건에 대한 본안 판단을 하지 않았으며, 호주에 의해 이와 병행적으로 제기된 사건에 대해서도 그러하였다. 그러나 여러 별개의견 또는 반대의견에 의하면, 재판관들은 원고적격 문제에 있어 의견이 나뉘었던 것을 알 수 있다. 몇몇 재판관은 "국제법에서 이른바 민중의 소(*actio popularis*)의 존재는 의견이 일치되지 않는 문제"이기는 하지만, "합리적인 법적 논증에 적합하고, 소송에 적합한 주제라고 볼 수 있다"고 지적

---

93) Ibid; 47 (para 91) (구체적인 조약체계를 세울 필요 있음).
94) 위 nn 28-32 및 그곳의 본문 참조.
95) 개관에 대하여는 다음 문헌을 참조. Brunnée, 'International Legal Accountability' (n 62).
96) Ibid , 32.
97) *Nuclear Tests (New Zealand v France)* (Interim Measures) [1973] ICJ Rep 135, 139 (para 23). 호주는 병행적으로 진행된 사건에서 명시적으로 자신의 청구를 국제사회의 모든 구성원의 권리라는 용어로 구성하지는 않았다. 그러나 호주는 프랑스의 실험들이 공해의 자유를 침해할 것임을 주장하였다. *Nuclear Tests (Australia v France)* (Interim Measures) [1973] ICJ Rep 99, 103 (para 22) 참조.

했다.[98] 다른 재판관들에 있어 원고국들은 "국제사회를 위한 대변인으로 행사할 법적 자격을 갖추지 않았다."[99] 어쨌든 공유영역과 관련된 분쟁의 사법적 해결이라는 선택지는 통상 제한되어 있는데, 실제로 이는 앞서 언급한 바와 같이 모든 당사자가 상호주의에 입각하여 ICJ의 관할권을 받아들여야 한다는 요건에 의해 제한된다.[100]

그 사이에 국제법위원회(International Law Commission, ILC)[101]의 '국가책임에 관한 규정초안(Draft Articles on State Responsibility)'은 집단적 이익에 따른 원고적격에 대한 사상을 받아들이면서도 그 구제와 대항조치에 대해서는 제한을 가하고 있다. ILC 규정초안에 따르면, 어떠한 국가든지 국제사회에 대해 부담하는 의무를 위반한 것에 대해 타국의 책임을 주장할 수 있다.[102] 유사하게 조약에 근거하여 여러 국가에 대해 부담하는 의무(obligations *erga omnes partes*)는 어떠한 당사자든 준수를 요구할 수 있도록 한다.[103] 하지만 일국이 위반에 의해 '특별히 영향을 받는(specially affected)' 경우가 아닌 한, 당해 국가는 위반의 중단만을 요구할 수 있을 뿐, 피해국의 이익을 위한 경우를 제외하고는 배상을 청구할 수 없다.[104] '특별히 영향을 받는' 국가들과 모든 대세적 의무에 대한 여타의 수혜자들 사이의 적합한 구별은 ICJ의 대항조치에 대한 접근방식을 특징짓는다. 특별히 영향을 받는 국가들은 대항조치를 취할 수 있다.[105] 이에 반해 모든 다른 국가들은 위반국에 대해 '적법한 조치들'만을 취할 수 있는데, 이는 허용되는 대응의 명확한 범위에 관한

98) *Nuclear Tests (Australia v France)* (Judgment) [1974] ICJ Rep 253, 370 (para 117) (Judges Onyeama, Dillard, Jiminez de Arechega, and Waldock).
99) Ibid, 390 (Judge de Castro) 참조.
100) 위 n 76 및 그곳의 본문 참조; *Gabčíkovo-Nagymaros* (n 32), Separate Opinion of Vice-President Weeramantry, 88, 117 (이 별개의견은 재판소의 절차가 개별 분쟁당사국 사이의 분쟁에 대한 것이라는 점에 주목하면서 이러한 절차들은 '대세적 성격의 권리 및 의무에 관한 사법적 판단에 있어 적합하지 않다'는 사실에서 비롯된 추가적인 문제들에 대해 지적).
101) 국제법위원회는 유엔의 기구로서 당사국들에 의해 지명된 법률전문가들로 구성되어 있으며, 이들은 국제법의 성문화와 점진적 발전이라는 업무를 담당하고 있다.
102) Draft Articles on State Responsibility (n 63) Art 48.1 (b).
103) Ibid, Art 48.1 (a).
104) Ibid. '특별히 영향을 받는' 국가들은 '피해국'으로 여겨지며, 위반의 종결 및 피해의 보상을 구할 수 있다(Arts 42, 30, and 31).
105) 위 n 65 및 그곳의 본문 참조.

질문에 대해서는 답하지 않은 것이다.[106]

기후변화와 연관된 자신의 영토에 대한 손해에 있어서 소송을 최소한 심사숙고한 몇몇 국가는 있지만, 아직 아무도 지구상의 공유영역과 관련해서 이와 같이 한 적은 없다.[107] 피해국이 성공적인 문제제기를 위해서[108] 넘어야 할 장애요인 외에도 지구기후의 보호를 위한 개별 국가들에 의한 법적 쟁송의 근거가 불분명한 상황이라는 점도 극복해야만 할 것이다. 더욱이 상당히 일반화해서만 말할 수 있는 것이지만, 국가책임법의 대립적 구도는 기후변화에 대응하기 위한 집단적 행동과 긴밀한 협력을 촉진하는 데 있어 특히나 적합하지 않다.[109] 요약하자면, 개별 국가들은 기후보호를 촉진하기 위하여 공익소송을 제기할 수 있을 만한 개연성을 가지고 있지 않다. 그러나 ICJ가 실제로 기후변화에 관한 권고적 의견을 낼 것을 요청받게 된다면,[110] 국경 내에서 또 이를 넘어서는 환경의 보호를 위한 환경손해를 야기하지 않을 책임의 원칙의 법적 적용에 관한 의견제시를 할 근거들에 대해 잘 탐지하게 될 것이다.

D. 공통관심사 및 공통의 그러나 차등화된 책임과 국가별 역량

FCCC의 전문(preamble)은 "지구의 기후에 있어서의 변화와 그 악영향은 인류의 공통된 관심사"라는 점을 밝히면서 시작된다. 유엔기후체제의 역할과 접근방식에 대해 평가하기 위해서는 공통의 관심사가 국제법에서 가지는 지위가 무엇인지

---

106) Draft Articles on State Responsibility (n 63) Art 54.

107) 기본적 옵션들에 관한 도움이 되는 논의들은 다음 문헌을 참조. Jacqueline Peel, 'New State Responsibility Rules and Compliance with Multilateral Environmental Obligations: Some Case Studies of How the New Rules Might Apply in the International Environmental Context', *Review of European Community and International Environmental Law*, 10/1 (2001): 82.

108) 위 nn 67-72 및 그곳의 본문 참조.

109) Patrick Hamilton, 'Counter(measure)ing Climate Change: The ILC, Third State Countermeasures and Climate Change', *International Journal of Sustainable Development Law and Policy*, 4/2 (2008): 83 (집단적 이해관계를 해결하기 위한 대응책의 강점과 약점 탐색).

110) 위 nn 77-78 및 그곳의 본문 참조; Philippe Sands, 'Climate Change and International Law: Adjudicating the Future in International Law', *Journal of Environmental Law* 28/1 (2016): 19 (권고적 의견 요청을 포함하여 기후변화를 국제법원이나 재판소에 제출하는 것에 대한 도전과 기회 검토).

그리고 기후변화라는 문맥에서의 법적 함의를 살펴보는 일은 가치가 있다. ICJ에 따라 대세적 의무가 "모든 국가의 관심사"이며, 모든 국가는 "그것들에 대한 보호에 법적 이해관계를 가진다"는 점을 상기해보라.[111] 그러나 대세적 의무가 공통관심사를 암시한다면, 공통관심사 역시 대세적 의무를 암시하는가? 국제적 관행은 공통관심사 개념은 환경적 관심사로서 개별 국가들 사이에서 발생하는 것들과 이들 국가들의 관할권을 넘어서는 것들 모두에 적용될 수 있다는 점을 시사하고 있다.[112] 이 개념의 요지는 지역 또는 자원이 '공유'라는 점이 아니라 특정 환경절차와 보호적 행위들이 공통관심사라는 점이다.[113] 따라서 FCCC하에서 기후에서의 변화와 이와 연관된 악영향은 모든 국가들의 관심이라고 말할 수 있다.

실제로 공통관심사라는 관념은 국가들 사이에서 시급히 요구되는 협력에 대한 개념적 토대로서 주목을 받게 되었다. 이는 더욱이 국가들이 향유하는 행동의 자유가 다른 국가들의 주권적 권리들이 환경손해를 야기하지 않을 책임의 원칙이 원용될 수 있는 방법으로 다른 국가들에 의한 합리적 비판의 대상이 될 수 있음을 시사한다.

그러나 공통관심사 개념은 국가들의 행위를 관장하는 특별규정까지를 내포하지는 않는다. 그리고 국가들의 관행은 공통관심사가 대세적으로 부담되는 법적 의무로 구체화된다는 점으로까지 나타나지 않고 있다.[114] 사실 어떠한 관심사가 '공통적'이라고 정의하는 조약이 부재한 상황에서 이 개념이 어떠한 법적 효력을 가진다는 것은 명백하지 않다.[115] 어떠한 경우이든 리우선언에서 국가들이 "지구 동반자의 정신으로 지구의 생태시스템의 건강과 동일성을 보존 및 보호하며, 복구함에 있어 협력할 것"[116]을 상기시킨 바 있음에도 불구하고, 국가들에 있어 보다 전

111) *Barcelona Traction* (n 93).
112) Birnie *et al.*, *International Law and the Environment* (n 39) 128-9.
113) Brunnée, Common Concern (n 1).
114) Birnie *et al.*, *International Law and the Environment* (n 39) 130.
115) '공통관심사' 개념에 대한 ILC의 논쟁에 관하여는 다음 문헌을 참조. ILC, 'Provisional summary record of the 3244th meeting', Sixty-seventh session (first part), 6 May 2015 (18 December 2015) UN Doc A/CN.4/SR.3246 (Statements by Mr Murphy and Mr Nolte); ILC, Report of the International Law Commission on the Work of Its Sixty-Seventh Session (4 May-5 June and 6 July-7 August 2015) UN Doc A/70/10, 22, para 53 ('국제사회 전체의 긴급한 우려'라는 타협안을 채택).

형적인 것은 기후변화와 같이 조약에 의해 어느 한 공통관심사를 특정하는 것이다.

몇몇 견해에 의하면, '공통의 그러나 차등화된 책임과 국가별 역량(common but differentiated responsibilities and respective capabilities, CBDRRC)'의 개념은 개념적으로 공통관심사의 이면이라고 한다.[117] FCCC는 이들을 연결시키지 않는다. 그러나 협약의 전문은 "기후변화의 전지구적 속성은 그들의 공통의 그러나 차등화되는 책임 및 개별적 책임에 따라 또 그들의 사회적 및 경제적 여건에 따라 모든 국가의 가능한 한 가장 광범위한 협력과 그들의 효과적이고 적합한 국제적 대응에의 참여"[118]에 대해 인정하고 있다. 파리협정은 기후변화가 공통관심사 중 하나임을 인정하면서 이를 인권, 다양한 집단의 권리, 발전할 권리 및 세대 간 형평을 포함한 기타 고려사항들과 연결시키고 있다.[119]

CBDRRC 원칙은 관념상 평등한 주권을 가진 실체들의 비차별적 권리와 의무들에 관한 국제법상의 전제에 대한 조율을 시도한다. 이는 이것 자체로 조금 더 국제적 환경협력에 대한 보다 조율된 접근을 가능하게 하는데, 선진국과 개발도상국 사이의 깊은 불균형과 상이한 우선순위에 대한 인정이 그것이다.[120] CBDRRC 원칙의 변천에 대해서는 제1장에서 살펴보았다. 현재의 목적을 위해서는 그것이 국제환경법에서 가지는 탁월성에도 불구하고, 동 원칙이 아직 국제관습법으로서의 인정에 이르지 못했다는 점에 대해 주목하는 정도에서 만족해야 할 것이다.[121] 제4장에서 제7장이 충분히 상세하게 다룰 것처럼 변화하는 CBDRRC 원칙은 기후체

116) Rio Declaration, Principle 7.

117) Birnie *et al.*, *International Law and the Environment* (n 39) 132-6; ILA Legal Principles (n 20) Art 2 and Commentary ("기후변화가 공동관심사라는 생각은 보편적으로 받아들여지고 모든 국가는 우려를 해소하기 위한 적절한 조치를 취할 공동의 책임이 있다"고 지적 - 각주 생략).

118) ILA Legal Principles (n 20) Art 5(2) and Commentary ("공동의 책임은 기후변화와 그 부작용에 의해 야기되는 공통의 우려에서 비롯된다고 말할 수 있다"고 지적).

119) Paris Agreement, preamble.

120) 구체적인 분석은 다음 문헌을 참조. Lavanya Rajamani, *Differential Treatment in International Environmental Law* (Oxford University Press, 2006); Ulrich Beyerlin and Thilo Marauhn, *International Environmental Law* (Oxford: Hart Publishing, 2011) 61-6.

121) Thomas Deleuil, 'The Common but Differentiated Responsibilities Principle: Changes in Continuity after the Durban Conference of the Parties', *Review of European, Comparative and International Environmental Law*, 21/3 (2012): 271.

제 내에서 기후변화 완화 및 적응행동에 관한 전지구적 체제에 대한 합의를 위한 탐색에서 제기된 어려운 부담의 배분 문제를 위한 토대가 되고 있다.

E. 사전주의, 지속가능한 발전 및 국제환경법의 세대 간 범위

국제환경법의 관념적 틀에 관한 현재까지의 논의는 애초에 그 규정과 원칙들이 국가영토 내에서의 침해에 초점을 맞추고 있었다는 점을 설명하고 있다. 그러나 국제환경법은 환경손해를 야기하지 않을 책임의 원칙이 가진 본래의 협소한 의미에서 비롯된 사각지대에 대해서도 다루는 것으로 변화하고 있다. 피해방지 원칙은 국가의 관할권을 넘는 영역에까지 확장되었고, 새롭게 등장한 국제환경법상의 원칙들은 국가들로 하여금 국가들의 영토적 이해와 직접적으로 연결되어 있지 않은 공통의 환경적 관심사에 있어 협력하도록 촉구하고 있다. 그렇다면, 이 장의 도입부에서 특정된 바 있는 전통적인 원칙의 틀에 존재하는 시간적 흠은 무엇인가? 국제환경법은 국가들의 행위가 현재뿐 아니라 미래에 대해서도 영향을 미칠 것이라는 사실을 반영하기 위해 진화하고 있는가? 특별히 오늘날의 행동에 의해 지구기후에 초래되는 장기간의 불명확하지만 회복할 수 없는 영향은 어떠한가?

물론 환경피해를 예방할 기본적 의무는 미래라는 것에 대한 관점을 가지고 있다. 사전주의의 원칙에 의해 미래에까지 확장될 수 있는 것이다. 국가의 피해방지에 관한 기존의 논의들은 사전주의원칙이 일반국제법의 문제로서 심각하거나 회복할 수 없는 손해의 위협에 맞서 상당한 주의의 필요기준을 강화하는 데 중요하게 될 개연성이 있음을 시사한 바 있다.[122] 이러한 효과는 사전주의원칙이 개별 조약체제에서 그러한 맥락에 따라 관련 조문을 두는 것을 통해 더욱 강화될 수 있다. 이에 따라 사전주의는 체제의 전반적 접근방식을 구성함에 있어 도움이 될 수 있다.

사전주의원칙은 그것이 FCCC하에서 당사자의 행동을 안내하는 원칙들 사이에 있는 경우에 논란의 여지에도 불구하고, 기후체제에서 후자의 기능에 기여하는데,[123] 여기에 대해서는 제5장에서 보다 자세하게 살펴볼 것이다. 그러나 리우선

122) 위 nn 49-61 및 그곳의 본문 참조.
123) FCCC, Art 3.3.

언 원칙 15를 적응시킨 버전인 FCCC에 반영되어 있는 조항은 상당한 주의라는 기준을 기후행동에 보다 구체적으로 만드는지, 그렇지 않고 도리어 희석시키는지에 대해서는 논란의 여지가 있다. FCCC의 당사자들이 “기후변화의 원인을 예측하거나 예방하거나 최소화하기 위한 사전주의적 조치들을 취하고, 그 악영향을 완화할 것”이라는 관념은 사전주의적 조치들이 “환경을 보호하기 위해” 취해질 수 있다는 원칙 15의 조건보다 더욱 강화하여 언급한 것으로 보일 수 있다.[124] 그러나 FCCC는 단지 당사자들이 이러한 조치들을 취해야 할 것이라고(‘should’) 정할 뿐이고, 더 나아가 완전한 과학적 확실성의 결여가 이러한 조치들을 보류하는 근거로서 사용되어서는 안 된다는 점(‘should’)만을 시사한 바 있다.[125] 동 문언은 “사전주의적 접근이 널리 원용되어야 한다”는 점과 완전한 과학적 확실성의 결여가 관련 조치를 보류하는 근거로서 사용되어서는 안 된다는 점(‘shall’)을 규정한 원칙 15의 내용에 비해 상당히 약한 것이다.[126]

국제환경법의 초점을 미래로까지 확장하기 위한 또 다른 개념은 지속가능한 발전이라는 개념이다. 공통의 그러나 차등화된 책임과 국가별 역량이라는 개념과 유사하게 지속가능한 발전 개념은 환경과 발전이라는 가치 사이의 관계에 주목한 것이다. 그러나 CBDRRC 원칙이 세대 내 형평에 대한 이해를 강조한 데 반하여 지속가능한 발전은 세대 간이라는 측면 역시 주목하고 있다.[127] 이와 같은 연결고리는 ‘브룬틀란 위원회(Brundtland Commission)’의 지속가능한 발전을 “현재의 필요를 미래세대가 그들 자신의 필요를 충족할 수 있는 능력을 위태롭게 하지 않고 충족시키는 발전”[128]이라고 한 영향력 있는 정의에 반영되어 있다. 그러나 많은 개발도상국은 그들의 발전 우선순위에 대한 제한을 암시하는 것으로 읽힐 수 있는 동 개념상의 요소들에 대해 우려한 바 있다. 이러한 우려는 리우선언 원칙 3에 숨겨진 표현에서 찾아볼 수 있는데, 이는 “발전할 권리는 형평적으로 현재와 미래세대

124) Ibid; Rio Declaration, Principle 15.
125) Ibid.
126) Ibid.
127) Stockholm Declaration, Principle 1 (“인간은 현재와 미래세대를 위한 환경을 보호하고 개선할 엄숙한 책임이 있다”고 선언).
128) World Commission on Environment and Development, *Our Common Future* (Oxford University Press, 1987) 43.

의 발전과 환경적 필요를 충족시키는 방향으로 이행되어야 한다"129)고 서술하고 있다.

리우선언은 지속가능한 발전이라는 용어를 27개의 원칙 가운데 12개 원칙에서 사용하고 있다. 그러나 이 기초개념의 내용과 범주는 여전히 파악하기 어려운 것으로 남아 있다. 리우선언은 정의를 해주는 것이 아니라 지속가능한 발전의 다양한 요소들을 정리하고 있다.130) 한 가지 중요한 요소는 발전이 핵심적이라 하더라도 환경이 이를 감당할 수 있는 범위 내에 머물러 있어야 하고, 따라서 환경보호는 발전과정의 일부가 되어야 한다는 것이다.131) 지속가능한 발전은 이처럼 국제환경법의 관념적 구조 속에서 이미 주목한 바와 같이 확장과 전환을 보강한다. 공통관심사 개념과 유사하게 지속가능한 발전은 역내적 자원관리에 대한 특정한 측면을 국제적 관심사로 전환하는 것을 목적으로 한다. 또 적절한 자원이용과 발전은 초국경적이나 전지구적 영향에 의해서만 측정되는 것이 아니라, 환경이 더 장기적으로 어떻게 지속될 수 있는지에 따라 정의된다.

지속가능한 발전 개념은 '국제규범'으로서 법적으로 구속력을 갖지 않는다거나 명확하게 정의되지 않고 있고, 관습법이나 조약규정의 해석과 적용을 형성하는 규범으로 서술되고 있다.132) 사실 이 개념은 다양한 맥락에서 형성적 기능을 담당해온 바 있다. 예를 들어, *Gabčíkovo-Nagymaros* 사건에서 ICJ는 "새로운 과학적 통찰과 인류, 즉 현재와 미래세대에 대한 위험에 대한 높아진 인식으로 인해 새로운 규범들과 기준들이 발전하였으며, 이들이 고려되어야 한다"133)고 설시한 바 있다. ICJ에 의하면, "경제적 발전을 환경의 보호와 조화시킬 필요성은 지속가능한

---

129) Rio Declaration, Principle 3. 예시에 대해서는 제3장 II.D.5 참조 (FCCC의 제도적 역사에 대한 논의, Art 3.4).

130) Birnie *et al.*, *International Law and the Environment* (n 39) 116-23-리우선언은 개념의 실질적인 요소(예: 환경과 발전의 통합, 발전할 권리, 천연자원의 지속가능한 활용, 그리고 세대 내-세대 간 형평성 등) 및 절차적 요소(예: 협력, 환경의사결정에서 공공의 참여)를 제시한다.

131) ILA Legal Principles (n 20) Art 3(4-5) and Commentary (환경, 경제, 사회적 문제들의 지속가능한 발전의 개념과 통합의 중요성에 대하여) 참조.

132) Vaughn Lowe, 'Sustainable Development and Unsustainable Arguments', in Alan Boyle and David Freestone (eds), *International Law and Sustainable Development: Past Achievements and Future Challenges* (Oxford University Press, 1999) 19, 31.

133) *Gabčíkovo-Nagymaros* (n 32) 78 (para 140).

발전이라는 개념 속에 적절히 표현되어 있다."[134]

기후체제에 있어 지속가능한 발전은 하나의 지도원리에 해당된다. FCCC는 "당사자가 지속가능한 발전에 대한 의무를 가지며, 이를 촉진해야 한다"[135]고 정하면서 리우선언을 반영하고 있다. 이 개념이 FCCC와 기후체제의 다른 문서에서 가지는 역할에 대해서는 제5장부터 제7장에서 자세히 다룰 것이다. 여기서는 리우선언과 FCCC의 쉽지 않은 절충이 환경과 발전 사이의 균형을 어떻게 맞출 것인지에 관한 지속적인 논쟁을 반영한 것이라는 점을 지적하는 정도에서 만족해야 할 것이다. 개발도상국은 발전할 '권리'를 역설하는 데 반하여 산업화를 이룬 국가들은 지속가능하게 발전할 필요에 대해 강조해왔다. 특히 미국은 자국의 리우선언에 대한 지지가 "'발전할 권리(right to develop)'에 대한 지속적인 반대입장을 바꾼 것"을 의미하는 것이 아니라고 말한다.[136] 파리협정의 전문에서 다른 권리들과 함께 '발전할 권리'를 언급하고 있음에도 불구하고, 그 지위가 바뀌었다고 보기는 매우 어려울 것이다.[137]

Ⅳ. 환경보호에 대한 조약기반의 접근법

피해예방에 관한 법적 규정과 관련된 논의에서 관습법적 국제환경법이 기후변화의 문제를 다룸에 있어 몇몇 잠재력을 가지고 있다는 점에 대해 설명한 바 있다. 그러나 지금까지 국가들은 이것에 제한적으로 의존하는 것으로 보인다. 즉, 국제법의 관념적 틀은 집단적 환경우려와 미래에 대한 잠재적 영향에 대해 다루는

134) Ibid; *Pulp Mills* (n 32) 48-9 (paras 75-6), 75 (paras 177-84); and *United States - Import Prohibition of Certain Shrimp and Shrimp Products: Report of the Appellate Body* (12 October 1998) WT/DS58/AB/R, 48-50 (paras 129-31) and 57-8 (paras 152-3).

135) FCCC, Art 3.4.

136) Report of the United Nations Conference on Environment and Development (Rio de Janeiro, 3-14 June 1992) UN Doc. A/CONF.151/26 (Vol IV) (28 September 1992) Chapter IV.B, para 16; Daniel Bodansky, 'The United Nations Framework Convention on Climate Change: A Commentary', *Yale Journal of International Law*, 18/2 (1993): 451, 504-5 (FCCC의 원칙 협상 역사에 관한 것임).

137) Paris Agreement, preamble; 위 n 119 및 그곳의 본문 참조. 더 자세한 내용은 제7장 참조.

데 있어 환경손해를 야기하지 않을 책임의 원칙에 내제된 한계를 넘어서서 발전했다. 그러나 후자의 발전은 연성법의 등장 및 조약기반의 체제의 발전에서만큼 관습법의 진화와 적용에서 있어 나타나지 않았다. 조약기반의 체제들은 공통관심사, 공통의 그러나 차등화된 책임 또는 지속가능한 발전과 같은 개념에 터잡아 구체적인 의무들에 대해 규정할 수 있다. 조약들은 피해예방 또는 사전주의의 원칙보다 더욱 특정된 지침을 제공할 수 있다. 예를 들어, 특정한 배출감축 의무와 같이 규제적 또는 예방적 의무들에 대해 정할 수 있고, 구체화된 절차상의 요구사항들에 대해 규정할 수 있으며, 주어진 상황에 맞춘 감독체제에 관하여도 정할 수 있다.

그러나 효과적인 환경체제의 구축은 다름 아니라 직관적이다. 조약은 구속을 받겠다는 동의를 표현한 국가들에 대해서만 적용되기 때문에 가장 큰 도전은 모든 관련 행위자들의 참여를 장려하는 것이다. 물론 여기서 당해 체제가 문제에 대한 효과적인 대응에 관하여 정할 수 있을 정도로 충분히 진취적인 것이 될 수 있도록 보장해야 할 것이다.[138] 이 도전은 전지구적 집단행동이 필요할 때 또 국가들이 장기적이고 불분명한 위험에 대해 다루기 위해 현재 잠재적으로 비용이 소요되는 행동을 하도록 강요받아야 하는 경우에 더욱 어려워진다.[139] 현대의 환경조약체제들은 1970년대에 등장한 이래로 집단행동의 도전에 더욱 잘 응하기 위한 일련의 전략들과 특징들을 발전시킨 바 있다. 아래의 개관은 시간에 걸쳐 진행되는 조약의 발전, 참여를 촉진하기 위한 조약의 구성과 이행 및 의무준수의 촉진이라는 세 가지의 광범위한 주제에 주목한다.[140]

A. 시간에 따라 진행되는 조약의 발전

위에서 '체제(regime)'에 대해 언급한 것은 첫 번째 중요한 요소이다. MEA는

138) Scott Barrett, *Environment and Statecraft: The Strategy of Environmental Treaty-making* (Oxford University Press, 2003) (참여의 중요성을 강조, 의무준수와 공동으로 이론화될 것을 제안).

139) Jo Cofino, 'It is profitable to let the world go to hell', *The Guardian* (19 January 2015) <https://www.theguardian.com/sustainable-business/2015/jan/19/davos-climate-action-democracy-failure-jorgen-randers> accessed 20 January 2017.

140) 이러한 쟁점들에 관한 구체적인 논의는 다음 문헌을 참조. Bodansky, *Art and Craft of International Environmental Law* (n 12) chs 8, 10, and 11.

국가 간 일회적 계약이 아니며, "이들을 통해 행위자들의 기대가 모이는 제한 없는 내재적 또는 명시적 원칙들, 규범들, 규칙들 및 의사결정의 절차들의 집합들"[141] 을 형성한다. 달리 표현하자면, MEA의 채택은 국제적 법 제정 과정의 종착점이 아니며, 도리어 시작점이다. 이러한 역동적이고 장기적인 체제들은 전형적으로 기본조약－의정서 모델, 기구화 및 계속적인 기준정립의 절차라는 여러 얽혀 있는 특징들을 가지고 있다.[142]

1. 기본협약-의정서 모델

현대 MEA들은 체제구축을 위해 '기본협약－의정서(framework－protocol)' 모델을 동원하려는 경향을 보인다. 이 접근에 의하면, 국가들은 우선 기본협약을 위해 협상하며, 이로써 과학적 연구 및 정보의 교환과 같은 기본적 문제들에 관한 보편적 의무들과 향후의 행동을 위한 법적 및 기구론적/골격적 틀에 대해 정한다. 기본협약은 이후에 특정한 규제적 조치들(예를 들어 배출제한의무) 및 더욱 구체화된 이행체제를 포함하는 의정서를 위한 기초를 제공한다.[143]

기본협약－의정서 모델은 두 가지 기본적 특징을 가지는데, 첫째, 이는 작업이 증가되는 방식으로 진행되는 것을 허락한다. 국가들은 적절한 대응조치의 등장을 위한 합의까지 기다리지 않고, 심지어 문제가 존재한다는 점에 대한 합의가 있

141) Steven Krasner, 'Structural Causes and Consequences: Regimes as Intervening Variables', *International Organization*, 36/2 (1982): 185, 186.

142) 선구적이고 날카로운 분석은 다음 문헌을 참조. Thomas Gehring, *Dynamic International Regimes: Institutions for International Environmental Governance* (Frankfurt: Peter Lang, 1994); Thomas Gehring, 'Treaty-Making and Treaty Evolution', in Bodansky *et al.* (eds), *Oxford Handbook of International Environmental Law* (n 1) 491; Catherine Redgwell, 'Multilateral Environmental Treaty-Making', in Vera Gowland-Debbas (ed), *Multilateral Treaty-Making: The Current Status of Challenges to and Reforms Needed in the International Legislative Process* (Dordrecht: Springer, 2000) 89, 90 (그 접근법을 '영구적인 환경 외교'라고 묘사).

143) 뒤이은 조약발전에 관한 더 구체적인 탐색은 제3장 II.D 참조. 기본협약-의정서 모델에 관해서는 다음 문헌을 참조. Daniel Bodansky, The Framework Convention/Protocol Approach, WHO/NCD/TFI/99.1 (World Health Organization, 1999). 이에 근거하여 이 절이 작성된 것이다. 기본협약-의정서 접근방법의 효과성에 관한 골격적 관점에 대해서는 다음 문헌을 참조. George W. Downs, Kyle W. Danish, and Peter N. Barsoom, 'The Transformational Model of International Regime Design: Triumph of Hope or Experience?', *Columbia Journal of Transnational Law*, 38/3 (2000): 465-514.

기 전부터 문제에 대해 다루기 시작할 수 있다. 둘째, 기본협약은 긍정적 피드백의 순환을 만들 수 있는데, 이는 특정한 실체적 의무들을 만들어내는 것을 보다 개연성 있게 만든다. 실체적 의무들을 실행하는 데 있어 애초에 소극적이었지만, 그러나 기본협약에 의해 진행되고 있던 절차가 자국의 이익에 반하는 것 같지 않아 이를 묵인하던 국가들은 그 절차가 추진력을 얻게 되는 단계에서부터 낙오되어서는 안 된다는 압박을 느끼게 됨에 따라 국제적 법제정 과정이 자체 추진력을 가지는 것을 용인하게 된다.[144)]

2. 기구화

기본협약-의정서 모델은 기구화(institutionalization)와 함께 협력적 관계로 나아가고 있는데, 이는 전형적으로 몇몇 단계에서 나타난다. 많은 환경체제는 과학전문가들 또는 기술전문가들 사이의 교류를 촉진하는 기구들을 설립하거나 이들과 협력한다. 예를 들어, FCCC는 상설의 '과학 및 기술 자문 보조기구(Subsidiary Body for Scientific and Technological Advice)'와 또 다른 '이행을 위한 보조기구(Subsidiary Body for Implementation)'를 설립했다.[145)] 기후체제는 또한 '기후변화에 관한 정부간 협의체(Intergovernmental Panel on Climate Change, IPCC)'의 전문성에 이끌어지고 있는데, 이 협의체는 세계기상기구(World Meteorological Organization)와 유엔환경계획(UN Environment Programme)의 산하에서 운영되고 있다[146)]. 이들과 같은 전문가 회의는 집단적 관심사가 가지는 성격과 이들을 다루는 데 필요한 집단적인 행동과 관련된 합의의 성립에 있어 중요하다.[147)] 과학전문가 또는 기술전문가 기구들은 규제전략의 교정, 정교화 또는 조정에 있어서도 중요한 기여를 한다. 예를 들어, 기후라는 맥락에서 IPCC의 활동은 무엇이 "기후체계에 대한 위험한 인위적 간섭"[148)]을 구성하는지, 어떠한 유형의 배출감축이 위험을 피하는 데 있어 어떠한

144) 제3장 II.D.1 참조; Bodansky, *Art and Craft of International Environmental Law* (n 12) 186-7.
145) FCCC, Arts 9 and 10.
146) IPCC, 'Organization' <http://www.ipcc.ch/organization/organization.shtml#.UcCt5b5zYeg> accessed 20 January 2017; FCCC, 'Science' <http://unfccc.int/science/items/6990.php> accessed 20 January 2017.
147) Peter Haas, 'Epistemic Communities', in Bodansky *et al.* (ed), *Oxford Handbook of International Environmental Law* (n 1) 791.

스케줄에 따라야 하는지를 밝히는 데 기여했다.[149] 이러한 유형의 기여는 효과적인 체제발전을 위해 중요하기는 하지만, 기후체제는 이것이 구체적인 행동으로 합의되는 것은 고사하고, 정치적 합의에 이르게 하는 데 반드시 충분한 것은 아니라는 점만을 보여준 바 있다.[150]

체제의 발전은 대개 기본협약에 의해 설립된 총회기구나 여타의 추후 의정서 또는 다른 합의의 손에 맡겨져 있다. 몇몇 관찰자들은 이러한 당사국총회(conference of the parties, COP)의 등장으로 인해 MEA는 점차 국제기구를 닮아가고 있다고 주장한다.[151] 다른 이들에 있어 당사국총회들은 본질적으로 외교회의에 해당하지만,[152] 여기에 기술전문가, 정책결정자 및 법률가들 사이의 정기적이고 장기적 활동이 촉진된다는 중요한 차이점이 있다고 한다. 어쨌든 당사국총회와 그 보조기구들은 집단적 관심사를 둘러싼 국제적인 규제활동들을 위한 중심적인 포럼이 되어 왔다. 기후체제에 있어서는 두 개의 총회기구, 즉 FCCC의 당사국총회와 '교토의정서의 당사국회의의 기능을 하는 당사국총회(Conference of Parties serving as the Meeting of the Parties to the Kyoto Protocol, CMP)'가 현재까지 이러한 역할을 해오고 있다.[153] 파리협정이 발효되면, 이와 같은 조직으로 세 번째인 '파리협정의 당사국회의의 기능을 하는 당사국총회(Conference of Parties serving as the Meeting of the Parties to the Paris Agreement, CMA)'가 추가된다.[154] 그들의 긴밀한 관계에도 불구하고, 별개의 기관이 필요한 이유는 FCCC, 교토의정서 및 파리협정이 별개의 조약이며, 조금씩 상이한 당사자 명부를 가지고 있기 때문이다.[155] 효율성이라는 이유에서 CMP와

---

148) FCCC, Art 2.

149) 더 구체적인 논의는 다음 문헌을 참조. Jutta Brunnée and Stephen J. Toope, *Legitimacy and Legality in International Law: An Interactional Account* (Cambridge University Press, 2010) 146-51.

150) 위 nn 71-72 및 그곳의 본문 참조.

151) Robin Churchill and Geir Ulfstein, 'Autonomous Institutional Arrangements in Multilateral Environmental Agreements: A Little-Noticed Phenomenon in International Law', *American Journal of International Law*, 94/4 (2000): 623.

152) Alan E. Boyle, 'Saving the World? Implementation and Enforcement of International Environmental Law Through International Institutions', *Journal of Environmental Law*, 3/2 (1991): 229.

153) FCCC, Art 7; Kyoto Protocol, Art 13.

154) Paris Agreement, Art 16; 제3장과 제7장 참조.

155) 교토의정서는 192개 당사자로 되어 있는데, FCCC는 197개 당사자로 되어 있다. 안도라, 캐

COP는 연합하여 회합하였으며, 파리협정도 이와 유사하게 CMA가 FCCC의 COP와 함께 회합한다고 정하고 있다.[156]

3. 계속적인 기준정립의 절차

조약기반의 규율절차라는 현상에 대해서는 제3장에서 더욱 구체적으로 살펴볼 것인데, 이는 시간에 따라 진행되는 역동적인 조약발전의 세 번째 특성이다. 논쟁의 여지는 있지만, 이러한 현상은 합리적인 결과물을 위한 잠재력을 향상시킨다는 점 때문에 집단적 행동이라는 맥락에서 특별한 중요성을 가진다.[157] MEA들은 그 전제로서 기준정립이 집단적 작업이며, 활동에 대한 척도를 제공해주는 것이라고 가정하고 있다. 특히 국가들의 주권은 동의를 요구함으로써 존중되기는 하지만, 많은 MEA에서의 동의절차는 집단적 결과를 위한 기회를 극대화하도록 구성되어 있다. 틀림없이 MEA들의 이러한 체제발전은 공식적인 동의에 근거한 방법에 의해 이루어지고 있다. 예를 들어, 어떠한 협정이 개정되는 경우 또는 의정서와 같이 어떠한 추가적인 조약이 채택되는 경우, 국가들은 이 문서들에 동의한 경우에만 구속을 받게 된다. 그러나 여러 유형의 전략들이 적시에 집단적 행동의 필요에 대비하기 위해 배치된다.[158] 예를 들어, 많은 MEA들에서 특히 기술적인 쟁점이 포함되어 있는 경우에 명시적으로 배제되기로 한 당사자를 제외한 모든 당사자에

나다, 팔레스타인, 남수단 및 미국은 의정서의 당사국이 아니다. FCCC, 'Status of Ratification of the Convention' <http://unfccc.int/essential_background/convention/status_of_ratification/items/2631.php> accessed 20 January 2017; FCCC, 'Status of Ratification of the Kyoto Protocol' <http://unfccc.int/kyoto_protocol/status_of_ratification/items/2613.php> accessed 20 January 2017. 현재의 서명 및 비준 상황에 대해서는 다음 문헌을 참조. FCCC, 'Paris Agreement - Status of Ratification' <http://unfccc.int/paris_agreement/items/9444.php> accessed 20 January 2017. 기본협약과 그들의 의정서가 가지는 '관련되어 있지만 별개의(related-but-separate)' 성격에 관해서는 제3장 II.D.1 참조.

156) Kyoto Protocol, Art 13.1. Paris Agreement, Art 16는 유사하게 발효에 이어 FCCC의 당사국총회가 협정 당사자들의 회의체로도 기능하도록 회합한다고 새기고 있다.

157) 정당성에 대해서는 다음 문헌을 참조. Daniel Bodansky, 'The Legitimacy of International Governance: A Coming Challenge for International Environmental Law?', *American Journal of International Law*, 93/3 (1999): 596.

158) Brunnée, COPing with Consent (n 22). 그러나 기후체제에서 이러한 전략을 원용하는 것이 컨센서스의 요구로 인해 또 대부분의 체제발전 쟁점들이 민감한 성격을 가지고 있기 때문에 어렵다는 점이 드러났다. 기후체제에서의 법제정에 관한 구체적인 논의는 제3장 참조.

대해 관련된 기준을 적용하도록 변경하거나 확장할 수 있다.[159]

아마도 가장 중요한 것으로서 조약기반의 기준이 의정서나 정식의 개정이 아닌 상기 총회기구의 결정에 의해 정립되고, 이후에 개별 국가들의 공적인 동의가 생략되고 있다는 점을 들 수 있다. 예를 들어, FCCC와 교토의정서에 따른 조약운영에 필요한 구체적인 규제들 중 상당수는 COP의 결정에 의해 채택되고 있다.[160] 관련 조약에서 COP에 구속력 있는 규정을 채택할 권한을 부여한 드문 경우들을 제외하고, 도출되는 기준들은 그것이 의무적인 표현으로 서술되어 있는지 여부와 무관하게 법적으로 구속력을 갖지 않는다.[161] 따라서 인벤토리 및 감시 요구사항에서부터 의정서상의 배출권거래를 위한 메커니즘에 이르기까지 핵심적 사안에 관한 규정들은 연성법의 형태로 채택되었다.[162] 파리협정 역시 중요한 쟁점들에 관한 기준채택을 위해 유사한 접근방식을 상정하고 있다.[163] 기후체제에서의 경험이 보여주듯 연성법인 기준들조차 종종 오랜 협상의 대상이 되고 있다. 그럼에도 불구하고, 이러한 접근방식은 집단적 행동에 대한 합의와 모든 당사자들에 적용되는 기준의 채택을 촉진하는데, 이는 집단적 관심사를 다루기 위한 노력의 중요한 특징이다. 마찬가지로 중요한 것은 연성의 규정절차가 이후에 개별 국가에 의한 비준을 요구하지 않기 때문에 체제의 발전과 조정을 더욱 촉진한다는 점이다. 이러한 MEA에 기반한 기준정립의 역동성은 환경문제, 이들에 대한 과학적 이해 및 정치적 상황 모두가 시간의 경과에 따라 변화하고, 때때로 급변하기 때문에 유익하다. 기후체제는 그 좋은 예라고 할 수 있다. 그러나 그 의사결정절차의 악명 높은 특징 중 하나가 많은 경우에 있어 이러한 유익한 효과들을 경감시키고 있다. 여기에는 COP의 절차규칙을 정하는 것도 포함되는데, 당사자들은 투표규칙에 대해 합의하지 못한 바 있다.[164] 이 결정적 사항에 대한 합의에 있어 FCCC의 당사자들은

159) Brunnée, ibid.
160) 결정의 역할에 관한 더 많은 논의는 제3장 II.D.3 참조.
161) Ibid.
162) Churchill and Ulfstein, Autonomous Institutional Arrangements (n 151) 639-40 (교토의정서가 COP로 하여금 국제 탄소배출권거래와 같은 특정 문제에 대해 법적 구속력이 있는 결정을 채택할 수 있도록 했다고 주장). '연성법'이라는 개념에 대해서는 위 nn 14-23 및 그곳의 본문 참조.
163) Paris Agreement, eg Arts 4.8, 4.9, 4.13, and 13.13; 제3장 참조.

통상적인 유엔의 컨센서스 의사결정 관행을 채택했다.[165] 이 관행은 체제 내에서 소수의 당사국들이 결정의 채택을 방지하는 것을 가능하도록 했다. 이에 대한 명백한 예는 2009년의 코펜하겐 합의문(Copenhagen Accord)인데, 이는 COP에서 소수 국가들의 반대 때문에 채택할 수 없었다.[166]

체제에 기반한 규율절차가 가지는 다음 측면은 흥미롭다. 환경조약체제는 국제기구들, 비정부기구들 또는 경제단체들과 같이 비국가 행위자들이 직접적으로 활동할 수 있는 무대를 제공한다.[167] 기후체제에서 비국가 행위자들은 무수히 다양한 방법으로 참여하고 있다. 예를 들어, 조약상의 기구들의 회합은 승인을 받은 옵서버들에게 원칙적으로 개방되는데,[168] 다만 핵심적인 회합들 중 상당수는 관행적으로 옵서버에게 개방되지 않는다. FCCC의 절차에 따라 옵서버는 개입할 수도 있지만, 의장의 승인을 필요로 하고, 실무상 매우 제한된 방식으로만 인정되고 있다.[169] 대략 100개의 정부 간 기구들과 1,600개의 비정부단체들이 FCCC의 승인을 받았다.[170] 비정부단체들은 정보 및 정책 페이퍼를 배포할 수 있고, 공식적인 대표단과 교섭하거나, 아예 대표단이 될 수 있으며, 협상에 대해 보고서를 낼 수 있

164) 제1차 COP에서 절차규칙의 초안이 투표에 관한 42번 규칙을 제외하고 임시적으로 적용된다고 결정된 바 있다. 절차규칙은 다음 출처에서 원문을 확인할 수 있다. FCCC, Organizational Matters: Adoption of the Rules of Procedure - Note by the Secretariat (22 May 1996) FCCC/CP/1996/2.

165) Patrick Széll, 'Decision Making under Multilateral Environmental Agreements', *Environmental Policy and Law*, 26/5 (1996): 210.

166) 기후체제에서의 컨센서스 쟁점에 관한 보다 상세한 내용은 제3장 II.B.2 및 제4장 참조.

167) Jutta Brunnée and Ellen Hey, 'Transparency and International Environmental Institutions', in Andrea Bianchi and Anne Peters (eds), *Transparency in International Law* (Cambridge University Press, 2013) 23, 30-2 참조.

168) FCCC, Art 7.6; Kyoto Protocol, Art 13.8 (관측기관은 협약의 적용대상이 되는 자격을 갖추어야한다고 규정).

169) FCCC, *A Guide to the Climate Change Convention Process* (Bonn: Climate Change Secretariat, 2002) <http://unfccc.int/resource/process/guideprocess-p.pdf> accessed 20 January 2017.

170) FCCC, 'Parties and Observers' <http://unfccc.int/parties_and_observers/items/2704.php> accessed 20 January 2017. 파리협정은 어떤 이의 이해가 관련되어 있는지에 관하여 현재로서 가장 구체적인 규정을 두고 있으나, 비국가 행위자에 체제상의 특정한 권리나 지위를 부여하지는 않고 있다; Paris Agreement, preamble ("기후변화는 인류의 공통관심사이고 기후변화를 다루기 위해서는 인권, 건강권, 토착민, 지역 사회, 이주민의 권리, 아동, 장애인 및 취약한 상황에 처한 사람들, 개발 권리, 양성 평등, 여성의 권한 부여 및 세대 간 형평성에 대한 각자의 의무를 존중하고, 증진하고, 고려해야 한다").

다.[171] 공식적 의미에서 기준정립은 국가들의 손에 맡겨져 있지만, 비국가 행위자들은 이와 같이 법제정 과정에 영향력을 미치는 상당한 기회를 가지고 있거나 아예 이들의 목표를 달성하는 데 조력하고 있다.

B. 참여를 촉진하는 조약의 고안

앞서 분석한 기본협약－의정서 모델은 조약발전에 대해 점진적인 접근방식이지만, MEA에 참여를 장려하기 위해 고안한 특징 중 하나이기도 하다. 기본조약은 애초에 당사자들에게 부여된 의무의 성격이 매우 일반적이고, 조약 당사자들에게 이후의 의무를 적극적으로 구성할 수 있는 기회가 주어진다는 점으로 참여를 독려한다. 달리 말하면, 기본조약에의 참여는 상대적으로 낮은 수준의 의무 수준에서 접근과 영향력 행사를 할 수 있도록 한다. 기본협약은 체제의 심화된 발전에 당사자가 저항하기에 점차 어렵게 만들기는 하지만,[172] 개별 국가들에게 법적으로는 새롭거나 더욱 진척된 의무에 동의할 것을 강제하지 않는다.

기본협약－의정서 모델에 대한 본질적 요체는 넓은 참여와 그 이후 당사자의 참여를 시간에 걸쳐 심화시킨다는 점이다.[173] 앞 절에서 강조된 기구화 및 법제정 과정에 대한 전반적 의존은 이러한 심화를 촉진할 것임을 예정하고 있다. FCCC를 포함하여 가장 최근의 MEA들은 '확장－심화(broad－then－deep)' 접근방식을 반영하고 있다. 대안적인 접근방식은 더욱 소규모의 당사자 집단이 더욱 심화된 의무를 부담하는 것에서 시작해서 참여를 확장시키는 방향으로 나아가는 것이다.[174] 기후체제에 있어 교토의정서가 이러한 '심화－확장(deep－then－broad)' 접근의 예이며, 여기서 산업화된 국가들과 체제전환국들이 강제적인 온실가스의 감축의무를 부담하는 데 앞장선 바 있다.[175] 말할 필요도 없이 교토의정서에 의해 의무적 감

171) 예를 들어, 캐나다의 비영리기구에 의한 Earth Negotiations Bulletin은 기후협상에서의 발전을 매일 요약하여 인터넷을 통해 공표하고 있다. IISD Reporting Services, 'ENB Archives' <http://www.iisd.ca/voltoc.html> accessed 20 January 2017.

172) 위 n 144 및 그곳의 본문 참조.

173) Bodansky, *Art and Craft of International Environmental Law* (n 12) 185-7 (폭넓은 참여를 유도한 후에 의무를 심화시키는 조약 디자인을 다룸).

174) Ibid, 184-6.

축대상으로 포함된 국가 이외의 국가에게도 구체화된 감축의무를 확장하는 데 대단히 큰 어려움이 있다는 것이 증명되었다. 체제를 디자인함에 있어 다양한 측면에서 협상과 실험을 거쳐, 파리협정을 통해 순수하게 전지구를 그 범위로 하는 데 수년이 필요했다. 파리협정에 의해 기후체제는 '심화-확장' 접근방법으로 회귀했다고 말할 수 있을 것인데, 이는 특히 당사자의 국가별 기후행동이 "시간에 걸쳐 진척을 나타낼 것"[176]이라는 관념 속에 반영되어 있다.

체제고안에 대한 여타의 특징들은 위에서 조사된 바와 같이 기본적인 모델들과 함께 폭넓은 참여를 장려하기 위한 방안으로 활용될 수 있다.[177] 같은 측면에서 MEA들은 다양한 유형의 차등화된 기준들을 확장하여 사용하고 있다. 예를 들어, 몬트리올의정서는 동일한 통제조치를 모든 국가에 부여하면서도 개발도상국들에게 준수를 위한 추가적인 기간을 부여한 바 있다.[178] 이러한 접근은 해당 개발도상국의 참여가 오존을 파괴하는 물질의 전세계적 생산 및 소비를 감축하기 위하여 절대적으로 필요하였기 때문에 이들 개발도상국을 몬트리올의정서로 끌어들이기 위해 고안된 것이다. 이에 반해 기후체제는 국가들의 의무에 대한 실체적 약속을 상이하게 함으로써 전세계적 지지를 얻고자 하였다. 예를 들어, 교토의정서는 선진국과 체제전환국에 대해서 수량적인 배출제한 목표를 설정하되, 개발도상국들에 대해서는 그렇게 하지 않았다.[179] 파리협정에 의해 기후체제는 차등화에 대해 더욱 많이 조율된 접근방식으로 나아가고 있다. CBDRRC 원칙은 "상이한 국가적 상황들의 관점에서"라는 수식어에 의해 한정되었고, 차등화는 개별적인 정책영역의 필요에 부합하도록 조정되었다.[180] 예를 들어, 완화와 관련하여 개별 당사자에게는 자신의 의무수준에 근거하여, 차등화, 진전 및 가능한 최대의 의욕과 관련된

175) 많은 평자들이 의정서상의 배출감축의 목표에 대해 검토하던 시기에 그것이 충분하지 못할 것이라고 여겼다는 사실과 무관하게 그들은 당사국들로 하여금 '통상적인 것'을 훨씬 넘어서는 비용이 드는 조치를 취하도록 요구한 바 있다. 이에 대한 논의는 제6장 IV.B.2 참조.
176) Paris Agreement, Arts 3 and 4.3. 구체적인 논의는 제7장 V.C 참조.
177) Bodansky, *Art and Craft of International Environmental Law* (n 12) 182.
178) Montreal Protocol, Art 5.
179) 교토의정서에 대한 구체적인 검토는 제6장 참조. 기후체제에서의 차등화의 다양한 유형에 대한 심도 있는 논의는 제1장 V.C 참조.
180) Paris Agreement, preamble and Art 4. CBDRRC의 발전에 관한 논의는 제1장 V.C. 및 제7장 II.D 참조.

특정한 규범적 기대를 조건으로 결정하는 것이 허락된다.[181] 파리협정의 '국가별 기여방안(nationally determined contributions, NDCs)'은 국가들이 참여해야 하는 기준에 상당한 유연성을 제공한다는 점에서 참여의 장려에 기여한다. 종종 빠르게 변화하는 사회적, 경제적 또는 기술적 맥락의 유연한 기준들은 장기적인 의무에 참여하는 것에 내재된 위험성을 줄이므로 결국 참여를 촉진한다.[182] 파리협정상 NDC의 경우에 유연성은 개별 국가의 NDC 내용이 국제법적으로 구속력이 없으며, 당사자들이 시간에 걸친 전진과 가능한 최대의 의욕을 포함한 파리협정에서 설정한 위에서 언급한 바와 같은 넓은 변수들을 충족하는 한, 그들의 국내적 정책 선택을 자유롭게 할 재량을 가진다는 사실로부터 나온다.[183] 물론 유연성을 향한 다른 일련의 접근들 역시 상정해볼 수는 있으며, 이들 중 일부는 기후체제 내에서 시험된 바 있다. 예를 들어, 교토의정서는 당사자들이 그들의 의무를 다하기 위해 배출권거래 및 여타의 시장 메커니즘을 원용하도록 허락하고 있고, 그들의 배출목표를 모아 통합된 목표를 집단적으로 산정하여 충족할 수 있도록 하고 있다.[184]

그러나 차등화되고 유연한 기준들은 MEA 내 광범위한 참여를 촉진하는 데 늘 충분하지는 않다. 몇몇 국가들, 특히 개발도상국들은 배출 관련 의무들과 여타의 의무를 이행하는 것이 어렵거나, 심지어 불가능하게 만드는 경제적, 기술적 및 제도적 역량상의 한계에 직면해 있다. 따라서 MEA들은 솔선적 접근방식을 취하고자 하며, 이행을 지원하는 수단을 다양하게 규정하고 있다.[185] 예를 들어, 몬트리올의정서의 경우에 선진국에 대한 차등화된 의무체제는 충분하지 않았으며, 이는 심지어 중국과 인도와 같은 주요 개발도상국이 체제에 가입하도록 장려하기 위해[186] 이른바 레버리지 메커니즘(leverage mechanism)과 연결하였음에도 마찬가지였

---

181) Paris Agreement, Art 4.2. 제4조에 관한 구체적인 논의는 제7장 V 참조.
182) Daniel Bodansky and Elliot Diringer, 'Building Flexibility and Ambition into a 2015 Climate Agreement' (June 2014) <http://www.c2es.org/publications/building-flexibility-ambition-2015-climate-agreement> accessed 27 October 2016 (기후체제의 유연성과 그 중요성에 대해 논의).
183) 파리협정에서 제기된 규범적 기대에 관한 구체적 논의는 제7장 V 참조.
184) Kyoto Protocol, Arts 4, 6, 12, and 17 참조.
185) Bodansky, *Art and Craft of International Environmental Law* (n 12) 243-5 참조.
186) Matthew J. Hoffmann, *Ozone Depletion and Climate Change: Constructing a Global Response* (Albany, NY: SUNY Press, 2012) 107 참조.

다.[187] 따라서 몬트리올의정서는 개발도상국에서의 산업적 전환과 기술적 지원 및 교육·역량강화의 비용을 충당하기 위한 재정적 지원을 제공하는 재원조달 메커니즘을 두도록 개정되었다.[188] 사실 몬트리올의정서는 개발도상국의 이행과 선진국들의 재정지원 및 기술이전 의무의 효과적 이행을 서로 연결시키고 있다.[189] 몬트리올의정서는 더욱이 의무준수를 달성하도록 하는 것을 1차적 목표로 하는 의무준수 메커니즘을 두고 있다.[190] 두 메커니즘 모두 몬트리올의정서에 대한 전지구적 참여와 점진적으로 엄격해지는 통제조치에 대한 광범위한 의무준수를 위한 도구로 원용된 것이다.[191] 재정지원과 기술지원에 대한 몬트리올의정서의 접근방식은 다분히 기후협상에도 영향을 주었지만, 기후변화의 넓은 범주와 복잡성으로 인해 동일하게 반복될 수는 없었다.[192]

위에서 언급한 바와 같이 몇몇 MEA들은 레버리지를 통해 참여를 장려하는 메커니즘들을 둔 바 있다.[193] 하지만 이러한 레버리지의 신뢰도는 당면한 환경문제의 특성에 의해 좌우된다. 몬트리올의정서는 다시금 이 점에 대한 본보기를 제시해준다.[194] 몬트리올의정서는 특정 범주의 유해물질에 대한 생산과 소비를 근절

187) 아래 nn 188-192 및 그곳의 본문 참조.

188) 오존층 파괴물질에 관한 몬트리올 개정의정서(Amendment to the Montreal Protocol on Substances that deplete the Ozone Layer) 1990.06.29. 채택, 1992.08.10. 발효, (1991) 30 ILM 537 (London Amendment) Art 10. 개시 이후 자금지원 메커니즘은 33억2천만 달러를 지출한 바 있고, 2015년부터 2017년을 위한 총 예산은 5억75만 달러이다; 'Multilateral Fund for the Implementation of the Montreal Protocol' <http://www.multilateralfund.org/default.aspx> accessed 20 January 2017.

189) Montreal Protocol, Art 5.5.

190) Report of the Tenth Meeting of the Parties to Montreal Protocol on Substances that Deplete the Ozone Layer (3 December 1998) UN Doc UNEP/OzL.Pro.10/9, Annex II: Non-compliance procedure (1998) (Montreal Protocol NCP).

191) 몬트리올의정서의 성공에 관해서는 다음 문헌을 참조. UNEP—Ozone Secretariat, *The Montreal Protocol on Substances that Deplete the Ozone Layer: Achievements in Stratospheric Ozone Depletion - Progress Report 1987 - 2012* (Nairobi: UNEP - Ozone Secretariat, 2012).

192) 기후변화라는 맥락에서 재정 및 기술 지원에 관한 오랜 논쟁에 대해서는 제5장 IV.D 참조.

193) Bodansky, *Art and Craft of International Environmental Law* (n 12) 183.

194) Ibid. 몇몇 다른 MEA들은 멸종위기종이나 유해 폐기물과 같은 특정 품목에 대한 국제적 거래로 악화되거나 촉발되는 환경문제들에 관해서 다룬다. 멸종위기종이나 유해 폐기물에 관한 체제 모두 비당사국과의 거래에도 비당사국이 그곳에 유사한 요건을 두고 있지 않은 한 제한하고 있다.

하는 것에 관심을 두었기 때문에 무역 레버리지로부터 이점을 얻는 것과 같은 방법으로 체제를 디자인하는 것이 가능했다. 특히 몬트리올의정서는 당사국이 협정 비당사국으로부터의 오존파괴물질 수입과 수출 모두를 금지하도록 요구한다.[195] 이것의 목표는 비당사국에게 오존파괴물질 시장을 빼앗기 위한 것이고, 이러한 물질의 소비를 위한 접근도 차단하는 것이다. 그러나 이러한 레버리지 메커니즘들조차도 주요하면서도 성장하는 오존파괴물질의 국내시장을 가지고 있는 중국과 인도가 몬트리올의정서에 가입하도록 만드는 데에 실패했다.[196] 지적한 바와 같이, 궁극적으로 재정적 및 기술적 지원은 이 두 국가에게 가입을 설득하는 데 있어 필수적이다. 기후변화 맥락에서 학계에서는 무역 관련 조치에 대한 논의가 이루어지고 있으나,[197] 오존 관련 체제에서 그랬던 것과 같은 무역조치를 활용하기에는 어려울 것이다.[198] 어쨌든 제9장에서 보다 자세히 논의할 것이지만, 현재까지 기후체제는 '지원적이고 열린 국제경제체제(supportive and open international economic system)'로 국한되어 있다는 것을 강조하고 있고, "일방적 조치들을 포함하여 기후변화에 대항하기 위해 취해지는" 조치들은 "자의적이고 정당화되지 않는 차별이나 국제무역에 대한 위장된 제한을 구성해서는 안 된다"고 언급하고 있다.[199]

C. 이행과 의무준수의 촉진

대부분의 현대적 환경체제들이 공유하는 세 번째 특징은 그들이 이행과 의무

195) Montreal Protocol, Arts 2, 2A-I, 4, 4A.
196) Hoffmann, *Ozone Depletion* (n 187) 108 참조.
197) Meinhard Doelle, 'Climate Change and the WTO: Opportunities to Motivate State Action on Climate Change through the World Trade Organization', *Review of European Community and International Environmental Law*, 85/13 (2004); ZhongXiang Zhang, 'Multilateral Trade Measures in a Post-2012 Climate Change Regime? What Can Be Taken from the Montreal Protocol and the WTO?', *Energy Policy*, 37/12 (2009): 5105 참조.
198) Scott Barrett and Richard Stavins, 'Increasing Participation and Compliance in International Climate Change Agreements', *International Environmental Agreements: Politics, Law and Economics*, 3/4 (2003): 349, 364-6; 기후정책조치가 야기할 수 있는 통상법 문제에 관하여는 제9장 IV 참조.
199) FCCC, Art 3.5.

준수를 촉진하고 있다는 점이다. MEA들은 대개 두 가지 서로 연관된 접근방식에 의존한다. 첫째는 당사자의 이행노력에 대한 투명성을 높이는 측정, 보고 및 검증 절차이고, 둘째는 체제에 특화된 이행과 의무준수 그리고 비준수에 대한 대응 메커니즘을 만드는 것이다.

1. 이행과 의무준수에 대한 관심의 집중

MEA들은 애초에 의무준수와 관련해서는 제한된 특징만을 가지고 있었다. 여기에는 당사자가 자신들의 활동에 대해 보고하도록 한 요구사항들이 포함되어 있었고,[200] 이는 사무국이나 COP와 같은 조약기구에 의해 당사자들의 활동에 관한 정보로 취합되어 발간되었다.[201] 이에 더해 MEA는 통상 협정의 해석이나 적용과 관련된 분쟁의 해결에 관한 규정을 두고 있다.[202] 이러한 분쟁해결규정은 그 형태가 단순했고, 모든 관련 당사자의 합의를 요했다.[203] 몇몇 규정들은 일방 당사자가 분쟁해결을 개시할 수 있도록 하기도 했다. 그러나 이러한 경우에도 그 결과는 순수하게 권고적 성격의 의견제시로 제한되었다.[204]

MEA의 수가 많아지고 복잡해짐에 따라 점점 적극적으로 의무준수를 장려하는 데 이목이 집중되고 있다. MEA들이 보고요건과 같은 절차상의 의무와 배출감축의 목표와 같은 실체적 의무와 관련하여 성과(performance) 문제가 발생하고 있다는 점에 의해 드러나고 있다.[205] MEA들은 이러한 준수 문제를 다루기 위한 채비

---

200) 오존층 보호를 위한 비엔나 협약(Vienna Convention for the Protection of the Ozone Layer), 1985.03.22. 채택, 1988.09.22. 발효, 1513 UNTS 293 (Vienna Convention) Art 5; 월경성 장거리 대기오염에 관한 협약(Convention on Long-Range Transboundary Air Pollution) 1979.11.13. 채택, 1983.03.16. 발효, 1302 UNTS 217 (LRTAP Convention) Art 4; 개요에 관하여는 다음 문헌을 참조. Kamen Sachariev, 'Promoting Compliance with International Environmental Legal Standards: Reflections on Monitoring and Reporting Mechanisms', *Yearbook of International Environmental Law*, 2/1 (1991): 31.

201) Vienna Convention, Arts 6(2)(b) and 7(1)(b).

202) UNEP, '*Study on Dispute Avoidance and Dispute Settlement in International Environmental Law*' (1999) UN Doc UNEP/GC.20/INF/16, 54-6.

203) LRTAP Convention, Art 8.

204) Vienna Convention, Art 11.

205) Edith Brown Weiss, 'Understanding Compliance with International Environmental Agreements: The Baker's Dozen Myths', *University of Richmond Law Review*, 32 (1999): 1555, 1560-1 .

가 되어 있지 않은 것으로 보였다.[206] 당사자들은 원용가능한 분쟁해결절차를 이용하지 않았다. 그리고 이 장의 이전 부분에서 강조한 바와 같이 대립적이고 과거지향적이며 법리적인 경향이 있었던 전통적인 분쟁해결절차는 MEA 맥락에서의 의무준수 문제는 고사하고,[207] 진행 중인 전지구적 관심사를 다루는 데도 적합하지 않다.[208] 기후변화와 같이 전지구적 공유영역의 문제에서 비롯된 피해는 광범위하게 퍼지기 때문에, 국가들은 양자적 성격의 분쟁해결에 참여하는 데 있어 충분한 인센티브를 갖지 못할 개연성이 크며, 어떠한 경우이든 분쟁해결의 목적은 가해자에게 집행을 가하는 것이라기보다는 도리어 의무준수를 통해 가급적 많은 수의 국가들의 행동을 요구하는 방식으로 계속 이어지도록 촉진하는 것에 있다.[209]

2. 현대 MEA와 의무준수

요즈음의 MEA들은 광범위한 스펙트럼의 의무준수촉진을 위한 수단을 동원하고 있다.[210] 첫째, 측정 · 보고 · 검증(measurement, reporting and verification, MRV)의 요구는 더욱 더 중요성을 갖는다고 여겨지고 있다. 예를 들어, 기후체제에 있어 MRV의 요구는 항상 중요하였고,[211] 파리협정에서도 중심무대를 차지하게 되었다.[212] MRV의 요구는 이어지는 여하한 의무준수평가에 있어 필수적인 기초를 제공하며, 정돈되고 공개되어 접근가능한 상태로 제공되어 개별 국가의 성과에 대한 신뢰할 만한 정보원이 된다. MRV 절차는 이로써 '동일 수준 경쟁의 장(level playing field)'에 있는 어느 당사자가 다른 당사자들이 조약이행을 위해 잠재적으로 비용이

---

206) Ibid, 1582.

207) Malgosia A. Fitzmaurice and Catherine Redgwell, 'Environmental Non-Compliance Procedures and International Law', *Netherlands Yearbook of International Law*, 31 (2000): 35, 37.

208) 위 nn 107-109 및 그곳의 본문 참조.

209) Bodansky, *Art and Craft of International Environmental Law* (n 12) 245-7.

210) Ibid; 제11장; Sandrine Maljean-Dubois and Lavanya Rajamani (eds), *Implementation of International Environmental Law* (Center for Studies and Research in International Law and International Relations, Hague Academy of International Law, Leiden/Boston: Martinus Nijhoff Publishers, 2011) 참조.

211) FCCC와 교토의정서의 MRV 규정들에 대해서는 제5장 VI 및 제6장 VI.A 참조.

212) 파리협정상의 MRV 규정에 대해서는 제7장 X.A 참조.

드는 행동을 취하도록 보장할 수 있다. 더 나아가 다른 조약 당사자, 시민단체 행동가 및 일반대중의 감시에 노출되는 것으로 성과가 미달하는 것으로 드러난 경우에 당사자들에게 의무를 이행하고, 이행조치를 개선하도록 압력을 가할 수 있다.

둘째, MEA하에서 당사자들의 조약상 의무준수를 평가하기 위해 마련된 절차와 메커니즘이 등장하였고, 준수를 촉진하거나 강제하는 다수의 조치들이 규정되어 있다.[213] MEA상의 비준수 절차(non-compliance procedures, NCPs)는 전형적으로 일방 당사자에 의해 개시될 수 있는데, 여기에는 일국이 자신의 활동에 대해 제기하는 것도 포함된다. 당사자의 준수 여부를 평가하기 위해 설치되는 기구들은 통상 독립적인 전문가들로 구성되는 것이 아니라 정부의 협상가들로 구성된다. 이는 이러한 기관들이 가지는 사법적이기보다 외교적 성격을 반영한 것이다.[214] 절차는 당사자들이 가지는 의무준수 문제에 있어 근간이 되는 집단적 이해를 반영한다. 예를 들어 몬트리올의정서상의 NCP에 의하면 조약의 사무국이 이따금 절차를 개시할 수 있고, 실제 그렇게 하고 있다.[215] 교토의정서상의 NCP는 전문가 심사절차가 당사자의 의정서상 의무준수와 관련하여 의문을 보이는 경우에 자동적으로 개시된다.[216] 그러나 이 두 절차가 결과적으로 집단적 이익에 의한 개시라는 형식을 허락하는 데 반하여 이들은 국가들 사이의 관심사에만 확고하게 주목하는 것으로 남아 있다. 예를 들어, 교토의정서상의 절차에서 비정부기구는 의무준수·검토와 관련된 '사실정보 및 기술정보'를 제출할 수 있고,[217] 당사자가 거부하지 않는다면 의무준수기관의 회의에 들어갈 수 있으며,[218] 의무준수기관들의 판정에 접근할 수 있다.[219] 그러나 이들이 절차를 개시할 수 없고, 공식적으로 서면을 제출할 수는

---

213) Günther Handl, 'Compliance Control Mechanisms and International Environmental Obligations', *Tulane Journal of International & Comparative Law*, 5/1 (1997): 29.
214) Bodansky, *Art and Craft of International Environmental Law* (n 12) 248.
215) Montreal Protocol NCP (n 190) para 3.
216) Decision 24/CP.7, 'Procedures and Mechanisms Relating to Compliance under the Kyoto Protocol' (21 January 2002) FCCC/CP/2001/13/Add.3, 64, Annex: Procedures and Mechanisms Relating to Compliance under the Kyoto Protocol, Section VI, para 1; 의정서의 준수 체제에 대한 보다 자세한 설명에 대하여는 제6장 VI.B 참조.
217) Decision 24/CP.7, ibid. Section VIII, para 4.
218) Ibid, Section IX, para 2.
219) Ibid, Section VIII, para 7.

없다.

셋째, '경영적' 접근으로 명명된 방식을 따르자면, 비준수에 대한 MEA에 기반한 대응은 통상 비준수의 원인과 비준수국의 상이한 상황을 고려한다.[220] 몬트리올의정서상의 준수절차는 MEA에서 이러한 접근을 한 데 있어 선구자인데, 의무준수위원회가 "비준수의 개별적 사안과 관련된 사실과 원인이 될 수 있는 것을 확인한다"[221]고 규정한다. 관리주의(managerialism)에 의해 특히 의무준수 문제를 다루는 데 있어 가장 적합한 것으로 강조되는 투명성, 정당화를 위한 의견교환 및 역량강화는 MEA에 대한 의무준수를 촉진하는 데 있어 중심적 역할을 한다.[222] 모든 NCP들은 정당화를 위한 의견교환을 상당히 강조하고 있는데, 일단 절차가 개시되면 문제의 당사자는 서면 및 구두에 의한 의무준수기관과의 의견교환을 통해 자신의 성과에 대해 설명해야 한다.[223]

넷째, 의무준수를 통한 협력의 촉진은 다수의 MEA의 주된 목표이다.[224] NCP가 "의정서 규정을 준수하는 데서 기초한 우호적인 해결책의 보장"[225]을 목적으로 한다고 서술하는 것으로 몬트리올의정서는 이러한 접근방식을 옹호한다. 이렇듯 준수를 장려하는 관점에서 많은 NCP는 재정적 및 기술적 지원 그리고 역량강화를 위한 조치에도 상당히 주목하는데,[226] 이것은 조약에서 규정되어 있는 재정적·기술적 지원을 넘어서는 것이다.[227] 이러한 현실주의적 접근방식은 몬트리올의정서와 같은 많은 수의 세계적 협정에서 비준수 당사자가 진정 역량이 부족한 국가일 개연성이 높다는 점과 체제의 목표달성에 대한 당사자들의 집단적 이해가 비준수

---

220) Abram Chayes and Antonia Handler Chayes, *The New Sovereignty: Compliance with International Regulatory Agreements* (Cambridge, MA: Harvard University Press, 1995).

221) Montreal Protocol NCP (n 190) para 7(d).

222) Chayes and Chayes, *The New Sovereignty* (n 220) 22-6.

223) Montreal Protocol NCP (n 190) paras 3-4, 7(c), 8, 11.

224) Bodansky, *Art and Craft of International Environmental Law* (n 12) 227.

225) Montreal Protocol NCP (n 190) para 8; LRTAP Convention, '*Report of the Fifteenth Session of the Executive Body*', (January 1998) ECE/EB.AIR/53, Annex III para 3(b) ('건설적인 해결책'을 확보하기 위해 고안된 것이라고 설명).

226) Annex V: Indicative List of Measures that Might be Taken by a Meeting of the Parties in Respect of Non-Compliance with the Protocol in Report of the Fourth Meeting of the Parties (n 190).

227) 위 nn 182-189 및 그곳의 본문 참조.

를 벌하는 것보다 완전한 준수를 촉진하는 것에 의해 더 잘 보호될 수 있다는 점을 인식한 결과이다.

그렇다면, 준수를 장려하는 촉진적·협력적 접근이 모든 준수실패를 다루는 데 있어 충분할 것인가? 관리주의자들은 집행에 기반한 조치들이 당사자가 고의적으로 조약상의 의무를 위반했을 때와 같이 상대적으로 잘 일어나지 않는 상황에 대비해 필요할 수 있다는 점을 시사한다.[228] 다른 논평가들은 더 광범위한 차원에서 촉진적 접근이 당사자로 하여금 협정이 부재한 경우에조차 취했을 통상적인 조치를 넘어서는 것을 취하도록 요구하는 경우라면, 실패할 가능성이 크다고 주장한다.[229]

현존하는 MEA상의 의무준수체제들은 많은 측면에서 이러한 고려를 반영하고 있다. 주로 협력적인 것으로 의도된 NCP들에 있어서도 강성인 특징들이 전혀 없는 것은 아니다.[230] 예를 들어, 당사자의 준수에 대한 기록은 통상 공개되고, 의무준수기관들은 비준수 당사자에게 '경고'할 수 있다.[231] 몬트리올의정서의 NCP를 포함하여 몇몇 절차들은 한 당사자가 자신의 의무를 다하지 않은 경우에 MEA에서 정한 특정 '특권'을 정지시킬 수 있다고 정한다.[232] 그럼에도 불구하고, MEA 기반의 NCP에 근간이 되는 오랜 지혜는 통상 비준수에 대해 협력적이고 촉진적인 접근방식들이 대립적이고 집행에 근거한 것에 비해 더욱 적합하다고 말한다. 누군가는 이러한 준수에 대한 '더욱 유연한 접근'이 더욱 강성인 접근방식보다 국가들에게 더 쉽게 받아들여진다는 점을 첨언한다.[233] 하지만 교토의정서에 의하면, 오직

---

228) Chayes and Chayes, *The New Sovereignty* (n 220) 3-10 (비준수의 가장 일반적인 원인을 다룸).

229) George W. Downs, David M. Rocke, and Peter N. Barsoom, 'Is the Good News about Compliance Good News about Cooperation?', *International Organization*, 50/3 (1996): 379; and George W. Downs, 'Enforcement and the Evolution of Cooperation', *Michigan Journal of International Law*, 19/2 (1998): 319.

230) O. Yoshida, '"Soft Enforcement" of Treaty: The Montreal Non-Compliance Procedure and the Functions of Internal International Institutions', *Colorado Journal of International Environmental Law and Policy*, 10/1 (1999): 95.

231) Indicative List of Measures (n 227).

232) Ibid. 참조.

233) Jana von Stein, 'The International Law and Politics of Climate Change: Ratification of the United Nations Framework Convention and the Kyoto Protocol', *Journal of Conflict Resolution*,

선진국과 체제전환국만이 배출에 대한 감축의무를 부담했다. 따라서 역량강화와 재정적 지원은 준수확보에 있어 몬트리올의정서에서보다 적절치 못한 방법이었다. 더 나아가 교토의정서 체제는 배출권거래와 같은 독특한 특징을 가지고 있었으며, 이는 의무준수에 대해 보다 엄격한 접근을 필요로 했다. 따라서 제6장에서 더욱 자세하게 검토될 것이지만, 교토의정서상의 의무준수절차는 명시적으로 "준수를 촉진하고, 장려하며, 집행"한다는 목표를 선언하면서 다른 NCP들과 거리를 둔 바 있다.[234] 이에 반해 파리협정은 국제적으로 협상된 것이 아닌 국가별로 결정된 배출감축의 기여에 의존한다는 점에서 "이행을 촉진하고, 준수를 장려하는 메커니즘"[235]으로 회귀한 것이다. 이는 "전문가 중심의, 그리고 성격과 기능에 있어 촉진적이며, 투명하고, 비적대적이며, 비제재적인 방법에 의하는" 하나의 위원회로 구성되며, 이것은 "관련 국가의 역량과 당사자의 상황"에 주목하는 것을 의미한다.[236]

V. 결어

환경손해를 야기하지 않을 책임의 원칙은 국제환경법의 개념적 초석에 머물러 있다. 국가의 영토에 대한 사용권의 경쟁에서 균형점을 찾는다는 기원에서부터 이 원칙은 상당한 변화를 겪었는데, 이는 이 원칙이 그 중요성을 유지하도록 해준다. 현재 타국의 환경과 전세계의 환경에 가해지는 피해를 예방하기 위해 상당한 주의를 실천할 의무로 이해되는 환경손해를 야기하지 않을 책임의 원칙은 적용문제가 여전히 불분명하기는 하지만, 기후변화 문제에 있어서도 상당히 중요하다. 다른 맥락에서 환경손해를 야기하지 않을 책임의 원칙은 개별 국가들에 있어 타국을 상대로 하는 법적 소송을 제기하기 위해 원용된 바 있다. 이 원칙의 잠재적 힘

52/2 (2008): 243-4.

234) Decision 24/CP.7 (n 217) Annex, Section I (강조 추가); 제6장 VI.B 참조.

235) Paris Agreement, Art 15.1.

236) Ibid, Art 15.2.

은 이 원칙이 가지는 상당한 주의의무, 사전주의 및 절차적인 요소들에 대한 점진적인 정교화 작업에 의해 강화되고 있고, 최근의 국제판례도 이에 기여하고 있다.

ICJ와 그 외의 국제재판소들에서의 환경 관련 사건의 비중이 늘어나고 있다는 점에서 기후변화와 관련된 계쟁사건 혹은 권고적 의견이 국제재판소에 제기되는 것은 불가능한 일이 아니다. 더 나아가 Prunéřov II 발전소 사례는 국제관습법이라는 틀이 공식적인 분쟁해결이나 집행행위에 의하지 않고도 국가의 행위를 잠재적으로 조정할 수 있다는 점을 시사한다. 주요 국가들에 의한 일방적인 행동은 때때로 쟁점을 과장하며, 진전을 이루는 데 있어 필수적인 압력을 이끌어 내거나 집단적 의사결정의 교착상태를 우회하기도 한다.[237]

이는 곧 관습법에 근거한 법적 소송 또는 청구가 기후행동을 어느 정도까지만 취하도록 할 수 있다는 것을 의미한다. 국제환경법상의 규정과 원칙은 기후변화에 대항하는 데 있어 필요한 세밀하게 조율되고 광범위한 대응행위를 가능하게 하기에는 그 문언이 지나치게 개방적이다. 한 걸음 더 나아가 국가책임에 관한 원칙들은 국가들을 그들의 의무준수에 실패한 것에 대한 책임과 연루시키는 것에 있어서는 상대적으로 제한적인 수단, 더욱이 의무준수를 강제하는 데 있어서는 더욱 제한적인 선택지만을 제공한다. 협력적인 문제해결이라는 접근은 일반적으로 기후변화와 같은 집단적 행동을 요하는 문제들에 있어 사법절차보다 더욱 적합할 것이다.

이러한 연관성 측면에서 아마도 국제환경규범의 가장 중요한 역할은 정책적 수요와 협상에서의 입장을 지지하고 지원하는 것이며, 더욱 보편적으로 말하자면 기후체제와 같은 국제환경체제를 구성하는 것이다. 이러한 역할은 규범이 국제관습법의 지위를 가지는 것을 전제로 하지 않는다. 사전주의, 공통관심사, 공통의 그러나 차등화된 책임 및 지속가능한 발전을 포함하여 지위가 불분명한 수많은 원칙들은 FCCC 체제 내에서의 논의를 형성함에 있어 비록 정도의 차이는 있지만 영향력이 있다는 것을 입증한 바 있다.

---

237) Daniel Bodansky, 'What's So Bad about Unilateral Action to Protect the Environment', *European Journal of International Law*, 11/2 (2000): 339; *Whaling in the Antarctic (Australia v Japan: New Zealand Intervening)* (Judgment) [2014] ICJ Rep 223. 이 경우 호주는 포경 규제에 관한 1946년 국제협약(1946.12.02. 채택, 1948.11.10. 발효, 161 UNTS 72)의 모든 당사국의 이익을 대변하여 일본의 포경 관행에 이의를 제기했다.

무엇보다 조약을 근간으로 하는 접근방식은 제1장에서 강조된 바 있는 기후변화의 다양한 측면들과 이들 사이의 복잡한 연관성에 대해 다루는 데 있어 관습법보다 우수할 수 있다. 현실적으로 FCCC는 기후변화의 다차원적 성격을 고려하고, 이 장에서 논의한 국제환경법상의 규정과 원칙들을 포섭하고 있다는 점에서 주목할 만한 것이다. 기후체제는 다른 환경체제에 의해 취득된 풍부한 경험의 저장소 위에 구축되는 것 역시 가능하다. 이 장에서 보인 바와 같이 MEA들은 조직화와 기본협약－의정서 모델의 체제정립에 따른 점진적인 접근방법, 지속적인 기준정립의 절차에서부터 참여를 장려하기 위해 원용된 수많은 전략들, 또 이행과 의무준수를 촉진하기 위해 고안된 요소들이 이루는 스펙트럼에 이르기까지 국가들 사이의 의미 있는 집단적 행동을 장려하기 위한 다양한 특징들과 접근방법들을 만들어냈다. 그러나 각각의 국제환경적 문제는 그것 자체의 특징과 정책적 맥락을 가지고 있다. 하나의 문제를 해결하는 데 적절했던 방법이 반드시 다른 문제도 해결한다는 보장은 없다. 기후변화 내의 복잡한 상황과 기후정치라는 높은 장벽은 기본협약－의정서 모델과 체제고안과 관련된 많은 여타의 요소들에도 불구하고, 체제정립을 위한 노력을 어렵게 한 바 있다. 기후 협상가들은 익숙한 접근방식들 중 일부를 단념해야 했고, 새로운 것을 실험해야 했다. 기후체제는 그것의 채택으로부터 20년 넘도록 그 작업이 아직 진행 중이다.

이 장에서 밝히고자 한 바와 같이 일반국제법과 국제환경법의 구조와 과정은 상당할 정도로 조성되었고, 계속적으로 국제기후변화법의 기초를 구성할 것이다. 반대로 기후체제의 발전이 국제법에 대해서도 더 넓은 영향력을 미칠 것인가에 대해 이야기하는 것은 아직 너무 이르다. 25년도 전에 한 유명한 국제법학자는 MEA에 있어 의무의 유연성, NCP의 비공식성, 국제법 위반에 대한 판정 부재, 집행의 부재 및 비준수 당사자에 대한 지원의 제공이 국제법의 의무적 성격을 희석화시킬 위험을 가지고 있다고 우려한 바 있다.[238] 또 다른 논평가가 지적한 바와 같이 환경문제에 대한 보다 효과적인 관리의 비용은 “일련의 특정 목표들을 위해 법의 지배를 단념하는 것” 그리고 “국제법의 구속적인 힘을 협상가능한 것”으로 만드는

238) Martti Koskenniemi, ‘Breach of Treaty or Non-Compliance? Reflections on the Enforcement of the Montreal Protocol’, *Yearbook of International Environmental Law*, 3/1 (1992): 123 참조.

것일 수 있다.[239] 파리협정과 그에 따른 법적 구속력을 갖지 못하는 국가별 기여방안과 이에 비례한 연성의 의무준수기능은 이러한 우려를 불식시키기에는 어려워 보인다. 그러나 이러한 우려는 전통적인 시각에 따라 국제법이 현실적으로 전지구적 기후변화와 같은 복잡한 정책적 도전들을 다루는 데 부적절하다고 오판하고, 국제환경법이 진화하면서 전지구적 기후체제를 이끌어 온 현재와 미래의 역할을 간과한 것일 수 있다. 이어지는 장들에서는 독자들이 그들 나름대로 평가를 내릴 수 있도록 안내할 것이다.

주요 참고문헌

Barrett S., *Environment and Statecraft: The Strategy of Environmental Treaty-making* (Oxford University Press, 2003).

Birnie P., Boyle A., and Redgwell C., *International Law and the Environment* (Oxford University Press, 3rd edn, 2009).

Bodansky D., *The Art and Craft of International Environmental Law* (Cambridge, MA: Harvard University Press, 2010).

Brunnée J., 'The Sources of International Environmental Law: Interactional Law', in Besson S. and d'Aspremont J. (eds), *The Oxford Handbook on the Sources of International Law* (Oxford University Press, 2017 forthcoming).

Chayes A. and Chayes A.H., *The New Sovereignty: Compliance with International Regulatory Agreements* (Cambridge, MA: Harvard University Press, 1995).

Committee on the Legal Principles relating to Climate Change, 'Legal Principles Relating to Climate Change' (International Law Association (ILA), Washington, D.C., 2014).

Gehring T., 'Treaty-Making and Treaty Evolution', in Bodansky D., Brunnée J.,

239) Jan Klabbers, 'Compliance Procedures', in Bodansky *et al.* (eds), *Oxford Handbook of International Environmental Law* (n 1) 995, 1007-8.

and Hey E. (eds), *Oxford Handbook of International Environmental Law* (Oxford University Press, 2007) 491.

Peel J., 'New State Responsibility Rules and Compliance with Multilateral Environmental Obligations: Some Case Studies of How the New Rules Might Apply in the International Environmental Context', *Review of European Community and International Environmental Law*, 10/1 (2001): 82.

Sands P., 'Climate Change and International Law: Adjudicating the Future in International Law', *Journal of Environmental Law*, 28/1 (2016): 19.

Shelton D. (ed), *Commitment and Compliance: The Role of Non-Binding Norms in the International Legal System* (Oxford University Press, 2000).

제3장

조약에 기반한 법제정: 규칙, 도구, 기법

Ⅰ. 도입

현대의 다자간 환경협정(Multilateral Environmental Agreements, MEAs)은 주로 하나의 장기적으로 유지되는 체제를 설립하는데, 전문가 네트워크를 제도화하고, 다양한 범위의 법제정이 지속될 수 있도록 하며, 기준설정 방식을 구체화하고, 조약에 기반한 투명성과 책임 메커니즘을 발전시키는 것을 특징으로 한다. 국제기후변화법은 이러한 전형을 따랐으며, 유엔기후변화협약(United Nations Framework Convention on Climate Change, UNFCCC 혹은 FCCC)을 국제체제의 구성과 기준설정의 중심으로 삼았다. 기후체제의 구성요소와 변천은 제4장 및 제7장에서 구체적으로 다루어진다. 그런데 유엔기후체제를 연구하고 이를 구성하는 다양한 법제를 이해하기 위해서는 조약법(treaty law)의 기본적 개념, 절차, 장치 등에 대한 이해가 필요하다.[1)] 본 장은 이에 대한 개관을 제공하고자 한다.

Ⅱ. 조약과 조약기반의 법제정

A. 조약이란 무엇인가?

관습법에 따르면 조약은 구두로도 체결할 수 있고, 국가 및 그 권한범위 내의

1) United Nations Environment Program (UNEP), *Multilateral Agreement Negotiators Handbook* (Joensuu, Finland: University of Joensuu, 2nd edn, 2007); Joyeeta Gupta, *'On Behalf of my Delegation ...' — A Survival Guide for Developing Country Climate Negotiators* (Washington D.C., Center for Sustainable Development in the Americas, 2000).

국제기구 등과 같이 조약을 체결할 권한이 있는 '국제적 법인(international legal persons)' 간에도 체결될 수 있다. 반면에 '조약법에 관한 비엔나 협약(Vienna Convention of the Law of Treaties, VCLT)'은 '조약'을 더 좁게 해석하여 "서면 형식으로 국가 간에 체결되며 또한 국제법에 의하여 규율되는 국제적 합의"라고 정의한다.[2] 이 장의 논의는 VCLT상의 정의에 부합하는 조약들에 집중한다. 이런 조약들은 단수 혹은 복수의 문서에 담아질 수 있는데, 여기서 '문서(instruments)'란 한 국가나 여러 국가들이 작성한 어떤 것을 의미한다. 이와 같은 조약법의 기본적 원칙들은 VCLT에 성문화되어 있기는 하나, 이 원칙들은 국제관습법으로서 보편적인 구속력을 가지는 것으로 여겨지고 있다..[3]

국가 간의 합의(agreement)가 VCLT의 정의에 부합하는 조약인지 아닌지의 여부는 그것이 위에 소개된 정의의 요건들을 갖추고 있는지에 따라 결정되는 것이지, 문서가 어떻게 명명되는가에 따라 좌우되는 것이 아니다. 기후체제는 이를 잘 보여준다. 유엔기후변화'협약'(UN Framework 'Convention' on Climate Change), 교토 '의정서'(Kyoto 'Protocol'), 파리'협정'(Paris 'Agreement')은 모두 조약이다.[4] 반면에 코펜하겐 '합의문'(Copenhagen 'Accord')은 특정 국가 간의 정치적 합의이며, 칸쿤 '합의'(Cancun 'Agreement')는 FCCC의 당사국총회가 내린 일련의 결정으로 구성된 것이다.[5]

B. 조약의 협상

국제법은 조약의 협상(treaty negotiations)을 관장하는 일반적 원칙들을 규정하

---

2) 조약법에 관한 비엔나 협약(Vienna Convention on the Law of Treaties), 1969.05.23. 채택, 1980.01.27. 발효) 1155 UNTS 331 (VCLT), Art 2.1(a). "국제법에 의해 규율되는"이란 조약을 국가 간의 다른 합의들, 예를 들어 정치적 합의나 국제사법(private international law)에 따르는 계약과 같은 것들로부터 구별하기 위해 사용되었다.

3) 이에 대한 개관은 다음 문헌을 참조. Duncan Hollis, 'Defining Treaties', in Duncan B. Hollis (ed), *The Oxford Guide to Treaties* (Oxford University Press, 2012) 11.

4) United Nations, 'Definition of key terms used in the UN Treaty Collection' <http://training.itcilo.it/actrav_cdroml/english/global/law/keyterm.htm> accessed 20 January 2017.

5) 기후체제하에서 생성되는 다양한 유형의 법제는 아래의 '조약의 발전'에 관한 절인 II.D에서 다루고 있다. 파리협정의 명칭에 대한 논의는 제7장 II.A.1 참조.

고 있지 않으나, 사전협상(pre-negotiation) 및 협상단계(negotiation phases)에서 특정 관행들이 널리 행해지고 있다.

1. 사전협상 단계: 쟁점, 협상장소, 위임사항

조약에 대한 공식협상이 시작되기 전에 주요쟁점을 확인하고 이를 개념화하는 데 오랜 시간이 걸릴 수 있고, 공식협상을 하기로 결정하고도 협상장소(forum)와 협상의 위임사항(negotiating mandate)을 합의하는 데에도 시간이 오래 걸릴 수 있다.[6] 기후변화는 이에 대한 좋은 사례이다. 기후변화가 국제적 관심사로 떠오른 것은 1980년대이지만, 공식적으로 협상이 시작된 것은 1990년 12월 유엔총회 결의(General Assembly Resolution, GAR) 제45/212호를 통해서 '기후변화협약 정부 간 협상위원회(Intergovernmental Negotiating Committee for a Framework Convention on Climate Change, INC)'가 설립되고 나서 비로서 이루어졌다.[7] 교토의정서의 후속협상과 파리협정을 위한 위임사항을 채택하는 과정은 이보다 더 논쟁이 심했던 것으로 드러났는데, 이는 공식적 협상절차를 시작하는 것에 대한 합의를 하기도 전부터 당사자들이 주요의제에 대한 입장을 고수하려고 하였기 때문이다.

FCCC의 채택을 위해 이루어진 협상에 대한 위임사항은 INC가 "적절한 의무와 합의될 수 있는 모든 관련 문서를 담은 기후변화에 대한 실효성 있는 기본협약(an effective framework convention on climate change, containing appropriate commitments, and any related instruments as might be agreed upon)"을 준비하는 것을 명시하였다.[8] 이 위임사항은 국가들의 협상이 어떤 유형의 법적 결과물을 가져올지를 사전에 규정하는 반면에, 조약 내에 규정될 의무의 성격을 상당부분 규정되지 않은 상태로 남겨 두었다. "합의될 수 있는 모든 관련 문서(any related instruments as might be agreed upon)"라는 문구 또한 추가적인 문서를 채택할 가능성을 열어 놓았다.

---

6) 회의장소의 선택과 위임사항을 고안하는 것의 중요성에 대해서는 다음 문헌을 참조. Daniel Bodansky, *The Art and Craft of International Environmental Law* (Harvard University Press, 2010) 167-9.

7) United Nations General Assembly Res 45/212, 'Protection of global climate for present and future generations of mankind' (21 December 1990) UN Doc A/RES/45/212. '의제설정'에 대한 더 구체적인 검토는 제4장 II 참조.

8) Ibid, para 1.

1995년에 FCCC 당사자들이 추가적인 기후관련 의무에 관심을 돌려 교토의정서를 채택하기 위한 협상의 위임사항에 대한 논의를 했을 때, 이는 심각한 논쟁을 야기하였고, 개발도상국들은 새로운 합의에서 명시적으로 그들에게 그 어떠한 새로운 의무도 부여되지 않는다는 조건을 걸면서 그 협상의 위임사항에 동의를 했다. 이 조건은 차후에 교토의정서의 핵심적 논쟁거리로 남은 주요한 특징이 되었다.[9] COP1을 통해 채택된 '베를린 위임사항(Berlin Mandate)'은 새로운 문서의 법적 형식을 조약으로 결정하고,[10] 그리고 그것이 포함할 의무의 종류로 배출목표를 결정하는 것을 포함한 다수의 주요쟁점들에 대한 결정을 담고 있다. 그러나 이 위임사항은 협상의 대상이 될 배출목표가 법적 구속력을 가질지에 대해 규정하지 않은 바 있으며, 이는 이듬해 '제네바 각료선언(Geneva Ministerial Declaration)'에 이르러서야 해결되었다.[11]

16년 후인 2011년에 FCCC 당사자들은 기후체제를 더 진전시키기 위한 위임사항에 대해 합의할 준비가 되었는데, 이것이 더반플랫폼이다. 이는 "모든 당사자에 적용 가능한 협약(FCCC)하에서 의정서, 다른 법적 문서나 혹은 법적 효력이 있는 합의된 결과를 발전시키는" 절차를 수립하였다.[12] 더반플랫폼은 또한 당사자들이 지켜야 할 일정을 명시하면서 새로운 합의를 2015년까지 채택할 것과 "그것이 발효되고 2020년부터 이행할 것"을 요청한다.[13] 이전의 위임사항들과 달리 더반플랫폼은 앞으로 당사자들이 합의의 법적 형태와 설계를 결정할 수 있는 여지를 더 많이 남겼다.[14] 이러한 유연성은 새로운 문서가 선진국과 개발도상국 모두에 적용

9) Berlin Mandate, para 2(b).
10) Ibid, preambular recital 3 (여기에서는 협상의 결과물이 의정서나 다른 법제가 될 것이라고 명시).
11) Ibid, para 2(a) (여기서는 배출목표를 다룸). Report of the Conference of the Parties on its Second Session, held at Geneva from 8 to 19 July 1996, Addendum (29 October 1996) FCCC/CP/ 1996/15/Add.1, Annex: The Geneva Ministerial Declaration (Geneva Ministerial Declaration) para 8.
12) Durban Platform, para 2. 이 결정에 대한 더 상세한 분석은 다음 문헌을 참조. Lavanya Rajamani, 'The Durban Platform for Enhanced Action and the Future of the Climate Regime', *International and Comparative Law Quarterly*, 61/2 (2012): 301.
13) Durban Platform, para 4.
14) 그러나 결과에 있어서 '법적 효력'을 지닌다는 요구사항은 조약을 의미하는 것이다. Daniel Bodansky and Lavanya Rajamani, 'Key Legal Issues in the 2015 Climate Negotiations' (Center

될 것이라는 합의에 당사자들이 도달할 수 있도록 하였다. 합의가 "협약(FCCC)하에" 있다는 것을 명시함으로써 더반플랫폼은 묵시적으로 FCCC의 목적과 원칙을 도입하였고, 위임사항에 내재해 있는 논란의 여지가 많은 다양한 쟁점들을 다루는 것을 회피하였다.[15]

전술한 개관이 보여주듯이, 협상장소와 협상의 위임사항을 정하는 것은 정치적으로 민감한 작업이며, 예비단계에서 이루어진 이러한 선택들은 법적 발전의 과정·형태·내용에 중요한 영향을 미친다. 그러나 위임사항에 대한 합의는 주요 환경협정을 협상하는 데 걸리는 수년간의 힘든 작업의 시작일 뿐이다. FCCC는 놀랍게도 2년도 지나기 전에 협상이 완료되었다. 그리고 이는 1992년 6월 '리우 지구정상회담(Rio Earth Summit)'에서 채택되었다. 교토의정서 역시 2년 안에 협상 완료되어 1997년 FCCC 당사자들의 세 번째 모임인 COP3에서 채택되었다. 그러나 그 후 기후협상의 속도가 법적 구속력이 있는 법제와 관계된 협상에 있어서는 급격히 침체되었다. 물론 그러한 동안에도 FCCC의 '당사국총회(Conference of the Parties, COP)'와 교토의정서 '당사국회의(Conference of the Parties serving as the Meeting of the Parties, CMP)'는 기후체제를 육성하거나 개발하기 위한 일련의 결정들을 협상하고 채택하였다.[16]

2. 협상과정

기후협상에 많은 난제가 있었다는 것은 과장된 것이 아니다. 기후협상에서의 쟁점이 복잡하고 다각적이며, 많은 이해관계가 걸려 있고, 전세계 모든 국가 사이의 합의가 이루어져야 하는데, 이 국가들은 다양한 상황, 전망, 우선순위를 가지고 있다.[17] FCCC가 처음 협상될 때보다는 참가국의 수가 약간 줄었지만, 오늘날의

---

for Climate and Energy Solutions, June 2015) <http://www.c2es.org/docUploads/legal-issues-brief-06-2015.pdf> accessed 20 January 2017.

15) 기후체제에서의 타협적 문언과 해석의 역할에 대한 논의는 제3장 II.D.5 참조. 이에 대한 심화된 분석은 다음 문헌을 참조. Rajamani, Durban Platform (n 12).

16) 제3장 II.D.3 참조.

17) 기후체제의 조직적이고 절차적 측면에 대한 유용한 연구로는 다음 문헌을 참조. Joanna Depledge, *The Organization of Global Negotiations: Constructing the Climate Change Regime* (London: Earthscan, 2015).

FCCC는 196개 국가와 EU를 당사자로 한 진정한 보편적 합의라고 볼 수 있다.[18] 따라서 협상이 어렵고 시간이 많이 걸리는 것은 놀랄 일이 아니다.

협상이 시작될 때에는 투표규칙을 포함한 여러 절차적 규칙들이 합의되어야 한다. 국제기후협상이 현재 FCCC의 주도하에 이루어지기 때문에 COP의 절차규칙, 더 정확하게 말하자면 모든 의사결정과정에 절차규칙의 초안이 적용된다. 절차규칙이 아직까지도 채택되지 못한 것은 COP의 투표규칙에 대한 의견의 대립 때문이다.[19] 이런 이유로 FCCC는 컨센서스(consensus)로 결정이 채택된다는 일반적 합의를 토대로 운영되어 왔다.[20] 그러나 기후체제에서 정확하게 '컨센서스'가 무엇인지에 대해서도 이견이 있다.

일반적으로 유엔의 관행에 따르면, '컨센서스'는 만장일치와 구별된다. 컨센서스란 오직 명백한 반대가 있을 때에만 컨센서스에 이르지 못하게 된다.[21] 컨센서스에 이르지 못하는 경우는 그리 흔하지 않다. 더 흔한 경우는 반대표의 위협으로 문제 자체가 상정되지 못한 경우이다. 기후체제의 초기 관행이 보여주듯이, 회의의 의장이 때로는 컨센서스를 가정하고, 반대의 목소리를 내려는 당사자에게 발언권을 주지 않고 의결시킴으로써 반대편의 도전을 피하기도 하였다.[22] 그러나 기후체제가 시작된 이래로 4번의 명백한 반대가 있었는데, 이는 1996년 제네바의

18) FCCC, 'Status of Ratification of the Convention' <http://unfccc.int/essential_background/convention/status_of_ratification/items/2631.php> accessed 20 January 2017.

19) 절차규칙 초안 42번 규칙(Rule 42 of the Draft Rules of procedure)은 두 가지 선택지를 제시하고 있는데, 하나는 실체적 결정은 컨센서스로 의결하는 것이고, 다른 하나는 컨센서스가 불가능한 경우, 일부 예외적인 경우를 제외하고, 3분의 2의 찬성표로 의결을 하는 것이다. FCCC, Draft Rules of Procedure of the Conference of the Parties and its Subsidiary Bodies (22 May 1996) FCCC/CP/1996/2,2, Rule 42.

20) Antto Vihma, 'Climate of Consensus: Managing Decision Making in the UN Climate Change Negotiations', *Review of European Community & International Environmental Law*, 24/1 (2015): 58, 62.

21) UNEP, Negotiators Handbook (n 1) 3-12.

22) Lavanya Rajamani, 'The Cancun Climate Agreements: Reading the Text, Subtext and Tea Leaves', *International and Comparative Law Quarterly*, 60/2 (2011): 499, 515-16 (여기에는 석유수출국기구(Organization of Petroleum Exporting Countries, OPEC)의 반대에 관한 사례들이 소개됨. 그 반대는 INC에 의한 FCCC의 채택과 COP1에서의 베를린 위임사항의 채택에 대한 것임); Vihma, Climate of Consensus (n 20) 62-3; Depledge, Organization of Global Negotiations (n 17) ch 4 (여기에서는 의장의 역할에 대해 다룸).

COP2, 2009년 코펜하겐의 COP15, 칸쿤의 COP16, 도하의 COP18에서였다.[23] 이러한 반대 사례로 특히 눈에 띄는 것은 COP15에서 회의의 종결시간까지 대부분의 강대국과 협상그룹들의 지도자들이 강구해낸 코펜하겐 합의문이 채택되지 못한 사건이다. 여기에서 몇몇 국가들이 코펜하겐 합의문을 '채택'하려는 COP의 결정에 반대하면서 격론이 오가던 COP의 세션이 중단되었다.[24] 이에 대한 타협안으로 COP2에서 제네바 각료선언[25]이 채택되지 못하자 이를 '주목(take note)'하는 것으로 변경했던 COP2의 관행에[26] 따라 코펜하겐 합의문도 '주목'하는 것으로 마무리되었다. 그 다음 해에 열린 COP16에서 당사자들이 칸쿤합의의 일련의 결정들을 채택하는 것을 통해 코펜하겐 합의문의 핵심요소들을 유엔기후체제로 도입하려고 할 때, 또 한 번 '컨센서스'에 대한 도전이 있었다. 이번에는 볼리비아가 단독으로 절차적 이유와 실체적 이유를 근거로 반대를 표명했다. 그럼에도 불구하고, 당사국총회 의장은 회의를 주재하면서 칸쿤합의가 컨센서스에 의해 채택되었음을 선언했다.[27] 이와 유사하게 COP18에서도 러시아의 반대가 기각되어, 교토의정서에 대한 도하개정(Doha Amendment)이 채택되었다.[28]

상기 사례들은 컨센서스 절차의 함정을 보여준다. 컨센서스에 의한 의사결정은 더 힘이 약한 그룹들을 포함한 모든 참여국들에게 협상결과물을 함께 만들어 가는 기회를 주고, 그에 따라 내려진 결정이 실현가능하고 정당한 방법을 담고 있

23) 기후체제에서 컨센서스 관행의 변천에 대한 더 구체화된 설명은 다음 문헌을 참조. Rajamani, ibid, 514-18; Duncan French and Lavanya Rajamani, 'Climate Change and International Environmental Law: Musings on a Journey to Somewhere', *Journal of Environmental Law*, 25/3 (2013): 437, 448-51.

24) 이에 대한 더 구체적인 논의는 다음 문헌을 참조. Daniel Bodansky, 'The Copenhagen Climate Change Conference: A Post-Mortem', *American Journal of International Law*, 104/2 (2010): 230; Lavanya Rajamani, 'The Making and Unmaking of the Copenhagen Accord', *International and Comparative Law Quarterly*, 59/3 (2010): 824.

25) FCCC, Report of the COP on its Second Session (n 11) 70. 기후체제에서 정치적 합의의 역할은 제3장 II.D.4 참조.

26) Decision 2/CP.15, 'Copenhagen Accord' (30 March 2010) FCCC/CP/2009/11/Add.l, 4, introductory text.

27) 칸쿤합의에서 표명된 컨센서스 관련 다양한 이론에 대한 더 구체적인 논의는 다음 문헌을 참조. Rajamani, Cancun Climate Agreements (n 22) 514-15.

28) French and Rajamani, Climate Change and International Environmental Law (n 23) 449. 도하개정을 포함한 개정 전반에 대해서는 제3장 II.D.2 참조.

도록 하는 것이 가장 이상적일 것이다.[29] 그러나 컨센서스 절차의 명백한 문제점은 의사결정을 최소한의 공통분모로 몰아갈 수 있고, 압도적으로 다수인 국가들이 앞으로 나아가고자 할 때, 극소수의 국가들이 이를 저지할 수 있다는 것에 있다. 그렇다고 하여도 칸쿤과 도하에서의 방식은 장기적으로 보았을 때 이 딜레마에 대한 해결책이 되지는 못할 것이다.[30] 반대의사 표명을 기각했던 칸쿤과 도하의 결정들은 UN체제에서의 '컨센서스'에 대한 일반적 정의에서 벗어나는 것이며, 컨센서스의 개념과 기준점에 대한 문제를 제기했다. 유엔기후체제에서의 새로운 규칙을 '준(準)컨센서스(quasi-consensus)', '일반적 합의(general agreement)' 혹은 '단일 반대를 제외한 컨센서스(consensus-minus-one)' 중 하나라고 할 수 있겠는가?[31] 그리고 만약에 둘이나 세 국가들 혹은 코펜하겐에서처럼 소그룹의 국가들이 반대의 목소리를 내면 어떻게 되겠는가? 이런 모든 어려움에도 불구하고, 컨센서스에 따른 결정방식을 버리고, 2/3 혹은 3/4 다수결 투표와 같은 가중다수결 투표(qualified majority voting)의 방식을 택하는 것은 아직 충분한 수의 핵심 당사자들의 지지를 받고 있지 않는 것으로 보인다.[32]

'컨센서스'와 관련된 쟁점은 기후체제가 가지는 절차적 문제들 중에 특별히 중요한 문제 중 한 가지 예가 될 수 있다. 그러나 그것만 있는 것이 아니다. 협상 내내 다양한 종류의 절차적 문제들이 발생한다. 종종 절차적 문제는 조항의 실체적 내용에 대한 의견대립의 대리전이기도 하며, 그런 절차적 문제들이 실체적 내

---

29) Rajamani, Cancun Climate Agreements (n 22) 517-18 (부가적인 사항에 관한 매우 구체적인 논의가 제공).

30) 본문에서 지적된 것처럼 도하개정은 러시아의 반대에도 불구하고 채택되었다. 러시아는 이에 대한 불만의 표현으로 그 다음해인 2013년 6월에 COP의 '의사결정과 관련된 절차 및 법적 문제'에 대한 새 의제를 포함하자는 제안을 하였다. 일부 국가가 이 새로운 의제 항목에 반대하자, 러시아는 이행을 위한 보조기구(Subsidiary Body for Implementation, SBI)가 필요한 의제를 채택하지 못하도록 막는 방법으로 SBI가 업무처리를 못하도록 방해하였다. Report of the Subsidiary Body for Implementation on its thirty-eighth session, held in Bonn from 3 to 14 June 2013 (27 August 2013) FCCC/SBI/2013/10,4. 이 문제는 같은 해에 이루어진 바르샤바 COP에서야 해소될 기미가 보였는데, 여기서 COP 의장이 러시아가 제안했던 새로운 의제에 대한 협상을 착수하는 것에 동의했고, 이는 2016년 현재까지 진행되고 있다.

31) Rajamani, Cancun Climate Agreements (n 22) 516-17; French and Rajamani, Climate Change and International Environmental Law (n 23) 450.

32) Vihma, Climate of Consensus (n 20) 63-4 (미국과 EU와 같이 개혁에 따른 정치적이고 법적인 비용을 회피하기 위해서라도 유보적인 입장을 보인 당사자들도 포함된다고 지적).

용에 대한 합의의 진전을 차단, 지연 또는 제한하기 위해 제기되기도 한다. 물론 말할 필요도 없이, 기후협상의 진정한 어려움은 내용적 합의의 진전을 위한 기반을 마련하고 이를 달성하는 것에 있다. 협상에서는 공통의 이해와 견해의 기반을 생성하고 다수의 서로 연결된 문제들을 다루기 위해서 다양한 전략들이 사용된다.

특히 협상의 초기단계에서는 민감한 문제에 대해 탈정치적으로 의견을 교환할 수 있는 기회, 예를 들어 특정주제에 대한 전문가 발표를 포함한 워크숍과 같은 행사들을 개최하고자 하는 노력이 있을 수 있다.[33)] 이러한 행사들은 기후체제의 주도하에 이루어지거나 당사자 혹은 NGO의 후원을 받는데, 이들은 소규모 대표단들이 현안을 이해하고, 문제해결의 선택지의 범위를 이해할 수 있도록 도움으로써 역량강화의 기능을 수행하기도 한다. 이와 유사하게 협상과정에도 중요한 작업은 입장이 명시되고 문언이 채택되는 공개세션(public sessions) 밖에서 이루어진다. 대표단들은 비공식적인 '복도 논의(corridor discussions)'를 하거나 비공개적으로 핵심쟁점들을 논의하곤 한다.[34)]

협상은 그 자체로 여러 하위 쟁점에 따라 나누어지는데, 각기 다른 작업반(working group)들이 이를 진전시키는 책임을 지게 된다.[35)] 심의(deliberation)는 대개 당사자의 서면진술서(written position statements)나 제안서(proposals)를 요구하는 것으로 시작한다. 협상이 어떤 지점에 이르면, 작업반의 의장들은 제안서를 제출한 당사자들을 초안 작성에 참여시킨다. 이 과정의 궁극적인 목표는 앞으로 합의될 요소들을 확인하고 하나로 통합된 문서를 만드는 것이다. 기후체제에서 지배적으로 사용되었던 이러한 방식이 가진 장점은 모든 당사자들이 참여할 기회를 갖는다는 것에 있다. 단점은 당사자들은 그들이 선호하는 모든 옵션을 초안에 포함시킬 것을 강제 받는다고 느낀다는 것이다. 결과적으로 초안은 매우 길고 복잡해져서 문제와 해결방법의 선택지들을 줄여나가며, 실행가능한 합의로 만들어내는 작업을

---

33) 이에 대한 개관은 다음 문헌을 참조. Depledge, Organization of Global Negotiations (n 17) ch 10. 2013년이 이루어진 ADP 워크숍의 시리즈를 참조. 그 시리즈의 한 예시로 다음 문헌을 참조. FCCC, 'Workshop on scope, structure and design of the 2015 agreement' <http://unfccc.int/meetings/bonn_apr_2013/workshop/7488.php> accessed 20 January 2017.

34) Bodansky, *Art and Craft of International Environmental Law* (n 6) 170.

35) Depledge, Organization of Global Negotiations (n 17) ch 9 and ch 11.

어렵게 만든다.

예를 들어, 코펜하겐 회의를 위한 초기 통합본(initial compilation)은 53페이지에 이르렀다. 당사자들이 그들의 입장을 개선하고 명확하게 하자, 초안 문서는 200페이지로[36] 불어나면서 당사자들의 정치적 입장 차이를 차치하더라도 코펜하겐에서의 합의를 거의 불가능한 작업으로 만들었다. 2015년 파리 회의에서의 협상문의 진행과정은 그보다는 덜 극단적이기는 했지만 비슷한 패턴을 보였고, 문서가 길어졌다 짧아지기를 반복했다. 2014년 12월에 작업반의 공동의장이 '협상문 초안의 핵심요소(elements for a draft negotiating text)'를 포함하고 있는 39페이지 문서를 작성하였다.[37] 당사자들이 2015년 2월 제네바 회의에서 협상문 초안을 채택했을 때, 그 공동의장들이 작성했던 핵심요소 문서는 당사자들의 제안을 삽입한 결과 선택지와 대괄호로 가득한 90페이지의 문서로 늘어났다.[38] 그러나 10월초에 공동의장들은 대괄호로 표시된 문장을 신중하게 선택하여 20페이지의 문서를 다시 제시하였는데, 이는 타협이 이루어질 수 있는 부분과 무엇이 핵심문제인지에 대한 그들의 견해를 반영한 것이었다. 그러나 이 문서는 다수의 개발도상국들에 의해 거부되었고, 결국 파리에서의 당사국총회는 훨씬 더 긴 초안과 함께 열렸다. 이 초안은 당사자들의 모든 제안들을 포함하고 있는 관계로 1,600개의 대괄호로 가득 차 있었다.[39]

원하는 표현이나 선택지를 협상테이블에 남겨 놓기 위해서 당사자들은 관련된 문언이 공식초안(official draft)에 포함되어 있는지 확인해야 한다. 여기서 대괄호

36) Pamela Chasek, Lynn Wagner, and I. William Zartman, 'Six Ways to Make Climate Negotiations More Effective' (Policy Brief—Fixing Climate Governance Series, No 3, June 2015) <https://www.cigionline.org/sites/default/files/fixing_climate_governance_pb_no3_3.pdf> accessed 20 January 2017, 2.

37) Decision 1/CP.20, 'Lima Call for Climate Action' (2 February 2015) FCCC/CP/2014/10/ Add.1, 2 (Lima Call for Climate Action) Annex: Elements of a Draft Negotiating Text.

38) Ad Hoc Working Group on the Durban Platform for Enhanced Action (ADP), 'Negotiating Text (25 February 2015) FCCC/ADP/2015/1.

39) Frank McDonald, 'It's all in the detail: time for hardball talks on climate change', *The Irish Times* (2 December 2015); ADP, Draft agreement and draft decision on workstreams 1 and 2 of the Ad Hoc Working Group on the Durban Platform for Enhanced Action (10 November 2015) ADP.2015.11.InformalNote.

는 적어도 한 당사자에 의해 제안되었으나 하나 이상의 당사자가 이에 반대하는 선택지를 표시하기 위해 협상문에 쓰이는 도구이다.[40] 이러한 방법은 위에서 설명한 것처럼 협상문이 길어지는 현상의 원인이 된다. 협상의 마지막 단계에서의 핵심과제는 협상문을 줄이고, 각 규정의 선택지들과 규정 안의 대괄호의 수를 줄여서 가능한 결과물의 윤곽을 드러나도록 하는 것이다. 이러한 과정 중에 '대립적 쟁점(crunch issues)', 즉 당사자들 간의 의견대립으로 첨예한 쟁점들이 드러난다. 이런 쟁점들은 협상시간이 종료가 되기 며칠 혹은 몇 시간 전까지 해결되지 않고 남아있기도 한다.

그러한 대립적 쟁점에 대한 합의에 도달하기 위한 방법은 유엔기후체제의 25년 역사 동안 변하여왔다. FCCC의 협상에서 INC의 의장은 비공식적으로 '확대의장단(extended bureau)'이라 불렸던 25개의 핵심국가들로 구성된 소그룹을 소집하였는데, 여기에는 INC의 임원과 '의장단(bureau)'으로 명명된 INC의 두 개의 작업반, 그리고 INC 의장에 의해 선택된 여타의 국가들이 포함되었다. 이 확대의장단은 INC의 최종회의 전의 세션들 사이에서 만났고, INC 의장에게 타협안 문서를 준비할 것을 요청하였는데. 이는 결과적으로 합의에 도달하는 데 중요한 역할을 하였다. 뉴욕의 UN본부에서 열린 INC의 마지막 회의에서 INC 의장은 모든 대표단에게 입장을 표명할 기회를 준 뒤에, 공식협상이 이루어지고 있던 본부 건물의 저층에서 멀리 떨어진 건물의 고층에서 확대의장단 회의를 재소집하여 마지막 며칠 동안 주요한 쟁점들의 타협안을 24시간 내내 강구해냈다.[41]

COP의 막바지에 대립적 쟁점들을 해결하기 위한 소그룹을 소집하는 전략은 통상 '의장의 친구들(friends of the chair)' 방식이라 불리는데, 이는 FCCC의 역사 대부분에서 일반적이었고, 교토의정서의 협상에서도 광범위하게 쓰였다.[42] 이런 방식은 그 소그룹이 타협을 도출하는 비공개 협상에 포함되지 못한 많은 대표단들이 그 방식을 수용하고 존중하지 않으면 사용될 수 없다. 그런데 그러한 수용과 존중

40) McDonald, ibid; R.P. Barston, *Modern Diplomacy* (London and New York: Roudedge, 4th edn, 2014) 87.
41) 이 논의는 다음 문헌을 참조. Daniel Bodansky, 'The United Nations Framework Convention on Climate Change: A Commentary', *Yale Journal of International Law*, 18/2 (1991): 451,491-2.
42) Depledge, Organization of Global Negotiations (n 17) 122-31.

이 2009년 코펜하겐 회의를 준비하는 과정에서 점점 사그라지기 시작했는데, 이는 점점 더 많은 국가들이 기후협상에 활발히 참여하게 되었기 때문이었다. 전술하였듯이[43] 이 방식은 2009년 코펜하겐 회의에서는 완전히 무너졌는데, 여기서 소수의 국가들은 '의장의 친구들' 협상과정을 통해 주요 경제국들과 협상그룹들을 포함한 28개국의 대표들이 도출해낸 코펜하겐 합의문을 채택하는 것을 저지했다.

코펜하겐에서의 폐쇄적인 '의장의 친구들' 방식이 종말에 이른 것은 대립적 쟁점들을 해결하기 위한 다른 방식들에 대한 실험으로 이어졌다. 2011년 더반회의에서는 남아프리카공화국 출신 당사국총회 의장이 '인다바(indabas)'를 소집했는데, 이는 남아프리카의 전통적 모임 방식으로 누구나 참석할 수 있으나 리더들만이 입장을 표명하거나 가능성 있는 타협안을 제안하는 발언을 할 수 있다.[44] 더반회의에서 인다바가 파리협정의 법적 형식에 대한 주요 쟁점들을 해결하는 데 실패한 뒤, COP 의장은 주된 논쟁자들에게 총회장에 '옹기종기 모여(huddle)' 그들이 가진 견해의 차이를 좁힐 것을 요청했다.[45] 그 결과 "법적 효력이 있는 합의된 결과(agreed outcome with legal force)"라는 문구를 만들어내는 데 성공하였고, 이로써 더반플랫폼의 채택을 저지하였던 교착상태가 타개되었다.[46] '옹기종기 모이기' 전략은 바르샤바회의에서도 어려운 쟁점들을 해결할 때 쓰였으나, 몇몇 사람들이 모여 있을 때 중심을 차지하기 위해서는 육체적 힘과 체격이 있는 것이 유리하다고 느끼게 되면서 문제가 많은 방식으로 여겨지게 되었다.

파리에서의 COP21에서 '옹기종기 모이기' 방식을 사용하지 않은 것은 부분적

43) 위 nn 24-26 및 그곳의 본문 참조.

44) J.G.S. de Wet, 'Highlights from the Office of the Chief State Law Adviser (International Law)', *South African Yearbook of International Law*, 36 (2011): 146, 156, 159; Sandrine Maljean-Dubois and Matthieu Wemaere, 'After Durban, What Legal Form for the Future International Climate Regime?', *Carbon & Climate Law Review*, 2012/3 (2012): 160, 187,189.

45) Lavanya Rajamani, 'The Warsaw Climate Negotiations: Emerging Understandings and Batde Lines on the Road to the 2015 Climate Agreement', *International and Comparative Law Quarterly*, 63/3 (2014): 721, 724-5.

46) Navroz K. Dubash and Lavanya Rajamani, 'Multilateral Diplomacy on Climate Change', in David M. Malone, C. Raja Mohan, and Srinath Raghavan (eds), *Oxford Handbook of Indian Foreign Policy* (Oxford University Press, 2015) 663, 666. 더반플랫폼에 대해서는 위 nn 12-15 및 그곳의 본문 참조.

으로 이러한 이유로 인한 것이다. 대신에 다양한 다른 방식이 최종안을 도출하는 데 쓰였다. 첫 주에는 당사자들이 더반플랫폼 특별작업반(Ad Hoc Group on the Durban Platform for Enhanced Action, ADP)의 공동의장과 각 분야의 조력자(facilitators)의 도움으로 다수의 대괄호된 문장들을 줄여나갔다.[47] 이들은 협상문을 스크린에 띄워놓고, 문서의 처음부터 끝까지 대괄호 하나하나를 공들여 검토하였고, 조력자들은 어떻게 타협점을 찾을 수 있는가에 대한 그들의 평가를 담아 제출한 '절충안 제안서(bridging proposals)'를 이용하면서 작업을 해나갔다. 이 단계에서 당사자들은 초안 작성에 직접적인 역할을 가졌다. 반면에 둘째 주에는 의장국인 프랑스가 초안 작성에 직접적으로 참여하는 방식('drafting pen')을 그대로 유지하였다. 의장국은 핵심주제에 따라 각료모임을 소집하였고, 모든 국가를 포함하는 '인다바' 스타일의 모임과 핵심그룹들 간의 양자협의를 여러 번 진행했다. 소규모 그룹 간 치열한 협상들이 동시에 진행되었는데, 이들 중 일부는 의장국의 요청에 의해 소집된 것이고, 다른 협상들은 이해관계가 있는 국가들이 자발적으로 모인 것이었다. 의장은 모든 모임에서 얻어진 문언적·개념적 입력사항을 기초로 해서 어떻게 타협점을 찾을 수 있을지를 평가했고, 사무국의 초안작성팀과 함께 세 가지 의장 제안서를 작성했다. 이 제안서는 모든 대괄호를 제거하는 과정을 되풀이했다. 마지막에 남은 대괄호로 된 문장들은 '대립적 쟁점들'과 관련된 것들로 여기에는 파리협정의 법적 성격, 감축목표의 정도, 투명성과 책임성 문제, 기후재원의 문제, 기후변화로 인한 손실과 피해 관련 문제와 같은 것들이 포함되었다.[48] 대괄호를 없애기 위해서 의장은 문언작성에 대한 해결책을 찾고, 합의를 중개하고, 모두에게 수용가능한 균형점을 찾아야 했고, 이와 동시에 의욕을 가능한 최대치로 높이기 위하여 분투하여야 했다. 의장국과 파리협상은 이러한 관점에서 성공하면서 파리협정은 2015년 12월 12일에 채택되었다.[49]

---

47) ADP, Draft Paris Outcome, Revised draft conclusions proposed by the Co-Chairs (5 December 2015) FCCC/ADP/2015/L.6/Rev.l, Annex I: Draft Agreement and Draft Decision.

48) Daniel Bodansky, 'Crunch Issues in Paris', *Opinio Juris* (6 December 2015) <http://opiniojuris.org/2015/12/06/crunch-issues-in-paris/> accessed 20 January 2017.

49) FCCC, Adoption of The Paris Agreement, Proposal by the President (12 December 2015) FCCC/CP/2015/L.9/Rev.l; Decision 1/CP.21, 'Adoption of the Paris Agreement' (29 January 2016) FCCC/CP/2015/10/Add.l, 2.

문서가 점차적으로 간소화되고, 합의에 도달해 가는 과정에서 협상그룹들이 중요한 역할을 한다. 이 그룹들에 소속된 개별 국가들은 협상에서 자국의 입장을 그 연합을 통해서 강화할 수 있다. 동시에 그들은 국가들의 입장을 그룹별로 묶고, 협상에서 다루어져야 하는 입장들의 범위를 점차적으로 현저하게 줄일 수 있도록 한다. 일부 국가들은 주로 이러한 협상그룹들을 통해 협상하고, 미국, 중국 및 인도와 같은 국가들은 이 그룹들을 통해서 뿐만 아니라 독립적으로 협상에 참여한다.

기후협상의 초기 단계에서는 협상그룹의 수가 비교적 적었다. 134개 개발도상국으로 구성된 77그룹 및 중국, 즉 G-77/중국은 크고 작은 개발도상국들의 연합된 힘을 활용하는 가장 큰 그룹이었다. G-77/중국 내에 있는 두 하위 그룹들은 서로 다른 우선순위와 정체성을 가지고 있었는데, 이들은 14개국으로 구성된 석유수출국기구(Organization of the Petroleum Exporting Countries, OPEC)와 44개국으로 구성된 군소도서국연합(AOSIS)이다. 물론 이들도 G-77/중국 연대의 이익을 위해서 조직의 입장에 가담하고는 한다.

지난 20년간 협상그룹의 수는 급격히 증가했다. G-77/중국은 48개국으로 구성된 최빈개발도상국(Least Development Countries, LDCs)연합, 54개국으로 구성된 아프리카 그룹(African Group), 맑스주의를 지향하는 11개의 라틴아메리카 국가들로 구성된 '아메리카를 위한 볼리바르 동맹(Bolivarian Alliance for the Peoples of our America, ALBA)', 40개국 이상이 느슨하게 연대하고 있는 '열대우림 국가연합(Coalition for Rainforest Nations)', 코펜하겐 회의에서 명성을 얻고 코펜하겐과 그 이후부터 결정적 역할을 한 브라질, 남아프리카공화국, 인도, 중국의 4개 신흥경제국가로 구성된 BASIC 그룹, 더반회의의 여파로 생성된 볼리비아, 중국, 인도, 말레이시아, 필리핀, 사우디아라비아, 베네수엘라를 포함하는 '유사한 입장의 개발도상국(Like-Minded Developing Countries, LMDCs)'그룹, 7개의 진보적 중남미 국가로 구성된 '중남미카리브연합(Independent Association of Latin America and the Caribbean, AILAC)'을 포함한다.

선진국들이 모이는 주된 그룹으로는 EU와 엄브렐러 그룹(Umbrella Group)이 있는데, 여기에는 호주, 캐나다, 아이슬란드, 일본, 카자흐스탄, 뉴질랜드, 노르웨이, 러시아, 우크라이나, 미국이 포함된다. 엄브렐러 그룹의 전신은 JUSCANZ(일본, 미국, 캐나다, 호주, 뉴질랜드)이었다. 한동안 여기에 스위스가 포함되어 있어서 S를 덧붙여 JUSSCANZ라 하거나, 노르웨이를 포함하여 JUSSCANNZ라 명명하기도 했다.

마지막으로 지난 10년간 선진국과 개발도상국을 모두 포함한 다수의 그룹들이 만들어졌다. 여기에는 멕시코, 리히텐슈타인, 모나코, 대한민국, 스위스를 포함한 '환경건전성그룹(Environmental Integrity Group, EIG)', 협상그룹의 모든 스펙트럼 상의 32개국으로 구성되는 '진보적 행동을 위한 카르타헤나 회담(Cartagena Dialogue for Progressive Action)'을 포함한다. 카르타헤나 회담은 종종 공동성명을 내지만, 회원들이 보통 함께 협상을 하지는 않는다.

여기에는 회원국들이 겹치는 여러 그룹들이 있다. 예를 들어, 최빈개발도상국연합(LDCs)과 아프리카 그룹이 그러하고, BASIC 그룹과 유사한 입장의 개발도상국(LMDCs)도 그러하다. 그중 몇 개의 그룹들은 기후협상과 상관없이 존재하였는데, G-77 및 중국과 최빈개발도상국연합(LDCs)의 경우에는 기후협상 이전부터 존재해왔다. 다른 그룹들은 기후협상 과정에서 나타났는데, 예를 들어 BASIC, LMDC가 그러하다. 이 중 일부 그룹은 중남미카리브연합과 같이 비교적 동종의 국가들로 구성되어 있고 이들 국가는 객관적 특징들을 공유한다. 카르타헤나 회담과 같이 다른 그룹에 속한 국가들은 서로 공통적인 객관적인 특징이 없지만, 서로 목표를 공유하고 공동의 입장을 도출하고자 한다. 이런 그룹 안에서 협상가나 각료 간에 생성되는 관계들은 모두 협상의 중요한 순간에 결정적 역할을 할 수 있다. 예를 들어, '높은 의욕 연합(high ambition coalition)'이라는 각료들의 연합은 파리협정의 사전 준비과정 중 카르타헤나 회담에서 처음 구성되었는데, 이들은 프랑스 의장국에 협력하여 파리협정을 이끌어낼 수 있도록 힘을 보탰으며, 특히 "1.5℃"라는 의욕적인 장기 기온상승 제한목표를 언급하는 데 있어서 그러했다.[50)]

50) 마셜 제도의 Tony de Brum 장관에 따르면, 이 연합은 협상그룹이 아니라 "의욕적인 협정과 안전한 기후미래를 위해 헌신하고자 하는 모든 이들이 한 목소리를 내는 것(joining the voices of all those who are committed to an ambitious agreement and a safe climate future)"으로 국가의 영토 크기나 경제수준과는 무관하다. Lisa Friedman, 'Glimmers of a Climate Deal Emerge in Paris', *Scientific American* (10 December 2015) <https://www.scientificamerican.com/article/glimmers-of-a-climate-deal-emerge-in-paris/> accessed 20 January 2017.

기후협상을 진전시키는 데 있어서 특정 국가들과 그룹들의 '세션 간 논의(inter-sessional discussions)'도 중요한 역할을 했는데, 이는 특히 '컨센서스' 절차가 매우 다루기 어렵다는 점에서 그러했다. 예를 들어서 EU를 대변하는 영국과 미국의 양자 간 비공식적 협상은 FCCC의 중요한 문제 중 하나였던 선진국의 배출목표에 대한 이견을 좁혔다. 이와 유사하게 교토의정서와 관련해서 '마라케시 합의문(Marrakesh Accords)'에 대한 협상에서 협상가들 간의 비공식적 대화들이 교토의정서의 시장 메커니즘에 대한 수용가능성을 높였다. 가장 최근에 중국과 미국 양자 간의 비공식적 대화는 2014년 11월의 '기후변화에 관한 공동성명(Joint Announcement on Climate Change)'으로 이어졌는데,[51] 이는 핵심 당사자들이 공동의 이해에 도달했을 때, 생성되는 동력을 잘 보여준다.

C. 조약의 채택, 서명, 비준 그리고 발효

조약의 '채택(adoption)'은 협상이 성공한 경우에 그 마지막에 조약문을 확정하는 것을 의미한다. 유엔기후체제하에서는 새로운 합의들이 COP에 의해 채택되도록 한다. FCCC는 개정(amendments)이나 부속서(annexes)를 채택하는 것에 대해서는 별도의 투표규칙을 적용하며,[52] 그것이 아닌 경우에는 다른 일반적 COP 결정처럼 '컨센서스'를 통해서 합의를 채택한다.

조약의 채택은 국가들이 그 문언에 법적으로 구속된다는 것을 의미하지는 않는다. FCCC, 교토의정서, 파리협정과 같은 다자조약의 경우, 두 가지 추가적 단계가 필요하다. 첫째로 각국은 그 조약에 구속받는 것에 대한 동의(consent)를 해야 하며, 둘째로 충분한 수의 국가들이 동의를 해야 협정이 '발효(enter into force)'하게 된다. 언제 그리고 어떻게 국가들이 조약에 대한 동의를 표해야 하는지와 어느 시점부터 조약이 발효되는지의 두 가지 질문은 별개이지만 얽혀 있는 문제이다. 각

51) The White House, 'U.S.-China Joint Announcement on Climate Change' (11 November 2014) <https://obamawhitehouse.archives.gov/the-press-office/2014/11/11/us-china-joint-announcement-climate-change> accessed 20 January 2017. 제7장 II.D 참조.

52) FCCC, Arts 15 and 16.

당사자들은 동의할지의 여부와 언제 공식적으로 동의를 표할지를 결정할 수 있지만, 발효는 필요한 수 이상의 동의가 있는지 여부와 조약에 명시된 그 외의 발효 관련 요구사항이 충족되었는지에 여부에 좌우된다.

이 절차에서의 첫 번째 단계는 조약을 서명(signature)을 위해 개방하는 것이다.[53] 이는 조약이 채택되고 얼마 되지 않아 이루어진다. 예를 들어, 파리협정은 2016년 4월 22일에서 2017년 4월 21일까지 서명을 위해 열려 있었다.[54] 파리협정에서는 유례없이 175개의 당사자들이 그 첫 날에 서명했는데, 이는 아마도 발효가 긴급하다는 것을 보이려 한 것이다.[55] 서명 그 자체가 국가를 조약에 구속하지는 않으나[56] 이는 대개 공식적 동의(formal consent)의 예비단계가 된다. 이는 조약을 만드는 과정, 특히 다자조약을 만드는 과정에서 몇몇 중요한 기능을 한다. 첫째로 서명단계는 국가들이 그들이 그 조약을 지지한다는 것을 보여줄 수 있는 기회가 되고, 그 조약에 대한 공식적 동의를 준비할 수 있는 시간을 준다. 많은 국가들이 헌법상 공식적 동의를 위해서 '입법부의 승인(legislative approval)'이 필요한 경우가 많고, 또한 조약을 준수하기 위한 규제적 조치나 세부정책들을 도입해야 할 필요가 있을 수 있다. 둘째로 서명은 조약의 문언에 국가를 구속하지는 않으나, 그들이 "조약의 목표와 목적을 방해하지 못하도록(defeat the object and purpose of the treaty)" 의무를 부과한다.[57] 달리 말하면, 서명은 요식행위가 아니라, 조약의 당사자가 될 국가들의 의도를 드러내는 것이다. 국가들이 서명단계를 진지하게 받아들인다는 것을 보여주는 예로 미국은 교토의정서에 있어서 자국이 초기에 했던 서명을 철회함으로써 당사자가 되지 않겠다는 의사를 표명한 것이 있다.[58] 셋째로 서

53) 예를 들어, FCCC는 1992년 6월 리우정상회담에서 서명을 위해 개방되었는데, 이는 FCCC가 채택된 지 한 달 후였고, 1993년 6월 19일까지 1년 동안 열려 있었다(FCCC, Art 20.1). 이와 유사하게, 교토의정서는 채택이 되고 3개월 후인 1998년 3월 16일에 서명을 위해 개방되었으며, 이는 1999년 3월 15일까지 지속되었다(Kyoto Protocol, Art 24.1).

54) Paris Agreement, Art 20.1.

55) 서명국들의 최근 목록은 다음 문헌에서 확인한다. FCCC, 'Status of Ratification—Paris Agreement' <http://unfccc.int/paris_agreement/items/9444.php> accessed 20 January 2017.

56) 이것은 달리 규정되어 있지 않은 경우에 그러하다. VCLT (n 2) Art 12 참조. 때로 양자조약에서는 서명이 바로 동의를 의미하는 것으로 규정하기도 한다.

57) Ibid, Art 18.

58) Ibid, Art 18 (a). 'Text of a Letter from the President to Senators Hagel, Helms, Craig, and

명은 국가들에게 조약에 대한 지지도가 어느 정도 되는지와 조약이 발효가 될 가능성을 알리는 신호가 된다. 서명을 위해 열려 있는 기간은 보통 1년으로 고정되어 있는 것은 이런 신호를 보내는 과정이 더 빠르고 압축적으로 이루어지도록 하기 위한 것이다.

조약이 서명을 위해 제한된 기간 동안만 열려 있다는 사실은 '서명을 하지 않은 국가(non-signatory states)'가 당사자가 될 수 없다는 것을 의미하지는 않는다. 이는 그런 국가들은 두 번째 단계인 구속에 대한 공식적 동의로 바로 넘어간다는 것을 의미한다. 이러한 이유로 FCCC는 197개의 당사자가 있으나, 165개국만이 서명국이다.[59] 그리고 교토의정서는 192개의 당사자가 있으나, 83개국만이 서명국이다.[60] 반대로, 서명이 대체로 그 국가가 조약에 가입할 의도를 나타내지만, 그에 대한 의무를 동반하는 것은 아니다. 서명국에 의한 공식적 동의는 보통 '비준(ratification)'이라고 불리는데,[61] 때로는 다양한 국내적 관행에 따라 '수락(acceptance)' 혹은 '승인(approval)'이라고도 불린다. 서명하지 않은 국가들의 동의는 '가입(accession)'이라 불린다.[62]

조약에 대한 동의는 국가들이 구속력을 받기에 필수조건이나 충분조건은 아니다. 조약이 동의한 국가들에게 구속력을 가지게 되는 것은 조약이 발효되고 나서이다.[63] 그러므로 한 국가가 이미 발효된 조약을 비준하면, 조약에 규정된 약간의 시간이 경과한 후에 바로 구속을 받게 되지만,[64] 국가가 조약이 발효되기 전에 비준을 하게 되면, 발효가 될 때까지 구속을 받지 않는다. 조약이 발효되기까지 시간이 오래 걸린다는 점을 고려할 때, 국가가 동의하는 시점과 법적 구속을 받게 되는 시점 사이의 지연기간이 길어질 수 있다. 예를 들어, FCCC는 채택이 된 후에

Roberts' (13 March 2001) <http://georgewbush-whitehouse.archives.gov/news/releases/2001/03/20010314.html> accessed 20 January 2017.

59) FCCC, Status of Ratification—Convention (n 18).

60) FCCC, 'Status of Ratification of the Kyoto Protocol' <http://unfccc.int/kyoto_protocol/status_of_ratification/items/2613.php> accessed 20 January 2017.

61) VCLT (n 2) Art 14.

62) Ibid, Art 15; FCCC, Art 22.1; Kyoto Protocol, Art 24.1; Paris Agreement, Art 21.1.

63) VCLT, Art 26.

64) FCCC, Art 23.2 (여기에서는 90일로 규정).

2년 내로 발효된 반면에, 교토의정서는 발효가 되는 데까지 8년 이상의 시간이 걸렸다.[65]

교토의정서가 발효되기까지 그렇게 오랜 시간이 걸린 이유 중 하나는 많은 규정들이 구체화되어야 했기 때문이다. 국가들이 교토의정서의 보고와 검토 요구사항, 배출권거래제, 의무준수에 대한 평가 절차와 메커니즘에 대해 동의했으나, 이들은 각 주제들에 대한 상세한 규칙과 지침의 개발을 다음 단계로 미루어 두었다. 그러나 배출할당량이나 배출권이 어떤 조건하에서 거래될 수 있는지와 교토의정서의 의무준수에 소요되는 비용과 미준수에 대한 대가를 모르는 상태에서 국가들은 교토의정서를 비준하려고 하지 않았다. 따라서 이러한 상세한 사항들에 대한 협상이 교토의정서의 채택 이후에 바로 시작되었다. 2001년 마라케시 합의문으로 필요한 부분들이 결정의 형태로 채택된 후에야[66] 충분한 수의 국가들이 교토의정서를 비준하였고 2005년에 발효되도록 하였다. 이것이 더 늦어진 이유는 부분적으로 미국이 의정서의 비준을 거부하면서 후술하는 발효를 위한 요건을 충족하기가 더 어려워졌었기 때문이었다.

조약이 발효가 되는 데 걸리는 시간은 조약이 발효에 관해 규정한 요구사항에 좌우되기도 한다. 조약이 발효되는 방식은 정치적으로 그리고 실무적으로 매우 중요하다. 이는 조약을 최대한 조속히 발효시키고자 하는 의도를 충족하면서도, 조약이 신뢰성을 얻을 수 있을 만큼 충분한 수의 국가들이 참여하도록 해야 한다. 더욱이 어떤 협정이 국가들에게 지나치게 엄격하고 비용이 많이 드는 배출감축의무를 요구하면, 국가들은 다른 주요 배출국들도 그 조약에 참여하여 그러한 감축의무가 실제로 이익을 가져올 것이라는 보장이 있을 경우에만 그 조약에 참여하고자 할 것이다. 기후체제는 이런 사고방식을 잘 보여준다. FCCC는 법적으로 구속력 있는 배출목표를 포함하지 않았고, 발효에는 50개국의 서명을 요구했는데,[67] 이 50개국이라는 수는 조약의 폭넓은 참여를 보장하면서도 비교적 조속한 발효를 가능

65) FCCC, Status of Ratification—Convention (n 18); FCCC, Status of Ratification—Kyoto Protocol (n 60).
66) 마라케시 합의문을 비롯한 다른 COP 결정의 법적 지위에 관하여는 제3장 II.D.3에서 추가로 논의된다.
67) FCCC, Art 23.1.

하게 했기 때문에 국제조약에서 일반적으로 사용된다. 반대로 교토의정서와 파리협정은 당사자들에게 구체적인 배출감축의무를 부여하므로 '이중의 촉발장치(double trigger)' 요구사항을 포함하였는데, 이는 단순히 특정한 수의 국가들의 비준뿐 아니라, 그 감축의무의 대상이 되는 배출량이 세계 총배출량에 있어 유의미한 비중에 도달할 것을 요구하는 것이었다. 교토의정서에서의 비중은 부속서I 국가들의 배출량의 55퍼센트였고,[68] 파리협정에서의 비중은 세계 총배출량의 55퍼센트였다.[69]

D. 조약의 발전

MEA의 핵심적 특징은 장기적 체제로 운영되기 위하여 고안되었다는 것이다. 서로 맞물려 돌아가는 전문가들의 검토절차, 외교적 절차 및 기준설정의 절차들이 반복되면서 조약은 변천하게 된다. 조약의 발전을 위한 주된 법적 기제로는 기본협약(framework convention)의 틀 안에서 도입되는 주로 '의정서(protocols)'라고 불리는 새로운 조약들, 기본협약이나 의정서와 같이 이미 존재하고 있는 조약들에 대한 개정, 그리고 관련 조약기구들의 결정들(decisions)이 있다.[70] 때로는 정치적 합의(political agreements)도 추후의 법적 합의(legal agreements)의 디딤돌이 된다. 마지막으로, 조약을 의도적으로 애매모호하게 만듦으로써 뒤따르게 되는 해석절차와 후속 관행들도 조약의 발전에 영향을 줄 수 있다. 이 절에서는 이러한 장치들을 각

---

68) Kyoto Protocol, Art 25.1.

69) Paris Agreement, Art 21.1. 파리협정은 2016년 10월 5일에 발효기준을 넘었고, 이는 2016년 11월 4일부터 효력이 발생하도록 하였다. FCCC, Status of Ratification—Paris Agreement (n 55). 관련된 배출비중에 대해서는 다음 문헌을 참조. Report of the Conference of the Parties on its twenty-first session, held in Paris from 30 November to 13 December 2015 (29 January 2016) FCCC/CP/2015/10, Annex I; FCCC Legal Affairs Programme, 'Entry into force of the Paris Agreement: legal requirements and implications' (7 April 2016) <http://unfccc.int/files/paris_agreement/application/pdf/entry_into_force_of_pa.pdf> accessed 20 January 2017 (파리협정의 발효 관련 요구사항들과 파리협정이 2020년 이전에 발효되는 것에 따라 효과를 가지는 것과 관련된 법적이고 절차적인 쟁점들에 대해서 구체적인 논의를 제공). 제7장 XII 참조.

70) 이에 대한 개관은 다음 문헌을 참조. Jutta Brunnée, 'Environment, Multilateral Agreements', in Rudiger Wolfrum (ed), *Max Planck Encyclopedia of Public International Law* (Oxford University Press, 2011). Jutta Brunnée, 'COPing with Consent: Lawmaking under Multilateral Environmental Agreements', *Leiden Journal of International Law*, 15/1 (2002): 1, 15-31.

각 차례로 살펴보겠다.

1. 기본조약을 보충하기 위한 새로운 조약

본 장의 초반에서 전술하였듯이, 현대의 MEA는 기본조약(framework treaty)에 의해 묶여 있다. 기본조약의 목표는 조약의 목적, 조약에 따른 행위를 이끌 기본원칙, 그리고 조약의 목적 달성을 위한 일반적 의무를 명시하는 것이다. 또한 기본조약은 과학적 및 기술적 정보의 교류를 규정하고, 조약기구와 조약 발전의 절차를 포함하는 의사결정 절차를 수립한다.[71] 하지만 기본조약들은 어려운 쟁점들에 대해서는 규정하지 않는다. 여기서 그러한 어려운 쟁점들은 구체적이고 잠재적으로 비용이 많이 드는 의무(commitment)에 대한 협상인데, 이 의무들에 대해서 다양한 입장이 있거나, 과학적 혹은 기술적 지식이 부족하거나 또는 의견 일치가 되지 않아 아직 적절한 시기가 되지 않은 경우일 수 있다. 당사자들은 기본조약을 통해서 조약의 목적, 제도, 절차와 같은 다양한 기본 문제들을 미리 해결하고, 통상 '의정서'라고 불리는 보충적인 조약(supplemental treaties)의 협상을 이러한 어려운 실체적 문제에 집중시킬 수 있다. 더욱이, 이는 보충조약들이 가진 '관련이 있지만 별개(related but separate)'라는 법적 성격을 이용하여 새 조약의 특정한 측면을 당면 쟁점의 특수성에 맞추어 최적화할 수 있다.

FCCC는 이와 같은 의미에서 고안되었으며, 당사자들이 하나 이상의 의정서를 채택할 것이라 예상했다.[72] MEA의 경우에 있어서 '의정서'라는 용어는 보충조약을 칭하는 데 가장 많이 쓰였다. 그러나 '관련 있으나 별개인' 조약은 꼭 '의정서'라고 불릴 필요는 없다. 2015년 파리협정이 좋은 예이다. 제7장에서 다루겠지만, 정치적 이유로 인해서 파리협정은 '의정서'가 아닌 '협정'이라 명해졌다. 그러나 그 명칭과는 무관하게 파리협정은 교토의정서처럼 FCCC하에서 보충적으로 채택된 조약이다.

의정서 및 다른 보충조약들이 가진 '관련이 있으나 별개인' 법적 특징에는 몇 가지 차원들이 있다. 첫째로 기후체제를 포함한 다수의 환경조약체제에서는 기본

71) Brunnée, ibid, para 32.
72) FCCC, Art 17.

조약의 당사자인 국가들만이 보충조약의 당사자가 될 수 있다.[73] 이는 보충조약의 목적이 '우산조약(umbrella treaty)'의 목표를 더 진전시키는 데 있기 때문이다.[74] 그러나 하나의 보충조약은 별개의 조약이므로, 각 기본조약의 당사자는 그 보충조약에 참여할지와 언제 참여할지를 결정할 수 있다.[75] 둘째로 보충조약은 일반적으로 기본협약의 제도적 및 절차적 구조를 이용하는데, 이는 보충조약의 당사자들이 기본조약의 당사자들이어야 하는 다른 이유다.

제도적 측면에서 보면, FCCC의 조직들, 즉 사무국(secretariat)과 보조기구(subsidiary bodies) 및 이행을 위한 보조기구들은 교토의정서와 파리협정에서도 사용된다.[76] FCCC의 COP, 즉 당사국총회는 교토의정서 당사국회의인 CMP로 기능하고, 파리협정에 있어서는 협정의 당사국회의인 CMA로 기능한다. 따라서 2016년 마라케시 회의는 FCCC의 제22차 당사국총회이자, 제12차 교토의정서 당사국회의이고, 제1차 파리협정 당사국회의였다.[77] 그러나 COP가 CMP나 CMA로 모이면, 각각 FCCC 당사자 중 교토의정서나 파리협정의 당사자인 국가들끼리 모인다.[78] 이런 차이점은 FCCC, 교토의정서, 파리협정이 밀접한 관련이 있으나, 별개의 조약이며 구별된 회원을 가지고 있다는 것을 보여준다. 따라서 교토의정서나 파리협정에 있어서 결정을 내릴 때에는 그 조약에 관련된 당사자들만 투표할 수 있다.[79] 이는 당사자 대표들로 구성된 조약의 기구들에 대해서도 동일하게 적용된다.[80] 그러나 조약 간에는 긴밀한 연관관계가 있기 때문에, 기후체제의 활동들은 서로를 포용하려는 성격도 가지고 있다. 예를 들어, 교토의정서의 당사자가 아닌 FCCC 당사자들이 교토의정서의 이름으로 이루어지는 심의에 개입해 의사를 표하거나 서면 제안서를 제출하는 것이 허용되어 있다.[81]

---

73) Ibid, Art 17.4; Kyoto Protocol, preamble and Art 24; Paris Agreement, Art 20.1.
74) Kyoto Protocol, preamble; Paris Agreement, preamble and Art 2.1.
75) 교토의정서 비준국들의 목록은 이에 대한 좋은 예시를 제공한다. FCCC, Status of Ratification —Kyoto Protocol (n 60).
76) Kyoto Protocol, Arts 14 and 15; Paris Agreement, Arts 17 and 18.
77) FCCC, 'Marrakech Climate Change Conference—November 2016' <http://unfccc.int/meet-ings/marrakech_nov_2016/meeting/9567.php> accessed 20 January 2017.
78) Kyoto Protocol, Art 13; Paris Agreement, Art 16.
79) Kyoto Protocol, Art 13.2; Paris Agreement, Art 16.2.
80) Kyoto Protocol, Art 15.2.

절차적 측면에서 보면, 보충조약은 일반적으로 다양한 주요 측면에서 기본조약에 기반하고 있다. 예를 들어, 파리협정에는 FCCC의 개정에 관한 규정이 준용된다고 선언되어 있다.[82] 교토의정서와 파리협정은 모두 FCCC의 분쟁해결, 투표, 서명, 비준, 유예, 탈퇴 규정들 그리고 EU와 같은 '지역적 경제통합기구'에 관한 규칙들과 유사한 규정들을 가지고 있다.[83] 동시에 이들은 개별적 조약이기 때문에 보충조약을 허용할 경우에 다른 규정들을 만들 수 있다. FCCC, 교토의정서, 파리협정 모두가 서로 다른 발효방식들을 가지고 있는 것이 이에 대한 좋은 예이다.[84] 또 다른 예는 교토의정서의 개정과정이다. 이는 다음 절에서 더 구체적으로 다룰 것이나, 일단 여기서 짚고 가야 할 것은 교토의정서가 의정서 자체에 대한 수정을 위해서는 FCCC의 접근법을 따르지만, 부속서A와 B에 대한 개정에 대해선 이를 따르지 않는다는 것이다.[85] 일반적으로 말해서, MEA의 부속서는 '과학적이고 기술적, 절차적, 행정적 특징을 가진' 요소를 담고 있고,[86] 간단한 개정과정을 가지고 있어서, 부속서와 부속서의 개정안은 6개월 후에 바로 발효되며, 이 발효까지 6개월의 유효기간 내에 거부를 표현하는 국가들을 제외하고, 모든 당사자들에 대해 발효된다.[87] 그러나 교토의정서의 부속서A와 B는 국가들의 배출감축의무와 관련된 중요한 측면을 명기하는 것이기 때문에, 교토의정서는 그 부속서들을 '사전배제(opt out)' 과정이 아닌 전형적인 '포함(opt in)' 개정 절차에 따르도록 하되, 부속서B에 대해서는 당사자들의 서면동의(written consent)를 요구하고 있다.[88]

---

81) FCCC Legal Affairs Programme, Entry into force of the Paris Agreement (n 69) para 19. 칸쿤합의는 당사자들이 교토의정서와 FCCC 모두를 포함하도록 '교량(bridge)'을 만들기 위한 노력의 일환으로, 모든 선진국의 감축 제안서를 정보문서에 넣으면서 그 문서가 교토의정서에 대한 것인지 FCCC와 관련된 것인지를 의도적으로 모호하게 해두었다.

82) Paris Agreement, Arts 22 and 23; FCCC, Arts 15 and 16.

83) FCCC, Arts 14,18, 20, 22, 23.2, 23.3, 24, and 25; Kyoto Protocol, Arts 19, 22, 24, 25.3, 25.4, 26, and 27; Paris Agreement, Arts 20, 21.3, 21.4, 24, 25, 27, and 28.

84) 위 nn 67-69 및 그곳의 본문 참조.

85) FCCC, Arts 15-16; Kyoto Protocol, Arts 20 and 21.

86) FCCC, Art 16.1.

87) FCCC, Art 16.3; Kyoto Protocol, Art 16.5; Paris Agreement, Art 23.

88) Kyoto Protocol, Art 21.7, Annexes A and B. 제3장 II.D.2 참조.

2. 개정

의정서나 다른 보충조약들이 별도의 조약을 구성하고, 원래의 조약을 그대로 놔두는 데 반해, 개정은 그 기본이 기본조약이나 보충조약 자체를 변화시키는 것이다. 예를 들어, 교토의정서에 대한 2012년 도하개정은 2013년부터 2020년까지를 제2차 의무기간(second commitment period)으로 확립하고자 하였다.[89] 그 목적을 달성하기 위해서, 도하개정은 의정서의 문언들을 추가하는 것과 위에서 언급된 두 부속서의 내용을 바꾸는 것을 규정하고 있다. 부속서A에서 바뀌는 것은 의정서가 다루는 온실가스의 목록에 한 종류의 가스를 더 추가하는 것이다.[90] 부속서B에서 바뀌는 것은 제2차 의무기간에의 참여를 표명한 국가들에게 부과되는 새로운 배출감축의무들을 구체화하여 명기하는 것이다.[91]

앞의 절에서 암시한 것처럼, 교토의정서에 대한 개정 및 그 부속서A와 B에 대한 개정은 당사자들이 공식적 수락(formal acceptance)을 통해 개정하도록 요구한다.[92] 이 접근은 두 가지 중요한 의미가 있다. 첫째, 교토의정서 당사자들 중에 도하개정을 채택하는 국가들만 제2차 의무기간의 구속력 있는 배출감축의무를 지는 대상이 된다. 이런 관점에서 개정은 의정서나 다른 조약과 유사하게, 공식적으로 동의한 국가들만 구속한다. 두 번째로 일반적인 개정과정의 특징은 개정과 그것이 가져올 새로운 의무가 특정 수 이상의 수락이 있을 때만 발효된다는 것이다. 교토의정서의 경우에는 이와 관련해서 기준치가 높은데, 도하개정을 교토의정서의 당사자들 중 3/4이 수락할 것을 요구하고 있다.[93] 이처럼 극단적으로 높은 기준에 따르면 144개국의 동의가 필요한데, 도하개정은 아마도 이 기준에 도달하지는 못할 것이다.[94]

---

89) Decision 1/CMP.8, 'Amendment to the Kyoto Protocol pursuant to its Article 3, para 9 (the Doha Amendment)' (28 February 2013) FCCC/KP/CMP/2012/13/Add.l, 2, Annex I: Doha Amendment to the Kyoto Protocol (Doha Amendment), Art 1, Section F.

90) Ibid, Art 1, Section B.

91) Ibid, Art 1, Section A.

92) Kyoto Protocol, Arts 20.4 and 21.7.

93) Ibid. Doha Amendment, Art 2.

94) 2016년 12월 29일 현재, 오직 75개의 당사자들만이 도하개정을 비준하였다. FCCC, 'Status of

도하개정의 예에서처럼 일반적인 개정과정은 일부의 조약 당사자들은 더 높은 수준의 새로운 감축의무들을 부담하고, 다른 국가들은 부담하지 않도록 하고 있기 때문에, 조약이 이들 국가에 대해 '서로 다른 속도로' 변하게 된다.[95] 이뿐만 아니라, FCCC와 교토의정서에 명시된 발효에 필요한 높은 조건으로 인해 이와 같은 공식적인 과정은 조약의 변화과정을 늦추거나 정체시킬 수도 있다. 이로 인해 대부분의 MEA에서 협정의 핵심적 요구사항이나 자주 바꿀 필요가 없는 절차적 혹은 제도적 구조에 대한 개정은 보류되는 것이 일반적이다.[96]

반대로, MEA의 다소 기술적인 규제 사항들, 예를 들어 규제대상 물질들과 같이 새로운 정보나 상황의 변화에 따라 자주 업데이트되어야 하는 것들은 간소화된 '사전배제(opt out)' 과정을 통해서 개정될 수 있다.[97] 이런 간소화된 과정은 개정에 대한 각 국가의 공식적 수락을 필요로 하지 않고, 발효에 필요한 정족수에 도달해야 한다는 조건을 충족하지 않아도 된다. 대신에 이를 통한 개정은 특정 기간 내에 스스로를 사전에 배제한(opt out) 당사자들은 제외하고, 그 이외의 당사자들에게만 발효된다. 그러나 FCCC, 교토의정서, 파리협정이 모두 이러한 사전배제과정을 부속서 개정에 있어서 규정하고는 있지만,[98] 이런 간소화된 개정절차는 교토의정서의 부속서A와 B의 사례에서처럼 적용이 불가능하거나,[99] 당사자들이 관련 개정에 동의하는 데 어려움이 있는 이유로 약화되어 왔다. 후자의 어려움은 사전배제과정이 진행되기 전에 개정문서가 당사자들의 결정으로 채택되어야 하기 때문이다. 최후에는 이러한 결정은 3/4 다수결 동의에 의해 이루어질 수도 있지만,[100] 기후체제의 관행은 '컨센서스'에 도달하는 것이다.[101] 이러한 개정의 어려움을 보여

---

the Doha Amendment' <http://unfccc.int/kyoto_protocol/doha_amendment/items/7362.php> accessed 20 January 2017.

95) Jutta Brunnée, Environment, Multilateral Agreements (n 70) para 33; Peter Sand, 'Lessons Learned in Global Environmental Governance', *Boston College Environmental Affairs Law Review*, 18/2 (1991): 213, 236-48.

96) Jutta Brunnée, 'Treaty Amendments', in Hollis (ed), Oxford Guide (n 3) 347, 351-2.

97) Brunnée, Environment, Multilateral Agreements (n 70) para 34.

98) 위 n 87 및 그곳의 본문 참조.

99) 위 n 88 및 그곳의 본문 참조.

100) FCCC, Arts 15.3 and 16.2.

101) 위 nn 21-32 및 그곳의 본문 참조 (컨센서스 절차에 관한 난제들에 대해 다룸). Farhana Yamin

주는 악명 높은 경우가 FCCC의 부속서I과 II의 목록에 있는 국가들을 포함하거나 배제하는 것이다. 이러한 배제와 포함은 당사자가 직접 요청하는 경우에도 어려웠다.[102]

기후체제에 있어 가장 유연한 조약의 발전과정은 교토의정서에 대한 도하개정에서 나타났는데, 여기에서는 부속서B의 당사자들이 부속서에 명기된 배출감축량을 '조정(adjustment)'해서 감축의무를 높이도록 하였다.[103] 이런 조정은 CMP에서 출석하고 투표한 당사자 중 반대하는 국가들이 3/4을 초과하지 않는 한 '채택된 것으로 고려되고' 다음 해의 1월 1일부터 '당사자에게 법적 구속력'을 갖는다.[104] 이런 접근법은 당사자의 3/4의 수락을 받아야 하기는 하지만, 기존의 개정과정을 실효적으로 뒤집는 것이 된다. 이 반대요건의 목적은 표준적 개정절차뿐만 아니라, FCCC의 부속서I과 II의 개정 사례가 보여주는 것처럼 간소화된 개정절차에도 잠재적으로 내재해 있는 배출감축의무의 강화에 대한 장애요인을 제거하는 데 있다. 그러나 도하개정의 운명이 불확실하고, 발효가 되더라도 그것의 이행기간이 2020년까지로 밖에 연장되지 않는다는 점에서[105] 그런 조정이 실제로 이루어지기란 어려울 것으로 보인다.

3. 당사국의 결정

보충조약과 개정은 체제의 총회기구(plenary body)에 의해 채택되는데, 이 총회기구는 조약의 발전에 핵심적 역할을 담당하게 된다. 그러나 이런 법제정의 기제

---

and Joanna Depledge, *The International Climate Change Regime: A Guide to Rules, Institutions and Procedures* (Cambridge University Press, 2004) 437, 442-5.

102) Yamin, ibid 105-6. FCCC, 'Proposals to Amend the Lists in Annexes I and II of the Convention' <http://unfccc.int/cop7/issues/propamlist.html> accessed 20 January 2017 (터키가 부속서II 국가에서 나오려고 했던 것과 카자흐스탄이 부속서I 국가가 되려고 했던 것을 보고). 제5장 II.D 참조.

103) Doha Amendment, Art 1, Section D. MEA에서 조정(adjustments)을 사용하는 것에 대한 일반적 논의는 다음 문헌을 참조. Jutta Brunnée, 'International Legislation, in Rudiger Wolfrum, *Max Planck Encyclopedia of Public International Law* (Oxford University Press, 2010) paras 31-3.

104) Doha Amendment, Art 1, Section E.

105) 위 nn 89-94 및 그곳의 본문 참조. 제6장 X 참조.

와 관련하여 각 조약 당사자들은 채택의 다음 단계에서 주권적인 결정에 따라 의정서와 표준적인 개정에 대한 명확한 동의를 표명하거나, 혹은 간소화된 개정과정에서는 사전배제(opting out)에서 자국을 배제하는 것을 자제함으로써, 새로운 법제에 법적으로 구속될 것인지 아닌지를 결정한다. 더욱이, 법제는 발효의 요건이 충족되지 않는 한 발효되지 않는다. 이러한 의미에서 총회기구가 직접적으로 기준을 세우는 것이 아니다. 총회기구가 보충조약과 개정을 채택하는 것은 기준설정의 단계에 있어 단지 하나의 중간단계일 뿐이다.[106)]

총회기구는 결정들(decisions)을 채택할 때, 직접적인 기준설정의 권한을 행사하는데, 이 권한은 일반적 의사결정 권한[107)] 혹은 그 총회를 관장하는 조약(governing treaty)에 규정된 구체적 권한에 따르는 것이다. 유엔기후체제에서 COP와 CMP는 각각 FCCC와 교토의정서를 구체화한 방대한 일련의 규제 관련 세부사항들을 담는 결정들을 채택했고 실행가능하게 했다. 이런 결정절차를 통해서 기후체제의 총회기구는 '법제정적 기능'을 수행하게 되었다. 이 결정들은 보통 컨센서스를 통해 채택되었고, 새 조약이나 개정안과는 달리 당사자들의 추후의 비준이나 채택을 요구하지 않기 때문에 모든 당사자에게 바로 효력을 가지게 된다. 그래서 원칙적으로 당사자의 결정들은 더 조속하고 즉각적인 표준설정을 가능하게 하고, 보충조약으로 생성된 당사자의 조약의무들은 차등화되지 않는다. 보통 총회를 관장하는 조약이 총회기구에게 특정 주제에 대해서 법적 구속력 있는 결정을 채택하도록 권한을 주지 않는 이상, 총회의 결정은 법적 구속력은 가지게 되지 않는다. 그러나 법적 구속력이 없는 결정도 때로는 구속력 있는 법에 사용하는 강제적 용어('shall')를 통해 기술된다.[108)] 이런 조약기반의 표준들은 국내의 입법에 따라 도입되는 규제나 가이드라인과 많은 측면에서 유사하다. 그리고 이들은 종종 구속력 있는 국제법과 다르지 않게 취급되기 때문에, 상당히 신중하게 협상되고 국

106) Brunnée, COPing with Consent (n 70) 16; Alan E. Boyle, 'Saving the World? Implementation and Enforcement of International Environmental Law through International Institutions', *Journal of Environmental Law*, 3/2 (1991): 235; International Law Commission, *Report of the International Law Commission on the Work of Its Sixty-sixth Session* (5 May-6 June and 7 July-8 August 2014) UN Doc A/69/10, 205-17 (국가 관행과 연구에 대한 최근의 평가를 제공).

107) FCCC, Art 7.2; Kyoto Protocol, Art 13.4. Paris Agreement, Art 16.4.

108) Brunnée, COPing with Consent (n 70) 26.

내적으로 이행된다.[109]

위에서 언급된 마라케시 합의문[110]은 이에 대한 좋은 예시이다. 이 합의문은 중요한 주제들에 대한 규칙들을 세우는 CMP의 일련의 결정들로 구성되는데, 이는 (교토의정서 제5조와 제7조에 따르는) 인벤토리와 보고서 요구사항에서부터, (교토의정서 제6조, 제12조, 제17조에 따르는) 배출권이나 감축분의 거래 메커니즘, (교토의정서 제18조에 따르는) 의정서의 비준수에 관한 절차까지 이른다. 이 결정들은 교토의정서의 당사자들에게 방대한 요구사항을 부여하였다. 어떤 국가가 예를 들어 인벤토리나 보고 요구사항과 같은 결정을 준수하지 않으면, 그 국가는 구체적인 결과(제재)를 받는데, 주목할 만한 것으로 시장 메커니즘에 참여할 적격성이 박탈되기도 한다.[111] 더 나아가서, 당사자 결정들이 겉으로는 법적 구속력이 없는 것과 상관없이, 의정서 당사자들은 이런 당사자 결정의 요구사항들의 준수 필요성을 받아들이고 비준수와 관련된 체제의 권위를 수용한다.[112]

2015년 파리 회의의 결과물은 FCCC하의 다양한 기준설정 관행들이 지속되고 있음을 보여준다. 파리협정은 그 조약문을 채택한 COP 결정을 부속하는데, 이 결정은 여러 핵심적인 면에서 파리협정을 보충하고 있다.[113] 이에 더하여, 파리협정 자체는 광범위한 CMA 결정에 의존하도록 되어 있다. 예를 들어, 당사자들이 NDC에서 통보하는 내용과 방식을 구체화하는 것, NDC 산출의 가이드라인을 제공하는 것, 협정의 이행과 준수 메커니즘을 위한 세부기준과 절차를 도입하는 것 등이 그것이다.[114] 파리협정은 당사자들이 CMA 결정에 따라 "NDC를 통보하여야 한다(shall)"고 규정함으로써, 당사자들이 당사국회의의 결정을 준수하도록 규정하고, 이를 통해서 실제적으로는 그 결정들을 법적 구속력이 있는 것으로 만든다.[115]

---

109) Ibid., 23-31.

110) 위 n 66 및 그곳의 본문 참조.

111) Decision 27/CMP.l, 'Procedures and mechanisms relating to compliance under the Kyoto Protocol' (30 March 2006) FCCC/KP/CMP/2005/8/Add.3, Annex, Section XV, para 4.

112) Jutta Brunnée and Stephen J. Toope, *Legitimacy and Legality in International Law: An Interactional Account* (Cambridge University Press, 2010) 201-4.

113) Decision 1/CP.21 (n 49).

114) Paris Agreement, Arts 3,4.8,4.9, and 15.3.

4. 정치적 합의

기후체제의 변천은 공식적으로 법적 구속력이 없는 문서조차도 협상하기 어려운 대상이며, 이들에 대해 합의가 된다는 보장이 없다는 것을 보여준다. 당사국총회 결정에서 채택될 수 없었던 코펜하겐 합의문의 운명은 이를 잘 보여준다.[116] 이 사례는 또한 때로는 법적 합의보다는 정치적 합의가 기후체제의 발전에 있어서 결정적인 기틀을 잡는 기능을 하고, 차후의 체제 발전을 촉진할 수도 있다는 것을 보여준다. 코펜하겐 합의문은 교토의정서가 의존했던 국제적 협상으로 결정된(하향식) 배출감축의무에서 벗어나, 파리협정의 NDC 접근방식(상향식)으로의 전환과 교토식의 선진국과 개발도상국 간의 엄격한 차등화의 쇠퇴를 가져왔다.[117] 합의문은 28개의 FCCC 핵심 당사자들의 정상들이 공식적 회의의 일부이기는 하였으나, COP 절차의 바깥에서 협상했다는 점에서 독특했다.[118] 이 높은 수준의 정치적 타협은 코펜하겐 합의문이 FCCC 과정에서 "어떠한 법적 지위를 가지지 못한다(do not have any legal standing)"는 것에도 불구하고, 기후체제에서 하나의 전환점이 되었다.[119] 국가들이 기후체제를 진전시키기 위해서 정치적 합의에 도달한 것은 코펜하겐 합의가 최초는 아니다. 그 이전에, 극적이지는 않았지만 유의미했던 것이 1996년 '제네바 각료선언(Geneva Ministerial Declaration)'이었는데,[120] 여기서는 각국의 각료들과 대표단의 수장들이 '기후변화에 관한 정부 간 협의체(IPCC)'의 제2차 평가보고서를 교토의정서에 대한 협상들을 가속화할 과학적 기반으로 인정하고 수용했고, 교토의정서에서 개발될 배출목표가 법적 구속력을 지니게 될 것을 명확히

---

115) Ibid, Art 4.8. 이에 대한 더 상세한 논의는 제7장 V.A 참조.

116) 위 nn 24-26 및 그곳의 본문 참조.

117) Daniel Bodansky, 'Hie Paris Climate Change Agreement: A New Hope?', *American Journal of International Law*, 110/2 (2016): 292; Jutta Brunnée and Charlotte Streck, 'The UNFCCC as a negotiation forum: towards common but more differentiated responsibilities', *Climate Policy*, 13/ 5 (2013): 389 (차등화 원칙의 변천을 개관).

118) French and Rajamani, Climate Change and International Environmental Law (n 23) 446-8.

119) FCCC, 'Notification to Parties, Clarification relating to the Notification of 18 January 2010' (25 January 2010), <https://unfccc.int/files/parties_and_observers/notifications/application/pdf/100125_noti_clarification.pdf> accessed 20 January 2017.

120) Geneva Ministerial Declaration (n 11).

했다.[121)]

5. 모호함, 해석 및 후속관행

지금까지의 논의는 당사자들이 조약체제를 발전시킬 수 있는 기제들인 공식적 개정, 총회기구의 결정, 정치적 합의에 대한 것이었다. 이 장을 마치기 전에 짚어볼 만한 것으로, 당사자들은 조약의 작성기법과 해석 및 관행에 관한 기제들을 통해서 합의가 이루어지지 못한 부분을 다루거나 특정 문제에 대한 이해의 변화를 조절한다.

신중하게 고안된 모호함, 즉 한 문장이 하나 이상으로 해석될 수 있도록 하는 것은 많은 분야의 국제법에서 조약협상가들이 자주 쓰는 기법 중 하나이다.[122)] 기후체제의 역사는 그런 '건설적' 모호함으로 가득하다.[123)]

첫째로 이 모호함은 당사자들이 특정 문제에 대해 남아 있는 견해의 차이에도 불구하고, 문서에 동의할 수 있게 한다. 예를 들어, 다수의 개발도상국이 강력하게 지지하였던 '발전할 법적 권리(legal right to development)'라는 개념과 미국 및 다른 선진국들이 지지하였던 '지속가능한 발전'이라는 개념과의 관계는 오랫동안 논쟁의 주제였고, 이는 기후협상에서도 그러했다.[124)] FCCC의 협상가들은 '권리'와 '지속가능한 발전'을 모두 포괄하는 타협적 표현을 찾아냈고, 이는 두 개념의 의미를

121) Sebastian Oberthür and Hermann Ott, *The Kyoto Protocol: International Climate Policy for the 21st Century* (Berlin-Heidelberg: Springer Verlag, 1999) 52-4.

122) 'The Ambiguity of GATT Article XXI: Subtle Success or Rampant Failure?', *Duke Law Journal* 52/6 (2003): 1277; Itay Fishhendler, Ambiguity in Transboundary Environmental Dispute Resolution: The Israeli - Jordanian Water Agreement', *Journal of Peace Research,* 45/1 (2008): 91; John Tobin, 'Seeking to Persuade: A Constructive Approach to Human Rights Treaty Interpretation', *Harvard Human Rights Journal*, 23 (2010):1, Maya Jegen and Frederic Merand, 'Constructive Ambiguity: Comparing the EU's Energy and Defence Policies', *Western European Politics,* 37 (2014): 182.

123) 모호함과 다른 문서작성 기술에 대한 더 많은 종류의 예들은 다음 문헌을 참조. Susan Biniaz, 'Comma But Differentiated Responsibilities: Punctuation and 30 Other Ways Negotiators Have Resolved Issues in the International Climate Change Regime' (Columbia Law School - Sabin Center for Climate Change Law Working Paper, June 2016) <https://web.law.columbia.edu/sites/default/files/microsites/climate-change/files/Publications/biniaz_2016_june_comma_difF_responsibilities.pdf> accessed 20 January 2017.

124) 제2장 III.E와 특히 제3장 III.C.4 참조.

모두 모호하게 남겨 두었다. FCCC에서 '원칙'에 대한 조항인 제3조에 포함되려던 초기의 제안은 당사자들이 "지속가능한 발전을 증진하고 이에 대한 권리를 가진다(have a right to, and should promote sustainable development)"였다.[125] 그러나 이런 문장은 '지속가능하게 발전할 권리(right to sustainable development)'를 받아들이는 것으로 추론될 여지가 있었는데, 일부 국가들이 이를 지지하지 않았다. 협상가들은 이 문제를 두 번째 쉼표를 옮기는 것으로 해결했다. 최종적으로 FCCC의 제3조 제4항에 들어가게 된 문구는 "당사자들은 지속가능한 발전을 증진하고 이에 대한 권리를 가진다(parties have a right to, and should, promote sustainable development)"로, 이를 통해 당사자들이 여기서 논의되는 권리와 의무가 지속가능한 발전 그 자체가 아닌 지속가능한 발전의 증진에 대한 것이라고 주장할 수 있게 되었다.[126]

의도된 모호함의 두 번째 중요한 기능은 첫 번째 기능에 내재되어 있다. 문언의 모호함을 두는 것은 당사자들이 지속되는 견해의 차이에도 불구하고, 문서를 채택하도록 할 뿐 아니라, 정치적으로 민감하거나 심각한 문제를 사후의 단계로 넘기도록 한다. 모호함이 가지는 이 두 번째 기능은 개별 당사자들에게 매우 중요할 수 있는데, 이는 이들이 합의에 도달해야 한다는 국제사회의 압력과 특정 문제에 대해 존재하는 강력한 국내적 혹은 지역적 입장 사이에서 균형을 맞추고자 노력하기 때문이다. 기후변화 문제와 같은 복잡하고 다양한 쟁점을 가진 협상들에 있어서, 이러한 모호함의 기능은 매우 중요하다. 물론 그것이 장기적으로 늘 좋은 결과를 보장하는 것은 아니다. 그럼에도 불구하고, 기후체제는 당사자들이 그들이 선호하는 입장을 고수하도록 두고, 문제를 다음 단계에서 해결하도록 하는 데 모호함이 사용된 많은 사례들을 보여준다. 파리협정의 법적 형태에 대한 더반플랫폼의 문언이 그러한 사례 중 하나이다.[127] 또 다른 예는 기후체제에서 공통적이지만 차등화된 책임과 개별적 역량의 원칙의 역할과 의미에 대한 깊은 견해의 차이를 연결하는 문언적 교량을 건설하려는 노력에서 발견된다.[128] 이 두 가지 사례에서

---

125) Biniaz, Comma But Differentiated (n 123) 9. 제3조에 대한 논의는 제5장 III.C 참조.
126) Biniaz, ibid.
127) 위 n 12 및 그곳의 본문 참조. 더 상세한 논의는 제7장 I.A.1 참조.
128) 문서작성 방식으로의 해결에 의존하는 것과는 별개로, 이러한 논쟁의 변화에 대한 상세한 처리방법에 대해서는 제1장 및 제4장에서 제7장까지 참조.

초기문서에서의 모호함은 당사자들을 협상테이블에 머물러 있게 했고, 차후의 체제를 발전시키는 데 참여하는 것을 도왔다. 파리협정은 이러한 접근법의 잠재적 가치를 증명하고 있다. 당사자들이 앞의 두 사례로 소개된 문제에 대해서 어떻게 기존의 입장을 바뀌었는지에 관해서 첫 번째 사례(더반플랫폼의 법적 형식에 대한 문언)는 혼합적인 법적 형식을 보여주고, 두 번째 사례에 있어서는 미묘하고 이슈에 따라 다른 차등화 접근방식을 보여준다.[129)]

물론 법제 문서의 모호함은 이후의 해석 및 법적 문서의 적용과정과 밀접하게 연관되어 있다. VCLT를 따르면, 조약은 "조약문의 문맥 및 조약의 대상과 목적으로 보아, 그 조약의 문면에 부여되는 통상적 의미에 따라 성실하게(in good faith in accordance with the ordinary meaning to be given to the terms of the treaty in their context and in the light of its object and purpose)" 해석되어야 한다.[130)] 국제법의 일부 분야에서는 법원과 재판소가 해석자의 역할을 맡아왔다.[131)] 기후체제에서는 사법적 해석은 중요한 역할을 해오지 않았다.[132)] 그럼에도 불구하고, 조약을 해석하는 과정은 조약체제의 관행에 항상 포함되어 있다. VCLT에 따르면, 당사자들 간의 후속적 합의와 조약을 적용하는 데 있어서 후속적 관행들은 조약의 의미를 밝히는 데 고려되어야 한다.[133)] 이런 식으로, 기본조약하에서 채택된 의정서나 당사국총회 결정은 초기 법문서의 모호함을 유지 혹은 감소하거나, 일부 용어의 의미를 전환시킬 수 있다.[134)] 이와 동시에, 반대에 대한 증거가 없는 한 일반조약의 규정과 이에 대한 이해가 후속 법제들의 해석과 이해에 있어서 지속적으로 관련되어 있다. 이것이 일부 사람들이 기후체제 내의 파리협정의 협상에서 FCCC와의 관련성에 대한

---

129) 이에 대한 구체적인 논의는 제4장 및 제7장 참조.

130) VCLT (n 2) Art 31.1.

131) Joost Pauwelyn and Manfred Elsig, 'The Politics of Treaty Interpretation', in Jeffrey L. Dunoff and Mark A. Pollack (eds), *Interdisciplinary Perspectives on International Law and International Relations: The State of the Art* (Cambridge University Press, 2013) 443.

132) 제2장 및 제8장 참조.

133) VCLT (n 2) Art 31.3.

134) 기후체제 내 일부 당사자들의 FCCC에 기술된 공통의 그러나 차등화된 책임과 국가별 역량의 원칙에 대한 특정 해석을 지키려는 장기적 노력의 예와 다른 국가들이 제시하는 다른 해석에 대해서는 제1장 및 제4장에서 제7장까지 참조.

질문을 중요하게 여긴 이유이다.[135)]

Ⅲ. 결어

앞서서 논의한 조약법 및 조약기반의 법제정은 독자들에게 유엔기후체제를 진전시키고자 하는 당사자들의 노력을 지도하는 규칙들의 원천과 그 안에 담겨져 있는 다양한 법적 기제와 기술들에 대한 이해를 제공한다. 제4장에서 제7장은 이러한 내용을 토대로 하여, 그러한 조약기반 법제정의 규칙, 도구 및 기법이 기후체제의 발전에 어떻게 사용되었는지에 대한 구체적인 설명을 제공한다.

주요 참고문헌

Bodansky D., *The Art and Craft of International Environmental Law* (Cambridge, MA:Harvard University Press, 2010).

Brunnée J., 'Environment, Multilateral Agreements, in Wolfrum R. (ed), *Max Planck Encyclopedia of Public International Law* (Oxford University Press, 2011).

Depledge J., *The Organization of Global Negotiations: Constructing the Climate Change Regime* (London: Earthscan, 2015).

French D. and Rajamani L., 'Climate Change and International Environmental Law: Musings on a Journey to Somewhere', *Journal of Environmental Law*, 25/3 (2013): 437.

Gupta J., '*On Behalf of my Delegation ...*' — *A Survival Guide for Developing Country Climate Negotiators* (Washington, D.C., Center for Sustainable Development in the Americas, 2000).

---

135) 제7장 I.D.1 및 제3장 II.D.1 참조. 또한 더반플랫폼의 역할에 대해서는 위 nn 12-15 참조.

Hollis D.B. (ed), *The Oxford Guide to Treaties* (Oxford University Press, 2012).

Vihma A., 'Climate of Consensus: Managing Decision Making in the UN Climate Change Negotiations', *Review of European, Comparative and International Environmental Law*, 24/1 (2015): 58.

제4장

유엔기후체제의 변천

Ⅰ. 도입

유엔기후체제의 변천과정은 크게 4단계로 나뉜다.[1] 첫 번째는 1990년까지 지속된 의제설정 단계(agenda-setting phase)이고, 두 번째는 구성 단계(constitutional phase)로 유엔기후체제의 기초적인 틀이 마련된 시기인데, 이는 유엔총회가 유엔기후변화협약(Framework Convention on Climate Change, FCCC)에 대한 협상을 시작한 1991년에서부터 FCCC가 발효된 1994년까지의 시기를 말한다. 세 번째 단계는 규제 단계로, 산업화된 국가들에게 지구온난화를 유발하는 이산화탄소를 비롯한 6가지 기체의 배출을 줄이도록 요구하는 교토의정서에 관해 협상하고, 구체화하며, 실행화하는 데 집중하는 단계였다. 이 단계는 1995년 베를린 위임사항(Berlin Mandate)에서의 협상 때부터(교토의정서가 작동방식에 대한 세부규칙들을 정비한 2001년의 마라케시 합의문의 채택을 포함하여) 교토의정서가 발효된 2004년까지의 시기를 말한다. 마지막 단계인 2005년 이후는 교토의정서의 제1차 의무기간이 끝나는 2012년

---

1) 본 장은 다음 문헌들의 자료를 참조한다. Daniel Bodansky, 'The United Nations Framework Convention on Climate Change: A Commentary', *Yale Journal of International Law*, 18/2 (1993): 451; Daniel Bodansky, 'Prologue to the Climate Change Convention', in Irving Mintzer and J.A. Leonard (eds), *Negotiating Climate Change: The Inside Story of the Rio Convention* (Cambridge University Press, 1994) 45; Daniel Bodansky, 'The Copenhagen Climate Change Conference: A Postmortem' *American Journal of International Law*, 104/2 (2010): 230; Daniel Bodansky, 'A Tale of Two Architectures: The Once and Future UN Climate Change Regime', *Arizona State Law Journal*, 43/1 (2011): 697; Daniel Bodansky, 'The Durban Platform Negotiations; Goals and Options' (Harvard Project on Climate Agreements, July 2012) <http://belfercenter.ksg.harvard.edu/files/bodansky_durban2_vp.pdf> accessed 20 January 2017; Daniel Bodansky and Lavanya Rajamani, 'The Evolution and Governance Architecture of the Climate Change Regime', in Urs Luterbacher and Detlef Sprinz (eds), *Global Climate Change in an International Context* (Cambridge, MA: MIT Press, 2017 forthcoming).

이후의 기후체제의 발전에 집중하였다. 이 네 번째 단계의 주요한 이정표들로는 2007년의 발리행동계획(Bali Action Plan), 2009년 코펜하겐 합의문(Copenhagen Accord), 2020년 이후의 기간에 대한 새로운 협상의 단계를 시작했던 2011년의 더반플랫폼(Durban Platform,), 교토의정서를 2020년까지 연장하는 내용을 포함했던 2012년 도하개정(Doha Amendment), 2020년 이후를 다룬 2015년 파리협정(Paris Agreement) 등이 있다.

Ⅱ. 의제설정 단계(1985-1990)

온난화에 대한 일반적인 이론은 19세기 말부터 이미 과학자들 사이에 받아들여졌지만, 기후변화 문제를 다루는 국제체제는 1980년대에 발전하기 시작했다.[2] 1979년까지도 제1차 세계기후회의(First World Climate Conference)의 주최자들은 정책입안자들의 참여를 유도하는 데 실패하였고, 1985년 오스트리아의 필라흐(Villach)에서 기후변화에 관한 주요 워크샵이 열렸을 때조차도 미국의 공무원들은 구체적인 정부 지시사항 없이 워크샵에 참여하였다. 그러나 1980년대 후반에 들어서면서부터 미국 의회에서 지구온난화에 관한 청문회가 빈번히 열렸고, 지구온난화 문제가 유엔총회에서까지 활발하게 거론되었으며, 1988년 토론토 회의(Toronto Conference), 1989년 헤이그 회의(Hague Conference)와 노르트베리크 총회(Noordwijk Conference), 1990년 제2차 세계기후회의(Second World Climate Conference, SWCC)와 같은 국제적인 회의에 다수의 장관들과 국가원수들까지도 참여하였다.

기후변화 문제에 대한 논의가 과학적 연구분야에서 먼저 이루어진 것은 기후변화 현상이 과학적인 원리로서 관측되고 설명되어 왔기 때문이다.[3] 하와이의 마우나 로아(Mauna Loa)에 있는 것과 같은 원격 관측소에서 얻어진 세밀한 관측자료

---

2) Bodansky, UNFCCC Commentary, ibid; Rafe Pomerance, 'The Dangers from Climate Warming: A Public Awakening, in Dean E. Abrahamson (ed), The Challenge of Global Warming (Washington, D.C.: Island Press, 1989) 259.
3) 기후변화에 대한 과학의 발전에 대해서는 다음 문헌을 참조한다. Spencer R. Weart, *The Discovery of Global Warming* (Cambridge, MA: Harvard University Press, 2008).

를 통해 과학자들은 1960년대에 공기 중 이산화탄소의 농도가 실제로 증가하고 있다는 사실을 증명하였다. 이 증가를 보여주는 '킬링 곡선(Keeling Curve)'[4]는 기후변화와 관련된 논의들 가운데 논쟁의 여지가 없는 사실들 중의 하나가 되었고, 1960년대과 1970년대 초에 기후변화 문제에 대한 과학적 우려가 최초로 생성되는 데 중요한 역할을 하였다. 1970년대와 1980년대에는 연산기술의 발전으로 과학자들은 대기에 관한 정교한 컴퓨터 모델을 구축할 수 있었고, 여전히 불확실성은 잔재했으나, 지구온난화를 예측하는 것에 좀 더 확신할 수 있게 되었다. 이러한 모델들의 분석에 기반하여 1979년, 미국 국립과학원(US National Academy of Sciences)은 대기 중의 이산화탄소 양이 계속 증가할 경우 "기후변화가 일어날 것이 분명하며, 그것이 무시해도 좋을 수준이라고 믿을 만한 근거는 단 한 가지도 없다"고 결론지었다.[5] 나아가 1980년대 중반에 과학자들은 인류가 배출하는 메탄과 아산화질소와 같은 미량 가스(trace gases) 역시 온실효과를 야기한다는 것을 밝혔는데, 이는 기후변화 문제를 기존에 생각했던 것보다 더 심각한 것으로 만드는 것이었다. 마지막으로 1980년대 전반에 걸쳐 지구 온도의 역사적 변화에 대한 신중한 재검토가 이루어졌는데, 이는 지구의 평균기온이 20세기 중반부터 확실히 상승해오고 있었음을 보여주었다.

이러한 과학적 지식의 진전에도 불구하고, 과학계에 대한 불신이 현재까지도 지속되고 있기 때문에, 발전된 과학적 지식이 정치적 행동에 박차를 가할 수 있을지는 미지수이다. 과학의 발전이 기후변화에 대한 대중적이고 정치적인 관심을 불러일으키는 데 초석을 놓기는 하였지만, 이에 더하여 다음 세 가지 요소들이 정부의 행동을 이끌어내는 데 있어 직접적인 촉매제의 역할을 하였다.

첫째로 스웨덴의 Bert Bolin을 포함한 선진국의 환경지향적 과학자들의 소규모 집단이 기후변화 문제를 국제적인 안건으로 상정하기 위해 노력했다. Bert Bolin은 차후에 '기후변화에 관한 정부 간 협의체(Intergovernmental Panel on Climate

4) Scripps Institution of Oceanography, 'The Keeling Curve' <https://scripps.ucsd.edu/programs/keelingcurve/> accessed 20 January 2017.
5) National Research Council, *Carbon Dioxide and Climate: A Scientific Assessment* (Washington, D.C.: National Academies Press, 1979) viii.

Change, IPCC)'의 초대 의장이 되었다. 이 과학자들은 세계기상기구(World Meteorological Organization, WMO)와 유엔환경계획(United Nations Environment Programme, UNEP)과 긴밀한 연분을 다진 국제적인 과학 학계의 주요한 인물들로서 '지식 중개자(knowledge-rokers)' 또는 선구자(entrepreneurs)로서 활동했으며, 온실효과와 관련하여 새로 생성된 과학계의 지식들을 알기 쉽게 해석하고 워크샵과 컨퍼런스, 비전문적인 매체의 기사들, 정책입안자와의 개인적인 접촉들을 통하여 이를 대중화하였다. 1985년과 1987년의 오스트리아의 필라흐 회의, WMO와 UNEP의 공동지원하에 설립된 '온실가스에 대한 자문기구(Advisory Group on Greenhouse Gases)', 독일의 앙케트 위원회(Enquete Commission)의 보고서[6], 1987년과 1988년 미국 국회에서 이루어진 미국항공우주국(National Aeronautios and Space Agency, NASA)의 James Hansen과 같은 기후변화 모듈개발자(climate modulators)들의 증언들 등이 정책입안자들이 기후변화를 잘 이해하고, 기후변화를 추측에 근거한 이론(speculative theory)이 아닌 현실세계의 가능성으로 인식하도록 도왔다.

두 번째로 1980년대 말과 1990년대 초에 걸친 기후체제의 발전은 1987년에 '몬트리올의정서(Montreal Protocol on Substances that Deplete the Ozone Layer)'의 채택과 '브룬틀란 위원회 보고서(Brundtland Commission report)'인 '인류 공동의 미래(Our Common Future)'의[7] 출간과 함께 시작된 환경활동의 상승세를 이어갔고, 1992년 리우 데 자네이루에서 열렸던 유엔환경개발회의(UN Conference on Environment and Development, UNCED)에서 그 정점에 도달하였다. 1980년대 후반에는 오존층의 파괴와 산림 벌채, 생물의 다양성 감소, 해양오염, 유해 폐기물에 대한 국제무역을 포함한 환경문제들이 점진적으로 주목을 받기 시작했다. 1985년 남극에서 발견된 '오존홀(ozone hole)'이 클로로플루오르카본(chlorofluorocarbons, CFCs), 즉 프레온 가스의 배출로 인한 것임이 밝혀지면서, 인류의 활동이 정말로 지구의 대기에 영향을 미칠 수 있다는 것이 확실하게 드러났고, 대기 문제에 관한 인지도가 전반적으

6) Enquete Commission of the 11th German Bundestag, *Protecting the Earth's Atmosphere: An International Challenge* (Bonn: Deutscher Bundestag Referat Öffentlichkeitsarbeit, 1989).
7) World Commission on Environment and Development, *Our Common Future* (Oxford University Press, 1987).

로 높아졌다. 즉, 지구온난화에 대한 대중적 관심은 오존층 문제에 대한 관심으로 인해서 높아진 것이라고 할 수 있겠다.

마지막으로, 1988년 여름에 북미에서 발생한 혹서와 가뭄은 지구온난화에 대한 미국과 캐나다 국민들의 폭발적인 대중적 관심을 불러일으켰다. 1988년 말까지 전세계적 환경문제들이 관심을 끌면서, 타임(Time)지는 위기에 처한 지구를 '올해의 뉴스거리(Newsmaker of the Year)'로 선정하기도 하였다. 1988년 6월 캐나다 정부에 의해 개최된 회의는 전세계 이산화탄소 배출량을 2005년까지 20퍼센트 감축할 것, 대기보호를 위한 국제적 기본협약을 만들 것, 화석연료에 대한 세금에 부분적으로 기반한 국제적 대기기금을 조성할 것 등을 촉구하였다.[8)]

1988년은 기후변화 문제가 정부 간의 이슈로 대두되기 시작한 분수령이 되는 시기였다. 이러한 의제설정 단계에서는, 정부 행위자들과 비정부 행위자의 경계가 불분명하였다. 기후변화 문제는 비정부 행위자들에 의해 주로 다루어졌으며, 이들은 주로 환경주의적인 과학자들이었다. 행위자들의 일부는 정부에서 고용한 이들이기도 했지만, 그들의 행동이 정부의 공식적인 입장을 대변하는 것은 아니었다. 더욱이 그들이 조직하였던 준공식적 회의들은 비정부적 성격이 강하였는데, 이 회의들은 기후변화에 대한 과학적으로 의견일치가 된 지식들을 소통하는 것과 초기의 정책적 대응을 구체화하는 데 영향을 미쳤다.

1988년부터 1990년까지는 일종의 과도기적인 시기였다. 비정부 행위자들이 여전히 상당한 영향력을 가지고 있었지만, 정부들이 더 큰 역할을 가지기 시작하였다. 이러한 양면적 특징은 IPCC의 설립과 운영에서 잘 드러나 있다. IPCC는 1998년에 기후변화 문제를 정부들이 규제해야 한다고 주장하기 위한 수단으로 정부들의 주도로 WMO와 UNEP에 의해 설립되었으나, IPCC의 가장 영향력 있는 성과는 세계 과학계의 주도하에 이루어진 지구온난화에 대한 과학적인 평가였다.

기후변화 문제에 관한 최초의 협상이 있기 전에 있었던 유의미한 사건들은 다음과 같다.

• 1988년 유엔총회는 기후변화에 관한 결의안에서 기후변화를 '인류의 공동관

8) Proceedings of the World Conference on the Changing Atmosphere: Implications for Global Security, held in Toronto from 27 to 30 June 1988 (1988) WMO No 710.

표 4.1 유엔기후체제 발전의 주요 시점

1988	유엔총회에서 기후변화에 대한 최초의 결의안을 채택하고 기후변화를 공동관심사라고 선언
1990	유엔총회가 적절한 의무를 포함하는 FCCC를 위한 협상을 시작하도록 INC를 설립
1992	FCCC가 채택되고 서명을 위해 UNCED에 개방
1994	FCCC의 발효
1995	베를린 위임사항이 채택되어 선진국들에 대한 수량적 배출제한목표를 부여하나, 개발도상국들에게는 새로운 의무를 부여하지 않는 의정서의 협상을 위임
1997	교토의정서 채택
2001	교토의정서를 운영하는 마라케시 합의문 채택
2004	교토의정서 발효
2007	발리행동계획이 채택되어 기후변화에 대한 장기적 협력활동에 대한 종합적 절차를 시작
2009	국가원수들이 코펜하겐 합의문을 채택하나, COP가 이를 새로운 협정이나 의정서로 합의하는 데 실패
2011	더반플랫폼이 채택되어 2020년 이후의 기간을 다루는 협상 시작
2012	도하개정이 채택되어 교토의정서를 2020년까지 연장
2013	바르샤바 COP 결정이 2015년 회의의 준비과정으로 INDC를 제출하도록 요청
2014	기후행동에 관한 리마선언이 채택되어 '협상문 초안의 요소'에 합의하고 INDC에 대한 지침 마련
2015	파리협정 채택

<출처: Daniel Bodansky, *The Art and Craft of International Environmental Law* (Cambridge, MA: Havard Universtiy Press, 2010) 20>

심사(common concern of mankind)'라고 규정하였다.[9)]

- 1989년 17개국이 참여한 헤이그 정상회담에서 지구의 대기를 보호하고 지구온난화에 대응하기 위한 '새로운 제도적 기관'의 설립을 촉구하였다.[10)]

9) UN General Assembly (UNGA) Res 43/53, 'Protection of global climate for present and future generations of mankind' (6 December 1988) UN Doc A/RES/43/53.

10) Hague Declaration on the Environment (11 March 1989) reprinted in (1989) 28 ILM 1308.

- 1989년 노르트비르크 각료회의에서 기후변화 문제가 핵심 안건으로 상정됨으로써 최초로 기후문제에 구체적으로 집중한 정부 간 고위급 회의가 이루어졌다.[11)]
- 1990년 제2차 SWCC는 10년 전의 제1차 회의 때와는 달리 주요 정치적 행사가 되었고 각료 수준으로 개최되었다.[12)]

SWCC가 개최되었던 1990년이 되면서 기후변화 협상에 있어 나타나는 세 가지의 기본적 대립관계가 그 모습을 드러내기 시작했다.

- 첫째, 선진국들 사이에는 온실가스 배출에 대한 법적 구속력이 있는 수량적 규제에 대한 지지파와 반대파가 나뉘어졌다.
- 둘째, 기후변화 문제를 다루는 것에 대한 개별적 책임에 대해서 선진국과 개발도상국의 입장이 나뉘어졌다.
- 셋째, 개발도상국가 내에서는 기후변화에 대한 우려를 더 표명하는 국가들과 경제발전을 더 중시하는 국가들로 나뉘었다.

여기에서 선진국들 사이의 분열이 가장 먼저 드러났다. 선진국들은 기후변화에 대해 많은 과학적 연구를 수행했으며, 환경문제에 가장 적극적인 유권자들과 정부부처들을 가지고 있었고, 그로 인해 기후변화 문제를 진지하게 우려하기 시작한 최초의 국가들이었다. 1989년의 노르트비르크 회의에서 이 국가들이 두 집단으로 갈라져 있는 것이 명백하게 드러났다. 한편에는 대부분의 유럽국가들이 산성비와 오존 문제를 해결하기 위해 사용되어온 방식을 지지하였는데, 이는 온실가스 국가별 배출수준에 대한 수량적 규제('target and timetables')를 수립하는 것이었다. 반면에 미국을 필두로 한 일본과 소련은 수량적 규제 방안이 융통성 없고, 국가별 상황의 차이를 반영할 수 없으며, 거의 상징적 목표에 그치게 될 것이라는 점을 근

11) Pier Vellinga, Peter Kendall, and Joyeeta Gupta (eds), *Noordwijk Conference Report* (Netherlands Ministry of Housing, Physical Planning and Environment, 1989).

12) Jill Jager and Howard Ferguson (eds), *Climate Change: Science, Impacts and Policy: Proceedings of the Second World Climate Conference* (Cambridge University Press, 1991).

거로 반대하였다. 미국은 그 대신 과학적 연구에 집중할 것과 국제적인 차원이 아닌 국내전략과 계획에 중점을 두어야 한다고 주장하였다. 이는 10년 후 두 번째 부시 정권이 다시 내세운 입장과 동일하다.

SWCC에서는 기후변화 협상에 있어서의 두 번째 분열인 선진국과 개발도상국 간의 분열이 드러났다. 여기서 개도국들은 이제 134개국을 포함하게 된 G-77/중국이 총괄하여 협상에 참여하였다. 1990년 초반에 개발도상국들은 런던오존회의(London Ozone Conference)에서 몬트리올의정서의 이행을 돕는 기금을 설치하도록 압박하는 데 성공하였고,[13] 유엔총회에서는 1992년에 리우에서 있을 환경회의에서 환경과 발전에 동등한 비중를 두어야 한다고 주장하였다.[14] 기후변화에 대해서 개발도상국들은 그들의 입장이 더 반영되도록 노력하였고, 기후변화가 단지 환경적 문제가 아닌 발전에 대한 문제로 다루어져야 한다고 주장하였다. 이 두 가지 이유 때문에 개발도상국들은 환경을 비교적 기술적이고 좁은 범위에서 논의하는 IPCC에서 산업화된 선진국들과 동등하게 참여할 수 없었기 때문에, 환경협상이 IPCC가 아닌 유엔총회가 주최하여 이루어지도록 압력을 가하였다. 이들의 노력은 성공적이었고, 1990년 12월, 선진국들이 선호하는 IPCC, UNEP, WMO가 아닌 유엔총회의 주최로 협상이 이루어질 수 있도록 하는 결의안이 통과되었다.[15]

그러나 1990년 초반부터 개발도상국가들 사이에서의 분열 또한 드러나기 시작했다. 개발도상국들은 재정적인 지원과 기술이전의 필요성에는 모두 동의하였으나, 이를 제외한 대부분의 다른 사안에서는 의견을 달리했다. 그 국가들 분포의 한 끝에는 소도서국(small island states)인 개발도상국들이 있는데, 이들은 해수면 상승으로 인한 침수의 위협을 받고 있었기 때문에, 온실가스 배출을 강력하게 규제하는 서약을 지지했다. 그 국가들은 SWCC에서 군소도서국연합(Alliance of Small Island States, AOSIS)을 조직했고, 이는 현재까지도 기후변화에 대한 강도 높은 대응을 요

13) 몬트리올의정서의 런던개정서(Amendment to the Montreal Protocol on Substances that Deplete the Ozone Layer) 1990.06.29. 채택, 1992.08.10. 발효, 1598 UNTS 469.
14) UNGA Res 44/228, 'United Nations Conference on Environment and Development' (22 December 1989) UN Doc A/RES/44/228.
15) UNGA Res 45/212, 'Protection of global climate for present and future generations of mankind' (21 December 1990) UN Doc A/RES/45/212. 협상 위임사항의 역할에 대한 논의는 제3장 II.B.1 참조.

구하는 데 중요한 역할을 하고 있다. 그 분포의 반대편에는 개발도상국 중 산유국들이 있는데, 이들은 기후변화 자체에 대해 의문을 제기하고, '점진적인(go slow)' 방법을 채택할 것을 요구했다. 이들 사이의 중간지점에는 중국, 브라질, 인도와 같은 국가들이 있는데, 이들은 기후변화에 대한 대응조치들이 그들의 자주권, 특히 경제발전을 할 권리를 침해해서는 안 된다고 주장했다. 이들은 기후변화에 대한 책임이 자신들에게 있지 않으며, 경제성장과 빈곤퇴치라는 더 중요한 우선순위를 가지고 있다고 주장했다. 또한 이러한 관점에 따라 선진국들이 기후변화를 초래한 것에 대한 역사적 책임(historical responsibility)을 가지고 있기 때문에, 그 해결에 대한 책임 역시 선진국에게 있다고 주장하였다. 개발도상국들은 현재까지도 이러한 입장을 유지하고 있으며, 이를 근거로 선진국들이 법적 구속력을 가진 온실가스 제한의무를 개발도상국들이 수용하게 하려는 노력에 반발하고 있다.

Ⅲ. 구성 단계: FCCC의 협상과 발효(1990-1995)

국제환경법은 1970년대와 1980년대에 괄목할 만한 성장을 이루어냈으나,[16] 기후변화에 대해서는 1980년대 말 기후변화가 국제적인 의제로 부상하기 전까지는 어떤 국제환경법적 발전은 없었다.[17] 대기오염에 관한 협약들은 단지 북미와 유럽에 초국경적 대기오염 문제를 다루는 것과[18] 성층권의 오존층이 감소되는 문제를 다루고 있었다. 관습법적 국제법은 대기오염에 관한 일반적인 원칙을 담고 있긴 했지만,[19] 이러한 원칙들이 기후변화 문제를 실제적으로 다루기에는 구체성

16) Bodansky, UNFCCC Commentary (n 1); Donald M. Goldberg, 'As the World Burns: Negotiating the Framework Convention on Climate Change', *Georgetown International Environmental Law Review*, 5/2 (1993): 239; Irving Mintzer and J. Amber Leonard (eds), *Negotiating Climate Change: The Inside Story of the Rio Convention* (Cambridge University Press, 1994).

17) Daniel B. Magraw, 'Global Change and International Law', *Colorado Journal of International Environmental Law and Policy*, 1/1 (1990): 1; Durwood Zaelke and James Cameron, 'Global Warming and Climate Change - An Overview of the International Legal Process', *American University Journal of International Law and Policy*, 5/2 (1990): 249.

18) 월경성 장거리 대기오염에 관한 협약(Convention on Long-Range Transboundary Air Pollution) 1979.11.13. 채택, 1983.03.16. 발효, 1302 UNTS 217.

과 확실성이 떨어졌다.[20] 그러므로 기후변화 문제를 다루기 위한 국제적 노력에 대한 요청이 시작되었을 때, 새로운 조약에 대한 협상이 필요하다는 것에는 의문의 여지가 없었다.

FCCC에 대한 협상이 시작되어서 협약의 발효에 이르기까지의 공식적인 조약 체결 절차는 3년이 조금 넘게 걸렸는데, 이는 환경에 관한 국제협상 치고는 비교적 짧은 기간이었다. 그 과정은 1990년 12월에 유엔총회가 '기후변화협약 정부 간 협상위원회(Intergovernmental Negotiating Committee for a Framework Convention on Climate Change, INC)'를 설립하고, 1992년 6월 유엔환경개발회의(UNCED)에서 서명될 수 있는 '적절한 공약들(appropriate commitments)'을 포함한 협약에 대한 협상할 것을 위임하면서 시작되었다.[21] INC는 1991년 2월과 1992년 5월 사이에 5차례의 회의를 열었으며, 1992년 5월 9일에 FCCC를 채택하였고, 이는 50개국이 비준한 결과 2년이 채 지나지 않은 1994년 3월 21일에 발효되었다.

INC의 절차를 이해하는 데 있어 네 가지 중요한 요소들이 있다. 첫째, 1992년 6월 UNCED에서 서명해야 하는 최종기한을 설정한 것이 국가들에게 상당한 압박을 주었다. UNCED 절차가 가지고 있는 대중적 인지도를 감안하여, 대부분의 국가들은 협약이 UNCED가 열리는 리우에서 서명될 준비가 되어 있기를 원했다. 둘째, 의제설정과 사전협상 단계에서와는 달리, 정부가 상당히 주도적이었고, 비정부 행위자는 제한된 역할만을 수행하였다. IPCC조차도 실제 협상에 실질적인 영향을 주지 못했다.[22] 셋째, FCCC 협상의 주요 쟁점 중 다수가 잠재적으로 국익에 영향을 줄 수 있는 현실적 쟁점들이었음에도 불구하고, 실제 협상들은 내용(substance)보다는 표현방식(semantics)에 집중되는 경우가 많았다. 개별 단어들에 대한 논쟁들이 있었고, 단어들이 가지는 법적 의미만큼이나 정치적 의미을 중요하게 고려하여 선

19) 예를 들어, 예방원칙은 국가가 "관할권 내의 활동이 다른 국가들이나 국가 관할권 이외 지역의 환경에 해를 끼치지 않도록 해야 한다"라고 규정한다. Stockholm Declaration, principle 21.

20) 기후변화의 관습적 국제법의 원칙들에 대한 적용에 대해서는 제2장 II 참조.

21) UNGA Res 45/212 (n 15). 협상 위임사항의 역할에 대해서는 제3장 II.B.1 참조.

22) 한 가지 예외는 영국의 환경법단체인 '국제환경법과 발전을 위한 재단(Foundation for International Environmental Law and Development, FIELD)'이 당시 새롭게 형성된 군소도서국가연합을 조직하고 지원하는 데 도움을 주었던 것이다.

택되었다. 제안된 문구는 상징적이고 불가사의한 성격을 가지게 되었고, 단어의 본질적 의미와 동떨어진 의미를 가지게 되었다.[23] 문언에 대한 논쟁들은 정치적 대치의 다른 양상이었으며, 이러한 정치적 대치의 결과는 내용에 대한 협상의 결과뿐만 아니라 특정용어가 포함 또는 배제되었는지로 나타났다. 넷째, 컨센서스로 의사결정을 하고자 하는 의지는 (특히 미국과 같은) 개별 국가들에게 거부권(veto)을 주지는 않지만, 적어도 최종 결과물에 대한 실질적인 영향력을 행사할 기회를 제공하여 주었다.

FCCC에 대한 협상은 대부분의 국제환경협상에서 공통적으로 나타나는 경향을 따랐는데, 이 경향은 이후의 교토의정서, 마라케시 합의문 및 파리협정의 협상에서도 마찬가지로 나타났다. FCCC에 대한 협상의 초반에는 국가들이 자신들의 입장만을 반복하고 타협안을 도출하지 않으면서 협상이 거의 진전되지 않았다. 이러한 공방 과정은 한편으로 협상이 조속히 진전되기를 바라는 이들을 좌절시켰으나, 이 과정은 각 국가들이 자국의 의견과 우려를 표명하고, 다른 국가의 견해에 대해 배우고 평가하며, 협상을 타진해볼 수 있도록 해주었다. 실제적인 협상은 협상기간의 마지막 한 달 전에(심지어는 마지막 몇 시간 동안에) 시작되었는데, 이때가 국가들이 협상이 완전히 실패하는 것을 막기 위해서는 타협해야 한다는 것을 인지했던 때로, 그 마지막 협상에는 '의장의 친구들(friends of the chair)'이라 불리는 소수의 핵심 대표단들만이 참여하였다.[24]

FCCC에 대한 협상에서는 전술한 세 가지 국가 간 대립들 중에 두 가지가 특히 강하게 나타났다. 첫째는 선진국과 개발도상국 간의 대립이었으며, 둘째는 선진국들 사이의 분열이었다. FCCC는 선진국과 개발도상국 간의 대립을 반영하여 선진국들이 기후변화 대응에 앞장 서야 한다는 것과(제3조 제1항), '공통의 그러나 차등화된 책임과 국가별 역량(common but differentiated responsibilities and respective capabilities, CBDRRC)'의 원칙을 명시하고(제3조 제1항), '부속서I(Annex I)' 국가들과 '비(非)부속서I(non-Annex I)' 국가들로 구분하였는데, 이는 각각 선진국과 개발도

---

23) 예를 들어, 개발도상국과 선진국들은 경제발전을 'essential'으로 정의할지 아니면 개발도상국에 있어서 'prerequisite'한 것으로 정의할지에 대해서 장시간 논쟁을 벌였다.

24) '의장의 친구들'에 대한 논의는 제3장 II.B.2 참조.

상국과 동일시되었다. 비부속서I 국가들은 기후변화 문제를 다루기 위한 매우 일반적인 공통의 의무만을 수행하는 반면(제4조 제1항), 부속서I 당사자에 속한 국가들은 보다 엄격한 보고의 요구와 검토의 대상이 되었다(제12조 제1항). 부속서II에 들어간 당사자들은 부속서I 국가들의 하위 집단으로 구소련권 국가를 제외한 부속서I 국가들을 의미하는데, 이들은 재원 및 기술에 관한 의무의 대상이 되었다(제4조 제3항, 제5항).

미국과 유럽연합(European Union, EU)이 구속력 있는 배출감축의 목표의 유무를 두고 대립했던 것은 선진국들 사이의 분열을 보여주었다. FCCC는 협상의 마지막 달에 영국의 중재하에 2000년까지 선진국의 배출량을 1990년 수준으로 되돌리겠다는 제한의 정도가 크고 구속력이 없는 '준(準)목표(quasi-target)'를 수립하였다(제4조 제2항).

FCCC의 협상과정에서 개발도상국 간의 분열은 일어나지 않았다. 많은 이들이 G-77/중국이 해산될 것을 예측했지만, 이 개발도상국들의 연합은 협상과정 동안 단결을 유지하면서 개발도상국의 의무를 제한하고 선진국에게는 보다 강력한 의무를 부과하는 것을 추진하였다.

FCCC의 협상에서의 기준은 산성비와 오존층 파괴 문제를 다루기 위해 지난 약 10년간 사용해왔던 '기본협약(framework convention)' 모델이었다.[25] 거의 모든 국가들이 FCCC가 기본협약의 최소한의 기본 요소들을 포함해야 한다는 것에 동의했다. 여기서의 쟁점은 FCCC에 보다 규제력을 지닌 조항들이 포함해야 하는가의 여부였다. 전반적으로 FCCC는 '기본협약 플러스(framework convention plus)'라 부를 수 있는 미국의 선호를 반영하게 되었다. FCCC는 기본협약으로서 기후변화체제의 기본적인 통치시스템을 수립하는 목적(제2조), 원칙(제3조), 기관(제7조-제10조) 및 법제정 절차(제15조-제17조) 등에 초점을 맞추고 있다. 실질적 의무를 수립하는 정도에 있어서 FCCC는 EU와 AOSIS가 원했던 것처럼 법적 구속력이 있는 감축목표가 아닌 일반적인 의무를 규정하는 데에 그쳤다(제4조-제6조). 그러나 FCCC는 재정 메커니즘과(제11조) 상세한 보고 요구사항들과(제12조) 국제적 심사를(제7조 제2항

25) 기본협약들에 대해서는 제2장 IV.A.1 참조.

(e)호) 포함하는 비교적 강력한 이행체제를 확립한다는 점에서 이전의 기본협약의 틀을 넘어선다.[26]

그러나 대부분의 쟁점에 있어서, 협상의 여러 당사자들은 서로 대립하여 교착 상태에 이르렀다. 이들은 그 쟁점들을 해결하지도 못했고, 모든 입장을 양립하게 하는 중립적인 표현이나,[27] 의도적 모호성을 가지도록 하는 문구들,[28] 그리고 쟁점의 해결을 다음으로 미루는 표현으로도[29] 그 반목을 포장할 수 없었다. 이러한 관점에서 볼 때, 협약이 1992년에 채택된 것은 협상의 종결이 아니라 지속되는 협상의 한 지점을 의미하는 것이었고, 실제로 협상은 오늘날까지 지속되고 있다.

Ⅳ. 규제 단계: 교토의정서의 협상과 구체화(1995-2005)

FCCC가 채택된 직후부터 대부분의 국가들은 협약상의 공약이 부족하기 때문에 보다 구체적인 배출제한 목표를 통해서 협약을 보충해야 한다고 주장하기 시작했다.[30] 이로 인하여, 1995년 베를린에서 열린 제1차 당사국총회(Conference of the Parties, COP1)에서는 베를린 위임사항(Berlin Mandate)이 채택되어 새로운 법적 문서를 협상할 '베를린 위임사항 특별작업반(Ad Hoc Group on the Berlin Mandate, AGBM)'을 설치하였다.[31] 그 협상들은 1997년 12월에 교토의정서가 채택되기 전까지 2년간 지속되었다.[32]

26) FCCC에 대한 구체적인 논의는 제5장 참조.
27) FCCC, Art 11 (재정 메커니즘).
28) ibid, Art 4.2 (배출량 제한을 위한 선진국들의 공약).
29) ibid, Art 13 (이행 관련 문제들을 해결하기 위한 다자간 협의절차의 구축을 고려하도록 지시). 이러한 초안작성 기술의 종류에 대해서는 다음 문헌을 참조. Susan Biniaz, 'Comma But Differentiated Responsibilities: Punctuation and 30 Other Ways Negotiators Have Resolved Issues in the International Climate Change Regime (Columbia Law School - Sabin Center for Climate Change Law, 2016) <https://web.law.columbia.edu/sites/default/files/microsites/climate-change/files/Publications/biniaz_2016_june_comma_diff_responsibilities.pdf> accessed 20 January 2017.
30) Sebastian Oberthur and Hermann E. Ott, *The Kyoto Protocol: International Climate Policy for the 21st Century* (Berlin-Heidelberg: Springer-Verlag, 1999) ch 4.
31) 협상 위임사항의 역할에 대해서는 제3장 II.B.1 참조.
32) 교토의정서에 대한 구체적 논의는 제6장 참조.

교토의정서에 의해 생성된 구조는 네 가지 주요 특징을 가진다. (1) 국제적으로 협상된 감축목표(internationally-negotiated emissions targets)와 목표 산술의 규칙들(accounting rules)을 포함하는 규제의 하향식 접근법(top-down approach), (2) 선진국과 개발도상국 간의 철저한 차등화(differentiation), (3) 강력한 의무준수 시스템을 포함하는 법적 구속력(legal bindingness), (4) 비용대비 효과가 높은 이행을 위한 시장 메커니즘(market mechanism)이다.

베를린 위임사항은 '수량적 배출제한과 감축목표(quantified emission limitation and reduction objectives, QELROs)'를 협상하도록 요구하였고, 이는 교토의정서의 첫 번째 특징인 하향식 접근법을 수립하였다. 교토의정서에 대한 협상의 상당 부분은 이러한 QELROs의 성격과 엄격성을 규정하는 데 집중하였다. EU는 2010년까지 온실가스 배출량을 1990년 수준 이하로 만들기 위해서 10퍼센트를 감축해야 한다는 비교적 강력한 목표를 제안한 반면, 미국과 호주 등 다른 선진국들은 완화된 목표를 제안했으며, 일본은 중도적인 입장을 견지하였다. 결국에 교토의정서는 모든 선진국들에게 공통의 목표치를 설정해주지 않고, 국가마다 개별적인 QELROs를 규정하였고, 이는 교토의정서의 부속서B에 명기되었다. 이 목표의 범위는 EU국가들에게 배출량을 8퍼센트를 감축하도록 요구하는 것에서부터 호주에게는 배출량의 증가율을 8퍼센트로 제한할 것을 요구하는 것까지에 이르렀다.

또한 베를린 위임사항은 새로운 서약의 협상에서 개발도상국을 명시적으로 제외하고, 선진국에 대해서만 QELROs의 협상을 요구하면서 두 번째 쟁점인 차등화의 문제를 해결하였다.[33] 이 베를린 위임사항이 중국과 인도와 같은 개발도상국들이 새로운 감축의무를 부담할 수 있는 가능성을 열어두는 데 실패했음에도 불구하고, 미국이 이를 마지못해 받아들인 것은 베를린 회의를 주재했던 당시 독일 환경부 장관 앙겔라 메르켈이 미국을 강하게 압박한 결과였다. 그러나 미국은 그 후 이어진 AGBM의 협상에서 개발도상국들이 '자발적으로' 배출제한 목표를 수립할 수 있는 메커니즘을 포함하도록 압력을 가했다.[34] 당연히 대부분의 개발도상국들

33) Berlin Mandate, paras 2(a) and 2(b).
34) 미국 상원이 교토회의 직전에 95-0으로 표결하여 채택한 Byrd-Hagel Resolution (25 July 1997, S.Res.98, 105th Cong.)은 미국은 개발도상국들에게도 새로운 배출량 제한의무를 같은

은 이러한 접근에 강력하게 반발하면서, 베를린 위임사항이 개발도상국을 자발적인 의무를 포함하는 모든 새로운 의무의 대상에서 명시적으로 제외하고 있다고 주장했다.[35]

베를린 위임사항은 세 번째 쟁점, 즉 QELROs가 법적 구속력을 가질 것인지에 관한 쟁점을 결론짓지 않고 열어 놓았다. 그래서 베를린 위임사항은 '의무(commitments)'라는 말보다 정량화된 배출제한과 '목표(targets)'라는 표현을 사용했다. 온실가스 감축목표가 법적 구속력을 갖도록 하는 합의는 이듬해 COP2의 제네바 각료선언(Geneva Ministerial Declaration)에서 미국 협상가들이 QELROs가 법적 구속력을 지니도록 하자는 EU의 요구를 수용할 때까지 이루어지지 않았다.[36]

마지막으로, 네 번째 쟁점인 배출권거래와 같은 시장 메커니즘을 수립할지의 여부에 대한 논의는 교토의정서 협상과 그 이후까지도 분열적으로 나타났다. 미국과 더불어 호주, 캐나다, 아이슬란드, 일본, 뉴질랜드, 노르웨이, 러시아를 포함하는 '엄브렐러 그룹(Umbrella group)의 다른 회원국들은 선진국들이 가장 유동성이 있고 비용 대비 효과적인 방법으로 감축목표를 달성할 수 있게 해줄 메커니즘을 모색하였는데, 예를 들어 국가들로 하여금 다른 국가들에서 그들이 수행하는 배출감축 프로젝트나 임업이나 농업 활동을 통해 대기 중 이산화탄소를 제거하는 소위 '흡수원 활동(sink activities)'을 배출권, 즉 감축활동으로 인정을 받을 수 있도록 하는 것이다. 이에 대해서 EU는 선진국들이 온실가스 감축목표를 달성하기 위해서는 주로 국내적인 조치를 취해야 한다는 것을 근거로 들어 시장 메커니즘의 활용을 제한하고자 했는데, 이러한 EU의 의견은 개발도상국들로부터 지지를 얻었다.

준수기간 동안에 부여하지 않는다면, 새로운 배출제한의무를 부과하는 어떠한 조약에도 동의하지 않겠다는 상원의 뜻을 보여준다.

35) Berlin Mandate, para 2(b) (명시적으로 비부속서I 국가들을 새로운 의무에서 제외하고 있음). 협상역사에 대한 논의는 제6장 II.D.3 참조. Joanna Depledge, 'Tracing the Origins of the Kyoto Protocol: An Article-by-Article Textual History' (25 November 2000) FCCC/TP/2000/2, 102-5.

36) Report of the Conference of the Parties on its Second Session, held at Geneva from 8 to 19 July 1996, Addendum (29 October 1996) FCCC/CP/1996/15/Add.l, Annex: The Geneva Ministerial Declaration, para 8.

결론적으로, 교토의정서에서 배출목표의 엄격성과 법적 성격에 있어서는 EU의 뜻이 관철된 것이고, 시장 메커니즘에 대해서는 미국과 엄브렐러 그룹의 뜻이 이루어진 것이며, 차등화에 대한 문제에 있어서는 개발도상국의 입장이 반영되었다. 이는 협상에서 다양한 입장들 간의 거래가 이루어졌다는 것을 보여준다. 교토의정서에 대한 협상에서 미국은 원했던 것보다 더 높은 배출제한목표, 즉 1990년 수준에서 7퍼센트를 감축할 것을 수용해야 했지만, 의정서의 적용에 상당한 정도의 유연성을 부여하는 것에 성공했다. 이에 관련해 가장 중요한 점은 다음과 같다.

- 교토의정서는 국제적인 배출권거래체제를 발전시켰다(제17조).
- 교토의정서는 선진국들이 개발도상국에서의 배출감축 프로젝트들에 대한 배출권을 받을 수 있는 청정개발체제(Clean Development Mechanism, CDM)를 수립하였다(제12조).
- 교토의정서는 국가의 특정한 흡수원 활동에 의한 배출권(credit for sink activities)을 허용하였다(제3조 제3항, 제4항).

그러나 개발도상국은 자발적으로 수량적 배출목표를 설정하는 절차를 수립하라는 미국의 강한 압력에 저항하는 데 성공했다.

교토의정서는 그 자체로도 엄청난 성과였음에도 불구하고, 의정서의 내용이 구체적으로 어떻게 작동할 것인지에 관한 논의는 추후로 미루어둔 합의였고, 이는 국가들이 교토의정서의 구체화라는 명목하에 각국의 이익을 위해 교토의정서를 재협상하는 것을 허락하는 기회를 열어두게 되었다. 예를 들어, EU는 선진국들이 배출제한목표를 달성하기 위해 배출권을 거래하는 것에 대한 수량적 제한('concrete ceilings')을 두고자 하였다.[37] 이와 유사하게 미국은 자국의 배출목표를 약화시키기 위해 흡수원 활동(sink activities)에 대한 광범위한 배출권을 포함하도록 하고자 하였고, 소수의 개발도상국들이라도 자체적인 배출목표를 설정하도록 설득하였다.

교토의정서의 협상 범위는 부에노스 아이레스에서 개최된 COP4에서 결정되

---

37) 시장 메커니즘 사용을 수량적으로 제한하는 것(concrete ceiling)에 대한 논쟁에서, EU는 배출권거래가 국내조치에 '보충적인(supplemental)' 것이 될 것을 규정하는 교토의정서의 제17조의 문언을 근거로 사용한다.

었는데, 당사국들은 교토의정서의 규칙들에 관한 작업을 완료하기 위한 포괄적인 계획인 소위 '부에노스 아이레스 행동계획(Buenos Aires Plan of Action)'을 채택하였다.[38] 처음에는 이 협상들이 2000년 11월 헤이그 COP6에서 완료될 예정이었으나, 헤이그 회의가 흡수원 활동의 배출권에 관한 쟁점으로 인해 11시간만에 결렬되자, 당사자들은 이듬해 여름에 다시 모여서 합의에 도달하기 위한 최종적인 노력을 기울이는 데 동의했다.[39]

헤이그 회의 휴유증으로 인해, 교토의정서의 규칙들에 대한 합의의 가능성은 낮아 보였다. 2001년 3월에 새로 선출된 부시 행정부가 교토의정서를 거부하자, 많은 사람들이 교토의정서의 종식을 예상했다.[40] 그러나 역설적이게도, 아무런 대안도 제안하지 않고 교토의정서를 거부하는 미국의 독단적인 행동은 반대효과를 가져왔다. 이는 오히려 EU를 중심으로 한 다른 국가들이 교토의정서의 핵심적 세부 규정들을 구체화한 마라케시 합의문을 2001년 11월에 채택하는 데 필요했던 타협에 이르도록 유도하였다.[41] 미국이 교토의정서에서 탈퇴한 것을 볼 때 역설적이게도, 마라케시 합의문은 교토의정서의 세부사항에 대한 사후협상에서 미국이 취했던 입장을 많이 반영하였다. EU는 처음에 추진했던 것과는 달리 시장 메커니즘의 사용에 수량적인 한계를 두지 않도록 하였으며, 흡수원 활동의 배출권을 상당부분 허용했다. 교토의정서는 러시아가 비준을 한 후인 2005년 2월 16일에 발효되었다.

---

38) Decision 1/CP.4, 'The Buenos Aires Plan of Action' (25 January 1999) FCCC/CP/1998/16/ Add. 1,4.
39) 헤이그 회의에 대해서는 다음 문헌을 참조. Lavanya Rajamani, 'Renegotiating Kyoto: A Review of the Sixth Conference of Parties to the Framework Convention on Climate Change', *Colorado Journal of International Environmental Law and Policy*, 12/1 (2001): 201.
40) David G. Victor, *The Collapse of the Kyoto Protocol and the Struggle to Slow Global Warming* (Princeton University Press, 2004).
41) 마라케시 합의문에 대해서는 다음 문헌을 참조. Suraje Dessai and Emma Lisa Schipper, 'The Marrakesh Accords to the Kyoto Protocol: Analysis and Future Prospects', *Global Environmental Change,* 13/2 (2003): 149.

V. 두 번째 구성 단계: 미래의 기후체제에 대한 협상(2005-2016)

교토의정서는 상당한 성과였지만 두 가지 주요한 한계를 가지고 있었다. 첫째로 교토의정서는 2008년부터 2012년까지 5년간의 의무기간만을 설정했고, 2013년 이후의 배출량에 대한 제한을 규정하고 있지 않았다. 둘째로 교토의정서는 전세계 온실가스 배출량의 24퍼센트만을 감축목표에 포함시켰는데, 이는 미국의 불참과 (미국의 배출량을 넘어서 현재 세계 최대의 배출국인)[42] 중국 및 다른 개발도상국들이 어떠한 배출제한목표도 가지지 않았기 때문이다.[43]

교토의정서가 발효된 후, 교토의정서의 제1차 의무기간이 끝나는 2012년 이후의 규제방안에 대해서 관심이 집중되었다.[44] 첫 번째 방안은 선진국에게 새로운 배출감축목표를 적용시키는 제2차 의무기간을 채택하여 교토의정서를 연장시키는 것이었다. 두 번째 방안은 FCCC하에서 교토의정서의 당사자가 아닌 국가들(예를 들면 미국) 혹은 배출감축목표가 없는 국가들(예를 들면 개발도상국들)까지 포함시켜 교토의정서를 연장시키는 것이었다. 세 번째 방안은 선진국과 개발도상국의 배출을 모두 다루는 더 포괄적이고 단일한 새로운 협약을 채택하여 교토의정서를 대체하는 것이었다. 부시 행정부가 있었던 미국을 제외한 대부분의 선진국들은 미국과 '중국, 인도, 브라질과 같은 거대 개발도상국'의 배출량을 제한하는 두 번째 혹은 세 번째 방안을 선호하는 반면에, 개발도상국들은 자신들의 배출량을 다루지 않는 첫 번째 방안을 선호하는 경향을 보였다.

2012년 이후의 기간(post-2012)을 다루는 일은 교토의정서와 FCCC의 두 트랙을 따라 진행되었다. 2005년 교토의정서의 제1차 당사국회의(the first meeting of the Parties to the Kyoto Protocol, CMP1)에서 국가들은 교토의정서에 따르는 새로운 서약

---

42) 이러한 수치는 전세계 배출량과 국가적인 배출량을 집계하는 세계자원연구소 기후분석지표 기제(World Resource Institutes Climate Analysis Indicator Tool, CAIT)를 기반으로 한다. World Resource Institute (WRI), 'CAIT Climate Data Explorer' <http://cait.wri.org/> accessed 20 January 2017.

43) Igor Shishlov, Romain Morel, and Valentin Bellassen, 'Compliance of the Parties to the Kyoto Protocol in the First Commitment Period', *Climate Policy*, 16/6 (2016): 768.

44) 제6장 X 참조.

에 대해서 협상을 벌이기 시작했다.[45] 이와 병행하여 FCCC 당사자들은 장기적인 협력활동에 대한 논의를 정착시켰으며, 이는 2007년 발리행동계획(Bali Action Plan)과 2012년 강화된 행동을 위한 더반플랫폼(Durban Platform)으로 이어졌다.[46]

이에 대한 결과로 나타난 최근 기후변화 협상의 가장 중요한 특징은 선진국들이 개발도상국의 배출량 문제를 다루기 위해 압박을 하는 것인데, 개발도상국들의 배출량은 이미 세계 탄소배출의 절반 이상을 차지하고, 현재부터 2050년까지의 배출 증가분의 대부분을 차지할 것으로 예상된다.[47] 1991년 기후체제에 대한 협상이 시작된 때부터 2001년 마라케시 합의문의 채택에 이르기까지 기후체제의 첫 10년 동안 기후변화 협상은 거의 전적으로 선진국의 배출량에만 집중해왔었다. 미국은 '개발도상국의 참여'라는 쟁점을 다루는 것을 추진했지만, 베를린 위임사항은 비부속서I 국가들을 새로운 의무의 대상에서 명시적으로 배제하면서 이 쟁점은 논외가 되었다. 그 결과, 협상의 주요한 축은 엄브렐러 그룹과 연합한 미국과 EU 간의 대립으로 구성되었다.[48] 한편에서 EU는 배출감축목표 달성을 국내적으로 강력하게 추진할 것을 요구하는 반면에, 다른 한편에서는 FCCC 협상 초기에 목표에 기반한 방식에 반대했던 미국은 빌 클린턴 대통령 정권하에서는 감축목표를 수용하였지만, 배출권거래와 같은 국제적인 시장 메커니즘과 흡수원 활동을 통해 그 감축목표를 충족시킬 수 있어야 한다고 주장했다. 개발도상국들 역시 이러한 논쟁에 참여하기는 하였지만, 협상의 초점은 주로 선진국들이 해야 할 일들에 맞추어져 있었다.

교토의정서를 실현하기 위한 세부 규칙들을 채택한 2001년 마라케시 회의 이후로, 기후협상에서의 역학관계는 변화하게 되었다. 선진국의 배출량 감축 문제는 계속해서 중요하게 다루어졌지만, 선진국들은 개발도상국 배출을 다룰 것을 점점 더 강경하게 주장하기 시작했다. 이로써 기후변화 협상에서 선진국과 개발도상국

45) Decision 1/CMP. 1, 'Consideration of commitments for subsequent periods for Parties included in Annex I to the Convention under Article 3, paragraph 9 of the Kyoto Protocol' (30 March 2006) FCCC/KP/CMP/2005/8/Add.l, 3.
46) 제4장 V.D 참조.
47) OECD, *OECD Environmental Outlook to 2050: The Consequences of Inaction* (OECD, 2012) 80, Figure 3.5.
48) 협상그룹에 대한 논의는 제3장 II.B.2 참조.

간의 대립이라는 두 번째 갈등의 축이 모습을 드러내게 되었다.

이러한 새로운 역학관계는 교토의정서의 구체화를 성공적으로 끝낸 유럽국가들이 2002년 뉴델리 회의에서 개발도상국을 상대로 행동을 촉구하기 시작했을 때 처음 나타났다. 그러나 이는 교토의정서를 거부한 부시 행정부의 결정으로 인해서 몇 년 동안은 잘 나타나지 않았다. 그러다 부시 행정부 말년에 협상이 다시 시작되면서 변화된 역학관계가 뚜렷하게 드러나게 되었다. 선진국과 개발도상국 간의 대립은 2007년 발리 회의에서 핵심적 문제로 자리잡게 되었고, 그 후 지금까지도 그 자리를 지키며 중요한 쟁점으로 다루어지고 있다.

A. 발리행동계획

2007년 발리 회의는 2001년 마라케시 회의에서 교토의정서의 규정집(rulebook)을 채택한 이래 가장 중요한 기후회의였다. 발리행동계획에서 국가들은 FCCC하의 '합의된 결과(agreed outcome)'에 도달하기 위해서 완화, 적응, 재정 및 기술을 포함한 기후변화 문제의 모든 측면을 포함하는 '포괄적인 절차(comprehensive process)'를 시작하기로 합의했다.[49] 여기서 '합의된 결과'라는 용어는 법적 성격의 문제에 관해서 중립적인 용어였으며, 발리행동계획이 새로운 조약이나 당사국의 결정 혹은 또 다른 유형의 법제를 생성할 것인지에 관해서는 가능성을 열어두었다.

발리행동계획이 선진국과 개발도상국 모두의 감축을 다룬다는 데 있어서, 베를린 위임사항의 접근과는 노선을 달리한 것이기는 하나, 이는 여전히 선진국과 개발도상국 간의 의무를 차등화하였다. 선진국의 의무에 있어서는 QELRO를 포함하여 '측정 가능하고, 보고 가능하며, 검증 가능한' 의무(commitment)를 논하는 반면, 개발도상국의 의무는 '국가별로 적절한 감축행동(nationally appropriate mitigation actions, NAMAs)'이라고 언급되었다. 많은 개발도상국들은 선진국들의 '의무(commitment)'와 개발도상국들의 '행동(actions)' 사이의 구별은 선진국과 개발도상

49) Bali Action Plan, para 1. 발리행동계획에 대한 구체적인 논의는 다음 문헌을 참조. Lavanya Rajamani, 'From Berlin to Bali and Beyond: Killing Kyoto Softly, *International and Comparative Law Quarterly,* 57/4 (2008): 909.

국 사이에 위치한 일종의 방화벽으로 베를린 위임사항과 교토의정서에서 수립된 것이라고 주장하면서, 선진국과 개발도상국의 감축의무를 같은 선상에서 보려는 시도에 대해서 격렬하게 반발했다. 이는 5년 후 더반 회의에서 미국이 발리행동계획의 실행을 중단시키고, 더반플랫폼으로 이를 대체하는 것을 추진하게 된 주된 이유 중의 하나가 되었다.

B. 코펜하겐 합의문

2009년 12월에 개최된 코펜하겐 회의는[50] 원래 FCCC와 교토의정서에 따라 각각 병행적으로 진행된 협상 트랙의 최종 목적지로 계획되었으며, 많은 이들은 2012년 이후의 문제를 다루는 새로운 법적 합의(또는 합의들)가 도출될 것이라고 기대하였다. 이러한 기대는 회의의 비공식적인 슬로건이었던 '거래를 성사시키자(seal the deal)'에서 잘 드러난다. 이렇게 처음부터 높았던 기대는 오바마 대통령과 중국, 인도, 브라질, 남아프리카공화국, 일본, 영국, 프랑스, 독일의 정상들을 포함한 100명이 넘는 국가원수들이 결정에 참여함으로써 더 커졌다. 그래서 국가들이 새로운 법제에 합의하지 못했을 때 많은 이들이 크게 실망하였다.

그러나 코펜하겐 회의가 법적으로 구속력 있는 합의를 채택하지 못했지만, 협상의 마감 전 몇 시간 동안 주요 경제국 및 배출국, 유엔의 지역적 국가그룹들의 대표들, 기후변화에 가장 취약한 국가들과 최빈개도국의 대표자들을 포함한 28개국의 지도자들이 함께 정치적 합의를 이루어내어 코펜하겐 합의문을 도출하였다. 이 합의문은 투박하고 간결하지만, 감축, 적응, 재정, 기술, 산림 및 검증을 포함한 많은 협상 주제들을 다루었다. 합의문의 핵심 내용들은 다음과 같다.

- 온도상승을 2℃ 이하로 제한한다는 장기적인 목표를 설정한다(1문단).
- 선진국과 개발도상국이 각각 (회의 전에 제출한) 감축목표와 행동을 실행하기 위한 절차를 수립한다(4-5문단).
- 개발도상국에 의한 완화 및 적응을 위한 상당한 재원을 마련하는데, 여기에

50) 이 절은 다음 문헌의 자료를 참조한다. Bodansky, Copenhagen Climate Change Conference (n 1).

는 2010년에서 2012까지 300억 달러에 '달하도록(approaching)' 하는 '조속한 착수(fast start)'기금과, 2020년까지 연간 1천억 달러라는 목표를 포함한다(8문단).

- 개발도상국의 감축조치에 대한 '국제적 협의 및 분석(international consultation and analysis)'을 규정하고, 선진국의 감축목표 및 재원에 대한 더 정확한 측정, 보고, 검증의 토대를 마련하며, 국제적인 지원을 받는 개발도상국들의 감축행동들을 규정한다(5문단).

한편으로, 코펜하겐 합의문은 중요한 이슈 몇 가지를 다루지 못하였다. 그 예로 1년 전 일본에서 G-8은 2050년까지 50퍼센트 감축 목표('50-by-50')와 같은 장기적 배출감축목표를 도출하였는데, 코펜하겐 회의는 이와 같은 합의에 도달하지 못했다는 한계를 가지고 있다.[51)]

코펜하겐 합의문은 정치적 필요성으로 인해서 CBDRRC 원칙을 계속 반영하였지만, 동시에 베를린 위임사항과 교토의정서에 의해 세워진 선진국과 개발도상국 사이의 철저한 차등화를 제거하기 시작했다. 주요 개발도상국은 처음으로 그들의 국가별 배출감축의무를 국제법에 포함시키는 것과, 온실가스 인벤토리와 완화조치를 2년마다 보고하는 것, 자신들의 기후대응 행동에 대한 '국제적 협의 및 분석'을 받는 것에 동의하였다. 이를 통하여 개발도상국들은 자국의 기후변화 정책을 적어도 부분적으로는 '국제화'시켰다.

코펜하겐 회의의 그 전체적인 과정을 보면, 협상의 역학이 여러 번 바뀌었다는 것에 주목할 수 있다. 중국이 글로벌 파워로 부상하게 됨에 따라 (특히 브라질, 인도 및 남아프리카를 포함하는 BASIC 그룹의 일원으로서 협상을 할 때) 과거보다 훨씬 더 독단적으로 변하였다. 오바마 대통령과 협상할 때는 격에 맞지 않는 인사를 파견함으로써 미국을 조롱하기도 하였다. 이와 반대로 EU의 역할은 줄어들었다. 개발도상국의 협상그룹(G-77) 내에서의 균열은 그 어느 때보다도 분명해졌는데, 일례로 코펜하겐 회의의 최종 세션 도중에 파푸아뉴기니 측에서 더 많은 진전을 이끌

---

51) 'G-8 Hokkaido Toyako Summit Leaders Declaration' (8 July 2008) <http://www.mofa.go.jp/policy/economy/summit/2008/doc/doc080714_en.html> accessed 20 January 2017, para 23.

어내지 못한 거대 개발도상국들을 공개적으로 비난하였다. 또한 소수의 국가들(볼리비아, 수단, 투발루, 베네수엘라를 포함하는)이 세계 주요 경제주체들이 협상한 코펜하겐 합의문의 채택을 저지하고자 한 의지와 능력은 당사국총회의 의사결정 과정인 컨센서스 원칙이 가지고 있는 문제적 성격을 명백하게 드러냈다.[52]

마지막으로 코펜하겐 합의문은 교토의정서와는 근본적으로 다른 설계를 가지고 있었다는 점에 주목할 필요가 있다. 코펜하겐 합의문은 국제협상을 통해서 배출목표를 정해주는 하향식 접근이 아닌, 각 당사국이 자신의 서약과 행동을 스스로 정하는 상향식 접근(bottom−up approach)을 확립하였다.[53] 합의문은 선진국들이 2020년까지의 국가별 배출목표를 제시하게 될 것이라고 규정하고, 그 외의 모든 당사국들에 있어서는 감축목표의 수준, 기준연도 및 산출규칙들을 자체적으로 결정하는 것을 허용하였다. 개발도상국들은 물론 NAMA(국가별로 적절한 감축행동)를 설정하는 데에 있어 더욱 큰 재량을 부여받았다.

코펜하겐 합의문은 기후체제의 중대한 방향전환을 보여주었지만, 그 합의가 가지는 권위는 다소 불분명하였다. 한편으로 코펜하겐 합의문은 전세계 주요국들의 지도자들에 의해 채택되었다는 점에서 상당한 정치적 중요성을 지니게 되었다. 하지만 다른 한편으로는, 합의문이 공식 회의의 최종 순간에 다시 논의되었을 때 당사국총회에서는 합의문를 채택하는 것이 아닌 다만 그 내용을 "주목(take [...] note)"한다는 것에만 합의할 수 있었다.[54] 그 결과 코펜하겐 합의문은 FCCC의 프로세스 안에서 공식적인 지위를 부여받지 못했다.[55]

C. 칸쿤합의

코펜하겐 합의문의 불확실한 지위는 이듬해 칸쿤에서 열린 COP16에서 다루

52) 컨센서스 의사결정 규칙에 대해서는 제3장 II.B.2 참조.
53) Bodansky, Tale of Two Architectures (n 1) 705. 하향식 대 상향식 설계에 대한 일반적 논의는 제1장 V.B 참조.
54) Decision 2/CP.15, 'Copenhagen Accord' (30 March 2010) FCCC/CP/2009/ll/Add.l, 4, introductory text.
55) Lavanya Rajamani, 'The Making and Unmaking of the Copenhagen Accord', *International and Comparative Law Quarterly*, 59/3 (2010): 824.

어졌다. 칸쿤합의는 당사국의 결정을 통해 코펜하겐 합의문의 핵심 원칙들을 FCCC 프로세스로 가져왔을 뿐만 아니라, 3페이지에 불과했던 코펜하겐 합의의 내용을 30페이지 분량으로 구체화시켰다.[56] 칸쿤합의의 주요 내용은 다음과 같다.

- 장기적인 온도상승 제한목표는 2°C 이하로 함을 재차 확인함(4문단).
- 코펜하겐 합의 때 제시된 배출감축에 대한 서약과 행동에 있어서 선진국들이 이행해야 하는 배출목표(36문단)와 개발도상국들이 이행해야 하는 NAMA(49문단)를 각각 두개의 'INF(information)' 문서에 명시하여 FCCC 프로세스 안에 포함시킴.
- 국제적인 지원이 필요한 개발도상국들의 NAMA를 목록화하는 등록부를 작성함.
- 녹색기후기금(Green Climate Fund)을 설립하여 초기에는 세계은행에 의해 운영되다가, 이후에 24명으로 구성된 이사회에 의해 경영되도록 함(102－103문단, 107문단).
- 코펜하겐에서 선진국들이 재원에 대한 공동의 의무를 재선언하는 것으로 2010년에서 2012년까지 조속한 착수기금으로 300억 달러를 제공하기로 한 서약과 장기적인 목표인 2020년까지 매해 1천억 달러를 모금하는 금액 중 '상당 부분'이 녹색기후기금에 의해 운영되어야 함을 규정함(95, 98, 100문단).
- FCCC의 보조기구(Subsidiary Body)이 수행할 개발도상국에 대한 국제적 협의 및 분석(international consultation and analysis) 과정을 구체화함(63문단).
- 기술의 개발 및 이전을 활성화시키는 새로운 기술 메커니즘을 수립함(117문단).
- 개발도상국에서의 산림벌채 및 사막화로 인해 발생되는 온실가스 배출량을 감축시키는 체제(REDD＋)의 수립(68－79문단).
- 칸쿤적응체제(Cancun Adaptation Framework)의 채택(13문단).

56) Lavanya Rajamani, 'The Cancun Climate Agreements: Reading the Text, Subtext and Tea Leaves', *International and Comparative Law Quarterly*, 60/2 (2011): 499.

D. 더반플랫폼과 도하개정

2010년 칸쿤합의가 코펜하겐 합의문을 제도화하고 구체화시키는 데 상당한 진전을 보였지만 2012년 이후 교토의정서의 배출 감축목표를 연장할 것인지의 여부에 대한 문제를 해결하지는 못했다. 또한 교토의정서에서 배출목표를 정하지 않았던 국가들을 참여시키기 위해 교토의정서를 대체하거나, 기존 의정서를 유지한 상태에서 새로운 법적 합의를 도출할지에 대해서 결론을 내지 못했었다. 이러한 문제들은 더반에서 이루어진 COP17의 주요 쟁점이었다.

더반회의는 결론을 발표하기로 예정한 날보다 하루 하고도 반나절을 더 소요하는 기록을 세웠다.[57] 오랜 회의 끝에 참여국들은 크게 세 가지를 골자로 하는 균형잡힌 합의에 다다랐다.

첫째, 강화된 행동을 위한 더반플랫폼은 파리협정을 위한 위임사항으로 "협약(FCCC)하에서 모든 당사자에 적용될 수 있도록 의정서나 다른 형태의 법제 혹은 법적 효력을 가지는 합의된 결과"를 수립하도록 하였고 이를 위해서 새로운 더반플랫폼 특별작업반(Ad Hoc Working Group on the Durban Platform for Enhanced Action, ADP)을 설립하였다.[58] 더반플랫폼은 2015년까지 새로운 법제의 완성을 요구했고, 그 법제가 2020년부터 발효되고 이행될 것이라고 결정하였다.[59] EU와 함께 더반에서 '의욕적인 다수파(ambitious majority)'라고 불리었던 군소도서국들과 최빈개도국의 주장을 받아들여 더반플랫폼은 2020부터 국가 차원의 감축노력을 강화시키고자 하였다. 이는 코펜하겐과 칸쿤 체제하에서 제시된 서약과 지구온난화를 2℃ 이하로 유지하는 총배출량의 상한선 사이의 '의욕의 격차(ambition gap)'를 줄이기 위한 것이었다.[60]

둘째, 개발도상국들이 새로운 협상에 참여하는 것에 대한 대가로, EU는 BASIC

57) 더반 회의에 대해서는 다음 문헌을 참조. Bodansky, Durban Platform Negotiations (n 1) and Lavanya Rajamani, 'The Durban Platform for Enhanced Action and the Future of the Climate Regime', *International and Comparative Law Quarterly*, 61/2 (2012): 501.

58) Durban Platform, para 2.

59) Ibid, para 4.

60) Ibid, paras 6-7.

그룹 및 다른 개발도상국들의 요구에 맞추어 2020년까지 교토의정서를 연장하는 데 동의하였다. 도하의 COP18에서 2차 의무기간을 2013년부터 2020년까지 8년간으로 규정하는 정식 개정이 채택되었다. 그러나 캐나다가 교토의정서에서 탈퇴하고, 일본과 러시아는 새로운 감축목표를 거부하면서, 도하개정은 소수의 국가들에 한해서 감축목표를 설정할 수밖에 없었고, 이는 전세계 온실가스 배출량의 12퍼센트 미만만을 포함하게 되었다.[61)]

셋째, 더반에서의 COP는 칸쿤합의의 여러 요소들을 구체화하고 실현하기 위한 일련의 결정을 내려야 했는데, 여기에서 가장 중요한 결정은 녹색기후기금 규율법제를 공식적으로 채택한 것이었다.[62)]

더반플랫폼은 베를린 위임사항과 교토의정서에 명시된 선진국과 개발도상국 사이의 방화벽을 계속해서 제거해갔다. 앞선 합의들과는 달리, 더반플랫폼은 "모든 국가의 가능한 한 가장 광범위한 협력과 효과적이고 적절한 국제사회의 대응 가운데 그들의 참여"를 촉구했으며(전문 1문단), 합의된 결과는 "모든 당사자에게 적용가능할 것"이어야 한다는 것을 명시했다(2문단). 이러한 조항들은 새롭게 협상된 내용이 선진국뿐만 아니라 개발도상국에게도 균형적으로 적용되어야 한다는 미국의 주장을 반영한 것이었다.

이와 같은 맥락에서, 더반플랫폼은 공평의 원칙이나 CBDRRC의 원칙을 언급하지 않았으며, 선진국들이 기후변화에 대처하는 데 "주도적이어야 한다(take the lead)"는 FCCC의 조항을 반복하지도 않았다. 이전 FCCC 체제 때 거듭 사용됐던 '선진국', '개발도상국', '부속서I 국가' 또는 '비부속서I 국가' 등의 용어 역시 언급되지 않았다. 더반플랫폼의 결과가 "협약(FCCC)하에[63)] 있다"라는 문구는 CBDRRC

---

61) 이는 2010년 호주, 벨라루스, EU-28, 아이슬란드, 카자흐스탄, 노르웨이, 스위스 및 우크라이나의 배출량 범위도 포함한다. 단, 토지이용, 토지이용변화 및 임업활동은 제외된다. WRI, CAIT Climate Data Explorer (n 43). 배출목표를 가지고 있는 당사자의 목록에 있어서, 기존의 부속서B를 제2차 의무기간의 목표들이 나열된 새로운 부속서B를 가지는 의정서로 대체하는 도하개정(Doha Amendment, Art 1, Section A)을 참조한다.

62) Report of the Conference of the Parties on its Seventeenth Session, held in Durban from 28 November to 11 December 2011, Addendum (15 March 2012) FCCC/CP/2011/9/Add.l, 58, Annex: Governing Instrument for the Green Climate Fund.

63) Durban Platform, para 2.

와 공평성의 원칙이 암시하지만, 이러한 원칙들이 명시적으로 언급되지 않은 것은 더반플랫폼이 파리협정의 기틀을 마련하는 과정에서 큰 전환점으로 작용했다는 것을 설명해준다.[64)]

마지막으로, 교토의정서에 대한 협상의 위임사항에서 구체적으로 법적 합의(legal agreement)만을 협상의 결과물로 정했던 것과는 달리, 더반플랫폼은 법적 형식을 규정하지 않았고, 세 가지 대안을 제시했다. 이는 새로운 의정서(protocol) 또 다른 법적문서(another legal instrument) 혹은 법적 효력을 가진 새로운 결과(agreed outcome with legal force)였다. 여기서 세 번째 대안인 '법적 효력을 가진 합의된 결과'는 새로운 협상이 법적인 합의의 특징을 갖게 되는 것에 대한 일부 국가들(특히 인도)의 거부감을 반영한 대안이었다. 이 문언은 '옹기종기 모이기(huddle)'에서 제안된 문언인데, '옹기종기 모이기'란 협상의 최종 본회의장에서 이루어지는 핵심 협상가들 간의 논의를 의미한다. 이 문언은 국제적으로 규정된 의미를 가지고 있지 않으며, 의도적인 모호성을 통해서, 법적 합의에 회의적인 대표단이 법적이지 않은 결과를 가지는 것이 원천적으로 배제된 것은 아니라는 주장을 할 수 있도록 해준다.[65)]

ADP는 더반 회의 이후 파리 회의가 열리기 전까지 4년이라는 시간 동안 15회 소집되었다. ADP 프로세스의 대표적인 성과인 2013년 바르샤바에서 채택된 '더반플랫폼에 대한 진전(Further Advancing the Durban Platform)'이 새로운 협약이 혼합적 구조(hybrid structure)을 가진다는 것을 밝혔고, 파리 회의보다 앞서 '의도된 국가별 기여방안(INDC)'을 제출하도록 국가에 촉구를 하였다. 또 다른 성과는 2014의 '기후행동에 관한 리마선언(Lima Call for Climate Action)'으로 이는 INDC의 표준들을 구체화하였다. ADP는 2015년 2월에 협상내용에 대한 초안을 작성했다.[66)] 같은 해에 국가들은 INDC을 제출하기 시작했으며, 파리 회의가 시작될 즈음에 이를 제출한 국가는 182개국에 이르렀다. ADP는 파리 회의가 열린 첫 번째 주에 그들이 협

---

64) Lavanya Rajamani, 'Differentiation in the Emerging Climate Regime', *Theoretical Inquiries in Law*, 14/1 (2013): 151.

65) 제7장 I.A 참조.

66) Ad Hoc Working Group on the Durban Platform for Enhanced Action (ADP), Negotiating Text (25 February 2015) FCCC/ADP/2015/1.

상한 내용을 장관들에게 전달하면서 그들의 작업을 종결하였다.[67)]

유엔기후체제에서 COP의 마지막 과정은 일반적으로 참호전(trench warfare)과 같은 모습을 띄게 되는데, 이때에는 거의 모든 문언이 치열한 협상의 대상이 되고, 괄호나 쉼표 하나에도 이익과 손해에 대한 계산이 오갔다. 협상에 참여하는 사람은 'COP의 전문가(COP-ologist)'이어야 하며, 각 조항에 대한 찬반의 입장을 이해하기 위해서는 각각의 조항들에 얽혀있는 미세한 역사와 뉘앙스들을 숙지하고 있어야 한다. 파리 회의도 예외는 아니었다. 한 가지 달랐던 점은 (프랑스 외무장관인 Laurent Fabius가 이끄는) 당사국총회 의장국(COP Presidency)과 FCCC의 사무국이 능숙하게 협상을 관리했다는 것이다. 그 결과, 협상에 마지막 주에 긍정적인 분위기가 지배적이었고, COP 특유의 불평은 많지 않았다. 본서의 제7장에서 논의될 한 가지 마지막 소동이 있었지만, 파리협정은 2015년 12월에 채택되었다. 이는 유엔기후체제의 변천에서 기념비적인 사건이었다.

Ⅵ. 결어

기후변화협상에서의 역학은 여러 가지 측면에서 지난 20년간 크게 변하지 않았다. 주요 국가들의 무수한 정권교체들, (중국이 경제대국으로서 등장한 것과 같은) 극적인 거시경제의 변화, 기후변화의 가능성과 위험성에 대한 과학적 증거의 발전 등에도 불구하고, 국제기후변화 협상은 거의 달라진 것이 없다. EU는 꾸준히 강력하고 법적 구속력을 지닌 감축목표를 추구해왔다. 미국은 국가별 상황에 따른 유연성을 끊임없이 강조해왔다. 그리고 중국과 인도는 배출량 목표에 구속받는 것을 부단히 거부해왔다. 이러한 연속성은 국가들이 가지는 이해관계와 국내의 정치역학의 지속성을 반영하는 것이다.

그럼에도 불구하고, 오늘날의 기후체제는 기후체제가 처음 등장했던 1990년대 초반과는 매우 다르다.

---

67) ADP, Draft Paris Outcome, Revised draft conclusions proposed by the Co-Chairs (5 December 2015) FCCC/ADP/2015/L.6/Rev. 1.

- 점점 더 많은 국가와 그룹들이 협상에서 중요한 역할을 하게 되었다. 처음부터 영향력이 있었던 EU와 그 회원국들, 미국, 엄브렐러 그룹에 더해서 새로운 주체들이 등장했는데, 이들은 (지금은 BASIC 그룹으로 협상하는) 거대 개발도상국인 브라질, 중국, 인도, 남아프리카공화국과, AOSIS, 사우디아라비아가 주도하는 석유생산국이다. 여기에 아프리카의 최빈개도국들도 있으며, 이들은 AOSIS, EU와 함께 더반의 '의욕적인 다수파'를 구성하였고, 경제협력개발기구(Organization for Economic Cooperation and Development, OECD)의 회원국인 멕시코와 한국은 '발전한 시장지향국의 클럽(club of advanced market-oriented economies)'에 속한다. 그리고 좌파적인 남미 국가들, 즉 볼리비아, 쿠바, 에콰도르, 베네수엘라 등으로 구성된 '아메리카를 위한 볼리바르 동맹(Bolivarian Alliance for the Peoples of the Americas, ALBA)'도 있다.[68]
- G-77/중국의 영향력이 줄어들었는데, 이는 개발도상국들이 점점 더 자신들의 이념과 이해관계를 더 잘 대변하는 BASIC, LMDCs, AOSIS, ALBA와 같은 작은 그룹으로 협상에 참여하기 때문이다.
- FCCC 사무국의 규모와 책임이 현저하게 커졌다.
- 정밀한 측정, 보고, 검증 시스템의 발전이 이루어졌다.
- 비용을 감축하기 위한 배출권거래와 같은 시장 메커니즘이 널리 수용되었는데, 교토의정서에서는 이를 제한하고자 했던 EU까지도 이를 허용하였다.
- 기후체제가 선진국의 배출량에만 초점을 두던 좁은 시야에 머무르지 않고 전세계 총배출량을 다루는 방향으로 진전하였다.
- 마지막으로, 어쩌면 가장 중요한 것은 점차적으로 많은 국가들이 국가 차원의 기후변화정책을 수행하게 됐으며, 그중 일부 국가들은 국제적인 감축목표에는 유보적이나 자국 내의 정책을 강력하게 시행하고 있다.

---

68) 협상그룹에 대한 논의는 제3장 II.B.2 참조.

주요 참고문헌

Bodansky D., 'The Copenhagen Climate Change Conference: A Postmortem', *American Journal of International Law*, 104/2 (2010): 230.

Bodansky D., A Tale of Two Architectures: The Once and Future UN Climate Change Regime', *Arizona State Law Journal*, 43/1 (2011): 697.

Bodansky D. and Rajamani L., 'The Evolution and Governance Architecture of the Climate Change Regime', in Luterbacher U. and Sprinz D. (eds), Global *Climate Change in an International Context* (Cambridge, MA: MIT Press, 2017 forthcoming).

Chasek P. and Wagner L.M. (eds), *The Roads from Rio: Twenty Years of Multilateral Environmental Negotiations* (New York: RFF Press, 2012).

Depledge J., 'Tracing the Origins of the Kyoto Protocol: An Article-by-Article Textual History', FCCC/TP/2000/2 (23 November 2000).

Leggett J., *The Carbon War: Global Warming and the End of the Oil Era* (New York: Routledge, 2001).

Mintzer I. and Leonard J.A. (eds), *Negotiating Climate Change: The Inside Story of the Rio Convention* (Cambridge University Press, 1994).

Pomerance R., 'The Dangers from Climate Warming: A Public Awakening', in Abrahamson D.E. (ed), *The Challenge of Global Warming* (Washington, D.C.: Island Press, 1989) 259.

Rajamani L., 'From Berlin to Bali and Beyond: Killing Kyoto Softly, *International and Comparative Law Quarterly*, 57/4 (2008): 909.

Rajamani L,, 'The Making and Unmaking of the Copenhagen Accord', *International and Comparative Law Quarterly*, 59/3 (2010): 824.

Rajamani L., 'The Durban Platform for Enhanced Action and the Future of the Climate Regime', *International and Comparative Law Quarterly*, 61/2 (2012): 501.

Rajamani L., 'The Warsaw Climate Negotiations: Emerging Understandings and Battle Lines on the Road to the 2015 Climate Agreement', *International and Comparative Law Quarterly*, 63/3 (2014): 721-40.

Weart S.R., *The Discovery of Global Warming* (Cambridge, MA: Harvard University Press, 2008).

제5장

기후변화 기본협약

Ⅰ. 도입
Ⅱ. 포괄적인 쟁점
Ⅲ. 전문, 목적(제2조) 및 원칙(제3조)
Ⅳ. 의무(제4조에서 제6조 및 제12조)
Ⅴ. 기관(제7조에서 제11조)
Ⅵ. 이행과 의무준수 메커니즘(제7조 제2항 및 제12조에서 제14조)
Ⅶ. 최종조항(제15조에서 제25조)
Ⅷ. 결어

Ⅰ. 도입

기후변화 기본협약(Framework Convention on Climate Change, FCCC)은[1] 국제기후체제에 대한 거버넌스 구조를 수립했고, 이는 (이후의 조약들에 대한) '기본협약(framework convention)'으로 기능한다. 또한 FCCC는 국제기후체제에 있어 최초의 설계 및 차등화에 대한 접근방법을 제공했다. 대략적으로 FCCC는 4개 부분으로 구분할 수 있다: (1) 국제기후체제의 기초적인 정의, 원칙 및 목표를 제시하는 개관규정(제1조에서 제3조); (2) 기후변화의 완화, 기후변화에 대한 적응, 각종 재정지원 및 기술이전과 관련된 공약(제4조에서 제6조); (3) 협약을 이행하기 위한 조직 및 절차 메커니즘(제7조에서 제14조); (4) 의정서, 부속서, 개정, 비준, 발효에 대한 내용을 다루는 최종규정(제15조에서 제26조).

20년 이상이 지난 지금도 FCCC는 유엔기후체제의 기초로 남아 있다. 1997년 교토의정서와 2015년 파리협정뿐 아니라 그밖에 2007년 발리행동계획, 2010년 칸쿤합의, 2011년 더반플랫폼도 모두 FCCC의 테두리 내에서 채택되었다. FCCC의 조항들은 각 당사자들과 광범위한 실무적 기관들이 함께 참여하여 내린 무수한 결정들에 의해 구체화되어 왔다.

1992년 5월 9일 FCCC가 채택된 이후 거의 25년이 흐르는 동안, 다양한 협상과정에서 제기된 몇몇 쟁점들이 점차 해결되어 왔다. 그중 아마도 가장 중요한 것

---

1) 이 장은 Daniel Bodansky, 'The United Nations Framework Convention on Climate Change: A Commentary, *Yale Journal of International Law*, 18/2 (1993): 451에 기초하여 상당한 개정과 업데이트를 포함한 것이다. 이 장은 다음의 자료에도 기초하고 있다. Daniel Bodansky, *The Art and Craft of International Environmental Law* (Cambridge, MA: Harvard University Press, 2010).

은 온실가스 배출량 감축의무를 실현하기 위해 각 국가들로 하여금 시장 메커니즘을 활용할 수 있도록 할 것인지에 대한 논쟁일 것이다. 이 이슈는 교토의정서 협상 기간 중 시장 메커니즘에 우호적인 방향으로 해소되었고, 파리협정 역시 계속하여 이것을 이용하도록 인정하고 있다. 다른 쟁점들의 경우에 상당 부분 이견이 좁혀지기는 했지만, 여전히 논쟁이 계속되고 있다. 예컨대, 개별 당사자들 또는 당사자 그룹들에게 부여할 의무들을 어떻게 차등화할 것인지에 대한 논쟁이 이에 해당한다. 파리협정은 새롭고, 보다 미묘한 차등화 방법을 반영하면서 FCCC상의 부속서 구조(annex structure)를 채용하지 않았다. 차등화에 대한 논쟁들은 파리협정의 규칙(rules)을 구체화하는 단계에서 계속될 것으로 보인다. 결론적으로 몇몇 쟁점들, 예컨대, 선진국은 개발도상국의 완화 및 적응 노력들을 어느 정도로 지원할 의무를 부담하는지에 대한 논의들은 계속해서 논란인 상태로 남아 있을 것이다.

Ⅱ. 포괄적인 쟁점

A. 법적 구속력

FCCC는 전체 문서의 법적 형식과 그것을 구성하는 조항들의 법적 성격을 구분함으로써, 법적 구속력에 대한 논의에 있어서 20년 이상 늦게 나온 파리협정과 비슷한 접근방법을 취한다.[2] 협상을 시작하던 1990년 무렵, 기후변화에 대한 법적 효력을 가진 합의, 즉 조약을 만들자는 컨센서스가 있었다.[3] ‘기후변화협약 정부간 협상위원회(Intergovernmental Negotiating Committee for a Framework Convention on Climate Change, INC)’를 설립하기 위한 UN총회의 결의는 INC에 효과적인 기본협약 초안을 작성하도록 임무를 부여함으로써 이러한 관점을 구체화했다.[4] 그러나 UN

---

2) 파리협정의 법적 구속력에 대해서는 제7장 II.A 참조.
3) Bodansky, UNFCCC Commentary (n 1) 473-4.
4) United Nations General Assembly (UNGA) Res 45/212, ‘Protection of global climate for present and future generations of mankind’ (21 December 1990) UN Doc A/RES/45/212. 협상의제에 관한 전반적 논의는 제3장 II.B 참조.

총회의 위임은 FCCC에 '적절한 의무에 관한 내용'을 포함할 수 있다는 것 정도에 그쳤을 뿐, 이러한 의무가 어떤 내용이 되어야 하는지에 대해서는 미치지 못했다. 따라서 각 규정들 중 어떤 것이 법적 구속력을 갖도록 표현되어야 하는지, 아니면 보다 연성의 용어로 표현되어야 하는지에 대한 논쟁은 INC 협의과정 전반에 걸쳐 지속적으로 제기되었고, 이는 파리협정 협상과정에서도 계속되었다.

기후변화협정에 대한 초기 제안들은 지역해(regional seas), 산성비, 오존층 파괴 등의 문제를 다루기 위해 1970년대와 1980년대에 등장했던 기본협약-의정서(framework convention-protocol) 모델로부터 영향을 받았다. 기본협약이 담고 있는 내용은 대부분 미래의 행동수립의 기초가 되는 절차상 내용에 대한 것들이고, 실체적 의무에 대한 내용은 존재하지 않거나 거의 없다. 그러나 이 모델이 가진 장점에도 불구하고, 많은 국가들은 INC가 기본적인 협약을 만들어내는 것 이상을 해내길 원했다. 기후변화 문제의 위급함이 인지되었을 뿐 아니라, '기후변화에 관한 정부 간 협의체(Intergovernmental Panel on Climate Change, IPCC)'에 의한 방대한 준비작업이 이루어진 결과, 많은 나라들은 두 단계 방식, 즉 기본협약-의정서 절차가 쓸데없이 느리다고 보았고, 따라서 온실가스 배출량을 제한하기 위한 강력한 실체적인 의무들을 포함한 합의를 요구했다.

이러한 기본틀(framework) 접근방식과 실체적 접근방식 사이의 논쟁은 협상의 막바지에 이르러 INC가 그 협정의 제목을 '유엔기후변화협약(UN Convention on Climate Change)'로 할 것인지, 아니면, 결국 최종적으로 결정된 바와 같이 '유엔기후변화 기본협약(UN Framework Convention on Climate Change)'으로 할 것인지 심사숙고할 때까지 계속되었다. 그러나 그 명칭에도 불구하고, FCCC는 기본틀(framework) 합의와 실체법적 합의의 중간 어디쯤에 위치해 있다. FCCC는 과거 '월경성 장거리 대기오염에 관한 협약(Convention on Long-Range Transboundary Air Pollution)'[5]이나 '오존층 보호를 위한 비엔나 협약(Vienna Convention for the Protection of the Ozone Layer)'에[6] 포함된 것보다 훨씬 방대한 의무사항들을 담고 있

5) 월경성 장거리 대기오염에 관한 협약(Convention on Long-Range Transboundary Air Pollution) 1979.11.13. 채택, 1983.03.16. 발효, 1302 UNTS 217.

6) 오존층 보호를 위한 비엔나 협약(Vienna Convention for the Protection of the Ozone Layer)

지만, '오존층 파괴물질에 관한 몬트리올의정서(Montreal Protocol on Substances that Deplete the Ozone Layer)'와 같은 규제적 협정들만큼 구체적이지는 않다. 대신, 온실가스 배출량을 제한하는 유일한 구체적 의무규정은 법적 의무라기보다는 '법적 구속력 없는 목표(non-binding aim)'의 형태로 표현되어 있다.[7)]

B. 설계

FCCC의 출범과정에서 몬트리올의정서의 하향식 접근방법(top-down approach)은 많은 국가들에게 중요한 영향을 미쳤다. 몬트리올의정서의 성공에 힘입어, 많은 국가들은 몬트리올의정서를 기후변화 문제의 해결을 위한 하나의 롤모델로 여기고, 국제적으로 협상된 의무를 포함하여 의정서와 동일한 하향식 규제적 접근방법을 제안했다. 이와 반대로, 미국과 일본은 보다 상향식(bottom-up) 시스템이라 할 수 있는 '서약 및 점검(Pledge and Review)' 방식, 즉 각 국가들이 자율적으로 감축량을 결정하고 그 이행 정도를 점검하는 방식을 주장한 바 있다.

결국 FCCC는 두 가지 방식 모두를 포함한 혼합적(hybrid) 형태라고 할 수 있다. 협약 제4조 제1항은, 비록 국제적인 점검을 받아야 한다는 혼합적 요소를 가지고 있기는 하지만, 모든 국가들이 기후변화를 방지하기 위한 각국의 정책과 조치들을 자율적으로 개발하여 이를 보고하도록 하는 상향식 접근을 반영한 것이다.[8)] 반면, 제4조 제2항은 하향식 모델을 보여준다. 즉, 이는 비록 매우 복잡하고 법적 구속력이 없는 용어들로 표현되어 있기는 하지만, 온실가스 배출량을 2000년에 1990년 수준까지 낮추기 위해 부속서I에[9)] 속한 당사자들에게 국제적으로 결정된 온실가스 배출량 목표치를 제시한다.[10)] 흥미롭게도 제4조 제1항의 상향식 접근방식은 법적 구속력이 있는 반면, 제4조 제2항의 하향식 목표치에는 법적 구속력이 없다. 이는 하향식 접근방식과 상향식 접근방식 간의 대립과 법적 구속력 여부는

1985.03.22. 채택, 1988.09.22. 발효, 1513 UNTS 293.
7) FCCC, Art 4.2. 보다 상세한 논의는 IV.B.1 참조.
8) Bodansky, UNFCCC Commentary (n 1) 486-7, 508.
9) 부속서I 국가에 관한 논의는 아래 n 12 및 그곳의 본문 참조.
10) Bodansky, UNFCCC Commentary (n 1) 508-17.

별개의 쟁점이라는 것을 보여준다. 이후의 유엔기후체제 발전단계에서, 교토의정서는 제4조 제2항의 하향식 접근방식을 강화하고 입법화하는 것을 추구한 반면, 코펜하겐 합의문과 칸쿤합의 그리고 파리협정은 협약 제4조 제1항에 의한 보다 상향식 접근방식으로 되돌아갔다.

C. 범주

유엔기후체제의 전반적인 거버넌스 체계를 만드는 것을 목표로 하는 기본협약으로서 FCCC는 방대한 범주(scope)를 포괄한다. FCCC는 기후변화 이슈의 모든 측면들, 즉 완화, 적응, 재정, 기술이전, 투명성, 준수 등을 다룬다. 범주와 관련된 협상들에서 가장 주된 쟁점은 FCCC가 CO_2 배출량에 주목해야 하는지, 아니면 다른 온실가스들의 배출뿐 아니라 조림에 의한 온실가스 제거에 대해서도 다루는 종합적인 접근방식을 취할 것인지 여부였다. 이 장 Ⅳ.B.2에서 논의하는 바와 같이 각국은 궁극적으로 종합적인 접근방식을 채택하기로 합의했다.

D. 차등화

FCCC가 선진국과 개발도상국에 대해 차등화(differentiation)된 의무를 포함할 것이라는 점이 INC 협상 초부터 명확했다고 하더라도, 참여국들을 구분하는 어떤 범주가 있는지, 각 범주에는 어떤 국가들이 포함되는지, 각 범주에 대해 어떤 의무사항들이 부여되는지 등에 대하여 협상대표들은 협상의 최종적 회의에서까지도 결론을 내리지 못했다. 대부분의 개발도상국들은 단지 2개의 범주, 즉 '선진국(developed countires)'과 '개발도상국(developing countires)'이라는 범주만을 인정해야 한다고 주장했다. 그러나 '군소도서국연합(Alliance of Small Island States, AOSIS)' 국가들은 기후변화에 대해 자신들이 특별히 더 취약하다는 점에서 더 복잡하고 다양한 차등화를 지지했다. 일부 선진국들은 '새롭게 산업화된 국가(newly industrialized states)'와 '체제전환국(countries with economies in transition, EITs)'(즉, 공산주의에서 자본주의로 전환 중이었던 동유럽과 구소련)이라는 추가적인 범주를 제안했다. 결국 FCCC

는 주요한 범주로서 '선진국'과 '개발도상국'을 사용하고는 있으나, 그것은 또한 다음과 같은 몇몇 추가적인 범주도 인정하고 있다.

- 그들의 배출량 감축목표를 이행하는 데 있어서 어느 정도의 유연성을 부여받은 '체제전환국(countries with economies in transition, EITs)'(제4조 제6항).
- 그들의 절박한 요구들을 재정지원 및 기술이전에 관한 행동에 있어 '완전히 고려'받게 되는 '최빈개도국(Least developed states, LDCs)'(제4조 제9항).

FCCC는 또한 기후변화에 특히 취약한 국가들(제4조 제8항)이나 완화조치가 가져올 영향에 특히 민감한 국가들(제4조 제10항)의 특별한 요구들을 충분히 고려할 것을 당사국들에게 요구하는 규정을 포함하고 있다.[11)]

국가들이 선진국과 개발도상국이라는 두 가지 기본적인 범주 중 어디에 속하는지를 결정하는 방법은 다음 3개의 접근방법으로 구분된다. 이는 (1) 1인당 국민소득과 같은 객관적인 기준에 의하여 '선진국'과 '개발도상국'의 개념을 정의하는 것, (2) 구체적인 의무가 적용되는 특정 국가들의 목록을 작성하는 것 또는 (3) 위 두 가지 방법을 혼합하는 것이다. 위 첫 번째 방식은 유연하다는 장점이 있다. 왜냐하면 어떤 개발도상국이 '선진국'의 객관적인 기준을 충족하면, 그 지위로 진입할 수 있기 때문이다. 반면, 위 두 번째 방식은 어떤 나라가 '선진국' 또는 '개발도상국'의 정의에 해당하는지 여부를 판단함에 있어서의 모호함을 피할 수 있다.

INC는 결국 기준을 설정하는 방식보다는 목록 방식을 사용하기로 결정했다. FCCC는 다음과 같은 2개의 목록을 마련했다:

- 부속서I: 1992년 당시 경제협력개발기구(Organization of Economic Co-operation and Development, OECD) 가입국으로 시장기반의 경제체제를 발전시킨 국가들과 EITs(EITs에 속하는 국가들은 부속서I에 별표로 표시됨).

11) 제4조 제8항과 제10항에는 미묘한 상이점들이 포함되어 있다. 제4조 제8항에 의하면, 당사자는 "기후변화의 부정적 효과 그리고/또는 대응조치의 이행에 따른 영향으로부터 발생하는 개발도상국인 당사자의 특수한 필요와 관심을 충족시키기 위하여 어떠한 조치가 필요한지에 대한 완전한 고려"를 기울여야 한다. 이와 비교하여, 제4조 제10항은 당사자가 "기후변화에 대응하기 위한 조치의 이행에 따라 발생하는 부정적 효과에 취약한 경제를 가진 당사자, 특히 개발도상국인 당사자의 여건을 제10조에 따라 고려"하도록 요구하는 더욱 약화된 표현을 포함하고 있다.

• 부속서II: 부속서I 국가들 중 OECD 가입국에 한정된 분류.

부속서I에 기재되지 않는 당사자들은 종종 '비(非)부속서I 국가(non-Annex I parties)'으로 분류되고, 그 국가들은 모든 참여국들에게 적용되는 일반적인 의무사항만을 적용받는다(제4조 제1항, 제5조, 제6조 및 제12조 제1항). 부속서I 국가들은 완화와 보고에 있어서 더 구체적인 의무사항을 추가로 부담하고, 부속서II 국가들은 재정지원과 기술이전과 관련하여 추가적인 의무를 부담한다(제4조 제3항에서 제4조 제5항).

부속서I 국가와 비부속서I 국가들 사이의 구분이 종종 선진국과 개발도상국 사이의 구분과 동일시되고 있음에도 불구하고, FCCC는 이를 명확히 하고 있지 않을 뿐 아니라, '선진국' 또는 '개발도상국'이라는 용어에 대한 어떠한 정의도 내리고 있지 않다. 실제로 부속서I이라는 용어를 처음으로 사용하는 제4조 제2항에는 "부속서I에 포함된 선진국과 다른 당사자들(developed countries and other Parties included in Annex I)"이라고 서술되어 있는데, 이는 부속서I이 선진국 이외의 국가들도 포함하고 있음을 보여준다.[12]

부속서I과 II에 속하는 국가들의 목록은 FCCC 협상 막바지에 이르러 허겁지겁 작성되었고, 어떤 목록에 어떤 나라가 속하는지에 대하여 깊이 고민한 흔적이 없다. 그 결과, 부속서I은 몇몇 이상한 점을 가지고 있다. 이스라엘과 남아공의 경우 그 당시 틀림없이 선진국의 자격을 갖추고 있었음에도 불구하고, 부속서I에 포함되지 않았다.[13] 반면, 터키는 OECD 가입국이라는 이유로 부속서I과 II에 포함되었는데, 1992년 당시 터키는 개발도상국의 특성을 띠고 있었다.[14]

FCCC가 채택되었을 때, 이러한 이상한 점들은 심각한 문제를 야기하지는 않

---

12) '그 밖의 당사자(other parties)'라는 술어는 이 맥락에서 두 가지 의미를 가질 수 있다. 한 가지 해석은 이 술어가 '지역적 경제통합기구(regional economic integration organization, REIO)'인 EU를 지칭한다고 보는 것으로 EU는 국가가 아니다. 이와 달리 '그 밖의 당사자'는 EIT를 의미할 수도 있는데, 이들 중 일부는 '선진국'으로 특정되는 것을 거부한 바 있다. 이는 이러한 선진국이라는 라벨이 그들을 향후에 재정적 또는 또 다른 추가적 의무의 대상이 되도록 할 수 있기 때문이다.

13) 이스라엘은 몬트리올의정서상의 유사목록인 '제5조'에도 포함되어 있지 않다.

14) 터키는 제7차 당사국총회에 의해 채택된 개정으로 부속서II로부터 배제되었으며, 교토의정서에 따른 배출제한의 목표를 부여받지 않았다. Decision 26/CP.7, 'Amendment to the list in Annex II to the Convention' (21 January 2002) FCCC/CP/2001/13/Add.4, 5 참조.

았다. 부속서I과 II 국가들에게 부여된 의무사항들은 상대적으로 무겁지 않았고, FCCC는 4분의 3의 다수결 투표(제16조 제2항)를 통해 부속서를 개정할 수 있다거나, 당사국총회(conference of the parties, COP)가 부속서I과 II의 목록을 적절히 수정할지를 결정하기 위하여 1998년 12월 31일까지 이용가능한 정보를 검토한다는 규정(제4조 제2항 (f)호)을 두었기 때문이다. 그러나 수년이 흘러 기존의 많은 비부속서I 국가들이 부유해져 부속서I 국가들 중 몇몇 가난한 국가들보다 1인당 국민소득이 높아지게 되고,[15] 칠레, 한국 및 멕시코가 OECD에 가입하고, 중국이 절대치 기준으로 세계 최대의 온실가스 배출국(누적기준이나 1인당 기준이 아니라 할지라도)이 되는 등 세계경제가 거대한 전환을 겪었음에도 불구하고, 그 부속서들은 좀처럼 변경되지 않았다. 단지 몇몇 논란의 여지가 거의 없는 수정들만이 부속서I에 대해 이루어졌을 뿐인데, 이는 1990년대 체코슬로바키아와 유고슬라비아의 분열, 2004년 키프로스와 말타의 EU 가입을 반영하기 위해 이루어진 것이었다. 이에 반해 경제성장으로 더 이상 '개발도상국'이라고 부를 수 없다는 것이 명백한 국가들(예컨대, 2015년 싱가포르는 1인당 기준으로 세계에서 가장 부유한 나라가 되었음)을 부속서I 국가에 추가하려는 시도들은 부속서I과 비부속서I 국가들 사이의 구분을 신성불가침적인 것으로 여기는 비부속서I 국가들의 강력한 반대에 부딪쳐 결코 순조롭게 시작되지 못했다. 심지어 1999년에 자발적으로 부속서I에 들어가려는 카자흐스탄의 시도 역시 주요 개발도상국들로부터 반대를 받았다.[16] 그 결과, FCCC 부속서들은 지금까지도 1992년에 채택되었을 때와 본질적으로 동일하다고 할 수 있다.

---

15) International Monetary Funds World Economic Outlook 데이터베이스에 의하면, 대략 50개의 비부속서I 국가들이 현재 가장 가난한 부속서I 국가인 우크라이나보다 높은 1인당 국민소득을 가지고 있고, 17개국은 러시아보다 부유하고, 4개의 비부속서I 국가(카타르, 싱가포르, 브루나이, 아랍에미리트)는 세계에서 가장 부유한 10개국들 중에 속한다 International Monetary Fund, World Economic Outlook Database' (April 2013) <http://www.imf.org/external/ pubs/ft/weo/2013/01/weodata/index.aspx> accessed 20 January 2017.

16) Joanna Depledge, 'The Road Less Travelled: Difficulties in Moving Between Annexes in the Climate Change Regime', *Climate Policy,* 9/3 (2009): 273, 279. 카자흐스탄을 부속서I에 추가하는 개정에 대한 컨센서스가 없고, 국가들은 투표에의 참여를 원하지 않았기 때문에, 카자흐스탄은 FCCC의 제4조 제2항 (g)호에 따른 일방적 선언이라는 대안적 절차를 사용하여 제4조 제2항 (a)호 및 (b)호에 따른 부속서I 국가에 대한 의무에 구속될 것이라는 의사를 밝혔다.

Ⅲ. 전문, 목적(제2조) 및 원칙(제3조)

FCCC는 전문뿐 아니라 이 협약의 '궁극적인 목적'을 제시하는 조항(제2조)과 당사자들이 협약내용을 이행하는 과정에서 당사자들이 지침으로 삼을 만한 일반원칙(general principles)을 제시하는 규정(제3조)을 포함한다.

A. 전문

국제협정들은 전문(preamble)에서 일반적으로 그 협정의 배경, 목적, 문맥에 대해 언급한다.[17] FCCC의 전문은 '인류의 공통관심사(common concern of mankind)'라 할 수 있는 기후의 특성,[18] 1972년 스톡홀름 선언의 원칙 21(1992년 환경과 개발에 관한 리우선언에서 다소 수정됨), 세대 간 형평성 원칙 등 국제환경법의 몇몇 기존의 또는 새로 등장하고 있는 개념들에 대해 언급한다.[19]

전문상의 몇몇 단락들은 개발도상국들에 대한 각별한 관심을 표현한다. 이러한 점을 가장 잘 보여주는 것이 세 번째 단락인데, 이는 "과거와 현재의 지구전체 온실가스의 가장 큰 부분이 선진국에서 배출되었고, 개발도상국의 1인당 배출량은 아직 비교적 적으나 지구전체의 배출에서 차지하는 개발도상국의 배출비율이 그들의 사회적 및 발전을 위한 요구를 충족시키기 위하여 증가할 것"이라고 기술되어 있다.[20] 이 단락은 개발도상국들에게 많은 점에서 도움이 되지만, 이들이 상당히 타협하였다는 것도 보여준다. 개발도상국들은 기후변화 문제가 주로 선진국들의

---

17) Gyorgy Flaraszti, *Some Fundamental Problems of the Law of Treaties* (Budapest: Akademiai Kiaddo, 1973) 106-7.

18) 기후변화를 '인류의 공통관심사'로 처음 서술한 것은 UNGA Res 43/53, 'Protection of global climate for present and future generations of mankind' (6 December 1988) UN Doc A/RES/43/53.

19) 이 원칙들에 관한 일반적인 논의는 제2장 III 참조.

20) 동일한 문언이 파리협정에 포함시킬 목적으로 제안되었지만, 최종적인 조약문에는 포함되지 않았다. Draft Paris Outcome: Revised draft conclusions proposed by the Co-Chairs (5 December 2015) FCCC/ADP/2015/L.6/Rev.l.

과소비 및 낭비적 생활방식으로부터 비롯되었고, 따라서 선진국들이 기후변화 문제를 해결하기 위해 주된 책임을 져야 한다는 입장인, 이른바 '주된 책임(main responsibility)' 원칙을 포함시키기를 원했다.[21] 주된 책임 원칙은 INC를 설립한 UN 총회 결의에도 담겨 있었지만,[22] FCCC 전문 세 번째 단락의 서두는 "선진국들이 기후변화 문제해결에 앞장서야 한다"는 당연한 귀결과는 분리되어 주된 책임 원칙의 전반부만을 담고 있고, 중립적인 사실적 서술형태로 표현되어 있다. 이 중요한 귀결 부분은 FCCC에서 더 나중에(제3조 제1항) 등장한다. 마찬가지로, 전문 세 번째 단락 중 두 번째 구절에서 언급된 '1인당 배출량(per capita emissions)'은 협약이 온실가스 배출량을 보편적 1인당 기준으로 수렴시켜야 한다는 인도의 제안이 반영된 것이다.[23] 마지막으로, 개발도상국들의 배출량 증가를 언급하고 있는 전문 세 번째 단락의 마지막 부분은 본래 전문이 아닌 원칙(principles) 조항에 포함되어 있었던 것이고, 설명적인 술어가 아닌 의무적인 술어로써 표현되어 있었다.

전문은 또한 개발도상국의 관심사를 다음과 같이 다룬다.

- 기후변화 대응에 참여하는 수준을 당사자들의 '차등화된 책임과 국가별 역량(differentiated responsibilities and respective capabilities)'과 결부시킴(전문 6번째 단락).
- 주권의 원칙을 재확인함(전문 9번째 단락).
- '어떠한 국가에 의하여 적용된 기준이 다른 국가, 특히 개발도상국에 대해서는 부적절하며 부당한 경제적 및 사회적 비용을 유발할 수도 있다'는 것을 인정함(전문 10번째 단락).
- 기후변화에 대한 대응은 '개발도상국의 지속적인 경제성장과 빈곤퇴치를 위

---

21) '주요한 책임'의 원칙에 관한 최초의 언급은 다음 문헌에서 찾을 수 있다. Beijing Ministerial Declaration on Environment and Development (adopted 19 June 1991) UN Doc A/CONF.151/PC/85, Annex, para. 7.

22) UNGA Res 45/212 (n 4) preambular recital 8 (오염물질을 환경으로 배출하는 것 중 많은 부분이 선진국에 의한 것이라는 사실에 주목하고, 따라서 이러한 국가들이 그러한 오염에 대응하는 데 주된 책임이 있다는 점을 인식함).

23) Report of the Intergovernmental Negotiating Committee for a Framework Convention on Its Fourth Session, 9-20 December 1991 (29 January 1992) A/AC.237/15, Annex II: Consolidated Working Document, Art III.2.

한 정당하고 우선적인 요구를 완전히 고려'해야 함(전문 21번째 단락).

- '개발도상국은 지속가능한 사회적 및 경제적 발전을 달성하기 위해 자원에의 접근을 필요'로 하고, '개발도상국이 이러한 목적을 달성하기 위해서는 개발도상국의 에너지 소비가 증가할 필요가 있을 것'임을 인정함(전문 22번째 단락).

그러나 전문은 개발도상국이 지지했지만 선진국들이 우려를 표명했던 몇몇 단락들은 포함하지 않는다. 예컨대, (1) '적절하고 새로운 추가적인 재정적 자원'의 필요 및 기술이전에 있어서 '특혜를 주는 무상의 비영리적인 조건들'에 대한 언급들, (2) 국제경제적 여건의 향상을 개발도상국이 기후변화 대응행동을 취하기 위한 '선행조건'으로 한다는 서술, (3) 원조 또는 재정지원에서 어떤 새로운 '조건'을 부과하는 것에 반대하는 문언들이 여기에 해당한다.[24]

전문에서 다른 주목할 만한 문언으로는, 기후변화 대응책이 "과학적이고, 기술적이며, 경제적인 고려"에 바탕을 두어야 한다는 점(16번째 단락), '후회하지 않는다(no regrets)'는 원칙을 확인한 점(예컨대, 기후변화에 대응하기 위한 몇몇 조치들은 기후변화 쟁점과 관계없이 그 자체만으로도 경제적으로 정당화될 수 있음을 인정함)(17번째 단락), 에너지 효율성을 향상시킬 수 있는 가능성이 있다는 언급(22번째 단락) 등이 있다.

B. 목적(제2조)

제2조는 대기 중 온실가스 농도를 안전한 수준으로 안정화하는 것을 FCCC의 '궁극적인(ultimate)' 목적(objective)으로 제시한다. 안전한 수준이란, '기후체계가 위험한 인위적 간섭을 받지 않는 수준'을 의미한다. 이러한 수준은 (1) 생태계가 자연적으로 기후변화에 적응하고, (2) 식량생산이 위협받지 않으며, (3) 경제개발이 지속가능한 방식으로 진행되도록 하는 것으로 이는 일정한 기간 내에 달성되어야 한다.[25]

---

24) Ibid, preambular recitals 10, 16, and 20.

25) Michael Oppenheimer and Annie Petsonk, Article 2 of the FCCC: Historical Origins, Recent

이 목적의 다음 네 가지 특징은 주목할 만하다. 첫째, 온실가스의 배출량이 아니라 대기 중 농도에 주목한다. 이러한 접근방법은 학술적인 관점에서 정당화되는데, 기후변화는 경제학자들이 말하는 '유량(flow)' 문제라기보다는 '보존(stock)' 문제이기 때문이다. 기후변화는 어떤 특정 시점의 온실가스 배출량이 아니라, 대기 중 온실가스의 전반적인 수준에 달려 있는 것이다.[26] 둘째, 제2조의 목적은 농도 수치뿐 아니라, 변화율도 다루고 있다. 셋째, 지속가능한 경제성장과 식량생산에 대한 언급은 기후변화 문제를 다룰 때, 환경적 요소뿐 아니라 경제적 및 사회적 요소도 고려해야 한다는 것을 정당화한다. 마지막으로, 어떤 농도 수치가 안전한 수준인지를 구체화하는 것은 가치판단 문제와 관련된 것이고, 오로지 과학에 의해서만 답변될 수 있는 것은 아니다. 궁극적으로 그것은 경제적·사회적 및 환경적 요소들 사이에서 균형을 이루는 방법에 대한 정치적인 선택을 요구한다.

FCCC의 안정화의 정확한 법적 지위는 불명확하다. 제2조는 그 최종적 형태에서 수식적인 언어를 사용하고 그 목적을 의무로 표현하지 않는다. 또한 제2조의 목적이 FCCC에 있어 서명국들로 하여금 협정의 대상과 목적을 무산시킬 수 있는 행동을 하지 못하도록 요구하는, '조약법에 관한 비엔나 협약(Vienna Convention on the Law of Treaties)'에서 정한 '대상과 목적(object and purpose)'의 의미를 갖는지 여부도 불분명한데, 비엔나 협약에 의하면, 협정의 '대상과 목적'에 합치되지 않는 조약의 유보 역시 허락되지 않는다.[27] 제2조가 '궁극적인'이라는 수식어를 추가한 것은 '목적'이 '대상과 목적'과 동일시하려는 시도를 방지하기 위한 것일 수 있다.

FCCC 채택 이래 20년 동안, 당사자들은 여전히 제2조에 따라 기후체제가 그 달성을 추구해야 하는 대기 중 온실가스 농도를 구체적으로 명시하지 못했다. 대신, 그들은 온도변화와 장기간 배출량의 측면에서 정의된 목표들에 대해서만 합의할 수 있었다. 2010년 칸쿤합의는 지구의 온도가 산업화 시기 이전 대비 2℃ 이상

Interpretations', *Climatic Change*, 73/3 (2005): 195.

26) Glenn W. Harrison, 'Stocks and Flows', in Steven N. Durlauf and Lawrence E. Blume (eds), *The New Palgrave Dictionary of Economics* (Basingstoke, UK: Palgrave Macmillan, 2nd edn, 2008).

27) 조약법에 관한 비엔나 협약(Vienna Convention on the Law of Treaties), 1969.05.23. 채택, 1980.01.27. 발효, 1155 UNTS 331 (VCLT), Arts 18 and 19.

증가하지 못하도록 하는 목표를 세웠고, 늦어도 2015년까지는 이러한 온도 제한을 1.5℃로 강화하는 방안에 대해 검토하도록 준비한 바 있다.[28] 1.5℃는 도서국가들이 주장하는 수치로서, 해수면 상승에서 비롯되는 용납하기 어려운 위험을 피하기 위해 필요한 수치라고 할 수 있다. 2015년 파리협정에서, 국가들은 이 목표를 2℃보다 '훨씬 낮은 것(well below)'으로 하고 '산업화 이전 수치 대비 지구 온도가 1.5℃ 이상 증가하지 못하도록 하는 노력을 추구'하는 것으로 강화하는 데 합의했다.[29] 또한, 국가들은 '가능한 한 빨리' 전세계 온실가스 배출 최대치를 정하고, 이번 세기의 하반기(2050년)에는 온실가스 순배출량이 0이 되도록(net zero emissions) 하는 중장기 온실가스 배출량 목표를 정했다.[30]

C. 원칙(제3조)

1. 배경

FCCC의 협상기간 동안, 대부분의 개발도상국은 일반원칙 조항이 당사자들이 합의사항을 실행할 때, 당사자들을 이끌 수 있는 지침으로 기능할 수 있다고 주장하면서 FCCC에 일반원칙 조항을 포함하는 것을 지지했다.[31] 일부 국가는 심지어 FCCC가 단지 원칙만을 포함하고, 나머지 의무는 이후의 의정서에 맡겨야 한다고 주장하기도 했다. 이와 반대로, 선진국들은 전반적으로 일반원칙 조항의 필요성에 의문을 제기했다. 특히 미국은, 그 조항의 법적 지위가 불명확하다고 주장하면서 일반원칙을 포함하는 것에 반대했다. 만약 미국이 주장하는 것처럼, 그 원칙들이 단지 당사자들의 의도만을 언급하거나 FCCC의 의무를 해석하기 위한 맥락을 제공하는 것에 그친다면, 그 내용들은 협정의 본문보다는 전문에 포함되어야 할 것이다. 반면, 만약 그 원칙들이 그 자체로서 의무라면, 그것들은 협약에서 그에 합당

---

28) Cancun Agreements LCA, para 4.
29) Paris Agreement, Art 2.1 (a). 파리협정에 대해서는 제7장 IV 참조.
30) Ibid. Art.4.1.
31) 일반원칙들에 관한 규정은 애초에 중국에 의해 제안되었다. INC, Set of informal papers provided by delegations related to the preparation of a Framework Convention on Climate Change (23 July 1991) A/AC.237/Misc. 1 /Add.4/Rev. 1,3,4-5.

한 지위를 부여받아야 할 것이다.

그러나 미국의 논증은 원칙들이 전문이나 의무 둘 중 하나로서 기능하는 것이 아니라, 제3의 기능을 하는 것일 수 있다는 점을 고려하는 데 실패했다. 전문의 단락들과는 달리, 이 원칙들은 법적 기준들을 담고 있다. 그러나 그 기준들은 의무보다는 더 일반적인 것들이고, 특정한 행동을 구체적으로 명시하지는 않는다.[32] 본질적으로, FCCC에서 원칙들은 유엔기후체제의 발전을 위한 일반적인 골격을 제시한다. 예컨대, 그 원칙들은 온실가스 배출량 목표 또는 재정지원과 관련된 구체적인 제안들을 평가하기 위한 기준을 제공한다. 그중 일부는 기후에 적용되는 고유한 것이지만, 대부분은 '공통의 그러나 차등화된 책임과 국가별 역량(common but differentiated responsibilities and respective capabilities, CBDRRC)의 원칙, 세대 내 및 세대 간 형평성(intra-and inter- general equity), 지속가능한 발전과 같은 국제법의 보다 일반적인 원칙들을 반영한다.[33]

개발도상국들은 궁극적으로 원칙 조항이 포함되도록 채택하는 데 성공을 거두었다고 하더라도, 미국은 그 원칙의 잠재적인 법적 영향을 감소시키기 위한 몇몇 변경들을 관철하는 데 성공했다. 첫째, 동 규정에 두문(chapeau)이 추가되었는데, 이는 원칙들이 협약의 목표를 달성하기 위한 행동을 함에 있어 당사국들을 '안내'하기 위해 마련된 것이라고 명시한 것이다. 둘째, '국가들(states)'이라는 용어가 '당사자들(parties)'로 변경되었는데, 이는 제3조의 원칙들이 국제관습법을 반영하여 국가들을 보편적으로 구속한다는 주장을 미연에 방지하기 위한 것이다. 이 원칙들은 일반국제법으로서 적용되는 것이 아니라, 명백히 FCCC와 관련하여 그 당사자들에게만 적용된다는 것이다. 마지막으로, 제3조는 한정된 목록이 아니고, 당사자들은 협약사항을 이행함에 있어 다른 관련된 원칙들을 고려할 수 있다는 점을 보이기 위하여 도입부에 '*inter alia*(그중에서도)'라는 용어가 추가되었다.

또한, 개발도상국들은 원칙들의 실체적 내용에 대한 타협을 받아들였다. 어떤 경우에는 선진국의 반대로 제안된 원칙이 전문으로 이동하기도 했고, 또 다른 경

---

32) Ronald Dworkin, *Taking Rights Seriously* (Cambridge, MA: Harvard University Press, 1977) 24-6.
33) Nicolas De Sadeleer, *Environmental Principles: From Political Slogans to Legal Rules* (Oxford University Press, 2002). 이 원칙에 대한 논의로는 제2장 III 참조.

우에는 개발도상국에 의해 제안된 원칙들이 최종적 문언에 전혀 포함되지 않기도 했다. 대개 INC가 리우회의의 준비위원회보다 정치적 성향이나 대중성이 낮은 포럼이었기 때문에, 선진국들은 리우선언에서와 유사한 협상 때보다 원칙들을 더욱 협소하게 정의할 수 있었다.

2. 공통의 그러나 차등화된 책임과 국가별 역량의 원칙

기후체제상의 원칙들 중 가장 널리 인용되고 논의되는 원칙은 CBDRRC 원칙이다.[34] 이는 전문에서 언급되고, 제3조 제1항에서 한 번 더 언급된다. 각국이 환경 악화를 야기한 정도가 서로 다르다는 점만을 바탕으로 하는 리우선언과는 대조적으로,[35] FCCC는 각국의 상이한 책임뿐 아니라 국가들의 개별적 역량에도 주목한다. 이는 몇몇 선진국들, 특히 미국에 있어 중요했다. 만약 FCCC 협상에서 개발도상국들이 주장하던 바대로, 기후변화 문제에 대해 각국이 역사적으로 기여한 정도가 차등화의 기초가 된다면, 차등화는 상대적으로 천천히 변화할 것이다. 이와 달리, 만약 각자의 역량이 차등화의 기초가 된다면, 국가가 발전하고 더 많은 재정적, 기술적 및 행정적 역량을 확보함에 따라, 각국의 의무는 보다 빠르게 변화할 것이다.

CBDRRC가 보통 '선진국'과 '개발도상국' 사이의 구별(그리고 FCCC 내 부속서I과 비부속서I 국가들 사이의 구별)과 관련된다고 하더라도, FCCC는 또한 각 국가들의 경제구조 및 자원기반의 차이, 가용기술, 여타 개별적 상황의 차이 등 차등화의 다른 근거들도 인정한다(제4조 제2항 (a)호). 더욱이, 이 장의 상기 II.D에서 언급한 바와 같이, FCCC는 부속서I과 비부속서I 국가의 의무뿐 아니라, EIT(제4조 제6항)의 의무도 차등화하고 있고, 몇몇 다른 범주로 기후변화에 특히 취약한 국가들(제3조 제2항 및 제4조 제8항), 최빈개도국(제4조 제9항), 화석연료에 매우 의존적인 국가(제4조 제10항)에 속한 국가들에도 주목하고 있다.

---

34) CBDRRC에 관한 일반적인 논의는 제1장 V.C 참조.
35) Rio Declaration, principle 7.

3. 사전주의원칙과 비용 효율성의 원칙

사전주의원칙(precautionary principle)은 심각하거나 되돌릴 수 없는 피해의 위협이 있는 경우, 충분한 과학적 확실성이 없다는 이유로 그 피해를 예측하고 방지하며 최소화하기 위한 사전주의적 조치들을 미뤄서는 안 된다고 말한다. 사전주의 원칙에 대한 다양한 표현들이 이제 국제환경협정이나 선언에 정기적으로 등장하고 있다.[36] FCCC 협상에서의 주된 쟁점은 '비용 효율성(cost-effectiveness)'에 대한 언급을 포함함으로써 순수하게 환경적인 기준이 될 수 있는 것에 경제적 고려를 추가할 것인지 여부였다. 1990년 제2차 세계기후회의의 각료선언은 '비용 효율적'인 사전주의적 조치들에 대해 언급한 바 있고,[37] G-77/중국 협상그룹이 제안한 원칙들도 비슷한 표현을 사용했다. 결과적으로, 사전주의원칙을 설명한 단락은 원래 별도로 분리되어 있던 비용 효율성에 관한 단락과 합쳐졌다.[38] 그 원칙은 또한, 이 장의 Ⅳ.B.2와 Ⅳ.B.3에서 논의하는 종합적 접근방법과 공동이행(Joint Implementation, JI)을 뒷받침한다.

4. 지속가능한 발전

FCCC는 제3조 제4항에서 국가들에 지속가능한 발전(sustainable development)을 도모할 권리가 있음을 인정한다. 애초에 개발도상국들은 "발전할 권리(right to development)는 불가양의 인권"이며, "모든 인간은 적합한 생활수준과 관련된 사안들에서 동등한 권리를 갖는다"는 표현을 제안했다.[39] 반면, 일부 선진국들은 국가들이 지속가능한 발전을 달성할 의무를 부담한다는 원칙을 포함시키기를 원했다.

---

36) Daniel Bodansky, 'Deconstructing the Precautionary Principle', in D.D. Caron and H.N. Scheiber (eds), *Bringing New Law to Ocean Waters* (Leiden: Brill, 2004) 381.

37) Second World Climate Conference Ministerial Declaration, para 7, in Jill Jager and H.L. Ferguson (eds), *Climate Change: Science, Impacts and Policy — Proceedings of the Second World Climate Conference* (Cambridge University Press, 1991).

38) Working Papers by the Chairman, A/AC.237/CRP.1 and Adds 1-8 (1992) Art 2.3 (사전주의원칙) and Art 2.4 (비용 효율성).

39) INC, Joint Statement of the Group of 77, made by its Chairman (Ghana) at the fourth session of the Intergovernmental Negotiating Committee for a Framework Convention on Climate Change (19 December 1991) A/AC.237/WG. 1/L.8. 인권과 기후변화에 관한 논의는 제9장 II 참조.

두 제안 모두 일부 협상대표에게 심각한 문제들로 받아들여졌다. 한편으로, 미국은 '발전할 권리'를 포함하는 것에 대하여, 그 의미가 모호하고 이것이 개발도상국들이 선진국으로부터의 재정적 지원을 요구하는 데 원용될 수 있다는 이유로 문제를 제기했다.[40] 다른 한편으로, 개발도상국들은 '지속가능한 발전'이라는 개념에 대해 의구심을 표현했다. '지속가능성'이 재정적 지원을 받기 위한 새로운 '조건(conditionality)'이 되어 결과적으로 그들의 발전을 억제하게 될 수 있다는 점을 두려워 하였다.

제3조 제4항은 "당사국은 지속가능한 발전을 증진할 권리를 보유하며, 또한 증진하여야 한다"고 서술함으로써 두 쟁점을 교묘하게 처리하고 있다. '의무'를 대신하여 '권리'라는 술어를 사용함으로써 개발도상국들을 만족시켰다.[41] 그리고 그 권리를 '발전할 권리'가 아니라 '지속가능한 발전을 추구할 권리'로 정함으로써 미국 역시 만족시켰다.

5. 지지적이고 개방적인 경제체제

마지막 원칙(제3조 제5항)은 '지지적이고 개방적인 국제경제체제(supportive and open economic system)'의 필요성에 관심을 둔 것이고, 특히 '환경조치들과 무역 사이의 관계'에 대해 다루는데, 이는 점차 논란이 되고 있는 쟁점이다(이 책의 제9장 Ⅳ 참조). 제3조 제5항은 '관세와 무역에 관한 일반협정(General Agreement on Tariffs and Trade, GATT)' 제20조에 포함된 규칙을 옮겨 적은 것인데, GATT 제20조는 "국가들 사이에서 자의적 또는 정당화될 수 없는 차별적 수단이나 … 국제무역에 대한 위장된 제한수단"을 금지한다.[42] GATT 제20조와 마찬가지로 제3조 제5항은

---

40) 이런 견해를 반영하여, 미국은 몇 년 더 일찍 있었던 다음의 채택에 반대한 바 있다. UN Declaration on the Right to Development, UNGA Res 41/128, 'Declaration on the Right to Development' (4 December 1986) UN Doc A/RES/41/128.

41) 이뿐 아니라, 제3조 제4항에는 환경정책 및 조치가 "각 당사자의 특정한 조건에 부합"해야 한다는 인식과 국가 발전 계획과 통합되어야 한다는 점과 "경제발전은 기후변화를 해결하기 위한 조치를 채택하는 데 필수적"이라는 점을 포함하는 개발도상국 우려를 다루는 권고가 포함되어 있다.

42) 관세와 무역에 관한 일반협정(General Agreement on Tariffs and Trade) 1947.10.30. 채택, 1948.01.01. 발효, 55 UNTS 194, Art XX. GATT 제20조에 관한 논의는 제9장 IV 참조.

그 효과가 드러나지 않는데, 이는 어떤 유형의 무역조치들이 '자의적 또는 정당화될 수 없는' 차별인지 또는 '위장된 제한수단'인지 정의되어 있지 않기 때문이다. 따라서 제3조 제5항은, 몬트리올의정서에 포함된 것과 마찬가지로,[43] FCCC에 대한 참여를 독려하거나 비(非)준수를 벌하기 위해 무역관련 조치들을 취하는 것을 허용하는 것도, 금지하는 것도 아니다.

Ⅳ. 의무(제4조에서 제6조 및 제12조)

FCCC는 (1) 개발도상국과 선진국 모두에게 적용되는 일반적인 의무(제4조 제1항, 제5조, 제6조 및 제12조 제1항), (2) 부속서I 국가들에게만 적용되는 감축 및 보고와 관련된 종합적인 의무(제4조 제2항 및 제12조 제2항) 그리고 (3) 부속서II 국가들에게만 적용되는 재정 및 기술 원조에 관한 의무들(제4조 제3항에서 제5항)을 포함하여 상이한 범주의 당사국들에 상이한 의무를 부여한다. 이 구조는 개발도상국이 선진국과 동일한 정도의 의무를 부담하도록 해서는 안 된다는 애초의 가정을 반영한 것이다.

A. 일반적 의무(제4조 제1항, 제5조, 제6조 및 제12조 제1항)

제4조 제1항, 제5조, 제6조 및 제12조 제1항상의 일반적 의무는 개발도상국과 선진국 모두에게 적용된다. 온실가스 배출제한을 위한 가능한 한 최선의 기술을 사용하는 것, 에너지 효율성과 보존을 촉진할 것, 재생가능한 에너지 자원을 개발할 것과 지속가능한 산림자원 관리를 촉진하는 것, 지구온난화에 기여하는 보조금을 제거하고, 국가정책, 조세 및 효율성 기준 사이의 조화 그리고 비용의 내부화 및 시장 기구들과의 발전과 협력을 조화를 포함한 방대한 양의 일반적 의무가 협상 중에 제안되었다. 그러나 협상이 진행되면서 이런 제안들은 천천히 사라지거나

43) Montreal Protocol, Art 4 (통제되는 물질 및 통제물질을 포함하는 제품을 비당사국과 거래하는 것을 금지).

희미해졌고, 일반적 의무는 모든 당사자에 적용된다는 점에서만 일반적인 것이 아니라 내용에 있어서도 일반적이고 평범한 것이 되었다. 협약 중 많은 부분에서 FCCC의 일반적 의무는 특정한 행동을 강제하지 않는다. 도리어 2015년의 파리협정과 마찬가지로 일반적 의무들은 국가들로 하여금 기후변화를 완화하는 국가적 프로그램을 작성하여 시행할 것(제4조 제1항 (b)호), 기후변화 영향에 대한 적응하도록 준비하기 위해 협력할 것(제4조 제1항 (d)호), 현존하는 국가정책에 있어서 기후변화를 고려할 것(제4조 제1항 (f)호), 정보를 교환할 것(제4조 제1항 (h)호) 및 학술연구, 교육, 훈련과 대중의 인식을 증진할 것(제4조 제1항 (g)호, (i)호, 제5조 및 제6조)을 장려한다.

의문의 여지없이 FCCC에서 가장 중요한 일반적 의무는 국가 인벤토리와 보고에 관한 것이다. 개발도상국과 선진국을 포함한 각 당사자는 당사국총회에서 합의된 '비교가능한 방법론'을 이용하여 온실가스 배출원에 따른 인위적 배출과 흡수원에 따른 온실가스의 제거와 관련하여 국가적 인벤토리를 정기적으로 갱신 및 공표하고(제4조 제1항 (a)호), 이와 함께 협약의 이행을 위하여 당사자가 취한 조치를 당사국총회에 보고한다(제12조 제1항).

제4조상의 일반적 의무는 개발도상국에게도 받아들여질 수 있도록 만드는 몇몇 조건들을 포함한다. 제4조 제1항은 당사자들이 의무를 이행함에 있어 "공통의, 그러나 차등화된 책임과 그들의 특수한 국가적 및 지역적 발전 우선순위, 목적 및 여건을 고려"하도록 허락한다. 더욱이 제4조 제7항은 구체적으로 개발도상국의 "일차적이며 가장 앞선 우선순위"는 "경제적 및 사회적 발전과 빈곤퇴치"임을 인정하고 있다. 그러나 개발도상국은 그들의 의무에 (선진국의) 재정지원 및 기술이전이 연관될 것을 법적으로 규정한 조항을 명백하게 포함시키는 데는 성공하지 못하였다. 제4조 제7항은 대신 더 중립적인 표현을 사용하는데, 개발도상국의 이행 정도는 선진국의 이행에 "달려 있을 것(will depend)"이라는, (선진국들이 주장하는 바처럼) 법적인 의존성보다는 사실적 의존성을 강조하는 것으로도, (개발도상국이 주장하는 바처럼) 개발도상국이 자신의 의무를 효과적으로 이행함에 있어 사전적 조건을 창설한 것으로도 해석될 수 있는 서술을 하였다.[44] 이와 유사하게 개발도상국은 그들의 국가적 발전목표와 정책에 "해를 주지 않는" 범위까지만 기후변화에 대한

조치를 이행할 것임을 시사하는 표현을 포함시키려고 노력했다. 그러나 이미 채택된 바와 같이 제4조 제7항은 단순히 개발도상국의 이행이 그들의 사회경제적 우선순위를 '완전히 고려할 것'이라고 할 뿐이다.

B. 완화(제4조 제1항 (b)호에서 (d)호 및 제4조 제2항)

위에 서술된 바와 같이 제4조 제1항은 당사국들에게 "기후변화를 완화하는 조치를 포함한 국가적 및 적절한 경우에는 지역적 계획을 수립, 실시, 공표하고 정기적으로 갱신"할 일반적 의무만을 만든다. 보다 종합적인 일반적 의무에 대한 제안들은 협상 중에 어느 한 편에 의해서든지 거부되었다. 사우디아라비아 및 쿠웨이트와 같이 석유를 생산하는 국가들은 배출원에 대한 엄격한 규제에 반대한 반면, 넓은 면적의 산림이 있는 브라질 및 말레이시아와 같은 나라들은 흡수원과 관련된 강력한 의무을 포함시키는 것을 두고 투쟁했다. 그 결과로, 배출감축기술에 관한 제4조 제1항 (c)호는 재생가능한 에너지원이나 에너지 효율화 조치에 대해 언급하지 않고, 관련된 모든 경제적 부문(에너지, 수송, 산업, 농업, 임업 또는 폐기물 관리)을 동등한 선상에 두고 있다. 이와 유사하게 국가들이 온실가스의 흡수원과 저장원에 대한 지속가능한 관리와 유의미한 개선을 촉진하는 것을 요구하는 제4조 제1항 (d)호에서도 산림을 특별 고려대상으로 분류하는 데에 실패하였다. 또한 제4조 제1항의 일반적 의무는 당사자들이 환경영향평가를[45] 하는 것이나 세금, 보조금, 부과금과 같은 경제적 및 행정적 수단을 (협약의 목적을 달성하기 위하여 당사자들과) 조정하고 조화시킬 것을 요구하는 제안(이것은 제4조 제2항 (e)호하에서 부속서I에 해당하는 국가들에게만 적용이 되는 특정 의무가 되었다)들을 배제함으로써 그 힘이 더 약해졌다.

제4조 제1항의 일반적 의무에 더하여 부속서I에 해당하는 국가들은 완화와 관

---

44) 제4조 제7항 및 다른 다자간 환경협정상 유사규정에 관한 더 많은 논의는 Lavanya Rajamani, 'The Nature, Promise and Limits of Differential Treatment in the Climate Change Regime', *Yearbook of International Environmental Law,* 16 (2007): 81, 103-7 참조.

45) 대신에 제4조 제1항 (f)호는 기후에 대한 고려를 정책결정에 통합하기 위한 몇 가지 가능한 방법 중 하나로 환경영향평가만 열거하고 있다.

련하여 이행해야 할 특정 의무가 있다. 우선 부속서I에 속하는 당사자들은 온실가스 배출을 2000년까지 1990년대 수준으로 제한하는 국가정책과 조치를 취해야 한다(제4조 제2항 (a)호에서 (b)호). 이와 더불어 부속서I 국가들은 관련된 경제적 및 행정적 수단을 조율하고, 온실가스의 배출수준의 증가를 초래하는 인위적인 활동을 조장하는 정책과 관행(예를 들면 보조금이나 에너지 가격책정 정책 등)을 찾아내어 정기적으로 검토해야 한다(제4조 제2항 (e)호).

세 가지 쟁점이 완화 협상에서 절대적 위치를 차지했다. (1) 법적인 구속력이 있는, 또 국제적으로 협상된, 선진국의 배출에 대한 양적 제한을 포함할 것인지, (2) 총체적으로 모든 온실가스의 배출원과 흡수원을 다룰 수 있게 만드는 '종합적인' 접근방법을 사용할 것인지 그리고 (3) 부속서I의 당사자들이 수행하거나 원조한 개발도상국 내에서의 배출감축 사업에서 얻게 되는 배출권을 인정받게 해줄 것인지가 그것이다.

1. 목표와 일정표

FCCC 협상 역사상 가장 논란이 많았던 쟁점은 선진국들의 배출을 제한함에 있어서 목표(targets)와 일정표(timetables)를 포함할 것인지 여부였다. 통상적으로 'target'이란 용어는 목적이나 목표의 뜻으로 쓰이지만, 국제환경법의 맥락에서 이것은 법적으로 구속력이 있는 의무를 지칭할 수도 있다. 목표와 일정표는 특정 결과를 특정일까지 성취할 의무(목표)를 발생시킨다. '행위의무'라기보다는 '결과의무'인 목표와 일정표는 당사자들이 국제적 의무를 자국 내에서 이행함에 있어서 유연성을 제공한다. 1991년 FCCC가 시작되었을 때, 국제적으로 정의된 목표와 일정표는 1987년 몬트리올의정서를 포함하여 근래의 많은 환경에 관한 협정들에서 쓰였고, 미국을 제외한 대부분의 국가에게 온실가스 배출에 대한 국제적 규율에 있어 선호되는 방법으로 여겨졌다. 이와 반대로, 에너지 효율성 기준과 탄소세와 같은 행위의 의무는 FCCC 협상에 있어서 단지 지엽적인 것으로서 논의되었을 뿐이다.

1991년 협상이 시작되기 전부터 다수의 국제회의는 배출을 가능한 한 빨리 안정화할 필요성에 대해 강조해왔고, 특히 INC 내에서도 대부분의 서방국들은 이산화탄소의 배출에 대해서 국제적으로 정해진 안정화 목표를 채택하도록 강하게 압박했다. 예를 들어, EU는 선진국들이 2000년에는 이산화탄소 배출량을 1990년의 수준으로 안정시키게 하는 목표를 지지했지만, 캐나다, 호주 및 뉴질랜드는 몬트리올의정서에서 규율하고 있지 않은 모든 온실가스들을 안정시킬 것을 제안했다.[46] 온실가스 배출의 안정화 목표에 반대한 주된 국가는 미국이었는데, 미국은 EU의 제안을 국가적 상황과 이행비용에 대한 국가별 차이가 있다는 점에서 불공평하고 융통성 없는 것이라고 비판했다. 일본의 지지를 받은 미국은 구속력 있는 배출목표보다는 '최선의 노력' 접근방법을 선호하고, 1991년 6월의 INC 회의에서 '서약과 검토(pledge and review)'라는 형식을 제안했다.

영국의 중재를 통해 미국과 EU는 결국 합의에 도달하였고, 이것은 제4조 제2항의 매우 복잡한 2개 호의 내용으로 반영되었다. 제4조 제2항 (a)호는 "1990년대 말(즉, 2000년까지) 배출을 종전 수준으로 되돌리는 것이" 선진국들의 배출에 대한 경향에 대한 "수정에 기여"한다는 것을 "인식"함으로써 배출감축의 일정표를 간접적으로 정한다. 한편 제4조 제2항 (b)호는 부속서I의 국가들에게 1990년의 배출수준 정도로 "되돌리기 위한 목적으로 개별적으로 또는 공동으로" 그들의 정책 및 조치에 대해 정보를 교환할 것을 요구함으로써 배출목표를 제안한다. 이 두 호는 함께 2000년까지 온실가스의 배출을 1990년의 배출 정도로 되돌리는 구속력이 없는 준(準)목표(quasi-target)와 준(準)일정표(quasi-timetable)를 성립시킨 것으로 해석된다. 이러한 모호한 조항들이 실제로 목표와 일정표를 성립시켰는지는 이론적으로 흥미로운 질문이지만, 그 추정적 목표와 일정표는 배출량을 2000년이라는 기준을 통해서만 다루었고, 이 목표와 일정표는 이미 만료되었기 때문에 이 질문에 대해서는 현재 논의할 가치가 없다. 게다가 그것이 심지어 효력을 가졌다고 하더라도 그러한 목표와 일정표는 법적인 요구사항이라기보다는 '목표(aim)'로 표현되어 있기 때문에 구속력이 없었다. 그럼에도 불구하고, FCCC 사무국이 수집한 자료에 따르면, 부속서I 국가들의 온실가스 총배출량은 1990년에서 2000년 사이에 3% 감소한 것으로 나타나 그와 같은 목표는 그것이 구속력을 가지든 그렇지 않든 지켜

46) Consolidated Working Document (n 23) Art IV.2.1 (b), Alternative A1.

졌다.[47] 그러나 이와 같은 감축은 주로 FCCC에서 기인한 것이라기보다 공산주의의 몰락 이후, 1990년대에 경제붕괴를 겪은 러시아와 다른 EIT의 배출량 감소로 인한 결과였다.

2. 포괄적 접근방법

이른바 '포괄적 접근법(comprehensive approach)'은 기후변화의 완화가 온실가스의 모든 발생원과 흡수원을 통합적으로 다룬다고 정한다. 포괄적 접근법에 따르면, 각각의 온실가스에 대한 지구온난화지수(global warming potentials, GWPs)은 이산화탄소 1단위와의 등가 계산법(single CO_2－equivalent metric, CO_2e metric)에 따라 비교되는 상이한 가스의 배출량을 허용하기 위해 계산된다. 그러면, 국가들은 온실가스 총배출량을 통제하거나 흡수원에 의한 온실가스 제거 정도를 높임으로써 온실효과에 대한 순기여도를 제한하는 조치를 택할 수 있다.

협상에서 미국, 캐나다, 호주, 뉴질랜드 및 대부분의 북유럽 국가를 포함하는 포괄적인 접근방식 지지자들은 경제적 및 환경적 이유 모두에 의해 이를 정당화했다. 경제적으로 보자면, 포괄적 접근방법은 국가가 어떠한 가스 및 흡수원에 집중할 것인지 선택할 수 있게 하여, 가장 비용 효율적인 완화조치가 무엇인지를 스스로 결정할 수 있게 해준다. 환경적으로 보자면, 이 접근방법은 특정 가스나 흡수원 또는 특정한 부분이 아니라 온실가스의 합계 수준에 초점을 맞추기 때문에, 특정 유형의 오염행위를 다른 유형으로 전환하는 데서 생기는 인센티브를 없앤다.[48]

대부분의 대표들은 포괄적 접근방법의 이론적 가치를 인정했고, FCCC의 전문과 제3조에도 이를 우호적으로 언급하고 있다. 그러나 목표와 일정표에 대해서 몇몇 대표들은 이산화탄소 이외의 온실가스의 배출원에 대해 또 흡수원에 의한 온실가스 제거에 대해 지식이 부족하기 때문에 포괄적 접근방법은 실현가능하지 않다

47) Subsidiary Body for Implementation (SBI), National Communications from Parties included in Annex I to the Convention: Compilation and Synthesis of Third National Communications (16 May 2003) FCCC/SBI/2003/7,4, para 11.

48) Richard B. Stewart and Jonathan B. Wiener, 'The Comprehensive Approach to Global Climate Policy: Issues of Design and Practicability', *Arizona Journal of International and Comparative Law*, 9/1 (1992): 83.

고 주장한 바 있다.

제4조 제2항은 온실가스의 배출 수준이 종합적으로 고려되어야 하는지, 각각의 가스가 개별적으로 고려되어야 하는지를 명시하지 않고, "이산화탄소와 몬트리올의정서에 의해 규제되지 않는 그 밖의 온실가스의 인위적 배출"이라고만 언급한다. 어느 경우이든 제4조 제2항은 이산화탄소를 따로 특정해내는 것과 몬트리올의정서에 의해 통제되는 온실가스를 명확하게 배제한 점에 있어 주목할 만하다. 제4조 제2항은 FCCC가 총배출량 혹은 순배출량(흡수원에 의한 감축을 제외한 것) 중 어느 것에 초점을 맞추어야 하는지에 대한 문제를 완전히 해결하지는 못했다. 한편으로 "배출원에 따른 배출과 흡수원에 따른 제거"를 한 묶음으로 수차례 언급하기는 하지만, 다른 한편으로 준목표 및 준일정표는 감축에만 관련되어 있다.

3. 공동이행

온실가스는 오랫동안 대기 중에 머물러 있고 전세계적으로 이동하기 때문에 배출이 어디에서 감소되는지는 기후변화에 거의 영향을 주지 않는다. 이것은 포괄적 접근방법의 더 진전된 확장을 시사한다. 즉, 국가들이 공동이행(joint implementation, JI) 또는 배출권거래와 같은 시장 메커니즘을 통해 다른 국가의 배출을 감축함으로써 (자국의) 감축의무를 이행할 수 있다.

FCCC 협상에서 시장 메커니즘에 관한 주된 문제는 배출감축목표가 있는 부속서I 국가들에게만 JI를 허용할 것인지 아니면 비부속서I 국가들과 부속서I 국가들 모두를 포괄하도록 일반적으로 허용할 것인지였다.[49] 후자는 개발도상국에서 배출량 감축을 측정할 기준선을 정하는 것이 어렵다는 것과 많은 사람들이 생각하기에 선진국이 그 배출감축을 자국 영토 내에서 하는 것이 아니라 개발도상국에서 하는 것이 윤리적으로 옳지 않다는 이유로 많은 비판을 받았다.[50]

FCCC는 JI라는 명칭으로 제한된 수준의 유연성을 제공한다. 제3조 제3항은 "기후변화에 대한 대응노력은 이해당사자가 협동하여 수행할 수 있다"라고 하고,

---

49) 교토의정서에서 첫 번째 옵션은 부속서I 당사자들 사이에서의 공동이행 및 배출권거래를 허용하는 제6조와 제17조가 되었고, 두 번째 옵션은 청정개발체제를 수립하는 제12조가 되었다.

50) 이와 동일한 쟁점은 제6장에서 논의되는 교토의정서 협상에서 두드러진 주제였다.

제4조 제2항 (a)호는 국가가 "그 밖의 당사자와 이러한 정책과 조치를 공동으로 이행할 수" 있도록 허용한다. 이 규정들은 국가가 JI에 참여하는 것을 제한하지 않기 때문에, 선진국과 개발도상국 사이의 JI의 가능성은 열려 있다.

실제로 JI는 FCCC에 의해서는 제한된 역할만을 수행했다. '공동으로 이행된 활동(activities implemented jointly, AIJ)'의 '시범단계'를 개시토록 한 결정 5/CP.1 에서 당사국총회는 (1) 부속서I 국가와 비부속서I 국가들 간에 공동으로 이행된 활동이 "부속서I 당사국의 제4조 제2항 (b)호상 의무이행으로 간주되지 않는다"는 것과 (2) JI 활동이 "보충적이고 협약의 목표를 성취하는 데 보조적인 수단으로 취급되어야 한다"는 것에 동의하면서, JI를 상당히 제한하였다.[51] AIJ의 시범단계에서 157개 프로젝트만이 개시되었으며, 2002년 이후에는 더 이상 개시되지 않았다.[52] 대신 대부분의 '공동이행' 프로젝트들은 교토의정서하에 부속서I 국가들 사이에서 JI를 허락하는 제6조 또는 청정개발체제를 통하여 부속서I 국가들과 비부속서I 국가들 사이에서 공동이행을 할 수 있도록 하는 제12조를 통해 수행되었다.[53] 제7장에서 논의된 바와 같이 파리협정은 국가가 '국제적으로 이전된 완화결과(internationally transferred mitigation outcomes)'를 사용하여 국가별 기여방안을 달성할 수 있게 함으로써, 새로운 제도를 만드는 것을 통해 시장 메커니즘을 사용할 수 있도록 허락하고 있다.[54]

C. 적응(제4조 제1항 (b)호, (e)호, 제4조 제8항 및 제9항)

완화와 적응(adaptation)은 이론적으로는 유엔기후체제에 있어 동등한 위치에 있다. 그럼에도 FCCC는 적응에 관한 규정을 상대적으로 적게 두고 있다. 제3조 제3항은 기후변화와 관련된 정책과 조치가 포괄적이어야 하고, 적응을 다루어야 한

51) Decision 5/CP.l, 'Activities implemented jointly under the pilot phase' (6 June 1995) FCCC/CP/1995/7/Add.l, 18, preambular recitals 4(b) and 4(c).
52) Subsidiary Body for Scientific and Technological Advice (SBSTA), Activities Implemented Jointly under the Pilot Phase: Seventh Synthesis Report (13 September 2006) FCCC/SBSTA/2006/8.
53) 교토의정서상의 시장 메커니즘에 관한 논의는 제6장 V 참조.
54) Paris Agreement, Art 6. 파리협정상의 시장 메커니즘에 관한 논의는 제7장 VI 참조.

다는 원칙에 대해 정한다. 제4조 제1항 (b)호는 "기후변화에 대한 적합한 적응을 촉진하는 조치를 포함한 국가적 및 적절한 경우 지역적 계획을 수립, 이행, 공표하고, 정기적으로 갱신할" 일반적 의무를 창설한다. 제4조 제1항 (e)호는 기후변화의 영향에 대한 적응을 준비함에 있어 협력할 일반적 의무를 창설한다. 제4조 제4항은 부속서II 국가들에게 "기후변화의 부정적 효과에 특히 취약한 개발도상국인 당사자가 이러한 부정적 효과에 적응하는 비용을 충당하는 데 원조"할 의무를 부과한다. 그리고 동조 제8항 및 제9항은 저지대 국가들 및 도서국가, 최빈개도국, 산지의 생태계가 위태한 개발도상국 및 가뭄과 사막화가 발생하기 쉬운 국가를 포함하여, 기후변화의 악영향에 특히나 취약한 국가들에 중점을 둔다.

적응이라는 쟁점을 다루는 유엔기후체제하에서의 대부분의 작업은 FCCC 채택 이후 당사자들의 결정을 통해 이루어졌고, 주로 적응 계획과 원조에 초점이 맞추어졌다. 2001년 마라케시 COP에서는 최빈개도국에 대한 프로그램이 채택되었는데,[55] 그것은 다음을 포함하였다:

- 최빈개도국에 의해 '국가적 적응 행동 계획(national adaptation programmes of action, NAPA)'를 준비할 수 있도록 정했고,[56]
- 최빈개도국이 NAPA를 준비하는 동안 기술적 안내를 하도록 최빈개도국 전문가 그룹을 설립하였으며,[57]
- 최빈개도국기금(Least Developed Countries Fund, LDCF)과 기후변화특별기금(Special Climate Change Fund, SCCF)이라는 적응에 초점을 맞춘 두 개의 새로운 기금을 신설하였고,[58]
- 지구환경금융(Global Environment Facility, GEF) 및 LDCF에 NAPA를 준비하고 이행을 위한 지원을 할 권한을 부여하였다.[59]

---

55) Decision 5/CP.7, Implementation of Article 4, paragraphs 8 and 9 of the Convention' (21 January 2002) FCCC/CP/2001/13/Add.l, 32, para 11.
56) Decision 28/CP.7, 'Guidelines for the preparation of national adaptation programmes of action' (21 January 2002) FCCC/CP/2001/13/Add.4, 7.
57) Decision 29/CP.7, 'Establishment of a least developed countries expert group' (21 January 2002) FCCC/CP/2001/13/Add.4, 14.
58) Decision 7/CP.7, 'Funding under the Convention' (21 January 2002) FCCC/CP/2001/13/ Add.1, 43.

2004년 11월에 모리타니가 첫 번째 NAPA를 제출하였으며, 2017년 1월 현재 51개 최빈개도국이 NAPA를 완료했다. NAPA의 제출은 이행활동을 위하여 LDCF로부터 원조를 받기 위한 전제조건이다.

2006년 COP12('적응 당사국총회('Adaptation COP')'라고도 불리는)는 개발도상국이 보다 정확한 정보에 근거하여 가능한 정책적 대응에 관한 결정을 내릴 수 있도록 돕기 위하여 '기후변화에 대한 영향, 취약성 및 적응에 대한 나이로비 프로그램(Nairobi work programme on impacts, vulnerability, and adaptation to climate change, NWP)'을 채택하였다.[60] NWP는 본래 '과학 및 기술 자문 보조기구(Subsidiary Body for Scientific and Technological Advice, SBSTA)'의 연구를 5년 동안만 존속시킬 예정이었지만, 이는 2010년에 연장되었으며, 2016년 10월 현재 SBSTA는 지금까지 활동 중인데, 현재 SBSTA는 NWP가 파리협정의 이행을 도울 수 있는 방법에 집중하고 있다.[61]

2011년에 COP16은 적응위원회(Adaptation Committee)를 설립하고, NAPA에 대한 경험을 토대로 LDC가 국가적응계획(national adaptation plans, NAPs)을 형성하고 그것을 이행할 수 있도록 하는 '칸쿤적응체제(Cancun Adaptation Framework, CAF)'[62]를 채택했다. 적응위원회는 각자의 능력에 따라 당사국들이 천거하고, COP가 선출한 16명의 위원으로 구성된다.

도서국가 및 최빈개도국의 요구에 따라 CAF는 기후변화에 특히 취약한 개발도상국들을 위해 기후변화로 인한 '손실 및 피해(loss and damage)'에 관한 프로그램도 창설했다.[63] 여기서 손실 및 피해라는 것은 취약한 국가에 대한 기후변화의 부정적인 영향을 의미한다. '손실'은 "배상 또는 회복이 불가능한 것과 관련된 부정

---

59) Decision 6/CP.7, 'Additional guidance to an operating entity of the financial mechanism' (21 January 2002) FCCC/CP/2001/13/Add.l, 40, para 1(a).

60) Report of Subsidiary Body for Scientific and Technological Advice on its Twenty-Fifth Session, held at Nairobi from 6 to 14 November 2006 (1 February 2007) FCCC/SBSTA/2006/11, paras 11- 71. 5년간의 작업 프로그램은 COP11의 다음 결정으로 개시되었다. Decision 2/CP.l 1.

61) SBSTA, Nairobi work programme on impacts, vulnerability and adaptation to climate change, Draft conclusions proposed by the Chair (24 May 2016) FCCC/SBSTA/2016/L.9, para 6.

62) Cancun Agreements LCA, paras 11-35.

63) Ibid, para 26.

적인 영향"을 지칭하고, '피해'는 "배상 또는 회복이 가능한 것과 관련된 부정적인 영향"을 지칭한다는 점에서 손실과 피해는 다르다.[64] 유엔기후체제에서 손실과 피해는 대단히 논란이 된 쟁점이었는데, 이들은 예를 들어 보험이나 법적 책임과 같은 기후변화의 악영향에 대한 재정적 보상을 해야 할 위험을 높여 미국이나 다른 선진국들이 이에 강하게 반대한 바 있다. 손실과 피해를 다룸에 있어 하나 특별한 문제는 자연적인 변동성, 회복탄력성의 부재 또는 부실한 제도적 계획이 아닌, 인위적 기후변화가 특정한 손실과 피해의 원인이 된다고 그 성격을 결정짓는 것이다.[65] 2013년 바르샤바 COP에서 당사자들은 기후변화와 관련된 '손실 및 피해에 대한 바르샤바 국제 메커니즘(Warsaw International Mechanism for Loss and Damage Associated with Climate Change Impacts, WIM)'을 만들었다.[66] 당시에 중요했던 문제는 손실과 피해가 적응 문제의 일부로서 다뤄질 것인지, 아니면 별개의 쟁점으로 다뤄질 것인지였다.[67] 일부 당사자들은 손실과 피해는 적응의 문제를 넘어서서 책임과 보상의 문제라고 생각한 반면, 다른 당사자들은 손실과 피해 문제를 덜 논쟁적인 적응의 틀 안에서 벗어나지 않게 하려고 애썼다. WIM을 설립하는 결정은 CAF에서 이 문제가 다루어지도록 했지만, 손실과 피해가 "몇몇 경우들에서 적응 문제로 축소될 수 있는 것보다 더 많은 것을 포함"한다는 점이 인정되었고,[68] 2016년에 메커니즘에 대해 검토할 것이 요구되었다. 파리협정 역시 손실과 피해에 대한 쟁점에 관한 규정을 포함하고 있다.[69]

---

64) SBI, A literature review on the topics in the context of thematic area 2 of the work programme on loss and damage: a range of approaches to address loss and damage associated with the adverse effects of climate change (15 November 2012) FCCC/SBI/2012/INF.14, para 2.
65) Mike Hulme, 'Can (and Should) "Loss and Damage" Be Attributed to Climate Change?' (Fletcher Forum of World Affairs, 27 February 2013) <http://www.fletcherforum.Org/home/2016/8/ 22/can-and-should-loss-and-damage-be-attributed-to-climate-change?rq=mike%20hulme> accessed 20 January 2017.
66) Decision 2/CP.19, 'Warsaw International Mechanism for Loss and Damage Associated with Climate Change Impacts' (31 January 2014) FCCC/CP/2013/10/Add.l, 6.
67) Karen Elizabeth McNamara, 'Exploring Loss and Damage at the International Climate Change Talks', *International Journal of Disaster Risk Science*, 5/3 (2014): 242.
68) Decision 2/CP. 19 (n 66) preambular recital 4.
69) Paris Agreement, Art 8. Chapter 7, Section VIII.

D. 재정적 지원(제4조 제3항 및 제4항)

FCCC는 유엔기후체제하에서 국가들의 기본적 재정기여 의무와 함께 재원의 제공을 위한 재정 메커니즘(아래 V.E에서 논의될 것임)을 수립한다. FCCC가 채택된 이래로, 이러한 핵심적 재정규정들은 새로운 기후관련 기금을 설립하고, 지원받을 자격이 있는 프로젝트 유형을 명시하였으며, 기금 규모를 배가시키는 것과 관련하여 전반적인 정치적 목표를 정한 당사자들의 결정으로 보완되어 왔다.

유엔기후체제의 기본적 재정의무는 FCCC 제4조 제3항과 제4항에 규정되어 있으며, 이는 부속서II 국가들이 세 가지 일반적인 목적을 위해 개발도상국에 재원을 제공할 것을 요구한다. (1) 배출 인벤토리 및 국가보고서를 마련하고, (2) 배출감축조치를 이행하며, (3) 기후변화의 악영향에 적응하는 데 필요한 비용을 충당하는(예를 들어, 해안장벽을 건설하거나 가뭄에 잘 견디는 작물을 개발하는 것) 것이다. FCCC 협상은 주로 첫 두 가지 목적, 즉 보고 및 완화를 위한 재정지원에 중점을 두고 협상의 마지막 단계에서만 적응을 위한 비용지원 규정을 포함하기로 결정하였다. 적응보다는 보고 및 완화를 강조한 것은 놀랍지 않은 일이다. 개발도상국의 배출감축조치에 대한 재정지원은, 완화가 전세계적 이익을 주기 때문에 선진국의 이익에 최소한 일정 수준은 기여한다고 할 수 있다. 이와는 대조적으로, 적응조치는 주로 그 지역에 한정된 이익을 가지고 오므로 선진국들이 개발도상국의 적응조치에 자금을 지원하게 하려는 인센티브가 적다.

"부속서I의 각 당사자"의 개별적 의무로 표현된 완화 및 보고에 관한 부속서I 국가의 특정된 의무와 달리, 제4조 제3항에서 제5항에 규정된 재정 및 기술 의무는 "당사자인 선진국 및 다른 부속서II에 포함된 선진국"에 대한 통합적인 의무로 표현되어 있다.[70] 결과적으로 부속서II에 속하는 개별 당사자가 재정 및 기술 지원과 관련하여 구체적인 의무를 가지고 있는지는 불분명하다. 더욱이 제4조 제3항은 특정 수준의 재정지원을 강제하지도 않고, 평가되는 기여를 제공할 것을 규정하지도 않는다. 다만, 제4조 제3항은 부속서II에 속한 각 당사자가 스스로에 대한 자신

---

70) 예를 들어 제4조 제3항은 "각 부속서II 당사자가 재정적 자원을 제공한다"가 아닌 "부속서II 당사자들이 재정적 자원을 제공해야 한다"는 표현을 사용한다.

의 재정적 기여의 규모를 결정할 수 있도록 하는 표현인 "자금흐름의 충분성과 예측가능성 및 선진국인 당사자 간의 적절한 부담배분의 중요성"을 강조할 뿐이다.

재정지원에 있어 최소한의 총액을 정하는 대신에, 일부 개발도상국은 선진국이 기존에 있는 (주로 공적개발원조(Official Development Assistance, ODA)라고 지칭되는) 개발원조에서 자금을 축소하는 것을 방지하기 위해 선진국이 "적절하고 새로운 추가적" 재정자원을 제공하도록 하는 보다 일반화된 의무를 창설하려고 하였다. INC에서 선진국들은 궁극적으로 '새로운 추가적인' 재정적 자원의 제공을 요구하는 제4조 제3항의 구문을 기꺼이 받아들이기로 하였지만, 미국은 협상이 끝날 때까지 이러한 표현에 반대하였다.

제4조 제3항은 보고와 완화 사이에서 이와 관련하여 부속서II 국가들의 재정적 의무를 나누고 있다. 개발도상국들은 보고에 드는 비용에 즉각적으로 관심을 보였는데, 그것이 그들이 FCCC에 참여하는 데 있어 유일하게 필요한 확정적인 비용이었기 때문이다. 부속서II 국가들은 개발도상국들이 배출 인벤토리를 개발하고, 보고서를 만들어서 공표하기를 원했고, 그에 드는 비용이 상대적으로 적다는 두 가지 이유에서 이런 비용을 완전히 부담한다는 데 대해 우호적이었다. 따라서 제4조 제3항은 부속서II 국가들이 제12조 제1항에 따른 보고에 필요한 "합의된 만큼의 모든 비용"을 지출하기 위한 "새로운 추가적인" 재원을 제공할 것을 규정하고 있다.

이에 반해 제4조 제3항은 개발도상국에 의한 완화조치에 드는 비용에 있어서 더욱 제한적인 재정지원을 하도록 정한다. 이는 그 비용에는 상한이 없고, 장차 부담이 어마어마해질 수 있기 때문이다. 부속서II 국가들 중에서도 특히 미국과 영국은 협약에 참여함에 있어 자신들이 백지수표를 쓰는 것이 아님을 분명히 하고 싶어했다. 그들은 첫째, 완화를 위한 지원을 제공하라는 제4조 제3항의 의무는 FCCC의 재정 메커니즘이 합의한 프로젝트에만 해당한다는 것과 둘째, 협약의 재정 메커니즘은 공여국들이 상당한 목소리를 낼 수 있는 GEF에 위임되어야 한다는 것을 주장함으로써 이를 명확히 했다.

이에 더해, 제4조 제3항은 개발도상국의 인벤토리와 보고의 경우에서처럼 '완전한' 비용을 지원하는 것과는 다르게, 제4조 제1항상 완화조치에 따른 '증가된'

비용만이 재정지원의 범위에 든다고 규정한다. 협약은 '증가된 비용'을 정의하지는 않았지만, GEF는 1996년 정책보고서에서 증가된 비용을 "자신의 개발목표를 달성하기 위해서만 엄밀히 필요한 비용을 초과하지만, 전세계가 전체로서 공유할 수 있는 추가적인 혜택을 만들어내는 데 드는 추가적인 비용"으로 정의하였다.[71] 이 개념은 명확하지만, 많은 활동에 있어 그것으로부터 전지구적 환경혜택을 창출하는 추가비용을 측정해낼 수 있는 통상적 비용의 기준선이 없기 때문에, 실제로 추가비용을 산정하는 것은 매우 어려울 수 있다.

적응 원조는 협약 제4조 제4항에서 다루어지는데, 이는 매우 간략하면서 부속서II 국가들에게 약한 의무만을 규정한다. 협상 중에 AOSIS는 협약이 해수면 상승에 따른 손해에 대한 배상을 제공하도록 보험기금을 설립하도록 할 것을 제안했지만, 이 제안은 지속적으로 줄어들면서 FCCC에 남긴 유일한 흔적은 제4조 제8항에서 개발도상국의 특정한 필요와 우려를 충족시키기 위한 가능한 조치 중 하나로서 보험을 든 것뿐이다. 그 대신에, AOSIS는 협상 말미에 선진국이 "기후변화의 부정적 효과에 특히 취약한 개발도상국인 당사자가 이러한 부정적 효과에 적응하는 비용을 부담할 수 있도록 지원한다"라는 제4조 제4항을 추가하는 데 성공했다.

제4조 제3항과 제4항은 부속서II 국가들이, 비부속서I 비용이 아닌, '개발도상국'의 비용을 지원하도록 규정한다. 협상 중 미국은 EIT가 재정적 원조를 받을 자격이 있음을 시사했지만, 이 제안은 EIT들에게서조차도 거의 지지를 받지 못하였다. 다만, 동유럽 국가들은 부속서II에서 배제됨으로써 재정적 지원을 할 의무에서 면제되었다는 점에서 만족하였다.

제4조 제3항과 제4항에 규정된 재원의 유일한 출처는 공적자금이다. 협상에 앞서 1988년 토론토 회의성명(Toronto Conference Statement)은 화석연료의 소비에 대해 분담금을 징수함으로써 기후변화에 대한 조치를 위한 기금을 마련하자는 제안을 하였다.[72] 그러나 INC에서는 탄소세, 배출분담금 또는 과태료와 같은 재정자원을 창출하는 자동적 메커니즘을 만드는 것에 대한 논의는 거의 없었다. 그 대신

---

71) Global Environment Facility, 'Incremental Costs (29 February 1996) GEF/C.7/In£5, 3.
72) Proceedings of the World Conference on the Changing Atmosphere: Implications for Global Security, held in Toronto from 27 to 30 June 1988 (1988) WMO Doc. 710.

FCCC는 협약의 재정 메커니즘 또는 "양자적 · 지역적 및 그 밖의 다자적 경로"를 통한 국가의 기여에 대해서만 규정한다(제11조 제5항). 반대로, 2015년 파리 COP 결정에 의해 2025년까지로 연장된 코펜하겐 합의문에 있는 2020년까지 연간 1,000억 달러를 유통한다는 선진국들에 의한 자발적인 약속은 명시적으로 공적 및 사적 재원뿐만 아니라 "대체적 재정지원의 출처"를 포함한 '넓은 다양성의 재원'에 대해서 적용된다.[73]

E. 기술이전(제4조 제5항)

기술 협력 및 이전은 재정지원 문제와 밀접한 관련이 있다. FCCC 협상에서 협상대표들은 대체로 기술이전(technology transfer)의 중요성과 함께 하드웨어뿐만 아니라 '노하우(know-how)'까지 포함하여 기술을 광범위하게 볼 필요성이 있다는 것에 동의했다. 다만, 기술이전의 조건은 논란의 중심이 되었다. 개발도상국은 감당할 수 있는 비용으로 친환경기술에 접근할 수 있어야 한다고 주장하면서 "타협적이고 우대적인 조건"에 근거하여 기술을 이전해줄 선진국들의 의무를 촉구한 바 있다. 일부 개발도상국은 이 협약에서 기술에 대한 보장된 접근이나 강제실시를 규정할 것을 제안하기까지 하였다.[74] 반면에 선진국들은 기술의 '이전'보다는 '협력'을, 혁신에 대한 인센티브가 유지되도록 하기 위하여 지식재산권의 보호가 필요함을 강조하였다. 대부분의 선진국들은 '공정하고 가장 우호적인 조건'에서만 기술을 이전해줄 용의가 있었다.

결국 개발도상국은 기술이전에 대한 상당 부분 절충된 규정을 수용했는데, 이는 기술이전이 일어나는 조건에 대해 정의하지 않는다. 그 대신에, 제4조 제5항은 선진국이 "환경적으로 건전한 기술(친환경기술)과 노하우의 이전 또는 이에 대한 접근을 적절히 증진 · 촉진하며 그리고 이에 필요한 재원을 제공하기 위한 모든 실행

---

73) Copenhagen Accord, para 8; Decision 1/CP.21, Adoption of the Paris Agreement' (29 January 2016) FCCC/CP/2015/10/Add. 1, para 53.

74) INC, Set of informal papers provided by delegations, related to the preparation of a Framework Convention on Climate Change (22 October 1991) A/AC.237/Misc.l/Add.l5, 3 (submission of Ghana on behalf of the G-77).

가능한 조치"를 취할 것을 요구하며, "개발도상국인 당사자의 내생적 능력과 기술의 개발 및 향상"을 지원하도록 하고 있다.

FCCC는 기술이전에 특별히 집중하는 기관을 만들지는 않았다. 대부분의 협상대표는 그 당시에 재정지원과 기술이전 모두를 다루는 단일한 기관을 두는 것이 더 효율적이라고 판단하였고, 독자적인 기술 메커니즘이나 중개처(clearinghouse)를 설립하는 것보다는 기술이전에 있어서 재정 메커니즘의 역할에 주의를 집중하였다.

따라서 기술이전과 관련된 현재 대부분의 체계는 FCCC에 직접적으로 기인하기보다 당사자들의 결정을 통해 수립되었다. 2001년 제7차 COP는 기술필요에 대한 평가, 기술정보 중개처 및 역량강화라는 세 가지 요소로 구성된 기술이전 프레임워크를 채택하였다.[75] 2008년 제14차 COP는 '기술이전에 대한 포즈나인 전략프로그램(Poznan Strategic Program on Technology Transfer)'을 채택하였는데, 이는 GDF에 의해 개발된 것으로서 기술필요에 대한 평가와 시범적 기술 프로젝트 그리고 성공적으로 평가된 기술의 보급에 중점을 둔 것이었다.[76] 2년 후, 제16차 COP는 정책지향적인 20명의 고위 전문가로 구성된 기술집행위원회(Technology Executive Committee)와 UNEP의 주도하에 있는 기관들의 컨소시엄이 주관하는 '기후기술 센터 및 네트워크(Climate Technology Centre and Network)'로 구성된 메커니즘을 수립하였다.[77] 파리협정은 이 기술 메커니즘을 포함하면서 '포괄적인 지침'을 주기 위하여 기술 프레임워크를 설립하게 되었다.[78]

F. 투명성(제4조 제1항 (a)호 및 제12조)

앞서 언급한 바와 같이 각 당사자는 배출 인벤토리 및 보고를 준비하고 통보하여야 하며, 협약을 이행하는 과정 중에 일반적 조건에 따라 보고하여야 한다(제

75) Decision 4/CP.7, 'Development and transfer of technologies' (21 January 2002) FCCC/CP/2001/13/Add.l, 22.
76) Decision 2/CP.14, 'Development and transfer of technologies' (18 March 2009) FCCC/CP/2008/7/Add. 1
77) Cancun Agreements LCA, para 117.
78) Paris Agreement, Arts 10.3 and 10.4.

12조 제1항). 이와 더불어, 부속서I 국가들은 이행조치에 관하여 상세하게 보고해야 하며, 부속서II 국가들은 재정지원 및 기술이전에 대해서 보고해야 한다(제12조 제2항). FCCC의 보고와 검토에 대한 규정에 대해서는 VI.B에서 후술한다.

V. 기관(제7조에서 제11조)

1980년 후반에 기후변화가 처음으로 정책적 쟁점으로 등장했을 때, 일부 지도자들은 온실가스의 배출을 제한하기 위한 국제규제기준을 채택하고 집행할 권한을 가진 초국가적 기구들을 만드는 것이 필요하다고 느꼈다. 1989년 헤이그 회의에서 17개국 정상은 "만장일치의 합의가 이루어지지 않는" 경우에서도 결정을 내릴 수 있는 권한을 가진, 기후변화를 다루는 '새로운 조직적 실체'를 수립할 것을 촉구했다.[79] 그러나 이 과감한 제안은 FCCC 협상과정에서 한 번도 추구되지 않았다. 그 대신, FCCC는 본질적으로 초국가적인 것보다는 정부 간의, 주로 조율과 촉진을 주된 역할로 하는 전통적인 유형의 국제적 조직에 더 의존하였다.

FCCC는 (a) COP, (b) 사무국, (c) SBSTA, (d) 이행을 위한 보조기구(Subsidiary Body for Implementation, SBI), (e) 재정 메커니즘이라는 5가지 기관을 수립하거나 정의하였다. 협상 중에 대표들은 COP가 일반적인 정책검토 및 지침을 제공할 필요가 있다는 것과 사무국이 기술지원을 제공할 필요가 있다는 것에 전반적으로 합의했다. 그러나 그들은 추가적으로 어떤 조직을 만들지에 대해서는 의견을 달리 하였다. 선진국은 대체적으로 개발도상국에 의해 통제될 수 있다고 우려하는 새로운 기후기금이 아닌, 과학과 이행에 관한 기술상의 기능을 수행하는 보조기구를 수립하는 것을 지지하였다. 이와는 대조적으로 인도와 중국에 의해 주도되는 개발도상국들은 기후기금의 조성을 모색하였지만, 과학 및 이행에 대한 보조기구의 필요성에 의문을 제기했다. 그들은 선진국의 전문가들이 협약의 시스템을 지배하고, 그들 국가의 정책과 행동을 검토함으로써 주권을 침해할 수 있다고 우려했다.

---

79) Hague Declaration on the Environment (11 March 1989) (1989) 28 ILM 1308.

FCCC는 이 두 대립하는 입장들 간의 타협을 반영한다. 선진국이 제안한 바대로 과학 및 기술 자문을 제공하고, 이행을 촉진하는 두 개의 보조기구를 창설하지만, 이들의 구성원은 독립적인 전문가가 아닌 정부대표로 구성되었다. 또한 개발도상국들이 제안한 바와 같이 재정 메커니즘을 정의하고 있지만, 기존 기관인 GEF에 잠정적으로 그 운영을 맡겼다. FCCC 협상에서 제기된 보다 야심찬 아이디어는 20년이 지난 2010년 칸쿤합의에서 그 결실을 맺게 되었는데, 여기서 녹색기후기금(Green Climate Fund, GCF)과 기술 메커니즘이 설립되고, 국제적 협의, 평가 및 검토를 위한 절차가 채택되었다.[80)]

A. 당사국총회(제7조)

당사국총회(Conferences of the Parties, COPs)는 국제환경조직 중 가장 특색 있는 유형이 되어 왔다.[81)] 사실상 모든 다자간 협약은 정기적으로, FCCC의 COP의 경우 매년, 회합을 하며, 이는 조약체제에 있어 '최상위' 의사 결정기관(제7조 제2항) 역할을 한다. 주목할 만한 기후변화 COP는 교토의정서를 채택한 1997년 COP3, 마라케시 합의문을 채택한 2001년 COP7, 코펜하겐 합의문의 협상의 장을 마련한 2009년 COP15, 칸쿤합의를 채택한 2010년 COP16와 파리협정을 채택한 2015년 COP21가 있다.

당사국총회의 주요 기능은 협약이행을 촉진하고, 협약의 실효성을 검증하는 데 필요한 결정을 내리는 것이다. 공식적으로 COP의 결정은, 예를 들어 총회가 온실가스의 국가 배출량을 계산하는 방법을 정의하는 것과 같이(제4조 제1항 (a)호) FCCC가 부여한 명시적 권한에 따라 행동할 때를 제외하고는 법적인 구속력이 없다.[82)] 대신 새로운 법적 의무를 가져오기 위해서는 COP가 협약에 대한 의정서 또

80) 일반적인 내용은 다음을 참조. Cancun Agreements LCA, paras 44, 63, 100, 102, and 117.

81) Robin C. Churchill and Geir Ulfstein, Autonomous Institutional Arrangements in Multilateral Environmental Agreements: A Little-Noticed Phenomenon in International Law', *American Journal of International Law,* 94/4 (2000): 623. 이 절과 다음 절은 다음 문헌을 기초로 한다. Bodansky, *Art and Craft of International Environmental Law* (n 1) 119-22.

82) Jutta Brunnée, 'COPing with Consent: Law-Making under Multilateral Environmental Agreements', *Leiden Journal of International Law,* 15/1 (2002): 1; Lavanya Rajamani, 'The Devilish Details:

는 개정을 채택해야 하며, 그것은 발효되기 전에 국가들의 동의를 얻어야 한다(제15조에서 제17조). 그럼에도 불구하고 COP는 중대한 권한을 가진다. 총회는 기존 의무의 타당성을 검토할 수 있고, 1995년 베를린 위임사항이나 2007년 발리행동계획 그리고 2011년 더반플랫폼에서 그러하였듯 새로운 협상을 시작할지를 결정할 수 있다. COP는 GCF나 기술 메커니즘과 같은 새로운 조직을 수립할 수 있다. 그리고 더반에서의 COP17에서 채택된 '국제적 협의 및 분석(international consultation and analysis, ICA)'을 위한 절차와 같이 새로운 절차를 도입할 수도 있다.[83] 게다가 COP는 기후변화 문제를 심의하기 위한 중심적 포럼 역할을 하며, 대중의 관심을 문제에 집중시키고, 국가들이 협약에 따른 의무를 준수하고 강화하도록 다른 당사자 또는 대중적 압력을 가져오는 데 도움을 준다.

FCCC는 COP가 합의에 따라 절차규칙을 채택할 것을 규정하고 있지만(제7조 제3항), 거의 25년이 지난 지금까지도 COP의 투표규칙이 2/3 득표의 다수결 또는 컨센서스 방식을 규정해야 하는지에 대한 의견차로 인하여 여전히 불가능한 것으로 증명된 바 있다.[84] 그 결과로 COP는 합의된 투표규칙의 부재로 절차규칙의 초안에 따라 운영이 되고 있고, 결정을 내리기 위해서는 컨센서스가 필요하다.[85]

B. 사무국(제8조)

당사자들에 의한 정기적 회의에 더해, 대부분의 국제환경체제는 상설 사무국(secretariat)의 유용성을 인정해 오고 있다. 조약 사무국은 국가 간 회의에 대한 행정지원을 제공하는 것에서부터 위탁연구, 의제설정, 데이터 수집 및 분석, 기술적인 전문지식 제공, 국가 간 중재, 타협안 제안, 의무준수 감시, 재정 및 기술 지원 등 다양한 기능을 수행한다.[86]

Key Legal Issues in the 2015 Climate Negotiations', *Modern Law Review*, 78/5 (2015): 826, 839-40. 당사국총회의 법제정의 권한에 관해서는 제3장 II.D.3 참조.

83) Decision 2/CP.17, 'Outcome of the work of the Ad Hoc Working Group on Long-term Cooperative Action under the Convention' (15 March 2012) FCCC/CP/2011/9/Add.l, Annex IV.

84) FCCC, Draft Rules of Procedure of the Conference of the Parties and Its Subsidiary Bodies (22 May 1996) FCCC/CP/1996/2,2, Rule 42.

85) 컨센서스 규칙에 관하여는 제3장 I.B.2 참조.

FCCC 협상에서 사무국에 관한 주요 쟁점은 그 권한의 범위였다. 일부 평론가들과 협상대표들은 국제원자력기구(International Atomic Energy Agency, IAEA)의 검증기능을 모델로 하여 사무국에게 (각국의) 의무준수여부를 감시하는 데 있어서 폭넓은 역할을 부여하는 것을 제안한 바 있다. 그러나 대부분의 대표들은 그 기능이 엄격하게 행정처리에 제한된 사무국의 설치를 선호했다. 일부는 사무국의 보고서를 마련할 권한의 범위에 있어 사무국의 보고서가 특정 당사국에게 불리하게 서술할 수 있다고 우려하면서 의문을 제기하기도 하였다. 따라서 제8조는 COP의 준비, 당사국들의 보고서 마련의 지원·촉진, 다른 이들이 제출한 보고서의 편찬 및 다른 국제협정에 따라 설립된 사무국과의 조정과 같은 행정업무를 사무국에 위임한다. 이에 반해, 사무국은 예를 들어 자료를 수집하거나, FCCC 당사자들의 이행을 검토하거나 보고함으로써 의무준수를 감시하는 기능을 할 권한까지를 부여 받지는 않았다.

C. 과학 및 기술 자문 보조기구(제9조)

FCCC는 COP에 의한 결정이 가능한 한 최선의 과학정보를 기반으로 한다고 규정하고 있지만, 모든 국가가 새로운 과학기구를 설립할 가치가 있다는 것에 설득된 것은 아니다. 몇몇 개발도상국은 IPCC가 COP에 과학적 평가와 조언을 적절하게 제공할 수 있을 것이라고 주장했다. 이에 대한 대답으로서 선진국들은 새로

86) 환경협정들의 사무국에 관하여는 다음 문헌들을 참조. Bharat H. Desai, *Multilateral Environmental Agreements; Legal Status of the Secretariats* (Cambridge University Press, 2013); Steffen Bauer, 'Does Bureaucracy Really Matter? The Authority of Intergovernmental Treaty Secretariats in Global Environmental Politics', *Global Environmental Politics,* 6/1 (2006): 23; Rosemary Sandford, 'International Environmental Treaty Secretariats: Stage-Hands or Actors?', in Helge Ole Bergesen and Georg Parmann (eds), *Green Globe Yearbook of International Cooperation on Environment and Development 1994* (Oxford University Press, 1994) 17-19. 다자간 환경협정의 사무국에 대한 설문조사로는 다음을 참조. Secretary-General's High-Level Panel on UN System-Wide Coherence in the Areas of Development, Humanitarian Assistance, and the Environment, 'Basic Information on Secretariats of Multilateral Environmental Agreements: Mission, Structure, Financing and Governance' <http://www.un.org/ga/president/61/follow-up/environment/ 060612d.pdf> accessed 20 January 2017.

운 위원회가 IPCC에서 벗어나 정책을 유지하는 데 도움을 주고, 외부의 학술집단과 FCCC의 기구들 사이에서 유용한 가교 역할을 할 수 있을 것이라고 주장하였다. 협상이 진행되는 동안, 때때로 이러한 의견차가 과학기구의 설립을 방해하는 것처럼 보였다. 그러나 결국 제9조는 SBSTA를 설립하고, 그것의 구성과 기능에 대해 명시하게 되었다.

SBSTA는 모든 당사자의 참여를 위해 개방되며, '유관 전문 분야의 권한 있는 정부대표'로 구성된다(제9조 제1항). AOSIS와 몇몇 유럽국가는 제한된 회원으로 구성된 보다 독립적인 전문가 그룹을 선호했다. 그러나 대부분의 개발도상국은 SBSTA를 국가대표단의 모임으로 만들 것을 주장하였으며, 미국은 IPCC와 같이 주로 과학적인 업무를 담당하는 기구와 정치지향적인 COP 사이의 연락책 역할을 하기 위해서는 개방적이며 정부 간 조직인 단체가 최적일 것이라고 주장하였다. 기술 개발과 이전에 대해 특히 관심이 있는 개발도상국에 대한 양보로서 SBSTA의 위임사항에는 과학적인 문제뿐만 아니라 기술적인 문제도 포함되어 있다. 특히나 SBSTA는 적응, 산림전용으로 인한 배출의 감축과 산림 황폐화, 기술이전과 배출 인벤토리 지침에 대해 과학적 및 기술적 자문을 제공하는 데 중요한 역할을 담당해왔다.

D. 이행을 위한 보조기구(제10조)

제10조에 의해 SBI가 설립되었다. 애초에는 개별 당사자에 의한 이행에 대하여 검토권한을 가진 하나의 이행위원회를 설립하는 것에서 합의가 가능할 것으로 보였다. 실제로 오스트리아는 국가가 협정을 준수하였는지와 관련하여 의문을 해소하기 위하여 새 기구에게 준사법적 결정권을 주는 것을 제안하였다. 그러나 다수의 개발도상국들, 특히 인도와 중국은 그들 정책을 국제적으로 검토하는 것에 대해서 강하게 반발하였고, 이행위원회가 생긴다면 협약 채택을 방해하겠다고 위협하기까지 했다.

이행기구의 권한에 대해 면밀하게 정의하기 위한 11시간 동안의 절충을 통해 교착상태가 해소되었다. 제10조는 SBI에게 "당사자들이 취한 조치의 전반적이고 종합적 효과"를 평가할 권한을 줄 뿐 개별 개발도상국이 협약을 이행하기 위해 취한 조치를 평가할 권한을 주지 않는다. SBSTA와 마찬가지로 SBI의 회원자격은 개방되어 있으며, 기후변화와 관련된 문제에 대해 전문가인 정부대표들로 구성된다. SBI는 예산 및 행정문제를 다루는 것 외에도 다음 VI.B 및 VI.C에서 논의되는, 칸쿤합의에 의해 설립된 측정, 보고 및 검증 시스템을 개발하는 데 특히 중요한 역할을 담당해왔다.

E. 재정 메커니즘(제11조 및 제21조 제3항)

목표 및 일정표에 관한 쟁점(IV.B.I 참조)과 함께, FCCC상의 재정 메커니즘은 협상에 있어서 아마도 가장 논쟁적인 주제였을 것이다. 근본적인 질문은 FCCC가 이른바 '기후' 혹은 '녹색' 기금과 같은 새로운 재정담당 기관을 설립해야 할 것인지 혹은 재정지원은 1991년 세계은행, UNDP 및 UNEP가 전지구적인 환경 이익을 위하여 개발도상국의 사업들을 지원하기 위해 설립한 GEF에 의할 것인지였다. 선진국들은 새롭고, 검증되지 않은, 그래서 개발도상국에 휘둘릴 위험이 있는 기관에 돈을 위탁하는 일을 희망하지 않았다. 그 대신 선진국들은 GEF가 협약의 재정 메커니즘으로 작동해야 한다고 주장했다. 다른 한편으로 개발도상국은 세계은행과 같은 이미 존재하는 개발 관련 기관은 공여국(대개 선진국)이 그 기구를 지배하고 있기 때문에 이를 통해서 재정지원을 매개되는 것은 부적절하다고 생각하였다. 개발도상국은 특히 GEF를 반대하였는데, 그것의 의사결정 과정이 투명하지 않다는 것(FCCC 협상 당시에 비정부기구는 문서나 회의에 대하여 접근권한이 없었다)과 민주적이지 않다는 것(당시 GEF의 의장과 행정을 맡고 있었던 세계은행이 가중투표방식을 사용하였다)을 이유로 들었다. 대신 개발도상국은 FCCC 당사자들의 집단적 권한하에 운영되는 완전히 새로운 기관을 설립할 것을 제안하였다.

결국 선진국과 개발도상국은 새로운 기관을 설립하지도, GEF에 최종적으로 협약상의 재정 메커니즘 역할을 위임하지도 않는다는 타협안에 합의하였다. 대신 협약은 메커니즘의 일반적인 특성과 거버넌스(제11조)를 규정함으로써, 또 재정 메커니즘의 운영을 임시적으로 GEF에 위탁함으로써(제21조) 재정 메커니즘을 단순히

'정의'하고 있다. 이러한 타협안은 새로운 기관을 설립할 가능성을 열어놓았으며, 실제로 당사국들은 20년 후에 칸쿤에서의 COP16에서 FCCC의 재정 메커니즘상의 독립적인 운영주체로서 GCF를 설립하였다.[87)]

FCCC에서의 중요한 쟁점은 COP와 재정 메커니즘 사이의 관계였다. 선진국들은 특히 어떤 프로젝트를 후원할지와 관하여 GEF의 자주성을 유지하기를 희망한 데 반하여, 개발도상국들은 재정 메커니즘이 COP의 '권한' 또는 '감독' 아래 있기를 원했다. 제11조는 이러한 차이를 일반적 정책 지침과 구체적인 자금지원의 결정의 구별을 통해 해결하였다. 제11조는 COP가 정책, 사업 우선순위 및 자격기준을 정하게 하였지만, COP에 프로젝트 채택 부분에 대해서 권한을 주지 않았다. 그 대신 제11조는 COP와 재정 메커니즘이 "기후변화를 다루기 위한 재원제공사업이 당사국총회가 마련한 정책, 계획의 우선순위 및 자격기준에 부합하도록 보장하는" 방식과 "특정재원제공 결정이 이런 기준에 비추어 재심의하는" 방식에 동의한다고만 규정하였다. 제11조는 재정 메커니즘이 "총회의 책임에 있다"라고 표현하여 '권한'과 '지침' 사이의 무엇인가를 시사하는 술어로 규정하고 있다.

위에서 언급한 바와 같이, 제21조는 협약의 임시 재정 메커니즘으로 GEF를 지정한다. 재정 메커니즘이 "투명한 관리제도 안에서 모든 당사자가 공평하고 균형 있는 대표성을 갖는다"라고 규정한 제11조의 요구에 부응하기 위하여 제21조는 GEF가 "적절히 재구성되어야 하고," 그 회원자격이 "보편적"이 될 정도로 확장될 것을 요구한다. 이 위임사항과 일치하게 GEF는 1994년에 새로운 운영제도를 채택하였는데, 이것은 GEF를 세계은행의 조직이 아닌 독립적 실체로서 개편하고 그것의 관리형태를 개혁하였다.[88)]

---

87) Cancun Agreements LCA, para 102.

88) Global Environment Facility (GEF), 'Instrument for the Establishment of the Restructured Global Environment Facility 1994' (Washington, D.C.: GEF, 1994). 개편된 GEF는 3-4년마다 개최되는 총회에 의해 운영되는데, 이는 모든 회원국으로 구성된다. GEF 이사회는 개발도상국(수령국)에서 16인, 선진국(공여국)에서 14인, EIT에서 2인 및 사무국으로 구성된다. 이사회는 주요한 의사결정기구로 활동하고 있으며, 전체 참여자의 60%와 총기부금의 60%로 이루어진 2중의 가중다수결로 결정을 내리고 있다. Laurence Boisson de Chazournes, 'The Global Environment Facility: A Unique and Crucial Institution, *Review of European, Comparative and International Environmental Law,* 14/3 (2005): 193.

1998년 COP4는 GEF의 잠정적 지위를 종료시키고, 이를 4년마다 검토의 대상이 되는 지속적인 재정 메커니즘의 운영주체로 지정하였다.[89] FCCC와 GEF 이사회(GEF Council)의 양해각서(Memorandum of Understanding, MOU)에 따라[90] GEF는 COP에 협약과 관련된 활동을 주기적으로 보고하여야 한다. COP는 GEF 이사회가 COP의 지침을 따르지 않는다고 판단하는 경우에 재정지원 결정에 관하여 설명하고 이에 대해 재고할 것을 요청할 수는 있지만, 그 지원 결정을 직접적으로 변경할 수는 없다.[91]

제11조는 재정 메커니즘이 증여 또는 무상의 대출로 재정지원을 제공할 것을 규정하고 있지만, 재정상의 재원이 제공될 수 있는 목적이 무엇인지에 대해서 구체적으로 언급하고 있지 않다. 특히 재정 메커니즘이 적응조치에 재원을 지원하는데 쓰일 수 있을지에 대해서 명시적으로 언급하는 바가 없다. FCCC가 채택될 시점에 GEF는 전세계적인 혜택이 아닌 지역적인 혜택만을 주는 프로젝트에 대해서 재원을 투여할 권한이 없었다. 그 결과로 GEF는 적응비용을 지원할 수 없었고, 미국은 제11조에 적응비용의 배상까지도 명시적으로 포함하는 문구를 삽입시키려는 AOSIS의 제안을 성공적으로 배척하였다. 그러나 이후에 GEF의 위임사항은 적응비용의 지원까지 포함하도록 확장되었다.[92]

FCCC가 발효된 이래로 당사자들은 GEF가 운영하는 2001년 마라케시 합의문[93]에 의해 만들어진 SCCF와 LDCF을 포함한 다수의 전문화된 기금을 설립하였다. SCCF의 위임사항은 완화 및 적응과 관련하여 개발도상국에서의 광범위한 활동을 포함한다. LDCF에의 위임사항은 최빈개도국들이 NAPA를 준비하고 이행하는 데 더욱 중점을 둔다.

제11조는 당사자들 중 선진국이 FCCC의 재정 메커니즘이 아닌 양자 간, 지역 간 및 그 밖의 다자간 경로를 통하여 재원을 제공할 수 있다고 명시적으로 허용하

89) Decision 3/CP.4, 'Review of the financial mechanism' (25 January 1999) FCCC/CP/1998/16/Add.1,8.
90) Decision 12/CP.2, 'Memorandum of Understanding between the Conference of the Parties and the Council of the Global Environment Facility' (29 October 1996) FCCC/CP/1996/15/Add.l, 55.
91) Ibid, Annex, para 5.
92) Decision 6/CP.7 (n 59) 40.
93) Decision 7/CP.7 (n 58) 43.

고 있다(제11조 제5항). 재정 메커니즘이 유엔기후체제에서 많은 주목을 받았지만, 완화 및 적응 활동을 위한 공공재원의 대부분은 재정 메커니즘이 아닌 프랑스 개발국(Agence Française de Développement), 일본 국제협력기구(Japan International Cooperation Agency), 독일 국제기후 이니셔티브(German International Climate Initiative), 미국 국제개발기구(US Agency for International Development)와 같은 양자적 수단, 유럽투자은행(European Investment Bank)과 같은 지역적 기관, 그리고 그 자체로 GEF보다 상당히 큰 청정기술기금(Clean Technology Fund)과 같이 세계은행이 운영하는 다자간 기금을 통해서 지원되었다. 2010년에 GEF가 10억 달러 미만을 지원한 데 반하여 양자간 개발관련 조직은 기후재정에 있어 100억 달러 이상을 제공하였다.[94] 2009년 코펜하겐 합의문에서 참여국들은 개발도상국의 활동을 지원하기 위하여 GCF를 만들기로 합의하였고, 선진국들은 협약에 의해 제공되는 신규 자금의 "상당 부분"은 새 기금을 "통하여 유통되어야" 한다는 데 합의하였다.[95] GCF는 그 다음 해 COP16에 의하여 FCCC의 재정 메커니즘의 운영주체로 설립되었고,[96] 2011년 더반 COP에서 그 운영제도가 채택되었다. 칸쿤합의에 의하면, GCF의 임무는 개발도상국들의 기후변화 대응에 대한 지원을 제공하는 것으로, 국가적으로 적절한 완화행동인 '저배출 발전전략(low-emission development strategies)' 그리고 NAP를 지원하는 것을 포함한다. GCF는 완화활동과 적응활동에 별개로 분리된 창구를 가지고 있으며, 두 활동에 균형 있고 동일하게 나누어진 재원들을 갖고 있다.[97] 비록 세계은행이 3년 동안 GCF의 임시수탁자로 되어 있음에도 불구하고, GCF는 국제적 법인격을 가지고 있으며, 자신만의 운영기관을 두고 있다. 그 운영기관은 집행위원회(governing board, 개발도상국과 선진국에서 각각 12명씩 총 24명의 구성원으로 구성된다)

---

94) 양자적 원조에 대해서는 United Nations Environment Programme (UNEP), 'Bilateral Finance Institutions and Climate Change: A Mapping of Public Financial Flows for Mitigation and Adaptation to Developing Countries in 2010' (UNEP, 2011) 참조. GEF에 의한 기후관련 원조에 대해서는 Report of the Global Environment Facility to the Conference of the Parties, Note by the secretariat (27 August 2013) FCCC/CP/2013/3 참조.

95) Copenhagen Accord, paras 8 and 10.

96) Cancun Agreements LCA, paras 102-11.

97) Decision 3/CP.17, 'Launching the Green Climate Fund' (15 March 2012) FCCC/CP/2011/9/ Add.l, 55, para 8.

와 '완전히 독립된' 사무국이며, 사무국은 한국에 소재해 있다. GCF의 재정지원 결정은 당사국총회의 정책지침을 따를 것을 전제로 집행위원회의 '완전한 관할' 아래 있다.[98)]

2015년 파리협정을 채택했을 때, COP21는 GCF, SCCF, LDCF를 포함한 FCCC의 기금들이 새로운 협정을 위해서도 기능할 것이라고 결정했다.[99)]

Ⅵ. 이행과 의무준수 메커니즘(제7조 제2항 및 제12조에서 제14조)

A. 개관

FCCC는 '서약과 검토'라고 불리는 상대적으로 약한 이행체계를 구축하고 있다. 먼저, 국가들은 제12조에 따라 온실가스 배출과 이행조치에 관한 정보를 통보하도록 요구받는다. 이 보고 요구사항은 구속력 있는 '서약'에는 훨씬 미치지 못하지만, 당사자들에게 그들이 하는 일을 공개적으로 밝히도록 함으로써 국가적 행동을 압박한다. 그리고 제7조 제2항 (e)호는 당사자들의 보고에 대해 이루어지는 COP의 국제적 검토에 관하여 정한다.

수년에 걸쳐, FCCC의 이행체계는 주로 부속서I 국가들에게 적용됐다. 많은 비부속서I 국가들이 최초의 국가적 의사교환을 제시하기까지도 오랜 시간이 걸렸고, 비부속서I 국가들의 보고서를 국제적인 검토의 대상으로 삼을 것이라는 어떠한 합의도 없었기 때문이다. 코펜하겐 합의문과 칸쿤합의는 더 빈번한 보고를 하도록 하고(매 2년), 비부속서I 국가에 의한 보고를 평가하기 위한 ICA 절차를 만듦으로써, FCCC의 서약과 검토 체계를, 특히 개발도상국에 대하여 강화하였다. 파리협정은 전반적으로 이와 동일한 전체적인 접근을 법적 구속력 있는 문서 속에 제도화시켰다.

---

98) Ibid, Annex: Governing Instrument for the Green Climate Fund, paras 5 (위원회는 "완전한 책임"을 갖게 된다), 19 ("완전히 독립된" 사무국).

99) Decision 1/CP.21 (n 73) para 58. 파리협정에 대해 더 구체적으로는 제7장 참조.

서약과 검토 체계에 더해서, FCCC는 각 당사자의 준수를 검토하기 위해 두 가지 메커니즘을 생각해냈다. 먼저, FCCC는 몬트리올의정서(제13조)의 비준수 절차를 모델로 하는 다자간 협의 메커니즘의 성립 가능성에 대해 규정한다. 두 번째로, FCCC는 표준적인 분쟁해결 조항을 포함하는데, 이는 협의, 화해, 비강제적인 중재 또는 조정에 대해 정한다(제14조). 현재까지 이러한 준수 메커니즘들과 분쟁해결 중 어떤 것도 효과를 나타내지 못했는데, 분쟁해결에 있어서는 분쟁이 발생한 적이 없었고, 다자간 협의 메커니즘의 경우에는 그것이 설립된 적이 없었기 때문이다.

B. 보고(제12조)

보고 요구사항은 투명성을 증진시키고, 그에 따라 국가의 성취에 대한 국제적 검토를 용이하게 한다. 처음에, 몇몇 선진국들은 FCCC에서 국가 보고서에 포함되어야만 하는 정보를 부속서에서 구체화하거나 COP에게 보고서를 위한 합의된 공통양식을 채택하도록 위임하는 등 의욕적인 보고 요건을 포함시키려고 했다. 또한 당사자들로 하여금 보고서를 마련하는 '국내평가기구(national assesment body)'를 설립하고, 비정부기구들로 하여금 검토와 의견을 하도록 요구하자는 제안도 있었다.[100] 하지만 간단한 보고 요건조차도 채택하기가 어렵다는 점이 분명해짐에 따라 이러한 제안들은 궁극적으로 폐기되었다.

비록 많은 국제협정들이 보고 요건들을 포함하고 있지만, 몇몇 개발도상국들은 FCCC에서 그러한 요건들을 받아들이는 것을 꺼려했다. 그들은 보고가 부담스러우며, 강제적이기 보다는 자발적이어야 한다고 주장했다. 개발도상국들은 심지어 '보고(reporting)'라는 술어를 거부하면서 그것이 강제적이고 간섭적인 절차라고 주장했다. 따라서 협약에서는 좀 더 중립적인 용어를 사용하는데, 그것이 '정보의 교환(communication of information)'이다. 이러한 배경으로 비록 완화되기는 했지만, 제12조의 보고 요구사항은 여전히 앞으로도 중요한 단계이다.

---

100) INC, Set of informal papers provided by delegations related to the preparation of a Framework Convention on Climate Change, Addendum (22 May 1991) A/AC.237/Misc.l/Add.l, 3 (submission of Australia).

제12조는 서로 다른 범주의 국가들을 위해서 보고 요건을 세 가지로 구분한다. 먼저, 비부속서I 국가, 부속서I 국가 및 부속서II 국가들에게 요구되는 보고 요구사항의 내용들이 다르다. 모든 당사자들은 그들의 온실가스 배출과 흡수에 관한 온실가스 배출 및 흡수에 관한 국가 인벤토리(그들의 역량이 허락하는 한도 내에서 작성된 것)에 대한 정보를 교환해야 할 뿐만 아니라, 협약의 이행을 위해 취해진 조치나 계획에 대해서도 정보를 교환해야 한다(제12조 제1항). 이에 더해 부속서I 국가들은 반드시 그들에게 특정된 의무이행을 위해 채택한 정책들과 조치들에 대한 상세한 서술과 그 정책 및 조치가 온실가스 배출원에 의한 배출 및 흡수원에 의한 제거에 미치는 효과에 대한 상세한 평가를 제출해야 한다(제12조 제2항). 마지막으로, 부속서II 국가들은 제4조 제3항에서 제5항에 따라 재정지원 및 기술이전에 대하여 보고해야 한다(제12조 제3항). 이러한 부속서I 국가와 비부속서I 국가에 대한 요건들의 상이점은 COP에 의해 채택된 지침에 더 상세히 설명되고 있다. 그것은 부속서I 국가들에게 비부속서I 국가들보다 더 자세하고 까다로운 정보교환과 국가 온실가스 인벤토리 지침을 제시한다.[101)]

두 번째로, 비부속서I 국가들은 그들의 인벤토리나 국가적 정보교환을 준비하는 데 재정적으로, 또 기술적으로 지원을 받을 권리가 있다(제12조 제7항). 그들이 그러한 지원을 받을 때까지, 그들은 어떠한 정보도 통보할 의무가 없다.

마지막으로, 제12조는 부속서I 국가와 비부속서I 국가의 정보교환에 대한 시기를 차등화하고 있다. 제12조 제3항은 부속서I 국가들에게는 처음 국가 정보교환을 제출하는데 FCCC의 발효로부터 6개월의 시간을 부여한다. 그리고 나서, COP

101) 다음을 비교해보시오. FCCC, Review of the Implementation of Commitments and of Other Provisions of the Convention: UNFCCC guidelines on reporting and review (16 February 2000) FCCC/CP/ 1999/7 (Annex I guidelines); Review of the Implementation of Commitments and of Other Provisions of the Convention, National Communications: Greenhouse gas inventories from Parties included in Annex I to the Convention: Guidelines on reporting and review (28 March 2003) FCCC/CP/2002/8 with Decision 17/CP.8, 'Guidelines for the preparation of national communications from Parties not included in Annex I to the Convention' (28 March 2003) FCCC/CP/2002/7/Add.2, 2, Annex. 예를 들어, 부속서I 국가들은 그들의 인벤토리 마련에 IPCC 인벤토리 지침을 사용할 것이 요구되며, 그들의 방법과 정보출처에 관한 상세한 기록을 포함해야 한다. 이에 반하여, 비부속서I 국가들에게는 IPCC 인벤토리 지침의 사용이 장려되지만 요구되지는 않는다.

는 부속서I 국가들이 인벤토리를 매년 제출해야 하고, 정보교환을 매 4년마다 해야 한다고 결정한 바 있다. 2016년을 기준으로, 부속서I 국가들은 여섯 차례의 국가 정보교환을 제출한 바 있고, 2018년에 7번째를 제출해야 한다. 이와 대조적으로, 제12조 제3항은 비부속서I 국가들에게 그들이 최초로 국가적 정보교환에 대한 원조를 받은 때로부터 3년의 기간을 부여하였는데, 2010년 칸쿤합의 이전까지 COP는 이어지는 인벤토리 제출과 정보교환의 일정표를 결코 채택하지 않았다.[102] 수년 동안, 몇몇 개발도상국들은 국가 정보교환을 위한 기금을 신청하기를 꺼렸고, 따라서 3년 기한이 시작되기 위한 조건이 충족되지 않았다. FCCC의 발효된 후 5년 동안, 10개의 개발도상국들만이 그들의 최초 통보를 제출한 바 있다. 비부속서I 국가들에 의한 이와 같은 느린 속도의 제출은 COP로 하여금 1999년에 비부속서I 국가 정보교환에 관하여 전문가들로 구성된 협력단을 만들도록 했고,[103] 이는 비부속서I 당사국들의 더 빠른 제출을 가능케 했다. 그럼에도 불구하고, 브라질, 중국, 인도는 그들의 첫 정보교환을 2004년 말까지도 제출하지 않았는데, 이는 FCCC가 발효한 지 10년이 넘는 시기였다. 2016년 10월을 기준으로, 147개의 비부속서I 국가들이 그들의 첫 국가 정보교환을 제출했고, 127개국이 두 번째 정보교환을 제출했다. 하지만 오직 27개국만이 그들의 세 번째 정보교환을 제출했다. 그리고 오직 멕시코만이 네 번째와 다섯 번째 정보교환을 제출했다.[104]

2009년 코펜하겐 합의문과 2010년 칸쿤합의는 선진국과 개발도상국 모두를 위한 보충적인 보고 요건을 수립했다. 그리고 이것은 강제적인 어조가 아닌 권고적 어조로 표현된다(shall이 아닌 should로). 선진국 당사자들에게는 격년 보고서(Biennial Reports, BRs)의 제출이 요구된다. 이 보고서는 매 4년마다 제출하는 국가 정보교환과 매년 제출하는 온실가스 인벤토리에 더하여, 배출감축의 성취와 비부속서I 국가들에게[105] 제공한 재정적 및 기술적 지원에서의 진척에 대해 기술하는 것이다.

---

102) 게다가 제12조 제3항은 최빈개도국이 재량에 따라 최초의 국가 정보교환을 제출할 수 있도록 하고 있다.

103) Decision 8/CP.5, 'Other matters related to communications from Parties not included in Annex I to the Convention (2 Februaiy 2000) FCCC/CP/1999/6/Add. 1, 17, para 3.

104) FCCC, 'Submitted National Communications from Non-Annex I Parties' <http://unfccc.int/ national_reports/non-annex_i_natcom/submitted_natcom/items/653.php> accessed 20 January 2017.

105) Cancun Agreements LCA, para 40(a).

최초로, 비부속서I 국가들 또한 그들의 국가 정보교환을 (매 4년마다) 제출해야 하는 일정표를 갖게 되었다. 이에 더해, 그들은 격년 업데이트 보고서(biennial update reports, BURs)를 제출해야 하는데, 그것은 국가 인벤토리 보고와 완화활동에 대한 정보, 필요들, 지원 받은 것들을 포함하고 있다.[106] BR와[107] BUR의[108] 마련에 관한 지침은 2011년 COP17에서 채택되었다. 모든 부속서I 국가들은 첫 번째 보고서를 제출한 바 있는데, 그 두 번째 제출기한은 2020년에 도래한다. 비부속서I 국가들에 의한 첫 번째 BUR의 제출기한이 2013년 12월까지였음에도 불구하고, 2016년 10월 기준으로 오직 34개의 비부속서I 국가만이 BUR을 제출한 바 있다.[109]

C. 국제적 검토(제7조 제2항)

감시와 검증 절차는 몇 가지 기능을 수행한다. 이들은 다른 당사자들로 하여금 잠재적 경쟁국들이 의무를 준수하고 있는지에 관한 정보를 제공하고, 공개적으로 당혹스럽게 함으로써 무임승차를 막아준다. 또한 국가의 성과에 대한 국제적인 검토를 촉진하며, 제재의 적용여부를 결정하는 기준 역할을 한다.

FCCC 협상그룹은 수많은 야심찬 검증절차들에 대해 고려했다. 그리고 그중에 몇몇 예들은 다른 국제협약에서 쓰이는 절차들을 모델로 한 것이었다. 선택지들에는 세계기상기구(World Meteorological Organization) 또는 UNEP과 같은 현존하는 조직들에게 감시권한을 주는 것과 독립적인 기술 전문가로 구성된 영구적인 검토위원회를 설치하는 것, 임시적 전문가 팀을 구성해 활용하는 것 등이 포함되어 있었다.[110]

하지만 이러한 제안들 중 자투리 부분만이 FCCC에 남게 되었는데, 이는 부분

106) Ibid, para 60.

107) Decision 2/CP. 17 (n 83) Annex I: UNFCCC biennial reporting guidelines for developed country Parties.

108) Ibid, Annex III: UNFCCC biennial update reporting guidelines for Parties not included in Annex I to the Convention.

109) FCCC, 'Submitted biennial update reports (BURs) from non-Annex I Parties' <http://unfccc.int/national_reports/non-annex_i_natcom/reporting_on_climate_change/items/8722.php> accessed 20 January 2017.

110) INC, Single Text on Elements Relating to Mechanisms, Note by the Co-Chairmen of Working Group II (21 August 1991) A/AC.237/Misc.8, 24,23, 32.

적으로 구속력 있는 목표와 일정표에 대한 합의에 실패한 것이 감시와 검증 절차의 긴급성을 떨어뜨렸기 때문이었다. 이에 덧붙여, 대부분의 대표들은 당사국들이 신의에 따라 행동할 것이라고 가정했고, 그래서 FCCC 준수의 실패는 재정과 기술의 부족과 같이 당사자들이 통제할 수 없는 상황 때문일 것이라고 생각했다. 그들은 협상이 검증절차보다는 국가들이 의무를 다할 수 있도록 도와주는 메커니즘을 정교화시키는 데 집중해야 한다고 생각했다. 결국 감시와 검증에 관한 질문들 전체가 많은 개발도상국 대표들에게는 정치적으로 매우 민감했다. 실제로 몇몇 개발도상국들은 '감시', '의무준수' 및 '검증'이라는 용어를 사용하는 것에 반대했다. 첫 번째 술어는 지나치게 시민운동가 같고 개입적인 어조였기 때문이고, 나머지 두 술어는 국가들이 악의로 행동하고 고의적으로 그들의 의무를 위반할 것이라는 점을 시사하기 때문이었다. 따라서 협약은 좀 더 중립적이고 설명적인 언어를 사용했다. '감시'는 '평가(assess)'로, '의무준수'는 '이행'으로, '검증'은 '문제의 해결(resolution of question)'로 대체되었다.

FCCC가 국제적 감시 또는 사실조회(fact-finding) 메커니즘을 구축하지 않는다는 것이 점점 명확해지자, 관심은 국가 보고에 대한 국제적인 검토로 전환되었다. 대표들은 잠재적 검토대상의 몇몇 상이한 유형들에 대해 확인했다. (1) 보고서가 제출되었는지 그리고 보고에 관한 지침들을 따랐는지에 대한 절차적 검토, (2) 사용된 방법론에 대해 그리고 특정 국가의 조치가 제시된 것만큼 배출량을 줄일 가능성이 있는지에 대한 기술적인 검토 및 (3) 당사자들이 협약에 따라 그들의 의무를 준수했는지에 대한 평가와 같은 보다 실체적인 검토가 그것이다.

FCCC는 COP에 주된 검토기능을 부여했다. COP는 "협약의 규정에 따라 제공된 모든 정보에 입각하여 당사자들의 협약 이행상황, 협약에 따라 취한 조치의 전반적 효과, 특히 누적적 효과를 포함한 환경적·경제적·사회적 효과 및 협약의 목적 성취도를 평가할" 권한을 가진다(제7조 제2항 (e)호). 조항의 문구 속에서 복수형으로 사용된 '당사자들의 협약 이행상황(implementation of the convention by the parties)'은 본 규정이 당사자들의 집단적인 이행에 대한 검토를 목표로 하고 있는 것처럼 해석될 수 있음에도 불구하고, 그러한 해석은 규정을 사족으로 만드는데, 이는 뒤따라 나오는 구절("협약에 따라 취한 조치의 전반적 효과")이 집단적인 이행에 대해 서술하고 있기 때문이다. 만약 각 구절이 COP의 개별 의무로 이해되어야 한다면, 앞의 구절은 개인적인 검토를 말하는 것으로 해석되어야 한다. 따라서 비록 제7조 제2항 (e)호가 명백하게 국가들의 성취에 대해 개별적인 검토를 승인하고 있지 않더라도 규정을 통합적으로 보면, 당사국들의 개별적인 검토가 허용되도록 의도된 것이라 하겠다.

제7조 제2항의 올바른 법적 해석이 무엇이든지 간에, 개발도상국들은 그들의 국가 정보교환에 대한 검토를 받으려고 하지 않았다. 그래서 COP1은 깊이 있는 전문가 검토를 오직 부속서I 국가들의 정보교환과 온실가스 인벤토리에 대해서만 이루어지도록 승인했다.[111] 처음에 전문가 검토는 주로 서면검토로 이루어졌다. 국가에서의 실사는 예외적인 경우였고, 관련 국가의 사전승인이 요구되었다. 하지만 오늘날 국가적 정보교환에 대한 검토는 보통 전문가 팀에 의한 국가 방문을 포함한다. 그리고 온실가스 인벤토리에 대한 깊이 있는 검토는 적어도 매 5년마다 1회씩의 국내실사를 포함하는 것으로 되어 있다. 검토과정에서 도출된 결과는 검토 전문가 팀에 의해 준비된 보고서에 제시되며, 그것은 FCCC의 웹사이트에 공표된다.

코펜하겐 합의문과 칸쿤합의는 비부속서I 국가들의 정보교환에 관한 국제적 정밀조사를 위한 첫 번째 절차와 부속서I 국가에 대한 추가적인 검토절차를 구축했다. 부속서I 국가들에 대해 칸쿤합의는 '국제적 평가 및 검토(international assessment and review, IAR)' 절차를 구축했다. 이는 SBI에 의하여 실행되는데, 두 단계로 이루어진다. 첫 번째로, BRs, 온실가스 인벤토리, 부속서I 국가들의 국가적 정보교환에 대한 기술적인 검토이다. 그리고 두 번째는, 부속서I 국가들의 배출감축 과정에 대한 다자간 평가이다.[112] 2014년 다자간 평가의 첫 라운드에서 17개의 부속서I 국가들이 SBI에 의해 평가되었고, 2015년 두 번째 라운드에서는 24개국이 평가되었다.

비부속서I 국가들에 대해 칸쿤합의는 개발도상국의 완화활동에 투명성을 증대시키기 위해 SBI에 의한 ICA 절차에 대해 규정한다.[113] ICA 절차에 의해 고려되

111) Decision 2/CP.l, 'Review of first communications from the Parties included in Annex I to the Convention' (6 June 1995) FCCC/CP/1995/7/Add.l, 7.
112) Decision 2/CP.17 (n 83) Annex II: Modalities and procedures for international assessment and review.
113) Cancun Agreements LCA, para 63.

는 정보는 비부속서I 국가들의 온실가스 인벤토리 보고서뿐 아니라, 완화활동, 국내측정, 보고 및 검증에 관한 정보를 포함한다. 칸쿤합의에 의하면, ICA는 "비강제적, 비징벌적 그리고 국가의 주권을 존중하는" 것이 되어야 한다.[114] COP17에 의해 채택된 이러한 ICA에 관한 지침은 IAR과 유사하게 ICA도 두 가지 단계로 구성된다고 정한다. 첫 번째는 각 비부속서I 국가의 BUR에 대한 전문가 팀의 기술적인 분석인데, 여기서 국가의 온실가스 인벤토리, 완화활동, 국내측정, 보고 및 검증 그리고 지원받은 것이 검토된다. 그리고 두 번째로 당사자들 사이의 촉진적 입장 교환은 각 당사국이 그들의 BUR에 대해 짧은 발표를 하고, 그 뒤에 구술로 질문과 답변 세션을 갖도록 한다.[115] 최빈개도국과 소도서국가에 있어서는 ICA에의 참가가 자율에 맡겨져 있다.[116] 2016년 10월을 기준으로, 32개의 비부속서I 국가의 BUR이 기술분석, 즉 ICA 절차의 첫 번째 단계를 거쳤다.[117]

D. 이행 관련 문제해결을 위한 다자간 협의절차(제13조)

당사자들에 의한 협약의 준수에 관한 문제를 해결하기 위하여, 많은 이들이 다자간, 비대립적인 절차가 전통적인 분쟁해결에 비해 선호될 것이라고 생각했다. 대립적인 절차는 기후변화가 국제적인 관심사이기 때문에 적절하지 않은데, 이는 비준수가 단순히 한 당사자가 문제를 제기한 국가뿐 아니라, 궁극적으로 모든 당사자들에게 집단적으로 영향을 미칠 것이기 때문이다. 게다가 비사법적인 메커니즘은 비논쟁적인 방법으로 문제가 해결되도록 함으로써 협력적인 관계를 촉진시킬 것이다.[118]

---

114) Ibid.

115) Decision 2/CP.17 (n 83) Annex IV: Modalities and guidelines for international consultation and analysis, para 3.

116) Ibid, para 58(d).

117) FCCC, 'Measurement, reporting and verification (MRV) for Developing Country Parties <http://unfccc.int/national_reports/non-annex_i_parties/ica/items/8621.php> accessed 20 January 2017.

118) Jutta Brunnée, 'Promoting Compliance with Multilateral Environmental Agreements', in Jutta Brunnée, Meinhard Doelle, and Lavanya Rajamani (eds), *Promoting Compliance in an Evolving Climate Regime* (Cambridge University Press, 2012) 38.

비록 몇몇 개발도상국들의 유보적 태도가 결국 FCCC에 의한 직접적인 다자간 의무준수 메커니즘을 설립하는 것을 막았음에도 불구하고, 상당한 수준의 합의가 이루어졌다. 예를 들어, 대표들은 일반적으로 의무준수 메커니즘이 과거지향적인 것이 아니라, 미래지향적이어야 한다는 데 동의했는데, 그것의 주된 목표는 사법적으로 일국을 비난하는 것이거나 제재를 부과하는 것이라기보다는 당사자들이 협약을 준수하도록 돕는 것이었다. 이러한 관점에서 이 메커니즘은 몬트리올의정서에 의해 구축된 비준수 절차와 유사하다.[119] 누가 이 절차를 시행할 것인지에 관하여 두 가지 대안이 제안되었는데, GATT 분쟁해결기구를 모델로 하여 COP에 의해 설치되는 임시적 패널 혹은 상임의 이행위원회가 그것이었다. 의무준수절차에 주어진 정치적인 특성을 고려했을 때, 몇몇 대표단들은 COP가 임시적 패널을 설치하는 데 동의할지에 대해 의문을 표했으며, 이에 따라 그들은 이 기능을 상임의 위원회에 맡기는 것을 선호했다. 또 다른 이들은 이행위원회가 기술적 성격을 갖고 있다면, 준수·검토와 같은 준정치적(quasi-political) 기능을 수행하면 안 된다고 생각했으며, 그 대신, 위원회가 (결국 그렇게 결정된 것처럼) 구성원에 제한을 두지 않는다면, 이러한 유형의 자세한 검토를 다루기에는 너무 버겁게 될 수 있다고 보았다(그리고 너무 정치적이 될 수 있다). 두 가지의 다른 옵션들, 즉 상임의 준사법기구(semi-adjudicative body)를 설립하는 것 또는 COP의 결정에 의존하지 않고 패널이 자동으로 설치되도록 하는 것에 대해서는 협상기간 동안 광범위하게 논의되지 않았다.

제13조는 즉시 다자간 협의절차(Multilateral Consultative Process, MCP)를 설치하는 것보다 COP의 첫 번째 회의에서 그러한 메커니즘 설치를 고려하도록 요구했다. 이에 따라 COP1은 MCP를 위한 위임사항 초안을 작성하기 위해 제13조 임시작업반을 설립했다.[120] 임시직업반은 1998년 위임사항에 대한 작업을 마쳤지만, 다자간 협의 위원회의 구성에 대한 합의에 이르지 못했고, 이는 COP4까지 위임사항의 채택을 불가능하게 만들었다.[121] COP4가 다음 해의 쟁점들에 대한 더 자세

119) 'Non-Compliance Procedure (25 November 1992) UN Doc UNEP/OzL.Pro.4/15, 44, Annex IV.
120) Decision 20/CP.l, 'Establishment of a multilateral consultative process for the resolution of questions regarding the implementation of the Convention (6 June 1995) FCCC/CP/1995/7/1/ Add. 1,59.
121) Decision 10/CP.4, 'Multilateral consultative process' (25 January 1999) FCCC/CP/1998/16/ Add.

한 고려를 요구했음에도 불구하고, 관심은 교토의정서에 의한 의무준수체계의 구축으로 옮겨가게 됨에 따라 MCP는 더 추진되지 못했다. 결과적으로 다자간 협의위원회는 설립되지 못하였고, MCP는 여전히 불완전한 상태에 놓여 있다.

E. 분쟁해결(제14조)

MCP에 더하여, 대부분의 대표들은 협약이 전통적인 양자적 분쟁해결을 제공해야 한다고 믿었다. 주된 문제는 절차가 강제적이어야 하는지, 자발적이어야 하는지와 구속력이 있는지 그렇지 않은지 여부였다. 한 극단에서, 몇몇 개발도상국들은 순수하게 자발적이고 구속력이 없는 절차를 원했다. 즉, 해당 절차는 분쟁이 있는 국가들에게 맨 처음 협상에 임하게 하고, 만약 협상에 실패한 경우, 구속력 없는 조정이 이루어지도록 하는 것이다. 그 대신에, 몇몇은 만약 당사자들이 협상이나 조정으로 분쟁을 해결하지 못한다면, 강제적인 중재가 가능하도록 할 것을 제안했다.[122)]

제14조는 다른 국제협약의 분쟁해결규정을 모델로 한 절충된 형태를 나타내고 있다. 분쟁이 발생한 경우, 관련 국가들은 우선 반드시 협상 또는 다른 평화적인 수단을 통해 화해를 모색해야 한다. 만약 그러한 노력이 성공을 거두지 못한다면, 어느 한 국가든지 각 당사자에서 지명한 동수의 구성원으로 구성되고, 동 구성원들에 의해 의장이 선출되는 조정위원회(conciliation commission)의 설치를 요청할 수 있다. 조정위원회는 당사국들에게 '선의로 숙고(consider in good faith)'하도록 하는 오직 '권고적인(recommendatory)' 권한만을 가진다. 하지만 만약 양 당사자 모두 사전에 국재사법재판소(International Court of Justice, ICJ)의 재판관할권을 받아들였다면, 혹은 제14조 제2항에 따른 강제적인 중재를 받아들인다면, 강제적인 절차들이 원용될 수 있다.[123)]

1,43, Annex.

122) INC, Revised Single Text on Elements Relating to Mechanisms (30 October 1991) A/AC.237/Misc.13, 37-9.

123) 2016년 10월을 기준으로, 네덜란드, 솔로몬 제도, 투발루가 이 중재절차를 의무적으로 받아들인 유일한 당사자들이고, 이들 중 오직 네덜란드만이 국제사법재판소의 강제관할권을 받

지금까지 제14조에 규정된 분쟁해결절차는 결코 사용되지 않았다. 이는 다른 환경체제에서의 경험과도 일치한다. 분쟁해결절차는 비록 다자간의 환경협정에서 흔할지라도, 국가들은 거의 그것을 활용하지 않는데, 이는 한 국가의 비준수로 인하여 다른 한 국가만이 특별히 영향을 받는 것이 아니고, 국가들은 보통 다른 한 국가를 대상으로 하는 대립적인 절차를 피하려고 하기 때문이다.[124] 실제로, FCCC의 분쟁해결절차에 대한 관심은 COP가 제14조에서 COP로 하여금 '실행가능한 한 빨리(as soon as practicable)' 해야 한다고 권고하였음에도 불구하고, 조정과 중재 절차를 정립하는 부속서를 아직 채택하지 않았을 정도로 제한적이다.

Ⅶ. 최종조항(제15조에서 제25조)

A. 협약의 개정, 부속서 및 의정서(제15조에서 제17조)

최종규정들 중에서[125] 제15조는 FCCC로 하여금 가중다수결에 의해 개정이 이루어지도록 허락함으로써 새로운 정보와 쟁점에 대응할 수 있도록 한다. 하지만 개정은 오직 컨센서스를 위해 모든 노력을 소진한 경우에 한하여, 당사국들의 3/4이 찬성하고, 이를 비준한 경우에만 채택될 수 있다. 그런 경우에도 개정은 오직 이를 명시적으로 받아들인 당사자들에게만 적용된다.

제16조는 부속서의 채택과 개정을 위한 더욱 유연한 절차를 구축했다. 협약의 개정과 대조적으로, 새로운 부속서 또는 부속서의 개정이 발효되기 위해서는 국가들의 동의와 비준이 필요하지 않은데, 당사자가 수탁자에게 서면으로 그들의 비동의(non-acceptance)를 통보하지 않는 한 그것은 당사자들을 자동적으로 구속한다. 효과 면에서 심지어 부속서의 개정이 협약의 개정과 마찬가지로 국가들을 그들의

아들였다. FCCC, 'Declarations by Parties—United Nations Framework Convention on Climate Change' <http://unfccc.int/essential_background/convention/items/5410.php> accessed 20 January 2017.

124) Cesare Romano, 'International Dispute Settlement', in Daniel Bodansky, Jutta Brunnée, and Ellen Hey (eds), *Oxford Handbook of International Environmental Law* (Oxford University Press, 2007) 1036, 1041.

125) 이 절에서 다루어진 쟁점들에 관한 전반적인 논의는 제3장 II.C, II.D.1 및 II.D.2 참조.

의지에 반하여 구속할 수 없다고 하더라도, 두 상황에서의 추정은 상반된다. 협약의 개정은 그것을 수락한 당사자들만을 구속하는데, 이에 반해 새로운 부속서나 부속서의 개정은 당사자들이 선택적으로 이탈하지 않는 한 당사자들을 구속한다. 부속서가 채택되고 개정되는 것의 상대적 용이성 때문에, 몇몇 대표들은 새로운 법적 요구가 부속서를 통해 부과되지 않도록 보장하기 위해 부속서에서 허락될 수 있는 내용을 제한하려고 했다. 따라서 제16조 제1항은 부속서를 "목록, 양식 및 과학적, 기술적, 절차적 또는 행정적 특성을 가진 서술적 성격의 그 밖의 자료"로 한정했다.

제17조는 COP에 의한 협약에 대한 의정서 채택에 대해 규정한다. 국가들은 의정서의 필요에 대해 합의하지 않았고, FCCC는 일정표는 커녕 의정서에 대한 협상을 요구하지도 않는다. 대신, 그 문제는 차후의 논제로 남게 되었다. 유연성을 극대화하기 위하여, 제17조는 의정서의 개정이나 발효 요건에 대하여 구체화하지 않았다. 기본협약이 특정 절차를 요구하는 경우는 거의 없지만, 그들은 의정서가 달리 정하지 않는 한 통상 적용되는 기본적 규칙은 규정한다. 그러한 기본적 절차들은 각각의 의정서에서 반복되는 같은 쟁점들에 대해 반복적으로 협상해야 하는 필요성을 제거함으로써 시간을 절약해준다. INC는 기본적 절차들을 구체화하는 것에 대해 고려했지만, 궁극적으로 하지 않기로 결정했다. 결과적으로 교토의정서는 그것만의 고유한 발효조건을 규정해야 했다(교토의정서 제25조 제1항).[126]

B. 투표권, 서명 및 비준(제18조, 제20조 및 제22조)

FCCC는 기후변화 문제의 전지구적 특성 때문에 어떤 국가든지 서명하고 당사자가 되는 것을 허락한다. UN 또는 그 전문기구의 회원국들은 ICJ규정의 당사자들과 마찬가지로 서명할 수 있다. EU와 같은 지역적 경제통합기구(regional economic integration organization, REIO)들도 협약의 당사자가 될 자격이 있다. FCCC는 REIO에 의한 비준에 관해 무엇이 표준적 규칙이 될 것인지를 포함하고 있다. 즉, REIO

126) 제6장 IX 참조.

들은 그들의 비준서에서, 협약에 의해 관할되는 문제에 대해 그들의 권한범위에 대해 선언해야 한다. REIO들은 협약의 당사자의 수와 동등한 수만큼의 투표권을 갖고 있지만, 어떤 당사자가 자기 투표권을 행사했을 때에는 그 사안에 대해 투표하지 못한다.

C. 발효(제23조)

50개국의 비준을 요건으로 하는 FCCC의 발효 규정은 균형을 맞춘 것이다. 만약 발효에 필요한 비준의 수가 적다면, FCCC는 많은 중요한 결정들이 내려질 COP1에 참여할 수 있는 적은 수의 당사국들만으로 매우 일찍 발효하게 되었을 것이다. 반면에, 발효를 위한 요건이 너무나 엄격하다면, 발효는 상당히 지연될 것이다. 결국, INC는 발효를 위해 제안된 다양한 비준숫자의 중간점을 선택하여 50개국의 비준을 요건으로 삼았다.

일부 국가들은 발효를 위한 추가적인 조건을 제안했다. 그것은 지구상 온실가스 배출량의 최소 비율을 대변하는 국가들에 의한 비준을 요구하는 것으로 몬트리올의정서와[127] 국제해사기구(International Maritime Organization, IMO)의 다양한 해양오염 관련 협약에서 사용된 접근법이다.[128] 최소 배출량 접근은 두 가지 관련된 목적을 가지고 있다. 우선, 그것은 문제를 가장 크게 야기하는 국가들, 다시 말해 온실가스의 다배출국들에게 비준을 요구함으로써 협약이 신뢰성을 갖게 한다. 두 번째로, 그것은 협정을 수락함으로써 어떤 한 국가가 경쟁적으로 불이익을 얻는 상황에 놓일 위험을 최소화하는데, 그것은 동 협정이 상당 규모의 다른 국가들이 참여하는 경우에만 발효되도록 보장하기 때문이다. 교토의정서 및 파리협정과 대조적으로(두 경우 모두 발효를 위한 배출량 기준점을 포함하고 있다)[129] FCCC를 위해서는

127) Montreal Protocol, Art 16.1.

128) 선박으로부터의 오염방지를 위한 국제협약(International Convention for the Prevention of Pollution from Ships) 1973.11.02. 채택, 1983.10.02 발효, 1340 UNTS 184. 이는 다음 문서로 개정되었다. 1973년 선박으로부터의 오염방지를 위한 국제협약에 관한 1978년 의정서(Protocol of 1978 Relating to the International Convention for the Prevention of Pollution from Ships), 1978.02.17. 채택, 1983.10.02. 발효, 1340 UNTS 61 (MARPOL 73/78).

129) Kyoto Protocol, Art 25.1 (55개의 FCCC 당사자에 더해 부속서I 국가의 1990년 이산탄소 배

배출량 기준이 필요하지 않은 것으로 여겨졌는데, FCCC는 당사자들에게 처음부터 높은 비용을 요구하지 않는, 오로지 일반적인 의무만을 창설하기 때문이다.

D. 유보 및 탈퇴(제24조 및 제25조)

다른 많은 국제환경협정들과 마찬가지로, FCCC는 유보를 허용하지 않는다. 이 '유보금지' 규칙은 당사국들 간의 의무의 통일성을 보장하기 위해 그리고 무임승차자들을 최소화하기 위한 의도로 만들어졌다. 하지만, 만약 당사국이 충분히 협약에 만족스러워하지 않는다면, 그는 3년이 지난 후에 서면의 통지를 제출함으로써 탈퇴할 수 있으며, 이는 수탁자가 이를 접수한 날로부터 1년 후에 효력이 발생한다.

FCCC가 유보를 금지하고 있는 반면, 당사국들은 서명이나 비준을 할 때 해석선언을 내놓을 수 있으며, 이는 보통 '양해(understanding)' 또는 '선언(declarations)'이라고 불린다. 피지, 키리바시 공화국, 나우루, 파푸아뉴기니는 모두 서명 혹은 비준 시에 FCCC에 그들의 양해를 표명하는 선언을 제출했다. 그것은 FCCC를 수락하는 그들의 행위가 "어떠한 경우에도 기후변화의 악영향에 대한 국가책임이 그들의 국제법상의 권리를 포기하는 것을 구성하지 않으며, 어떠한 규정도 일반국제법의 원칙을 훼손하는 것으로 해석될 수 없다"는 것이었다.[130]

Ⅷ. 결어

FCCC는 최대한 많은 국가의 참여를 장려할 수 있도록 섬세하게 고안된 절충을 반영하고 있다. 그것은 미국의 반대에 직면한 바 있는 법적 구속력 있는 목표와 일정표를 피한 것이다. FCCC는 개발도상국들의 의무를 제한하고, 그들이 재정적

출의 55퍼센트); Paris Agreement, Art 21.1 (55개의 FCCC 당사자에 더해 전지구적 온실가스 배출의 55퍼센트).

130) FCCC, Declarations by Parties (n 123).

및 기술적 원조를 받을 수 있도록 한다. 그와 동시에, 그것은 유럽과 소도서국가들이 원하는 바대로 관심을 기후변화 문제에 집중한다. 결국 그 성과는 다음과 같이 증명되었는데, 리우 환경회의에서 FCCC는 154개국에 의해 서명되었고, 현재는 197개의 당사국을 갖고 있다.

기본협약으로서의 FCCC는 기후변화 거버넌스에 관한 유연한 체계의 구축을 목표로 한다. 그것은 COP에게 새로운 제도의 설계 또는 현존 의무의 변화에 대한 권한을 부여했다. 그것은 3/4 다수 투표의 동의에 의한 협약의 개정, 부속서의 채택, 부속서의 개정을 허락한다. 그에 더하여, 이는 배출원과 흡수원에 관한 특정한 의무뿐 아니라 부속서에 대하여, 개정에 대한 전망과 함께, 정기적인 검토가 이루어지도록 규정한다.

그러나 유엔기후체제는 그것이 존재하는 시간 중 많은 기간 동안 다소 경직되어 있었다. 제3조에 명시된 원칙은 부속서I과 II 국가 분류가 그러하듯 불가침한 것으로 남아 있었다. 게다가 절차규칙이 부재한 상황에서 컨센서스에 의해 결정된다는 요건은 정책적 정체를 유발하게 되었다.

그럼에도 불구하고, FCCC는 추후의 행동을 위한 기초가 되었는데, 그것이 2015년 파리협정에서 실현되었다. 당사자들에게 온실가스 목록을 만들고, 국가 인벤토리를 구축하며, 국가적 전략과 조치를 구성하도록 하고, 과학적 조사에 협력하도록 함으로써 FCCC는 국가적 계획을 촉진시키고, 미래의 협상과 결정을 위한 더 나은 정보기반을 만들었다.

주요 참고문헌

Bodansky D., 'The United Nations Framework Convention on Climate Change: A Commentary', *Yale Journal of International Law*, 18/2 (1993): 451.

Depledge J., 'The Road Less Travelled: Difficulties in Moving Between Annexes in the Climate Change Regime', *Climate Policy*, 9/3 (2009): 273.

Freestone D., 'The United Nations Framework Convention on Climate Change – The Basis for the Climate Change Regime', in Carlarne C.P., Gray K.R., and Tarasofsky R.G. (eds), *The Oxford Handbook of International Climate Change Law* (Oxford University Press, 2016) 97.

Goldberg D.M., 'As the World Burns: Negotiating the Framework Convention on Climate Change', *Georgetown International Environmental Law Review*, 5/2 (1993): 239.

Mintzer I.R. and Leonard J.A. (eds), *Negotiating Climate Change: The Inside Story of the Rio Convention* (Cambridge University Press, 1994).

Oppenheimer M. and Petsonk A., 'Article 2 of the FCCC: Historical Origins, Recent Interpretations', *Climatic Change*, 73/3 (2005): 195.

Rajamani L., 'The United Nations Framework Convention on Climate Change: A Framework Approach to Climate Change', in Farber D.A. and Peeters M. (eds), *Elgar Encyclopedia of Environmental Law vol 1: Climate Change Law* (Cheltenham, UK: Edward Elgar, 2016) 205.

Yamin F. and Depledge J., *The International Climate Change Regime: A Guide to Rules, Institutions and Procedures* (Cambridge University Press, 2004).

제6장

교토의정서

Ⅰ. 도입
Ⅱ. 포괄적인 쟁점
Ⅲ. 전문과 정의(제1조)
Ⅳ. 의무(제2조, 제3조, 제5조, 제7조, 제8조, 제10조 및 제11조)
Ⅴ. 메커니즘(제6조, 제12조 및 제17조)
Ⅵ. 보고 · 검토 · 의무준수(제5조, 제7조, 제8조 및 제18조)
Ⅶ. 기관(제13조, 제14조 및 제15조)
Ⅷ. 다자간 협의절차(제16조)
Ⅸ. 최종조항(제19조에서 제28조)
Ⅹ. 교토의정서의 제2차 의무기간과 그 이후의 의무기간
Ⅺ. 결어

Ⅰ. 도입

1997년에 채택된 교토의정서(Kyoto Protocol)는 부속서I 국가들에 대해 국제적으로 협의되고, 법적 구속력을 지니며, 수량적인 감축목표를 마련함으로써 FCCC에서 제시하고 있는 체제를 보완하고 있다. 비록 교토의정서의 협상과정은 순탄하지 않았지만, 교토의정서의 협상이 부속서I 국가의 배출량에 집중되어 있었고, 부속서I 국가들은 일반적으로 법적 구속력이 있는 배출목표의 필요성에 동의하고 있다는 점에서 FCCC나 파리협정의 협상보다는 다루고자 하는 범위가 훨씬 좁았다. 이로써 교토의정서의 협상은 (1) 배출목표의 정도와 (2) 각국이 감축목표 달성을 위해 가질 수 있는 재량의 범위라는 두 가지 쟁점으로 압축되었다. 유럽연합(European Union, EU)은 엄격한 배출목표와 제한된 재량을 선호하였지만, 미국을 비롯한 EU에 포함되지 않은 개발도상국들은 완화된 배출목표와 더 많은 재량을 일반적으로 선호하였다. 교토의정서는 더 엄격한 배출목표를 선호하는 EU 기준과 더 많은 재량을 선호하는 미국 기준 간의 거래를 보여준다. 교토의정서는 부속서I 국가들에 대해 비교적 엄격하고 경제권 전체를 아우르는 배출목표를 설정하면서 보고(report)와 검토(review)를 위한 엄격한 요건과 집행조치로 이를 뒷받침하고 있었다. 그와 동시에 교토의정서는 어느 산업부문과 온실가스를 집중적으로 규제할 것인지 여부, 에너지효율성 기준이나 탄소세 등과 같은 구체적인 조치 중 어느 것을 사용할 것인지 여부, 사후 이용을 위해 교토의정서의 5년이라는 의무기간(commitment period) 동안에 배출량 단위를 이월하는 것과 같이 언제 배출량을 감축할 것인지 여부, 배출량거래와 청정개발체제(Clean Development Mechanism, CDM)와 같은 의정서상의 시장 메커니즘을 이용하여 감축을 어디에서 할 것인지 여부와 같이 국가들에게 목표를 달성하는 데에 있어서 상당한 재량을 부여하고 있다.

교토의정서는 1997년 12월에 확정되고 채택되었지만, 핵심적인 조항 중 많은 수는 추상적이었던 관계로 구체화될 필요가 있었다. 추가적인 작업을 필요로 했던 사항에는 다음이 있었다.

- 탄소흡수원(carbon sink)에 의한 이산화탄소(CO_2)의 제거에 대한 계산법 규정 마련
- 부속서I 국가의 배출량 보고 및 검토를 위한 체제 마련
- 교토의정서의 시장 메커니즘을 위한 규정 마련
- 교토의정서의 의무준수 메커니즘을 위한 규정과 절차의 마련

상기 쟁점들은 국가들이 교토의정서에 따라 부여받은 의무에 상당한 영향을 미치기 때문에, 많은 국가들은 그 쟁점들이 합의된 후에야 의정서를 비준하였다. 제4장에서 다룬 바와 같이, 교토의정서가 작동하기 위해서 필요한 구체적인 규정을 마련하는 데에 4년이라는 협상기간이 추가로 필요했다. 이 작업은 교토의정서의 규정집 역할을 하는 마라케시 합의문(Marrakesh Accords)이 채택됨으로써 완료되었다.[1)]

교통의정서는 지금까지 협상되었던 가장 복잡하고 야심찬 환경협정 중 하나이다. 그에 따라 교토의정서는 많은 논란을 불러일으켰고, 그 결과 파란만장한 과정을 거쳐 왔다. 2001년에 George W. Bush 대통령이 정권을 잡은 지 얼마 안 되어 미국은 교토의정서를 거부하였고, 미국의 지지 없이 교토의정서가 발효하는 데에 8년이라는 세월이 걸렸다. 교토의정서의 제2차 의무기간을 위한 협상은 7년이 걸렸을 뿐 아니라 논란의 여지가 많고, 비록 잠정적용되고 있기는 하지만, 발효될지 여부가 미지수인 개정의 형태로 마무리되었다. 이 개정들이 실제로 발효된다 하더라도 2020년까지만 효력이 있고, 2020년 이후 교토의정서의 미래는 불투명하다. 그럼에도 불구하고, 교토의정서는 기후체제의 발전에 결정적인 역할을 하였다.

---

1) Decisions 2-24/CP.7, 'The Marrakesh Accords' (21 January 2002) FCCC/CP/2001/13/Add. 1-3. 마라케시 합의문은 2005년에 있었던 교토의정서 당사국회의 첫 회의에서 채택되었다. Decisions 2-30/CMP.l (30 March 2006) FCCC/KP/CMP/2005/8/Add.l-4 참조.

교토의정서에 의하여 축적되었던 경험들은 앞으로의 기후협정을 위한 설계와 이행을 위한 중요한 교훈이 되었다. 그에 따라 배출목표, 시장 메커니즘과 의무준수와 같은 교토의정서상의 혁신적인 조항들에 대한 자세한 검토가 필요하다.

이 장은 유엔기후체제의 세 조약인 FCCC, 교토의정서와 파리협정을 아우르고 있는 네 가지 포괄적인 쟁점을 살펴본 후, 교토의정서의 핵심적인 조항을 세밀하게 분석하는 것으로 교토의정서에 대한 심층적인 논의를 하고자 한다.

Ⅱ. 포괄적인 쟁점

모든 관련 쟁점을 위임사항에 포함하고 있던 파리협정의 협상과정과 달리, 교토의정서의 핵심적인 사항의 많은 부분은 협상을 촉발하고, '베를린 위임사항 특별작업반(Ad Hoc Group on the Berlin Mandate, AGBM)'을 설립한 1995년 베를린 위임사항에 의해 처음부터 결정되어 있었다. 핵심적인 사항에는 (1) 교토의정서는 조약의 형태일 것, (2) 국제적으로 협상된 배출목표의 형태로 그 설계에 하향식 구조를 반영할 것, (3) 그 범위를 거의 감축에만 한정할 것, (4) 부속서I 당사자(Annex I partiy)에 대해서는 배출목표를 설정하면서 비(非)부속서I 당사자(non-Annex I party)에 대해서는 배출목표를 설정하지 않는 것으로 차등화 원칙을 고도로 실천할 것이 있었다.

A. 법적 구속력

베를린 위임사항은 결과물이 '의정서 또는 그 외의 법적 문서'일 것을 명시하였다.[2] 그 당시에 '그 외의 법적 문서'는 개정을 지칭하고 있다는 것이 분명하였다.[3] 그에 따라 베를린 위임사항에 따르면, FCCC에 대한 의정서 또는 개정이 협

2) Berlin Mandate, preambular recital 3.
3) Joanna Depledge, 'Tracing the Origins of the Kyoto Protocol: An Article-by-Article Textual History, (25 November 2000) FCCC/TP/2000/2, 11-12.

상되어야 할 것이었다. 개정은 그 채택을 위해 투표로 3/4 다수결이 필요한 것과 달리,[4] FCCC는 의정서의 채택을 위한 투표절차를 규정하고 있지 않고, 당사국총회(Conference of the Parties, COP)도 절차규칙에 합의한 바가 없었기 때문에, 실무상 의정서의 채택을 위해서는 컨센서스가 필요하였다.[5] 일부 당사자는 의정서 채택을 위한 컨센서스를 달성하기 어렵다는 우려로 인하여 개정과 의정서 모두를 협상 의제에 두는 것을 선호하였다. 그러나 교토 회의에 이르렀을 때, 당사자들은 FCCC에 대한 의정서 채택에 합의하는 것으로 보여, 협상문에서 개정이 선택사항에서 삭제되었다.[6]

협상에서 교토의정서 내 온실가스 배출목표의 법적 성격도 문제가 되었는데, 파리협정에서의 협상보다는 훨씬 덜 격화되었다. 베를린 위임사항에 따르면, AGBM은 "협약 제4조 제2항 (a)호 및 (b)호상의 의무를 강화하기 위한 과정으로 … 지정된 기간 내에 수량적인 제한 및 배출목표를 세울 것"으로 목표를 설정하여야 했다.[7] 제5장에서 논의된 바 있는 협약 제4조 제2항 (a)호 및 (b)호상의 의무는 당사자를 구속하지 않는 목표였다.[8] 베를린 위임사항에서 이 구속력 없는 배출목표를 강화할 것을 명시하였다는 것은 교토의정서에서 법적 구속력이 있는 배출목표를 마련하는 것에 힘을 실어주는 것으로 해석할 수 있다. 그러나 베를린 위임사항은 협상될 온실가스 배출목표의 법적 성격과 관련하여 명확한 지침을 마련하지 않았다. EU와 군소도서국연합(Alliance of Small Island States, AOSIS)은 협상 초기에서부터 법적 구속력 있는 온실가스 배출목표를 선호하였고, 2년의 협상기간의 중간지점에 해당했던 1996년 제네바 회의 때 미국 역시 법적 구속력 있는 배출목표를 선호한다고 밝혔다.[9] 제네바 COP의 주목을 받았던 '제네바 각료선언(Geneva Ministerial Declaration)'은 "법적 구속력 있는 수량적인 목표치"를 지지하였다.[10] 제

4) FCCC, Art 15.
5) Ibid, Art 17. 기후체제에서의 개정을 위한 요건과 컨센서스 쟁점에 관한 논의는 제3장 II.D.l, 2 및 II.B.2 참조.
6) Depledge, Tracing the Origins of Kyoto Protocol (n 3) 11-12.
7) Berlin Mandate, para 2(a).
8) 제5장 IV.B 참조.
9) Depledge, Tracing the Origins of Kyoto Protocol (n 3) 32.
10) Report of the Conference of the Parties on its second session, held in Geneva from 8 to 19 July

네바에서 오직 호주만이 법적 구속력 있는 배출목표를 반대하면서 이 선언과 연관성이 없다는 점을 분명히 하였지만, 교토 회의가 소집되었을 때, 호주는 그 반대를 거두었고, 협상문은 개별적인 감축의무와 관련하여 의무적인 성격의 용어인 'shall'을 사용하였다.[11]

교토 회의에 이르렀을 때, 채택될 문서의 법적 형태와 배출목표의 법적 성격이라는 두 가지 점에서 교토의정서가 법적 구속력이 있는 배출목표를 포함하는 법적 구속력 있는 문서일 것이 명확해졌다. 이러한 점에서 교토의정서의 협상과 파리협정의 협상이 매우 다르다는 것을 알 수 있는데, 파리협정의 경우에 법적 형태와 법적 성격의 문제는 논란의 여지가 많았고, 마지막까지 쟁점으로 남아 있었기 때문이다. 이러한 차이점은 차등화에 대해 각 문서들이 가지는 접근방법이 달랐다는 점으로부터 어느 정도 기인한다. 베를린 위임사항은 교토의정서의 의무가 오직 부속서I 국가에만 적용될 것을 규정한 것과는 달리, 파리협정의 협상 위임사항은 의무가 '모든 국가에 적용될 수 있는 것'으로 명시하였다.[12] 선진국들이 개발도상국들보다 법적 구속력 있는 의무를 더 쉽게 받아들였기 때문에 선진국의 의무에 제한을 둘 수 있었다는 점은 파리협정 협상에서보다 교토의정서 협상에서 법적 구속력 여부가 덜 문제가 되었다는 것을 의미하였다. 이에 따라 법적 구속력이라는 쟁점에 대해 일찌감치 합의한 것으로 인하여 국가들이 교토 회의 개최 이전에서부터 의무의 원활한 이행과 의무준수의 증진을 위한 절차와 체제를 고려할 수 있도록 하였다.[13]

B. 설계

교토의정서의 설계는 그 협상의 위임사항에 의해 미리 결정되었다. 1987년 몬

1996, Addendum (29 October 1996) FCCC/CP/1996/15/Add.l, Annex: The Geneva Ministerial Declaration.

11) Ad Hoc Group on the Berlin Mandate, Completion of a protocol or another legal instrument, Consolidated negotiating text by the Chairman (13 October 1997) FCCC/AGBM/1997/7, Depledge, Tracing the Origins of Kyoto Protocol (n 3) 31 또한 참조.

12) 제7장 II.D 참조.

13) Depledge, Tracing the Origins of Kyoto Protocol (n 3) 86.

트리올의정서에 착안하여, 베를린 위임사항은 선진국을 위한 지정된 기간 동안 '수량적 배출제한 및 감축목표(quantified emission limitation and reduction objectives, QELROs)'를 설정하는 절차에 착수하였다. 당사자들은 애초에 자국의 목표를 제안하기도 하였지만, 이 목표들은 이후 다자협상의 대상이 되었다. 게다가 이 목표들과 관련하여 그 목표가 절대적이며 실질적으로 경제 전반에 영향을 미치고, 교토의정서 부속서A상의 여섯 가지 가스를 포함하며, 몇 가지 예외를 제외하고 기준연도가 같다는 점 등, 많은 부분은 다자적으로 결정되었다(제3조). 이 목표들은 또한 다자적으로 합의된 계산절차와 정교한 보고·감시·준수절차의 적용을 받도록 하였다(제5조, 제7조, 제8조 및 제18조). 당사자들은 또한 시장 메커니즘과 관련하여 공통적인 규정을 협상하였다(제6조, 제12조 및 제17조). 이에 따라 교토의정서는 '하향식(top－bottom)' 국제협정으로 여겨지고 있다.[14)]

C. 범위

교토의정서는 FCCC보다 그 범위가 훨씬 협소하다. 베를린 위임사항에 명시된 것처럼 교토의정서의 주된 목적은 부속서I 국가들이 FCCC 제4조 제2항에 따라 가지게 된 감축의무를 강화하는 것이다.[15)] 교토의정서는 감축목표와 지정된 기간을 통하여 그 목적을 달성한다. 교토의정서는 FCCC 제4조 제1항 (b)호에 따라 모든 국가들이 적응(adaptation)을 촉진하기 위한 조치를 포함하는 계획을 수립·실시·공표하고 정기적으로 갱신할 의무를 다시 명시하는 것으로 적응을 살짝 다루고 있다.[16)] 또한 시장 메커니즘의 하나인 CDM의 수익금의 2퍼센트를 '적응기금(Adaptation Fund)'에 투입하는 것으로 적응을 위한 지속적인 금전적인 지원을 마련하고 있다.[17)] 그럼에도 불구하고, 교토의정서는 감축에 집중되어 있다. 그리고 이것은 베

14) Navroz K. Dubash and Lavanya Rajamani, 'Beyond Copenhagen: Next Steps', Climate Policy 10/6 (2010): 593; Daniel Bodansky, 'A Tale of Two Architectures: The Once and Future U.N. Climate Change Regime', *Arizona State Law Journal*, 43/6 (2011): 697.

15) Berlin Mandate, preambular recital 4.

16) Kyoto Protocol, Art 10(b).

17) Decision 10/CP.7, 'Funding under the Kyoto Protocol' (21 January 2002) FCCC/CP/2001/13/ Add. 1, 52.

클린 위임사항에 의해 결정된 것이었기 때문에, AGBM 협상 동안에 이에 대한 이견은 없었다.

교토의정서의 범위와 관련하여 협상에서 중요하게 다루었던 쟁점은 대상이 될 가스와 분야를 결정하는 것이었다. 당사자들은 교토의정서가 CO_2 감축에만 집중해야 할 것인지, 또는 CO_2 · 메탄(CH_4) · 아산화질소(N_2O)의 세 가지 가스만을 다룰 것인지, 또는 수소불화탄소(hydrofluorocarbons, HFCs), 과불화탄소(Perfluorocarbons, PFCs), 육불화황(Sulphur hexafluoride, SF_6)을 포함한 다른 온실가스의 배출도 그 대상으로 삼는 더 포괄적은 접근법을 채택할 것인지에 관하여 그 관점을 달리하였다. 협상기간 동안 HFCs · PFCs · SF_6의 세 가지 합성가스도 대상의 범위에 포함될지 여부와 관련하여 심각한 의견대립이 지속되었다. 이 가스들은 지구온난화지수(global warming potential, GWP)가 높고 그 사용이 빠른 속도로 증가하고 있었다. 미국을 비롯한 호주, 캐나다, 노르웨이와 같은 '엄브렐러 그룹(Umbrella Group)' 국가들은 교토의정서상의 배출목표를 달성하는 데에 국가들에게 더 많은 재량을 부여할 수 있도록 문제의 합성가스가 포함되는 것에 찬성하였다. 하지만 EU는 GHG가 다른 경우 배출원과 흡수원에 관한 사항이 모호해진다는 점을 우려하여 이 가스들이 추후에 추가되는 것을 제안하였다. 일본은 기준연도가 1990년일 경우 그 해부터 HFCs의 사용이 급속하게 증가하였던 것으로 인하여 자국에게 불리하다는 점을 우려하였다.[18] 교토의정서는 여섯 가지 가스 모두를 포함하되, HFCs · PFCs · SF_6에 대해서는 기준연도로 더 나중 시점인 1995년을 설정할 수 있도록 하여 절충점을 찾았다.[19] 1990년에서부터 1995년까지의 기간 동안 이들 가스의 배출이 급속도로 증가하였다는 점을 감안하였을 때, 더 나중 시점으로 기준연도를 설정할 수 있도록 한 것은 당사자에게 더 완화된 감축을 요구한 것으로 해석할 수 있다. 아직 발효되지 않은 2012년 도하개정으로 제2차 의무기간을 위하여 부속서A에 일곱 번째 온실가스인 삼불화질소(NF_3)가 추가되었다.[20]

---

18) Depledge, Tracing the Origins of Kyoto Protocol (n 3) 33-35. 개관은 다음 문헌을 참조. Clare Breidenich *et al.*, 'The Kyoto Protocol to the United Nations Framework Convention on Climate Change', *American Journal of International Law*, 92/2 (1998): 315, 321-2.

19) Kyoto Protocol, Art 3.8. 20 Doha Amendment, Art 1.

20) Doha Amendment, Art 1, Section B.

교토의정서 부속서A에 대상이 된 여섯 가지 가스가 나열되어 있다. 이들 가스에 대한 규제는 '가스별(gas by gas)' 방식이 아닌 '바스켓(basket of gases)' 방식을 취하고 있다. 미국이 선호하였던 방식인 '바스켓' 방식은 교토의정서상의 배출목표를 달성하기 위한 목적으로 모든 가스를 함께 고려하는 것을 허용하는 방식이다.[21) 이 방식은 부속서A에 나열되어 있는 가스들의 GWP를 지정하여,[22) 지구온난화에 대한 상대적인 기여도를 비교하고 측정하기 위한 공동단위를 마련하는 것을 필요로 했다.[23) GWP를 이용하여 CO_2 이외의 가스의 배출을 CO_2 단위(CO_2e)로 환산할 수 있다.[24) 교토의정서상의 배출제한목표는 당사자의 CO_2e 배출량에 적용된다. 교토의정서는 또한 부속서A에 대상 산업부문인 에너지, 산업공정, 솔벤트 및 여타 제품 사용, 농업, 폐기물을 명시하고 있다. '바스켓' 방식과 부속서A에 나열되어 있는 광범위한 산업부문의 지정은 당사자들이 배출목표를 이행할 때에 어느 가스와 산업부문에 집중할 것인지를 선택하는 데에 있어서 상당한 재량을 허용하고 있다.[25)

비록 교토의정서가 다루는 범위가 광범위할지라도 모든 GHG와 GHG 집약적인 부문을 규제하고 있는 것은 아니다. 몬트리올의정서의 규제를 받는 GHG는 교토의정서상의 의무로부터 명시적으로 배제되고 있다.[26) 게다가 교토의정서는 국제적인 민간항공과 해상운송을 통한 배출은 각각 국제민간항공기구(International Civil Aviation Organization, ICAO)와 국제해사기구(International Maritime Organization, IMO)를 통해 규제될 것을 명시하면서도,[27) 당사자들이 항공 및 해상운송 시 이용되는 연료인 벙커유(bunker fuel)로부터의 국내 및 국제적인 배출량을 보고할 것도

---

21) Depledge, Tracing the Origins of Kyoto Protocol (n 3) 35.
22) 교토의정서 제5조 제3항에 의거하여 부속서A에 나열되어 있는 GWP는 '기후변화에 관한 정부 간 협의체(Intergovernmental Panel on Climate Change, IPCC)'에서 승인된 것들이다.
23) Farhana Yamin and Joanna Depledge, *The International Climate Change Regime: A Guide to Rules, Institutions and Procedures* (Cambridge University Press, 2004) 78. 이에 따르면, GWP는 지정된 기간 동안 온실가스 1킬로그램의 배출이 야기하는 복사강제력(radiative forcing)과 CO_2 1킬로그램의 배출이 야기하는 복사강제력의 비율로 계산된다.
24) Ibid.
25) Ibid.
26) Kyoto Protocol, Arts 2.1(a)(ii), 2.2, 5.1, 5.2, 7.1, and 10(a).
27) Ibid, Art 2.2. 제 8장 IV.A.1 및 2 참조.

규정하고 있다.[28)]

마지막으로 교토의정서에서 흡수원에 의한 배출과 제거를 다룰 것인지, 다룬다면 그 범위가 어느 정도가 될 것인지가 많은 논란을 불러일으켰다.[29)] 교토의정서에 따르면, 당사자들은 흡수원에 의한 배출과 제거를 보고하여야 한다.[30)] 하지만 그러한 배출과 제거가 어떠한 방식으로 당사자들의 교토의정서상의 목표달성에 산정될 수 있는지와 관련하여 여러 의견들이 있었다. 교토의정서는 세세하게 조율된 절충안을 통하여 당사자들이 신규조림(afforestation), 재조림(reforestation), 산림경리(forest management), 농지관리(agricultural lands management)와 같은 특정한 흡수원 활동을 통하여 대기로부터 CO_2를 제거한 것에 대해 지정된 한도까지 배출권을 받고, 개발도상국에서의 특정한 흡수원 사업으로 CDM을 통하여 배출권을 받을 수 있도록 하고 있다.[31)]

D. 차등화

베를린 위임사항은 GHG 목표와 의무기간을 부속서I 국가로만 한정하고, 비부속서I 국가들은 새로운 의무로부터 명시적으로 배제하고 있다는 점에서 극단적인 방식으로 차등화(differentation)를 제시하고 있었다.[32)] 심지어 개발도상국들이 '자발적으로' 배출을 채택하는 것을 허용하자고 미국과 그 외의 선진국이 제시했던 방안도 베를린 위임사항과는 부합하지 않는다는 이유로 개발도상국들에 의해

28) Decision 24/CP.19, 'Revision of the UNFCCC reporting guidelines on annual inventories for Parties included in Annex I to the Convention' (31 January 2014) FCCC/CP/2013/10/Add.3, 2; Decision 3/CP.5, 'Guidelines for the preparation of national communications by Parties included in Annex I to the Convention, Part I: UNFCCC reporting guidelines on annual inventories' (2 February 2000) FCCC/CP/1999/6/Add. 1, 6. 유엔기후체제상의 보고의무와 딱 들어맞는 IMO의 새로운 자료수집요건에 관한 논의는 제8장 IV.A.1 참조.

29) "흡수원은 대기로부터 온실가스를 제거하는 과정, 활동 또는 메커니즘이고, 저장소(reservoir)는 온실가스가 저장될 수 있는 기후체제의 일부이다." FCCC, *United Nations Framework Convention on Climate Change* (Bonn: FCCC Secretariat, 2006) 24.

30) Decision 2/CP.3, 'Methodological issues related to the Kyoto Protocol' (25 March 1998) FCCC/CP/1997/7/Add.l, 31, para 1.

31) IV.B.2.f 참조.

32) Berlin Mandate, para 2(a) and (b).

받아들여지지 않았다. 부속서I 국가들은 GHG 목표와 의무기간을 부담하면서 비부속서I 국가들은 그렇지 않다는 것으로부터 확인할 수 있는 핵심적인 감축의무와 관련하여 국가 간의 극명한 차등화가 시간이 지남에 따라 더 많은 논란을 불러일으켰다. 2001년에 미국이 교토의정서를 거부하고,[33] 많은 주요 선진국들이 교토의정서의 제2차 의무기간으로부터 결국 탈퇴했던 것의 원인은 교토의정서의 그러한 차등화에 대한 우려로부터 일부 기인한다.

교토의정서는 '공통의 그러나 차등화된 책임과 국가별 역량의 원칙(principle of common but differentiated responsibilities and respective capabilities, CBDRRC)'과 관련하여 한 번만 명시적으로 언급하고, 그 외에 몇 번 묵시적으로 언급하고 있을 뿐이다. 전문에서 CBDRRC 원칙을 내포하고 있는 FCCC 제3조와 베를린 위임사항을 언급하고 있다. 아래에서 논할 교토의정서 제10조는 모든 당사자를 위한 의무를 포함하고 있으면서 '공통의 차등화된 책임'과 '국가 및 지역에 고유한 개발우선순위 · 목적 · 상황(specific national and regional development priorities, objectives and circumstances)'을 언급하고 있다. 그럼에도 불구하고, 많은 학자들은 교토의정서 내의 차등화가 이 원칙과 이에 결부된 선진국의 리더십 개념으로부터 비롯되는 것으로 여기고 있다. 기후체제, 그중에서 특히 교토의정서는 "법적 개념에서 정책적 제도로 CBDR을 변환 · 작동 및 운영하려는 가장 분명한 시도"로 평가받고 있기도 하다.[34]

추후 절들은 부속서I 국가와 비부속서I 국가[35] 간의 분명한 차등화뿐 아니라

---

33) 미국 대통령이 상원의원 Hagel, Helms, Craig 및 Roberts에게 보낸 서한의 본문 참조 (The White House, Office of the Press Secretary, 13 March 2001) <https://georgewbush-whitehouse.archives.gov/news/releases/2001/03/20010314.html> accessed 20 January 2017.

34) Remarks by Christopher C. Joyner, 'Common but Differentiated Responsibilities, *American Society of International Law Proceedings*, 96 (2002): 358; Christopher D. Stone, 'Common but Differentiated Responsibilities in International Law', *American Journal of International Law*, 98/ 2 (2004): 276, 281; Michael Weisslitz, 'Rethinking the Equitable Principle of Common but Differentiated Responsibility: Differential versus Absolute Norms of Compliance and Contribution in the Global Climate Change Context', *Colorado Journal of International Environmental Law and Policy*, 13/2 (2002): 473,483 (교토의정서를 'CBDR이 가장 엄격하게 적용된 사례'로 언급).

35) 교토의정서는 FCCC의 국가목록과 구분방식을 차용하고 있다. Kyoto Protocol, Art 1.7. 하지만 교토의정서의 협상 당시 터키 및 벨라루스와 같은 몇몇 부속서I 국가들이 아직 FCCC를 비준하지 않았던 관계로 FCCC 부속서I과 교토의정서 부속서B는 동일하지는 않다.

부속서I 국가 간의 차등화도 살펴본다. 이 외에 부속서I－비부속서I 간의 간극을 어느 정도 완화해 주었을 개발도상국을 위한 '자발적 의무'를 교토의정서의 협상 동안에 도입하려고 한 시도의 실패를 더 자세히 살펴본다.

1. 부속서 I 국가와 비부속서 I 국가 간의 차등화

교토의정서에 나타나 있는 부속서I 국가와 비부속서I 국가 간의 극명한 차등화는 부속서I 국가만이 GHG 감축목표의 의무기간을 부담하고 있다는 점에서 가장 명확하게 나타나고 있다. 비록 교토의정서가 부속서B에 대한 개정절차를 마련함으로써 미래의 어느 시점에서인가 비부속서I 국가들도 감축의무를 부담할 수도 있다는 가능성을 허용하고 있지만, 부속서I에 대한 이러한 초점은 후속 의무기간에도 적용된다.[36)]

배출목표가 부속서I 국가들에게만 적용되기 때문에 배출원에 의한 GHG 배출량과 흡수원에 의한 제거량의 추산을 위한 국가제도를 마련할 의무,[37)] 연례 인벤토리와 국가보고서와 연관된 정보 관련 요건,[38)] 전문가검토절차[39)]와 같이 배출목표의 준수를 감시하기 위해 설계된 조항들은 부속서I 국가에만 적용된다. 아래에서 살펴볼 교토의정서의 의무준수절차는 당사자의 차등화된 의무에 따라 달리 적용되도록 설계되었고, 이에 따라 배출목표와 그와 연관된 절차상 의무를 가지는 부속서I 국가들의 준수를 위한 집행 위주의 접근방식과 교토의정서상의 일반적이고, 보다 더 유연하며, 그 맥락에 맞는 의무를 가지는 비부속서I 국가들의 준수를 위한 촉진 위주의 접근방식을 마련하였다.[40)] 이러한 구분방식에 따라 의무준수위원회(Compliance Committee)도 집행분과(enforcement branch)와 촉진분과(facilitative branch)의 두 분과로 구성되어 있다.[41)] 그 기능이 금전적·기술적 지원 또는 자문

36) 교토의정서 제3조 9항은 "후속기간에 대한 부속서 I의 당사자의 의무는 … 이 의정서 부속서 B의 개정을 통하여 정하여지"는 것으로 규정하고 있다.
37) Ibid, Art 5.
38) Ibid, Art 7.
39) Ibid, Art 8.
40) Decision 27/CMP.l, 'Procedures and mechanisms relating to compliance under the Kyoto Protocol' (30 March 2006) FCCC/KP/CMP/2005/8/Add.3, 92 참조.
41) 오직 부속서I 의무만을 그 대상으로 하고 있는 집행분과의 위임사항에 관한 조항으로부터

을 제공하는 것인 촉진분과는 "공통의 그러나 차등화된 책임과 국가별 역량의 원칙을 고려하여" 그 기능을 수행하도록 되어 있다.[42] 게다가 촉진분과는 "협약 제4조 제7항을 고려하여 … 권고를 … 표명"[43]할 수 있는데, FCCC 제4조 제7항은 개발도상국의 의무이행에 대한 재정적 지원과 기술이전의 중요성을 강조하는 조항이다.[44]

더군다나 교토의정서는 아래에서 서술할 바와 같이 FCCC를 준용하여 부속서II 국가들이 비부속서I 국가들을 지원하기 위한 여러 의무를 명시하고 있다.[45] 교토의정서는 또한 CDM의 수익금의 일부를 이용하여 적응기금을 창설하였다.[46]

2. 부속서 I 국가 내에서의 차등화

부속서I 국가와 비부속서I 국가 간의 차등화 외에, 교토의정서는 의무를 정하고 이행하는 것과 관련하여 부속서I 국가 간에도 차등화하는 몇몇 조항을 두고 있다. 예를 들어, 체제전환국(economy in transition, EIT)들은 배출목표를 정할 때에 1990년 이외의 기준연도 또는 기간을 채택하는 것이 허용되었다.[47] 부속서I 국가들은 또한 서로 다른 '배출목표와 의무기간'을 가지고 있다. 이러한 차등화는 후술하는 '배출목표와 의무기간'의 맥락에서 고려될 것이다.

3. 개발도상국을 위한 자발적 의무

AOSIS, 미국, 호주, 뉴질랜드, EU, 일본, 폴란드, 스위스와 같은 일부 당사자

이러한 점을 확인할 수 있다(예를 들어 의무준수에 관한 Kyoto Protocol Arts 3.1, 5.1, 5.2,7.1, and 7.4, 그리고 자격요건에 관한 Kyoto Protocol, Arts 6,12, and 17). Ibid, Annex, Section V, para 4. 촉진분과의 위임사항은 주로 '당사자들의 의정서상의 의무준수를 향상'하는 것에 해당한다. Ibid, Annex, Section IV, para 4.

42) Ibid, Annex, Section IV, para 4.

43) Ibid, Annex, Section XTV, para (d).

44) 의무준수위원회에 관한 협상의 역사에 관하여는 Lavanya Rajamani, *Differential Treatment in International Environmental Law* (Oxford University Press, 2006) 203-5 참조.

45) Kyoto Protocol, Art 11.

46) Decision 10/CP.7 (n 17). 수익금의 분배는 도하개정에 의해 배출권거래와 공동이행으로까지 확대된 바 있다. 아래 제10장 참조.

47) Kyoto Protocol, Art 3.5.

들은 비(非)AGBM 협상 때 부속서I 국가에 대한 배출목표의 부재에 대한 우려를 표명하였다.[48] 이에 대하여 AGBM 의장은 협상문 초안에 '비부속서I 국가들을 위한 자발적 의무'에 관한 조항을 삽입하는 것으로[49] 개발도상국들이 자발적인 국가별 배출제한 또는 감축의무를 부담하여 공동이행(Joint Implementation)과 배출권거래(Emissions Trading)에 참여할 수 있는 자격을 갖추는 것을 의도하였다.[50] 그러나 교토 회의에서 제안된 자발적 의무와 관련하여 격렬한 논쟁이 벌어졌다. 중국과 인도가 가장 강력하게 반대하였다. 이 국가들은 협약 내 새로운 당사자 분류기준의 적법성과 문제된 의무의 '자발적' 성격에 의문을 제기하였다.[51] 한편 의무체제의 '진화(evolution)'에 대한 의문도 제기되었다. 본래 미국이 "당사자들이 [2005년]까지 구속력 있는 조항을 채택하여 모든 당사자들이 수량적인 온실가스 감축의무를 가지고 합의된 요건에 따라 당사자들에 대해 점진적인 온실가스 감축의무가 자동적으로 적용될 수 있는 체제를 갖추는 것"을 제안하는 것으로 1996년에 진화의 개념을 도입하였다.[52] 교토에서의 COP에서 뉴질랜드는 상대적인 발전수준에 따라 개발도상국에 대해 '점진적인 참여(progressive engagement)'를 할 것을 제안하였다. 뉴질랜드는 후속 의무기간에 최빈개도국(least developed country, LDC)을 제외한 모든 당사자에 대해 법적으로 구속력 있는 의무를 부여하기 위해 1998년에서부터 2002년의 기간 동안 검토절차에 착수하는 것을 제안하였다.[53] 이 제안을 EU는 "협상에 도움이 되지 않고 베를린 위임사항에 반한다"는 이유로,[54] 그리고 G−77/중국은 "지금은 개발도상국의 의무가 아닌 선진국의 의무를 강화해야 할 때"라는 이유로 반대하였다.[55] G−77/중국은 의무의 진화에 관한 제안이 거두어지지 않으

48) Depledge, Tracing the Origins of Kyoto Protocol (n 3) 102.
49) 의장이 기록한 것과 당사국들이 제시한 텍스트는 상당히 다른 내용이었다. Ibid, 102-5, 103.
50) Completion of a protocol or another legal instrument (n 11) Art 10.
51) International Institute for Sustainable Development (USD), 'Summary of the Third Conference of Parties to the UNFCCC, 1-11 December, 1997', Earth Negotiations Bulletin, 12/76 (1997): 1, 13.
52) Depledge, Tracing the Origins of Kyoto Protocol (n 3) 83.
53) USD, Summary of the Third Conference of the Parties to the FCCC (n 51). 이 제안은 호주, 캐나다, 일본, 폴란드, 슬로베니아, 스위스 및 미국의 지지를 받았다.
54) Ibid, 5.
55) Ibid, 13. Depledge, Tracing the Origins of Kyoto Protocol (n 3) 83. 이 제안은 46번의 개입을 야기하였는데, 이는 주로 자신들의 강력한 반대의사를 기록으로 남기기를 원한 비부속서I

면, 협상을 거부할 것이라고 협박하였다.[56] 이 제안에 대한 이들 국가의 반응은 자발적 의무에 대한 반응과 잘 들어맞았다. 그 결과, 자발적 의무에 관한 조항과 '진화'에 관한 제안 모두 폐기되었다.[57] 학자들은 비록 미국이 특히 시장 메커니즘을 비롯한 유연성 메커니즘과 같은 의정서의 많은 부분을 만드는 데에 성공하였지만, 개발도상국에 대한 새로운 의무라는 쟁점에 대해서는 '결정적인 패배'를 맛보았다고 지적한다.[58] 개발도상국들은 비록 시간이 많이 걸리고 거추장스러운 과정이기는 하지만, 부속서B를 개정하는 것으로 자발적인 의무를 부담할 수 있다.[59]

Ⅲ. 전문과 정의(제1조)

교토의정서는 FCCC 및 파리협정과는 달리 매우 짧은 전문(preamble)에 FCCC와 교토의정서의 협상을 개시하게 만든 베를린 위임사항의 목적, 조항과 원칙을 준용하고 있다.

교토의정서의 정의(definition) 부분도 FCCC상의 정의를 준용하고 있어 전문과 마찬가지로 짧다. 그 외에 교토의정서는 '당사국총회(Conference of the Parties)', '협약(Convention)', '기후변화에 관한 정부 간 협의체(Intergovernmental Panel on Climate Change)', '몬트리올의정서(Montreal Protocol)', '당사자(Party)', '부속서I의 당사자(Party

국가들에 의해서였다.

56) Ibid, 14.

57) Depledge, Tracing the Origins of Kyoto Protocol (n 3) 80-3 참조.

58) Andreas Missbach, 'Regulation Theory and Climate Change 참조.

59) 비부속서I 국가는 FCCC 제4조 제2항 (g)호상의 통보를 제출하는 단순한 행위로써 자발적으로 교토의정서를 위한 부속서I 국가가 될 수 있다. 그러나 배출제한이라는 목표를 부담하려고 한다면, 교토의정서 제20조 제4항에 따른 발효가 필요한, 교토의정서 당사자들의 3/4의 수락을 요하는 부속서B에 대한 정식 개정을 제안하여야 한다. 2003년에 벨라루스는 부속서B에 포함될 의사를 밝혔는데, 타당사국들과의 장기간 협상 끝에 본래 제안했던 감축목표보다는 상당히 더 강화된 기준인 1990년도 기준 8퍼센트 감축이라는 감축목표에 합의하였다. Joanna Depledge, 'The Road Less Travelled: Difficulties in Moving between Annexes in the Climate Change Regime', *Climate Policy*, 9/3 (2009): 273, 282. 벨라루스를 추가하는 것으로 부속서B를 개정하는 것에 대한 결정은 2006년에 채택되었는데, 아직 발효되지 않았다. Decision 10/CMP.2, 'Proposal from Belarus to amend Annex B to the Kyoto Protocol5 (2 March 2007) FCCC/KP/CMP/2006/10/Add.l, 36.

included in Annex I)'를 정의하고 있다.[60)]

Ⅳ. 의무(제2조, 제3조, 제5조, 제7조, 제8조, 제10조 및 제11조)

교토의정서는 FCCC와 마찬가지로 (1) FCCC 제4조 제1항상의 기존의 의무를 답습하는, 선진국인 당사자와 개발도상국인 당사자 모두에게 적용되는 일반적인 의무(제10조), (2) 부속서I 국가에만 적용되는 정책·조치, GHG 배출목표 및 의무기간, 보고, 검토에 관한 새로운 의무(제2조, 제3조, 제5조, 제7조 및 제8조), (3) 부속서II 국가에만 적용되는 재정적 지원에 관한 구체적인 의무(제11조)처럼 상이하게 분류된 당사자에 대해 다른 의무를 부여하고 있다. 이러한 구조는 교토의정서가 베를린 위임사항에 따라 부속서I 국가들의 감축의무를 진전시키는 데에 집중하고 있다는 것을 반영하고 있다.

A. 일반적 의무

제10조는 FCCC 제4조 제1항의 "이행을 진전시키고", "지속가능한 발전을 달성"하기 위하여 모든 당사자에 대해 일반적인 의무(general obligation)를 부여하고 있다. 제10조가 선진국과 개발도상국 모두에게 적용이 되기 때문에, 몇몇 상황별 문구 및 수식 문구를 포함하고 있다. 특히 이 조항은 당사자들이 "공통의 차등화된 책임과 각각의 노력과 국가 및 지역에 고유한 개발우선순위·목적·상황"을 고려할 것을 규정하고 있다. 이 조항은 또한 비부속서I 국가를 위해 '어떠한 새로운 의무'를 도입하고 있지 않고, 오히려 FCCC 제4조 제1항상의 "기존 의무를 재확인"하고 있다는 것을 분명히 명시하고 있다. 더군다나 이 조항은 특히나 "협약 제4조 제3항, 제5항 및 제7항을 고려"하고 있어[61)] FCCC 제4조 제1항상 의무의 이행과 재정적 지원 및 기술이전에 관한 FCCC상의 의무와의 연결고리를 마련하고 있다.

---

60) Kyoto Protocol, Art 1.
61) Kyoto Protocol, Art 10, chapeau.

제10조의 협상과정에서도 배울 점이 있다. 개발도상국들은 기존 의무의 이행을 진전시키는 것은 부속서II 국가의 금전적 의무의 이행에 대한 유사한 진전과 결부되어야 한다고 주장하였다.[62] 실제로 감축 및 적응 사업에 관한 제10조 (b)호가 단지 FCCC상의 기존 의무를 반복하고 있음에도 불구하고, G-77/중국은 이에 상당히 반대하였고, 그들이 반대를 표명하기 전에 의장이 의사봉을 내리쳐서 결정을 통과시켜야만 하였다.[63] 제10조와 관련하여 오랜 기간 동안 이를 위한 기금을 창설하자는 제안이 논의되어 왔지만, 결국 폐기되었다. 그럼에도 불구하고, 제10조는 재정적 지원체제에 관한 조항의 바로 앞에 놓임으로써 개발도상국에 대한 의무를 전진시키는 것은 재정적 지원의 증가를 필요로 한다는 점에서 두 조항이 내포하고 있는 쟁점들이 연관되어 있다는 관점을 반영하고 있다.[64]

B. 부속서 I과 부속서 II 국가들을 위한 구체적 의무

1. 정책 및 조치(제2조)

교토의정서 제2조는 부속서I 국가들이 자국의 국내 사정에 따라 '정책 및 조치(policy and measure, PAM)'를 이행하거나 구체화할 것을 규정하고 있다. 이 조항은 PAM이 취해질 수 있는 영역을 'such as'라는 표현으로 예시하고 있는데, 이에 포함되는 영역에는 에너지 효율성의 향상, GHG 흡수원의 보호와 향상, 지속가능한 농업의 홍보, 재생가능한 에너지 · 탄소처리(sequestration) 및 그 외의 환경친화적인 기술의 연구, GHG를 배출하는 부문에 대한 보조금 및 그 외의 시장교란요인의 점진적 축소 또는 폐지, GHG 배출을 제한 또는 감축하기 위하여 특히 운송부분과 같은 관련 부문의 개혁, 메탄배출의 제한 또는 감축이 있다(제2조 제1항 (a)호. 이 조항을 협상할 때에 당사자들은 특정한 의무적인 정책 및 조치를 이 조항에서 지정할 것인지 여부에 대해 합의하지 못하였다. EU는 모든 당사자들이 채택 및 이행해야 할 PAM을 부속서에 명시하는 것을 선호하였다.[65] 반면 미국, 호주, 캐나다, 뉴

62) Depledge, Tracing the Origins of Kyoto Protocol (n 3) 71.
63) Ibid, 73.
64) Ibid.

질랜드는 PAM을 선택할 수 있는 재량을 유지하고 있어야 한다고 생각하였다.[66] 결국 후자의 견해가 채택되긴 하였지만, 제2조에 특정한 PAM을 열거하고 있다는 것은 당사자들이 교토의정서를 이행할 때에 이를 고려할 것이라는 기대감을 생기게 한다.[67] 이 논란은 국제적인 기후체제가 의무적이어야 하는지 또는 촉진하는 것이어야 하는지에 관한 국가 간의 오래되고 뿌리 깊은 관점의 차이에서 비롯된 것으로 보인다. 이러한 관점의 차이는 유엔기후체제의 태동에서부터 존재하였고, 2015년 파리협정을 만드는 데에 핵심적인 역할을 하였다.

제2조는 당사자들이 정보를 교환하는 등 자국 PAM의 효율성을 향상하기 위하여 협력할 것을 규정하고 있다(제2조 제1항 (b)호). 더군다나 의정서의 당사국회의(Conference of the Parties Serving as the Meeting of the Parties to the Protocol, CMP)의 역할을 하고 있는 COP에서 협력이 유익하다고 판단할 때, 그러한 협력을 구체화할 수 있는 방법을 고려할 것을 명시하고 있다(제2조 제4항). 이러한 조항은 당사자들이 PAM의 이행을 일치시키기 위해 EU와 AOSIS가 했던 제안의 남은 부분들이었다. 미국, 호주를 비롯한 엄브렐러 그룹 국가들은 그러한 의무적인 일치화를 선호하지 않았고, 해당 문언은 그들의 관점을 반영하고 있다. 그 이후 당사자들은 과학 및 기술 자문 보조기구(Subsidiary Body for Scientific and Technological Advice, SBSTA)에 정보교환과 부속서I 국가들의 PAM에 관한 경험을 공유하는 역할을 부여하였다.

2. 감축목표 및 의무기간(제3조)

제3조는 부속서I 국가들이 교토의정서에 따라 부담하는 핵심적인 의무를 포함하고 있다. 제3조 제1항은 "부속서I의 당사자는, 이를 당사자에 의한 부속서A에 규정된 온실가스의 총 인위적 배출량을 이산화탄소를 기준으로 환산한 배출량에 대하여 이를 2008년부터 2012년까지의 의무기간 동안 1990년도 수준의 5퍼센트 이상 감축하기 위하여, 이러한 총배출량이 이 조 및 부속서B에 규정된 이들 당사자의 수량적 배출량의 제한·감축을 위한 의무에 따라 계산되는 배출허용량을 초

65) Ibid, 19.
66) Ibid, 20.
67) Yamin and Depledge, International Climate Change Regime (n 23) 111.

과하지 아니하도록 개별 또는 공동으로 보장한다"고 규정하고 있다.

배출목표에 대한 교토의정서의 접근방식은 혁신적이고, 엄격함과 유연성을 절충하고 있다. 배출목표는 한편으로 법적으로 구속력 있고, 수량적이고 정확하며, 절대적이고 경제 전반에 영향을 준다. 반면 당사자들이 목표를 달성함에 있어서 유연성을 가질 수 있도록 하고 있기도 하다. 제3조와 관련하여 유념할 점으로는 다음이 있다.

a) 법적 성격

제3조 제1항은 부속서I 국가들의 개별적인 목표와 관련하여 'shall'과 같은 강제적인 용어를 사용하고 있고, 분명하고 정확하여 상술한 바와 같이 결과적으로 그 목표를 법적으로 구속력 있는 의무로 만들고 있다.

b) 차등화된 목표

각 부속서I 국가에 대해서는 부속서B에 개별적이고 차등화된 목표가 나열되어 있고, 이 목표는 의정서의 부속서A에 열거되어 있는 여섯 가지 가스를 그 대상으로 하고 있다. 이 개별적인 국가목표들은 치열한 협상의 결과물이었고, 과학보다는 정치를 반영하고 있었다. G-77/중국, EU, AOSIS와 다른 몇몇 국가들은 처음에는 모든 부속서I 국가들을 위한 동일한 목표를 주장하였고, 미국, 호주, 일본을 비롯한 다른 엄브렐러 그룹 국가들은 국내적 상황에 맞추어진 차등화된 의무를 지지하였다.[68] 차등화를 위한 기준으로 제안되었던 것으로는 1인당 CO_2e 배출량, GDP 단위당 CO_2e 배출량, 1인당 GDP 등이 있었다.[69] 동일한 목표를 지지하는 국가들과 차등화된 목표를 지지하는 국가들 간 그리고 후자의 국가 내에서 차등화를 위해 서로 다른 기준을 지지하는 국가들 간의 의견불일치는 교토 회의까지 지속되었다. 그런데 교토 회의에서 EU가 자신의 의견을 굽히면서 동일한 목표보다는 '동등한 노력(equivalence of effort)'을 추구하기 시작하였다.[70] 아직 차등화의 기준에 합의가 이루어지지 못하였지만, 교토 회의에 이르는 기간 동안에 목표에 대

68) Breidenich *et al.*, Kyoto Protocol to the UNFCCC (n 18) 320.
69) Completion of a protocol or another legal instrument (n 11) Annex C.
70) Depledge, Tracing the Origins of Kyoto Protocol (n 3) 42.

한 언급이 나오기 시작하였다. 그러나 합의에 이르지 못하자, 의장은 당사자의 발표와 의장과의 협의를 기초로 한 배출목표 목록을 만들었다. 배출목표 목록에 대한 국가들의 반응을 살펴보기 위해 당사자들과 몇 번의 양자회의를 가졌던 의장은 부속서B를 비워놓았고, 마지막 본회의에서 당사자들에게 의장석으로 그들의 수정된 마지막 배출목표를 제출할 것을 요청하였다. 당사자들이 그에 따르자, 사무국이 국가들의 배출목표를 부속서B에 삽입하였다.[71)]

이러한 역사적 맥락은 많은 교훈을 주고 있을 뿐 아니라, 파리협정에서 '국가별 기여방안(nationally determined contribution, NDC)'을 설정했던 과정과 유용하게 비교될 수 있다. 당사자들이 발표한 교토의정서하의 최초 목표와 파리협정을 위하여 당사자들이 제시한 NDC 모두 해당 국가에서 결정한 것이었다. 그러나 교토의정서에서의 목표는 부속서I 국가 간의 치열한 협상의 결과였다면, 파리협정에서는 NDC의 다자적 협상은 제안된 바도 없었다. 이에 따라 파리협정과는 달리, 교토의정서에서는 회의가 진행되면서 다른 국가들과의 협상 및 AGBM 의장이었던 Raul Estrada의 설득의 결과 핵심 국가들과 그룹들의 배출목표는 바뀌었다. 일부 국가들의 경우, 애초에 제안되었던 것보다 더 높은 배출목표가 도출되었다.[72)] 예를 들어, 미국은 애초에 1990년도 기준에 머무르는 GHG 목표를 제안하였는데, 이에 대해 AGBM 의장은 1990년도 기준 대비 5퍼센트 감축을 배정하였고, 마지막 날에 미국은 1990년도 기준 대비 7퍼센트를 감축하는 것을 받아들였다.[73)] 이와 유사하게 캐나다도 애초에 1990년도 기준 대비 3퍼센트 감축을 제안하였는데, 의장은 1990년 대비 5퍼센트 감축을 배정하였고, 마지막 날에 캐나다는 1990년도 기준 6퍼센트를 감축하는 것을 받아들였다.[74)] 부속서B는 EU의 1990년도 기준 대비 8퍼센트 감축

---

71) Ibid, 46. SBreidenich et al., Kyoto Protocol to the UN FCCC (n 18); Hermann E. Ott, 'The Kyoto Protocol: Unfinished Business, Environmenty 40/6 (1998): 16.

72) Depledge, Tracing the Origins of Kyoto Protocol (n 3) 46. Sebastian Oberthür and Hermann E. Ott, *The Kyoto Protocol: International Climate Policy for the 21st Century* (Springer-Verlag Berlin Heidelberg, 1999) 120 (최종적 수치는 미국, EU 및 일본 사이에서 협상된 것이라는 점을 지적하고 있다).

73) FCCC, Conference of the Parties on its third session, held in Kyoto from 1 to 10 December 1997 (9 December 1997) FCCC/CP/1997/CRP.4, Agenda Item 5; Depledge, Tracing the Origins of Kyoto Protocol (n 3) 45.

74) Oberthür and Ott, Kyoto Protocol (n 72) 118. See also Depledge, ibid.

과 미국의 7퍼센트 감축에서부터 호주의 1990년도 기준 대비 8퍼센트 증가와 아이슬란드의 10퍼센트 증가까지 38개국을 위한 차등화된 목표를 담고 있다.[75] 대부분의 부속서I 국가들의 배출량은 경제성장에 따라 증가되도록 설정되어 있었기 때문에, 대부분의 교토의정서의 목표들은 목표치의 숫자로 보인 것보다는 '온실가스 배출전망(business-as-usual)'과 큰 격차가 난다는 것을 의미하였다.[76] 러시아와 우크라이나의 목표는 눈에 띄는 예외였다. 이들 국가들의 목표가 배출전망보다 상당히 높았기 때문에, 그 국가들의 목표는 흔히 '핫에어(hot air)'이라고 일컬어지는 잉여 배출권을 그 국가들이 받아 배출권거래체제에서 다른 국가에 매도할 수 있는 가능성을 안겨주었다.[77]

38개국에 이르는 부속서B 국가들은 2010년 전세계 GHG의 연간 배출량의 30퍼센트를 배출하였다.[78] 교토의정서를 거부한 미국과 탈퇴한 캐나다를 제외하면, 나머지 36개국은 2010년의 전세계 GHG 배출량의 24퍼센트를 배출하였다. 이 36개국 교토의정서 당사자들은 제1차 의무기간 목표를 완벽히 준수하였다.[79]

아직 발효하지 않은 2012년 도하개정은 2013년-2020년의 제2차 의무기간에 대한 부속서B 국가들의 개별적인 차등화된 목표를 담고 있다. 이러한 목표는 부속서B 국가들이 2020년을 위해 칸쿤합의(Cancun Agreements)상에서 제시하였던 목표와 일치한다.[80] 예를 들어, EU의 교토의정서상 목표는 1990년도 기준으로 20퍼센트를 감축하는 것인데, 이는 EU의 칸쿤서약과 동일하다. 게다가 자신의 교토의정

75) 의정서 부속서B상의 목표는 그 목록에 있는 각 국가에 배정된 배출량에 따라 결정된다. 일부 학자들은 배출량의 증가를 허용하는 호주, 아이슬란드, 노르웨이의 목표들은 '비타협적이고 대담하며 냉정한 협상'의 결과라고 주장한다(Ott, Kyoto Protocol—Unfinished Business (n 71) 20). 다른 학자들은 그런 목표를 위해 보인 '리더십'을 의심한다. Duncan French, '1997 Kyoto Protocol to the 1992 UN Framework Convention on Climate Change, *Journal of Environmental Law*, 10/2 (1998): 227, 233.

76) 예를 들어, 미국이 의정서에 가입하여 2008년에서 2012년의 기간 동안에 의정서에 구속되었더라면, 통상의 배출예측치에 비해 1/3을 감축해야 했을 것이다.

77) David G. Victor, Nebojsa Nakicenovic, and Nadejda Victor, 'The Kyoto Protocol Emission Allocations: Windfall Surpluses for Russia and Ukraine', *Climatic Change*, 49/3 (2001): 263. 아래 IV.B.2.h 및 V.A 참조.

78) Igor Shishlov, Romain Morel, and Valentin Bellassen, 'Compliance of the Parties to the Kyoto Protocol in the First Commitment Period', *Climate Policy*, 16/6 (2016): 768.

79) Ibid.

80) 제4장 V.C 참조.

서 목표에 대한 각주에서 EU는 다른 선진국들이 유사한 배출감축을 약속하고 개발도상국들이 자신들의 책임과 개별적인 역량에 따라 적절히 기여하면 1990년도 기준에서 30퍼센트를 감축하겠다고 칸쿤서약에서도 한 바 있는 조건부 제안을 재확인하였다.[81] 이와 유사하게 호주와 같은 몇몇 국가들은 칸쿤서약에서 1990년이 아닌 기준연도를 제시하였다. 이러한 경우에 대해, 도하개정은 1990년도 기준과 당사자가 선택한 기준연도 모두에 따른 당사자의 교토의정서 목표를 나열하면서 오직 전자만이 국제적으로 법적 구속력이 있다는 것을 명확하게 밝히고 있다.[82]

c) 집단적 목표

부속서B의 개별적 목표 외에, 제3조는 부속서I 국가들을 위한 '1990년도 수준의 5퍼센트 이상'이라는 집단적 목표를 가지고 있다. 이러한 집단적 목표는 의정서의 본문이 아닌 부속서에 목표를 두고 있다는 것은 목표가 지니는 중요성을 반감할 것이라는 G-77/중국의 우려를 불식시키기 위해 도입되었다.[83] 제3조의 집단적 목표는 별도로 협상되었다거나 전세계를 안전한 배출량의 경로로 인도하는 데에 필요한 부속서I 배출량의 감축에 대한 평가를 기초로 한다거나와 같은 환경적인 이유로 채택되었던 것도 아니었다. 오히려 부속서B에 나열된 개별 국가들의 목표의 합계를 반영한다. 더군다나 이러한 집단적인 목표의 법적 성격은 부속서B에 나열된 개별적인 목표와는 다르다.[84] 개별적인 목표를 포함하고 있는 조항이 의무를 반영하는 용어를 가지고 있는 것과는 달리, 집단적 목표는 'with a view to'라는 문구를 포함하고 있다. 이러한 문언의 사용은 법적 의무보다는 달성해야 할 목적을 의미한다. 어찌하였든 간에, 집단적 목표는 모든 부속서B 국가들이 의정서의 당사자가 될 것이라는 예측을 근거로 하고 있었다. 이러한 결과가 야기된 것은 개별 당사자의 탓은 아니었기 때문에, 집단적 목표는 법적 의무로 여겨질 수 없었다. 미국과 캐나다가 없는 상황에서 실효적인 집단적 목표는 나머지 36개 부속서B 국가에 있어 배출량의 4퍼센트를 감소시킨 것으로 줄어들었다.[85] 아직 발효하지 않

81) Doha Amendment, Art 1, Section A, fn 7.
82) Ibid, fn 1.
83) Depledge, Tracing the Origins of Kyoto Protocol (n 3) 46.
84) French, 1997 Kyoto Protocol (n 75) 232 참조.

은 2012년 도하개정에는 제2차 의무기간인 2013년－2020년의 기간 동안 1990년도 수준보다 18퍼센트를 감축하는 집단적 목표가 포함되어 있다.[86]

d) 기준연도

보통 목표는 1990년을 기준연도로 삼고 있다.[87] 1990년을 기준연도로 삼는 것에는 일찍부터 합의가 이루어졌는데, 이는 이 연도가 FCCC가 시작한 연도였을 뿐 아니라, 1990년 이전의 기간에 대한 신뢰할 수 있는 데이터가 없기 때문이다. FCCC에서 EIT를 위해 보장한 유연성 외에, 교토의정서는 EIT들이 1990년 이외의 연도를 기준연도로 삼을 수 있도록 하고 있고,[88] 불가리아, 루마니아, 헝가리, 폴란드,[89] 슬로베니아[90]의 5개국은 그렇게 하고 있다. HFCs, PFCs와 SFs를 일찌감치 규제했던 부속서I 국가들이 불리하지 않도록 부속서I 국가들은 이들 가스와 관련하여 1990년과 1995년 중에 하나를 기준연도로 선택할 수 있다.[91]

e) 할당배출권

교토의정서의 목표들은 '할당배출권(assigned amount units, AAUs)'의 단위로 나타낼 수 있고, 하나의 단위는 1톤의 CO_2e 배출을 의미한다. 당사자의 최초 할당배출량은 의무기간이 시작할 때에 당사자의 기준연도 CO_2e 배출량을 계산하고, 그 값에 의무기간의 연도 수를 곱한 다음에 다시 그 당사자의 배출목표를 곱하는 것으로 계산된다. 예를 들어, 어떤 국가가 1990년에 CO_2e를 백만 톤 이상 배출하였고, 제1차 의무기간 동안에 6퍼센트의 감축목표(달리 말하자면 기준연도 배출량 대비 94퍼센트를 배출하는 것을 허용하는 목표)를 배정 받았다면, 최초 할당배출량은 470만 톤(1백만×5×0.94)이 된다. 이 공식에 따라 최초 할당배출량이 배정되면, 사무국에 의해 관리되는 등록부(registry)에 기록되어 아래 V절에 설명하고 있는 시장 메커니

85) Shishlov *et al.*, Compliance of the Parties (n 78).
86) Doha Amendment, Art 1, Section C.
87) Kyoto Protocol, Art 3.1.
88) Ibid, Art 3.5.
89) Decision 9/CP.2, 'Communications from Parties included in Annex I to the Convention: guidelines, schedule and process for consideration (29 October 1996) FCCC/CP/1996/15/Add.l, 15.
90) Decision 11/CP.4, 'National communications from Parties included in Annex I to the Convention (25 January 1999) FCCC/CP/1998/16/Add.l, 47.
91) Kyoto Protocol, Art 3.8.

증과 흡수배출권(removal unit, RMU)을 확보할 수 있는 흡수활동을 통하여 이 배출량을 빼거나 더할 수 있다.[92] 당사자는 자신의 배출목표를 준수하기 위하여 그 의무기간 동안에 실제 배출한 양만큼의 배출권을 확보하고 있어야 한다.[93] 당사자들은 할당량을 산정하기 위하여 세부 원칙을 채택하고 있다.[94]

f) 흡수원

교토의정서는 부속서I 국가들이 제3조상의 의무를 충족하기 위해 신규조림(afforestation),[95] 재조림(reforestation),[96] 산림전용(deforestation)[97] 및 그 외의 합의된 '토지이용, 토지이용변화 및 임업활동(land use, land−use change and forestry, LULUCF)'을 고려할 수 있도록 하고 있다.[98] LULUCF 활동과 기후변화 간에 중요한 연결고리가 존재한다. 산림, 농경지 및 목초지는 GHG의 배출원, 흡수원 또는 저장소가 될 수 있다.[99] 훼손되거나 파괴되었을 시, CO_2를 비롯한 그 외의 GHG를 대기 중으로 방출할 수 있다. 복원된다면 대기로부터 GHG를 제거한다.

흡수원에 관한 협상은 교토의정서와 교토의정서 후속체제에 관한 협상 모두에서 가장 논란의 여지가 많았던 것으로 판명되었다.[100] 쟁점 중 하나에는 생물권으로 구성된 흡수원의 저장율에는 상당한 불확실성이 있었고, 이 흡수원들을 정의·감시 및 계산하는 데에 있어 내재적인 어려움에 관한 것이 있었다. 많은 부속서I 국가들은 당시 자신들의 국가보고서에서 LULUCF를 보고하지 않았고, 보고를 했던

---

92) Ibid, Arts 3.10, 3.11, and 312.

93) 의무기간이 끝날 때마다 당사자들의 준수 여부를 판단하기 이전에 당사자들이 배출권거래를 통하여 자신들의 할당량을 맞출 수 있도록 짧은 조정기간이 주어진다.

94) Decision 13/CMP.l, 'Modalities for the accounting of assigned amounts under Article 7, paragraph 4, of the Kyoto Protocol' (30 March 2006) FCCC/KP/CMP/2005/8/Add.2, 23.

95) 신규조림은 "역사적으로 산림을 포함하고 있지 않았던 토지에 산림을 새로이 조성하는 것"을 뜻한다. Intergovernmental Panel on Climate Change (IPCC), *Special Report on Land Use, Land-Use Change and Forestry (LULUCF)* (Cambridge University Press, 2000) ch 2.2.3.1.

96) 재조림은 "비교적 최근에 산림이 제거된 토지에 조림을 하는 것"을 뜻한다. Ibid, ch 2.2.3.2.

97) 산림전용은 "의도적으로나 우연히 산림이용으로부터 토지를 배제하거나 산림피복(forest cover)의 영구적 제거"하는 것을 뜻한다. Ibid, ch 2.2.3.3.

98) Kyoto Protocol, Arts 3.3 and 3.4.

99) '산림'의 정의와 관련해서는 지금까지 기후변화 협상에서 상당히 많은 논란이 제기된 바 있다. IPCC, Special Report on LULUCF (n 95) chs 2.2.2.1, 2.2.4 참조.

100) Oberthür and Ott, Kyoto Protocol (n 72) 124-6; Michael Grubb *et al.*, The Kyoto Protocol: A Guide and Assessment (London: Earthscan, 1999) 76-80.

몇몇 국가들 간에는 산정방식이 일관되거나 비교가능한 것이 아니었으며, 그중에서도 일부 국가에서는 그 불확실성 추정이 매우 높았다. 그럼에도 불구하고, 호주, 캐나다, 뉴질랜드, 미국을 포함한 많은 엄브렐러 그룹 국가들은 당사자들이 자신들의 GHG 목표를 충족하는 데에 도움이 될 수 있도록 제1차 의무기간 동안에 흡수원을 포함시키는 것을 선호하였다. 그중에서 호주는 당사자의 기준연도 배출량과 의무기간 동안의 배출량을 산정할 때에 흡수원을 고려해야 한다고 보는 '상호비교 접근법(net-net approach)'을 선호하였고, 뉴질랜드는 목표의 준수를 평가할 목적으로 의무기간 동안에 당사자가 배출한 순배출량을 계산하기 위해서만 흡수원을 고려해야 한다고 보는 '제한적 접근법(gross-net approach)'을 주장하였다.[101] 소도서국가를 포함한 대부분의 개발도상국들은 목표들의 환경건전성을 약화시킬 수 있다는 이유로 흡수원의 추가를 반대하였다. EU는 처음에 흡수원의 추가를 반대하였는데, 협상과정에서 입장을 바꾸었다.

제3조 제3항의 절충안은 구체적으로 1990년 이후에 이루어진 신규조림, 재조림과 산린전용과 같은 한정된 종류의 LULUCF에 대해서만 교토의정서 목표를 준수하는 것으로 산정할 수 있다고 하고 있다(제한적 접근법). 그러나 배출량은 '인위적 · 직접적인 토지이용의 변화와 임업활동(direct human induced land use change and forestry activities)'의 결과로 변화되어야 한다. 게다가 제3조 제4항은 당사자들이 다른 흡수원 활동을 통해서도 GHG의 배출과 제거를 산정하는 것을 CMP가 허용할 수 있도록 권한을 주고 있다. 흡수원에 관한 마라케시 합의문의 결정은 농경지, 산림, 목초지의 토지경리를 통해 인위적으로 발생한 GHG의 제거에 대해 배출권을 부여하면서도(이는 엄브렐러 국가에게는 중요한 승리에 해당한다), 산림경영에 의한 배출권에 대해서는 국가별로 제한을 두면서 농경지와 목초지 경영에 관해서는 상호비교 계산법을 마련하여,[102] 교토체제 내로 유입될 수 있는 전체 흡수배출권의 수를 제한하고 있다.[103]

---

101) Oberthür and Ott, Kyoto Protocol (n 72) 132-4; Grubb *et al.*, Kyoto Protocol (n 100) 76- 80; Yamin and Depledge, International Climate Change Regime (n 23) 80-2.

102) Decision 16/CMP.l, 'Land use, land-use change and forestry' (30 March 2006) FCCC/KP/CMP/2005/8/Add.3, 3, Annex: Definitions, modalities, rules and guidelines relating to land-use, land-use change and forestry, paras 6-11.

g) 다년도의 의무기간

교토의정서의 목표에는 2008년 - 2012년까지 5년의 제1차 의무기간과 아직은 발효되지 않았지만 2013년 - 2020년까지 8년의 제2차 의무기간으로 된 다년도의 의무기간이 적용된다. 이 다년도 의무기간 접근법은 일본, 뉴질랜드, 노르웨이 그리고 러시아의 지지를 받은 미국의 제안에서부터 출발한다. 그들은 다년도 의무기간이 연간 변동을 감안할 수 있는 보다 많은 유연성을 확보해 주고, 미국이 제안한 바 있는 시장 메커니즘을 보다 잘 고려할 수 있도록 해 준다고 주장하였다.[104]

G-77/중국, AOSIS와 EU는 단년도 목표를 선호하였는데, 의장이 다년도 목표의 투명성, 검증가능성, 수량성에 대해 설득한 결과 이 접근법을 받아들었다. 제1차 의무기간의 시작점인 2008년도 논쟁의 대상이었다. AOSIS, EU 및 그 외의 많은 국가와 국가그룹들이 단년도 또는 다년도의 기간이 보다 일찍 시작하는 것을 선호하였던 것과 달리, 미국과 캐나다는 2008년 - 2012년의 기간을 고집하였다. 비록 2008년 - 2012년 의무기간이 결국에 절충안으로서 받아들여지기는 하였지만, 2005년까지 '가시적인 진전(demonstrable progress)'의 요건과 결부되었다.[105] '가시적 진전'의 요건은 의무적인 용어로 명시되어 있다("당사자들은 … 가시적 진전을 … 보여야 한다"). 그럼에도 불구하고, '가시적 진전'이라는 용어 자체가 정의되지 않았기 때문에, 이 조항이 가질 수 있는 실제적인 법적 영향력은 한정적이었다.[106] 당사자들은 일련의 결정을 통하여 2006년 1월 1일까지 부속서I 국가들로부터 자신들의 교토의정서 목표를 제시하는 보고서의 제출을 요청하는 것에 합의하였고,[107]

---

103) 기후체제 내의 LULUCF에 관한 결정에 대한 상세한 분석은 Ian Fry, 'More Twists, Turns and Stumbles in the Jungle: A Further Exploration of Land Use, Land-Use Change and Forestry Decisions within the Kyoto Protocol', *Review of European Community and International Environmental Law*, 16/3 (2007): 341 참조.

104) Breidenich et al., Kyoto Protocol to the UNFCCC (n 18) 321; Depledge, Tracing the Origins of Kyoto Protocol (n 3) 36-7.

105) Depledge, ibid, 38. See Kyoto Protocol, Art 3.2.

106) 아래 nn 286-287 및 그곳의 본문 참조.

107) Decision 22/CP.7, 'Guidelines for the preparation of the information required under Article 7 of the Kyoto Protocol' (21 January 2002) FCCC/CP/2001/13/Add.3, 14; Decision 25/CP.8, 'Demonstrable progress under Article 3, paragraph 2, of the Kyoto Protocol' (28 March 2003) FCCC/ CP/2002/ 7/Add.3, 54.

사무국에 종합보고서를 준비할 것을 주문하였다.[108] 두 번째 CMP는 이 종합보고서를 검토, 보고서를 제출한 부속서I 국가들의 진전을 확인, 총배출량의 감소는 대부분 부속서I의 EIT에서 유래하였음을 확인, 그리고 당사자들이 자신들의 교토의정서 목표를 달성할 것을 촉구하였다.[109]

h) 이월

교토의정서는 당사자들이 의무기간 동안에 초과한 AAU를 다음 의무기간에 사용할 수 있도록 이월(banking)하는 것을 허용한다.[110] 이 조항은 미국, 뉴질랜드, 러시아 및 그 외의 몇몇 국가들에 의해 제안되었고,[111] 다년도 목표처럼 당사자들이 자신들의 배출량을 언제 감축하는지에 대한 유연성을 확보할 수 있도록 설계되었다. 미국은 또한 미래의 의무기간으로부터 '차입(borrowing)'하는 것을 제안하였는데, 받아들여지지 않았다.[112] 제2차 의무기간을 위한 최종협상은 러시아, 우크라이나, 폴란드를 비롯한 몇몇 EU국가들이 우크라이나가 '정당하게 취득한 주권적 재산(legitimately acquired sovereign property)'라고 표현한 제1차 의무기간 동안에 과다한 AAU를 제한 없이 이월하려고 한 것 때문에 일부 난항을 겪었다.[113]

상기한 바와 같이, 이들 국가의 배출목표는 소련의 해체 이후 이들 국가들의 경제가 겪은 붕괴와 구조조정으로 인하여 배출량이 급감하기 이전인 1990년 배출량을 기준으로 하고 있어 이들 국가들은 많은 잉여배출권을 보유하고 있었다. 이들 국가들이 제1차 의무기간의 소위 말하는 '핫에어(hot air)'를 이월하고 거래할 수

108) Decision 25/CP.8, ibid; Subsidiary Body for Implementation, Synthesis of reports demonstrating progress in accordance with Article 3, paragraph 2, of the Kyoto Protocol, Note by the secretariat (9 May 2006) FCCC/SBI/2006/INF.2 (오직 부속서B 국가의 반만이 마감일까지 보고서를 제출함).

109) Decision 7/CMP.3, 'Demonstration of progress in achieving commitments under the Kyoto Protocol by Parties included in Annex I to the Convention' (14 March 2008) FCCC/KP/CMP/2007/ 9/Add.l, 23.

110) Kyoto Protocol, Art 3.13.

111) Depledge, Tracing the Origins of Kyoto Protocol (n 3) 54.

112) Oberthür and Ott, Kyoto Protocol (n 72) 117 (필요시 당사국들이 미래의 배출 허용치를 현재로 끌어와 사용할 수 있게 해달라는 미국의 제안을 서술하고 있다).

113) 'Information on the quantified emission reduction and limitation objectives (QELROs) of Ukraine for the second commitment period of the Kyoto Protocol' <https://unfccc.int/files/meetings/ad_hoc_working_groups/kp/application/pdf/awgkp_ukraine_qerlo_06l22012.pdf> accessed 20 January 2017.

있도록 허용하면 다른 국가들도 노력을 덜하도록 만들 뿐 아니라, 교토의정서의 제2차 의무기간의 환경적인 의미를 퇴색시켰을 것이다. 결국 도하개정은 이월을 허용하되, 거래될 수 있는 이월된 배출권을 제한하는 것으로 이 문제를 해결하였다.[114] 게다가 EU, 호주, 노르웨이, 일본, 스위스를 포함한 몇몇 부속서I 국가들은 제2차 의무기간을 달성하기 위하여 제1차 의무기간의 잉여배출권을 이용하지 않겠다는 정치적인 선언을 등록하였다.[115]

1) 공동실시

"개별적 또는 공동으로"이라는 문구는 부속서I 국가들이 배출목표를 공동으로 달성할 수 있도록 해준다. 제4조는 배출목표의 '공동실시(joint fulfilment)'에 관한 추가적인 허가 및 운영상의 세부사항에 관한 내용을 포함하고 있다. 당시의 15개 EU 회원국은 제4조상의 집단적 목표를 설정하면서 EU 회원국 간의 교토의정서 목표를 재분배하는 부담배분협정(burden sharing agreement)을 마련하였다. 이 결과, 한 가지 예로 제1차 의무기간에 대한 EU의 공동목표는 1990년 수준 대비 8퍼센트 감축이었음에도 불구하고, 내부적인 EU 부담배분협정에 따라 독일은 21퍼센트 감축에 합의하였고, 포르투갈은 1990년 수준 대비 배출량을 28% 증가하는 것이 허용되었다.[116] 이 당시에는 오직 EU만이 제4조의 적용을 받을 수 있다고 이해되었는데, 타당사자들은 EU를 위한 특별대우를 만드는 것을 원하지 않았기 때문에, 이러한 사항은 문언에 반영되지는 않았다. 도하개정상의 목표 또한 EU의 공동실시를 전제로 하고 있다.[117]

3. 재정적 지원(제11조)

교토의정서는 감축의무와 더불어 FCCC 제4조 제3항 및 제5항에 따라 부속서II

114) Decision 1/CMP.8 'Amendment to the Kyoto Protocol pursuant to its Art 3, paragraph 9 (the Doha Amendment)' (28 February 2013). FCCC/KP/CMP/2012/13/Add.l, 2, paras 23-6.

115) Ibid, Annex II.

116) Council Decision 2002/358/EC of 25 April 2002 concerning the approval, on behalf of the European Community, of the Kyoto Protocol to the United Nations Framework Convention on Climate Change and the joint fulfilment of commitments thereunder [2002] OJ LI30/1, Annex II.

117) Doha Amendment, Art 1, Section A, footnote 4.

국가들이 부담하는 재정적 의무를 재확인하고 있다. 이러한 재정적 의무에는 개발도상국들이 국가 인벤토리를 준비하는 데에 필요한 데이터/모델의 수준을 개선하는 데 부담한 "합의된 총비용을 충당하기 위하여 신규의 추가적 재원(new and additional financial resources to meet the agreed full costs)"과 개발도상국과 재정지원메커니즘의 운영을 담당하는 기관 간에 "합의(agreed)"된 사항의 이행을 진전시키는 데 소요되는 "합의된 총증가비용(agreed full incremental costs)"을 제공하는 것이 포함된다.[118)]

FCCC와 마찬가지로 교토의정서 또한 부속서II 국가들이 기존의 의무를 이행할 때에 "자금 흐름의 적정성 및 예측가능성이 필요하다는 점과 선진국인 당사자 간에 적절한 부담배분이 필요하다는 점이 고려(take into account the need for adequacy and predictability in the flow of funds and the importance of appropriate burden sharing among developed country Parties)"되어야 한다고 규정하고 있다.[119)] 상기 문언의 정확성이 떨어지는 관계로 부속서II 국가들에게는 상당한 유연성이 주어지는데, 이는 무엇이 적절하고 예측가능한 자금의 흐름인지에 대한 지침이 없고, 적절한 부담배분이 무엇인지를 결정할 공식이 없다는 점에서 특히 잘 나타나고 있다.

V. 메커니즘(제6조, 제12조 및 제17조)

교토의정서 협상의 초창기에서부터 미국은 부속서I 국가들이 비용－편익의 면에서 효율적으로 목표를 달성할 수 있도록 해주는 시장기반 접근법의 추가를 조건으로 구속력 있는 배출목표를 받아들이겠다는 의사표시를 분명히 하였다.[120)] 교토의정서는 세 가지의 시장 메커니즘을 마련하는 것으로 미국의 입장을 대거 반영하였지만, 역설적이게도 이것은 미국이 추후에 의정서를 거부하는 것을 막지 못하였다. 이 메커니즘 중 두 가지인 공동이행(joint implementation, JI)과 CDM은 프로젝

118) 다음을 비교. FCCC, Art 11 and Kyoto Protocol, Art 10(a).
119) Kyoto Protocol, Art 11.2.
120) Depledge, Tracing the Origins of Kyoto Protocol (n 3) 83.

트를 기반으로 한다. 세 번째 메커니즘은 배출권거래이다.

이 세 가지 시장 메커니즘은 당사자들이 GHG 배출목표를 달성하는 데에 있어서 이를 지원할 의도로 만들어졌다. 이들 메커니즘은 배출감축이 어디에서 이루어지든 간에 동일하게 지구 온난화를 늦추는 효과를 가질 것이고, 이에 따라 감축은 가장 비용효율적인 방식으로 이루어져야 한다는 논리를 기반으로 하고 있다. 그러나 교토의정서는 시장 메커니즘이 "국내 조치의 보조수단(supplemental to domestic action)"이어야 한다고 규정하고 있다.[121] 이러한 '보조성(supplementarity)' 요건은 시장 메커니즘을 이용할 수 있는 범위에 관한 격렬하게 오래 지속된 협상의 결과물이다.[122] 많은 개발도상국들은 부속서I 국가 내의 국내 조치가 형평성 차원에서 더 낫다고 생각하여 시장 메커니즘을 제한 없이 이용하는 것을 반대하였다. EU를 필두로 한 몇몇 국가들은 체제 내의 '핫에어'로 시장 메커니즘이 교토의정서의 정신에 악영향을 미칠 수 있다는 것을 우려하여 그 이용을 제한하고자 하였다.[123] 그러나 미국을 포함한 엄브렐러 그룹 국가들은 협상과정 동안에 "시멘트 천장(concrete ceilings)"이라고 일컬어진 수량적 제한 없이 시장 메커니즘을 이용할 수 있다는 것 자체가 교토의정서 목표 수락의 전제라고 여겼다. 이에 따라 결국에는 메커니즘의 이용과 관련하여 부속서I 국가들이 목표를 달성하는 데에 "국내조치가 … 그러한 노력의 상당 부분을 차지할 것"이라는 질적인 제한만이 가능하였고,[124] 이러한 요건은 의무준수위원회의 집행분과보다는 촉진분과의 감시하에 두었다.[125]

---

121) Kyoto Protocol, Arts 6.1 (d) and 17.

122) 교토의정서 제6조는 당사국의 ERU 취득이 국내적 배출감축의 노력에 비해 보조적인 수단이 되어야 함을 명시한다. 제12조는 부속서I 국가들이 CDM 활동을 통해 모은 CER의 사용을 자국의 감축 노력을 보충하는 것에 한해서 허락한다. 제17조는 부속서B 국가들로 하여금 자국의 감축 노력에 보조적이라는 전제하에 감축목표 달성을 위한 배출권거래 활동에 참여하는 것을 허가한다.

123) Lavanya Rajamani, 'Re-negotiating Kyoto: A Review of the Sixth Conference of Parties to the Framework Convention on Climate Change', *Colorado Journal of International Environmental Law and Policy*, 12/1 (2001): 201,216-17.

124) Decision 15/CP.7, 'Principles, nature and scope of the mechanisms pursuant to Articles 6, 12 and 17 of the Kyoto Protocol' (21 January 2002) FCCC/CP/2001/13/Add.2,2, preambular recital 7.

125) Decision 27/CMP.l (n 40) Annex, Section IV, para 5(b) 참조.

교토의정서의 메커니즘은 다음 네 가지 종류의 배출권과 관련 있다. (1) 당사자의 배출목표로부터 직접 창출되는 AAU, (2) 제3조 제3항 및 제4항에 따른 신규조림, 재조림, 산림경리 및 그 외의 흡수원 활동으로부터 창출되는 RMU, (3) JI로부터 창출되는 배출감소단위(emission reduction unit, ERU), (4) CDM으로부터 창출되는 공인인증감축량(certified emission reduction, CER)이 그것이다.[126] 모든 교토의정서상의 배출권들이 단일시장에서 거래될 수 있도록[127] 각 배출권은 CO_2e 1메트릭톤과 동일한 단위로 산정되어 완전한 호환성 또는 상호교환성을 확보하였다.[128]

A. 공동이행(제6조)

JI 메커니즘은[129] FCCC의 조항, 특히 제5장에서 다루어진 바 있는 '공동으로 수행한 활동(Activities Implemented Jointly)'을 기초로 한다.[130] AGBM 협상에서 이루어진 JI를 위한 대부분의 제안들은 부속서I 국가와 비부속서I 국가 간의 프로젝트를 염두에 두고 있었다. 그러나 G-77/중국은 감축활동이 1차적으로 부속서I 국가에 의해 그 영토 내에서 이루어져야 하고 상기 제안들이 부속서I 국가들을 우대한다고 생각하여 그러한 프로젝트를 반대하였다.[131] 교토 회의 막바지에 부속서I 국가들이 비부속서I 국가 내의 프로젝트를 수행할 수 있도록 하는 메커니즘으로 CDM이 등장하자, JI 메커니즘은 부속서I 국가들로 그 대상이 한정되었다.

JI 메커니즘은 부속서I 국가들이 다른 부속서I 국가 내에서 배출을 감축하거나

126) Kyoto Protocol, Arts 3, 6, 12, and 17.
127) 하지만 이월과 관련하여 이들 배출권을 상호구별할 필요가 있다. CER과 ERU는 한 국가의 AAU의 2.5퍼센트까지 이월될 수 있는 반면, RMU는 이월할 수 없다. Decision 13/CMP.l (n 94) Annex, paras 15-16.
128) Ibid, Annex, paras 1-4. 대체성(fungibility)에 관한 개관은 Farhana Yamin (ed), *Climate Change and Carbon Markets: A Handbook of Emission Reduction Mechanisms* (London: Earthscan, 2005) 17-19을 참조한다.
129) '공동이행'이라는 술어는 제6조에서 찾아볼 수 없지만, 동 메커니즘은 FCCC의 공식문서를 포함하여 처음부터 '공동이행'이라고 불려 왔다.
130) FCCC, Arts 3.3 and 4.2 (a) and (b), and Decision 5/CP. 1, 'Activities implemented joindy under the pilot phase' (6 June 1995) FCCC/1995/7/Add.l, 18. Chapter 5, Section FV.B.3.
131) Oberthür and Ott, Kyoto Protocol (n 72) 152.

흡수원에 의한 GHG 제거를 향상시키는 프로젝트를 통해 배출권(ERU)을 받을 수 있도록 해주되, 어차피 실행했을 배출감축이나 GHG 제거의 향상에 '부가적인' 것에 해당하여야 한다.[132] 교토의정서는 당사자들이 JI에 대한 지침을 구체화'할 수 있다'고 규정하고 있고, 여기에는 마라케시 합의문의 일부[133]로 채택되었던 검증과 계산에 관한 지침을 포함한다.[134]

무엇보다 제6조상의 프로젝트를 수행함으로써 받는 ERU의 검증을 감시하기 위하여 CMP의 권한으로 마라케시 합의문에서는 '제6조 감시위원회(Article 6 Supervisory Committee)'를 설치하였다.[135] 제6조 지침은 당사자들이 JI에 참여하기 위하여, 교토의정서의 당사자이고, 할당된 수량이 적절히 계산 및 등록되었어야 하며,[136] 이미 논해진 바 있는 제5조와 제7조상의 의무를 충족해야만 한다는 자격요건을 정하고 있다.[137] 유치국이 이러한 자격요건을 충족하면, 프로젝트를 승인하고 스스로 JI 프로젝트에서 비롯된 배출감축이 '부가적인' 것이었다는 것을 검증할 수 있으며, 적절한 수량의 ERU를 발행할 수 있다.[138] 반면 당사자가 자격요건 모두를 충족하지 못할 경우, '부가성(additionality)'에 대한 검증은 제6조 감시위원회에 의해 이루어진다.[139] 전자 절차는 '트랙 1'로, 후자 절차는 '트랙 2'로 명명된다. ERU가 당사자 간에 이전되었을 때, 배출감축의 이중계산이 이루어지지 않도록 이전된 수량만큼 한 국가의 레지스토리로부터 감해지고, 그 수량만큼 다른 국가의 레지스토리에 더해진다.[140]

CDM과는 달리 JI에서는 발행되기 전에 AAU가 동일한 수량의 ERU로 전환되기 때문에, JI는 단지 이미 존재하는 배출권을 부속서I 국가 간에 이전하는 것에 불과하고, 부속서I 국가들의 전반적인 배출예산을 확대하는 추가적인 배출권의 창출

132) Kyoto Protocol, Art 6.
133) Decision 9/CMP.l, 'Guidelines for the implementation of Article 6 of the Kyoto Protocol' (30 March 2006) FCCC/KP/CMP/2005/8/Add.2, 2.
134) Kyoto Protocol, Art 6.2.
135) Ibid, para 3.
136) Decision 13/CMP.l (n 94)에 따른 것이다.
137) Decision 9/CMP.l (n 134) Annex, para 21.
138) Ibid, para 22.
139) Ibid, para 23.
140) Kyoto Protocol, Arts 3.10 and 3.11.

에 해당하지 않는다. 그럼에도 불구하고, 제한적으로 이루어지는 국제적인 감시와 JI 트랙I 활동의 투명성이 그러한 활동의 환경건전성을 문제 삼게 만들었고,[141] 특히 감사 서비스의 질, 부적절하고 비일관적인 방법론, 프로젝트 승인 및 배출감축의 모니터링이 문제되었다.[142] 일부 연구에서는 부속서I 국가들이 국내에서 자국의 배출목표를 달성했을 때보다 JI가 GHG를 CO_2e 약 600백만 톤(tCO_2e) 더 배출했을 것이라고 보고 있다.[143]

2016년 1월 1일 현재, 871백만 ERU가 발행되었고, 대부분 트랙I 활동에서 비롯된 것들이다.[144] ERU의 거의 60퍼센트는 우크라이나에서 발행되었고, 30퍼센트는 러시아에서 발행되었다.[145] 이 국가들이 상당량의 잉여 AAU를 가지고 있기 때문에 일부 NGO들은 이들 국가들이 실제로 추가적인 배출감축 프로젝트를 수행하기보다 소위 말하는 '핫에어 세탁(hot-air laundering)', 즉 잉여 AAU를 ERU의 형태로 수출하고 있다고 주장하였다.[146] 우크라이나와 러시아에서 발행한 ERU의 80퍼센트가 환경건전성에 문제가 있다고 지적하는 독립된 연구들도 있다.[147] 이것이 사실이라면, 교토의정서의 환경건전성과 탄소시장의 안정성 모두를 헤칠 수 있다. 도하의 CMP는 '이행을 위한 보조기구(Subsidiary Body for Implementation, SBI)'가 당사자 간의 토론을 위하여 개정된 공동이행지침 초안을 작성하도록 요청하였다.[148] 이 기구는 JI 프로젝트를 위한 하나의 통일된 트랙 마련, JI와 CDM의 인증절차를

141) Anja Kollmuss, Lambert Schneider, and Vladyslav Zhezherin, 'Has Joint Implementation reduced GHG emissions? Lessons learned for the design of carbon market mechanisms' (Stockholm Environment Institute Working Paper No. 2015-07, 2015) <https://www.sei-international.org/mediamanager/documents/Publications/Climate/SEI-WP-2015-07-JI-lessons-for-carbon-mechs.pdf> accessed 20 January 2017.

142) FCCC, Joint Implementation, Concept note: Input from the Joint Implementation Supervisory Committee to CMP 12, Version 01.0 (3 March 2016) JI-JISC38-AA-A05.

143) Kollmuss *et al*, Has Joint Implementation reduced GHG emissions? (n 141) 1.

144) FCCC, 'Emissions Reductions Units (ERUs) Issued' <http://ji.unfccc.int/statistics/2015/ERU_Issuance_2015_10_15_1200.pdf> accessed 20 January 2017.

145) FCCC data, ibid에 기반해서 계산된 수치이다.

146) Climate Action Network, 'Submission on Joint Implementation (15 February 2013) <http://unfccc.int/resource/docs/2013/smsn/ngo/298.pdf> accessed 20 January 2017.

147) Kollmuss *et al.*, Has Joint Implementation reduced GHG emissions? (n 141) 9.

148) Decision 6/CMP.8, 'Guidance on the implementation of Article 6 of the Kyoto Protocol' (28 February 2013) FCCC/KP/CMP/2012/13/Add.2,14, paras 14-16.

긴밀하게 연결하거나 통일할 것, 명확하고 투명한 정보의 제공, 어차피 일어났을 감축에 대해 부가적인 감축일 것을 보장하는 명확하고, 투명하며, 객관적인 요건의 마련 등 미래의 JI가 갖추어야 할 핵심적인 속성을 지적하였다.[149] JI를 포함한 교토의정서 메커니즘의 미래는 아래에서 설명하는 것처럼 현재로서는 불투명하다.[150]

지금까지 JI의 운영을 어렵게 만들었던 것이 환경건전성에 대한 우려였고, 이러한 우려의 중심에는 프로젝트 활동이 없었더라도 감축되었을 배출에 대한 '부가성'이 있다. 이것이 프로젝트를 기반으로 하는 JI와 CDM에서 핵심이슈인 만큼 아래에서 논의하고자 한다.

B. 청정개발체제(제12조)

CDM은 부속서I 국가들이 의무를 준수하지 않을 시 재정적 불이익을 가하고 비부속서I 국가들에게 기후변화에 대응할 수 있는 기금을 마련하는 청정개발기금에 관한 브라질의 제안에서 출발한다.[151] 협상 과정에서 브라질의 청정개발기금 제안과 G−77/중국의 이와 유사한 제안[152]이 부속서I 국가들에게는 목표를 달성하는 데에 더 많은 유연성을 주고 배출감축 노력에 개발도상국도 참여시키는 CDM으로 발전하였다. CDM은 JI에 관한 협상의 맥락에서 제기되었던 아이디어들과 FCCC에 따라 공동으로 이행되는 활동들로부터 영감을 얻어,[153] 본질적으로 부속서I 국가와 비부속서I 국가 간의 공동이행을 위한 메커니즘이 되었다.

CDM은 부속서I 국가들이 비부속서I 국가 내에서 프로젝트를 수행하거나 그

149) Ibid, para 15. JI를 위해 제안된 핵심적인 속성과 과정들은 현재 SBI의 고려하에 있다. SBI, Review of the Joint Implementation Guidelines, Draft Conclusions Proposed by the Chair (3 December 2015) FCCC/SBI/2015/L.30.

150) 아래 V.D 참조.

151) Depledge, Tracing the Origins of Kyoto Protocol (n 3) 60.

152) Ken Johnson, 'Brazil and the Politics of the Climate Change Negotiations', *The Journal of Environment and Development*, 10/2 (2001): 178 참조.

153) Jacob Werksman, 'The Clean Development Mechanism: Unwrapping the Kyoto Surprise', *Review of European, Comparative and International Environmental Law*, 7/2 (1998): 147 참조.

에 투자하고, 그 프로젝트로부터 발생한 CER를 교토의정서상의 배출목표를 준수하는 데에 이용할 수 있도록 한다.[154] CDM의 목적은 "부속서I에 포함되지 아니한 당사자가 지속가능한 개발을 달성하고 협약의 궁극적 목적에 기여할 수 있도록 지원하며, 부속서I의 당사자가 제3조의 규정에 의한 수량적 배출량의 제한·감축을 위한 의무를 준수할 수 있도록 지원하는 것"이다. CER를 발생하기 위해서는 CDM 프로젝트로 인한 배출감축은 그 활동이 없었을 경우에 발생하는 배출량의 감축에 '부가적인' 배출량의 감축이어야 한다.[155] 교토의정서에 따르면 CDM은 CMP의 권한하에 있고, 그 지침을 받으며, CDM 집행위원회(CDM Executive Board)의 감시를 받는다.[156] 교토의정서는 또한 당사자들이 프로젝트 활동에 대한 독립적인 감사 및 검증을 통하여 투명성·효율성 및 책임성을 보장할 목적으로 세부 원칙과 절차를 구체화해야 하는 것으로 규정하고 있다.[157]

마라케시 합의문은 CDM의 운영을 위한 세부 원칙과 절차를 명시하고 있다.[158] 여기에는 CDM 참여를 위한 자격요건[159]과 CDM 프로젝트로부터의 배출감축을 감시·검증·인증하는 엄격한 절차를 규정하고 있다.[160] 당사자들은 또한 교토의정서가 발표하기도 전에 CDM을 먼저 개시하였다(조기실시, prompt start).[161] 2016년 12월 31일 현재, CDM집행위원회는 754개의 프로젝트를 등록하였고, 이들 프로젝트는 CO_2e 84.8억 톤에 해당하는 CER를 발생시킨 것으로 보고 있다.[162]

---

154) Kyoto Protocol, Art 12.
155) Ibid, Art 12.5(c).
156) Ibid, Art 12.4.
157) Ibid, Art 12.7.
158) Decision 3/CMP.l, 'Modalities and procedures for a clean development mechanism as defined in Article 12 of the Kyoto Protocol' (30 March 2006) FCCC/KP/CMP/2005/8/Add.l, 6.
159) 비부속서I 국가의 경우 교토의정서의 당사국이어야 하고, 부속서I 국가는 적법한 절차에 따라 배출량이 계산되고 기록되어야 하고, 제5조와 제7조에 명시된 감축의무를 충족했어야 한다. Decision 3/CMP.l, ibid, Annex, paras 30 and 31.
160) Ibid, Annex, paras 53-63.
161) Decision 17/CP.7, 'Modalities and procedures for a clean development mechanism, as defined in Article 12 of the Kyoto Protocol' (21 January 2002) FCCC/CP/2001/13/Add.2, 20. 교토의정서 제12조 제10항은 2000년에서부터 2008년까지 취득한 CER을 제1차 의무기간을 위해 사용할 수 있도록 한다.
162) FCCC, 'Project Activities' <http://cdm.unfccc.int/Statistics/Public/CDMinsights/index.html> accessed 20 January 2017.

CDM을 운영하는 과정에서 제기된 몇 가지 쟁점들이 미래의 기후체제상 시장 메커니즘의 설계에 교훈을 줄 것이다. 이 쟁점들은 다음과 같다.

1. 부가성

JI와 CDM에서 모두 핵심적인 요건인 부가성에 있어 이를 정의·이행 및 보장하는 것이 어려운 것으로 나타났다. 교토의정서에서는 CER이 "인증받은 사업 활동이 없는 경우에 발생하는 배출량의 감축에 추가적인 배출량의 감축"에 해당하는 것으로 요구하고 있다.[163)]

마라케시 합의문도 유사한 방식으로 광범위하게 부가성을 정의하고 있다.[164)] 부가성은 CDM 프로젝트 활동이 없었다면 발생되었을 온실가스 배출전망 '기준선(baseline)'에 따라 산정된다.[165)] 기후변화체제는 부가성을 명확하게 정의하고 온실가스 배출전망을 명확하게 설정하는 것에 힘썼다. CDM집행위원회를 지원하는 CDM 방법론패널(CDM methodologies panel)은 지금껏 부가성을 명시하고 산정하며 기준선을 찾아내는 세부적인 지침을 개발하고 다듬었다.[166)] 그럼에도 불구하고, 부가성을 산정하고 기준선을 설정하는 것은 상당이 주관적인 작업에 해당한다.[167)]

---

163) Kyoto Protocol, Art 12.5(c).

164) Decision 3/CMP.l (n 158) Annex, para 43; Axel Michaelowa, 'Interpreting the Additionality of CDM Projects: Changes in Additionality Definitions and Regulatory Practices over Time', in David Freestone and Charlotte Streck (eds), *Legal Aspects of Carbon Trading: Kyoto, Copenhagen and Beyond* (Oxford University Press, 2009) 248.

165) Michael Gillenwater, 'What is Additionality?' (Greenhouse Gas Management Institute, January 2012) <http://ghginstitute.org/wp-content/uploads/2015/04/AdditionalityPaper_Part-1ver3FINAL.pdf> accessed 20 January 2017; Michael W. Wara and David G. Victor, 'A Realistic Policy on International Carbon Offsets' (April 2008) Stanford University, Program on Energy and Sustainable Development, Working Paper #74 <http://pesd.fsi.stanford.edu/sites/default/files/WP74_final_final. pdf> accessed 20 January 2017; and World Bank, *10 Years of Experience in Carbon Finance: Insights from working with the Kyoto mechanisms* (Washington, D.C.: World Bank, 2009).

166) FCCC, Clean Development Mechanism, 'Methodological tool: Combined tool to identify the baseline scenario and demonstrate additionality, Version 06.0' (24 July 2015) <https://cdm. unfcccint/ methodologies/PAmethodologies/tools/am-tool-02-v6.0.pdf> accessed 20 January 2017; 'Clean Development Mechanism, Methodological tool: tool for the demonstration and assessment of additionality, Version 07.0.0' (23 November 2012) <https://cdm.unfccc.int/ methodologies/PAme thodologies/ tools/am-tool-01-v7.0.0.pdf> accessed 20 January 2017.

부가성은 JI보다도 CDM에서 교토의정서의 환경건전성을 지키는 데 매우 중요하다. 상기한 바와 같이, JI는 부속서I 국가들 간의 배출권거래와 연관성이 있고, 이들 국가 모두 배출목표를 가지고 있어, 체제 내의 전체적인 배출권의 수량이 늘지는 않는다. 반면 CDM 프로젝트는 배출목표를 가지지 않는 비부속서I 국가 내에서 수행되기 때문에 새로운 배출권을 만들어낸다. 이에 따라 CER은 부속서I 배출의 상한선을 올리는 역할을 한다. 만약 CER가 부가적이지 않은 배출감축으로부터 발생하였다면, 달리 말하자면 어차피 일어났을 배출이었다면, 부속서I 목표의 환경건전성은 훼손된다.[168] 이러한 이유로 제12조 제5항은 CDM 프로젝트의 CER이 생겨나기 전에 CDM집행위원회의 지정을 받은 운영기관의 국제적 인증을 받도록 하고 있다. 그럼에도 불구하고, 그 동안의 많은 연구들은 CDM 프로젝트들이 진정 부가적인 배출감축을 가져온 범위에 대해 의문을 품고 있다.[169] 더군다나 부가성의 개념 그 자체가 개발도상국들이 진보적인 기후변화 규정 및 조치를 채택할 경우 기준선에 미치는 파급효과로 인하여 추후에 부가성을 증명하기가 어려워진다는 점 때문에, 그러한 규정 및 조치를 취하지 않도록 하는 부정적 유인을 줄 수 있다.[170]

2. 지속가능한 발전

개발도상국과 관련하여 CDM이 선포하는 목적은 지속가능한 발전이지만,[171] 이 역시 정의·이행 및 보장하는 것이 어려운 것으로 나타났다. 지속가능한 발전의 개념은 FCCC나 교토의정서 그 어디에도 정의되어 있지 않다. 기후협상 중에 지속

167) Lambert Schneider, 'Assessing the Additionality of CDM Projects: Practical Experiences and Lessons Learned', *Climate Policy*, 9/3 (2009): 242; Axel Michaelowa, 'Strengths and Weaknesses of the CDM in Comparison with New and Emerging Market Mechanisms' (Paper No. 2 for the CDM Policy Dialogue, June 2012). <http://www.cdmpolicydialogue.org/ research/1030__strengths.pdf> accessed 20 January 2017.

168) Werksman, Clean Development Mechanism (n 153) 154-5.

169) 위 n 167 참조.

170) Christiana Figueres, 'Sectoral CDM: Opening the CDM to the Yet Unrealized Goal of Sustainable Development', *McGill International Journal of Sustainable Development Law and Policy*, 2/1 (2006): 5 참조.

171) Kyoto Protocol, Art 12.2.

가능한 발전을 위한 지표를 도입하려고 한 노력은 수포로 돌아갔고, 마라케시 합의문은 지속가능한 발전을 단지 유치국의 '특권(prerogative)'으로만 명시하고 있다.[172] 각국 내의 지정된 주관기관에서 그 프로젝트에 대한 참여가 자발적이고 지속가능한 발전을 달성하는 데에 도움이 된다는 것을 확인하여야 한다.[173]

CDM이 어느 정도까지 개발도상국 내에서 지속가능한 발전에 기여했는지는 평가하지 어렵지만, 수집가능한 증거에 따르면 그에 따른 혜택은 제한적이다.[174] 유치국 간에 그에 대한 정의와 접근법이 상이한 모습을 보이고 있다. 개발도상국들은 CDM 프로젝트가 자국의 지속가능한 발전에 기여했는지를 판단하기 위해 상이한 방식을 사용해왔다. 이러한 방식에는 광범위하고 일반적으로 모호하고 불명확한 지침이 규정된 '지침 방식(guidelines approach)', 긍정적·부정적 효과에 관한 체크리스트를 작성하여 예를 들어 재생가능한 에너지 개발과 에너지 효율은 긍정적인 효과로 책정하고 대규모 수력발전은 부정적인 효과로 책정하는 '체크리스트 방식(checklist approach)', 그리고 프로젝트를 정해진 항목에 따라 점수를 매기는 '점수산정 방식(scoring approach)'이 있다.[175] 브라질은 지침 방식, 체크리스트 방식, 그리고 점수산정 방식을 혼용하고 있다.[176] 중국은 지침 방식과 체크리스트 방식을 혼용하고 있으며,[177] 인도는 오직 지침 방식만을 사용하면서 자국의 지정된 주

172) Decision 17/CP.7 (n 161) preambular recital 4.

173) Ibid, Annex, para 40(a).

174) Johannes Alexeew *et al.*, 'An Analysis of the Relationship between the Additionality of CDM projects and their Contribution to Sustainable Development', International Environmental Agreements, 10/3 (2010): 233; Karen Holm Olsen, 'The Clean Development Mechanism's Contribution to Sustainable Development - A Review of the Literature', Climate Change, 84/1 (2007): 59.

175) Anne Olhoff *et al.*, *CDM Sustainable Development Impacts* (Roskilde: UNEP Risoe Centre, 2004) 49-51.

176) 브라질은 CDM에 해당할 수 없는 프로젝트로 원자력, 대규모 수력발전, 지속가능하지 않은 바이오매스 등을 지정하고 있다. Brazil, Ministry of Environment, Eligibility Criteria and Sustainability Indicators to Assess Projects that Contribute to the Mitigation of Climate Change and to Promoting Sustainable Development (2002), 42.

177) 중국은 재생가능한 에너지, 메탄 회수, 에너지 효율을 우선적인 과제로 선정하고, 중국에 환경친화적인 기술을 이전하는 것을 장려하고 있다. Department of Climate Change, National Development and Reform Commission, Clean Development Mechanism, 'Measures for Operation and Management of Clean Development Mechanism Projects in China (21 November 2005) <http://cdm-en.ccchina.gov.cn/Detail.aspx?newsId=5628&TId=37> accessed 20 January 2017, Arts 4, 6, and 10.

무기관에 상당한 재량을 부여하고 있다.[178] 유치국들에게 CDM 프로젝트를 유치할 때, 경쟁적으로 '지속가능한 발전' 요건을 완화할 유인이 있다고 말하는 것이 공평할 것이다. 일부 학자들은 CDM 프로젝트의 '현실'은 지속가능한 발전을 촉진하기보다 CER 수량의 최대화에 집중하고 있다고 지적한다.[179] CDM과 관련하여 지속가능한 발전을 측정하기 위한 분산화된 체제가 실패한 것에 대응하기 위해 2003년에 '세계자연기금(World Wildlife Fund)'을 비롯한 여러 국제 NGO들은 '골드 스탠더드(Gold Standard)'를 설립하였다. 골드 스탠더드는 에너지 프로젝트를 위하여 기본적인 공공서비스에 대한 접근과 보건·소득·양성평등과 같은 지속가능한 발전 요건을 포함하고 있는 모범사례 기준을 만든 표준 및 인증 기구이다.[180] 이 기관은 지금껏 70여 개국에 1,100개 프로젝트 이상을 인증하였다.[181] 이러한 프로젝트는 탄소시장에서 프리미엄을 받고 거래되고 있다.

3. 프로젝트의 자격요건

CDM의 지속가능한 발전 요건과 관련하여 마라케시 합의문에 이르게 된 협상은 CDM에서 허용하는 프로젝트의 종류에 대해 집중적으로 논의하였다. EU는 CDM 프로젝트가 수행될 수 있는 안전하고 환경친화적인 프로젝트들의 '포지티브 리스트(positive list)'를 제안하였고,[182] 여기에는 재생가능한 에너지, 에너지 효율

178) National CDM Authority, Ministry of Environment and Forests (Climate Change Division), Order (16 April 2004) <http://ncdmaindia.gov.in/ViewPDF.aspx?pub=notification.pdf> accessed 20 January 2017.

179) Christina Voigt, 'Climate Law Reporter: Is the Clean Development Mechanism Sustainable? Some Critical Aspects', *Sustainable Development Law and Policy*, 8/2 (2008): 15, 18; Bharathi Pillai, 'Moving Forward to 2012: An Evaluation of the Clean Development Mechanism', *New York University Environmental Law Journal* 18/2 (2010): 357.

180) 'Gold Standard', <http://www.goldstandard.org/> accessed 20 January 2017.

181) Ibid. 대조적인 입장으로는 Sam Headon, "Whose Sustainable Development? Sustainable Development under the Kyoto Protocol, the 'Coldplay Effect' and the CDM Gold Standard", *Colorado Journal of International Environmental Law and Policy*, 20/2 (2009): 127, 128 (지속가능한 발전을 심화하기 위한 제안들이 의무적이고 보편적인 기준의 설정에 집중할 것이 아니라, 개발도상국들이 엄격한 기준을 보유하고 유지할 수 있도록 그 역량을 기르는 것에 집중되어야 한다고 주장) 참조.

182) 이 쟁점은 2000년 9월 11일에서 15일에 리옹에서 개최된 제13차 보조기구 회의에서 제기되고 논의되었다.

성, 수요중심 관리 프로젝트가 포함되었다.[183] EU는 포지티브 리스트가 환경건전성을 보장하고, 투자자를 위한 예측가능성을 높여주며, 정치적인 지지를 얻는 데 도움을 줄 것이라고 주장하였다. 엄브렐러 그룹은 그러한 목록이 불필요하다고 여겼지만, 다른 국가들은 해당 목록에 포함되어야 할 프로젝트의 종류에 합의하지 못하였다.[184] 예를 들어, 인도와 중국은 CDM의 프로젝트에 원자력 프로젝트를 포함하고 싶어 했고, AOSIS와 석유수출국기구(Organization of the Petroleum Exporting Countries, OPEC)는 이에 반대하였다. 이와 유사하게 엄브렐러 그룹과 몇몇 라틴아메리카 국가들은 CDM에 흡수원 프로젝트를 포함하고 싶어 했고, EU, AOSIS, 브라질, 중국 및 인도는 그러한 프로젝트에 반대하였다.[185]

흡수원 프로젝트를 포함하는 것에 대한 협상이 특히 격렬하였다. 흡수원 프로젝트에 관하여 상기한 측정과 불확실성에 대한 우려에 덧붙여 비영구성(non-permanence)과 누출(leakage)에 관한 우려가 제기된다. 흡수원 프로젝트에 의한 탄소 저장능력의 향상은 인간의 활동, 자연재해, 기후변화와 같은 환경의 변화에 의해 잠재적으로 그 효과가 소멸될 수 있다는 점으로 인하여 비영구성이라는 리스크를 안고 있다.[186] 게다가 어느 한 지역에서의 산림전용의 감소는 세계적인 산림전용의 감소를 뜻하지는 않는다. 실제로 한 지역에서의 산림공급 감소는 다른 지역에서의 산림전용을 촉진할 수도 있다. 누출이라 불리는 이 현상이 일어날 경우, 부속서I 국가들은 세계적인 산림전용이 계속되는 가운데, CDM 프로젝트를 통하여 얻은 배출권을 국내 GHG 배출을 상쇄하는 데에 쓰기 때문에 CDM으로 배출권을 받는 것은 오히려 세계적인 GHG 수준의 증가를 야기한다.

그럼에도 불구하고, 많은 개발도상국들은 자국의 천연자원을 이용하여 흡수

---

183) Preparations for the First Session of the Conference of the Parties Serving as the Meeting of the Parties to the Kyoto Protocol (Decision 8/CP.4), Work Programme on Mechanisms (Decision 7/CP.4 and 14/CP.5), Article 12 of the Kyoto Protocol, Note by the President (24 November 2000) FCCC/CP/2000/CRP.2, para 8.

184) Rajamani, Re-negotiating Kyoto (n 123) 218.

185) Emily Boyd, Esteve Corbera, and Manuel Estrada, 'UNFCCC Negotiations (Pre-Kyoto to COP-9): What the Process Says about the Politics of CDM-Sinks', *International Environmental Agreements: Politics, Law and Economics*, 8/2 (2008): 95, 101.

186) IPCC, *IPCC Special Report on Land Use, Land-Use Change and Forestry, Summary for Policymakers* (Cambridge University Press, 2000) 10, para 40.

원 프로젝트를 수행하고 싶어 했고, 엄브렐러 그룹은 CDM에 흡수원 프로젝트를 포함시키는 것을 강력히 지지하였다. 마라케시 합의문에서의 절충안은 흡수원을 인정하면서도 이를 재조림과 신규조림에 한정하면서 산림전용을 방지하는 프로젝트는 배제하고 있다.[187]

흡수원 프로젝트에 관한 광범위한 우려를 다루기 위해 이제껏 신규조림과 재조림 프로젝트를 위한 구체적인 방법론이 개발되었고,[188] 그러한 프로젝트로부터의 GHG 제거는 배출목표 중 의무기간의 1년 동안에 당사자의 기준연도 배출량의 1퍼센트까지를 달성하는 데에만 이용될 수 있다.[189] 비영구성과 관련하여 해당 규정은 임시 CER(temporary CER, tCER)과 장기 CER(long-term CER, lCER)을 구분하고 있다.[190] 원자력 프로젝트와 관련하여 마라케시 합의문은 당사자들이 "원자력시설로부터 발생한 공인인증감축량의 사용을 자제할 것"을 촉구하고 있다.[191] 이러한 두 가지 제한을 제외하고, 당사자들은 자유롭게 원하는 종류의 CDM 프로젝트를 선택할 수 있다. 그러나 실무적으로 특정한 종류의 프로젝트로부터의 배출권을 위한 시장은 구매자의 선호에 따라 변형되었다. CDM 배출권의 주된 구매자인 EU는 EU 시장에 들어올 수 있는 배출권을 질적 · 양적으로 제한하고 있다.[192] 게다가 개

---

187) Decision 17/CP.7 (n 161) para 7(a). 산림전용 방지를 다루기 위하여 파푸아뉴기니와 코스타리카는 2006년 COP11에서 열대우림 국가연합(Coalition for Rainforest Nations)을 대표하여 RED(산림전용으로부터의 배출감축, Reductions in Emissions from Deforestation) 이니셔티브를 발족하였다. 그 다음 해에 REDD는 대상범위에 산림훼손을 포함시키면서 REDD+가 되었고, 발리행동계획을 그 다섯 개의 '지탱영역(building block)' 중 하나로 지칭하였다. Christina Voight (ed), *Research Handbook on REDD+ and International Law* (Cheltenham, UK: Edward Elgar, 2016).

188) FCCC, 'CDM Methodologies' <http://cdm.unfccc.int/methodologies/index.html> accessed 20 January 2017.

189) Decision 16/CMP.l (n 102) Annex, para 14.

190) Decision 5/CMP. 1, 'Modalities and procedures for afforestation and reforestation project activities under the clean development mechanism in the first commitment period of the Kyoto Protocol' (30 March 2006) FCCC/KP/CMP/2005/8/Add.l, 61, Annex, para 1.

191) Decision 17/CP.7 (n 161) preambular recital 5. A similar restriction also applies to JI, Decision 16/CP.7, 'Guidelines for the implementation of Article 6 of the Kyoto Protocol' (21 January 2002) FCCC/CP/2001/13/Add.2, 5, preambular recital 4.

192) EU는 원자력 에너지 프로젝트, 흡수원 프로젝트, 산업용 가스인 HFC-23 및 N_2O의 분해에서 비롯된 배출권의 이용을 금지하고 있다. 대규모 수력발전 프로젝트의 배출권은 특정 요건을 충족하는 경우에만 받아들이고 있다. European Commission, Climate Action, 'Use of

별적인 EU회원국들도 CDM과 JI 배출권을 구매하는 국가지원기금에 질적·양적 제한을 도입하였다.[193]

4. 프로젝트의 종류

a) 일방적 CDM

마라케시 합의문의 관대한 성격으로 인하여 '일방적 CDM(uniateral CDM)'과 같은 CDM 프로젝트를 위한 혁신적인 제도적 장치가 마련될 수 있었다.[194] 일방적 CDM 프로젝트는 부속서I 국가 투자자나 배출감축의 인증 이전에는 지정된 구매자 없이 개발·재정적 지원·이행이 개발도상국에 의해 이루어진다.[195] 2016년 7월 31일 현재 CDM 프로젝트의 30퍼센트가 일방적 CDM이고,[196] 대부분 인도에서 이루어지고 있다.

b) 프로그램 CDM

단일 프로젝트가 배출추세에 미치는 제한된 영향력과 높은 거래비용으로 인해 CDM집행위원회는 프로젝트 개발업자들이 CDM상의 여러 프로젝트의 구성요소로 구성된 '활동 프로그램(programme of activities)'을 등록할 수 있도록 허락하였다.[197] 이러한 프로그램들은 정책의 조화로운 이행을 장려하고, 거래비용을 감소시키며, 프로젝트 리스크 및 불확실성을 낮춘다.

International Credits' <http://ec.europa.eu/clima/policies/ets/credits_en> accessed 20 January 2017.

193) 'Directive for the Austrian JI/CDM Programme' 참조. <https://ji.unfccc.int/UserManagement/FileStorage/UM5XOG3J6Y69SN5F24RT8W4SC7WJJ3> accessed 20 January 2017.

194) The CDM Executive Board's Project Design Document Template envisages such unilateral CDM projects. FCCC, 'Forms'. <https://cdm.unfccc.int/Reference/PDDs_Forms/index.html> accessed 20 January 2017.

195) Axel Michaelowa et al., '*Unilateral CDM: Chances and Pitfalls*' (Eschborn: Deutsche Gesellschaft für Technische Zusammenarbeit, November 2003); UNEP, *Legal Issues Guidebook to the Clean Development Mechanism (The UNEP Project CD4CDM)* (Roskilde: UNEP Risoe Centre, June 2004) 48-9.

196) FCCC, 'Distribution of Registered Projects by Other Party' <http://cdm.unfccc.int/Statistics/Public/files/201607/proj__reg_byOther,pdf> accessed 20 January 2017.

197) FCCC, 'CDM Programmes of Activities' <https://cdm.unfccc.int/ProgrammeOfActivities/ index.html> accessed 20 January 2017.

c) 기타 프로젝트

상기한 바와 유사하게 CDM집행위원회는 간소화된 세부 원칙 및 절차와[198] 소규모 프로젝트를 위한 맞춤식 방법론을 개발하였다.[199] 세부 원칙 및 절차와 방법론은 탄소 포집 · 저장 프로젝트를 위해서도 채택되었다.[200] 상기 사항들은 이러한 프로젝트의 부가성 · 영구성 · 지속가능성에 관한 우려로 인한 격렬한 협상 후에 채택되었다.[201]

5. CDM 프로젝트의 지리학적 배분의 형평성

CDM과 그 규정이 협상 중이었던 와중에도 많은 LDC와 아프리카 국가들은 자국 내에서 배출감소가 제한적으로만 가능하기 때문에, 아주 적은 수의 CDM 프로젝트만을 받을 수 있을 것이라는 우려를 표하였다. 지금껏 CDM으로부터 발생할 것이라고 기대되는 84억 CER의 대부분은 중국(거의 50퍼센트)과 인도(20퍼센트)에 위치한 프로젝트에서 비롯된 것이다.[202] 아주 미미한 수의 프로젝트만 아프리카에서 이루어지고 있다.[203] 아프리카 그룹(African Group)은 마라케시 합의문의 협상 초기

---

198) Decision 17/CP.7 (n 161). '세부 원칙과 절차(modalities and procedures)'라는 술어는 CDM과 같은 운영 메커니즘이나 신규조림 · 재조림과 같은 프로젝트 활동과 관련된 규정들을 지칭한다.

199) '방법론(methodology)'이라는 용어는 부문이나 지역과 같은 개별적인 프로젝트 활동에 대한 접근방법을 지칭한다. 방법론에는 두 가지 종류가 있는데, 기준선과 모니터링이 그것이다. 기준선 방법론은 해당 프로젝트 활동에 대한 가장 합리적인 대체 시나리오로부터 배출량을 측정하는 수단이고, 모니터링 방법론은 프로젝트에서의 실제 배출감축량을 측정하는 수단이다. 'What is a methodology?', in *CDM Rulebook: Clean Development Mechanism Rules, Practice & Procedures* <http://www.cdmrulebook.org/404.html> accessed 20 January 2017.

200) '탄소 포집 · 저장(Carbon capture and storage, CCS)'은 "인위적인 배출원에서 배출된 이산화탄소의 포집 및 이전과 대기로부터의 장기적인 격리를 위하여 포집된 이산화탄소를 지하의 지질학적 저장소에 투입하는 것"으로 정의되고 있다. Decision 10/CMP.7, 'Modalities and procedures for carbon dioxide capture and storage in geological formations as clean development mechanism project activities' (15 March 2012) FCCC/KP/CMP/2011/10/Add.2, 13, Annex, A.l. 추가로 FCCC, CDM Methodologies (n 188) 참조.

201) Katherine A. Abend, 'Deploying Carbon Capture and Storage in Developing Countries: Risks and Opportunities', *Georgetown International Environmental Law Review*, 23/3 (2011): 397; Anatole Boute, 'Carbon Capture and Storage under the Clean Development Mechanism - An Overview of Regulatory Challenges', *Carbon and Climate Law Review*, 2/4 (2008): 339의 개관 참조.

202) FCCC, 'Distribution of Registered Projects by Host Part' <http://cdm.unfccc.int/Statistics/Public/files/201607/proj_reg_byHost.pdf> accessed 20 January 2017.

에서부터 배출을 감축하는 프로젝트뿐 아니라 청정기술을 이용하여 지속가능한 발전을 촉진하는 것으로 배출을 방지하는 프로젝트도 수혜를 받을 수 있도록 CDM이 설계되어야 한다고 주장하면서 '배출방지(emissions avoidance)' 개념을 도입하고자 하였다. 이 제안은 채택되지 않았다. 그래도 LDC, 아프리카 그룹과 '군소도서개발도상국(small island developing states)'들이 'CDM 프로젝트의 지리학적 배분의 형평성(equitable geographical distribution of CDM projects)'을 보장하라고 촉구한 것이 LDC 및 군소도서국가 내의 부족한 CDM 프로젝트를 다루려는 노력으로 이어졌고,[204] 여기에는 재정적 지원 및 그 외의 지원을 통하여 기술을 증진하고, CDM 프로젝트를 개발하는 인적·제도적 역량을 강화하는 것이 포함된다.[205] 간소화된 세부 원칙 및 절차와 소규모 프로젝트를 위한 맞춤식 방법론도 도움이 되는 것으로 나타났다. 하지만 결국에는 민간부문은 시장의 힘에 의해 리스크가 낮고 기회가 많은 위치와 프로젝트로 내몰릴 수밖에 없고, CDM 프로젝트의 편향된 지정학적 배분은 지속되고 있다. 그러나 2013년부터 EU는 오직 LCD 내에서 수행한 프로젝트의 새로운 CER만이 유럽연합 배출권거래 시스템(EU-ETS)에 진입할 수 있다는 규정을 마련하였다.[206]

6. 수익금의 배분

교토의정서는 CDM 프로젝트의 "수익의 일부(share of the proceeds)"가 CDM의

---

203) FCCC, 'Distribution of Registered Projects by UN Region and Sub-region' <http://cdm.unf-ccc.int/Statistics/Public/files/201607/proj_reg_bySubregion.pdf> accessed 20 January 2017.

204) Decision 7/CMP. 1, 'Further guidance relating to the clean development mechanism5 (30 March 2006) FCCC/KP/CMP/2005/8/Add.l, 93, para 32; Equitable distribution of clean development mechanism project activities: Submissions from Parties (14 August 2006) FCCC/KP/CMP/2006/MISC.l. 제출된 것에 대한 CDM 집행이사회의 분석은 FCCC, 'Equitable distribution of clean development mechanism project activities - analysis of submissions' <https://cdm.unfccc. int/EB/026/eb26 annagan4.pdf> accessed 20 January 2017 참조.

205) Decision 8/CMP.7, 'Further guidance relating to the clean development mechanism' (15 March 2012) FCCC/KP/CMP/2011/10/Add.2, 6, paras 30-3.

206) 이에 관한 추가적인 정보는 European Commission, Climate Action, Use of International Credits (n 192) 참조할 것. 기본적 개관은 European Commission, Climate Action, 'The EU Emissions Trading System (EU ETS)' <http://ec.europa.eu/clima/policies/ets_en> accessed 20 January 2017 참조.

행정비용을 충당하고 특히나 기후변화에 취약한 개발도상국 당사자를 지원하는 데에 쓰이도록 규정하고 있다.[207] 마라케시 합의문은 CDM 프로젝트 활동으로 발생한 CER의 2퍼센트를 수익의 일부로 지정하고 있고, 이 CER를 적응기금으로 이전하고 있다.[208] 마라케시 합의문은 LDC 내의 CDM 프로젝트에 대해서는 이러한 요건을 면제하고 있다. 제2차 의무기간에 대해서는 오랜 기간 동안 지속된 LDC의 제안으로 인해 수익금에 대한 부담금은 JI와 배출권거래로까지 확대되었다.[209]

C. 배출권거래(제17조)

미국, 뉴질랜드, 캐나다, 호주, 노르웨이, 프랑스는 배출권거래를 지지하는 제안을 제출하였다.[210] 그러나 EU는 제한되지 않은 배출권거래는 체제 내의 '핫에어'가 교토의정서의 목표를 달성하려는 노력을 헛되이 할 수 있다는 우려로 인하여 더 조심스럽게 접근하는 모습을 보였다.[211] 미국을 비롯한 다른 선진국들은 EU의 공동실시는 사실상 배출권거래에 해당하고, 다른 선진국들도 같은 기회가 주어져야 한다고 주장하였다.[212] 상당한 논의 끝에 부속서I 국가들은 교토의정서 목표의 강제성과 그러한 목표를 달성할 때의 유연성 간의 균형점을 찾은 절충안에 합의하였다. 그러나 특히 중국과 인도 같은 개발도상국들은 배출거래권이 오염을 할 수 있는 권리로 해석될 여지가 있다는 이유로 계속적으로 배출권거래제를 반대하는 것을 원칙으로 삼았다.[213] 교토 회의의 막바지까지 이어졌던 반대로 인하여 제17조는 CDM이나 JI보다 훨씬 짧고 협상문 내의 배출권거래 관련 초기 조문보다 훨씬 줄어든 모습을 보이고 있다.[214]

---

207) Kyoto Protocol, Art 12.8.
208) Decision 17/CP.7 (n 161) para 15; Decision 10/CP.7 (n 17).
209) Decision 1/CMP.8 (n 114) para 21.
210) Depledge, Tracing the Origins of Kyoto Protocol (n 3) 82.
211) Ibid.
212) Breidenich *et al.*, Kyoto Protocol to the UNFCCC (n 18) 324.
213) Oberthür and Ott, Kyoto Protocol (n 72) 188-9; Ott, Kyoto Protocol—Unfinished Business (n 71) 41. 이러한 우려에 대하여 마라케시 합의문은 특별히 교토의정서가 부속서I 국가들에게 "배출에 대한 권리, 소유권 또는 혜택을 창설하거나 부여하고 있지 않다"고 규정하는 원칙을 도입하였다. Decision 15/CP.7 (n 124) preambular recital 5.

교토의정서 제17조는 부속서I 국가[215]가 교토의정서상의 의무를 달성하기 위하여 다른 부속서I 국가로부터 AAU, ERU, CER, RMU를 이전하거나 취득하는 것, 즉 '배출권거래(emissions trading)'를 할 수 있는데, 이러한 거래는 국내조치에 대해 '보조적(supplemental)'인 것이어야 한다. 교토의정서는 취득국가(acquiring party)가 이전되는 배출권을 자신의 할당량에 추가해서 결과적으로 그 할당량의 총량이 늘어나기 전에 이전국가(transferring party)가 이전되는 배출권을 자신의 할당량에서 감하는 것으로 규정하여 환경건전성을 보장하고 있다.[216]

교토의정서는 당사자들이 "특히 검증 · 보고 · 책임 등에 관한 것을 비롯하여, 배출량거래에 관한 원칙 · 세부원칙 · 규정 · 지침을 규정"할 것을 명시하고 있다.[217] 이러한 규정들은 CDM과 JI의 규정과 함께 마라케시 합의문에서 확정되었다.[218] 세부 원칙, 규정, 지침들은 배출권거래에 참여하기 위한 자격요건을 나열하고 있다.[219] 이것들은 또한 당사자 할당량의 90퍼센트에 설정된 '의무기간예치제(commitment period reserve)'를 마련하고 있다.[220] 의무기간예치제는 어느 한 국가가 언제라도 국가등록부(national registry)에 보유하고 있어야 하는 최소한의 배출권(AAUs, ERUs,

---

214) Depledge, Tracing the Origins of Kyoto Protocol (n 3) 85.

215) 제17조는 '부속서I 국가'라는 표현보다 '부속서B 국가'라는 표현을 쓰고 있는데, 교토의정서에서 부속서B 국가를 지칭하고 있는 유일한 경우이다. 두 부속서는 거의 동일하다. 교토의정서의 제1차 의무기간을 위하여 교토의정서의 부속서B는 의정서가 채택된 1997년 당시의 모든 FCCC 부속서I 국가들을, 터키를 제외하고, 포함하고 있었다. 벨라루스는 2000년 8월 9일에 부속서I 국가로 FCCC에 가입하였고, 자국을 부속서B에 포함시키는 개정을 제안하기도 하였지만, 그 개정은 아직 발효되기에 충분한 수의 당사자들의 수락을 받지 못했다. 교토의정서의 제2차 의무기간 동안에는 도하개정의 당사자가 되겠다는 의사를 밝힌 뉴질랜드를 제외한 모든 부속서I 국가들은 부속서B상의 목표를 부담하고 있다.

216) Kyoto Protocol, Arts 3.10 and 3.11.

217) 제17조는 CMP가 아닌 COP에게 세부 원칙 · 규정 · 지침을 개발할 것을 지시하고 있다. 이로써 교토의정서의 발효 이전에 임시로 거래할 수 있는 가능성을 열어 둔 바 있다. Yamin and Depledge, International Climate Change Regime (n 23) 157.

218) Decision 11/CMP.l, 'Modalities, rules and guidelines for emissions trading under Article 17 of the Kyoto Protocol' (30 March 2006) FCCC/KP/CMP/2005/8/Add.2, 17.

219) 배출권거래에 참여하기 위해서는 해당 당사국은 부속서I 국가이고, 할당량이 적절하게 산정 및 기록되어야 하며, 제5조 및 제7조상의 의무를 준수했어야 한다. Decision 11/CMP.l, ibid, Annex, paras 2 and 3. Yamin and Depledge, International Climate Change Regime (n 23) 148-56.

220) Decision 11/CMP.l, ibid, Annex, para 6.

CERs, RMUs) 수량이다. 이 예치제는 당사자가 배출권을 초과해서 판매하여 자신의 교토의정서 목표를 위반할 수 있는 여력을 제한하기 위해 설계되었다.[221] 합의문은 국가등록부의 설정에 관한 제도적 요건을 포함하여 할당량의 산정을 위해 구체적인 세부원칙과 거래의 유효성을 검증하고,[222] 이중계산을 방지하기 위해 FCCC 사무국에 의해 관리되는 독립된 국제적인 거래장부를 규정하였다.[223]

교토의정서의 배출권거래체제는 EU에 의한 지역적 차원의 배출권거래제, 카자흐스탄, 뉴질랜드, 한국, 스위스와 같은 국가에 의한 국가적 차원의 배출권거래제, 브리시티시 콜롬비아, 캘리포니아, 온타리오, 퀘백, 사이타마, 도쿄와 같은 개별적인 주, 성 또는 도시에 의한 지방정부 차원의 배출권거래제의 창설을 위한 동기가 되었다.[224] 중국은 2017년에 세계 최대 규모일 것으로 예상되는 배출권거래제를 시작할 것으로 보인다.[225] 이 탄소시장을 연계하는 방안도 적극적으로 검토되고 있다. 탄소시장을 연계하는 것은 비용효율성을 증가시키고, 시장유동성을 향상시키며, 가격변동성을 낮출 수 있지만, 환경적 효율성을 약화시킬 수도 있다.[226] 2005년에 시작된 EU의 ETS는 현재 세 번째 단계에 있고, 31개국에 소재한 11,000여개의 배출시설(installation)과 이들 국가 간에 운영되는 항공사를 아우르고 있다.[227] 이것을 합하면 EU의 GHG 배출의 약 45퍼센트에 해당한다.[228] 비록 EU가 처음에는 교토의정서에 배출권거래라는 선택사항을 포함시키는 것을 반대하였지만, 오늘날 약 480여 유로의 가치가[229] 있는 것으로 평가되는 국제탄소시장은 EU

221) Yamin and Depledge, International Climate Change Regime (n 23) 158.
222) Decision 13/CMP.l (n 94) Annex, para 38. 등록부는 다음 문서를 근거로 설치됨. Decision 3/CMP.l (n 158) and Decision 13/CMP.l (n94). 추가적인 정보는 다음을 참조. FCCC, 'InternationalTransaction Log' <http://unfccc.int/kyoto_protocol/registry_systems/itl/items/4065.php> accessed 20 January 2016.
223) Decision 13/CMP.l (n94).
224) Torbjorg Jevnaker and Jorgen Wettestad, 'Linked Carbon Markets: Silver Bullet, or Castle in the Air?', *Climate Law*, 6/1-2 (2016): 142,144.
225) Jeff Schwartz, 'Chinas National Emissions Trading System: Implications for Carbon Markets and Trade' (Geneva: International Centre for Trade and Sustainable Development, March 2016) <http://www.ieta.org/resources/China/Chinas_National_ETS_Implications_for_Carbon_Markets_and_Trade_ICTSD_March2016_Jeff_Swartz.pdf> accessed 20 January 2017.
226) Jevnaker and Wettestad, Linked Carbon Markets (n 224) 144.
227) EU Emissions Trading System (n 206) 참조.
228) Ibid.

ETS가 주도하고 있다.[230]

D. 전망

교토의정서 메커니즘의 미래는 상당히 불투명하다. ERU와 CER에 대한 수요는 최근 몇 년 새 사라졌다.[231] 배출권의 가격은 폭락하였고,[232] 학자들은 이에 대한 원인을 배출권의 과잉공급, EU ETS에서의 수량제한, 2007년 이후의 경제위기로 인한 수요의 감소 등을 원인으로 지적한다.[233] 게다가 당사자들은 2020년 목표를 강화하지 않았는데, 만약에 했더라면 교토의정서 배출권에 대한 수요는 증가하였을 것이다. 또한 CDM과 JI가 2020년 이후에도 시행될지가 불분명하다. 이러한 요인 모두 새로운 프로젝트의 등록에 찬 물을 끼얹는 효과가 있다.[234] 2012년까지 CER를 발행한 프로젝트의 반은 이 시점 이후에는 더 이상 발행하지 않았다.[235] 파리협정과 파리협정에 부속된 결정은 JI와 CDM의 미래에 대해서는 침묵하고 있지만, 파리협정에 부속된 결정은 당사자들이 자발적으로 교토의정서 배출권의 삭제를 홍보하도록 당사자를 장려하고 있었다.[236] 파리협정은 선진국과 개발도상국 모

---

229) 'Carbon Market Monitor: America to the Rescue - Review of Global Markets in 2015 and Outlook for 2016-18' (Thomson Reuters, 11 January 2016) <http://climateobserver.org/wp-content/uploads/2016/01 /Carbon-Market-Review-2016.pdf> accessed 20 January 2017.

230) See Javier de Cendra de Larragan, 'The Kyoto Protocol, with a Special Focus on the Flexible Mechanisms', in Daniel A. Farber and Marjan Peeters (eds), Elgar Encyclopedia of Environmental Law Series vol 1: Climate Change Law (Cheltenham: Edward Elgar Publishing, 2016) 227,232.

231) Annual report of the Executive Board of the Clean Development Mechanism to the Conference of the Parties serving as the meeting of the Parties to the Kyoto Protocol (12 November 2015) FCCC/ KP/CMP/2015/5. See also World Bank Group: Climate Change, State and Trends of Carbon Pricing (Washington, D.C.: World Bank, October 2016) 36.

232) 유통시장(secondary market)에서의 CER 평균가는 2014년에는 2013년의 가격보다 50퍼센트 이상 낮은 €0.17/tCO_2e(US$0.19)이었고, 2014년 12월의 ERU 가격은 €0.03(US$0.03)이었다. World Bank, *State and Trends of Carbon Pricing*(Washington, D.C.: World Bank, 2015) 36 참조.

233) Nicolas Koch etal., 'Causes of the EU ETS Price Drop: Recession, CDM, Renewable Policies or a Bit ofEverything? New Evidence', Energy Policy, 73 (2014): 676. See generally European Commission, Climate Action, Use of International Credits (n 192).

234) Ibid.

235) Annual report of CDM Executive Board (n 231).

236) Decision 1/CP.21, Adoption of the Paris Agreement' (29 January 2016) FCCC/CP/2015/10/Add.l, 2, para 106.

두의 배출감축을 아우르는 것으로 CDM과 JI의 기능성을 융합하고 있고, 몇몇에 의해 '지속가능한 발전 메커니즘(sustainable development mechanism, SDM)'이라고 명명되기도 한 새로운 메커니즘을 마련하고 있다.[237] '파리협정의 당사국회의로 기능하는 당사국총회(Conference of the Parties serving as the Meeting of the Parties to the Paris Agreement, CMA)'는 "협정 및 기타 관련 있는 법적 문서상으로 채택된 기존 메커니즘과 접근법에서 얻은 경험과 교훈"을 기반으로[238] 이 메커니즘을 위한 규칙, 세부 원칙과 절차를 개발하는 임무를 부여받았다.[239] 교토의정서의 당사자가 아닌 국가들 간에 민감한 사항이었기 때문에, 교토의정서가 비록 파리협정에 명시적으로 언급되고 있지 못하지만, 교토의정서는 '관련된 법적 문서'에 해당하기 때문에 교토 메커니즘으로부터 얻은 교훈들이 관련성 있다는 것은 분명하다. SDM이 JI와 CDM의 관련 요소를 기반으로 구축될 수도 있지만. 현재 단계에서는 이것이 어떻게 이루어질 것인지가 불분명하다.

Ⅵ. 보고 · 검토 · 의무준수(제5조, 제7조, 제8조 및 제18조)

A. 보고 및 검증(제5조, 제7조 및 제8조)

강력한 측정 · 보고 · 검증(measurement, reporting and verification, MRV)체제는 그 어떤 의무준수체제에 있어서도 필수적인 요소이다.[240] 교토의정서의 경우에는 배출관련 의무준수를 촉진 및 평가하고, 교토 메커니즘의 운영 및 건전성을 보장하는 데에 있어 엄격한 접근이 특히 중요하다고 여겼다.[241] 이에 따라 교토의정서는 이미 FCCC에서 요구하였던 국가 GHG 인벤토리와 국가보고를 기반으로[242] 교토

---

237) 제7장 VI 참조.

238) Decision 1/CP.21 (n 236) para 37(f).

239) Paris Agreement, Art 6.7.

240) 이곳의 Jutta Brunnée, A Fine Balance: Facilitation and Enforcement in the Design of a Compliance System for the Kyoto Protocol', *Tulane Environmental Law Journal*, 13/2 (2000): 223,239-41에 기초한다. 제2장 IV.C 참조.

241) 교토의정서의 의무준수체제와 교토 메커니즘의 관계에 관해서는 아래에 서술하는 VI.B 참조.

의정서의 구체적 필요에 맞춘 추가적 요건을 더하여 탄탄한 MRV체제를 마련하고 있다.[243] 미국과 EU는 보고체제의 구축에, 그리고 일본은 검토절차의 구축에 핵심적인 역할을 하였다.[244]

교토의정서 제5조는 부속서I 국가들이 GHG 배출원에 의한 인위적인 배출과 흡수원에 의한 제거를 측정할 국가체제를 마련할 것을 규정하고 있다.[245] 마라케시 합의문에는 IPCC에서 채택한 방법론[246]을 포함하고 있는 상기 국가체제를 위한 지침을 추가하였다.[247] 제5조에서 요구하는 국가감시체제는 제7조에서 요구하는 온실가스의 배출·제거의 연간 인벤토리를 부속서I 국가들이 준비하는 것을 촉진할 의도로 만들어졌다.[248] 이들 요건은 당사자들의 배출감축의무에 대한 준수를 평가할 수 있도록 해준다. 이에 따라 인벤토리와 보고의무는 당사자들의 이행을 위한 노력과 의무준수 평가절차 간의 중요한 연결고리를 제공한다. 교토의정서 제7조는 FCCC의 광범위한 보고의무를 기반으로 한다.[249] 이 조항은 교토의정서의 조항에 대한 준수를 증명하는 데 필요한 보완적 정보의 수집과 제출을 규정한다.[250] 이 정보의 준비에 관한 지침도 마라케시 합의문에 포함되었다.[251]

---

242) 제5장 VI.B 참조.

243) 교토의정서의 MRV 체계에 관한 상세한 논의는 Anke Herold, ‘Experiences with Articles 5, 7, and 8 Defining the Monitoring, Reporting and Verification System under the Kyoto Protocol’, in Jutta Brunnée, Meinhard Doelle, and Lavanya Rajamani (eds), Promoting Compliance in an Evolving Climate Change Regime (Cambridge University Press, 2012) 122 참조.

244) Depledge, Tracing the Origins of Kyoto Protocol (n 3) 59-61,64-8 참조.

245) Kyoto Protocol, Art 5.1.

246) Ibid, Arts 5.1, 2. 또한 IPCC, *Revised 1996 IPCC Guidelines for National Greenhouse Gas Inventories* (Geneva: IPCC, UNEP, and WMO, 1996)와 IPCC, *Good Practice Guidance and Uncertainty Management in National Greenhouse Gas Inventories* (Geneva: IPCC, UNEP, and WMO, 2000) 참조.

247) Decision 19/CMP. 1, ‘Guidelines for national systems under Article 5, paragraph 1, of the Kyoto Protocol’ (30 March 2006) FCCC/KP/CMP/2005/S/Add.3,14.

248) Kyoto Protocol, Art 7.1.

249) FCCC, Art 12.1 (동 규정은 부속서I의 각 당사국에 의한 배출상황을 평가하기 위한 ‘국가보고’ 그리고 부속서I 국가 및 비부속서I 국가를 포함한 모든 당사자들에게 특정한 보고의무를 부여하는 요구사항들을 개관). 제5장 VI.B 참조.

250) Kyoto Protocol, Arts 7.1 and 7.2.

251) Decision 15/CMP.l, ‘Guidelines for the preparation of the information required under Article 7 of the Kyoto Protocol’ (30 March 2006) FCCC/KP/CMP/2005/8/Add.2, 54; Decision 13/ CMP.l (n 94).

다시금 FCCC의 접근방식을 모방하며,[252] 전문가검토팀(expert review team, ERT)들은 교토의정서 제7조에 따라 부속서I 국가들이 제출한 정보에 대한 초기평가를 수행한다. 제8조에 따라 개별 국가에 대한 검토는 “의정서의 당사자에 의한 이행의 모든 측면에 대하여 철저하고 포괄적인 기술적 평가”를 제공하여야 한다.[253] 이러한 검토를 기반으로 ERT들은 “모든 잠재적 문제점”을 확인하고, 보다 심층적인 검토를 할 수 있도록 “이행상의 문제점”을 제기한다.[254] 여기서의 의도는 ERT에 대해 기술적이고 정치로부터 유리된 역할을 보장하고 잠재적으로 민감한 사항인 의정서상의 의무준수 평가로부터 그들을 명확하게 분리하기 위함이었다. 이에 따라 ERT들은 정부대표가 아닌 FCCC에 의해 관리되는 전문가목록에서 선정된 기술적 전문가로 구성된다.[255] 그러나 ERT들은 교토의정서의 의무준수체제에서 본래 의도되었던 것보다 더 중요하고, 일부 학자에 따르면 정치화된 역할을[256] 하게 되었다. ERT들은 상기한 “이행상의 문제점”을 제기한다는 점을 통하여 교토의정서의 의무준수위원회가 관여를 하게 되는 ‘촉발장치(trigger)’가 될 뿐 아니라, 아래 VI.B.3에서 설명하는 의무준수위원회의 ‘촉진분과’가 수행했어야 하는 업무를 도맡아 하게 되었다.[257]

---

252) FCCC, ‘Review Process’ 참조 <http://unfccc.int/national_reports/annex_i_ghg_inventories/review_process/items/2762.php> accessed 20 January 2017.

253) Kyoto Protocol, Art 8.3.

254) Ibid.

255) FCCC, ‘Roster of Experts’ <http://www4.unfccc.int/sites/roe/Pages/Home.aspx> accessed 20 January 2017. Anna Huggins, ‘The Desirability of Depoliticization: Compliance in the International Climate Regime’, *Transnational Environmental Law*, 411 (2015): 101, 110 (ERT 구성원들의 대부분이 정부부처에서 근무하고 많은 수가 자국의 배출 인벤토리의 작성에 관여하는 등 의도된 독립성에 대한 도전들에 대해 지적).

256) Huggins, ibid, 110-14 참조.

257) 더 중요해진 ERT의 역할에 관하여는 다음 문헌을 참조. Sebastian Oberthiir, ‘Compliance under the Evolving Climate Change Regime’, in Cinnamon P. Carlane, Kevin R. Gray, and Richard Tarasofsky (eds), *The Oxford Handbook of International Climate Change Law* (Oxford University Press, 2016) 120, 123-4; Huggins, ibid.

B. 의무준수 절차와 메커니즘

1. 맥락과 목적

교토의정서 제18조에는 "의정서가 준수되지 아니하는 … 사례를 결정하고 이에 대응하기 위한 적절하고 효과적인 절차 및 체제"의 개발을 촉구하고 있다.[258] 협상가들은 일찍부터 단순히 몬트리올의정서의 비(非)준수(non-compliance) 절차[259]와 같은 기존 모델을 채택할 수 없고, 교토의정서의 특징에 따라 맞추어져야 한다는 것을 확인하였다.[260] AOSIS, EU, 캐나다, 일본, 노르웨이, 미국은 교토의정서의 협상 동안 의무준수 절차와 메커니즘을 주장하는 데 핵심적 역할을 하였다.[261]

교토의정서의 의무준수체제를 이해하기 위해서는 제18조뿐만 아니라, 그 외의 조항에도 그 핵심요소가 규정되어 있다는 것을 염두에 두는 것이 중요하다. 제18조상의 '절차 및 체제'의 필수적인 기반은 상기한 제5조와 제7조에 규정된 인벤토리 및 보고 요건과 제8조에 규정된 전문가검토절차로 이루어진 교토의정서의 정교한 MRV체제에서 찾을 수 있다.[262] AGBM 협상의 막바지에 이르러서야 의무준수가 제8조의 맥락에서 논해졌고, 협상문에는 의무준수에 관한 별도의 조항이 없었다.[263]

또한 마라케시 합의문에 명시된 교토 메커니즘에 관한 규정들은[264] 교토의정서의 의무준수전략의 중요한 요소들을 담고 있다. 무엇보다 눈에 띄는 것은 메커니즘의 자격요건들은 메커니즘의 참여 여부를 제5조와 제7조상의 인벤토리 및 보고의무의 준수와 결부시키고 있다.[265] 이러한 자격요건들은 당사자들의 배출감축

---

258) 이후의 논의는 Jutta Brunnée, 'Climate Change and Compliance and Enforcement Processes', in Rosemary Rayfuse and Shirley Scott (eds), *International Law in the Era of Climate Change* (Cheltenham: Edward Elgar Publishing, 2012) 290에 기초한다.
259) 이 절차의 핵심요소에 관하여는 제2장 IV.C.2 참조.
260) Brunnée, Fine Balance (n 240) 229.
261) Depledge, Tracing the Origins of Kyoto Protocol (n 3) 86-8.
262) MRV체계의 구성요소에 관해서는 위 VI.A 참조.
263) Depledge, Tracing the Origins of Kyoto Protocol (n 3) 86-8.
264) 교토 메커니즘에 관해서는 위 V 참조.

성과에 관한 신뢰할 수 있는 정보에 대한 접근성을 보장하고, 교토의정서의 배출 완화목표를 지지하기보다 손상시키는 방향으로 교토 메커니즘을 이용하는 것을 방지하는 데 도움을 준다.

교토의정서의 의무준수 시스템[266]은 아직까지 오늘날 운영되고 있는 다자간 환경협정(multilateral environmental agreement, MEA)의 의무준수체제 중 가장 야심차고 정교한 것에 해당한다. 눈에 띄는 것은, 부속서I 국가와 비부속서I 국가의 의무간에 차등화가 강하게 반영된 것이나 교토메커니즘에 대한 의존성과 같은 교토의정서의 특성을 감안하여 '절차 및 체제'의 목적은 교토의정서에 대한 "의무준수를 증진·촉진 및 집행"하기 위함이라는 것을 분명히 하고 있다는 점이다.[267] 의무준수의 집행에 대한 명시적 언급은 상기 절차 및 체제를 주로 촉진하는 역할을 가졌던 기존의 비준수절차와 차이가 있다.[268]

2. 촉발장치

의무준수 절차는 전문가검토보고서나 교토의정서의 당사자가 자신 또는 다른 당사자에 관하여 이행상의 문제점을 제기하는 것으로 촉발될 수 있다.[269] 전문가검토보고서에 의한 촉발장치는 의무준수위원회 앞에 배출관련 의무에 관한 모든 이행상의 문제점이 제시될 수 있도록 보장할 의도로 만들어졌고, 이는 당사자들의 성과와 관련된 투명성과 의무준수절차의 예측가능성과 신뢰성을 향상시키기 위함이다.[270] 의무준수체제의 실무에서는 남아프리카공화국이 G－77/중국을 대표로

265) Decision 9/CMP. 1 (n 134) paras 21-9; Decision 3/CMP. 1 (n 15 8) paras 31-4; Decision 11/CMP.l (n 218) paras 2-4.

266) Decision 27/CMP. 1 (n 40) Annex 참조.

267) Ibid, Annex, Section I (첨가된 강조).

268) 제2장 IV.C.2 참조. Jutta Brunnée, 'The Kyoto Protocol: A Testing Ground for Compliance Theories?', *Zeitschrifi fur auslandisches offentliches Recht und Volkerrecht (Heidelberg Journal of International Law)*, 63 (2003): 255; Geir Ulfstein and Jacob Werksman, 'The Kyoto Compliance System: Towards Hard Enforcement', in Olav Schram Stokke, Jon Hovi, and Geir Ulfstein (eds), *Implementing the Climate Regime* (London: Earthscan, 2005) 59; Rene Lefeber and Sebastian Oberthiir, 'Key Features of the Kyoto Protocol's Compliance System', in Brunnée *et al.*, Promoting Compliance in an Evolving Climate Change Regime (n 243) 77.

269) Decision 27/CMP. 1 (n 40) Annex, Section VI, para 1.

270) Lefeber and Oberthür, Key Features of the Kyoto Protocol's Compliance System (n 268) 참조.

제출한 것을[271] 제외하고는 모두 ERT들이 이행상의 문제점을 제출한 것들이다. 그러나 몇몇 학자에 따르면, 어떤 사항이 의무준수위원회의 의무적 검토를 필요로 하는 이행상의 문제점인지 여부를 판단할 때, ERT들이 재량을 행사하는 관행이 늘고 있다는 점에서 ERT 촉발장치의 준(準)자동적 성격은 희석된 바 있다.[272]

3. 의무준수위원회와 그 절차

교토의정서는 그 집행 및 촉진이라는 목적을 감안하여 특색 있는 제도적·절차적 장치를 마련하고 있다. 교토의정서에 따라 설치된 의무준수위원회에는 '촉진분과'와 '집행분과'가 있다.[273] 전체 위원회는 20명의 위원으로 구성되고, 각 분과는 10명으로 구성된다.[274] 위원들은 개인 자격으로 업무를 수행하는 전문가들이고, 교토의정서의 당사국회의에 의해 선출된다.[275] 각 분과는 다섯 유엔지역그룹(UN regional group)으로부터 각 1인의 위원과 군소도서개발도상국 출신인 1인의 위원을 포함하고 있어야 한다. 나머지 4인의 위원에 대해서는 각 분과는 반드시 부속서I 국가 출신인 위원 2인과 비부속서I 국가 출신인 위원 2인을 포함하고 있어야 한다.[276] 의무준수위원회에서 이행상의 문제점이 접수할 경우, 각 분과의 의장과 부의장으로 구성된 의장단(bureau)은 해당 쟁점을 어느 분과로 배정할 것인지를 결정한다.[277]

a) 촉진분과

마라케시 합의문에 명시된 것처럼 촉진분과의 업무는 FCCC의 CBDRRC 원칙을 염두에 두고 자문과 지원을 통하여 교토의정서의 의무준수를 촉진하는 것이다.[278] 촉진분과는 부속서I 국가의 배출완화의무 외의 의무이행에 관한 문제점을 주관한다.[279] 배출완화의무와 그에 관한 인벤토리 및 보고의무들은 집행분과에 의

271) 아래 n 287 및 그곳의 본문 참조.
272) 아래 n 287 참조.
273) Decision 27/CMP. 1 (n 40) Annex, Section II, para 2.
274) Ibid, Section II, para 3.
275) Ibid, Section II, paras 3 and 6.
276) Ibid, Sections IV, para 1 and V, para 1.
277) Ibid, Section VII, para 1.
278) Ibid, Section VII, para 1.

해 회부되거나 어느 한 의무기간 이전 또는 도중에 촉진분과가 '조기경보(early warning)' 역할을 할 때에 촉진분과의 관할에 있게 된다.[280] 촉진해야 한다는 그 역할에 따라, 촉진분과는 개별 당사자에게 자문 및 지지의 촉진, 재정적·기술적 지원의 촉진, 해당 당사자에 대한 권고와 같은 기능을 가진다.[281]

실무상 촉진분과는 거의 활동이 정지된 상태이다.[282] 이렇듯 촉진분과의 활동이 정지된 이유는 전문가보고가 예상한 것보다 많은 부분 촉진하는 역할을 담당하였던 것에 있다.[283] ERT들은 보고과정에 당사자와 협조하여 문제를 해결하는 것으로 추가적인 촉진의 필요성을 불식시켰던 것이다.[284] 그 결과 교토의정서의 제1차 의무기간 동안에 촉진분과에는 단 한 건의 이행상의 문제점도 회부되지 않았다.[285] 남아프리카공화국이 G-77/중국을 대표로 몇몇 선진국들이 교토의정서 제3조 제2항에 따른 목표달성도에 대한 보고를 제출하지 않았다고 주장하는 안건만이 2006년에 촉진분과에 제출되었다.[286] 그러나 이 안건은 촉진분과의 위원들이 G-77/중국에 의한 안건의 제출이 당사자에 의한 제출이라는 요건에 해당하는지에 대해 결정을 내리지 못한 연유로 의무의 비준수 여부는 가려지지 않았다.[287]

b) 집행분과

집행분과는 부속서I 국가의 배출완화의무, 이에 부속된 인벤토리 및 보고 의무, 교토 메커니즘을 위한 자격요건과 관련된 모든 의무준수 사항을 해결하는 것이 위임사항이다.[288] 집행분과는 당사자가 의무를 준수하고 있는지와 준수하고 있지 않을 경우 받게 되는 '불이익(consequences)'을 적용한다.[289]

279) Ibid, Section IV.5, para 5.
280) Ibid, Sections IV, para 6 and IX, para 12.
281) Ibid, Section XIV, paras (a)-(d).
282) Oberthür, Compliance under the Evolving Climate Change Regime (n 257) 125 참조.
283) Decision 27/CMP. 1 (n 40) Annex, Section III, para 2(b).
284) Oberthür, Compliance under the Evolving Climate Change Regime (n 257) 124-5 참조.
285) Ibid.
286) Meinhard Doelle, 'Experience with the Facilitative and Enforcement Branches of the Kyoto Compliance System', in Brunnée *et al.*, Promoting Compliance in an Evolving Climate Change Regime (n 243) 102,103-4 참조.
287) Ibid.
288) Decision 27/CMP. 1 (n 40) Annex, Section V, para 4.
289) Ibid, Sections I, V, para 6 and XV.

비준수를 이유로 집행분과가 적용할 수 있는 불이익은 문제되는 의무가 무엇인지에 따라 달라진다.[290] 인벤토리나 보고 의무의 비준수의 경우의 불이익은 비준수에 관한 선언을 하고 당사자가 '의무준수 행동계획(compliance action plan)'을 작성할 것을 요청한다.[291] 해당 계획에는 비준수의 원인에 관한 분석, 비준수를 해결하기 위해 당사자가 취하고자 하는 조치, 조치의 이행기간이 포함되어 있어야 한다. 해당 계획의 이행경과는 집행분과에 보고되어야 한다.[292] 집행분과가 교토메커니즘상의 자격요건 중 하나 이상을 당사자가 갖추지 못하였다고 결정하면, 그에 따른 불이익은 당사자를 메커니즘에 참여하는 것을 중지하는 것이다.[293]

당사자의 배출감축목표에 관한 절차에 따라 전문가검토 완료 후에 '조정기간(true-up period)'이 주어지며, 이 기간 동안 당사자들은 의무를 준수하기 위하여 배출권을 취득할 수 있다.[294] 그럼에도 불구하고, 당사자가 배출목표를 초과할 경우 제17조에 따라 배출권을 이전할 수 있는 자격이 정지되고, 의무준수 행동계획을 작성하여야 한다.[295] 또한 다음 의무기간의 할당량으로부터 초과된 배출량의 1.3배가 삭감된다.[296] 흔히 '톤단위의 삭감(subtraction of tons)'이라고 불리는 이 불이익은 당사자들이 미래의 할당량으로부터 '이월'하는 것으로 자신들의 배출완화를 단순히 다음 의무기간으로 미루는 것을 막는 것이 그 목적이다.[297] 모든 교토의정서 당사자들이 제1차 의무기간을 준수함에 따라 이 불이익을 적용할 필요가 없었다는 점이 주목받을 만하다.[298]

상기 불이익과 관련하여 또 주목할 만한 것은 이러한 불이익의 부여 여부나 어느 불이익을 부여할지 여부를 결정하는 것은 의무준수위원회가 아니라는 것이다. 의무준수위원회의 역할은 오직 당사자가 의무를 준수하고 있지 않은지를 결정

290) 촉진분과가 의무준수를 위하여 가지는 기능에 관해서는 위 n 281 참조.
291) Decision 27/CMP. 1 (n 40) Annex, Section XV, para 1.
292) Ibid, Section XV, paras 2 and 3.
293) Ibid, Section XV, para 4.
294) Ibid, Sections XIII and XV, para 5.
295) Ibid, Section XV, paras 5(a) and (b), 6, and 7.
296) Ibid, Section XV, para 5(c).
297) '이월'에 관하여는 위 n 112 참조.
298) 위 nn 78-9 참조. 추가적인 논의는 Michael Grubb, 'Full Legal Compliance with the Kyoto Protocol's First Commitment Period - Some Lessons', *Climate Policy*, 16/6 (2016): 673 참조.

하고, 만약 준수하고 있지 않다면, 당사자에 의해 미리 결정되고 제18조에 따라 채택된 절차 및 체제상의 불이익을 적용하는 것뿐이다. 불이익이 미리 결정된 것은 의무준수위원회가 정치화되는 것을 방지하고, 당사자들의 의무준수체제에 대한 예측가능성을 높이기 위함이었다.[299]

엄격히 보자면, 교토의정서가 구속력 있는 불이익을 가져오는 모든 절차는 CMP의 결정이 아닌 교토의정서에 대한 개정으로 채택되어야 한다고 규정하고 있기 때문에,[300] 집행분과에 의해 적용되는 불이익들은 법적 구속력이 없다. 그럼에도 불구하고, 집행분과의 절차는 MEA 중에서 가장 '사법적인(judicial)' 의무준수 메커니즘으로 일컬어진다.[301] 이러한 평가는 물론 정확하다. 교토의정서의 운영, 그 중에서 특히 교토 메커니즘과 관련된 집행분과의 위임사항과 집행분과의 결정이 가지는 역할을 보았을 때, 집행분과의 절차상의 기간과 과정이 매우 구체적이다.[302] 더군다나 절차와 체제들은 서면으로 의견을 진술하거나 청문회를 가질 권리와 같은 적법절차 요소를 명시하고 있다.[303] 아마도 MEA를 기반으로 하고 있는 의무준수체제로서 가장 특이한 점은 절차와 체제가 배출목표의 준수에 관한 집행분과의 결정을 당사자가 CMP에 항소할 수 있도록 하고 있다는 것이다. 집행분과의 결정으로 인하여 당사자가 중대한 불이익을 받을 수 있기 때문에, 절차와 체제는 영향을 받은 당사자가 "적법절차를 보장받지 못하다고 생각되면" 항소할 수 있도록 하고 있다.[304] 그러나 항소는 상기 경우에만 제한적으로 가능하고,[305] 나머

299) Huggins, Desirability of Depoliticization (n 235) 119 참조.
300) Kyoto Protocol, Art 18.
301) Oberthür, Compliance under the Evolving Climate Change Regime (n 237) 123; FCCC, 'Procedural requirements and the scope and content of applicable law for the consideration of appeals under decision 27/CMP. 1 and other relevant decisions of the Conference of the Parties serving as the meeting of the Parties to the Kyoto Protocol, as well as the approach taken by other relevant international bodies relating to denial of due process', Technical Paper (15 September 2011) FCCC/TP/2011/6, para 43 (집행분과가 '준사법적인(quasi-judicial)' 기능을 가지고 있다고 언급).
302) Decision 27/CMP. 1 (n 40) Annex, Section IX 참조.
303) Ibid, Section XI.
304) Ibid, Section XI, para 1.
305) CMP는 집행분과 결정 중 실체적 사항이 아닌 오직 절차적인 사항만 다룰 수 있다. Ibid, Sections XI, para 3 and XI, para 4. 게다가 CMP가 집행분과의 결정을 파기하기 위해서는 3/4 다수결 투표로 동의하여야 하고, 해당 사항의 재검토를 위해 환송하여야 한다. Ibid,

지의 경우에는 집행분과의 결정이 최종적이다.

집행분과는 교토의정서의 제1차 의무기간 동안에 인벤토리 및 보고의무와 교토 메커니즘의 참여를 위한 자격과 관련하여 여덟 당사자의 이행상의 문제점을 성공적으로 다룬 바 있다.[306] 우크라이나와 관련된 한 사건[307]을 제외하고는 집행분과에서 당사자의 배출목표의 비준수에 따른 불이익을 적용할 필요가 없었다.

4. 전망

교토의정서의 의무준수체제의 가장 뚜렷한 특징들은 교토의정서의 구속력 있는 배출목표, MRV체제, 시장 메커니즘, 부속서I 국가와 비부속서I 국가 간의 명확한 차등화와 긴밀한 연관성을 가진다. 파리협정은 법적 구속력이 없는 목표와 선진국을 포함한 모든 국가에 적용되는 '국가가 결정하는' 기여에 의존하기 때문에 교토의정서의 의무준수체제가 파리협정의 이행 및 의무준수 메커니즘에 미치는 영향력은 미미할 것으로 보인다. 무엇보다 교토의정서의 접근방식 중 집행중심적이고 '준사법적인' 측면은 파리협정에서 모방하기는 힘들 것으로 보인다.[308] 그럼에도 불구하고, 집행분과의 활동은 유용한 교훈을 제공하고 있고, 이는 다른 MEA의 설계에 반영될 수 있다. 파리협정의 경우에는 오히려 교토의정서의 촉진에 관한 측면이 파리협정의 '이행을 촉진'하고 '의무준수를 촉진'할 체제의 설계에 대해 더 많은 아이디어를 제공할 수 있을 것이다.

Section XI, para 3.

306) FCCC, 'Compliance under the Kyoto Protocol' <http://unfccc.int/kyoto_protocol/com- pliance/items/2875.php> accessed 20 January 2017; Doelle, Experience with the Facilitative and Enforcement Branches (n 286) 105-20 (4건의 집행분과 절차를 구체적으로 검토).

307) Final Decision of the Enforcement Branch of the Compliance Committee for Party Concerned: Ukraine (7 September 2016) CC-2016-1-6 /Ukraine/EB <http://unfccc.int/files/kyoto_protocol/compliance/questions_of_implementation/application/pdf/cc-2016-1-6_ukraine_eb_final_decision.pdf> accessed 20 January 2017.

308) Stine Aakre, 'The Political Feasibility of Potent Enforcement in a Post-Kyoto Climate Agreement', *International Environmental Agreements*, 16/1 (2016): 145. 파리협정의 이행 및 의무준수 메커니즘에 관해서는 제7장 X.C 참조.

Ⅶ. 기관(제13조, 제14조 및 제15조)

교토의정서에서는 FCCC의 당사국총회가 교토의정서의 당사국회의의 역할을 하도록 교토의정서가 FCCC의 기존 조직구조를 활용하고 있다. 교토의정서의 당사자가 아닌 국가들은 옵서버(observer)로 참여할 수 있다.[309] FCCC의 보조기구들도 교토의정서하에서 업무를 수행하고 있고,[310] FCCC와 교토의정서는 사무국을 공유하고 있다.[311] 교토의정서는 'CDM집행위원회(CDM Executive Board)'를 설치하였다.[312] CDM집행위원회를 운영하는 것 외에 마라케시 합의문은 새로이 '공동이행감시위원회(Joint Implementation Supervisory Committee)'와 의무준수위원회를 창설하였다.

Ⅷ. 다자간 협의절차(제16조)

교토의정서는 FCCC의 '다자간 협의절차(multilateral consultative process, MCP)'를 적용하는 것을 당사자들이 고려하도록 규정하고 있다.[313] 제5장에서 논의한 바처럼 당사자들이 다자협의위원회의 구성에 합의할 수 없었던 연유로 MCP는 현재 운영되고 있지 않다. 교토의정서에서는 제18조에 따라 의무준수위원회 내에 촉진위원회(Compliance Committee)를 창설하는 것으로 MCP의 적용필요성이 없어졌다.

309) Kyoto Protocol, Art 13.
310) Ibid, Art 15.
311) Ibid, Art 14.
312) Ibid, Art 12.4.
313) FCCC, Art 13; Decision 10/CP.4, 'Multilateral Consultative Process' (25 January 1999) FCCC/CP/1998/16/Add.1, 42.

Ⅸ. 최종조항(제19조에서 제28조)

교토의정서는 표준적인 최종조항을 포함하고 있다. 당사자들은 비준·수락·승인을 통하여 구속을 받는 것에 대한 동의를 나타내야 한다.[314] 발효를 위해서는 부속서I 국가들의 총 온실가스 배출 중 최소 55퍼센트를 차지하는 최소 55여 개국의 수락이라는 '이중의 촉발장치(double trigger)'를 요하고 있다.[315] 교토의정서는 2005년 2월 16일에 발효되었다.

교토의정서는 FCCC의 분쟁해결조항을 준용하고 있다.[316] 유보는 명시적으로 금지되고 있지만,[317] 당사자들은 1년 전에 통지하는 것으로 그 당사자에 대해 교토의정서가 발효한 일자로부터 3년 이후부터 탈퇴할 수 있다.[318] 캐나다는 2011년에 탈퇴하였다.[319] 개정은 모든 당사자에 의해 제안될 수 있고, 6개월 통지 규칙의 적용을 받으며, 컨센서스에 이르지 못할 경우 3/4 과반수로 채택될 수 있다.[320] 부속서는 의정서의 필수부가결한 부분이다. 개정과 유사하게 부속서 및 부속서에 대한 개정도 모든 당사자에 의해 제안될 수 있고, 6개월 통지 규칙의 적용을 받으며, 컨센서스에 이르지 못할 경우 3/4 과반수로 채택될 수 있다.[321] 제3장에서 논의한 것처럼 교토의정서는 부속서B에 대한 개정을 위해서는 관련된 당사자의 서면동의를 요구하는 것을 명시하고 있다(제21조 제7항).

---

314) Kyoto Protocol, Art 24. 비준, 수락 및 승인에 관해서는 제3장 II.C 참조.
315) Ibid, Art 25. 발효에 관해서는 제3장 II.C 참조.
316) Ibid, Art 19.
317) Ibid, Art 26.
318) Ibid, Art 27.
319) United Nations, Kyoto Protocol to the United Nations Framework Convention on Climate Change Kyoto, 11 December 1997, 'Canada: Withdrawal' (16 December 2011) C.N.796.2011. TREATIES-1 (Depositary Notification) <https://unfccc.int/files/kyoto_protocol/background/appli-cation/pdf/canada.pdf.pdf> accessed 20 January 2017.
320) Kyoto Protocol, Art 20. 개정에 관해서는 제3장 II.D.2 참조.
321) Ibid, Art 21.

X. 교토의정서의 제2차 의무기간과 그 이후의 의무기간

기후전문가들은 미국이 2001년에 교토의정서를 거부하기 이전부터 이미 교토의정서의 죽음을 선언하고 있었다.[322] 학계에서는 '포스트-교토(post-Kyoto)' 기후체제라는 언급을 남발하면서 제1차 의무기간의 마지막이 교토체제의 마지막을 의미하는 것으로 보았다. 그러나 교토의정서는 본래 다기간의 의무기간을 갖춘 장기적인 체제로 의도되었다. 제3조 제9항에서는 제2차 의무기간을 위한 의무를 설정하기 위한 절차를 명시하면서 제1차 의무기간이 끝나기 7년 전인 2005년부터 협상을 개시할 것을 촉구하고 있다. 개발도상국들에게는 배출목표가 면제된다는 이유로 교토 모델이 분명 매력 있었고, 이에 따라 교토의정서를 제2차 의무기간을 비롯한 그 이후의 의무기간까지 연장되기를 원했다. 그와 달리 교토의정서 부속서 B 국가들 중 일부는 교토의정서의 규범적인 구조 때문에, 다른 국가들은 미국, 중국 및 그 외의 대규모 배출국가들이 포함되지 않은 상태에서 배출목표의 대상이 되고 싶지 않다는 것 때문에 의무기간의 연장을 꺼려하였다.[323]

교토의정서의 제1차 CMP에서 당사자들은 제3조 9항에 따라 개발도상국들에 대해 2012년 이후 교토의정서상의 추가적인 의무를 고려할 특별실무그룹회의(AWG-KP)를 창설하였다.[324] AWG-KP 절차는 합의하는 데까지 7년이 걸렸다. 이 절차는 애초부터 상당한 정치적 불확실성으로 인하여 그 진행에 방해를 받았다. FCCC에 따라 병행되고 있던 협상의 결과가 교토의정서를 보완하는 것인지 아니면 대체하는 것인지가 불분명하였기 때문이다.[325] 교토의정서를 보완하는 것이라면 FCCC

322) David G. Victor, *The Collapse of the Kyoto Protocol and the Struggle to Slow Global Warming* (Princeton University Press, 2001) 참조.

323) Lavanya Rajamani, 'Addressing the Post-Kyoto Stress Disorder: Reflections on the Emerging Legal Architecture of the Climate Regime', *International and Comparative Law Quarterly*, 58/4 (2009): 803.

324) Decision 1/CMP.l, 'Consideration of Commitments for Subsequent Periods for Parties Included in Annex I to the Convention under Article 3, Paragraph 9 of the Kyoto Protocol' (30 March 2006) FCCC/KP/CMP/2005/8/Add.l, 3.

325) Rajamani, Addressing the Post-Kyoto Stress Disorder (n 323) 809.

절차에 따른 미국의 의무가 교토의정서의 제2차 의무기간에 따른 다른 선진국의 의무의 법적 성격·포부·책임성을 맞출 수 있는지 여부가 불분명하였다. 그와 동시에 모든 국가들에게 적용될 수 있는 FCCC상의 결론은 교토의정서처럼 규범적인 방식으로 구성될 수 없다는 것이 분명하였다. AWG-KP 협상이 계속되면서 당사자들은 2009년 코펜하겐 합의문(Copenhagen Accord)에 따른 병행절차에서 조치와 의무를 제시하였다. 이것들은 추후 2010년 칸쿤합의(Cancun Agreements)에 포함되었다. 일본과 러시아는 교토의정서상의 제2차 의무기간 목표를 부담하지 않겠다는 것을 시사하면서 칸쿤합의상의 기후의무는 부담하였다.[326] 교토의정서와 FCCC상의 각각의 트랙 간에 '가교(bridge)'를 만들기 위해 칸쿤합의는 모든 선진국으로부터의 감축제안을 FCCC에 관한 것인지 아니면 교토의정서에 관한 것인지가 불분명한 정보문서(information document)에[327] 넣었다.[328]

당사자들은 2011년 더반에서 수년간의 추측과 불확실성을 끝내며, 교토의정서를 제2차 의무기간으로 연장하는 것에 합의하였다. EU는 개발도상국들도 '모든 당사자에게 적용할 수 있는(applicable for all)' 2015년도 협정을 위한 협상에 착수하

326) John Vidal, 'Cancun Climate Change Summit: Japan refuses to extend Kyoto Protocol', The Guardian (1 December 2010) <https://www.theguardian.com/environment/2010/dec/01/cancun-climate-change-summit-japan-kyoto> accessed 20 January 2017; Suzanne Goldenberg, 'Cancun Climate Change Conference: Russia will not renew Kyoto Protocol', The Guardian (10 December 2010) <https://www.theguardian.com/environment/2010/dec/10/cancun-climate-change-conference-kyoto> accessed 20 January 2017; Brian Fallow, 'NZ backs off Kyoto climate change route', New Zealand Herald (10 November 2012) <http://www.nzherald.co.nz/business/news/article.cfm?c_id=3&objectid=10846305> accessed 20 January 2017.

327) 정보문서는 특정한 협상쟁점에 관하여 정보를 제공한다. 모든 유엔의 공식언어로 번역되는 것은 아니다. FCCC, 'Introductory Guide to Documents' <http://unfccc.int/documentation/ introductory_guide_to_documents/items/2644.php> accessed 20 January 2017; Compilation of economy-wide emission reduction targets to be implemented by Parties included in Annex I to the Convention, Revised note by the Secretariat (7 June 2011) FCCC/SB/2011/INF.1. 선진국을 위한 감축목표와 관련하여 교토전망결정(Kyoto Outcome Decision)에 기재된 문서번호는 LCA전망결절(LCA Outcome Decision)에의 그것과 동일하다. Doha Amendment, Art 1, Section A, footnote 2; Cancun Agreements LCA, para 36; Decision 1/CMP.6, 'The Cancun Agreements: Outcome of the work of the Ad Hoc Working Group on Further Commitments for Annex I Parties under the Kyoto Protocol at its fifteenth session' (15 March 2011) FCCC/KP/CMP/ 2010/12/Add.1, para 3.

328) FCCC의 보조기구들은 교토의정서의 보조기구로서의 역할도 하고 있고, 이들 기구에 의한 FCCC와 교토의정서상의 회의들은 함께 개최된다. Kyoto Protocol, Art 15와 FCCC Arts 9, 10.

는 컨센서스에 참여한다면, 교토의정서의 제2차 의무기간을 받아들이겠다고 개발도상국들과 더반에서 합의하였다. 교토의정서의 개정은 그 다음 해에서야 도하에서 그 세부사항이 논의되었다. 당사자들은 의무기간을 제1차 의무기간처럼 5년으로 할 것인지 아니면 2015년 협정의 예정된 개시에 맞추어 8년으로 할 것인지 여부, 집단적·개별적 목표의 범위와 포부, 교토의정서의 제2차 의무기간에 참여하지 않는 당사자들이 교토 메커니즘을 계속해서 이용할 수 있는 범위, 잉여 할당량이 추후의 의무기간에서 이용되기 위해 저장될 수 있는 범위와 같은 사항에 합의하지 못하였다. 도하개정에서 당사자들은 다음 사항에 합의하였다.

- 부속서A의 GHG 목록에 삼불화질소(nitrogen trifluoride)를 추가함.
- 제2차 의무기간을 2020년까지 연장함.
- 1990년 수준에서 18퍼센트를 감축하는 집단목표를 수락함.
- 부속서B 국가들이 칸쿤합의에서 합의한 개별목표와 일치하는 목표를 수락하되, 이를 전체 의무기간인 2013년−2020년을 위한 수량화된 배출제한·감축목표로 해석함.
- 2020년까지 1990년 수준에서 25에서 40퍼센트를 감축하는 것을 감안하면서 2014년까지 배출목표를 재검토함.
- 비(非)도하개정 당사자들이 교토 메커니즘에 참여할 수 있는 자격을 제한함.
- 잉여 AAU의 이월을 허용하되, 거래 대상자의 범위와 그 요건을 제한함.[329]
- 도하개정 목표가 자동적으로 조정될 수 있도록 하여 2008년부터 2010년까지의 당사자 평균배출과 비교하여 배출의 증가가 없도록 함.[330]
- CDM의 수익금의 2퍼센트를 배분하는 것을 지속하고, 그 적용을 AAU의 첫 국제적 거래와 JI 프로젝트를 위한 ERU 발행으로까지 확대함.[331]

도하개정은 144개국이 수락서(instruments of acceptance)를 기탁한 때에 발효한

329) Decision 1/CMP.8 (n 114) paras 4, 7, 15, and 24, Doha Amendment, Art 1, Section A, footnotes 3, 10, 11, Section B and Section C.

330) Doha Amendment, Art 1, Section G.

331) Ibid, Section J.

다.[332] 현재까지 오직 75개국만이 수락서를 기탁하였고, 그중에는 부속서B 국가가 오직 일부만 포함되어 있다.[333] 선진국 중에서는, 뉴질랜드가 특이한 입장을 취하고 있다. 뉴질랜드는 도하개정을 받아들였으나 부속서B의 목표는 정하지 않은 것이다. 사실상 이것은 뉴질랜드가 교토의정서의 보고·검토 요건만 충족하면 되고, 배출목표는 달성하지 않아도 된다는 것을 의미한다. 당사자들은 발효되기 전에 도하개정이 잠정적용될 수 있도록 하였다. 당사자들이 잠정적용하지 않는 것으로 선택할지라도, "자국의 국내법 또는 국내절차에 합치하는 방식으로 제2차 의무기간과 관련하여 자국의 의무 및 그 외의 책임을 이행"하여야 한다.[334] 이 조항은 매우 중요한데, 도하개정이 결국 발효되지 않더라도 사실상 적용되는 것을 허용하기 때문이다.

도하개정에 따라 2014년에는 부속서B 목표의 포부를 재검토하기 위하여 고위각료회의가 개최되었다.[335] FCCC 사무국은 이 회의 전에 EU 및 아이슬란드, 노르웨이, 리히텐슈타인, 호주로부터 4건의 안건을 접수하였고, 이 회의 동안이나 그 이후에 더 향상된 포부를 제시하는 안건은 없었다. G−77/중국은 이 사항과 관련하여 소그룹(contract group)을 두는 것을 제안하였는데, 호주, 스위스, EU, 노르웨이는 이 제안에 반대하였고, 이 사항은 이후의 회의에서 다루는 것으로 연기되었다.

그렇다면 교토의정서의 미래는 어떠한가? 교토의정서가 존재했던 20년 동안 미국, 캐나다, 러시아, 일본을 포함한 주요 선진국들은 교토의정서와의 관계를 끊었고, EU, 호주, 아이슬란드, 리히텐슈타인, 모나코, 노르웨이, 스위스와 같은 일부 부속서B 국가들만 제2차 의무기간을 위한 목표를 채택하였는데, 이는 세계 GHG 배출의 극히 일부에만 해당한다.[336] 실제 제2차 의무기간에 관한 개정이 채택될

---

332) Kyoto Protocol, Arts 21 and 20.

333) 호주, 스위스, 뉴질랜드, 노르웨이, 아이슬란드, 이탈리아, 헝가리. United Nations Treaty Collection, 'Chapter XXVII: Environment, 7. c Doha Amendment to the Kyoto Protocol' <https://treaties.un.org/Page/ViewDetails.aspx?src=TREATY&mtdsg_no=XXVII-7-c&chapter=27&dang=_en#EndDec> accessed 20 January 2017.

334) Decision 1/CMP.8 (n 114) paras 5 and 6.

335) Report on the high-level ministerial round table on increased ambition of Kyoto Protocol commitments, Note by the Secretariat (4 September 2014) FCCC/KP/CMP/2014/3.

336) 교토의정서의 제2차 의무기간은 2012년 전세계 온실가스 배출의 11.8퍼센트만을 포섭하고 있다. 이것은 호주, 벨라루스, EU의 28개 회원국, 아이슬란드, 카자흐스탄, 노르웨이, 스위스,

수 있었던 것은 많은 개발도상국들이 그 개정을 '모든 당사자에게 적용할 수 있는' 2015년 파리협정을 위한 협상을 개시하자는 동의를 보장하기 위한 전제로 여겼기 때문이었다. 협상의 중요한 갈림길에서 교토의정서가 연장된 것은 기후체제에 대한 당사자들의 자신감을 진작시키는 데 필요불가결하였다.

도하개정과 2015년 파리협정 모두 2020년 이후의 교토의정서 존폐에 대한 답을 제시하고 있지는 못하다. 그러나 파리협정의 범위, 대상자, 하이브리드한 구조, 차등화에 대한 특색 있는 접근법 등을 감안하였을 때, 파리협정이 거의 보편적인 지지를 받고 있다는 것은 교토의정서를 둘러싸고 있던 정치적 의무감이 오래전에 사라졌음을 보여주는 강력한 신호이다. 선진국 중에 교토의정서를 2020년 이후로 연장하자는 정치적인 입장은 없다. 교토의정서의 제2차 의무기간이 8년인 것은 파리협정의 NDC의 효력이 발생하는 시점에 맞춰서 의무기간이 종료하여 의무의 공백이 생기는 것을 피하기 위함이었다.

교토의정서는 종료에 관한 조항을 포함하고 있지 않다. 이러한 조항이 없을 경우에는 종료는 다음 세 가지 방법으로 이루어진다. (1) "다른 체약국과 협의한 후에 모든 당사국의 동의를 얻는 경우",[337] (2) "동일한 사항에 관한 후조약을 체결",[338] (3) "장기간 동안 조약을 적용하지 않아 조약이 폐용(廢用)되거나 폐기된 경우"[339]가 그것이다.

첫 번째 방법과 관련하여 선진국과 개발도상국들이 교토의정서의 종료에 합의하기는 어려울 것이다. 오히려 몇몇 또는 많은 수의 부속서I 국가들이 탈퇴를 선택할 수는 있다.[340] 탈퇴의 결과 부속서I GHG 배출에 있어 필요한 비율을 차지하는 당사자의 수가 발효를 위한 요건보다 적어진다고 하더라도[341] 교토의정서는 종

우크라이나의 2010년 배출할당량을 포함하는 것이고 LULUCF를 배제한 것이다. World Resources Institute (WRI), 'CAIT Climate Data Explorer' <http://cait.wri.org/> accessed 20 January 2017.

337) 조약법에 관한 비엔나 협약(Vienna Convention on the Law of Treaties, VCLT), 1969.05.23. 채택, 1980.01.27. 발효) 1155 UNTS 331 (VCLT), Art. 54.

338) Ibid, Art 59.

339) Olivier Corten and Pierre Klein (eds), *The Vienna Convention on the Law of Treaties: A Commentary*, vol 1 (Oxford University Press, 2011) 1022-5.

340) 교토의정서 제27조에 따르면 교토의정서가 발효한 날로부터 3년 후에는 탈퇴할 수 있다. 탈퇴는 탈퇴에 관한 통보를 한 날로부터 1년 후에 효력을 발생한다.

료되지 않는다.[342] 종료되지는 않더라도 교토의정서가 탈퇴한 국가들에 대해서는 구속력을 가지지 않고 운영되기에 너무 적은 수의 당사자가 남을 수 있기 때문에 교토의정서의 효과는 미미해질 것이다.

조약의 종료에 관한 두 번째 방법과 관련하여 당사자들은 후속조약에 의해 '그 사항이 규율되는 것을 의도'했거나 후속조약의 조항이 이전 조약의 것과 근본적으로 양립하지 아니하여 양 조약이 동시에 적용될 수 없는 경우여야 한다.[343] 증명하기 어려운 것으로 악명이 높은 적절한 '의도'가 부재하거나 후속조약의 일부 조항이 교토의정서와 함께 적용될 수 있다는 이유로 이들 요건 모두가 충족되지 못할 경우, 교토의정서는 종료되거나 정지되지 않고 VCLT 제30조가 두 조약 간의 관계를 규율하게 된다. 교토의정서의 당사자들이 후속조약의 당사자이기도 한 경우에는 이전 조약은 후속조약과 양립되는 범위 내에서만 적용된다. 이번 경우처럼 만약 두 조약의 당사자가 동일하지 않을 경우, 상황은 더 복잡해진다.[344]

세 번째 방법인 조약의 폐용이나 소멸은 조약을 장기간 동안 이용하지 않아 종료되는 것을 의미한다. 그러나 이런 방식으로 종료되는 것은 당사자의 행위로 당사자의 묵시적 동의가 드러난다는 것이 그 전제이다.[345] 교토의정서는 그 존재가 지속되기 위하여 기관적·예산적 방편들을 가지고 있기 때문에 단지 방치되어 이용되지 않을 가능성은 낮다. 교토의정서의 당사자로 국가들이 남아 있는 한, 그 국가들은 예산에 관한 책임을 가진다.[346] 당사자들은 또한 단지 제2차 의무기간이 끝났다는 이유로 끝나지 않는 보고의무도 교토의정서에 따라 가지고 있다. 이러한 상황에서 교토의정서의 종료에 대한 합의가 이루어지지 않는다면, 2020년 이후에는 아마도 국가들이 교토의정서로부터 탈퇴를 할 것이다.

---

341) Ibid, Art 25.

342) VCLT 제55조(n 337)는 "다자조약은 그 당사국수가 그 발효에 필요한 수 이하로 감소하는 사실만을 이유로 종료하지 아니한다"고 규정하고 있다.

343) Ibid, Art 59(a) and (b).

344) Ibid, Art. 30(4). 이는 기존의 조약이든 후속의 조약이든 양국이 모두가 당사자인 조약이 상호간의 권리와 의무를 규율한다.

345) Anthony Aust, *Modem Treaty Law and Practice* (Cambridge University Press, 3rd edn, 2013) 306-7.

346) 가장 최근의 예산과 당사자들의 분담금 비율에 대해서는 Decision 12/CMP.ll, 'Programme budget for the biennium 2016-2017' (29 January 2016) FCCC/KP/CMP/2015/8/Add.2, 18 참조.

XI. 결어

교토의정서는 존재했던 20년 동안 상당한 논란을 불러일으켰다. 협상에는 단 2년이 걸렸지만, 발효하는 데에 8년이 추가적으로 소요되었다. 제2차 의무기간 목표가 협상되는 데에 추가적인 7년이 걸렸고, 도하개정은 아직까지 (어쩌면 영영) 발효되지 못하였다.

교토의정서를 대체할 것으로 기대되는 파리협정은 교토의정서와는 상당히 다른 모습을 보이고 있다. 파리협정은 혼합적 구조를 가지고 있고, 당사자의 NDC 달성에 의무를 부여하고 있지 않으며, 비록 상이한 당사자나 당사자 집단에 대해 다른 규범적 기대를 부여하기는 하나, 기본적인 감축의무는 모든 당사자에게 적용 가능하다. 이러한 상이한 면을 감안했을 때, 파리협정은 특별히 교토의정서의 요소를 도입하고 있지 않다. 파리협정은 교토의정서의 적응기금이 파리협정에서도 '이용될 수 있다'고 확인하고 있지만,[347] 이것이 파리협정이 활용하고 있는 제도적 체제 내에서 그 역할이 지정되어 있는 유일한 교토의정서상의 기관이다.

그럼에도 불구하고, 교토의정서는 기후체제에 영구적인 각인을 남길 것이다. 교토의정서는 역동적인 탄소시장을 활성화하였다. 비록 교토의정서 협상에서는 엄브렐러 그룹만 전적으로 기후변화 대응에 시장 메커니즘을 이용하는 것에 찬성했으나, 그 이후에는 급격한 관심의 증대와 시장기반 접근의 수용이 있었다. 파리협정과 관련하여 제출된 NDC의 절반 이상이 탄소시장에 대해 언급하고 있다.[348] 파리협정 제6조는 국가들이 협조적인 접근방식을 통해 국내 탄소시장을 연계하는 것을 촉진할 수 있다는 것을 확인한다.[349] 이들 시장의 대다수는 교토 메커니즘이

347) Decision 1/CP.21 (n 236) paras 60 and 61.

348) Environmental Defense Fund and International Emissions Trading Association, 'Carbon Pricing: the Paris Agreements Key Ingredient' (April 2016) <http://www.ieta.org/resources/Resources/Reports/Carbon_Pricing_The_Paris_Agreements_Key_Ingredient.pdf> accessed 20 January 2017; International Carbon Action Partnership (ICAP), 'Emissions Trading Worldwide: International Carbon Action Partnership: Status Report 2016' (Berlin: ICAP, 2016) (64건의 INDC에서 시장을 이용하는 것을 계획하고 있다고 밝힌 바 였고, 25건은 이를 고려하고 있는 것으로 밝힌 바 있음).

탄소에 가격을 부과한 것을 계기로 발전하게 되었다. 파리협정에 의해 새롭게 형성된 시장 메커니즘은 상기한 교토 메커니즘의 경험, 그중에서 특히 부가성과 지속가능한 발전프로젝트에 참여할 자격과 방법론과 관련하여 차용할 부분이 있을 것이다.

교토의정서는 또한 국가 인벤토리, 공통적인 회계시스템, 공통적인 기한, 통일된 보고양식과 같은 잘 작동하는 탄소시장의 기반이 되는 귀중한 지식을 양성하였다. 파리협정상의 투명성체제는 교토의정서의 투명성체제보다는 FCCC의 투명성체제를 기반으로 하고 있고 이를 향상시키고 있다.[350] 그러나 방법론, 절차 및 지침을 개발할 때에 교토의정서 당사자들이 파리협정하에서의 행동 및 지지의 투명성을 위하여 교토의정서 제5조, 제7조 및 제8조를 이행하면서 얻은 경험을 활용할 것으로 보인다. 이것은 특히 EU의 경우에 그러한데, 이것은 교토의정서 제5조, 제7조 및 제8조가 EU법에 규정되어 있고,[351] 신뢰할 수 있고 운영가능한 것으로 증명되었기 때문이다. 이 체제를 현재 이용하는 국가들은 어떤 형태이든 간에 이 체제를 계속 이용할 것이고, 파리협정의 투명성체제에 그 요소를 도입하려고 할 것이다.

따라서 교토의정서가 결국 종료되거나 소멸된다 하더라도, 기후변화 문제에 대한 국제적인 정책대응에 상당히 기여해왔다. 교토의정서는 백지에서부터 복잡한 기후체제를 창조하고, 유용한 경험을 창출하며, GHG 배출을 산정, 보고 및 관리할 수 있는 능력을 길러주었다. 반박의 여지는 있지만, 교토의정서는 지나치게 짧은 시간에 과도하게 많은 업무를 진행하려고 하였고, 교토의정서가 설립한 기후체제를 유지하는 데 필요한 정치적 의지보다 더 앞서나갔다. 그럼에도 불구하고, 교토의정서의 참신함, 복잡성, 포부는 그것을 협상한 자들의 끈기와 독창성의 증거물이고, 길이 남을 유산을 기후체제에 남겨 두었다.

---

349) ‘Carbon Pricing’, ibid.

350) Paris Agreement, Art 13.3 and Art 13.4.

351) European Commission, Climate Action, ‘Emissions Monitoring and Reporting <http://ec. europa.eu/clima/policies/strategies/progress/monitoring/ index_en.htm> accessed 20 January 2017.

주요 참고문헌

Breidenich C., *et al.*, 'The Kyoto Protocol to the United Nations Framework Convention on Climate Change, *American Journal of International Law*, 92/2 (1998): 315.

Brunnée J., 'A Fine Balance: Facilitation and Enforcement in the Design of a Compliance System for the Kyoto Protocol', *Tulane Environmental Law Journal*, 13/2 (2000): 223.

Brunnée J., 'The Kyoto Protocol: A Testing Ground for Compliance Theories?', *Zeitschrift fur ausländisches öffentliches Recht und Völkerrecht (Heidelberg Journal of International Law)*, 63 (2003): 255.

Brunnée J., Doelle M., and Rajamani L. (eds), *Promoting Compliance in an Evolving Climate Change Regime* (Cambridge University Press, 2012).

de Cendra de Larragan J., 'The Kyoto Protocol, with a Special Focus on the Flexible Mechanisms5, in Farber D.A. and Peeters M. (eds), *Elgar Encyclopedia of Environmental Law, vol 1: Climate Change Law* (Cheltenham, UK: Edward Elgar, 2016) 227.

Depledge J., 'Tracing the Origins of the Kyoto Protocol: An Article－by－Article Textual History (25 November 2000) FCCC/TP/2000/2.

French D., '1997 Kyoto Protocol to the 1992 UN Framework Convention on Climate Change', *Journal of Environmental Law*, 10/2 (1998): 227.

Grubb M., *et al.*, The Kyoto Protocol: A Guide and Assessment (London: Earthscan, 1999) 76.

Jacur F.R., 'The Kyoto Protocols Compliance Mechanism', in Farber D.A. and Peeters M. (eds), *Elgar Encyclopedia of Environmental Law vol 1: Climate Change Law* (Cheltenham: Edward Elgar Publishing, 2016) 239.

Oberthür S., 'Compliance under the Evolving Climate Change Regime', in Carlane C.P., Gray K.R., and Tarasofsky R. (eds), *The Oxford Handbook of International Climate Change Law* (Oxford University Press, 2016) 120.

Oberthür S. and Ott H.E., *The Kyoto Protocol: International Climate Policy for the 21st Century* (Berlin/Heidelberg: Springer－Verlag, 1999).

Rajamani L., 'Addressing the Post–Kyoto Stress Disorder: Reflections on the Emerging Legal Architecture of the Climate Regime', *International and Comparative Law Quarterly*, 58/4 (2009): 803.

Shishlov I., Morel R., and Bellassen V., 'Compliance of the Parties to the Kyoto Protocol in the First Commitment Period', *Climate Policy*, 16/6 (2016): 768.

Ulfstein G. and Werksman J., 'The Kyoto Compliance System: Towards Hard Enforcement', in Stokke OS., Hovi J., and Ulfstein G. (eds), *Implementing the Climate Regime* (London: Earthscan, 2005) 59.

Yamin F. and Depledge J., *The International Climate Change Regime: A Guide to Rules, Institutions and Procedures* (Cambridge University Press, 2004).

제7장

파리협정

Ⅰ. 도입
Ⅱ. 포괄적인 쟁점
Ⅲ. 전문
Ⅳ. 목적(제2조 및 제4조 제1항)
Ⅴ. 완화(제4조)
Ⅵ. 시장기반 접근(제6조)
Ⅶ. 적응
Ⅷ. 손실과 피해(제8조)
Ⅸ. 지원(제9조, 제10조 및 제11조)
Ⅹ. 감독 시스템(제13조, 제14조 및 제15조)
Ⅺ. 각종 기관(제16조에서 제19조)
Ⅻ. 최종조항(제20조에서 제28조)
XIII. 추후 행보
XIV. 결어

Ⅰ. 도입

반기문 유엔사무총장은 수년간 심각한 논쟁을 보였던 다자간 협상의 끝에 채택된 2015년 파리협정(Paris Agreement)을[1] '기념비적인 승리'라고 규정했다.[2] 다른 이들도 비슷한 맥락에서 이 협정을 '역사적인',[3] '획기적인 사건',[4] '세계 최대의 외교적 성공',[5] '유의미한 사건'이라고[6] 환영했다. 이런 주장들은 어느 정도 사실이기는 하나, 이는 파리협정이 기후위기를 결정적으로 해결하거나 혁신적 접근법을 도입해서라기보다 이 협정이 다자외교에서 상당한 성과를 보여주었기 때문이다. 근본적이면서 이견을 좁히기 어려운 견해의 차이들로 가득했던 기후변화 협상

---

1) 이 장은 다음 문헌을 참조한다. Lavanya Rajamani, Ambition and Differentiation in the 2015 Paris Agreement: Interpretative Possibilities and Underlying Politics', *International and Comparative Law Quarterly*, 65/2 (2016): 493; Lavanya Rajamani, 'The 2015 Paris Agreement: Interplay Between Hard, Soft and Non-Obligations', *Journal of Environmental Law,* 28/2 (2016): 337; Daniel Bodansky, 'The Paris Climate Agreement: A New Hope?', *American Journal of International Law*, 110/2 (2016): 288.

2) "COP 21: UN chief hails new climate change agreement as 'monumental triumph'", *UN News Centre* (12 December 2015) <http://www.un.org/apps/news/story.asp?NewsID=52802#.Vrh45fl96Uk> accessed 20 January 2017.

3) Joby Warrick and Chris Mooney, '196 Countries Approve Historic Climate Agreement', *The Washington Post* (12 December 2015) <https://www.washingtonpost.com/news/energy-environment/wp/2015/12/12/proposed-historic-climate-pact-nears-final-vote/> accessed 20 January 2017.

4) Coral Davenport, 'Nations Approve Landmark Climate Accord in Paris', *The New York Times* (13 December 2015) A1.

5) Fiona Harvey, 'Paris Climate Change Agreement: The World's Greatest Diplomatic Success', *The Guardian* (14 December 2015) <https://www.theguardian.com/environment/2015/dec/13/paris-climate-deal-cop-diplomacy-developing-united-nations> accessed 20 January 2017.

6) Thomas L. Friedman, 'Paris Climate Accord Is a Big, Big Deal', *The New York Times* (16 December 2015) A35.

들은 2015년 12월 12일 파리에서 성공적인 합의에 도달하게 되었다. 유례없는 정치적 의지로 추진된 이 협상은[7] 결국 합의에는 도달할 것이라고 예상되었다. 그러나 파리협정의 협상은 비록 여러 합의되지 못한 사항을 남기기는 했지만,[8] 하나의 장기적이고, 균형 잡힌, 그리고 사실상 보편적으로 받아들여진 합의에 도달하게 될 것임은 예상된 결과가 아니었다.

파리협정은 기후체제를 위한 의욕적인 목표를 설정하고, 모든 국가들에 공통적으로 적용되는 일련의 핵심 의무들로 이 목표를 뒷받침하였는데, 그 의무들에는 '국가 자체적으로 결정된 감축 기여방안(nationally determined mitigation contributions)'에 관한 법적 구속력이 있는 행동의무(obligation of conduct)와 '장기적으로 감축방안을 진전하도록 하는 기대(expectation of progression over time)'가 포함된다. 파리협정은 또한 '공통의 투명성과 책임 프레임워크(transparency and accountability framework)'와 감축 진행상황에 대한 주기적인 '전지구적 이행점검(global stocktake)'를 확립하였는데, 이는 참여국들이 매 5년마다 '집단적 진전상황(collective progression)'을 점검하고, 향후 5년간의 배출량 감축에 대한 기여방안을 제시하는 절차이다. 더욱이 파리협정은 보편적 혹은 거의 보편적인 정도로 수용되었으며, 모든 당사자들을 그 적용대상으로 한다. 실제로 2017년 1월 20일 현재까지 세계 배출량의 약 99퍼센트를 차지하는 190개 이상의 국가들이 '의도된 국가별 기여방안(intended nationally determined contributions, INDCs)'을 제출하였다.[9]

본 장은 파리협정을 깊이 있게 살펴보는데, 먼저 네 가지 종합적 쟁점들을 탐색한 후에 주요 조항들에 대한 상세한 분석을 하겠다.

---

7) 150개국 정상 및 정부 대표가 그 지도자 행사에 참석하였다. 'Leaders Event and High Level Segment' *Paris COP Information Hub* <http://newsroom.unfccc.int/cop21parisinformationhub/cop-21cmp-11-information-hub-leaders-and-high-level-segment/> accessed 20 January 2017.

8) 2016년 4월 22일의 서명 행사에서 볼리비아만이 이 합의에 이의를 제기하였다.

9) World Resources Institute (WRI), 'CAIT Climate Data Explorer' <http://cait.wri.org/indc/> accessed 20 January 2017. 제출된 INDC의 목록은 다음 문헌을 참조. INDCs as communicated by the Parties, <http://www4.unfccc.int/submissions/INDC/Submission%20Pages/ submissions.aspx> accessed 20 January 2017. '의도된' 국가별 기여방안(INDCs)로부터 NDC로의 전환에 대해서는 아래 n 301을 참조.

Ⅱ. 포괄적인 쟁점

파리협정이 체결되기까지의 협상은 적어도 네 가지 종합적 영역에서의 이견으로 인해 어려움을 겪었다. 이는 (1) 2015년 파리협정의 법적 형식(legal form) 및 그 안에 포함되는 법적 조항의 특성(legal character), (2) 2015년 파리협정의 설계(architecture), (3) 2015년 파리협정의 범위(scope), (4) 협정이 포함한 차등화(differentiation)의 본질과 정도이다. 2015년에 최종 합의된 파리협정은 이러한 네 가지 핵심영역에서 어떤 타협들이 이루어졌는지를 보여준다.

A. 법적 구속력

1. 2015년 협정의 법적 형식

파리협정의 법적 형식은 초기단계부터 논란의 중심이었다. 법적 형식의 선택지는 '조약법에 관한 비엔나 협약(Vienna Convention on the Law of Treaties, VCLT)'에[10] 부합하는 조약들인 의정서(protocols) 및 개정(amendments)과 같은 법적 구속력을 갖는 합의에서부터 예외적인 경우에만 법적 구속력을 갖는 당사국총회(Conference of the Parties, COP)의 결정과 같은 연성법(soft law)까지 여러 가지 형태가 있다.[11] 군소도서국연합(Alliance of Small Island States, AOSIS)과 다른 취약국가들은 법적 구속력이 없는 형태를 사용하는 것이 그들의 존립에 위기를 초래한다고 오랫동안 주장해왔다. 유럽연합(European Union, EU), 미국 및 그 외의 선진국들 또한 유엔기후변화 기본협약(United Nations Framework Convention on Climate Change, UNFCCC 혹은 FCCC)하의 포괄적이고 전지구적인 법적 구속력이 있는 합의를 일관적으로 선호해왔다. 그러나 브라질, 캐나다, 인도는 새로운 법적 합의가 그들의 경제발전 계획에

10) 조약법에 관한 비엔나 협약(Vienna Convention on the Law of Treaties), 1969.05.23. 채택, 1980.01.27. 발효, 1155 UNTS 331 (VCLT), Art 2.1(a) ('조약(treaties)'에 대한 정의를 제시).
11) 법적 구속력의 다양한 측면에 대해서는 제1장 V.A 참조. COP 결정들의 법적 지위에 대해서는 제3장 II.D.3 참조.

가져오는 제약을 우려하여 법적 구속력이 있는 장치에 대한 제안을 받아들이는 것을 처음에는 꺼려하였으나, 파리협정을 위한 협상을 시작한 2011년 더반 회의의 막바지에는 오직 인도만이 구속력 있는 장치에 대한 반대 입장을 고수하였다. 인도는 법적 구속력이 있는 장치가 강제적인 감축의무를 포함하고, 그 의무가 자국의 경제발전 목표에 위협이 될 것을 우려하였다. 그러나 EU는 "의정서, 그 외의 법적 문서 또는 모든 당사자에 적용될 수 있는 FCCC에 따라 법적 효력을 갖는 합의된 결과물"의 개발이라는 타협안을 인도가 받아들이도록 설득했다.[12] 인도는 이 타협안이 조약이 아닌 다른 법적 형식을 선택할 수 있는 가능성을 보장할 수 있을 만큼 충분히 열린 것이라고 보았다.[13]

당사자들은 4년의 협상 과정이 끝날 때까지 파리협정의 법적 형식과 그것을 구성하는 조항의 법적 특성을 정하지 않기로 결정했다.[14] 그럼에도 불구하고, 막상 당사자들이 파리에 도착할 때 즈음에는 2015년 파리협정이 법적 구속력이 있는 법적 문서의 형태가 되어야 한다는 컨센서스가 나타나고 있었다. 미국은 상당한 국내의 정치적 압력에도 불구하고, 다른 선진국과 개발도상국들이 협정에 의해 동등하게 구속을 받는다면, 법적 구속력이 있는 문서를 기꺼이 받아들이겠다고 하였다.[15] 인도 또한 법적 구속력이 있는 협정을 수용하기를 꺼려하던 기존의 태도를

12) Durban Platform, para 2.; Lavanya Rajamani, 'The Durban Platform for Enhanced Action and the Future of the Climate Regime', *International and Comparative Law Quarterly,* 61/2 (2012): 501.; Daniel Bodansky, 'The Durban Platform Negotiations: Goals and Options' (Harvard Project on Climate Agreements, 2012) <http://belfercenter.ksg.harvard.edu/files/bodansky_durban2_vp.pdf> accessed 20 January 2017.

13) Submission from India (30 April 2012) FCCC/ADP/2012/MISC.3, 33.

14) 2013년 바르샤바 회의는 2015년 파리협정의 맥락에서 'INDC'를 제출할 것을 요청했지만, 2015년 파리협정의 법적 형식과 NDC의 법적 본질과 성격은 결정하지 않고 그대로 남겨 두었다. Warsaw decision, para 2(b) and (c). 2014 리마 회의에서 작성된 2015년 파리협정을 위한 '구성요소 문서(Elements text)'와 '제네바 협상문(Geneva Negotiating Text)'에는 파리협정과 조항들의 법적 형식 및 성격과 관련하여 각주에 면책의사를 명시하고 있다. Lima Call for Climate Action, Annex: Elements for a draft negotiating text; Ad Hoc Working Group on the Durban Platform for Enhanced Action (ADP), 'Negotiating text' (25 February 2015) FCCC/ADP/2015/1 (Geneva Negotiating Text).

15) 미국은 '더반플랫폼 특별작업반(Ad Hoc Working Group on the Durban Platform for Enhanced Action, ADP)' 협상 내내 2015년 파리협정이 '최종조항(final clauses)'을 포함하는 것으로 간주함으로써, 2015년 파리협정이 VCLT의 의미를 충족하는 조약이 될 것임을 암시했다. U.S. Submission on Elements of the 2015 Agreement (12 February 2014) <http://unfccc.int/files/

완화하였다. 다른 개발도상국들은 협정의 법적 형식보다는 협정이 담고 있는 조항들에 더 관심을 보였다. 법적 형식과 관련한 기존 국가들의 태도가 완화된 것은 최소한 다음의 세 가지 정세로 인한 것이다. 첫째, 법적 구속력이 있는 문서의 채택을 지지하는 강력한 정치적 동력이 EU와 여러 취약국가들의 노력에 의해 형성되었다. 둘째, 선진국과 개발도상국을 아우르는 많은 국가들이 '국제적 협상을 통하여 결정된 의무(internationally–negotiated commitments)'를 부담하는 것을 꺼림으로써 출현한 '국가별 기여방안(nationally determined contributions, NDCs)'이라는 개념과 이에 대한 관심이 고조되었는데, 이 개념은 주권을 우선시하고, 국가별 상황을 존중하며, 자체차등화를 허용함으로써, 법적 구속력이 있는 문서가 국가의 주권을 제한함으로써 발생하는 비용을 상당히 줄여주었다. 셋째, 미국과 다른 국가들의 노력 덕분에, 법적 형식의 문서(즉, 구속력 있는 법적 형식)와 국가별 기여방안의 법적 특성(즉, 구속력 없는 법적 특성) 사이의 차이를 인식하고 수용하기 시작했다.

파리협정에서 두 가지 사항이 주목할 만하다. 첫째, 이 협정은 VCLT상의 정의에 부합하는 조약이다.[16] 미국 내의 민감한 정치적 상황을 존중하여 '파리의정서(Paris Protocol)'가 아닌 '파리협정(Paris Agreement)'이라는 명칭을 가지게 되었으며,[17] 그 채택은 '의정서' 채택을 규율하는 FCCC 제17조에 따라 이루어진 것이 아니다. 그러나 그 문서의 명칭이 법적으로 중요하지는 않다.[18]

둘째, 파리협정은 "유엔기후변화 기본협약하의" 협정이다.[19] 그렇기 때문에

---

documentation/submissions_from_parties/adp/application/pdf/u.s._submission_on_elements_of_the_2105_agreement.pdf> accessed 20 January 2017,10—11. 그러나 미국은 '조약(treaty)'이라는 용어가 미국 헌법상 특정한 의미를 가지기 때문에 협정이 '조약'으로 정의되지 않는 것을 선호했다. Daniel Bodansky and Lavanya Rajamani, 'Key Legal Issues in the 2015 Climate Negotiations' (Arlington, VA: Center for Climate and Energy Solutions, June 2015) <http://www.c2es. org/docUploads/legal-issues-brief-06-2015.pdf> accessed 20 January 2016, note 7; Lavanya Rajamani, 'The Devilish Details: Key Legal Issues in the 2015 Climate Negotiations', *Modern Law Review,* 78/5 (2015): 826; Jacob Werksman, 'The Legal Character of International Environmental Obligations in the Wake of the Paris Climate Change Agreement' (University of Edinburgh: Brodies Environmental Law Lecture Series, 9 February 2016) <http://www.law.ed.ac.uk/other_areas_of_inter-est/events/brodies_lectures_on_environmental_law> accessed 20 January 2017.

16) VCLT, Art 2.1(a).

17) 미국은 파리협정이 그 명칭을 포함해서 미국이 거부했던 교토의정서와 외적으로 최대한 구별되기를 원했다. 이에 대한 논의는 다음 문헌을 참조. Rajamani, Devilish Details (n 15) 835.

18) 제3장 II.A 참조.

FCCC에서 "관련 법적 문서(related legal instruments)"에 적용되는 조항들은 파리협정에도 적용되고, 여기에는 FCCC의 궁극적 목표가 포함된다.[20] 게다가 파리협정 제2조는 이 협정의 '목적'을[21] "FCCC의 이행을 증진하는 것(in enhancing the implementation of the Convention)"과[22] 연계하는데, 일부 당사자들은 이것이 FCCC가 기후체제의 변천에 있어서 가지는 중심적인 역할을 보장하는 것이라고 주장한다.[23] 파리협정은 또한 여러 FCCC상의 제도들을 이용하는데, 여기에는 COP와 재정 메커니즘이 포함된다.[24]

2. 2015년 파리협정 내 조항들의 법적 성격

당사자들은 2015년 파리협정이 법적 효력과 권한이 상이한 조항들을 포함한다는 전제 하에서 당해 협정이 법적 구속력을 가지는 것에 동의했다.[25] 제1장에서 논의된 것처럼 조항의 법적 성격은 위치(조항이 어디서 나타나는지), 수범자(그 조항이 다루는 대상), 규범적 내용(어떤 요구사항과 의무·기준을 조항이 담고 있는지), 문언(당해 조항이 의무적·선언적 또는 권고적 문언을 포함하고 있는지), 정밀성(조항이 맥락상의 문구, 제한적 문구 또는 재량적 문구인지), 그리고 투명성, 책임성, 의무준수를 위한 어떤 제도적 메커니즘이 존재하는지 등을 포함하는 여러 요소에 달려 있다.[26] 이러한 요소들을 고려할 때, 파리협정은 법적 성격의 스펙트럼을 확장시키는 조항들을 담고 있다. 표 7.1은 이러한 조항들의 확장에 대한 대략의 밑그림을 제공하고, 파리협정

19) Decision 1/CP.21, Adoption of the Paris Agreement' (29 January 2016) FCCC/CP/2015/10/ Add. 1, 2, para 1. 이것은 더반플랫폼에 합치하는 것으로, 이에 따라 파리협정이 채택되었다. Paris Agreement, preambular recital 1.

20) 관련 법적 문서에 적용되는 FCCC의 다른 조항에는 제7조 제2항에 따라 이행을 검토하는 COP의 권한과 분쟁해결에 대한 제14조가 포함된다.

21) Paris Agreement, Art 3 (제2조를 협정의 목적으로 규정).

22) 이 조항에 대한 해석적 가능성에 대한 논의는 다음 문헌을 참조. Rajamani, Ambition and Differentiation (n 1). Annalisa Savaresi, 'The Paris Agreement: A Rejoinder', *Blog of the European Journal of International Law* (16 February 2016) <http://www.ejiltalk.org/the-paris-agreement-a-rejoinder/> accessed 20 January 2016.

23) 이에 대한 더 나아간 논의는 아래 nn 91-93 참조.

24) Paris Agreement, Art 9.8.

25) 미국은 예를 들어 일부 요소만이 "국제적으로 법적 구속력이 있는(internationally legally binding)" 것으로 구상하였다. US Submission (n 15) 7.

26) 제1장 V.A 참조.

의 목적을 증진시키기 위하여 종합적으로 고안된 조약규범들의 단계적 수준들을 보여준다.[27] 이 표는 조항들을 그 특성과 주제에 따라 도표화한 것이다. 스펙트럼의 한쪽 끝에는 당사자에 대한 권리와 의무를 생성하고, 당사자의 의무준수 및 비(非)준수 여부를 평가하는 조항들이 있다. 여기에는 예를 들어 의무적 문언('shall')으로 규정된 개별적('each Party') 의무의 경우가 해당하며, 제한적 요소나 재량적 요소 없이 명확하고 정확한 규범적 내용을 포함하기도 한다. 이러한 조항들을 소위 '경성법(hard law)'라 정의할 수 있다.[28] 스펙트럼의 중간 부분에는 수범자를 명시하고('each Party' 혹은 'all Parties') 기준(standard)을 설정하거나, 제한적이나 재량적 요소를 포함하거나, 권고적인 혹은 장려하는 용어('should'이나 'encourage')의 형식을 가지는 조항들이 있다. 이러한 조항들을 소위 '연성법(soft law)'이라[29] 볼 수 있다. 스펙트럼의 다른 쪽 끝에는 규범적 내용이 결여된 조항들이 있는데, 그 결여로 인해 조항들은 당사자 간의 이해를 담거나, 맥락을 제공하거나, 더 큰 맥락에서 조항이나 조항의 위치의 필요성에 관한 서술을 제공한다. 이러한 조항들이 법적 구속력 있는 문서의 본문에 속할지라도, 이들은 맥락적이거나 수식적인 것으로 소위 '비법(非法, non-law)'이라 정의될 수 있는데, 이 용어는 그렇다고 파리협정에서 해당 조항들의 중요성을 폄하하는 것으로 해석되어서는 안 되는 순수하게 수식적인 용어이다.[30] 이러한 연성법, 경성법, 비법이라는 세 가지 종류의 조항들 간의 경계는 유동적이며 명확하지 않다. 파리협정의 조항들 하나하나는 이 세 요소들의 독특한 조합들이며, 그러한 이유로 그 개별 조항들은 법적 성격의 스펙트럼에서 각자만의 위치를 가지게 된다. 예를 들자면, 적응(adaptation)과 관련된 조항은 의무적 문언('shall')으로 서술된 개별적 의무('each party')가 재량적 문언('appropriate')과 결합되어 있다.[31] 각

---

27) 표 7.1은 포괄적이기보다는 설명을 목적으로 하며, 국가들에 대한 조항들에 초점을 맞추고, '파리협정 당사국회의(Conference of the Parties serving as the Meeting of the Parties to the Paris Agreement, CMA)'의 의무를 창출하는 제14조와 같은 조항들에는 주목하지 않는다.

28) Dinah Shelton, 'Introduction', in Dinah Shelton (ed) *Commitment and Compliance: The Role of Non-Binding Norms in the International Legal System* (Oxford University Press, 2000) 1, 10-13.

29) '연성법'에 대해서는 여러 가지 정의가 존재한다. 이에 대한 개괄은 다음 문헌을 참조. Jutta Brunnée, 'The Sources of International Environmental Law: Interactional Law', in Samantha Besson and Jean d'Aspremont (eds), *Oxford Handbook on the Sources of International Law* (Oxford University Press, 2017 forthcoming). 제1장 V.A와 제2장 II 참조.

30) 제7조에 대한 논의는 제7장 VII 참조.

조항에 이러한 요소들이 조합되어 있는 양태는 관련 쟁점에 대한 요구들뿐 아니라 그 조항에 대한 타협을 이끌어낸 정치적 협상을 반영한다. 비법 조항들을 포함한 개별 조항들의 법적 성격은 아래에서 주요 조항을 자세히 분석할 때에 논의할 것이다.

B. 설계

협상가들에게 난제였던 두 번째 쟁점은 설계(architecture)의 문제, 즉 파리협정이 하향식(top-down) 접근과 상향식(bottom-up) 접근 중 어느 것을 택할지에 관한 논의였다. 교토의정서 협상에서의 위임사항이었던 수량적인 배출제한과 감축목표에 대한 협상과는 달리,[32] 더반플랫폼은 설계의 문제에 대한 어떠한 세부적인 지침도 제공하지 않았다. 다만, 이 협정의 목표를 달성하기 위해서는 "다면적인 규칙 기반의 체제를 강화할 것"이 필요하다는 것을 전문의 단락에서 인정하였다.[33] 그러나 더반플랫폼 이후에는 비록 일부 당사자들이 여전히 하향식의 구성을 선호하고 다른 일부는 가능한 한 최대의 자율성을 유지하는 것을 선호하였음에도 불구하고, 여러 당사자 사이에서는 상향식과 하향식의 두 가지 요소를 통합한 혼합적 접근, 즉 코펜하겐 합의문의 하향식 요소에 칸쿤합의에서 제시된 상향식 접근을 더하는 방식으로 의견이 모아졌다.[34] 2015년 파리협정을 위해서 INDC를 준비하자는 2013년 바르샤바 COP의 결정은 위와 같은 의견의 수렴을 보여주는 것이다. 이 결정은 각 국가가 자체적으로 자국의 기여방안의 엄격함, 범위 그리고 형식을 정의할 수 있는 상향식 방식의 기반을 마련하였다. 그러나 이 결정은 당사자들에게 "명료함, 투명성, 이해를 … 촉진시키는 방식으로"[35] 그들의 INDC에 대한 통보를

---

31) Paris Agreement, Art 7.9.
32) Berlin Mandate, para 2.
33) Durban Platform, preambular recital 3.
34) 'Submission by Japan: Information, views and proposals on matters related to the work of Ad Hoc Working Group on the Durban Platform for Enhanced Action (ADP)' (10 September 2013) <http://unfccc.int/files/documentation/submissions_from_parties/adp/application/pdf/adp_japan_workstream_1_and_2_20130910.pdf> accessed 20 January 2017. 여기에는 '유연한 혼합시스템(flexible hybrid system)'을 지지하는 주장이 제시되어 있다.
35) Warsaw decision, para 2(b).

하도록 하고, 이를 가능하면 2015년 1/4분기 중에 함으로써 파리 회의 이전에 비공식적인 사전 리뷰를 할 시간을 마련하도록 하여 어느 정도 국제적 차원에서의 규율을 세우려고 하였다.[36)]

파리협정은 국가들의 참여를 촉진시키기 위한 상향식 구조(당사자들의 NDC)와 목표 및 책임성을 촉진시키는 하향식 구조(진보, 가능한 최고 수준의 의욕, 계산방식, 투명성, 이행점검, 의무준수 등에 대한 국제적으로 결정된 조항들)가 결합한 혼합구조를 가지고 있다. 파리협정의 혼합된 구조 중 상향식 구성요소는 파리 회의가 시작될 즈음에 거의 완성되었다. 그리고 2015년 중에 거의 모든 국가들이 INDC를 제출하였다.[37)] 이에 따라 파리 회의는 그 혼합된 방식의 나머지 부분인 목표와 책임의 보장을 위한 강한 국제적 규칙에 집중하였다. 물론 파리협정에는 협상과정에서 제시되었던 여러 제안들 중에 포함하고 있지 않은 것이 많다. 가령 NDC가 수량적으로 수치화되거나 수치화될 수 있어야 하고 조건을 부가하지 않는다는 요건을 포함해야 한다는 제안이나 제출된 NDC의 목표, 비교가능성, 공정성을 공식적으로 검토하는 사전과정을 만들어야 한다는 제안이 제외되었다. 그럼에도 불구하고, 파리 회의에서 소위 '규칙선호자들(friends of rules)'이라 불리는 국가집단이 최종적으로 투명성(transparency), 계산방식(accounting), 자료의 업데이트(updating)에 대한 상당히 강한 규율을 포함시키는 데 성공하였다.[38)] 파리협정에 성공적으로 통합된 규정들은 이전 4년간의 협상이 가져다주는 경험을 감안하여 볼 때, 정치적으로 달성할 수 있었던 것보다 더 진보된 것이다.[39)]

---

36) Ibid. 다음 해에 COP20에서 채택된 '리마기후행동요청(Lima Call for Climate Action)'은 추가적인 세부사항들을 제공하였는데, 이는 국가가 NDC와 관련하여 제공할 수 있는 정보들을 (지시하는 것이 아니라) 확인한다. 그 정보들은 전제, 방법론적 접근, 일정, 정도 및 범위를 포함한다. Lima Call for Climate Action, para 14.

37) 182개 국가들 중 154개국의 INDC가 파리 회의가 시작된 2015년 12월 1일까지 제출되었다. 191개 국가들 중 163개국의 INDC가 2017년 1월 20일 현재까지 제출되었다. 119개 당사자에 의해 통보된 INDC에 대해서 위 n 9 참조. 147개국들의 INDC가 2015년 10월 1일까지 제출되었고, 이는 FCCC 사무국의 INDC의 종합적 효과에 대한 첫 번째 종합보고서(Synthesis Report)에서 고려되었다. FCCC, 'Synthesis Report on the Aggregate Effect of the Intended Nationally Determined Contributions' (30 October 2015) FCCC/CP/2015/7.

38) 제7장 V.A 참조.

39) Rajamani, Ambition and Differentiation (n 1).

C. 범위

협상가들이 4년의 협상과정에서 논의한 세 번째로 중요한 쟁점은 범위, 즉 2015년 파리협정이 다룰 영역에 대한 것이었다. 더반플랫폼 결정은 '완화(mitigation), 적응(adaptation), 재정(finance), 기술개발과 이전(technology development and transfer), 활동의 투명성(transparency of action), 지원(support), 역량강화(capacity-building)'를 파리협정의 범위에 포함하도록 하였다.[40] 2015년 파리협정의 논의과정에서 선진국들은 완화, 투명성, 시장 메커니즘에 집중하려고 한 것과 달리, 일부 개발도상국들이 발리행동계획(Bali Action Plan)의 다른 축들인 적응, 재정, 기술개발로 관심을 넓혀가고자 하였다.

'더반플랫폼 특별작업반(Ad Hoc Working Group on the Durban Platform, ADP)'에서 당사자들이 제안서를 제출하고 개입을 하는 것으로 이러한 논의를 계속하였다. 미국은 "완화가 개선이 필요한 주요 쟁점"이라고 주장했고,[41] 호주는 "완화가 2015년 파리협정의 중심이 되어야 한다"고 보았으며,[42] 중남미카리브연합(Independent Association of Latin America and the Caribbean, AILAC) 또한 "완화는 필연적으로 2015년 파리협정의 핵심부분이 된다"고 보았다.[43] 이에 대하여 특히 중국과 인도가 반대했다. 인도는 "더반플랫폼으로 인하여 강화된 행동에는 단지 완화만이 연관된 것이 아니라 발리행동계획과 그 이후의 COP 결정들에 기반한 기후조치의 다른 축들과도 연관되어 있다"고 주장했다.[44] 중국은 모든 요소들이 "동등한 위치에서 전

---

40) Durban Platform, para 5.

41) ADP Workstream 1: 2015 Agreement, Submission of the United States (11 March 2013) <https://unfccc.int/files/documentation/submissions_from_parties/adp/application/pdf/adp_usa_work-stream_1_20130312.pdf> accessed 20 January 2017.

42) Australia, Submission under the Durban Platform for Enhanced Action, The 2015 climate change agreement, ADP (26 March 2013) <http://unfccc.int/files/documentation/submissions_from_parties/adp/application/pdf/adp_australia_work-stream_1_20130326.pdf> accessed 20 January 2017.

43) Submission by the Independent Alliance of Latin America and the Caribbean—AILAC, ADP—Planning of Work in 2013 (1 March 2013) <http://unfccc.int/files/documentation/submissions_from_parties/adp/application/pdf/adp_ailac_workstream1_20130301.pdf> accessed 20 January 2017.

44) Submission by India on the work of the Ad-hoc Working Group on the Durban Platform for Enhanced Action Work-stream I (9 March 2013) <http://unfccc.int/files/documentation/submissions_from_parties/adp/application/pdf/adp_india_workstream_2_20130309.pdf> accessed 20 January 2017,

체적이고 균형 있으며 조화롭게 조정된 방식"으로 다뤄져야 하며, 인도와 더불어 발리 협상에서 해결되지 않은 쟁점들인 지속가능한 발전에 대한 형평성 있는 접근, 무역과 일방적인 조치, 기술관련 지적재산권 또한 다뤄져야만 한다고 주장했다.[45] 아프리카 그룹과 최빈개도국(Least Developed Countries, LDCs), AILAC은 적응과 완화와 조정 간에 있어 정치적 동등성이 있어야만 한다는 것을 강하게 주장했다. 더욱이 일부 당사자들은 2015년 파리협정이 '손실과 피해(loss and damage)'와[46] 의무준수(compliance)를[47] 다루어야 한다고 제안했다. 더반플랫폼이 구체성이 부족하고, 국가 간 이견이 커서 2011년에서 2015년까지 4년간의 파리협정을 위한 협상 과정이 시작될 때는 더반플랫폼의 어떤 요소들이 최종적으로 2015년 협상에서 주목을 받게 될 지가 불분명하였다. 또한 더반플랫폼에서 명시적으로 지적되지 않은 요소가 2015년 파리협정 협상에서 중요한 역할을 하게 될지도 모르는 일이었다.

위에서 언급했듯이 2013년 바르샤바 회의는 당사자들이 2015년에 INDC를 준비하고 제출하도록 독려하였다. 그러나 그 이후 1년 동안 바르샤바 결정의 정밀하게 협상된 문언조차도 더 많은 논란거리를 불러일으켰다. 그 논란거리는 다음과 같다.

---

para 5.13.

45) China's Submission on the Work of the Ad Hoc Working Group on Durban Platform for Enhanced Action (5 March 2013) <http://unfccc.int/files/documentation/submissions_from_parties/adp/application/pdf/adp_china_workstream_1_20130305.pdf> accessed 20 January 2017, para 5; Joint Statement issued at the Conclusion of the 13th BASIC Ministerial Meeting on Climate Change Beijing, China 19-20 November 2012 (Beijing: Embassy of India, 21 November 2012) <http://www.indianembassy.org.cn/newsDetails.aspx?NewsId=381> accessed 20 January 2017.

46) AOSIS submission on the Plan of Work of the Ad Hoc Working Group on Durban Platform for Enhanced Action (1 May 2012) <http://aosis.org/wp-content/uploads/2013/05/AOSIS-Submission-ADP-Final-May-2012.pdf> accessed 20 January 2017, para 19.

47) Submission by Swaziland on behalf of the African Group on adaptation in the 2015 Agreement (8 October 2013) <http://unfccc.int/files/documentation/submissions_from_parties/adp/application/pdf/adp_african_group_workstream_1_adaptation_20131008.pdf> accessed 20 January 2017; South African Submission on Mitigation under the Ad Hoc Working Group on the Durban Platform for Enhanced Action (30 September 2013) <http://unfccc.int/files/documentation/submissions_from_parties/adp/application/pdf/adp_south_africa_workstream_1__mitigation_20130930.pdf> accessed 20 January 2017; Submission by India (n 44) para 5.21; Submission by Lithuania and the European Commission on behalf of the European Union and its Member States (16 September 2013) <http://unfccc.int/files/documentation/submissions_from_parties/adp/application/pdf/adp_eu_workstream_1_design_of_2015_agreement_20130916.pdf> accessed 30 January 2017.

- INDC가 오직 완화만을 포함하는지, 또는 적응, 재정, 기술과 역량강화까지 포함하는지 여부
- 완화가 INDC에 의무적으로 포함되어야 하는 요소인지 또는 선택적인 요소인지 여부
- 당사자들이 지원의 제공이나 다른 당사자들의 행동이 우선되어야 한다는 것과 같은 조건을 부가하는 조건부 INDC를 제출할 수 있는지, 아니면 오직 조건이 없는 INDC만 제출할 수 있는지 여부

선진국과 개발도상국 간에 의견이 나뉘는 상기 쟁점과 관련하여 다양한 견해들이 있었다. 일부 국가들은 국가별 기여방안이 오직 완화만을 포함해야 한다고 주장했고, 다른 국가들은 완화와 적응이 법적으로나 실체적으로 동등한 정도의 대우를 받아야 한다고 주장하기도 하였다. 더욱이 '유사한 입장의 개발도상국(Like Minded Developing Countries, LMDCs)'을[48] 포함한 여러 개발도상국들은 감축기여분을 제출하도록 요구하려면, 이에 상응하여 기술 및 재정적 자원의 지원이 증가되어야 한다고 주장하였다. 이들은 이러한 지원이 선진국들이 제출한 재정적 기여분으로 보장될 수 있다고 보았다.[49] 당연하게도, 이러한 주장은 이루어지기 어려운 것으로 드러났다. 그러므로 리마 회의의 결과는 당사자들이 INDC를 통보하도록 독려하는 바르샤바 합의를 단지 되풀이한 것으로 끝났다. 이는 당사자들이 그들의 기여분에 있어 적응에 관한 요소를 포함할 것을 독려하였지만,[50] 재정적 요소에 대해서는 침묵하였다. 이에 따라 당사자들은 자유롭게 다양한 범주의 기여분을 제출할 수 있게 되었고 실제로도 그렇게 하였다. 일부 국가들은 완화에만 초점을 맞춘 반면에,[51] 다른 국가들은 모든 영역을 포함시켰다.[52] 혹은 일부 국가들은 조건

48) LMDC는 볼리비아, 중국, 쿠바, 도미니카공화국, 에콰도르, 이집트, 엘살바도르, 인도, 이란, 이라크, 말레이시아, 말리, 니카라과, 필리핀, 사우디아라비아, 스리랑카를 포함하는 개발도상국들의 연합이다. 제3장 II.B.2 참조.

49) Proposal from the Like Minded Developing Countries in Climate Change, Decision X/CP.20 Elements for a Draft Negotiating Text of the 2015 ADP Agreed Outcome of the UNFCCC (3 June 2014) <http://unfccc.int/files/documentation/submissions_from_parties/adp/application/pdf/adp2-5_submission_b7_malaysia_on_behalf_of_the_lmdc_crp.pdf> accessed 2 0 January 2017.

50) Lima Call for Climate Action, para 12.

을 포함하지 않았고,[53] 다른 일부 국가들은 조건적인 요소와[54] 조건 없는 요소[55] 모두 포함시켰다.

파리협정은 포괄적인 방식으로 더반 결정의 목록에 올랐던 모든 요소들인 '완화, 적응, 재정, 기술개발과 이전, 투명성, 지원 및 역량강화'를 다루었다. 더욱이 이 합의는 군소도서국가들과 LDC에게 중요한 쟁점인 손실과 피해뿐만[56] 아니라 선진국 및 개발도상국을 폭넓게 아우르는 연합의 관심사인 의무준수를[57] 다루었다. 비록 이 합의가 광범위한 분야를 다루고 있지만, 쟁점에 대한 조치와 여러 분야의 조항들이 가지는 법적 성격은 상이하다. 아래의 절들에서는 협정의 구체적인 조항들을 다룰 것이다.[58]

다양한 영역을 아우르는 총괄적인 의무를 포함하는 제3조는 파리협정의 포괄적인 범위를 보여준다. 관련 문언은 다음과 같다.

> 기후변화에 대해 전지구적으로 대응하기 위한 국가별 기여방안으로서, 모든 당사자들은 제2조에 규정된 이 협정의 목적을 달성하기 위하여 제4조, 제7조, 제9조, 제10조, 제11조 및 제13조에 규정된 바와 같이 의욕적인 노력을 수행하고 통보하여야 한다. … 모든 당사자는 시간의 경과에 따라 진전되는 노력을 보여줄 것이다.

---

51) Switzerland's intended nationally determined contribution and clarifying information (27 February 2015); Submission by Latvia and the European Commission on behalf of the European Union and its Member States (6 March 2015); Submission by Norway to the ADP, Norway's Intended Nationally Determined Contribution (27 March 2015); US Cover Note, INDC and Accompanying Information (31 March 2015); and the Russian Submission (1 April 2015) <http://www4.unfccc.int/submissions/indc/Submission%20Pages/submissions.aspx> accessed 20 January 2017.

52) Contribution of Gabon (1 April 2015), and India's Intended Nationally Determined Contribution: Working Towards Climate Justice (1 October 2015) <http://www4.unfccc.int/submissions/indc/Submission%20Pages/submissions.aspx> accessed 20 January 2017.

53) Submission by Latvia and the EC (n 51).

54) Russian Submission (n 51) (INDC를 산림의 흡수능력을 최대한으로 고려하여 조정).

55) INDC of Malaysia (27 November 2015) <http://www4.unfccc.int/submissions/INDC/Submission%20Pages/submissions.aspx> accessed 20 January 2017 (2030년까지 GDP의 배출농도를 2005년 수준의 45퍼센트까지 줄이는 것과, 그중 10퍼센트는 국제사회의 지원을 조건으로 할 것이며 나머지는 조건 없는 것이라고 서약).

56) Paris Agreement, Art 8.

57) Ibid, Art 15.

58) Rajamani, 2015 Paris Agreement (n 1).

여기서 '기여(contributions)'라는 용어는 바르샤바 합의 이후에 정립된 기술적 용어로 해석되거나, 기후변화에 대한 전지구적 대응으로서의 기여라는 상식적인 의미로 해석될 수 있다. 나아가, '노력(efforts)'이라는 용어는 파리협정에서의 행동의 전체 범위를 '기여'로 규정하기 않기 위해 사용되었다. 그 행동의 범위는 '감축을 통한 기여(mitigation contributions)',[59] '적응계획과 이행(adaptation planning and implementation)',[60] '개발도상국에 대한 재정적 지원(financial resources)'을[61] 포함한다.

제3조의 규정이 가지는 포괄적 범위와는 달리, 파리협정은 당사자들에게 오직 완화와 관련된 NDC를 제출할 것을 요구한다.[62] 이 문제는 LMDC가 파리 협상의 마지막 순간까지 적응과 이행의 수단(재정, 기술, 역량강화)과 같은 완화 이외의 영역으로 NDC를 제출할 수 있어야 한다고 주장함에 따라 논란이 되었다. 이들의 우려는 제7조 제11항에서 다뤄졌는데, 적응보고서(adaptation communication)가 국가의 NDC의 한 부분으로서 제출될 수 있다고 인정하고 있다.[63] 또한 이는 제3조를 통해서도 다루어지는데, 이 조항에서 '기여'에 대한 모호한 언급이 이슈 영역들을 포괄하는 것으로 해석될 수 있기 때문이다.

제3조가 완화, 적응, 재정, 역량강화, 기술 및 투명성을 다루는 특정 조항들을 언급함으로써 문제되는 각 영역의 의무들이 그 개별 조항에 의해 규정되는 것을 보장한다는 것과 제3조가 이러한 지역들과 관련하여 어떤 새로운 (잠재적으로 충돌하거나 혼동을 가져올 수 있는) 의무들을 생성하지 않는다는 점은 주목할 만하다. 제3조에서 실질적인 새로운 요소는 완화뿐 아니라 적응 및 지원과 같은 영역에까지 '진전의 원칙(progression requirement)'이 적용된다는 것이다. 그런데 이 규정은 '각 당사자(each Party)'가 아닌 '모든 당사자(all Parties)'에게 적용되고, 이는 개별적인 의무가 아닌 집합적인 의무로 해석될 수 있다. 더욱이 이 조항은 의무적인 'shall'

59) Paris Agreement, Art 4.2.
60) Ibid, Art 7.9.
61) Ibid, Art 9.1.
62) Ibid, Art 4.2.
63) 137개의 당사자가 적응요소를 INDC에 포함했다는 점은 주목할 만하다. FCCC, 'Aggregate Effect of the Intended Nationally Determined Contributions: An Update' (2 May 2016) FCCC/CP/2016/2, para 7.

이 아닌 보조적 동사인 'will'을 사용함으로써, 장기적으로 더 의욕적 행위를 할 것에 대한 (의무라기보다는) 강력한 기대를 제시한다.

문제가 된 각 영역에서 조항들의 법적 성격 또한 상이하다. 표 7.1은 완화와 투명성에 대한 조항들이 개별 당사자들에 대한 여러 새로운 법적 의무들을 만들어 내고 있는 것을 보여주고 있다("Each Party shall"). 반면, 재정에 대한 조항은 일반적으로 새로운 실질적인 의무보다는 현존하는 의무들을 지속시켰다. 마지막으로, 기술, 역량강화와 손실과 피해에 대한 영역의 조항들은 주로 당사자를 구속하기보다 권고하고 장려하거나 소망을 제시한다.

D. 차등화

파리협정에서 가장 분열을 야기한 쟁점은 차등화 문제라 할 수 있을 것이다. 기후체제에서 차등화는 제1장에서 논의된 바와 같이 '공통의 그러나 차등화된 책임과 국가별 역량의 원칙(common but differentiated responsibilities and respective capabilities, CBDRRC)'에 기초를 두고 있다. 이 원칙은 몇 가지 방법으로 실현되었는데, 특히 교토의정서에서 개발도상국을 제외하고 선진국들만의 배출감축량을 수립하는 것으로 가장 뚜렷하게 실현되었다. 비록 교토의정서의 차등화 모델이 시작부터 논쟁의 중심이었지만, 2007년 발리행동계획 협상을 통해서야 그 의미가 점차 퇴색되기 시작했다. 발리 이후의 기후협상의 궤도는 차등화라는 이원적 접근(bifurcated approach)에서 벗어나, 균형성 또는 병행성을 지닌 보다 섬세한 접근으로 변하는 것처럼 보였다.[64] 특히 중요했던 것은 파리협정의 협상을 시작한 더반플랫폼의 결정문이었다.

더반플랫폼 결정문이 이전의 COP협상의 위임사항들과는[65] 상당히 대조되었던 것은 형평성(equity) 또는 '공통의 그러나 차등화된 책임과 국가별 역량의 원칙'

---

64) Lavanya Rajamani, 'Differentiation in the Emerging Climate Regime', *Theoretical Inquiries in Law,* 14/1 (2013): 151. Harald Winkler and Lavanya Rajamani, 'CBDR&RC in a Regime Applicable to All', *Climate Policy*, 14/1 (2014): 102.

65) Berlin Mandate, para 1 (a); Bali Action Plan, para 1 (a).

에 대한 언급을 포함하지 않았는데, 이 원칙들이 어떻게 표현되는가에 대한 입장의 차이가 있었기 때문이었다.[66] 선진국들은 '공통의 그러나 차등화된 책임'에 대한 모든 언급에서 이 원칙이 현재의 경제적 현실에 비추어 해석되어야 한다는 문장으로 수식되어야 한다고 요구했다.[67] EU는 2015년 파리협정에서 당사자 의무의 차등화가 FCCC에서보다 더 넓은 범위를 포함해야 한다고 주장했다. 그러나 이러한 제안은 개발도상국이 받아들일 수 없는 것이었다. 특히 인도는 이러한 방식으로 CBDRRC의 의미를 수정하는 것은 FCCC를 개정하는 것과 다름없다고 주장했다.[68] 더반플랫폼에서 도달한 타협점은 CBDRRC에 대한 언급을 생략하고 대신에 2015년 파리협정이 "협약하에 있다"고 규정함으로써,[69] 암묵적으로 CBDRRC를 포함한 FCCC의 원칙에 연계하도록 하는 것이었다. 많은 개발도상국들은 FCCC에 대한 이러한 언급이 CBDRRC를 재해석하고 수정하려는 노력을 막을 것이라고 보았다. 그러나 더반에서의 CBDRRC에 대한 논쟁과 그 최종 결정은 2015년 기후체제에서의 차등화에 대한 재정비를 반영하게 되었다.

차등화에 대한 입장의 전환을 보이는 또 다른 경우는 더반플랫폼의 조항에 2015년 합의가 "모든 당사자에게 적용가능한(applicable to all Parties)" 것이라고 명시한 것에서 찾아볼 수 있다.[70] 특히 미국, 일본 및 호주와 같은 선진국은 이 문언의 사용을 강력하게 요구했다. 그러나 법적 문서가 모든 당사자에게 적용된다는 단순한 사실이 그것이 선진국과 개발도상국에 대해 대칭적인 방식으로 적용될 수

66) 이하의 더반플랫폼 결정문에 대한 분석은 다음 문헌을 참조한다. Rajamani, Durban Platform (n 12).

67) Submission of Australia (10 December 2008) FCCC/AWGLCA/2008/Misc.5/Add.2 (Part I), 73; Submission of Japan (27 October 2008) FCCC/AWGLCA/2008/MISC.5, 40, 41; Submission of the United States (27 October 2008) FCCC/AWGLCA/2008/MISC.5,106. 여러 국제재판소가 조약을 '살아 있는 문서(living instruments)'로 다루고 '진화적인(evolutionary) 조약 해석방법을 적용했다는 점에 주목할 가치가 있다. 이에 대한 논의는 일반적으로 다음 문헌을 참조한다. Isabelle Van Damme, *Treaty Interpretation by the WTO Appellate Body* (Oxford University Press, 2009); George Letsas, 'Strasbourg's Interpretive Ethic: Lessons for the International Lawyer', *European Journal of International Law,* 21/3 (2010): 509.

68) FCCC는 원하는 경우 부속서의 개정을 통해서 비부속서I 국가들이 부속서I 국가로 이동하는 것을 허용한다. FCCC, Art 16. 지금까지 그러한 이동의 유일한 사례는 (아직 시행되지 않았지만) 몰타와 키프로스이고, 두 나라는 EU에 가입하면서 그러한 이동을 추진하였다.

69) Durban Platform, para 2.

70) Ibid.

있다는 것을 의미하지 않고, 또한 적용의 보편성이 자동적으로 적용의 획일성을 의미하는 것도 아니다. 따라서 '모든 당사자에게 적용가능한'이라는 문구는 법적 의미보다는 정치적 의미를 지녔다. 그것은 2015년 파리협정이 대칭적인 의무를 향해 나아갈 것이라는 신호였다. 이는 적어도 의무의 (엄중함까지는 아니더라도) 본질과 형식에 관한 것이었다.[71] 이와 비슷한 맥락에서 더반플랫폼 결정의 전문 단락들은 '모든 당사자들'의 기후변화에 대한 긴급한 대처와 '모든 국가들에 의한' 가능한 한 폭넓은 협력을 촉구했다.[72]

2012년 도하 ADP 결정은 전문 단락을 통해 FCCC의 원칙에 대한 언급을 명시적으로 포함하였다.[73] 이와 유사하게, 2013년의 바르샤바 결정은 FCCC의 원칙에 대한 일반적인 언급을 포함했지만,[74] CBDRRC에 대한 구체적인 언급은 없었다. 이와 대조적으로 2014년 '기후대책에 관한 리마선언(Lima Call for Climate Action)'은 CBDRRC 원칙에 대한 명시적인 언급을 포함했지만, "상이한 국내여건에 비추어(in the light of different national circumstances)"라는 절로 이를 수식했다.[75] 논란의 여지가 있지만, 미국과 중국 사이의 타협을 보여주는 이 수정은[76] CBDRRC의 해석을 전환시키는 것이다. 물론 이 원칙의 기존 문구에서 '역사적 책임(historical responsibilities)'과 '개별적 능력(respective capabilities)'도 변화하기 때문에, 이 원칙

71) 더반 회의가 끝나고 미국의 기후변화 특사인 Todd Stern은 이에 대해 다음과 같이 평하였다. "근본적으로 우리는 오바마 행정부 초기부터 집중해온 일종의 대칭성(symmetry)을 갖추게 되었다." Lisa Friedman and Jean Chemnick, "Durban talks create 'platform' for new climate treaty that could include all nations", *ClimateWire* (12 December 2011) <http://www.eenews.net/stories/1059957503> accessed 20 January 2017. EU 기후위원장인 Connie Hedegaard가 더반 회의가 끝나고 다음과 같이 대답하였다. "중요한 것은 이제 모든 거대경제권과 모든 당사자들이 앞으로 법적인 약속을 해야 한다는 것이고, 그것이 우리가 여기에 온 이유이다." 'Reaction to UN climate deal', *BBC News Science and Environment* (11 December 2011) <http://www.bbc.co.uk/news/science-environment-16129762> accessed 20 January 2017.

72) Durban Platform, preambular recital 1.

73) Decision 2/CP.18, 'Advancing the Durban Platform' (28 February 2013) FCCC/CP/2012/8/ Add.1, 19, preambular recital 7.

74) Decision 1/CP.18, 'Agreed outcome pursuant to the Bali Action Plan' (28 February 2013) FCCC/CP/2012/8/Add.1, 3, recital to Part I; Warsaw decision, preambular recital 9.

75) Lima Call for Climate Action, para 3.

76) US-China Joint Announcement on Climate Change (Beijing, China, 12 November 2014) <https://www.whitehouse.gov/the-press-office/2014/11/11/us-china-joint-announcement-climate-change> accessed 20 January 2017, para 2.

역시 역동적 의미를 가지고 있다고 주장할 수도 있지만, "상이한 국내여건"이라는 문구로 이 원칙을 수식하는 것은 유연성과 역동성의 정치적 신호를 보여주는 것이었다. 국내여건은 변화하는 것이고, 이에 따라 당사자들의 공통의 그러나 차등화된 의무도 마찬가지로 변화하는 것이다. 더욱이 국가 간 여건의 차이를 고려하면, 국가들을 단순히 선진국 아니면 개발도상국으로 분류하는 것은 적절하지 않을 수 있다. 아무쪼록 파리협정에 '상이한 국내여건에 비추어'라는 수식어가 CBDRRC에 붙어 있는 새로운 차등화 방식이 등장하게 되었다.

1. 파리협정의 CBDRRC 원칙[77)]

파리협정은 전문 단락,[78)] 협약의 목적,[79)] 진행[80)] 및 장기적인 온실가스 저배출 발전전략[81)]에 관한 조항에서 CBDRRC 원칙에 대해 언급하는데, 여기에는 항상 '상이한 국내여건에 비추어'라는 조건이 포함된다. 이 언급들 중 가장 중요한 것은 체제의 장기적 기온목표를 정하고, 전체적인 협정 이행을 구성하는 제2조에 나타난다. 여기에는 "이 협정은 상이한 국내여건에 비추어 형평하고 공통적이지만 그 정도에 차이가 나는 책임과 각자의 능력의 원칙을 반영하여 이행될 것이다"라고 쓰여 있다.[82)] 이 표현은 파리협정이 CBDRRC를 반영하고('반영하여 이행될 것'이고), 개발도상국에 대한 다양한 해석 가능성을 유지할 것이라는 기대를 창출하지만, 협정의 이행에 있어서의 CBDRRC를 규정하는 데까지는 나아가지 않는다.

CBDRRC 원칙 외에도 파리협정은 형평성,[83)] 지속가능한 발전(sustainable

77) 더 깊은 논의는 다음 문헌을 참조. Lavanya Rajamani and Emmanuel Guerin, 'Central Concepts in the Paris Agreement and How They Evolved', in Daniel Klein *et al.* (eds), *The Paris Climate Agreement: Analysis and Commentary* (Oxford University Press, forthcoming 2017); Lavanya Rajamani, 'Guiding Principles and General Obligations (Article 2.2 and Article 3)', in Klein *et al.*, ibid.; Christina Voigt and Felipe Ferriera, 'Differentiation in the Paris Agreement', *Climate Law Special Issue*, 6/1-2 (2016): 58-74; Sandrine Maljean-Dubois, 'The Paris Agreement: A New Step in the Gradual Evolution of Differential Treatment in the Climate Regime', *Review of European, Comparative and International Environmental Law*, 25/2 (2016): 151-60.

78) Paris Agreement, preambular recital 3.

79) Ibid, Art 2.2.

80) Ibid, Art 4.3.

81) Ibid, Art 4.19.

82) Ibid, Art 2.2.

development),[84] 지속가능한 발전에 대한 형평성 있는 접근(equitable access to sustainable development),[85] 빈곤퇴치(poverty eradication)[86] 및 기후정의(climate justice)와[87] 관련된 개념에 대한 언급을 포함하고 있다. 이러한 개념 중 일부는 FCCC에 나타나고, 다른 일부는 COP 결정에 나타나는데, 그것들은 파리협정에서는 다르게 표현되었다. 예를 들어, FCCC에서의 빈곤퇴치에 대한 언급은 그것을 "정당한 우선적 필요(legitimate priority need)"[88] 또는 "최우선 순위(overriding priorit[y])"[89]로 인정하지만, 파리협정에서는 그것을 행동을 실천할 수 있는 하나의 '상황(context)'으로 규정한다.[90]

또한 CBDRRC 문제는 위에서 논의된 바와 같이 2015년 파리협정과 FCCC의 관계에 대한 논쟁의 바탕이 된다.[91] 선진국들은 구시대적이고 유연하지 않은 FCCC와 교토의정서의 부속서 기반 차등화 방식을 파리협정에서는 폐기할 것을 강력히 주장했고, 파리협정이 부속서에 대한 어떠한 언급도 포함하지 않도록 하는 것에 성공했다. 그러나 많은 개발도상국들은 부속서 기반 차등화 방식이 선진국과 개발도상국의 책임의 지속적 균형이라고 여기고, 파리협정이 부속서 기반 차등화 방식을 재도입하기 위한 연결고리를 포함해야 한다고 강력히 주장했다. 그들은 FCCC의 부속서와 연계시키는 일반적 표현을 파리협정에 포함시키는 간접적인 방법으로 이를 실천하고자 했는데, 그렇게 하면 부속서를 포함한 전체 FCCC를 묵시적으로 적용할 수 있다고 생각하였다. 이 문제에 대한 비공식 논의는 협정문 전체에 대한 협상과정에 퍼져나갔다. 이는 협정을 단순히 '파리협정(Paris Agreement)'이라 부를 것인지 '파리 이행협정(Paris Implementing Agreement)'이라 부를 것인지에 대한 논쟁에서 볼 수 있다. 또한 제2조 두문(chapeau)과 관련하여 대부분의 개발도

83) Ibid, preambular recital 3, Arts 2.2, 4.1, and 14.1.
84) Ibid, preambular recital 8, Arts 2.1, 4.1, 6, 7.1, 8.1, and 10.5.
85) Ibid, preambular recital 8.
86) Ibid, preambular recital 8, Arts 2.1, 4.1, and 6.8.
87) Ibid, preambular recital 13.
88) FCCC, preambular recital 21.
89) Ibid, Art 4.7.
90) Paris Agreement, Arts 2.1, 4.1, and 6.8.
91) 위 nn 19-23 및 그곳의 본문 참조.

상국들이 주장했듯이 파리협정이 FCCC의 이행을 증진해야 한다는 표현을 넣을지, 아니면 대부분의 선진국들이 선호하듯이 협약의 목적만[92] 넣을지에 관한 협상에서도 명백히 나타났다. 많은 개발도상국들에게 FCCC의 이행이 가지는 의미는 FCCC의 모든 원칙과 조항, 특히 FCCC 제4조에 반영된 책임의 균형 그리고 여기에 해당하는 부속서와의 지속적인 관련성인 것으로 보인다. 반대로 선진국들은 파리협정이 FCCC의 부속서 기반 구조와 더 이상 관련성이 없어지는 패러다임 전환을 의미한다고 믿었고, FCCC의 목적을 이행한다는 파리협정의 역할만을 언급하는 것으로 이를 강화하고자 했다. 결과적으로 당사자들은 제2조에 대해서 신중하게 균형잡힌 타협점에 도달하여, 이를 "이 협정은, 협약의 목적을 포함하여 협약의 이행을 강화하는 데에, 지속가능한 발전과 빈곤퇴치를 위한 노력의 맥락에서, … 기후변화의 위협에 대한 전지구적 대응을 강화하는 것을 목표로 한다"라고 표현하였다.[93] 이 다소 복잡한 내용에 대한 치열한 협상은 유엔기후체제에 있어서의 문언의 중요성과 이에 대한 이견을 완전히 해결하는 것이 어렵다는 것을 보여준다.

2. 파리협정에서의 CBDRRC 원칙의 실현

파리협정은 FCCC와 교토의정서의 부속서 기반 구조가 아닌 더반 결정문의 각 축들인 완화, 적응, 재정, 기술, 역량강화 및 투명성이 가지는 각각의 특수성을 고려한 맞춤형 방식으로 CBDRRC 원칙을 실현하였다.[94] 이러한 보다 정교한 접근은 상이한 부분에서 차등화에 대한 서로 다른 접근을 가져왔다.

a) 완화의 차등화

파리협정의 완화조항은 아래에서 논의될 '제약적 자체차등화(bounded self-differentiation)' 모델을 도입한다. 바르샤바 결정은 당사자들이 2015년 파리협정을

92) FCCC, Art 2.
93) Paris Agreement, Art 2.1, chapeau.
94) Lavanya Rajamani, 'Differentiation in a 2015 Climate Agreement' (Arlington, VA: Center for Climate and Energy Solutions, June 2015) <http://www.c2es.org/docUploads/differentiation-brief-06-2015.pdf> accessed 20 January 2017.

위해서 INDC를 제출하도록 요청했다.[95] 이러한 기여방안을 제출할 때, 당사자들은 기여의 범위, 형식 및 엄격함뿐만 아니라, 어떤 정보를 그에 수반하여 제출할지를 결정할 수 있었다. 당사자들이 자신의 기여방식을 선택하고 자신의 상황, 역량 및 제약에 기여방안을 맞춤으로써, 자신의 기여방안을 다른 모든 국가들과 차이가 나도록 하였다. 이러한 형태의 차등화는 자체차등화(self-differentiation)라고 규정되었다. 아래에서 논의되는 바와 같이 파리협정은 당사자들에 대한 규범적 기대를 통해 조절되기는 하지만, 완화부분에서 자체 차등화 방식을 내포하고 있다.

교토의정서와는 달리, 완화와 관련된 당사자들의 모든 의무에는 한 가지 예외를 제외하고,[96] 차등화 방식이 적용되고 있지 않다. 그 의무에는 NDC를 지속적으로 준비·통보 및 유지할 의무, 명확성·투명성 및 이해에 필요한 정보를 제공할 의무, 5년마다 후속 NDC를 통보할 의무 그리고 그들의 NDC에 대해 설명할 의무가 포함된다.[97] 차등화를 적용하는 조항은 모두 구속력이 있는 의무가 아닌 권고 또는 기대로 표현되며,[98] 심지어 이들 중 다수가(제한적이기는 하지만) 자체차등화 모델을[99] 나타낸다. 예를 들어, 후속 감축기여방안이 현재의 기여방안을 넘어서는 진전을 보여주고 당사자들의 '가능한 최대 수준의 의욕'을 반영하는 것에 대한 기대와 관련하여서, 나중에 논의되는 바와 같이[100] 어떤 기여방안의 요소가 진전을 보여주어야 하는지 그리고 가능한 최대 수준의 의욕이 무엇인지는 각 당사자들이 CBDRRC 원칙에 따라 스스로 결정할 문제로 두었다. 마찬가지로, 모든 당사자들이 장기적 온실가스 저배출 발전전략을 수립하고 의사소통하기 위해 노력해야 한다는 조항과 관련해서도,[101] 그 전략의 결정은 각 당사자가 CBDRRC를 고려해서 스스로 결정할 문제로 규정되었다.

그러나 차등화가 되지 않은 법적 의무는 당사자들에게 주어진 몇 가지 규범적

95) Warsaw decision, para 2(b).
96) 제4조 제5항은 개발도상국에 대한 지원을 제공할 것이라고 명시하고 있다. 이와 관련해서 제9조 제1항과 함께 해석하면, 선진국에서 이러한 지원을 제공할 것이라고 유추할 수 있다.
97) 아래 nn 168-170 및 그곳의 본문 참조.
98) Paris Agreement, Art 4.4 and 4.19.
99) Ibid, Art 4.3.
100) 아래 nn 187-193 및 그곳의 본문 참조.
101) Paris Agreement, Art 4.19.

기대에 의해 '제약(bounded)'되거나 '조절(modulated)'된다. 아마도 이들 중 가장 중요한 것으로 제4조에서 차등화에 대한 '범주적 접근(categorical approach)'을 반영하는 것을 지적할 수 있다. 이 조항은 "선진국 당사자들은 경제 전반에 걸친 절대량 배출감축목표를 약속함으로써 주도적인 역할을 지속하여야 한다. 개발도상국 당사자들은 완화노력을 계속 강화하여야 하며, 상이한 국내여건에 비추어 시간의 경과에 따라 경제 전반의 배출감축 또는 제한목표로 나아갈 것이 장려된다"라고 되어 있다.[102] '선진국 당사자'와 '개발도상국'이라는 용어의 사용과 리더십의 개념은 FCCC를 상기시킨다. 이 조항은 강력한 규범적 기대를 설정하지만, 'should'라는 술어를 사용함으로써 당사자들에게 새로운 의무를 부여하지는 않는다.

정확히 이 조항이 새로운 의무를 부여하지 않았다는 점으로 인하여, 미국이 파리협정을 수락할 수 있었다. 이 조항은 마지막 순간에 파리에서의 협상을 거의 파탄으로 몰아갈 뻔한 'shall/should' 관련 논쟁의 핵심적 사항이었다.[103] 프랑스가 제시한 양자택일(take it or leave it) 문구들은 선진국의 목표에 관해서는 의무적 문언('shall')을, 개발도상국의 완화노력에 관해서는 권고적인 언어('should')를 포함했다. 선진국과 개발도상국에 대한 요구사항의 법적 성격이 상이하다는 것과 더불어, 선진국의 목표에 대한 의무적 문언의 사용은 미국에게 문제가 되었다. 미국 상원 내 기후조약에 대한 장기적이고 어찌할 수 없는 저항으로 인하여 미국은 협상 내내 파리협정이 '대통령에 의한 행정협정(presidential-executive agreement)'으로 채택될 수 있도록 노력해왔다. 만약 파리협정이 미국이 수량적 배출목표를 가지도록 의무화한다면, 이러한 목표는 현재 미국법의 일부가 아니기 때문에, 이와 같은 미국의 노력이 분명 어려워질 것이었다.[104] 그러나 LMDC는 양자택일 문구의 표현을 바꾸는 것에 반대했다. 결국 총회 회의실 내 격렬한 논쟁과 그 밖에서 고위급 협상이 있은 후, 'shall' 표현은 오타라고 선언되었고, FCCC 사무국에 의해 'should'로 변경되었다.

---

102) Ibid, Art 4.4.

103) John Vidal, 'How a 'Typo' Nearly Derailed the Paris Climate Deal', *The Guardian* (16 December 2015) <http://www.theguardian.com/environment/blog/2015/dec/16/how-a-typo-nearly-derailed-the-paris-climate-deal> accessed 20 January 2017.

104) Ibid.

제4조 제4항의 선진국과 개발도상국 간의 차등화에 더하여, 파리협정은 개발도상국의 배출량 정점화(peaking)가 더 오래 걸릴 것이라는 점과[105] 이 조항의 이행을 위해 개발도상국에 지원이 제공되어야 한다는 점을 확인하였다.[106]

이에 따라 파리협정의 완화부분은 자체차등화를 통해 CBDRRC 원칙을 실현하면서 선진국 당사자와 개발도상국 당사자가 취해야 할 행동 유형에 관하여 규범적 기대를 설정하고, 개발도상국에 대한 융통성과 지원의 필요성을 인정하였다. 그것은 또한 주기적인 기여방안의 제시를 통해서 진전과 '가능한 최대 수준의 의욕'에 관한 규범적 기대를 제시한다. 자체차등화가 광범위하게 지지받을 수 있었던 것은 융통성을 제공하고, 주권적 자치에 우선권을 주기 때문이었다. 차등화된 책임과 각각의 역량에 대한 국가들의 공통적인 합의점이 부재했다는 점을 감안하였을 때, 자체차등화는 폭넓은 참여를 가져오기 위한 실용적인 선택이었다. 그러면서 파리협정은 자체차등화에 대한 '조절기제(modulators)' 혹은 '경계(boundaries)'를 설정하는 것으로 의욕을 강조하고 선진국과 개발도상국 간의 차이를 인정하고자 하였다.

b) 투명성의 차등화

파리협정의 투명성 조항들은 당사자가 개발도상국으로 분류되느냐 여부보다는 그 역량을 기초로 당사자에게 유연성을 부여한다. 당사자들은 물론 자신들의 역량에 맞춘 '내장된 유연성(built-in flexibility)'과 개발도상국에 대한 지원조항을 인정하면서도, 모든 국가에게 적용할 수 있는 틀을 더 선호하여 회의가 끝날 때까지 이원화된 투명성 시스템을 거부하였다.[107] 이러한 조항들은 완화 및 적응에 관하여 당사자들에게 단일한 형태의 정보 요구사항을 제시한다.[108] 그러나 지원에 관하여는 당사자들이 차등화된 의무를 지고 있기 때문에, 관련된 정보 요구사항은 그에 따라 차등화된다.[109] 보고 및 검토 또한 이와 유사하게 차등화된다.

105) Paris Agreement, Art 4.1
106) Ibid, Art 4.5, 이와 관련해서 Art 9.1.도 참조.
107) Ibid, Arts 13.1 and 13.2.
108) Ibid, Arts 13.7 and 13.8.
109) Ibid, Arts 13.9 and 13.10.

따라서 투명성 조항의 차등화는 역량에 따라 정보의 요구를 실용적으로 조정하도록 하는 것이다. 이는 완화조항에서 적용된 제한된 자체차등화와는 다른 방식이지만, 투명성에 대한 규정들 역시 부속서I 국가들과 비부속서I 국가들의 서로 다른 의무기간에 따라 서로 다른 정보를 제공하도록 하는 FCCC의 이원화 방식으로부터는 뚜렷하게 벗어난 것이었다.[110]

이와 같은 덜 분류적인 차등화 방식이 가능했던 부분적인 이유는 파리협정이 개발도상국들에게 추후에 선진국과 개발도상국의 이원화 방식을 재도입하는 데 필요한 많은 연결고리들을 제공하기 때문이다. 예를 들어, 파리협정은 투명성 체제가 FCCC상의 투명성 장치를 "기반으로(build on)" 강화되어야 하며,[111] '국제적 협의 및 검토(international assessment and review, IAR)'와 '국제적 협의 및 분석(international consultations and analysis, ICA)'의 양분된 시스템을 포함하여[112] 이러한 장치들이 투명성 체제의 규칙을 개발할 때, "참작될 경험의 일부를 구성한다(shall form part of the experience drawn upon)"고 규정한다.[113] 더욱이 파리협정에 수반되어 나온 결정은 국가역량에 비추어 유연성을 필요로 하는 개발도상국들은 투명성 체제를 이행하는 데 있어 유연성을 "제공받아야 하며(shall)," 여기에는 보고의 범위와 빈도, 구체성의 정도와 검토의 범위를 포함하는 것으로 '결정(decide)'하였다.[114] 그러나 투명성 체제에서 이원화를 재도입하려는 시도에는 파리협정의 틀이 가진 이원적 접근을 지양하고 그 세부기준, 절차 및 지침을 하나의 '공통적인 것(common)'으로 보는 특징을 변동해야 한다는 부담이 있다.

c) 재정의 차등화

파리협정의 재정조항은 아마도 그것들이 실현하는 차등화의 방식에 있어서 FCCC와 가장 유사할 것이다. 이 조항은 선진국 당사자들이 "FCCC상의 자신의 기존 의무의 연속선상에서" 개발도상국 당사자들에게 재정적 자원을 제공하고,[115]

110) FCCC, Art 12; Cancun Agreements LCA, para 40 (Annex I parties), and para 60 (non-Annex I parties).
111) Paris Agreement, Art 13.3.
112) 제5장 VI.C 참조.
113) Paris Agreement, Art 13.4.
114) Decision 1/CP.21 (n 19) para 89.

격년 보고서를 제공하도록 요구한다.[116] 이 조항은 또한 선진국들이 기후재정의 동원을 앞장서서 주도할 것을 권고한다.[117] 파리협정에 수반되어 나온 결정은 이 권고의 구체적 내용으로 선진국들이 기존에 가지고 있던 2025년까지 공동의 재정 동원 목표를 계속 유지한다는 합의를 담고 있다.[118]

재정자원의 동원과 조항에 대한 책임이 주로 선진국에 있기는 하지만, FCCC와 달리,[119] 파리협정은 '공여자 기반(donor base)'을 "그 밖의 당사자([other parties)"로 확대했다.[120] 이 다른 당사자란 아마도 개발도상국 당사자들을 의미할 것이며, 이들은 "자발적으로(voluntarily)" 그러한 지원을 제공하도록 "장려된다(encouraged)".[121] 또한 그들에게는 그러한 지원에 관한 보고의 요구사항이 덜 엄격하게 부과된다.[122] 파리협정이 이와 같이 공여자 기반의 잠재적 확대를 제시하기 때문에, 협정문에서 지원에 대한 조항은 수동적 표현인 "지원이 제공된다(support shall be provided)"라고 기술되어,[123] 누가 그러한 지원을 제공해야 하는지를 명시하지 않고 있다. 이는 개발도상국에 대한 지원조항이 기후체제의 핵심적이고 통괄적인 특징이라는 사실을 유지하면서도, 잠재적 공여자 기반을 확대하는 방식으로 타협점을 찾았음을 보여준다. 또한 파리협정은 개발도상국에 대한 지원강화가 개발도상국들이 더 의욕적으로 행동할 수 있도록 한다는 것을 확인하고,[124] 파리협정의 효과적인 이행을 보장하기 위해서 개발도상국들을 지원할 필요가 있음을 인정한다.[125]

FCCC와 교토의정서의 부속서 기반 접근과는 대조적으로, 파리협정은 '선진국'과 '개발도상국'에 해당하는 국가들을 나열하지 않으며, 이 용어에 대한 보다

115) Paris Agreement, Art 9.1.
116) Ibid, Art 9.5.
117) Ibid, Art 9.3.
118) Decision 1/CP.21 (n 19) para 53.
119) FCCC, Art 4.3.
120) Paris Agreement, Art 9.2.
121) Ibid.
122) Ibid, Arts 9.5 and 9.7.
123) Ibid, Arts 4.5, 7.13, 10.6, and 13.14.
124) Ibid, Art 4.5.
125) Ibid, Art 3.

일반적인 정의도 포함하지 않는다. 파리에서는 체제전환국과 터키와 같이 COP에 의해 "특별한 상황이 인정된" 국가들을 '개발도상국' 범주에 포함시켜주어 그로 인해 누릴 수 있는 혜택에 대한 자격을 부여해 주고자 하였다.[126] 이에 대해서는 협상의 종국까지 논쟁이 지속되었지만, '개발도상국'이라는 용어의 정의는 결국 규정되지 않고 열린 상태로 남겨졌다.

따라서 재정조항에서의 차등화는 FCCC의 차등화 방식과 비교적 유사하다. 공여자 기반의 확대가 새로운 요소로 도입하기는 했지만, 재정조항은 완화조항에서 볼 수 있는 차등화 방식과 비교했을 때, FCCC의 이원적이고 범주적인 접근에서 근본적으로 변한 것은 아니다.

Ⅲ. 전문

파리협정의 전문은 협정을 해석하는 데 도움이 될 만한 맥락적 요소를 제시한다. 여기에는 CBDRRC 원칙,[127] 가능한 최선의 과학적 지식,[128] 기후변화에 특별히 취약한 국가들의 특수상황,[129] 최빈개도국의 특수한 필요와 상황,[130] 지속가능한 발전 및 빈곤퇴치에 대한 형평성 있는 접근,[131] 식량안보,[132] 노동력의 정당한 전환,[133] 인권,[134] 온실가스 흡수원의 적절한 보전 및 증진,[135] 생태계의 건전

126) Draft Text on COP 21 agenda item 4 (b) Durban Platform for Enhanced Action (decision 1/CP. 17): Adoption of a protocol, another legal instrument, or an agreed outcome with legal force under the Convention applicable to all Parties, Version 1 of 9 December 2015 at 15:00, Draft Paris Outcome, Proposal by the President <http://unfccc.int/resource/docs/2015/cop21/eng/da01.pdf> accessed 20 January 2017, footnote 7.
127) Paris Agreement, preambular recital 3.
128) Ibid, preambular recital 4.
129) Ibid, preambular recital 5.
130) Ibid, preambular recital 6.
131) Ibid, preambular recital 8.
132) Ibid, preambular recital 9.
133) Ibid, preambular recital 10.
134) Ibid, preambular recital 11.
135) Ibid, preambular recital 12.

성,[136] 기후정의,[137] 환경교육 · 인식 · 훈련 · 참여,[138] 다차원적 거버넌스,[139] 소비와 생산의 지속가능한 방식을[140] 포함한다. 이 긴 목록 중에서, 아마 가장 중요하고 뜨겁게 논의된 것은 인권일 것이다.[141]

기후변화는 삶, 권리, 음식, 주거에 대한 권리 등 다양한 인권을 위협한다. 그리고 기후변화를 완화하고 그에 적응하기 위해 동원되는 수단 또한 인권에 관한 문제를 야기할 수 있다.[142] 국제기후변화법과 인권의 교차점은 제9장에서 논의한다. 파리 회의의 사전 준비과정에서 많은 당사자,[143] 비정부기구,[144] 국제기구는[145] 인권에 관한 우려를 파리협정에 포함할 것을 촉구했다.[146] 일부 당사자들은 협정의 운영규정에 인권에 대한 언급을 넣고자 하였으나, 제9장에서 논하게 되는 여러 가지 이유로 인해서 인권에 대한 유일한 명시적 언급은 전문에만 들어가게 되었다.

---

136) Ibid, preambular recital 13.
137) Ibid ("일부에게 중요함 (importance for some)"이라는 어구로 수식되어 있음).
138) Ibid, preambular recital 14.
139) Ibid, preambular recital 13.
140) Ibid, preambular recital 16.
141) 파리협정의 인권 발표에 대한 논의는 다음 문헌을 참조. Lavanya Rajamani, 'Human Rights in the Climate Change Regime: From Rio to Paris', in John H. Knox and Ramin Pejan (eds), *The Human Right to a Healthy Environment* (Cambridge University Press, 2017, forthcoming). 제9장 II.G 참조.
142) Office of the High Commissioner for Human Rights (OHCHR), 'Understanding Human Rights and Climate Change: Submission to COP21' (26 November 2015) <http://www.ohchr.org/Documents/Issues/ClimateChange/COP21.pdf> accessed 20 January 2017.
143) Submission of Chile on behalf of AILAC to the ADP on Human Rights and Climate Change (31 May 2015) <http://www4.unfccc.int/Submissions/Lists/OSPSubmissionUpload/195_99_130775585079215037-Chile%20on%20behalf%20of%20AILAC%20HR%20and%20CC.docx> accessed 20 January 2017.
144) Submission to the Ad Hoc Working Group on the Durban Platform for Enhanced Action Calling for Human Rights Protections in the 2015 Climate Agreement (7 February 2015) <http://unfccc.int/files/documentation/submissions_from_non-party_stakeholders/application/pdf/489.pdf> accessed 20 January 2017.
145) OHCHR, 'A New Climate Change Agreement Must Include Human Rights Protections for All' (17 October 2014) <http://www.ohchr.org/Documents/HRBodies/SP/SP_To_UNFCCC.pdf> accessed 20 January 2017.
146) 파리 회의 이전에 있었던 인권에 관한 사회적 운동에 대한 요약은 일반적으로 다음 문헌을 참조. Benoit Mayer, 'Human Rights in the Paris Agreement', *Climate Law,* 6/1-2 (2016): 109.

전문 단락 11은 다음과 같다.

> 당사자는 기후변화에 대응하는 행동을 할 때 양성평등, 여성의 역량강화 및 세대간 형평뿐만 아니라, 인권, 보건에 대한 권리, 원주민·지역공동체·이주민·아동·장애인·취약계층의 권리 및 발전권에 관한 각자의 의무를 존중하고 촉진하며 고려하여야 함을 인정[한다].

위 표현은 인권에 대한 언급이 가지는 영향력을 신중하게 제한했다. 첫째로, 이는 인권을 대응수단의 관점("행동을 할 때")에서만 다룰 뿐, 기후변화 자체의 인권적 측면을 다루지 않는다. 이는 인권고등판무관실(Office of the High Commissioner of Human Rights, OHCHR)에서 주장했던 것보다 협소한 관점인데, OHCHR은 국가들이 "기후변화에 의해 초래되는 예상가능한 장기적인 침해까지 포함하는 인권침해를 방지하기 위해 적극적인 조치를 취할" 의무가 있다고 보았다.[147] 반면에, 파리협정은 국가들이 기후변화에 대응하는 행동을 할 때에 인권을 존중, 증진, 고려할 것을 권고하나, 의욕을 결정하고 완화와 적응행동의 범위와 규모를 결정할 때에도 인권을 고려해야 하는지 여부에 대한 측면에 관하여서는 어떠한 규정도 두고 있지 않다.

둘째로, 전문은 당사자들이 인권에 대한 의무를 "존중하고 촉진하며 고려하여야(respect, promote and consider)" 할 것을 권고할 뿐, OHCHR이 했던 것과 같이 "존중하고 촉진하고 고려하고 달성하여야(respect, promote, consider and fulfil)"할 것까지[148] 권고하지는 않는다.[149] 따라서 파리협정은 국가들로 하여금 나열된 인권을 침해할지 모르는 행위를 자제하도록 촉구하지만, 그 자체로 국가들이 다른 국가들이 하는 인권침해를 방지하도록 하지도 않고, 당사자들이 인권을 완전히 실현

147) OHCHR, Understanding Human Rights and Climate Change (n 142).

148) Ibid (강조 추가). OHCHR, 'Letter from the Special Rapporteur on human rights and the environment' (4 May 2016) <http://srenvironment.org/wp-content/uploads/ 2016/06/Letter-to-SBSTA-UNFCCC-final.pdf> accessed 20 January 2017.

149) OHCHR, New Climate Change Agreement (n 145); OHCHR, 'The Effects of Climate Change on the Full Enjoyment of Human Rights' (30 April 2015) <http://www.thecvf.org/wp-content/uploads/2015/05/humanrightsSRHRE.pdf> accessed 20 January 2017.

하는 정책을 도입하는 것을 촉구하지도 않는다.

셋째로, 전문은 당사자들의 '개별적인 의무'를 규정한다. 이는 당사자들의 현존하는 인권에 대한 의무에 한정되는 것이며, 새로운 것들까지 포함하는 것으로 의도된 것은 아니다. 각 국가들은 기후변화와 관련된 인권의 존재, 특성, 상대적 중요성, 범위에 관해 다양한 견해를 가지고 있었다. 이러한 상황에서 이미 특정 권리에 관한 의무를 지고 있는 당사자에게만 그 특정한 권리를 적용하는 것이 바람직하다고 여겨졌다.

파리협정 내 인권에 대한 이 유일한 언급이 신중하게 제한되어 있다고 하더라도, 그것이 추가되었다는 것 그 자체는 참신한 것이며, 인권에 대한 우려와 담론에 대한 수인한도가 높아졌음을 보여주는 것일 수 있다.

Ⅳ. 목적(제2조 및 제4조 제1항)

2015년 파리협정의 '목적'은 기후변화의 위협에 대한 전지구적 대응을 강화하는 것이다.[150] 완화와 관련해서 당사자들은 장기적 목표를 정의하는 방식에 관해 다양한 선택지를 검토하였다. 장기적 완화목표는 기온상승분의 제한(산업화 이전 수준에 비해 2°C 또는 1.5°C 상승)이나, 온실가스 감축목표(예를 들어, 2050년까지 50퍼센트 감축) 혹은 배출량의 정점에 도달하는 기간으로 정의될 수 있는 것이었다.

장기적 목표를 정의하는 위 선택지들 중에서, 기온상승분의 제한을 통한 목표가 유엔기후체제하에서 지금까지 통용력을 얻었다. 2°C 목표는 2009년 라퀼라 G−8에서 처음 인정되었다.[151] 그 후 이는 코펜하겐 합의문에 포함되었고,[152] 2010년 칸쿤합의에도 포함되었다.[153] 또한, 이는 2015년 파리협정을 위한 협상이

150) 파리협정의 조항들이 제목들을 가지고 있지 않지만, 제3조는 제2조를 이 협정의 '목적'이라고 밝힌다.

151) Declaration of the Leaders of the Major Economies Forum on Energy and Climate (L'Aquila, Italy 9 July 2009) <http://www.majoreconomiesforum.org/past-meetings/the-first-leaders-meeting.html> accessed 20 January 2017. 'G 클럽(G clubs)'에 대해서는 제8장 IV.E.2 참조.

152) Copenhagen Accord, para 2.

153) Cancun Agreements LCA, para 4.

시작된 더반플랫폼 결정에도 등장하는데, 전문에서 당사자들의 감축 서약과 2°C 기온상승분 제한목표를 달성하기 위해 필요한 배출경로 간에 상당한 간극이 있음을 언급한 것이 그것이다.[154] 그러나 더반플랫폼은 또한, 2°C 목표의 대안으로서 1.5°C 목표도 제시함으로써, 미래에 전지구적 기후 목표를 강화할 수 있는 선택이 가능하게 해두었다. AOSIS, LDC와 아프리카 그룹을 포함한 몇몇 국가들은 오랫동안 1.5°C 목표를 주장해왔다.[155] 이 그룹에 속한 다수의 국가들에게 기온이 2°C 상승하는 것만으로도 생존에 위협이 된다.

파리협정은 전지구적인 온도상승을 산업화 이전 단계에 비해 "2°C보다 현저히 낮은 수준으로(well below 2°C)" 유지하고, 더 나아가 온도상승을 1.5°C까지 제한하도록 노력하기로 하였다.[156] 현재 지구 온도의 변화는 1.5°C로의 경로를 따라가고 있지 않으며, 오히려 여기서 한참 멀리 떨어져 있다.[157] 이 온도변화 경로목표를 따르기 위해서는 배출하게 될 탄소량을 현저하게 축소시켜야 할 것이고, 이는 아직도 대다수의 국민을 빈곤으로부터 벗어나도록 해야 하는 인도와 같은 국가에게는 문제가 되는 것이다.[158] 그럼에도 불구하고, 의욕적인 1.5°C 온도상승분 제한목표는 기후체제가 진행하는 방향을 설정해주고, 기후변화의 영향권의 최전방에 있는 군소도서국가들과의 일체감을 보여주고 있다.

여러 조항에서 나타나지만, 특히 제4조 제1항에서 명시되었듯이, 장기적 온도변화 목표는 무엇보다 전지구적 온실가스 배출이 가능한 한 조속히 정점에 도달하고(물론 개발도상국에서는 온실가스 배출이 정점에 도달하는 것에 더 긴 시간이 걸릴 것임을

154) Durban Platform, preambular recital 2.

155) Submission by Nepal on behalf of the Least Developed Countries Group on the ADP Work Stream1: The 2015 Agreement, Building on the Conclusions of the ADP 1-2 (3 September 2013) <http://unfccc.int/files/documentation/submissions_from_parties/adp/application/pdf/adp_ldcs_20130903.pdf> accessed 20 January 2017; Submission by Swaziland on behalf of the Africa Group in respect of Workstream I: 2015 Agreement under the ADP (30 April 2013) <http://unfccc.int/files/bodies/awg/application/pdf/adp_2_african_group_29042013.pdf> accessed 20 January 2017.

156) Paris Agreement, Art 2.1.

157) Carbon Brief, 'Six years worth of current emissions would blow the carbon budget for 1.5 degrees' (13 November 2014) <https://www.carbonbrief.org/six-years-worth-of-current-emissions-would-blow-the-carbon-budget-for-l-5-degrees> accessed 20 January 2017.

158) T. Jayaraman and Tejal Kanitkar, 'The Paris Agreement: Deepening the Climate Crisis', *Economic and Political Weekly*, 51/3 (2016): 10.

인정하면서도) 그 후에는 급속한 감소를 보여 "금세기 하반기에 온실가스 배출원에 의한 인위적 배출과 흡수원에 의한 제거 간에 균형을 달성할 수 있도록 해야 한다".[159] 비록 당사자들이 구체적인 배출 정점의 일시와 2010년 대비 비율적인 감소에 대한 수량적인 세계 배출목표를 제안해왔음에도 불구하고,[160] 결국 구체적인 타임라인이 없는 목표에 대해서만 합의에 도달할 수 있었다. '순배출량 제로(net zero)'의 개념은 인위적인 온실가스 배출량이 급격히 감소되고, 그 남은 배출부분은 흡수원이 이를 제거해서 상쇄하는 것을 의미한다.[161] 파리협정의 사전준비에서 장기적인 '탈탄소 목표(decarbonization goal)'에 대한 상당한 지지가 나타났으며, 이는 기온안정화(temperature stabilization)를 위해서는 탄소 순배출량이 제로여야 한다는 '기후변화에 관한 정부 간 협의체(Intergovernmental Panel on Climate Change, IPCC)'의 결론과 일치하는 것이었다.[162] G－7 지도자들은 그들의 2015년 정상선언에 그러한 목표를 포함시켰다.[163] 그러나 화석연료 생산국들은 이산화탄소만을 선별하거나 흡수원에 의한 제거분을 제외한 배출원에 의한 배출량에만 초점을 맞추고 싶어 하지 않았다. 따라서 제4조 제1항의 절충적인 표현은 이산화탄소와 다른 온실가스를 동등하게 취급하고, 배출량 감축과 그 제거의 증가에 대해서도 동등하게 취급하고 있다.

이러한 전지구적 완화목표는 "형평에 기초하고 지속가능한 발전과 빈곤퇴치를 위한 노력의 맥락에서" 달성되어야 한다.[164] 전술한 바와 같이, 파리협정의 이

---

159) Paris Agreement, Art 4.1.

160) ADP, Draft agreement and draft decision on workstreams 1 and 2 of the Ad Hoc Working Group on the Durban Platform for Enhanced Action, Work of the ADP contact group (6 November 2015, reissued on 10 November 2015) ADP.2015.11.InformalNote, Art 3.

161) Kelly Levin, Jennifer Morgan, and Jiawei Song, 'Insider: Understanding the Paris Agreement's Long-term Goal to Limit Global Warming' (World Resources Institute, 15 December 2015) <http://www.wri.org/blog/2015/12/insider-understanding-paris-agreement%E2%80%99s-long-term-goal-limit-global-warming> accessed 20 January 2017.

162) IPCC, *Climate Change 2014: Synthesis Report* (Cambridge University Press, 2014) Summary for Policy Makers, 20.

163) G-7 Leaders' Declaration (Schloss Elmau, Germany, 8 June 2015) <https://www.whiteh.ouse.gov/the-press-office/2015/06/08/g-7-leaders-declaration> accessed 20 January 2017. 'G 클럽(G clubs)'에 대해서는 제8장 IV.E.2 참조.

164) Paris Agreement, Art 4.1.

러한 문구는 FCCC와는 다르게 고안된 것이다.[165] 파리협정은 또한 당사자들이 장기적으로 온실가스 저배출 발전전략을 "수립하고 통보하기 위하여 노력하여야(strive to formulate and implement)" 할 것을 권고한다.[166] 이것들은 발전과 투자 성향의 궤적을 장기적 기온목표를 충족시키는 방향으로 전환시키는 데 중요한 역할을 할 것으로 보인다. 개별 국가에게 그들의 기여분의 본질, 형태, 엄격성을 스스로 결정하는 것을 허용하는 체제하에서, 이와 같은 규정은 국가적 전략구상에서 단기적 행동이 장기목표에서 벗어나지 않도록 촉진하고 당사자들의 노력을 집약시키는 메커니즘을 제공한다.[167]

더반플랫폼의 모든 요소들을 균형 있게 다루기 위해서, 파리협정은 일반적이기는 하나 적응과 재정에 대한 목표를 아프리카 그룹이 제시한 수량적인 용어가 아닌 질적인 용어를 사용해서 정의하였다. 적응에 관하여 제2조는 적응역량을 강화하고, 기후 회복력 강화, 그리고 기후변화에 대한 취약성 경감이라는 목표를 표명하고 있고, 이는 적응에 관한 조항인 제7조에서 되풀이된다. 재정목표, 즉 "온실가스 저배출과 기후 회복적 발전이라는 방향에 부합하도록 하는 재정 흐름"을 구성하는 목표는 공적자금뿐만 아니라 사적자금 흐름까지 다루며, 기후에 친화적이지 않은 투자를 단계적으로 철수시키는 노력에 대한 지원을 규정한다.

V. 완화(제4조)

A. 국가별 기여방안 관련 의무

파리협정에서 가장 중요한 법적 의무는 완화조항에 있다. 장기적 기온목표를 달성하기 위해서, 당사자들은 그들의 국가별 기여방안과 관련하여 구속력 있는 이행의무를 진다.[168] 여기서 가장 중대한 것은 아래와 같은 제4조 제2항에서 규

165) 위 nn 83-90 및 그곳의 본문 참조.
166) Paris Agreement, Art 4.19.
167) 그러한 전략에 대한 예시는 다음을 참조. Deep Decarbonization Pathways Project, *Synthesis Reports* <http://deepdecarbonization.org/ddpp-reports/> accessed 20 January 2017.

정한다.

> 각 당사자는 달성하고자 하는 차기 국가별 기여방안을 준비하고, 통보하며 유지한다. 당사자는 그러한 국가별 기여방안의 목적을 달성하기 위하여 국내적 완화조치를 추구한다(Each Party shall prepare, communicate and maintain successive nationally determined contributions that it intends to achieve. Parties shall pursue domestic mitigation measures, with the aim of achieving the objectives of such contributions).

상기 신중하게 협상된 문언에는 탐구해 볼만한 숨은 의미들이 많다. 첫째, 파리협정의 대다수의 규정이 '당사자들(Parties)'[169]에 적용되는 것과 달리, 첫 문장이 '각 당사자(each Party)'를 적용대상으로 하는 개별적인 의무를 부여하는 것이다. 둘째, 이 규정은 파리협정의 선택적 규정과 마찬가지로 명령적인 '~(해야) 한다(shall)'를 국가별 기여방안을 준비하고, 통보하며, 유지하는 것 모두와 관련하여 사용하고 있으며, 이는 국내적 완화조치와 관련하여서도 마찬가지이다. 셋째, 이들이 구속력 있는 의무임에도 불구하고, 결과에 관한 의무이기보다는 행위에 관한 의무이다. 첫 문장의 "달성하고자 하는"이라는 구절은 각 당사자가 각자의 NDC를 달성하고자 할 것이라는 선의의 기대를 확립하되, 그렇게 하도록 요구까지는 하지 않기로 한 것이다. 두 번째 문장의 두 번째 구절은 이와 유사한 기능을 수행한다. 이는 당사자들이 "[그들의] 국가결정기여의 목적을 달성하기 위하여(with the aim of achieving the objectives of [their] contributions)" 조치를 취할 것을 요구한다.[170]

따라서 당사자들에게는 NDC를 준비 · 통보 · 유지하는 것과 국내조치를 이행

168) 반론은 다음 문헌을 참조. Richard Falk, "'Voluntary' International Law and the Paris Agreement"(16 January 2016) <https://richardfalk.wordpress.com/2016/01/16/voluntary-international-law-and-the-paris-agreement/> accessed 20 January 2017.

169) Paris Agreement, Arts 3, 4.1, 4.2, 4.8, 4.13, 4.15, 4.16, 4.19, 5.1, 5.2, 6.1, 6.3, 6.8, 7.2, 7.4, 7.5, 7.6, 7.7, 8.1, 8.3, 9.2, 10.1, 10.2, 11.4, 12, and 14.3.

170) 여기서 "with" 앞의 쉼표는 쉼표 이하의 부분이 "조치들"을 수식하는 것이 아니라, 조치들을 "추구(pursue)"하는 당사자들을 수식하도록 한다. 즉, "with" 이하는 "조치(measures)"를 수식하는 것이 아니라, "추구한다(pursue)"를 수식하는 접속사이다.

할 구속력 있는 의무가 있다. 또한 당사자들이 국가별 기여방안을 달성하고자 의도하고 이를 목표로 삼을 것이라는 선의의 기대가 있다. 파리협정의 사전준비에서, EU, 남아프리카공화국과 군소도서국가를 포함한 많은 국가들은 당사자들에게 NDC를 달성할 것을 요구해야 하고, 그럼으로써 결과에 관한 의무를 부여해야 한다고 주장했다. 이에 대해 미국, 중국, 인도가 특히 격렬히 반대했다. 이들은 결과에 관한 법적 의무에 구속받고 싶어 하지 않았다. 파리협정은 이 부분에 관해 후자의 입장을 따랐다. 그러나 당사자들이 성실하게 의무를 이행하는 것을 보장하기 위해 파리협정은 각 당사자가 그 국가별 기여방안의 이행 및 달성을 확인하는 데 필요한 정보를 제공할 것을 요구하고 있으며,[171] 당사자들이 이행과 달성을 위한 노력과 관련하여 "그 진전에 대한 촉진적·다자적 고려(facilitative, multilateral consideration of progress)"라는 규정에 구속되도록 하였다.[172]

당사자들이 제출한 국가별 기여방안들은 다양한 방법으로 공식적으로 제출되었다. 일부는 절대적인 배출량 감축목표와 같은 수량적 목표였고,[173] 일부는 기후친화적 경로를 도입하는 목표와 같은 질적 목표였으며,[174] 일부는 국제적 지원규정의 예와 같이 조건이 있는 목표인 반면에,[175] 나머지는 조건이 없는 목표였다.[176] 이렇듯 NDC가 다양하기 때문에, 결과에 관한 의무가 만약 있었다고 하더

---

171) Paris Agreement, Art 13.7(b).
172) Ibid, Art 13.11.
173) United States' Intended Nationally Determined Contribution (31 March 2015) <http://www4.unfccc.int/submissions/indc/Submission%20Pages/submissions.aspx> accessed 20 January 2017.
174) India's Intended Nationally Determined Contribution (1 October 2015) <http://www4.unfccc.int/submissions/indc/Submission%20Pages/submissions.aspx> accessed 20 January 2017. 인도의 INDC는 수량적 배출농도 목표에 추가적으로 질적인 목표로 "전통 및 보존·절제의 가치를 기반으로 한 건강하고 지속가능한 생활 방식을 전파하는 것"을 규정하고 있다.
175) 인도의 INDC가 분명 그러하다. India's INDC, ibid.
176) Brazil, Intended Nationally Determined Contribution Towards Achieving the Objective of the United Nations Framework Convention on Climate Change (28 September 2015) <http://www4.unfccc.int/submissions/indc/Submission%20Pages/submissions.aspx> accessed 20 January 2017. 당사자들은 모든 기여방안에 조건을 부여하지 않는 것으로 하는 가능성에 대해서 고려해 보았다는 것에 주목할 가치가 있다. 파리에서 이에 대한 합의가 이루어지지 않았다. 그러나 '파리협정 특별작업반(Ad hoc Working Group on the Paris Agreement, APA)'은 CMA가 고려하고 채택하게 될 NDC의 '특징'에 대한 지침들을 개발하는 업무를 부여 받았다. Decision 1/CP.21 (n 19) para 26.

라도 집행되지 못했을 것이다.

국내수단을 취해야 하고 국가별 기여방안을 준비·통보·유지해야 하는 구속력 있는 의무에 더하여, 당사자들은 절차상의 의무를 진다. 각 당사자는 기여방안을 매 5년마다 통보할 것을 요구 받는다.[177] 그들의 NDC를 통보할 때, 당사자들은 명확성, 투명성 및 이해를 위해 필요한 정보를 제공하도록 요청된다.[178] 이 규정들은 의무조항(shall)으로서 표현되어 있고, 따라서 당사자들에 대한 구속력 있는 의무를 구성한다. 일부 조항들은 또한 당사자들이 '파리협정 당사국회의(Conference of the Parties serving as the Meeting of the Parties to the Paris Agreement, CMA)'에서 내린 '관련 결정'에 부합하게 행동할 것을 의무화함으로써, CMA에 법적으로 구속력 있는 결정을 채택할 수 있는 권위를 부여한다.[179] 그러나 여기서 '관련 결정'이 당사자들에게 재량권을 부여할 수 있음에 유의해야 한다. 예를 들어, 결정 1/CP.21은 당사자들이 몇몇의 나열된 정보들을 "적정한 경우에는 포함시킬 수 있다(may include, as appropriate, inter alia)"라고 할 뿐, 이를 포함할 것을 의무화하고 있지는 않다.[180]

또한 파리협정은 CMA가 채택한 '지침(guidance)'에 부합하는 NDC를 산정하도록 요구한다.[181] 이 규정이 의무조항(shall)이기는 하나, '지침'이라는 단어의 사용은 CMA의 NDC 산정에 관한 지침에 대한 결정들이 당사자들을 구속하지 않을 수도 있음을 암시한다. 그렇지 않다고 하더라도, 산정에 관한 CMA 결정은 구체적인 규칙들을 제시하기보다 일반적인 지침들을 제공해야 한다는 의미로 해석될 수도 있다. 이러한 모호성으로 인하여 당사자들이 산정 결정을 규정하는 방식들, 예를 들어 이를 의무조항으로 두는지 혹은 재량조항으로 두는지와 같은 결정들은 그 당사자들이 그 CMA 결정을 구속력 있는 것으로 간주했는지 아닌지를 보여준다.[182]

177) Paris Agreement, Art 4.9.
178) Ibid, Art 4.8.
179) 이러한 결정은 향후 수년 동안 협상될 예정이며, 2018년에 CMA에 의해 채택될 예정이다.
180) Decision 1/CP.21 (n 19) para 27 (강조표시는 저자에 의해 추가된 것임).
181) Paris Agreement, Art 4.13; Decision 1/CP.21 (n 19) paras 31 and 32. NDC 산정에 대한 지침은 두 번째와 그 이후의 NDC들에 적용된다. 물론 당사자들은 이를 그 이전부터 적용하겠다고 결정할 수 있다.
182) COP 결정의 지위에 대한 전반적 논의는 제3장 II.D.3 참조

상기 조항들을 비롯한 후술할 투명성 체제의 영향력은 EU, 호주, 뉴질랜드, 남아프리카공화국, 스위스, 미국 등의 주요 협상가와 이에 관한 공식적 협상의 진전을 가져온 싱가포르 외교관으로 구성된 비공식적 집단의 협력으로 이루어질 수 있었다. '규칙선호자들(friends of rules)'로 불리는 이 집단은 리마 회의 이후에 구성되었는데, 이 집단의 참여국들은 국제협상 과정에서 파리협정의 정체성과 관련하여 게임의 규칙이 상당히 중요함에도 불구하고, 그 협상과정이 미디어의 주목을 받는 정치적 쟁점에 초점이 맞춰지면서 뒷전으로 밀려나고 있다는 데에 이해를 함께 하면서 이 집단을 구성하였다.

B. NDC의 등록

제4조 제2항에서 언급되는 NDC는 사무국(secretariat)이 관리하는 공개등록부(public registry)에 기록된다.[183] 미국, 캐나다 그리고 뉴질랜드 등이 특별히 이러한 방식을 선호하였는데, 이들 국가들은 조약문의 일부가 아닌 다른 방안으로 국가별 기여방안을 비치(house)하도록 하는 것이 신속하고 일률적인 업데이트를 가능하게 할 것이라고 주장했다. 다른 국가들은 만약 NDC가 파리협정 외의 수단으로 비치되는 경우, 당사자들이 그들의 NDC를 수정하는 것뿐 아니라, 심지어 잠재적으로 이를 축소할 수 있는 과도한 재량을 가지게 될 것이라고 우려하였다. 이러한 우려로 인하여 파리협정은 자신의 의욕 수준을 증가시키는 방향으로만 당사자들이 NDC를 조정할 수 있도록 허용했고, CMA 지침에 따르도록 했다.[184] 파리 결정은 또한 CMA가 잠재적으로 당사자들의 재량권을 제한할 수 있는 공개등록부의 사용과 관리에 대한 세부 원칙(modalities)과 절차(procedures)를 채택하도록 촉구한다.[185] 어쨌든, 국가별 기여방안이 파리협정의 문언 외의 방도로 비치된다는 사실에도 불구하고, 파리협정의 전체적인 구조는 NDC, 특히 제4조가 협정의 핵심요소라는 점을 역설한다.

---

183) Paris Agreement, Art 4.12.
184) Ibid, Art 4.11.
185) Decision 1/CP.21 (n 19) para 29.

C. NDC의 진전

NDC와 관련된 여러 의무들과 더불어, 파리협정은 당사자들의 NDC들이 매 5년 주기로 진전해야 한다는 확고한 기대를 제시한다. 관련된 규정은 다음과 같다.

> 각 당사자의 차기 국가결정기여는 상이한 국내 여건에 비추어 공통적이지만 그 정도에 차이가 나는 책임과 각자의 능력을 반영하고, 당사자의 현재 국가결정기여보다 진전되는 노력을 실현할 것이며 가능한 한 가장 높은 의욕 수준을 반영할 것이다.[186)]

진전(progression)은 잠재적으로 몇 가지 방법으로 나타날 수 있다. 예를 들어, 같은 형태의 수량화된 의무의 엄격함을 더 강화함으로써 진전이 반영될 수 있다. 즉, 이전 목표의 농도치보다 감소된 기준연도 배출농도치 또는 이전에 제시한 절대 감축목표치보다 높은 절대 목표치를 제시하는 것으로 나타날 수 있다. 진전은 배출의무의 형태를 통해서도 반영될 수 있다. 예를 들어, 부문별 조치를 취했던 당사자들이 경제 전반의 배출농도나 '배출량 전망치로부터의 편차 목표(business-as-usual deviation targets)'를 도입하는 것이나, 혹은 현재 경제전반의 배출농도나 배출량 전망치로부터의 편차 목표를 사용하던 국가들이 경제전반에 대한 '절대적 배출량 감축목표(economy-wide absolute emissions reduction targets)'를 도입하는 것이 그러하다.

이 규정은 '각 당사자'에게 적용되는 것이지 '당사자들' 일반에게 적용되는 것이 아니다. 조동사 'will'을 사용한 것은 각 당사자가 시간이 흐름에 따라 좀 더 의욕적인 행위를 취할 것이라는 기대를 의미할 뿐, 의무를 의미하는 것은 아니다.[187)] 많은 개발도상국들은 '진전'을 선진국들이 이전의 교토의정서상의 의무보다 약화된 의무를 부담하는 것이 되지 않도록 강구한 방법 중 하나로 지지했다. 또한 진전의 개념은 모든 당사자들이 의무의 유형 및 규모 측면에서 모두 점진적으로 진전하게 하는 것을 기대한 브라질이 제시한 '동심형 차등화(concentric differentiation)'

---

186) Paris Agreement, Art 4.3.

187) 진전의 개념은 리마 결정에서 처음으로 나타났다. Lima Call for Climate Action, para 10.

방식의 기반을 형성하였다. 이는 제4조 제4항에 반영되어 있듯이 선진국 당사자에게는 경제 전반에 걸친 절대적 배출량 감축목표를 사용할 것을 권고하고, 개발도상국 당사자에게는 점차적으로 경제 전반의 배출감축 또는 배출제한 목표로 진전할 것을 권고한다.[188)]

상기한 바와 같이, 진전에 대한 규정들은 진전의 정의와 관련하여 형태상의 진전인지 또는 엄격성의 진전인지를 규정하고 있지 않고, 진전 여부를 결정하는 주체에 대해서도 침묵한다. 각 당사자는 실무적으로 스스로 NDC의 내용을 결정하고, 그 NDC가 '가능한 최대 수준의 의욕'과 CBDRRC의 원칙을 반영하고 있는지를 스스로 결정할 것이다. 그럼에도 불구하고 진전의 기준과 '가능한 최대 수준의 의욕'의 기준이 자기판단적(self-judging)이라기보다는 논란의 여지는 있지만 어느 정도 객관화되어 있기 때문에, 당사자들의 NDC는 타국 및 시민단체의 논평과 비평에 열려 있다.

당사자들이 장차 더 의욕적인 감축의무를 질 것이라는 기대에 더하여, 파리협정은 "모든 당사자는 시간의 경과에 따라 진전되는 노력을 보여줄 것이다([t]he efforts of all Parties will represent a progression over time)"라고 규정한다.[189)] 이 총괄적인 규정은 진전의 원칙을 완화를 넘어 적응 및 지원과 같은 분야에까지 확장시켜 적용하도록 한다. 이는 완화에 있어서의 진전 규정과는 두 가지 점에서 구별된다. 첫째로, 이 원칙은 '모든 당사자들'에 적용되는 것이지 '각 당사자'에게 적용되는 것이 아닌데, 이는 진전의 원칙에 대한 기대가 개별적인 기대라기보다 집단적인 기대로 해석될 수 있다는 것을 보여준다. 둘째로, 여기에는 국가별 기여방안이 아닌 '노력(efforts)'이라는 문구를 사용한다. 이는 보다 광범위한 행동을 담아내는 것으로, 완화를 통한 기여뿐만[190)] 아니라, 적응 관련 계획·이행과[191)] 개발도상국에 대한 재정재원의 제공도[192)] 포함하는 것이다. 그러나 진전에 대한 두 가지 규정

188) Views of Brazil on the Elements of a New Agreement under the Convention Applicable to All Parties (6 November 2014) <http://www4.unfccc.int/submissions/Lists/OSPSubmissionUpload/73_99_130602104651393682-BRAZIL%20ADP%20Elements.pd£> accessed 20 January 2017.

189) Paris Agreement, Art 3.

190) Ibid, Art 4.2.

191) Ibid, Art 7.9.

192) Ibid, Art 9.1.

모두 조동사 'will'을 사용하고 있고, 시간의 경과에 따라 더 의욕적인 행위를 취할 의무가 아닌 기대로 규정되어 있다는 점에서 유사하다. 파리협정에서 '진전'이 마지막으로 등장하는 것은 선진국들이 "전지구적 노력의 일환으로(as part of a global effort)" 주도적인 역할을 하도록 촉구 받는 재정지원의 조성에 관한 조항에서이다.[193] 이 규정은 권고로서 수동적 문언으로 표현되어 있다.

이러한 규정들 중 일부가 당사자들에 대한 집단적 또는 개별적 기대를 제시하고 언제 진전을 시작할지를 스스로 결정하게 하였으나, 이 진전 규정들은 종합적으로 기후체제가 점점 더 의욕적이고 엄격한 행동으로 나아가도록 보장하기 위해 고안된 것이므로, 체제의 '진행의 방향(direction of travel)'을 제시한다는 점에서 매우 큰 중요성을 가진다. 또한 자체적으로 차등화된 NDC에 반영된 것처럼 선진국과 개발도상국의 출발점은 다르기 때문에, 진전의 원칙은 또한 차등화가 적어도 가까운 미래 동안에는 이후의 NDC에도 적용된다는 것을 암시한다.

D. 목표 사이클

진전의 기대와 장기적 목표를 향한 집단적인 진전을 평가하는 '전지구적 이행점검(global stocktake)' 그리고 그 이행점검의 결과에 기초해서 5년 주기로 NDC를 통보해야 하는 개별 국가들의 의무는 파리협정의 '목표 사이클(ambition cycle)'을 형성한다. 파리 회의의 준비기간 동안에 제출된 NDC가 국가들 스스로가 불충분하다고 인정하면서, 많은 국가들은 점진적으로 NDC를 강화하는 목표 사이클을 결정적으로 중요한 것이라고 보았다.[194] 파리협정과 그에 따르는 결정들은 다음과 같은 목표 사이클의 타임라인을 확립하였다.

- 2018년에 당사자들은 제4조 제1항에 정한 배출량 목표를 달성하는 데 있어 집단적 진전상황을 조사하고자 완화에 초점을 맞춘 '촉진적 대화(facilitative dialogue)'를 소집함.[195]

193) Ibid, Art 9.3.
194) Synthesis Report on the aggregate effect of the INDCs (n 37).
195) Decision 1/CP.21 (n 19) para 20.

- 2020년에는 당사자들 중에 2025년까지의 NDC를 제출한 국가들은 촉진적인 대화의 정보를 기초로 새로운 NDC를 통보하도록 요청받음. 2030년까지의 NDC를 제출한 당사자들은 기존의 NDC를 유지하거나 갱신할 수 있음.[196]
- 2020년까지 당사자들이 2050년까지의 장기적 온실가스 저배출 발전전략을 통보할 것을 장려함.[197]
- 2023년에는 CMA가 그 첫 번째 전지구적 이행점검을 수행하고, 완화뿐만 아니라 적응 및 재정적 지원까지 다룰 것임.[198]
- 2025년까지 모든 당사자들은 다음 CMA의 9~12개월 전까지 전지구적 이행점검의 정보를 기초로 그들의 후속 NDC를 반드시 통보하여야 함.[199]
- 2028년에는 CMA가 그 두 번째 전지구적 이행점검을 수행하고, 이 때 각 당사자가 2030년까지 통보해야 하는 후속 NDC에 관한 정보를 제공함.

목표 사이클은 5년을 주기로 무기한 계속될 것이다. 비록 파리협정이 하나의 공통된 주기를 구체화하지는 않고 있고, 파리협정에 앞서서 제출된 최초의 NDC의 종료일들이 상이하다 하더라도, 파리협정은 CMA가 협정의 규칙을 구체화하는 과정에서 공통된 주기를 검토할 것을 규정한다.[200]

Ⅵ. 시장기반 접근(제6조)

배출권거래제(emissions trading) 및 청정개발체제(Clean Development Mechanism, CDM)와 같은 시장기반 접근법(market-based approaches)은 교토의정서 설계의 주된 특징이었다. 그러나 ADP 협상의 대부분에 있어서 국가들에 있어 시장지향적 문구를 파리협정에 삽입하는 것에 동의할지 여부가 명백하지 않았다. 당사자들이 제출

196) Ibid, paras 23 and 24.
197) Ibid, para 35.
198) Paris Agreement, Art 14.2.
199) Decision 1/CP.21 (n 19) para 25.
200) Paris Agreement, Art 4.10.

한 INDC의 절반 이상이 국제탄소시장의 사용을 고려하였다는 사실은[201] 시장지향적 규정을 포함하는 것에 대한 폭넓은 지지가 있었다는 것을 시사한다. 그러나 볼리비아를 주도로 한 소수의 국가들은 그러한 규정에 강하게 반발하였다. 시장 메커니즘의 지지자들은 결국 시장에 관한 개별 조항을 파리협정에 포함시키는 데 성공했다. 시장 반대자와의 타협의 결과로 제6조는 결코 직접적으로 '시장'을 언급하고 있지 않으며, 시장접근법이 아닌 비(非)시장 접근법의 중요성을 명확히 인정하고 있다.[202] 어찌되었든 간에, 이 조항은 사실상 두 가지 시장기반 메커니즘을 제시한다.

첫째로, 제6조 제2항은 당사자들이 그들의 NDC를 달성하기 위하여 '협력적 접근법(cooperative approaches)'과 연관되어 나오는 '국제적으로 이전된 완화성과(internationally transferred mitigation outcomes)'를 사용할 수 있다는 것을 인정한다. 이 '국제적으로 이전된 완화성과'라는 용어는 배출권거래 및 국내 기후정책과 연결된 다른 메커니즘에 관한 새로운 전문용어의 등장을 의미한다. 환경건전성(environmental integrity)을 보장하기 위해 당사자들은 반드시 '강력한 계산규칙(robust accounting rules)' 적용해야 하는데, 여기에는 배출량 감소치의 이중계산의 방지를 보장하는 것도 포함되는 것으로 이는 CMA가 채택한 지침에 부합하는 것이다. 당사자들의 NDC들은 서로 매우 이질적이기 때문에, 공동 산정 시스템을 개발하는 것은 어려운 과제이기는 하나 불가능한 것은 아니다.[203]

둘째로, 제6조 제4항은 "온실가스 배출완화에 기여하고 지속가능한 발전을 지원하는(promote the mitigation of greenhouse gas emissions while fostering sustainable

---

201) International Carbon Action Partnership (ICAP), *Emissions Trading Worldwide: International Carbon Action Partnership: Status Report 2016* (Berlin: ICAP, 2016) (64건의 INDC가 시 장메커니즘의 활용을 계획하고 있다고 정하고 있으며, 25건은 시장 메커니즘의 활용을 고려하는 중이라고 밝힘). Environmental Defense Fund and International Emissions Trading Association, 'Carbon Pricing: the Paris Agreements Key Ingredient' (April 2016) <http://www.ieta.org/resources/Resources/Reports/Carbon_Pricing_The_Paris_Agreements_Key_Ingredient.pdf> accessed 20 January 2017.

202) Paris Agreement, Art 6.8.

203) Daniel Bodansky *et al.*, 'Facilitating Linkage of Climate Policies through the Paris Outcome', *Climate Policy* (2015) <http://www.tandfonline.com/doi/abs/10.1080/14693062.2015.1069175?journalCode=tcpo20> accessed 20 January 2017.

development)" 새로운 메커니즘을 제시한다. 이는 많은 이들에 의해 '지속가능한 발전 메커니즘(sustainable development mechanism)'이나 SDM 혹은 다른 이들에 의해서는 '완화 메커니즘(mitigation mechanism)'이라고 불려진다. CDM과 유사하게 이 새로운 메커니즘은 국가들이 자국의 NDC를 충족할 수 있는 배출감축상쇄분(emission reduction offset)을 생성한다. 그러나 CDM과는 달리 SDM은 프로젝트에 기반을 둔 감축에만 한정되지 않고, 배출량 감소 정책이나 프로그램을 포함할 수도 있다. 더욱이 개발도상국에서뿐만 아니라 선진국에서도 배출량감축상쇄분을 생성할 수 있도록 함으로써 교토의정서의 CDM의 역할과 공동이행(Joint Implementation)의 역할을 융합한 것이 된다. 파리협정 및 그 결정은 CMA로 하여금 현존하는 FCCC와 교토의정서 메커니즘의 경험을 참고하여 새로운 메커니즘을 위한 감독기구를 지정하고 규칙, 세부 원칙 및 절차를 개발하도록 한다.[204)]

Ⅶ. 적응

파리협정의 '범위'에 대하여 전술한 바와 같이, 대부분의 개발도상국들은 기후체제에서 완화(mitigation)와 적응(adaptation)의 동등성을 주장해왔고, 파리협정에 적응에 관한 강한 규정을 포함하게 하고자 하였다. 그러나 그들은 일부의 성공만을 거두었는데, 이는 부분적으로는 적응이 지역적인 이익을 제공하기 때문에 국가들이 타국이 무엇을 하는가에 상관없이 적응행동을 할 동기를 가지게 되었고, 그로 인해 집단적인 행동의 필요성이 줄어들었기 때문이었다.

파리협정은 적응과 관련하여 하나의 경성법 규범과 복수의 연성법 규범을 가진다. 파리협정은 "개별 당사자들은(Each party shall)" 적응의 계획 및 적응행동의 이행에 참여해야 한다고 의무화한다. "당사자들은(Parties should)" 당사자들의 우선

---

204) Paris Agreement, Art 6.7; Decision 1/CP.21 (n 19) para 37(f). 제6조에 대한 구체적인 논의는 다음 문헌을 참조. Andre Marcu, 'Carbon Market Provisions in the Paris Agreement (Article 6)' (Centre for European Policy Studies, January 2016) <https://www.ceps. eu/system/files/SR%20No%20128%20ACM%20Post%20COP21%20Analysis%20of%20Article%206.pdf> accessed 20 January 2017.

순위 및 필요성을 확인하는 적응 보고서를 가능하다면 NDC의 일부로서 제출하고 갱신하도록 하여, 이를 공개등록부에 기제하며,[205] 협력과 적응을 강화하도록 유도한다.[206] 이 규정들 중 다수는 재량을 허용하는 "적절히(as appropriate)"라는 표현으로 수식되었다.[207] 파리협정은 또한 CMA에게 개발도상국을 위한 적응노력을 인정하는 세부원칙을 개발하는 과제를 부여하였다.[208]

파리협정의 적응조항은 또한 몇몇의 '맥락적 조항(contextual provisions)'을 포함한다.[209] 예를 들어, 제7조 제2항에서는 적응이 전지구적 과제라는 점을, 그리고 제7조 제5항은 적응행동이 국가주도적 접근을 따라야 한다는 점을 확인한다. 제7조 제6항은 적응노력에 대한 지원의 중요성을 인정한다. 이 규정들은 이들이 의무조항, 권고조항 혹은 독려조항인지 여부와 상관없이 특정한 행동방침을 지시하지는 않는다. 대신에, 이 조항들은 맥락을 제시하고, 그 내용을 구성하며, 공통의 이해를 담아내고, 적응문제의 본질과 이를 다루는 방법의 본질에 대한 상호인정을 부여한다. 그렇게 함으로써, 이 규정들은 중요한 기능을 수행하며 전체 파리협정 조문의 필수적인 부분이 된다.

맥락적인 조항의 훌륭한 예시는 제7조 제4항이다. 이 조항은 현재 적응의 필요성이 상당하고, 더 높은 수준의 완화는 추가적인 적응노력의 필요성을 줄일 수 있으며, 적응필요성이 더 클수록 더 많은 적응비용이 수반될 수 있다는 점을 확인한다. 비록 이 규정이 당사자들에게 특정 행동을 요구하지는 않으나, 그럼에도 불구하고 이는 기후변화에 취약한 국가들에게는 매우 중요한 규정이다. 많은 개발도상국들이 완화 의욕 혹은 그 부족과 적응필요성을 증진하는 것 사이의 연관관계를 강조해왔다. 아프리카 그룹은 실제로 적응의 영향과 합의된 기온목표에 따른 비용을 평가할 수 있는 수량적인 적응목표를 제안한 바 있다.[210] 이 제안에는 기후변

205) Paris Agreement, Art 7.10 read with Art 13.8. 파리협정 이후의 협상(post-Paris negotiations)의 의제들은 NDC의 한 부분으로서의 적응보고서에 대한 추가적 작업을 하도록 위임한다. 이는 적응 등록부(adaptation registry)의 등장으로 이어질 가능성이 높다. Revised Provisional Agenda, Proposal by the Co-Chairs (20 May 2016) FCCC/APA/2016/L. 1.
206) Paris Agreement, Art 7.7.
207) ibid, Arts 7.5, 7.7(a), 7.9, 7.10, and 13.8.
208) Ibid, Art 7.3.
209) ibid, Arts7.2, 7.4, 7.5, and 7.6.

화의 최악의 영향은 오히려 그 발생에 가장 적은 영향을 준 취약한 국가들이 겪을 것이기 때문에, 그에 대한 적응비용은 선진국이 모금하고 부담해야 한다는 가정이 함축되어 있다. 그러나 이 제안이 가진 재정에 대한 잠재적 영향 때문에, 선진국과 일부 개발도상국은 이러한 아프리카 그룹의 제안에 동의할 수 없는 것처럼 보였다. 그로 인해 파리협정은 오직 질적인 적응목표만을 제7조 제1항에 두고 있다. 즉, 적응역량의 강화, 복원력의 강화 그리고 기후변화에 대한 취약성의 경감을 목표로 삼는 것이다. 하지만 많은 취약국가들의 우려를 존중하는 차원에서, 제7조 제4항은 적응과 완화, 지원 사이의 연관관계를 인정하였다.[211] 비록 서술적인 규정에 지나지 않더라도, 이는 보다 더 광범위한 정치적 패키지를 수용하는 데 필요한 공통의 이해가 형성되었음을 시사하는 것이다.

마지막으로 주목할 것은 파리협정이 확대된 재원이 완화와 적응 사이의 균형을 달성하도록 한다는 목표를 승인하며, 특히 적응을 위한 "공적 증여 기반 재원(public and grant-based resources)"이 필요하다는 것을 인정하고 있다는 것이다.[212]

Ⅷ. 손실과 피해(제8조)

제5장에서 논의한 바와 같이, '손실과 피해(loss and damage)'의 문제는 유엔기후체제의 시작에서부터 검토대상이었고, 군소도서국가들과 취약국가들이 이 문제에 그들의 협상력을 상당히 투입하였다. 2013년 바르샤바 회의에서, 당사자들은 기후변화의 영향으로 인한 손실과 피해, 특히 취약한 개발도상국의 손실과 피해 문제를 다루기 위해, '기후변화와 관련된 손실과 피해에 관한 바르샤바 국제 메커니즘(Warsaw International Mechanism for Loss and Damage Associated with Climate Change Impacts, WIM)'을 설립하였다.[213] 당사자들은 손실과 피해를 적응의 일환으로 다룰

---

210) Submission by Swaziland on behalf of the African Group (n 155).

211) 파리협정은 또한 전지구적 이행점검에 대한 조항에서 기온변화에 대한 장기적 목표와 완화, 적응, 이행수단 사이의 연관관계에 대해서 암시적으로 수용하고 있다. Paris Agreement, Art 14.

212) Ibid, Art 9.4.

지, 아니면 독립적인 쟁점으로 다룰 것인지에 대해 의견을 달리하였다.[214] 많은 취약국가들이 손실과 피해라는 주제가 적응과는 구별되는 것이고 책임과 배상의 문제를 포함한다고 보았던 반면, 선진국들은 이를 적응의 틀 안에 속하는 쟁점으로 다루는 것을 선호했다.[215] 바르샤바 회의에서, 당사자들은 '칸쿤적응체제하에서(under the Cancun Adaptation Framework)' 새로운 메커니즘을 만들되, 2016년에 이를 검토하기로 합의하였다.[216] 그 다음 해 리마 회의에서 당사자들은 WIM의 집행위원회에 대한 2년간의 작업계획에 합의했다.[217] 손실과 피해 메커니즘에 대한 검토가 2016년에 예정되어 있었기 때문에, 많은 선진국들은 그 쟁점이 파리에서 다루어지지 않을 것이라 믿었다. 그러나 손실과 피해라는 주제가 취약국가들에게 미치는 영향을 부각시킴으로써 손실과 피해에 관한 규정이 파리협정에 성공적으로 포함되었다.

분명 제8조는 실질적인 중요성보다는 상징성을 가지는 조항이기는 하지만, 이는 두 가지 의미에서 중요하다. 첫째로, 이는 명시적으로 손실과 피해의 문제를 파리협정의 범위 안으로 끌어들여 왔다. 둘째로, 논란의 여지는 있지만 이는 단독 조문이 되면서 손실과 피해 문제를 적응으로부터 분리시켜 놓았는데, 이는 개발도상국들이 오랫동안 추구했던 바였다. 하지만 제8조를 포함시키는 대가로, 미국은 파리의 COP 결정에 "제8조가 그 어떠한 책임이나 배상과 연관성을 가지거나 그 근거가 되지 못한다"는 단락을 추가할 것을 주장했고,[218] 이로써 손실과 피해의 가장 중요한 요소가 빠지게 되었다.[219] 제8조가 규정하는 협력과 촉진의 몇몇 분야

213) Decision 2/CP.19, 'Warsaw international mechanism for loss and damage associated with climate change impacts' (31 January 2014) FCCC/CP/2013/10/Add.l, 6.

214) Karen Elizabeth McNamara, 'Exploring Loss and Damage at the International Climate Change Talks', *International Journal of Disaster Risk Science*, 5/3 (2014): 242.

215) Meinhard Doelle, 'Loss and Damage in the UN Climate Regime', in Daniel A. Farber and Marjan Peeters (eds), *Elgar Encyclopedia of Environmental Law vol 1: Climate Change Law* (Cheltenham, UK: Edward Elgar, 2016) 617.

216) Decision 2/CP.19 (n 213) para 1.

217) Decision 2/ CP.20, 'Warsaw International Mechanism on Loss and Damage' (2 February 2015) FCCC/CP/2014/10/Add. 1,2.

218) Warsaw decision, para 51.

219) 반론에 관해서는 다음 문헌을 참조. M.J. Mace and Roda Verheyen, 'Loss, Damage and Responsibility after COP21: All Options Open for the Paris Agreement', *Review of European,*

들은 사실상 피해의 방지를 목적으로 하는 적응의 형태들이며, 여기에는 조기경보 시스템, 비상준비태세, 종합적 위험평가 및 관리가 포함된다. 그럼에도 불구하고, 제8조는 기후변화체제에서 손실 및 피해 문제가 논의될 수 있는 발판이 되고 있으며, 개발도상국들이 장차 당해 쟁점을 발전시켜 나가는 수단으로 사용할 것으로 보인다.

Ⅸ. 지원(제9조, 제10조 및 제11조)

A. 재정

파리협정의 사전준비 과정에서 재정(finance)은 가장 '대립적인(crunch)' 쟁점 중 하나가 될 것이라고 예상되었다. 왜냐하면, 파리협정에서 새로운 재정의무를 요구하는 개발도상국과 더 이상 새로운 의무의 수용을 거부하고 공여자 (doner) 기반을 넓힐 것을 요구하는 선진국들 사이의 격차를 메울 수는 없을 것처럼 보였기 때문이다. 그러나 종국적으로는 개발도상국들이 파리협정의 다소의 진전을 받아들이는 것에 만족하였고, 이로써 재정에 관한 쟁점의 해결이 가능해졌다.

FCCC는 부속서II 국가들이 개발도상국들에게 완화와 적응을 위한 재원을 지원할 것을 요구한다.[220] 코펜하겐 합의문에서 선진국들은 2020년까지의 기후재원으로 매년 1000억 달러를 조성하기로 서약하였다. 이는 개발도상국들의 기후변화 완화 및 적응을 지원하기 위함이었다. 코펜하겐의 서약(Copenhagen Pledge)에 의해 개발도상국에 의한 "유의미한 완화행동의 맥락"과 이행의 투명성이라는 명목하에 재원이 공적 영역과 사적 영역 모두에서 확보되었다.[221] 최근 OECD 보고서에 따르면, 기후재원으로 2014년에 620억 달러가 조성되었으며, 이는 2013년까지 520억 달러가 조성된 것에서 증가한 것이다.[222] 그러나 무엇이 기후재원에 해당하는지에

Comparative and International Environmental Law, 25/2 (2016): 197.

220) FCCC, Arts 4.3 and 4.4.

221) Copenhagen Accord, para 8.

222) OECD, 'Climate Finance in 2013-2014 and USD 100 Billion Goal' (report by the OECD in

대한 방법론적인 의문으로 인해, 이 수치들에는 논란의 여지가 있다.[223] 이런 배경으로 인하여 파리협정의 재정에 관한 규정은 다소 절충된 것이다.

1. 재원 공약

제9조는 선진국들에게 개발도상국의 적응과 완화를 지원하기 위해 재원을 제공할 의무를 지우되, "협약상의 자신의 기존 의무의 연속선상에서(in continuation of their existing obligations under the Convention)" 의무를 진다고 정한다.[224] 미국이 이러한 의무조항을 수용할 수 있었던 것은 바로 제1항의 후문 때문이었다. 제9조는 또한 보고와 관련하여 많은 요구사항을 규정한다. 여기에는 공적 재원의 예상 수준을 포함한 격년 보고서를 포함한다. 또한 약한 수준일지라도 기후재원의 조성이 "이전보다 진전되는 노력을 보여줄 것(should represent a progression beyond previous efforts)"을 권고하는 새로운 실체적 규범을 도입한다.[225]

2. 공여자 풀

FCCC와 차별화된 점은 파리협정이 다른 당사자들이 "자발적인 지원을 제공하거나 제공을 지속하도록(provide or continue to provide support voluntarily)" "장려한다(encourages)"는 것이다.[226] 이 규정은 선진국들이 바라던 바에 비하여는 상당히 약해진 것이다. 파리협정은 지원제공을 요구하거나 권고하는 것이 아니라 장려하고, 어느 주체가 그렇게 해야 하는지에 대해서도 침묵한다(이는 이전의 규정들이 '역량이 있는(with capacity)', '지위를 가진(in a position)' 혹은 '자발적으로(willing)'라는 식으로 국가들을 구체화한 것과 비교된다). 그럼에도 불구하고, 이 규정은 공여자와 수혜자 간의 벽을 허물기 시작한다는 점에서 중요한 것으로 볼 수 있다. 비슷한 선상에서 파

---

collaboration with the Climate Policy Initiative, 2015) <http://www.oecd.org/env/cc/Climate-Finance-in-2013-l4-and-the-USD-billion-goal.pdf> accessed 20 January 2017.

223) Climate Change Finance Unit, Ministry of Finance, Government of India, 'Climate Change Finance, Analysis of a Recent OECD Report: Some Credible Facts Needed' (2015) <http:/7pibphoto.nic.in/documents/rlink/2015/nov/p2015112901.pdf> accessed 20 January 2017.

224) Paris Agreement, Art 9.1.

225) Ibid, Art 9.3.

226) Ibid, Art 9.2.

리협정은 "전지구적 노력의 일환으로(part of a global effort)" 선진국이 기후변화 문제해결을 주도하기를 요청한다.[227]

3. 재원조성의 목표

미국과 여타 선진국들은 코펜하겐 합의문에서 정한 연 1천억 달러의 재원조성 목표를 파리협정에서 제외시키는 데에 성공하였다. 대신에, 유일한 수량적 재정목표는 첨부된 당사국총회 결정문에 나타나는데, 이는 기존의 연 1천억 달러라는 선진국들의 재원조성 목표를 2025년까지 연장하고, 당사자들(명시적으로 선진국들만으로 제한되지 않음)이 연 1천억 달러를 하한선으로 하여 새롭게 공동의 정량화된 목표를 2025년 전에 설정하도록 규정하고 있다.[228]

후술하는 바와 같이, 재정은 2023년에 전지구적 이행점검의 일부가 될 것이다. 코펜하겐 합의문과 같이, 파리협정도 확대된 지원제공이 완화와 적응 간의 균형을 달성하는 것을 목표로 해야 한다고 권고한다.[229]

B. 기술

기술과 관련하여, 파리협정은 FCCC의 기술 메커니즘(technology mechanism)의 작업들이 기술개발을 진전시키며 기술이전을 촉진하고 증진하는 데 필요한 포괄적 지침을 제공하도록 하기 위해 '기술 프레임워크(technology framework)'를 생성한다.[230] 또한 파리협정은 연구개발에 대한 협력적 방식과 기술에 대한 접근성 향상을 통해서 혁신이 가속·촉진·추진할 수 있도록 지원한다.[231] 기술지원과 관련된 정보도 역시 전지구적 이행점검에 포함된다.[232]

---

227) Ibid, Art 9.3.
228) Decision 1/CP.21 (n 19) para 53.
229) Paris Agreement, Art 9.4.
230) Ibid, Arts 10.3 and 10.4.
231) Ibid, Arts 10.5 and 10.6.
232) Ibid, Art 10.6.

C. 역량강화

파리협정은 협정을 이행하는 개발도상국들의 역량을 강화하기 위하여 당사자들이 협력할 것을 요구하고,[233] 정기적으로 관련 행동들에 대해 통보하도록 하고 있다.[234] 또한 역량강화를 위한 적절한 제도적 장치들을 도출할 수 있는 계기를 제공한다.[235]

X. 감독 시스템(제13조, 제14조 및 제15조)

파리협정은 규정의 효과적인 이행을 보장하고 협정의 장기적 목표에 대한 공동의 진전을 평가하기 위하여, '감독 시스템(oversight system)'을 설립한다. 이러한 감독 시스템은 파리협정의 개념적 장치에 필수적이며, 파리협정이 가지는 혼합적 설계(hybrid architecture)에서 NDC와 관련된 규칙들과 함께 '하향적(top-down)' 요소의 한 부분을 구성한다.

A. 투명성(제13조)

파리협정이 당사자들에게 NDC 내용의 결과에 대해 구속력 있는 의무를 부과하지 않음에 따라, 파리협정의 투명성 체제(transparency framework)는 그 국가들이 자신들이 실천하겠다고 한 것에 대해 책임을 지도록 하는 메커니즘에 해당한다.[236] 이는 연성법에 대한 연구에서 논의되어온 동료집단과 공적인 압력이 행동에 미치는 영향이 법적 의무를 부여하는 것만큼이나 효과적이라는 가정에 기반한

---

233) Ibid, Art 11.3.
234) Ibid, Art 11.4.
235) Ibid, Art 11.5.
236) Harro van Asselt, Hakon Sazlen, and Pieter Pauw, Assessment and Review under a 2015 Climate Change Agreement' (Nordic Council of Ministers 2015) <http://norden.diva-portal.org/smash/get/diva2:797336/FULLTEXT01.pdf> accessed 20 January 2017.

것이다.[237]

개발도상국은 전통적으로 엄격한 보고와 검토 요구에 대하여 반대해왔다. 현재까지의 기후체제는 개발도상국들의 그러한 우려를 그들이 지는 의무(commitments)와 선진국이 지는 의무의 정도를 차등화하는 것으로 해결하여 왔다. 그 예로 2010년 칸쿤합의는 2개의 시스템을 설립하였다. 선진국을 위한 IAR(국제적 평가 및 검토)과 개발도상국을 위한 ICA(국제적인 협의 및 분석)이 그것이다.[238] 파리 회의에서 대립되었던 쟁점은 칸쿤합의에서 도입한 이 이원적 접근에서 벗어나 선진국과 개발도상국 모두를 위한 공동의 투명성 시스템(common transparency system)을 택할지 여부에 관한 것이었다.

파리에서의 회의 마지막 날까지도 LMDC를 중심으로 한 많은 개발도상국들은 선진국과 개발도상국의 의무를 차등화하는 이원적 시스템을 유지할 것을 주장하였다. 그러나 엄브렐러 그룹(Umbrella Group),[239] EU, 환경건전성그룹(Environmental Integrity Group, EIG)이 종국에 논의를 주도하였고, 파리협정의 투명성 체제는 명시적으로 '공동의' 혹은 '통일된' 것에 해당하지 않지만, 모두에게 적용가능한 진전된 프레임워크를 가지게 되었다. 이는 선진국과 개발도상국을 나누는 이원적 시스템을 통해서가 아니라, 역량에 따라 의무를 실용적으로 조정함으로써 의무를 '차등화'하고 있다.[240] 이는 "당사자의 상이한 역량을 고려[한] … 유연성을 내재하고(built-in flexibility, which takes into account Parties' different capacities)",[241] "각자의 역량에 비추어(need it in the light of their capacity)" 유연성이 필요한[242] 개발도상국들에게도 이를 제공하며, 개발도상국들의 투명성 관련 역량강화를 도울 수 있는 새로운 이니셔티브를 창출하도록 규정한다.[243]

---

237) Shelton, Commitment and Compliance (n 28); David Victor, Kal Raustiala, and Eugene B. Skolnikoff (eds), *The Implementation and Effectiveness of International Environmental Commitments: Theory and Practice* (Cambridge, MA: MIT Press, 1998).

238) Cancun Agreements LCA, paras 44,46(d), 63, and 66.

239) 엄브렐러 그룹은 보통 호주, 캐나다, 일본, 뉴질랜드, 카자흐스탄, 노르웨이, 러시아 연방, 우크라이나, 미국을 포함한다.

240) 위 nn 107-114 및 그곳의 본문 참조.

241) Paris Agreement, Art 13.1.

242) Ibid, Art 13.2.

243) Decision 1/CP.21 (n 19) para 84.

파리협정의 행동과 지원을 위한 투명성 체제는 그것이 선진국과 개발도상국 모두에 적용된다는 점에서 비교적 견고하다고 볼 수 있다. 이는 모든 당사자들에게 광범위한 정보제공을 요구하고,[244] 여러 검토 메커니즘을 창출한다.[245] 이 투명성 체제의 목적은 명확성을 보장하고, 당사자가 NDC와 적응행동의 향한 진전을 검토할 수 있도록 하며,[246] 당사자들이 제공하거나 제공을 받은 지원에 대한 투명성을 제공하고자 하는 것이다.[247] 끝으로, 모든 당사자는 2년마다[248] 온실가스 배출과 제거에 관한 국가 인벤토리 보고와 완화의 의무를 실행하고 달성하는 진행상황을 검토하는 데 필요한 정보를 제출할 의무가 있다.[249] 더 나아가, 선진국들은 그들이 개발도상국에 제공하는 재정 · 기술 · 역량강화 지원에 관한 정보를 제공할 의무가 있다.[250] 제13조는 또한 각 당사자가 기후영향과 적응에 관한 정보를 제공할 것을,[251] 개발도상국들은 그들이 필요로 하고 제공받은 지원에 관한 정보를 제공할 것을 권고한다.[252] 여기서 각 당사자에 부과된 정보제공 관련 의무사항의 법적 성격에 위계질서가 있다는 것에 주목해야 한다. 완화와 관련된 정보적 의무사항은 모두에게 적용되는 필수적인 개별적 의무사항("Each party shall")이다. 재정과 관련된 정보적 의무사항은 선진국에 대해서는 필수적 집단적 의무("developed country parties shall")이며, 개발도상국에 대해서는 권고사항("developing country parties should")이고, 당사자에게 적절한 재량을 허용("as appropriate")한다.

모든 당사자에 의해 제출된 완화와 관련된 정보와 선진국 당사자들에 의해 제출된 지원제공에 관련된 정보는 '기술전문가 검토(technical expert review)'의 대상이 될 것이다.[253] 이 검토는 당사자들에 제공된 지원과 NDC의 실행을 검토하고, 또한 CMA가 채택한 공동의 세부 원칙, 절차, 지침에 따라 당사자들이 제공한 정보

244) Paris Agreement, Art 13.
245) Ibid, Art 13.11.
246) Ibid, Art 13.5.
247) Ibid, Art 13.6.
248) Decision 1/CP.21 (n 19) para 90.
249) Paris Agreement, Art 13.7.
250) Ibid, Art 13.9.
251) Ibid, Art 13.8.
252) Ibid, Art 13.10.
253) Ibid, Art 13.11.

의 일관성을 검토할 것이다.[254] 이에 더하여, 파리협정문에서 각 당사자는 NDC의 실행 및 달성과 재정에 관련된 노력에 있어서 "그 진전에 대한 촉진적·다자적인 검토(facilitative, multilateral consideration of progress)"를 받을 것으로 기대된다.[255]

이 지점에서, 검토절차가 어떻게 이행될 것인지, 누가 이행할 것인지, 그 결과가 무엇일지, 그러한 결과가 (가능하다면) 전지구적 이행점검에 어떻게 반영될 것인지, 또한 그것이 이행과 준수와 어떻게 관련될 것인지는 명확하지 않다. 파리협정은 강화된 투명성 체제가 FCCC에 따른 기존의 투명성 조치를 기반으로 한다는 것과 CMA가 강화된 투명성 체제에 대한 세부 원칙, 절차 및 지침을 구체화하는 데 있어 기존의 기제들, 즉 국가보고서, 격년 보고서 및 IAR과 ICA에 기반할 것을 규정하고 있다. 그 세부 원칙, 절차 및 지침은 2018년까지 생성될 예정이며, 당사자들이 마지막 격년 보고서(biennial reports)와 격년 업데이트 보고서(biennial update reports)를 제출한 후에는 새로운 세부 원칙, 절차 및 지침이 기존의 기제들을 대체할 것이다.[256]

B. 전지구적 이행점검(제14조)

투명성 체제는 장기적 목표를 향한 공동의 진전을 평가하기 위하여 5년에 한 번씩 진행되는 "전지구적 이행점검(global stocktake)"에 의해 보완된다.[257] 전지구적 이행점검은 '국가적으로 정한' 기여방안의 맥락에서 중요한 기능을 담당한다. 그것은 국가적 노력들이 기온상승을 2°C보다 상당히 낮추는 것에 기여하고 있는지에 대한 종합적 평가가 가능하게 한다.

파리협정은 전지구적 이행점검의 본질, 목적, 임무 및 성과에 대해 광범위한 지침을 제공하지만, 그 구체적인 방법은 CMA가 결정하도록 남겨 두고 있다.[258] 파리협정은 전지구적 이행점검을 "포괄적이고 촉진적인"[259] 작업으로 계획하고

254) Paris Agreement, Art 13.12.
255) Ibid, Art 13.11.
256) Decision 1/CP.21 (n 19) para 98.
257) Paris Agreement, Art 14.
258) Decision 1/CP.21 (n 19) paras 99-101.

있기 때문에, 파리협정이 완화뿐만이 아니라 적응과 지원을 다루고 있다는 사실과 이것이 규범적 법제가 아니라 주로 촉진적인 기능의 것이라는 사실을 강조한다.

이행점검의 목적은 "협정의 목적과 장기적 목표를 달성하는 공동의 진전을 평가하기(assess the collective progress towards achieving the purpose of this Agreement and its long term goals)" 위한 것이다.[260] 여기서 파리협정의 '목적'은 제2조에 명시되어 있으며, 장기적 기온목표와 이행을 위한 과정을 포함한다. 그런데 "장기적 목표"가 무엇인지는 명확하지 않다. 완화,[261] 적응,[262] 재정과[263] 같은 목표는 다양한 수준으로 구체화되어 협정에 규정되어 있는데 반해, 기술과 역량 강화와 관련해서는 확인된 목표가 없다. 이는 진전을 평가하는 데 있어서 불확실한 요소에 해당한다.

이에 더하여, 이행점검은 개별이 아닌 '공동의' 진전을 검토하도록 되어 있다. AILAC, AOSIS 및 EU는 성과에 대한 개별적 평가를 제안해왔음에도 불구하고 여러 당사자들, 특히 LMDC가 그러한 개별적 평가를 전지구적 이행점검 과정에 포함시키는 것을 저지하는 데 성공했다.

파리협정은 이행점검을 위한 다양한 과제를 제시하는데, 예를 들면 적응에 관한 전지구적 목표달성과 관련해서 이루어진 전반적 진전상황을 검토하는 것이다.[264] 또한 파리협정은 이행점검을 위해 초기에 투입되는 정보들을 규정하는데, 이때 당사자들이 제공한 정보로는 재정에 관한 것,[265] 기술개발 및 이전에 관해 접근가능한 정보,[266] 그리고 투명성 체제로부터 생성된 정보가[267] 포함된다. 이외의 투입정보들은 장차 구체화될 것이다.[268] 이행점검에 대한 투입정보로서 투명성

259) Paris Agreement, Art 14.1. 적응을 위한 이행점검의 절차와 관련한 세부사항들은 협정 제7조 제14항에 규정되어 있다..
260) Ibid.
261) Ibid, Art 4.1.
262) Ibid, Art 7.1.
263) Ibid, Art 2.1(c), read with Decision 1/CP.21 (n 19) para 53.
264) Paris Agreement, Art 7.14(d).
265) Ibid, Art 9.6.
266) Ibid, Art 10.6.
267) Ibid, Arts 13.5 and 13.6.
268) Decision 1/CP.21 (n 19) para 99 ("포함되나 이것만으로 제한하지는 않는(including but not limited to)" 투입정보의 원천에 대해서 규정).

체제를 통해 생성된 정보를 포함한다는 것은 NDC를 이행하는 당사자들의 과거 실적을 고려할 수도 있다는 것을 의미한다는 점에서 특히 중요하다.

전지구적 이행점검은 "형평성과 이용가능한 최신의 과학에 비추어(in light of equity and the best available science)"[269] 공동의 진전을 평가하도록 하고 있다. 여기에 "형평성(equity)"이 포함된 것은 아프리카 그룹과 같이 NDC의 기대치를 설정하는 데 있어서 당사자들의 역사적 책임, 현재의 역량과 발전정도의 필요성을 고려할 필요가 있다고 주장해온 몇몇 개발도상국들이 협상에 성공했다는 것을 보여준다.[270] 현재 시점에서는 '형평성'이 기후체제에 있어 아직 정의되어 있지도 않아서 이것이 전지구적 이행점검에서 어떻게 이해되고 도입될 것인지는 명확하지 않다. 그럼에도 불구하고, 형평성에 대한 언급은 비록 어떤 합의에 도달하기는 어려울지라도 '공평한 부담의 분배(equitable burden sharing)'와 당사자들이 그들의 책임과 역량을 감안했을 때, 그들이 공헌해야 하는 만큼 공헌하고 있는지를 평가하는 것에 대한 대화의 장을 열어놓고 있다는 점에서 의미를 가진다.

마지막으로 이행점검의 결과, 당사자들은 "국내적으로 결정된 방식으로(in a nationally determined manner)" 행동과 지원을 갱신하고 향상시키는 데 있어 정보를 제공받을 것이다.[271] 이 조항은 매우 신중하게 균형 잡혀 있다. 한편으로는 이행점검의 결과를 당사자들이 NDC를 갱신하는 과정과 연계시킴으로써,[272] 당사자들이 이행점검의 결과에 대해 고지 받은 바에 따라 그들의 행동과 지원에 관한 의욕을 더 강화시킨다는 강한 기대감을 생성한다. 다른 한편으로 이는 행동과 지원이 '국내적으로 결정된(nationally determined)' 것이라는 점을 강조함으로써, 자율성과 외부 압박이 강화될 것에 대한 우려를 해소하고 있다. LMDC, 특히 중국과 인도가 이행점검의 결과와 후속적 NDC를 연결시키는 더 지시적인(prescriptive) 문언을 포함시키고자 했던 AILAC, AOSIS, EU의 시도를 제지한 것은 이와 같은 맥락에 있다.

첫 번째 이행점검은 점검의 방식이 완성되는 대로 2023년에 시작될 예정이

---

269) paras Agreement, Art 14.1.
270) Submission by Swaziland on behalf of the African Group (n 155).
271) Paris Agreement, Art 14.3.
272) Ibid, Art 4.9.

다.[273] 당사자들, 특히 5년 주기의 NDC를 제출한 국가들이 그들의 NDC를 갱신하고 수정하는 데 있어 지침이 될 수 있도록 이행점검이 조기에 이루어져야 할 필요가 있다. 이에 따라 당사자들은 '촉진적 대화'를 2018년에 소집하여 파리협정의 장기적 완화목표에 대한 당사자들 공동의 노력을 재고하고, 후속 NDC에 대한 준비를 통지하는 것에 동의하였다.[274]

전지구적 이행점검은 NDC에 영향을 미치면서 점검 자체가 주권적 자율성을 침해할 수 있다는 이유로 반대해온 LMDC를 포함한 모든 국가들의 선호에 맞추기 위해 영리하게 고안되었다. 전지구적 이행점검은 촉진적인 과정이다. 이는 개별적 진전이 아닌 공동의 진전을 평가한다. 이는 완화뿐 아니라 지원에 관해서도 공동의 진전을 평가한다. 이는 공동의 진전이 충분한지를 결정하는 데 있어서 과학적 지식뿐 아니라 형평성도 고려하는 것이다. 그리고 마지막으로 이행점검을 통해 조금씩이라도 NDC를 점차 증가시키는 것은 이것이 물론 이행점검 수행의 내재된 기대이기는 하나, 결과적으로는 개별국의 결정에 맡겨지는 것이다.

C. 이행과 의무준수 메커니즘(제15조)

파리협정은 규정의 이행을 촉진하고 조항의 준수를 촉진하는 체제를 수립하지만, 이 새로운 체제를 수립하는 골격조항(skeletal provision)은 그것이 어떻게 작동할 것인가에 대한 최소한의 지침만을 제공한다. 제15조는 체제가 "투명하고, 비대립적이며, 비징벌적(transparent, non-adversarial and non-punitive)"이어야 한다고 규정하지만, 투명성 체제와 새로운 이행과 준수 체제 간에 관련성이 있는지, 관련성이 있다면 구체적으로 어떤 것인지에 대해서는 기술하고 있지 않으며, 체제의 세부 원칙과 절차는 앞으로 몇 년 동안 협상되도록 남겨 두었다.[275] 제15조는 이 체제가 파리협정의 이행과 의무준수를 모두 다루고, 전문가 기반의 촉진위원회로 구성되며, 위원회가 투명하고, 비대립적이며, 비징벌적인 방식으로 기능할 것을 규정

273) Ibid, Art 14.2.
274) Decision 1/CP.21 (n 19) para 20.
275) Paris Agreement, Art 15.3, and Decision 1/CP.21 (n 19) paras 102 and 103.

한다.[276] 이 지침은 집행분과(enforcement branch)와 의무를 준수하지 않았을 경우 심각한 대가를 치르게 했던 교토의정서의 의무준수위원회(compliance committee)와 유사한 위원회가 파리협정상에도 재설립될 수 있다는 선진국과 개발도상국 모두의 우려를 다루고 있다. 그러나 파리협정이 이행뿐 아니라 '의무준수'에 대해서도 다루고 있다는 것은 협상과정에서 의무준수 체제를 포함시킬 것을 촉구해온 EU, AOSIS, 노르웨이에게는 중요한 업적이다.

XI. 각종 기관(제16조에서 제19조)

파리협정은 기존의 FCCC의 제도적 구조를 이용하며, 여기에는 파리협정 당사국회의(Meeting of Parties to the Paris Agreement)로 기능하여 파리협정의 당사자가 아닌 국가들은 옵서버(observers)로 참여하는[277] FCCC의 COP과[278] FCCC의 보조기구(subsidiary bodies) 및 사무국(secretariat)이[279] 포함된다. 이에 더하여 수많은 보조기기와 FCCC하의 제도적 장치들은 파리협정을 의무적으로('shall') 돕도록 위임되어 있다. 여기에는 녹색기후기금(Green Climate Fund)과 지구환경금융(Global Environment Facility), 최빈개도국기금(Least Developed Countries Fund), 기후변화특별기금(Special Climate Change Fund),[280] 재정상설위원회(standing committee on finance),[281] 기술 메커니즘,[282] '역량강화를 위한 적절한 제도적 장치(appropriate institutional arrangements for capacity-building)',[283] '대응조치 이행의 영향에 관한 포럼(forum on the impact of the implementation of response measurers)'이 포함된다.[284] 또한 그 외의 보조기관과

276) Paris Agreement, Art 15.2.
277) Ibid, Art 16.2.
278) Ibid, Art 16.1.
279) Ibid, Arts 17 and 18.
280) Ibid, Art 9.8 and Decision 1/CP.21 (n 19) para 58.
281) Decision 1/CP.21 (n 19) para 63.
282) Paris Agreement, Art 10.3.
283) Ibid, Art 11.5.
284) Decision 1/CP.21 (n 19) para 32.

제도적 장치는 CMA의 결정을 통해 파리협정을 도울 수 있다.[285]

XII. 최종조항(제20조에서 제28조)

파리협정은 대표적인 형태의 최종조항들을 포함하고 있다. 당사자들은 비준(ratification), 가입(accession), 수락(acceptance) 또는 승인(approval)을 통하여 파리협정의 구속력을 받는 것에 동의를 표해야 한다.[286] 발효에는 '이중의 촉발장치(double trigger)'가 작동되어 세계 온실가스 배출량의 최소 55퍼센트를 차지하는 적어도 55개 국가가 수락해야 한다.[287] 파리협정은 2016년 4월 22일, '지구의 날(Earth Day)'에 뉴욕에서 UN사무총장에 의해 소집된 고위급 서명식을 통해 서명에 개방되었다.[288] 175개의 FCCC 당사자가 파리협정에 서명하였으며,[289] 파리협정은 채택된 지 1년이 채 되지 않은 2016년 11월 4일에 발효되었다.[290]

파리협정은 FCCC의 개정(amendments),[291] 부속서의 채택 및 개정(adoption and amendment of annexes),[292] 분쟁해결(dispute settlement)에[293] 대한 조항들을 준용하고 있다. 유보(reservation)는 명시적으로 허용되지 않지만,[294] 당사자는 협정 발효

---

285) Paris Agreement, Art 18.

286) Ibid, Art 20. 제3장 II.C 참조.

287) Ibid, Art 21. 협상문서의 끝에서 두 번째 개정판은 2020년 이전에 협정이 발효되지 않을 것이라는 제안을 괄호로 묶어 진 문언에 포함해왔으나, 이는 최종 합의문에는 포함되지 않았다. 이로 인해 파리협정은 2016년 11월 초라는 이른 시기에 발효될 수 있었다. FCCC Legal Affairs Programme, 'Entry into Force of the Paris Agreement: legal requirements and implications' (7 April 2016) <https://unfccc.int/files/paris_agreement/application/pdf/entry_into_force_of_pa.pdf> accessed 20 January 2017.

288) Decision 1/CP.21 (n 19) paras 1-4.

289) 서명국들의 리스트는 다음을 참조. FCCC, 'List of 175 signatories to Paris Agreement' <http://news-room.unfccc.int/paris-agreement/175-states-sign-paris-agreement/> accessed 20 January 2017.

290) 협정의 비준 상태와 가입한 국가들에 관한 가장 최신의 정보는 다음을 참조. FCCC, 'Paris Agreement—Status of Ratification <http://unfccc.int/paris_agreement/items/9444.php> accessed 20 January 2017.

291) Paris Agreement, Art 22.

292) Ibid, Art 23.

293) Ibid, Art 24.

후 3년이 경과하면, 1년 전에 통보하고 탈퇴(withdrawal)할 수 있다.[295]

XIII. 추후 행보

더반플랫폼은 파리협정이 2020년부터 발효될 것으로 예상하였다.[296] 그러나 파리협정은 예상했던 것보다 훨씬 이른 2016년 11월 4일에 발효되었다. 이렇게 발효가 특별히 빨랐던 것은 다음 요소들에 기인한다. 당사자들은 파리에서 생성된 정치적 추진력과 선의가 소멸되기 전에 이를 활용하기를 원했다. 또한 현재는 미국의 대통령이 된 도널드 트럼프가 선거과정에서 파리협정을 "취소(cancel)"하겠다고 위협하면서, 많은 국가들은 미국의 선거가 파리협정에 미칠 영향을 우려하였다.[297] 파리협정이 미국 선거 전에 발효되면, 협정에서의 탈퇴가 가능한 4년 후까지 미국 선거의 영향으로부터 분리될 수 있었다.[298] EU는 발효에 필요한 배출 기준치(세계 온실가스 배출량의 55퍼센트) 이상을 넘어서기 위해 빠르게 파리협정의 승인을 추진했다.[299] 그러나 파리협정의 발효도 매우 중요하지만, 이것은 성공적인 이행의 첫 발걸음일 뿐이다. 파리협정으로 만들어진 대부분의 법적 체제는 아직 구체화되지 않았다. 포스트-파리 협상에는 이 빈칸을 채우는 매우 중요한 작업들이 남아 있다.[300]

---

294) Ibid, Art 27.
295) Ibid, Art 28.
296) Durban Platform, para 4.
297) 'Donald Trump would "cancel" Paris climate deal', *BBC News* (27 May 2016) <http://www.bbc.com/news/election-us-2016-36401174> accessed 20 January 2017.
298) Paris Agreement, Art 28. 그러나 미국이 FCCC에서 탈퇴하기로 결정한다면, FCCC와 파리협정에서의 철회는 그러한 탈퇴에 대한 공식 통보를 받은 뒤 1년 후에 동시에 효력을 발생할 것이다. Ibid, 다음 문헌을 함께 참조. FCCC, Art 25.; Daniel Bodansky, 'Legal Note: Could a Future President Reverse U.S. Approval of the Paris Agreement?' (Arlington, VA: Center for Climate and Energy Solutions, October 2016) <https://www.c2es.org/docUploads/legal-note-could-future-president-reverse-us-approval-paris-agreement.pdf> accessed 20 January 2017.
299) Ibid, Art 21.
300) FCCC, 'Taking the Paris Agreement Forward: Tasks arising from Decision 1/CP.21' (March 2016) <http://unfccc.int/files/bodies/cop/application/pdf/overview_1cp21_tasks_.pdf> accessed 20 January 2017.

INDC를 제출한 국가들에 대해서 INDC가 NDC로 전환되어야 한다. 국가들이 다르게 결정하지 않는 한, 이는 그들이 비준서, 수락서, 승인서 혹은 가입서를 제출하면서 자동적으로 이루어질 것이다. 이는 기여방안의 내용에는 변함이 없으면서, 본질적으로는 INDC에서 'I'를 없애는 것이다.[301] 그러나 파리 COP 결정은 국가들이 기여방안을 최종적으로 확정하기 전에 그 실질적 변화를 반영하는 것을 금지하고 있지 않다.

파리 COP 결정은 '파리협정 특별작업반(Ad hoc Working Group on the Paris Agreement, APA)'을 설립하여, 협정의 발효와 파리협정 CMA의 첫 모임을 준비하도록 하고 있다. APA의 주된 업무는 선행 정보 및 산정에 대한 지침을 개발하고, 전지구적 이행점검, 이행과 의무준수 메커니즘과 관련된 규칙, 세부 원칙 및 지침을 정교화하여 CMA가 채택하도록 하는 것이 될 것이다.[302] 파리협정의 이러한 하향식 요소들의 강점과 엄격함은 당사자들의 차기 NDC가 과거의 NDC로부터의 진전을 의미하도록 하고 그것이 당사자들의 가능한 높은 의욕을 반영하는 것을 보장하는 데에 중요한 역할을 할 것이다. 이렇듯 의욕을 높이는 것은 현재의 배출추세와 최저비용의 2°C와 1.5°C 기온상승 시나리오 간에 존재하는 상당한 간극을 메우는 데에 필수적일 것이다.

APA 내의 협상들은 파리협정이 얼마나 안정적인 정치적 균형을 가지고 있는지에 대한 사전적 지표가 될 것이다. 유엔기후체제 내에서 쟁점들이 완전히 해결되는 경우는 거의 없으며, 당사자들은 이전의 타협점을 되돌리기 위해 시도하기도 했다. 파리에서 많은 개발도상국들은 이원화된 차등화 접근에서 탈피하는 것을 마지못해 받아들였으므로, 그들이 파리협정의 규칙을 구체화하면서 다시 이를 도입하려 할지 여부와 어떠한 방식으로 재도입하려고 할지는 앞으로 두고 보아야 할 일이다.

301) Decision 1/CP.21 (n 19) para 22.

302) 사무국이 확인한 작업의 목록은 다음을 참조. FCCC, Taking the Paris Agreement Forward (n 300). 다음 문헌은 이 작업들의 완성에 대한 최종기한을 제시한다. Revised Provisional Agenda, Proposal by the Co-chairs (20 May 2016) FCCC/APA/ 2016/L.l. 2018.

XIV. 결어

파리협정은 유엔기후협상들 중 하나의 획기적인 사건과 같다. 오래되고 다루기 힘든 것처럼 보이는 의견차이에도 불구하고, 당사자들은 장기적이고, 규칙에 기반하며, 모두에게 적용가능한 협정에 도달하도록 정치적 의지를 모았다. 파리협정은 의욕적인 목표, 광범위한 의무, 상대적으로 엄격한 감시를 담고 있다. 물론 목표는 이상적이고, 의무는 대부분 절차적이며, 감독 메커니즘은 아직 미완성이다. 차등화 역시 보다 새로운 미묘한 형태를 갖게 되었다. 다수의 미약한 타협들과 약점들에도 불구하고 파리협정은 격전 끝에 얻어진 196개국 간의 타협을 보여준다. 선진국과 개발도상국은 모두 회의 폐막에 즈음하여 그들이 장기간 고수해 온 입장에서 상당한 양보를 했고, 덕분에 최종 합의가 가능하게 되었다.

그러나 다수의 어려운 쟁점들이 남아 있고, 다수의 난제들이 앞에 놓여 있다. 포스트-파리 협상의 구체화 과정은 파리협정이 어느 정도로 문제를 해결했는지 아니면 문제를 덮어 놓기만 한 것인지를 드러낼 것이다. 예를 들어, 파리협정은 당사자 간 '부담을 나누는 문제(burden sharing)'를 해결하지 않았다. 그러나 그 문제가 해결가능한지 여부와 관계없이, 이 문제는 앞으로 몇 년간 계속 당사자들의 협상과 행동의 근거가 될 것이다. 브라질, 중국, 인도를 포함한 다수의 개발도상국들은 파리협정의 발효를 도운 나라들이다. 그러나 이들 국가는 빠르게 성장하고 있음에도 불구하고, 계속적으로 심각한 발전문제에 직면하고 있으며, 이들에게는 기후변화와는 다른 중요한 우선순위들이 있다. 그들은 배출 그래프가 2°C나 1.5°C 시나리오에 맞춰질 수 있도록 하기 위하여 필수적인 에너지 전환에 쏟을 자원이 부족하다. 인도가 파리협정 비준에 동반해서 발표했던 선언은 그런 긴장을 잘 보여준다.[303] 인도의 선언은 그들의 발전목표, 특히 빈곤퇴치와 생존의 기본적 필요를 강조하고, 인도가 청정에너지, 기술, 재정적 지원에 방해받지 않으며, 접근할 수 있다는 전제를 가지고 있음을 확인하고, 인도가 파리협정을 비준하는 것이 기후변화

303) FCCC, Paris Agreement—Status of Ratification (n 290).

문제를 타개하기 위한 '공평하고 의욕적인(fair and ambitious)' 전세계적 노력에 기초한 것임을 주장한다.[304] 국가들이 사용할 수 있는 자원이 제한되었다는 점을 고려할 때, 비록 최선의 의도를 가졌다 하더라도 과연 얼마나 많은 국가들이 실질적으로 세계적 기온상승 상한선에 맞추기 위해서 국내적으로 변화를 가져올 수 있을지는 지켜봐야 하는 것이다.

이에 더하여, 파리협정은 배출감축에 대하여 '확대 후 심화(broad then deep)' 접근방식을 채택하여, 먼저 배출한계의 적용범위를 넓히고, 그 다음에 의무(commitment)의 깊이를 다룬다.[305] 파리협정이 광범위한 호소력을 갖고 있다는 사실은 빠른 발효가 이루어졌다는 것뿐 아니라, 당사자들의 NDC가 세계배출량의 99퍼센트에 달한다는 점에 의해서도 명백히 드러난다. 그러나 NDC는 기후변화가 주는 도전의 규모에 비추어보았을 때, 얕은 것은 아니지만 그렇다고 충분한 것도 결코 아니다. 파리협정의 설계는 '진전'과 후속 NDC가 가능한 최대치의 의욕을 담도록 하는 데 그 중점이 맞추어져 있어서, 완화에 대한 의무의 깊이를 시간이 지남에 따라 심화하고자 하고 있다. 그러나 그런 심화 및 주기적 반복의 방식이 충분히 빠른 변화를 생성하여 파리협정에서 합의된 세계 기온상승 상한선, 특히 1.5°C 목표를 맞출 수 있을지는 불확실하다.

이러한 우려에도 불구하고, 파리협정은 국제기후체제의 미래에 대한 신중한 낙관론을 정당화한다. 물론 이 협정은 기후 정책에 기여하는 많은 요소 중 하나일 뿐이다. 기후변화 대응의 성공 또는 실패는 국내정치 및 기술변화와 같은 다른 요소에 더 많이 달려 있다. 그러나 광범위한, 보편적, 장기적 그리고 여러 면에서 의욕적인 합의에 이르도록 한 국가들의 의지는 우리가 위험한 지구온난화를 억제할 수 있는 가능성을 잘 보여주고 있다.

---

304) Ibid.
305) 제2장 IV.B 참조.

주요 참고문헌

Bodansky D., 'The Paris Climate Agreement: A New Hope?', *American Journal of International Law*, 110/2 (2016): 288.

Bodansky D. and Rajamani L., 'Key Legal Issues in the 2015 Climate Negotiations' (Arlington, Virginia: Center for Climate and Energy Solutions, June 2015).

Doelle M., 'The Paris Agreement: Historic Breakthrough or High Stakes Experiment?', *Climate Law Special Issue*, 6/1–2 (2016): 1.

Klein D. *et al.* (eds), *The Paris Climate Agreement: Analysis and Commentary* (Oxford University Press, forthcoming 2017).

Oberthür S. and Bodle R., 'Legal Form and Nature of the Paris Outcome', *Climate Law Special Issue*, 6/1–2 (2016): 40.

Rajamani L., 'The Devilish Details: Key Legal Issues in the 2015 Climate Negotiations', *Modern Law Review*, 78/5 (2015): 826.

Rajamani L., 'Ambition and Differentiation in the 2015 Paris Agreement: Interpretative Possibilities and Underlying Politics', *International and Comparative Law Quarterly*, 65/2 (2016): 493.

Rajamani L., 'The 2015 Paris Agreement: Interplay Between Hard, Soft and Non–Obligations', *Journal of Environmental Law*, 28/2 (2016): 337.

Saverisi A., 'The Paris Agreement: A New Beginning', *Journal of Energy and Natural Resources Law*, 34/1 (2016): 16.

'Special Issue: The Paris Agreement', *Review of European, Comparative and International Environmental Law*, 25/2 (2016): 139.

Voigt C. and Ferriera F., 'Differentiation in the Paris Agreement', *Climate Law Special Issue*, 6/1–2 (2016): 58.

Werksman J., 'The Legal Character of International Environmental Obligations in the Wake of the Paris Climate Change Agreement' (University of Edinburgh: Brodies Environmental Law Lecture Series, 9 February 2016).

표 7.1. 2015 협정 내 조항의 법적 성격

주체/수범자 (Subjects/ Addressee)	의무 생성 조항 (Provisions that create obligations)	기대 생성 조항 (Provisions that generate expectations)	권고 조항 (Provisions that recommend)	장려 조항 (Provisions that encourage)	포부 설정 조항 (Provisions that set aspirations)	이해 고려 조항 (Provisions that capture understandings)
개별자 (각 당사자 혹은 하나의 당사자)	**완화(감축):** **4.2:** 각 당사자는 달성하고자 하는 차기 국가별 기여방안을 준비하고, 통보하며, 유지해야 한다(shall). 당사자들은 그러한 국가별 기여방안의 목적을 달성하기 위하여 국내적 완화조치를 추구해야 한다.[306] **4.9:** 각 당사자는 5년마다 국가별 기여방안을 통보해야 한다. **4.17:** 공동으로 행동하는 그러한 합의의 각 당사자는 공동의 합의에서 명시된 배출 수준에 대해 책임을 져야 한다. **적응:** **7.9:** 각 당사자는 적응계획 과정과 행동의 이행에 적절히(as appropriate) 참여해야 한다.	**완화(감축):** **4.3:** 각 당사자의 차기 국가별 기여방안은 기존의 국가별 기여방안보다 진전된 노력을 시현할 것이다(will).	**적응:** **7.10:** 각 당사자는 적절히(as appropriate) 적응 보고서를 정기적으로 제출하고 갱신하여야 한다(should). **투명성:** **13.8:** 각 당사자는 기후변화의 영향과 적응에 관련된 정보를 적절히 제공하여야 한다.			

306) 제4조 제2항 제2문상의 '당사자들'에 대한 언급이 '각 당사자'를 묵시적으로 지칭하는 것으로 해석해야 하는지 아니면 의도적으로 복수형으로 명시하고 있는 것인지가 불분명한데, 이는 특히 동항 제1문에서 '각 당사자'라는 용어를 사용하고 있다는 점을 감안하면 그러하다. 이에 따라 이 조문은 여기뿐만 아니라 아래의 관련 행에도 표시되어 있다.

주체/수범자 (Subjects/ Addressee)	의무 생성 조항 (Provisions that create obligations)	기대 생성 조항 (Provisions that generate expectations)	권고 조항 (Provisions that recommend)	장려 조항 (Provisions that encourage)	포부 설정 조항 (Provisions that set aspirations)	이해 고려 조항 (Provisions that capture understandings)
	투명성: **13.7:** 각 당사자는 국가적 인벤토리와 국가별 기여방안을 이행하는 데에서의 진전추적에 대한 정보를 정기적으로 제공해야 한다. **13.11:** 각 당사자는 재정적 노력, 국가별 기여방안에 대한 이행과 달성과 관련하여 진전에 대한 촉진적 · 다자적 고려에 참여해야 한다.					
집단적·협력적 당사자들 혹은 모든 당사자	**교육 · 인식 · 공중의 참여:** **12:** 당사자들은 기후변화 교육, 훈련, 공중의 인식, 공중의 참여 그리고 정보에 대한 공중의 접근을 강화하기 위한 조치에 적절히 서로 협력해야 한다.		**적응:** **7.7:** 당사자들은 행동과 적응 강화를 위한 협력을 증진하여야 한다. **손실과 피해:** **8.3:** 당사자들은 협력과 촉진을 기반으로, 적절한 (as appropriate) 경우 바르샤바 국제 메커니즘 등을 통하여 기후변화의 부정적 영향과 관련된 손실 및 피해에 관한 이해, 행동 및 지원을 강화하여야 한다.		**완화(감축):** **4.1:** 당사자들은 전지구적 온실가스 배출최대치에 가능한 한 조속히 도달할 것을 목표로 한다(aim to).	

주체/수범자 (Subjects/ Addressee)	의무 생성 조항 (Provisions that create obligations)	기대 생성 조항 (Provisions that generate expectations)	권고 조항 (Provisions that recommend)	장려 조항 (Provisions that encourage)	포부 설정 조항 (Provisions that set aspirations)	이해 고려 조항 (Provisions that capture understandings)
			역량강화: **11.3:** 모든 당사자는 이 협정을 이행하는 개발도상국 당사자의 역량을 강화하기 위하여 협력하여야 한다.			
전반적 당사자 혹은 모든 당사자	**범분야적 규정(cross-cutting):** **3:** 모든 당사자는 제4, 7, 9, 10, 11조…에 규정된 바와 같이 의욕적인 노력을 수행하고 통보해야 한다(are to).307) **완화(감축):** **4.2:** 당사자들은 그러한 국가별 기여방안의 목적을 달성하기 위하여 국내적 완화조치를 추구해야 한다(shall).308) **4.8:** 국가별 기여방안을 통보할 때 모든 당사자들은 명확성, 투명성, 이해를 위해 필요한 정보를 제공해야 한다.	**범분야적 규정:** **3:** 모든 당사자들은 제4, 7, 9, 10, 11조…에 규정된 바와 같이 의욕적인 노력을 수행하고 통보하여야 한다.309) **3:** 이 협정의 효과적 이행을 위해서는 개발도상국 당사자들에 지원이 필요함을 인식하면서, 모든 당사자는 시간의 경과에 따라 진전되는 노력을 보여줄 것이다(will).	**완화(감축):** **4.14:** 국가별 기여방안의 맥락에서, 인위적 배출과 제거에 관한 완화 행동을 인식하고 이행할 때 당사자는 이 조 제13항에 비추어 협약상의 기존 방법론과 지침을 적절히 고려하여야 한다. **4.19:** 모든 당사자는 장기적인 온실가스 저배출 발전 전략을 수립하고 통보하기 위하여 노력하여야 한다(should).	**흡수원:** **5.2:** 당사자들은 REDD+를 이행하고 지원하는 조치를 하도록 장려된다(are encouraged to). **9.2:** [선진국이 아닌] 당사자들은 자발적으로 지원을 제공하거나 제공을 지속하도록 장려된다.	**기술:** **10.1:** 당사자들은 기후변화에 대한 회복력을 개선하고 온실가스 배출을 감축하기 위하여 기술 개발 및 이전을 완전히 실현하는 것의 중요성에 대한 장기적 전망을 공유한다.	**시장기반 접근:** **6.1:** 당사자는 일부 당사자가 국가별 이행에서 자발적 협력 추구를 선택하는 것을 인정한다(recognize). **6.8:** 당사자는 당사자가 이용가능한 통합적이고, 전체적이며, 균형적인 비시장 접근의 중요성을 인정한다.

307) 제3조의 "are to"는 모호한 표현이다. 일부는 이를 명령적으로 이해하고, 다른 이들은 이를 기대로 해석한다.

308) 위 n 306 참조.

309) 위 n 307 참조.

주제/수범자 (Subjects/ Addressee)	의무 생성 조항 (Provisions that create obligations)	기대 생성 조항 (Provisions that generate expectations)	권고 조항 (Provisions that recommend)	장려 조항 (Provisions that encourage)	포부 설정 조항 (Provisions that set aspirations)	이해 고려 조항 (Provisions that capture understandings)
	4.13: 당사자들은 자신의 국가별 기여방안을 산정해야 한다. 자신의 국가별 기여방안을 산정할 때 당사자들은 환경적 건전성, 투명성, 정확성, 완전성, 비교가능성, 일관성을 촉진하며 이중계산의 방지를 보장해야 한다. **4.16:** 공동으로 행동하는 데 합의한 당사자들은 할당된 배출 수준을 포함하는 합의 내용을 사무국에 통보해야 한다. **4.15:** 당사자들은 이 협정을 이행할 때 대응조치의 영향으로 인하여 가장 크게 영향을 받는 당사자의 우려사항을 고려해야 한다. **시장기반 접근:** **6.2:** 당사자들은 협력적 접근에 참여하는 경우, 지속가능한 발전을 촉진하고 거버넌스 등에서 환경적 건전성과 투명성을 보장하며 엄격한 계산을 적용해야 한다.		**흡수원:** **5.1:** 당사자들은 온실가스 흡수원 및 저장고를 적절히 보전하고 증진하는 조치를 하여야 한다.			**적응:** **7.2:** 당사자들은 적응이 모두가 직면한 전 지구적 과제라는 점을 인식한다. **7.4:** 당사자들은 현재 적응에 대한 필요성이 상당하고, 더 높은 수준의 완화가 추가적인 적응 노력의 필요성을 줄일 수 있으며, 적응 필요성이 더 클수록 더 많은 적응 비용이 수반될 수 있다는 점을 인식한다. **7.5:** 당사자들은 적응 행동은 국가 주도적이고, 인지적이며, 참여적이고 전적으로 투명한 접근을 따라야 한다는 점을 확인한다. **7.6:** 당사자들은 적응 노력에 대한 지원과 국제적 협력의 중요성을 인식한다.

주제/수범자 (Subjects/ Addressee)	의무 생성 조항 (Provisions that create obligations)	기대 생성 조항 (Provisions that generate expectations)	권고 조항 (Provisions that recommend)	장려 조항 (Provisions that encourage)	포부 설정 조항 (Provisions that set aspirations)	이해 고려 조항 (Provisions that capture understandings)
	기술: **10.2:** 당사자들은 기술 개발 및 이전에 대한 협력적 행동을 강화해야 한다. **역량강화:** **11.4:** 개발도상국 당사자의 역량을 강화하는 모든 당사자는, 역량배양을 위한 그러한 행동이나 조치에 대하여 정기적으로 통보해야 한다.					**손실과 피해:** **8.1:** 당사자들은 기후변화의 부정적 영향과 관련된 손실과 피해를 방지하고, 최소화하며, 해결해 나가는 것의 중요성을 인식한다.
선진국 당사자	**재정:** **9.1:** 선진국 당사자는 협약상의 자신의 기존 의무의 연속선상에서 완화 및 적응 모두와 관련하여 개발도상국 당사자를 지원하기 위하여 재원을 제공해야 한다. **9.5:** 선진국 당사자는 재원의 제공과 조성과 관련한 예시적인 정성적 정량적 정보를 2년마다 통보해야 한다.		**완화(감축):** **4.4:** 선진국 당사자는 경제 전반에 걸친 절대량 배출감축목표를 약속함으로써 주도적 역할을 지속하여야 한다. **재정:** **9.3:** 전지구적 노력의 일환으로, 선진국 당사자는 다양한 재원을 통해 기후 재원을 조성하는 데 주도적 역할을 지속하여야 한다.			

주체/수범자 (Subjects/ Addressee)	의무 생성 조항 (Provisions that create obligations)	기대 생성 조항 (Provisions that generate expectations)	권고 조항 (Provisions that recommend)	장려 조항 (Provisions that encourage)	포부 설정 조항 (Provisions that set aspirations)	이해 고려 조항 (Provisions that capture understandings)
	9.7: 선진국 당사자는 공적 개입을 통해 제공 및 조성된 개발도상국 당사자에 대한 지원에 관하여 투명하고 일관된 정보를 2년마다 제공해야 한다. **투명성**: 13.9: 선진국 당사자는 개발도상국 당사자에게 제공된 재정 지원, 기술이전 지원 및 역량강화 지원에 대한 정보를 제공해야 하고(shall), 그 밖의 당사자들은 이러한 정보를 제공하여야 한다(should).		**11.3**: 선진국 당사자는 개발도상국에서의 역량강화 행동에 대한 지원을 강화하여야 한다.			
개발도상국 당사자			**완화(감축)**: **4.4**: 개발도상국 당사자는 완화 노력을 계속 강화하여야 한다. **역량강화**: **11.4**: 개발도상국 당사자는 이 협정의 이행을 위한 역량강화 계획, 정책, 행동이나 조치를 이행하면서 얻은 진전을 정기적으로 통보하여야 한다.	**완화(감축)**: **4.4**: 개발도상국 당사자는 상이한 국내 여건에 비추어 시간의 경과에 따라 경제 전반의 배출 감축 또는 제한 목표로 나아갈 것이 장려된다.		

주체/수범자 (Subjects/ Addressee)	의무 생성 조항 (Provisions that create obligations)	기대 생성 조항 (Provisions that generate expectations)	권고 조항 (Provisions that recommend)	장려 조항 (Provisions that encourage)	포부 설정 조항 (Provisions that set aspirations)	이해 고려 조항 (Provisions that capture understandings)
			투명성: **13.9:** 그 밖의 당사자는 개발도상국 당사자에게 제공된 재정지원, 기술이전 지원 및 역량강화 지원에 대한 정보를 제공하여야 한다. **역량강화:** **13.10:** 개발도상국 당사자는 필요로 하고 제공받은 기술이전 지원 및 역량강화 지원에 관한 정보를 제공하여야 한다.	**재정:** **9.5:** 재원을 제공하는 그 밖의 당사자(선진국 당사자 제외)는 그러한 정보를 자발적으로 2년마다 통보하도록 장려된다. **재정:** **9.7:** [선진국] 이외의 당사자는 공적 개입을 통하여 제공 및 조성된 개발도상국 당사자에 대한 지원에 관하여 정보를 제공하도록 장려된다.		
수범자 없음 (수동태)	**완화:** **4.5:** 개도국 당사자에게 이 조의 이행을 위하여 지원이 제공되어야 한다(shall).					

주체/수범자 (Subjects/ Addressee)	의무 생성 조항 (Provisions that create obligations)	기대 생성 조항 (Provisions that generate expectations)	권고 조항 (Provisions that recommend)	장려 조항 (Provisions that encourage)	포부 설정 조항 (Provisions that set aspirations)	이해 고려 조항 (Provisions that capture understandings)
	적응: 7.13: 적응 행동의 이행을 위하여 지속적이고 강화된 국제적 지원이 개발도상국 당사자에게 제공되어야 한다. **기술:** **10.6:** 이 조의 이행을 위하여 개발도상국 당사자에게 재정 지원을 포함한 지원이 제공되어야 한다. **투명성:** **13.14:** 이 조의 이행을 위하여 개도국에 지원이 제공되어야 한다. **13.15:** 개발도상국 당사자의 투명성 관련 역량강화를 위하여 지원이 제공되어야 한다.					

제8장

유엔기후체제 이외의 기후 거버넌스

Ⅰ. 도입

기후변화는 사회의 거의 모든 측면과 모든 경제부문과 연관되어 있다. 그러므로 모든 종류의 기관들 즉 공공기관에서 민간기관, 그리고 모든 단위의 기관들, 즉 지역적 기관에서 국제적 기관까지 모두 기후변화 문제해결에 참여하고 있다는 것은 놀랄 일이 아니다.[1] 한 연구는 70개의 초국가적 기관들이 기후변화와 관련된 거버넌스 기능들을 수행하고 있음을 밝혔는데, 여기에는 표준을 설정하고, 정보를 제공 및 보급하며, 역량을 강화하고, 프로젝트를 수행하는 등의 기능들이 포함된다.[2] 이 초국가적 기관들 중 어떤 기관들은 공적 주체들과 관련되어 있고, 다른 기관들은 민간주체 또는 민관협력관계를 포함하고 있다. 그런데 이 70개 기관의 목록에는 기후변화 문제에 관련된 많은 국제기구들, 예를 들어 국제해사기구(International Maritime Organization, IMO), 국제민간항공기구(International Civil Aviation Organization, ICAO), 세계은행이 포함되어 있지 않으며, 초국가적 단계가 아닌 개별 국가 내에서 활동하는 무수한 기관들도 포함하고 있지 않다. 2017년 1월 현재, '리마－파리 행동계획(Lima to Paris Action Agenda, LPAA)'과 이와 연계되어서 비(非)국가 혹은 국가하부 행위자들(역자주: 국제관계에 영향을 미치는 국내행위자들)의 활동들을 기록하는

1) Daniel Bodansky 'Multilateral Climate Efforts Beyond the UNFCCC' (Arlington, VA: Pew Center on Global Climate Change, November 2011). <http://www.c2es.org/publications/multilateral-climate-efforts-beyond-unfcco accessed 20 January 2017.

2) Kenneth W. Abbott, 'The Transnational Regime Complex for Climate Change', *Environment and Planning C: Government and Policy,* 30/4 (2011): 571; Matthew J. Hoffmann, *Climate Governance at the Crossroads: Experimenting with a Global Response after Kyoto* (Oxford University Press, 2011) (도시, 국가, 지역, 시민그룹, 회사들에 의한 기후 거버넌스 실험들을 설명).

NAZCA 포털에는 약 12,500개의 의무들이 기재되어 있으며, 이 중에 2,000개가 넘는 의무들은 도시들이 시행하였고, 거의 유사한 수의 협약들은 민간 부문들이, 그리고 230개 이상은 시민사회단체들에 의해 시행되었다.[3] 이러한 실체들에 의한 기후변화 대응이 곧 기후 거버넌스이다.

이러한 왕성한 활동은 파리협정에 대한 정치적 지원을 제공하고, 국가들의 기존 국가별 기여방안(NDCs)의 신뢰가능성을 높이고, 향후 더 강력한 NDC를 촉진시킬 수 있다. 또한, 이들의 활동은 정부 간 프로세스가 흔들릴 때(예를 들어, 도널드 트럼프 행정부하의 미국처럼 국가들이 국내 정치변화로 파리협정에서 탈퇴할 때), 유엔기후체제를 보완하거나, 심지어 대체할 수도 있다. 2009년 코펜하겐 회의와 2015년 파리회의에서 국가들이 제시한 기여방안은 그에 대한 가장 낙관적 분석에 따르더라도 지구온난화를 2°C 이하로 유지하는 데 필요한 감축분보다 턱없이 부족하다.[4] 많은 사람들은 이 격차를 줄이기 위한 결정적인 수단이 유엔기후체제 외의 이니셔티브가 확산되는 것이라고 본다.[5] 한 평자는, “개별 정부 혼자서 감축결과를 가져오는 것에 의존하는 것만으로는 충분하지 않다. 전지구적 기후변화에 대한 실제적 행동은 지방공무원, 시장, 기업 최고경영자 및 지역사회의 지도자들로부터 온다. 이들은 현장에서 변화를 가져올 수 있는 최적의 위치에 있는 사람들이다”라고 주장하였다.[6] 그러나 지금까지는 국가하부 및 비국가 행위자들이 어느 정도로 배출감소를 담당해왔는지를 증명하는 것이 어려웠기 때문에, 이러한 주장에 대한 평가 또한 어렵다.[7]

---

3) NAZCA는 Non-State Actor Zone for Climate Action의 약칭이다. 이는 제20차 당사국총회의 의장국인 페루에 의해 2014년에 시작되었다. 현재 NAZCA 의무를 목록화한 것은 <http://climateacation.unfccc.int> accessed 20 January 2017 참조.

4) United Nations Environment Programme (UNEP), ‘The Emissions Gap Report 2015: A UNEP Synthesis Report’ (Nairobi: UNEP, November 2015).

5) Angel Hsu *et al.*, ‘Towards a New Climate Diplomacy’, *Nature Climate Change*, 5/6 (2015): 501; Jon Hovi *et al.*, ‘Climate Change Mitigation: A Role for Climate Clubs?’, Palgrave Communications (10 May 2016). <http://www.palgrave-journals.com/articles/palcomms20l620> accessed 20 January 2017.

6) Daniel C. Esty, ‘Bottom-Up Climate Fix’, *The New York Times* (21 September 2014).

7) Angel Hsu *et al.*, ‘Track Climate Pledges of Cities and Companies’, *Nature,* 532/7599 (2016): 303.

기후 거버넌스의 복잡하고 분산된 구조는 여러 측면에서 이론화되었다. 예를 들어, '초국가적 체제 복합체(transnational regime complex)'[8], '다중심성(polycentricity)',[9] '다층적 거버넌스(multi－level governance)'[10] 또는 '파편화(fragmentation)'라는[11] 용어가 사용된다. 어떤 명칭을 사용하든, 기본적으로 FCCC 외의 기후 거버넌스에는 4가지 주요 특징이 있다.

- 첫째, 기후 거버넌스는 다층적(multi－level)이다. 기후 거버넌스는 지리적 규모에 관계없이 다양한 기관을 통해 작동한다. 이는 세계적 단위에서 지역적, 국가적 그리고 국가하부적 단위의 것에까지 이른다.
- 둘째, 기후 거버넌스는 다원적 행위자(multi－actor)를 갖는다. 공공기관과 민간기관 모두 기후 거버넌스에 참여하는데, 여기에는 국가, 지방정부, 국제기구, 환경단체 및 기타 시민사회조직들(civil society organizations, CSOs)과 기업들이 포함된다.[12]
- 셋째, 기후 거버넌스는 상이한 수준으로 법제화된 국제법을 통해서 활동한다. 기후 거버넌스에는 해양오염방지협약(International Convention for the Prevention of Pollution from Ships, MARPOL 73/78)이나[13] 오존층 파괴물질에 관한 몬트리올의정서와 같은 조약에 규정된 '경성법(hard law)' 규율에서부터 탄소배출권에 대한 '골드 스탠다드(Gold Standard)'[14] 또는 '탄소중립의정서

---

8) Abbott, Transnational Regime Complex (n 2); Robert O. Keohane and David G. Victor, 'The Regime Complex for Climate Change', *Perspectives on Politics*, 9/1 (2011): 7.

9) Elinor Ostrom, 'Polycentric Systems for Coping with Collective Action and Environmental Change', *Global Environmental Change*, 20/4 (2010): 550; Hari M. Osofsky, 'Polycentrism and Climate Change', in Daniel A. Farber and Marjan Peeters (eds), *Encyclopedia of Environmental Law vol 1: Climate Change Law* (Cheltenham, UK: Edward Elgar, 2016) 325.

10) Jacqueline Peel, Lee Godden, and Rodney J. Keenan, 'Climate Change Law in an Era of Multi-Level Governance', *Transnational Environmental Law,* 1/2 (2012): 245; Harriett Bulkeley *et al., Transnational Climate Change Governance* (Cambridge University Press, 2014).

11) Harro Van Asselt, Francesco Sindico, and Michael A. Mehling, 'Global Climate Change and the Fragmentation of International Law', *Law and Policy*, 30/4 (2008): 423.

12) Peter Newell, Philipp Pattberg, and Heike Schroeder, 'Multiactor Governance and the Environment', *Annual Review of Environment and Resources,* 37 (2012): 365.

13) 선박으로부터의 오염방지를 위한 국제협약(International Convention for the Prevention of Pollution from Ships) 1973.11.02. 채택, 1983.10.02 발효, 1340 UNTS 61 (MARPOL 73/78).

14) 이 Gold Standard는 2003년 세계자연기금(World Wildlife Fund) 및 기타 국제 NGO가 자발적

(Carbon Neutral protocol)'[15]와 같은 '연성법(soft law)'적 표준들까지 관련되어 있다.

- 넷째, 기후 거버넌스는 중앙의 조직이 없다는 점에서 다중심적(polycentric)이다.

Ⅱ. 다층적 기후 거버넌스

다층적 거버넌스(multi-level governance)에 대한 이론은 비교적 최근의 것이지만,[16] 다층적 거버넌스라는 현실은 이미 오래 전부터 있어 왔다. 일단 정치적 커뮤니티가 단순한 지방 수준 이상의 것으로 조직화되면, 거버넌스란 다양한 수준에서 작동되게 된다. 국제법은 항상 어느 정도 다층적 성격을 가지고 있다. 이는 일반적으로 국제기구들이 직접 행동하기보다는 국가의 정부들을 통해 행동하며, 그로 인해 국제법의 실행은 주로 개별 국가들에 달려 있기 때문이다. 그러나 국제법의 다층적 성격은 전통적으로 주목을 받지 못했는데, 이는 국제법 논의의 초점이 국가 하부 단위보다는 국가 단위를, 그리고 비정부기구보다는 정부주체들에 맞추어져 왔었기 때문이다.

다층적 거버넌스는 위계적 혹은 지리적 수준이 동일한 기관 간의 수평적 관계(horizontal relationships), 이 수준이 다른 기관들 간의 수직적 관계(vertical relationships)[17] 그리고 다른 나라에 있는 다른 수준의 기관들 사이의 대각선 관계(diagonal relationships)를 포함한다.[18] FCCC, IMO 그리고 세계은행과 같은 다자적 기관들 서로는 수평적 관계를 맺고 있으며, 국가들과 비정부기구들과는 수직적 관

으로 개발한 표준으로 탄소감축 프로젝트들이 실제로 온실가스 배출량을 줄이는지 여부를 밝히고 있다. 이 표준에 관한 논의는 제6장 V.B.2 참조.

15) 탄소중립의정서(CarbonNeutral Protocol)는 2002년 한 민간기업이 탄소중립 인증 프로그램(carbon neutral certification programs)을 평가하기 위해 개발한 것이다. CarbonNeutral <http://www.carbonneutral.com> accessed 20 January 2017.

16) Ian Bache and Matthew Flinders (eds), *Multi-Level Governance* (Oxford University Press, 2004).

17) Thijs Etty *et al.*, 'Transnational Dimensions of Climate Governance', *Transnational Environmental Law*, 1/2 (2012): 233.

18) Hari M. Osofsky, "Is Climate Change 'International?' Litigation's Diagonal Regulatory Role," *Virginia Journal of International Law*, 49/3 (2009): 585.

계를 가지고 있다. 국가들에 있어서 이들은 서로는 양자적 혹은 다자적으로 수평적 관계를 맺고, 국제기구 및 국가하부 주체들과는 수직적 관계를 가지며, 다른 국가들의 국가하부 주체들과는 대각선 관계를 맺는다. 그리고 국가하부적 주체들 및 민간주체들 서로 간은 수평적 관계를 갖는데, 그 예로 '시장들의 협약(Compact of Mayors)'[19]이나 C40 도시 기후리더십 그룹(C40 Cities Climate Leadership Group, C40)과[20] 같은 네트워크 내의 관계가 그러하다. 그리고 국가하부 주체들 및 민간주체들은 국가 및 국제기구와는 수직적 관계를 가지고, 위계상 다른 위치를 가진 타국의 기관들과는 대각선 관계를 가지게 된다. 다층적 거버넌스 이론은 이러한 수평적, 수직적, 대각선 관계들에 대해서 연구한다.

다층적 거버넌스는 위계적이거나 다중심적일 수 있다. 위계적인 시스템에서는 어떤 기관들이 타 기관들보다 우위에 있다.[21] 이러한 위계는 지리적 수준에 따라 수직적 관계를 가지게 되는 기관들 사이에서 가장 일반적이다. 예를 들어, 국제법은 국내법보다 우선하고 있음을 주장하기 위해, 국가가 국제법이 규정한 의무를 위반하는 것을 자국법을 근거로 정당화할 수 없다고 규정한다.[22] 마찬가지로, 국내에서는 중앙의 법이 대개 지방자치단체들의 법보다 우위에 있기 때문에, 국가 수준의 기후정책은 국가하부 단위의 행동을 제약한다. 그러나 위계적 관계는 수평적 관계를 가지는 기관들 사이에서도 존재할 수 있다. 예를 들어, 국제체제에서 유엔헌장은 다른 조약보다 우선한다는 것을 명시하고 있다.[23]

---

19) '시장들의 협약(Compact of Mayors)'은 2014년 반기문 유엔사무총장과 도시와 기후변화를 위한 사무총장의 특별사절단(Secretary-General's Special Envoy for Cities and Climate Change)을 역임한 Michael Bloomberg 전 뉴욕시장에 의해 출범했다. 이 주요 도시들의 네트워크는 지속가능성을 위한 지방정부들(Local Governments for Sustainability)과 C40를 포함한다(지속가능성을 위한 지방정부들은 여전히 ICLEIICLEI라는 약자를 사용하는데, 이는 원래 국제 지역환경 이니셔티브 위원회를 뜻함).

20) C40에 대해서는 아래 n 145 및 그곳의 본문 참조.

21) Kenneth W. Abbott, 'Strengthening the Transnational Regime Complex for Climate Change', *Transnational Environmental Law*, 3/1 (2014): 57, 64-5 ('nested, overlapping and parallel systems of governance'를 비교).

22) International Law Commission (ILC), 'Responsibility of States for Internationally Wrongful Acts' in Report of the International Law Commission on its fifty-third session (23 April-1 June and 2 July-10 August 2001) UN Doc A/56/10, Art 32.

23) United Nations, Charter of the United Nations (24 October 1945) 1 UNTS XVI (UN Charter), Art 103.

이와는 대조적으로, 다중심적 시스템에서는 관할권이 중복되나, 위계적 우선순위가 정해지지 않은 다수의 권한들이 교차하고 있다.[24] 다중심적 시스템에서는, 복수의 기관들이 동일한 이슈를 다루게 되면서 활동이 중복되거나 갈등을 야기할 위험이 있다. 국제기구들의 관계는 일반적으로 다중심적이다. 그들의 관할권은 중복될 수 있고, 어느 것이 다른 것보다 우선할 수 없다. 이는 주권평등의 원칙에 입각한 국가체제에서도 마찬가지이다.

위계과 다중심성 모두 이념형(ideal types)이다. 즉, 현실에서 많은 다층적 거버넌스들은 이 두 가지 요소를 모두 가지고 있다. 예를 들어, 미국과 같은 연방 시스템은 주(州)정부와 연방정부의 관할권이 중복되기 때문에 다중심적 성격을 가지고 있다.[25] 주정부는 연방정부와 같은 유형의 규율기제들을(예를 들어 배출권거래제도) 사용하여 자체적 환경정책을 개발할 수 있다. 그러나 미국의 연방주의는 위계적 성격 역시 가지고 있는데, 이는 연방정부와 주정부 간의 갈등이 발생할 때 연방법이 더 우선한다는 점에서 알 수 있다. 마찬가지로, FCCC와 교토의정서를 포함한 많은 환경조약들은 국가에 의무를 지우는 최소한의 기준을 설정한다. 그렇다고 국제법이 주권을 약화시키는 것은 아니다. 이는 개별국가들이 국제적으로 요구되는 기준 이외에 자국의 기후변화 관련 정책들을 채택할 수 있다는 점에서 알 수 있다.

다중심 거버넌스에 수반되는 관할권의 중복은 장점과 단점을 모두 가지고 있다. 긍정적인 측면에서, 여러 기관들이 같은 이슈를 다루는 것은 일종의 실험을 가능하게 하고 유연성을 가지게 한다. 지방 수준에서 활동하는 기관들은 더 높은 수준의 거버넌스의 리스크를 부담하지 않기 때문에, 새로운 접근에 대한 실험실 역할을 할 수 있다.[26] 거버넌스에 참여하는 기관들은 그들이 공식적인 관계를 갖고 있지 않을 때에도 서로의 경험을 학습할 수 있다. 새로운 정책적 접근이 한 관할권 단위에서 성공적인가 아닌가에 따라서, 그 정책은 동일한 단위 혹은 상위 단위의 관할권에서도 정책모델로 기능할 수 있다. 한 국가는 다른 국가의 성공을 모방할

---

24) Ostrom, Polycentric Systems (n 9).
25) Daniel C. Esty, 'Revitalizing Environmental Federalism', *Michigan Law Review,* 95/3 (1996): 570.
26) *New State Ice Co v Liebmann,* 285 US 262,311 (Brandeis, J., dissenting, 1932) ("하나의 용감한 주는 그 주 시민들의 찬성하에 새로운 사회·경제적 실험의 실험실이 될 수 있으며, 이것은 나라 전체에 리스크를 주지 않는다").

수 있고, 한 정책은 지역 수준에서 국가 수준으로 그리고 국제사회 수준으로 발전할 수 있다. 예를 들어, 캘리포니아의 규제들은 종종 다른 주와 미연방 규정의 모델로 이용되어 왔다.[27] 또 다른 예로, 1990년대 초 미국의 아황산가스 거래 프로그램(sulphur dioxide allowance trading program)에 대한 경험은 교토의정서의 배출권 거래제에 대한 영감으로 작용했다.[28]

또한 탈중심적 다층적 성격은 하나의 체제 내에 공백이 생기는 위험요인을 줄일 수 있다. 이는 한 기관이 어떤 문제의 중요한 측면을 다루지 않는 경우, 다른 기관이 개입할 수 있기 때문이다. 예를 들어, 교토의정서는 블랙카본(black carbon)을 다루지 않는데, 이 물질은 지구온난화의 원인이 되지만, 엄밀히 보면 온실가스가 아니다. 앞으로 IV.C에서 논의될 '북극 이사회(Arctic Council)'와[29] '월경성 장거리 대기오염에 관한 협약(Convention on Long－Range Transboundary Air Pollution)'을[30] 포함한 다른 기관들은 이러한 교토의정서의 공백을 채우는 역할을 한다.

이러한 다중심적 거버넌스의 긍정적인 효과들은 네트워크의 생성으로 거래비용을 줄이고, 아이디어의 확산을 도모하며, 결속과 협력을 촉진함으로써 더욱 강화될 수 있다.[31] 예를 들어, C40와 같은 도시들의 네트워크는 지역의 구획화(zoning) 및 교통정책에 관한 정보를 공유하고, 도시의 배출목록의 표준화 방법을 개발하며, 국가 및 국제사회 단위에서 지역사회의 의견을 표출하는 데 중요한 역할을 한다.[32]

---

27) David Vogel, 'Trading Up and Governing Across: Transnational Governance and Environmental Protection *Journal of European Public Policy,* 4/4 (1997): 556.

28) 국내정책의 국제정책에 대한 영향은 다음 문헌을 참조. Elizabeth R. DeSombre, *Domestic Sources of International Environmental Policy; Industry, Environmentalists and U.S. Power* (Cambridge, MA: MIT Press, 2000).

29) 이에 대한 일반적 논의는 Timo Koivurova and David L. VanderZwaag, 'The Arctic Council at 10 Years: Retrospect and Prospect', University of British Columbia Law Review, 40/1 (2007): 121 참조. 북극 이사회l에 대해서는 아래 n 113 및 그곳의 본문 참조.

30) 월경성 장거리 대기오염에 관한 협약(Convention on Long-Range Transboundary Air Pollution) 1979.11.13. 채택, 1983.03.16. 발효, 1302 UNTS 217 (LRTAP Convention).

31) R.A.W. Rhodes, 'Policy Network Analysis', in Robert E. Goodin, Michael Moran, and Martin Rein (eds), *Oxford Handbook of Public Policy* (Oxford University Press, 2006) 1425.

32) C40에 대해서는 아래 n 145 및 그곳의 본문 참조. 도시들의 역할에 대해서는 다음 문헌을 참조. J. Corfee-Morlot *et al., Cities, Climate Change and Multilevel Governance* (Paris: OECD, 2009) 81-2; Michele M. Betsill and Harriett Bulkeley, 'Cities and the Multilevel Governance of

마지막으로, 다양한 거버넌스의 부문들은 이들이 상이한 존재기반과 능력 그리고 역량을 가졌을 때 서로를 보완하고 강화할 수 있다. 도시는 국가나 국제기구들보다 지역에 대한 지식을 더 많이 가지고 있고, 이 지식은 더 높은 단위의 기관들이 정책전략에 적용하고, 기술이전이나 역량강화를 위한 프로그램을 운용하는데 유용할 수 있다. 몬트리올의정서 체제는 오존층 파괴물질을 온실가스로 대체하는 프로젝트에 자금을 제공하는 것을 거부함으로써, 온실가스를 감축하고자 하는 유엔기후체제의 목표를 더 진척시킨다. 그리고 세계무역기구(World Trade Organization, WTO)는 에너지보조금을 단계적으로 폐지하는 방식으로 유엔기후체제를 강화할 수 있을 것이다.[33] 이러한 보완적 활동은 유기적으로 이루어지거나, 한 기관에 의해서 조직화될 수도 있는데, 그러한 조직화를 도모하는 기관들은 의도적으로 목적이 유사한 타기관들이 그 기관의 강점에 따라 모니터링이나 역량강화와 같은 특정한 역할을 수행하도록 독려하거나 이들 전반을 조율할 수 있다.[34]

다중심적 거버넌스는 이러한 장점을 가지고 있음에도 불구하고, 혼란, 활동의 중복, 포럼 쇼핑 그리고 때로는 충돌 가능성의 문제까지 가지고 있다. 이러한 문제점들은 '파편화'에 관한 기존 연구에서 강조된다.[35] 지역 단위에서 결정된 정책은 국가 단위의 정책과 충돌할 수 있고, 국제 단위의 정책은 무역분야와 환경분야에서처럼 서로 충돌할 수 있다. 그리고 정책적 충돌이 없는 경우에도, 유사한 기관과 네트워크의 수가 너무 많으면 비효율성과 긴장을 야기할 수 있다.[36]

이러한 충돌을 방지하기 위해 최소 세 가지 접근방식을 사용할 수 있다. 하나

Climate Change', *Global Governance,* 12/2(2006): 141, 143.

33) World Bank, Subsidies in the Energy Sector: An Overview (Washington, D.C.: World Bank, July 2010). 무역체제와 에너지보조금에 관해서는 제9장 IV.B.5 참조.

34) 이에 대한 일반적 논의는 다음 문헌을 참조. Kenneth W. Abbott, Philipp Genschel, Duncan Snidal, and Bernhard Zangl (eds), *International Organizations as Orchestrators* (Cambridge University Press, 2015).

35) Van Asselt, Sindico, and Mehling, Global Climate Change and the Fragmentation of International Law (n 11).

36) 예를 들어, 도시들의 네트워크에는 C40, 기후변화세계시장협의회(World Mayors Council on Climate Change), 기후보호도시(Cities for Climate Protection), 대도시 기후그룹(Large Cities Climate Group), 지속가능성을 위한 세계지방정부(ICLEI's Local Governments for Sustainability) 등이 있다.

는 기관들이 사전에 지리적 혹은 기능적 기준으로 이슈들을 나누는 것이다. 예를 들어, 수직적으로 관련된 기관들, 즉 서로 다른 수준의 기관들은 그들의 지리적 규모에 따라 이슈를 나눌 수 있다. 이러한 종류의 분업은 유럽연합(European Union, EU)의 보완의 원칙(principle of subsidiarity)에 있어 기초가 되는데, 이 원칙은 회원국들이 특정 문제를 스스로 다루는 것이 더 효과적일 때는 EU가 개입하지 않도록 규정하고 있다.[37] 이와 유사하게, 동일한 지리적 단위에서 운영되는 기관 중에서, 기능적 전문성이 가장 뛰어난 기관이 관련 현안을 담당하도록 할 수 있다.[38] 예를 들어, 유엔기후체제는 대부분의 온실가스를 다루고 있지만, 몬트리올의정서에 의해 통제되는 온실가스의 배출에 대해서는 규제하지 않으며, 국제적 운송으로 인한 배출은 이와 관련된 유엔 전문기관이 다루도록 규정한다. 이 기관들이란 해상배출에 관련해서는 IMO를, 민간항공에 의한 배출은 ICAO를 말한다.[39]

둘째로, 총괄기관을 만들어 유사하고 중복되는 기구의 활동을 조정하고 조화롭게 할 수 있다. 예를 들어, 단일 등록부 혹은 복수의 등록부를 만들어 기후관련 활동을 기록 및 평가하는 메커니즘에 우선순위를 부여함으로써 그러한 조정을 할 수 있다.[40]

마지막으로, 충돌이 발생하는 정도에 따라, 충돌에 관한 규칙을 통해 사례별로 해결할 수 있다. 이런 충돌에 관한 규칙의 예로 특별법우선원칙(lex specialis rule)은 보다 전문화된 규칙이 일반적인 규칙에 우선하도록 규정하고, 후법우선의 원칙(later-in-time rule)은 최신의 규칙이 이전의 것보다 우선한다고 규정한다.[41]

---

37) Antonio Estella, *The EU Principle of Subsidiarity and Its Critique* (Oxford University Press, 2003); George A. Berman, 'Taking Subsidiarity Seriously: Federalism in the European Community and the United States, *Columbia Law Review,* 94/2 (1994): 331.

38) 관할권과 관련된 국제규범들은 속지주의의 원칙(rule of territoriality)과 역외관할권(extra-territorial jurisdiction)과 결부된 제한을 통해 국가 간 수평적 갈등을 방지하고자 한다.

39) Kyoto Protocol, Art 2.2.

40) Thomas Hale, 'Design Considerations for a Registry of Sub- and Non-State Actions in the UN Framework Convention on Climate Change' (University of Oxford: Blavatnik School of Government, 24 February 2014).

41) VCLT, Art 30 (later-in-time rule). 규범의 충돌을 해결하는 방안에 관한 일반적 논의는 다음문헌을 참조. Harro van Asselt, *The Fragmentation of Global Climate Governance: Consequences and Management of Regime Interactions* (Cheltenham, UK: Edward Elgar, 2014).

Ⅲ. 공공 그리고 민간 기후 거버넌스

기후변화 거버넌스는 다층적일 뿐 아니라 다원적 행위자를 포함한다. 즉, 기후 거버넌스는 정부와 정부 간 행위자들(intergovernmental actors)에 전유되지 않으며, 다양한 비국가 행위자들이 참여한다. 그 공공주체들과 민간주체들 사이의 역할과 관계를 Kenneth Abbott와 Duncan Snidal은 '거버넌스 삼각관계(governance triangle)'라고[42] 개념화하였다. 그 개념의 세 구성요소는 국가, 시민사회조직 그리고 기업들이다. 국제법은 일반적으로 그 삼각관계의 상단에 초점을 맞추고 있는데, 이는 유엔기후체제와 같은 정부주도의 활동들, 지역 및 국가하부적 배출권거래 시스템 그리고 지방정부인 지방자치단체의 이니셔티브를 의미한다. 그러나 기후변화 거버넌스는 아래와 같은 다양한 주체들의 다양한 참여방식들도 포함한다.

- 기업들이 고안한 메커니즘. 그 예로 세계지속가능발전 기업위원회(World Business Council For Sustainable Development, WBCSD)와 국제배출권거래협회(International Emissions Trading Association)가 개발한 '검증된 탄소표준(Verified Carbon Standard, VCS)' 메커니즘이 있다.[43]
- 환경그룹 및 기타 시민사회조직. 그 예로 골드 스탠다드가 있다.[44]
- 정부기관의 협력기업. 그 예로 국제표준화기구(International Organization for Standardization, ISO)의 온실가스 산정표준이 있다.[45]
- 정부와 시민사회조직들 간 협력.
- 시민사회조직들과 기업 간의 협력 사업. 그 예는 탄소공개 프로젝트(Carbon Disclosure Project)가 있다.[46]

---

42) Kenneth Abbott and Duncan Snidal, 'The Governance Triangle: Regulatory Standards Institutions and the Shadow of the State', in Walter Mattli and Ngaire Woods (eds), *The Politics of Global Regulation* (Princeton University Press, 2009) 44.

43) 검증된 탄소표준(Verified Carbon Standard) <http://www.v-c-s.org> accessed 20 January 2017.

44) 골드 스탠다드에 대해서는 위 n 14 참조.

45) International Organization for Standardization News, "새로운 ISO 14064 표준들은 온실가스감축과 배출권거래를 측정하는 기초를 제공한다." (2006년 3월 3일) <http://www.iso.org/iso/home/news_index/news_archive/news.htm?refid=ReE994> accessed 20 January 2017.

- 정부, 시민사회조직 및 기업. 그 예로 REDD+를[47] 통한 산림보호가 있다.

이러한 협력 행위들을 하는 다양한 이유에는 거래비용의 절감 및 공동이익의 증진이 포함된다. 그러나 어떤 이들은 이러한 협력행위들을 '클럽(club)'이론에 따라 이해하는데, 이 이론은 상대적으로 소수인 집단이 일종의 클럽을 구성하여 다른 사람들을 배제하고 저비용의 에너지나 신기술과 같은 사적 이익의 창출을 도모한다는 이론이다.[48]

공공 및 민간 거버넌스 기관은 다양한 방식으로 서로 관계를 맺을 수 있다. 민간주체는 공공주체에게 정보와 기술적 분석을 제공함으로써 영향을 줄 수 있으며, 대중의 환경에 대한 의식을 높이고, 환경에 대한 일종의 홍보적 효과를 생성한다.[49] 반면에 정부는 정책 시행을 위해 민긴주체의 협조를 얻을 수 있다. 마지막으로, 민간주체들은 독립적으로 활동하며 국가하부구조 및 비국가 행위자들에게 직접적으로 영향을 줄 수 있다.[50] 예를 들어, 탄소공개 프로젝트는 기업과 직접 협력하여 그들이 배출을 공개하게 하고,[51] Fossil Free는 대학 및 기타 조직들로부터 화석연료 회사에 대한 투자를 철회하도록 요구한다.[52]

---

46) CDP: Driving Sustainable Economies <https://www.cdp.net/fr> accessed 20 January 2017. 평가에 대해서는 다음 문헌을 참조. Daniel C. Matisoff *et al.*, 'Convergence in Environmental Reporting: Assessing the Carbon Disclosure Project', *Business Strategy and the Environment,* 22/5 (2013): 285.

47) REDD+란 Reductions in Emissions from Deforestation and Forest Degradation을 의미한다. 이는 원래 열대우림국가연합(Coalition of Rainforest Nations)이 2005에 산림보호를 장려하기 위해서 만든 것이다. 이와 관련된 일반적 논의는 다음 문헌을 참조. Christina Voight (ed), *Research Handbook on REDD+ and International Law* (Cheltenham, UK: Edward Elgar, 2016).

48) Richard B. Stewart, Michael Oppenheimer, and Bryce Rudyk, 'Building Blocks for Global Climate Protection', *Stanford Environmental Law Journal,* 32/2 (2013): 12.

49) Abbott, Strengthening the Transnational Regime Complex (n 21), 68.

50) ibid, 67.

51) 탄소정보공개 프로젝트(Carbon Disclosure Project)는 기업들이 배출량을 자발적으로 보고하도록 하기 위해 2000년에 시작된 투자자 주도 프로그램이다. 이에 대한 일반적 논의는 Florence Depoers, Thomas Jeanjean, and Tiphaine Jérôme, 'Voluntary Disclosure of Greenhouse Gas Emissions: Contrasting the Carbon Disclosure Project and Corporate Reports', *Journal of Business Ethics, 134/3* (2016): 445 참조.

52) Samuel Alexander, Kara Nicholson, and John Wiseman, *Fossil Free: The Development and Significance of the Fossil Fuel Divestment Movement* (University of Melbourne: Melbourne Sustainable

물론 시민사회조직 및 사기업에 의한 다양한 민간 이니셔티브들은 공식적으로는 구속력이 없다. 이는 국가만이 법적인 구속력을 갖는 규칙을 수립할 수 있기 때문이다. 그럼에도 불구하고, 사적 거버넌스는 네트워크 효과, 여론 및 또래압력(peer pressure)을 통한 권한을 행사할 수 있다. 예를 들어, 특정 경제부문에 있는 대다수의 기업들이 공통된 표준을 갖고 있다면, 다른 회사는 이 표준을 따를 필요성을 느낄 수 있다. 만약 하나의 표준이 대중들에 의해 받아들여지고 이들의 소비행동에 영향을 미친다면, 생산자들은 시장에서 불이익을 얻지 않기 위해 그 표준을 채택해야 한다는 압력을 받을 것이다. 또한 '화석연료 관련 투자탈피 운동(fossil fuel divestment movement)'이 하나의 대학을 기점으로 캠페인을 펼치면, 그 대학은 부정적인 평판을 면하기 위해서 투자회수를 결정할 수 있다.[53] 이러한 모든 방식들을 통해서 민간의 기후 거버넌스는 실제적 행동에 대해 중대한 권한을 행사할 수 있다. 그러나 모든 사적, 비선출적, 비민주주의적 주체에 의한 권력의 행사의 정당성에 대한 우려가 있는 것과 같이, 이러한 영향력은 그 정당성에 대한 우려를 불러온다.[54]

Ⅳ. 여타의 다자기구들에 의한 기후 거버넌스

국제적 수준에서 FCCC는 기후변화의 위협에 대처하기 위한 노력의 허브 역할을 해왔다. 그러나 여타의 많은 다자기구들도 기후변화와 관련된 일들에 참여하게 되었다.[55] 여기에는 해상운송 및 민간항공으로부터의 배출량을 각각 다루는

Society Institute, 2014).

53) Julie Ayling and Neil Gunningham, 'Non-State Governance and Climate Policy: Hie Fossil Fuel Divestment Movement', *Climate Policy* (2015) <http://dx.doi.org/10.1080/14693062.2015.1094729> accessed 20 January 2017.

54) Julia Black, 'Constructing and Contesting Legitimacy and Accountability in Polycentric Regulatory Regimes', *Regulation and Governance*, 2/2 (2008): 137; Benjamin Cashore, 'Legitimacy and the Privatization of Environmental Governance: How Non-State Market-Driven (NSMD) Governance Systems Gain Rule-Making Authority', *Governance*, 15/4 (2002): 503.

55) 이 부분에 대해서는 다음 문헌을 참조. Bodansky, Multilateral Climate Efforts Beyond the UNFCCC (n 1); Harro van Asselt, 'Alongside the UNFCCC: Complementary Venues for Climate

IMO 및 ICAO와 같은 유엔 전문기관이 포함된다. 또한 G−8(Group of 8), G−20(Group of 20) 그리고 안전보장이사회(Security Council)와 같은 정치적 포럼들은 기후변화를 일상적으로 의제에 포함시키고 있다. 또한 17개의 주요 선진국과 개발도상국의 고위급 회담인 주요경제국포럼(Major Economies Forum, MEF)도 여기에 포함된다.

유엔기후체제 이외의 다자간 포럼들이 기후변화 문제를 다루려는 노력에는 몇 가지 근거가 있다.

- 첫째, 몬트리올의정서와 같이 성과를 내온 기관들에서 참가자들이 신뢰를 심어주고 협업을 증진시키는 협력관계를 발전시킨 바 있다.
- 둘째, IMO 및 ICAO와 같은 특정 부문에 집중하는 기구들은 합의를 촉진하고 부문의 특정한 성격에 맞춘 대응을 가능하도록 협력하는 전통을 가지고 있다.[56]
- 셋째, 일부 기관은 합의를 더욱 가능하게 만드는 절차적 규칙을 가지고 있다. 예를 들어, FCCC의 합의 규칙과 대조적으로 IMO는 가중다수결(qualified majority vote)로 결정하는데, 이를 통해 중국, 사우디아라비아, 브라질의 반대에도 불구하고, 새 선박에 대한 의무적 효율 표준을 채택한 바 있다.
- 마지막으로, LRTAP 협약과 같은 일부 제도는 지역적 포럼을 제공하는데 여기서 생성된 관계는 공동 관심사와 목표에 관한 합의를 보다 쉽게 달성할 수 있도록 한다.

유엔기후체제가 다른 기관에 조치를 위임하거나, 외부의 활동이 FCCC를 보조 혹은 보완을 할 때, 다른 다자 포럼들이 기후변화 문제를 다루는 것은 문제가 되지 않는다. 예를 들어, IMO와 ICAO의 경우, 교토의정서가 국제운송으로 인한 배출은

Action' (Arlington, VA: Center for Climate and Energy Solutions, May 2014) <http://www.c2es.org/docUploads/alongside-the-unfccc.pdf> accessed 20 January 2017.

56) 부문에 특수화된 협정들에 관해서는 다음 문헌을 참조. Daniel Bodansky, 'International Sectoral Agreements in a Post-2012 Climate Framework' (Arlington, VA: Pew Center on Global Climate Change, May 2007) <http://www.c2es.org/docUploads/International%20Sectoral%20Aggreements%20in%20a%20Post-2012%20Climate%20Framework.pdf> accessed 20 January 2017.

유엔 전문기관이 다루도록 부속서I 국가들에게 특별히 지시하면서,[57] 유엔기후체제가 이 부분의 규제를 효과적으로 IMO 및 ICAO에 위임하도록 했다. 마찬가지로, 몬트리올의정서의 경우 염화불화탄화수소(hydrochlorofluorocarbons, HCFCs)를 수소불화탄소(hydrofluorocarbons, HFCs, 역자주: 이는 오존층을 파괴하는 프레온가스의 성분으로 냉매 등에 사용됨)가 없는 화학물질로 대체하는 프로젝트에 기금을 주도록 한 것은 교토의정서의 HFC 배출제한을 확장함으로써 유엔기후체제를 보완하는 것이다 마지막으로, 블랙카본(Black Carbon) 배출을 줄이기 위한 LRTAP 협약의 노력은 FCCC와 교토의정서가 다루지 않는 문제에 초점을 맞춤으로써 유엔기후체제를 보완하는 것이다.

그러나 다른 다자간 포럼을 통해 기후변화를 다루는 것이 FCCC 프로세스와 경쟁하게 되면 문제가 제기된다. 예를 들어, 몬트리올의정서에 따른 HFCs의 규제는 이미 HFCs를 규제한 교토의정서와 경쟁하는 것으로 볼 수 있다.[58] 앞서 언급했듯이, 규제 경쟁은 잠재적인 이익을 가지고 있음에도 불구하고, 포럼 쇼핑의 위험성, 정책적 일관성의 부재 및 더 일반적으로는 국제법의 분열이라는 문제를 야기한다.[59]

또한, 유엔기후체제 외부에서 기후변화의 문제를 다루는 것은 FCCC 제3조에 명시된 원칙, 특히 공통의 그러나 차등화된 책임과 국가별 역량의 원칙(common but differentiated responsibilities and respective capabilities, CBDRRC)이 적용되는가의 문제를 가져온다.[60] 이 문제는 IMO와 ICAO가 해양 및 항공상의 배출을 제한하는 일에 있어서도 제기되었는데, 이 둘은 모두 그들의 규제에 있어서 CBDRRC의 원칙을 적용하지 않는다. 대신, 그들은 선박과 항공기를 국적과 무관하게 동등하게 규제하려고 한다. 일반적으로 IMO는 기후변화 규율에 있어서도 무차별원칙을 적

---

57) Kyoto Protocol, Art 2.2.

58) Sebastian Oberthür, Claire Dupont(-roche Kelly), and Yasuko Matsumoto, 'Managing Policy Contradictions between the Montreal and Kyoto Protocols: The Case of Fluorinated Greenhouse Gases', in Sebastian Oberthür and Olav Schram Stokke (eds), *Managing Institutional Complexity: Regime Interplay and Global Environmental Change* (Cambridge, MA: MIT Press, 2011) 115.

59) Harro Van Asselt, 'Legal and Political Approaches in Interplay Management: Dealing with the Fragmentation of Global Climate Governance', in Oberthür and Stokke, ibid, 59.

60) CBDRRC에 대한 논의는 제1장 V.C 참조.

용하며, 개발도상국과 선진국의 의무를 구별하지 않는다.[61] 그러나 이러한 접근법은 여전히 논란이 되고 있다.

A. 항공기와 선박에 의한 배출(Bunker Emissions)

항공 및 해상 배출은 매년 이산화탄소 배출량의 약 2퍼센트를 차지하며, 급속도로 증가하고 있다.[62] 소위 벙커 배출이라고 불리는 이러한 온실가스 배출에 대해서 특정 국가에 책임을 묻는 것은 어렵다. 이러한 이유로 교토의정서는 국가별 배출목표에 벙커 배출을 포함하지 않도록 하였다. 대신, 부속서I 국가에게 전문기구를 통해 국제운송의 배출량을 다루도록 지시했다. 그 전문기구가 해상운송의 경우에는 IMO이고, 민간항공의 경우에는 ICAO이다.[63]

1. 국제해사기구(IMO)

IMO의 2014년 연구는[64] 국제해상운송이 약 9억 톤의 이산화탄소를 배출하는 것으로 추산했다.[65] 이것은 총 온실가스배출의 상대적으로 작은 부분(2.7퍼센트)이

61) Sophia Kopela, 'Climate Change, Regime Interaction, and the Principle of Common But Differentiated Responsibility: The Experience of the International Maritime Organization', *Yearbook of International Environmental Law*, 24/1 (2014): 70.

62) International Maritime Organization (IMO), 'Greenhouse Gas Emissions' <http://www.imo.org/en/OurWork/environment/pollutionprevention/airpollution/pages/ghg-emissions.aspx> accessed 20 January 2017; International Civil Aviation Organisation (ICAO), 'Aircraft Engine Emissions' <http://www.icao.int/environmental-protection/Pages/aircraft-engine-emissions.aspx> accessed 20 January 2017. Alice Bows-Larkin, All Adrift: Aviation, Shipping, and Climate Change Policy', *Climate Policy,* 15/6 (2015): 681; FCCC, 'Emissions from fuel used for international aviation and maritime transport (international bunker fuels)' <http://unfccc.int/methods/emissions_ffom_intl_transport/items/1057.php> accessed 20 January 2017.

63) Kyoto Protocol, Art 2.2.

64) Daniel Bodansky, 'The Regulation of Emissions from Ships: The Role of the International Maritime Organization', in H. Sheiber, N. Olifer, and M. Kwon (eds)', *Ocean Law Debates: The 50-Year Legacy and Emerging Issues for the Years Ahead* (Leiden: Brill, forthcoming 2017).

65) IMO, *Third Greenhouse Gas Study* (London: IMO, 2014), Table 1. 국제에너지기구(International Energy Agency)는 국제해상운송에 의한 온실가스 배출이 대략 1.7퍼센트로 더 낮다고 추산한다. IMO와 IEA가 사용하는 방법론의 신뢰성에 대한 논의는 다음 문헌을 참조. David McCollum, Gregory Gould, and David Greene, 'Greenhouse Gas Emissions from Aviation and

지만, 이에 대한 완화정책이 없는 한, 해양배출량은 금세기 중반까지 두 배 또는 세 배로까지 증가할 것으로 예상된다.[66]

선박으로부터의 오염을 규제하는 IMO의 협정인 MARPOL 73/78의 당사자들은 2011년에 선박의 에너지효율에 관한 제6부속서에서 대기오염의 문제를 다루도록 개정하였다.[67] 그 개정은 다음의 내용을 포함한다.

- 새로운 선박은 에너지효율성설계지수(energy efficiency design index, EEDI)를 충족해야 하는데, 이는 다양한 종류와 크기의 선박에 대해 용량 마일에 따른 이산화탄소 배출의 한도를 지정하는 지수이다.
- 모든 선박은 선박 고유의 에너지효율 관리계획을 채택하고 이행해야 한다.

이 제6부속서의 개정에 대해 논쟁이 있었는데, 이는 이 규제에서 CBDRRC 원칙을 적용할 것인지, 그리고 적용한다면 어떤 방식으로 할 것인가에 대한 문제였다. 기본적으로, 당사자들은 세 가지 입장을 가지고 있다. 미국을 포함한 일부 선진국들은 IMO의 비차별원칙(non-discrimination)과 특혜금지의 원칙(no-more-favourable-treatment principles)에 입각하여 CBDRRC 원칙이 적용되어서는 안 된다고 주장한다. 반면, 중국이나 인도는 IMO이 비차별주의를 넘어서서 CBDRRC 원칙을 적용해야 하며, 이에 따라 선진국과 개발도상국의 해상배출을 제한하는 의무는 교토의정서에 따라 차등화되어야 한다고 주장한다.[68] 이 두 주장 사이에 중간적 입장으로, IMO 사무국은 CBDRRC가 IMO의 온실가스 배출과 관련 규제에 적용된다 할지라도 그것은 IMO의 비차별원칙과 충돌하지 않는데, 이는 IMO의 비차별원칙이 선박에 적용되는 것이기 때문이라고 주장한다.[69]

Marine Transportation: Mitigation Potential and Policies' (Arlington, VA: Pew Center on Global Climate Change, December 2009). 2014년 IMO의 보고서는 선박으로 인한 전체 온실가스배출의 대부분(약 97퍼센트)이 이산화탄소로 추정하며, 대부분 배기가스에 포함된 것으로 본다.

66) Ibid, 34.

67) Marine Environment Protection Committee (MEPC), 'Amendments to MARPOL Annex IV on Regulations for the Prevention of Air Pollution from Ships by Inclusion of New Regulations on Energy Efficiency from Ships' Resolution MEPC.203(62) (adopted 15 July 2011, entered into force 1 January 2013) IMO Doc. MEPC 62/24/Add.l, Annex 19.

68) Kopela, Climate Change, Regime Interaction, and the Principle of Common But Differentiated Responsibility (n 61).

궁극적으로, 선진국들은 특혜금지의 원칙을 MARPOL 제6부속서 개정에 적용시키는 데 성공했다. 이 개정은 선박이 선진국이나 개발도상국의 국기를 달거나, 소유되거나, 운영되는 것에 있어 규율의 차이를 두고 있지 않다.[70] 그리하여, 이 개정에 대해 중국, 브라질과 사우디아라비아는 반대하였다. 그럼에도 불구하고, 이 개정은 49대 5(2 기권)로 채택되었는데, 이는 당사자의 2/3의 찬성에 의해 부속서를 개정할 수 있다고 규정하는 MARPOL 제16조에 의거한 것이었다.[71] 이 개정은 2013년 1월 1일 발효되었다.

이 MARPOL 제6부속서의 개정은 여러 면에서 중요하다. 첫째, 그것은 특정 부문에 특화된 의무배출기준을 제정한 최초의 사례이다. 둘째, 선진국이나 개발도상국의 선박 간에 균등하게 적용되었다.[72] 대신, 이 개정은 개발도상국을 위한 기술협력 및 원조를 촉진하기 위한 조항이 포함되도록 함으로써 차등화 문제를 다뤘다. 셋째, 다수결로 채택된 이 개정은 기후변화와 관련된 결정이 중요 국가들의 반대를 넘어선 첫 사례가 되었다.

MARPOL은 제6부속서의 개정에 반대한 국가들이 개정의 새로운 요구사항을 배제하는 것을 허용하였다. 개정에 반대한 국가는 5개국이었지만, 최종적으로는 브라질만이 공식적인 유보를 접수했다.[73] 그럼에도 불구하고, 브라질 국기를 단

---

69) IMO, 'Legal Aspects of the Organization's Work on GHG Emissions from Ships in the Context of the UNFCCC and the Kyoto Protocol' (1 April 2011) <http://www.imo.org/OurWork/Environment/PoUutionPrevention/AirPollution/Documents/Third%20Intersessional/11-Legal_final.pdf> accessed 20 January 2017.

70) 개발도상국에 주어지는 유일한 양해는 당사자들이 새 요구사항을 4년 동안 면제받을 수 있다는 것이다.

71) IMO, Report of the Marine Environment Protection Committee on its sixty-second session (26 July 2011) IMO Doc. MEPC 62/24 (Report of MEPC 62) para 6.110. 브라질, 칠레, 중국, 쿠웨이트 및 사우디아라비아가 개정에 반대하였고, 자메이카와 세인트 빈센트, 그레나딘은 기권하였다. 개정 채택 후 브라질, 중국, 인도, 사우디아라비아, 베네수엘라는 표결에 반대하는 성명을 발표하였다. 'Statements by the Delegations of Brazil, China, India, Saudi Arabia and the Bolivarian Republic of Venezuela and the Observers of the Pacific Environment and Clean Shipping Coalition after the Adoption of Amendments to MARPOL Annex VI', in Report of MEPC 62, IMO Doc. MEPC 62/24/Add.l, Annex 20.

72) 일부 국가는 제6부속서가 개발도상국과 선진국을 구분하지 않음으로써 FCCC를 침해하고 있다고 주장했지만, IMO의 법률사무소는 유엔기후체제의 원칙이 IMO 결정과정을 제한하지 않는다고 결론지었다. IMO, Legal Aspects (n 69).

73) IMO, *Status of Multilateral Conventions and Instruments in Respect of which the International*

선박이 개정을 수락한 타국가의 항구에 정박하고자 한다면, 개정이 요구하는 새로운 기준을 충족시켜야 할 것이다. 또한, 조선소는 배가 어떤 국기를 달게 되는지와 관계없이 모든 배에 대해서 새로운 기준에 맞추어 생산할 것인데, 이는 그렇게 하지 않으면 배의 재판매 가치가 떨어지게 되기 때문이다. 이러한 이유로 새로운 MARPOL 기준은 브라질의 유보에도 불구하고 보편적으로 적용될 가능성이 높다.

2011년 제6부속서의 개정 채택은 CBDRRC에 관한 이견의 문제를 해결하지 못했다. 이에 대한 해결은 2년 후 IMO 결의안 채택으로 이루어지는데, 이때 채택된 결의안 전문은 IMO의 비차별주의와 특혜금지의 원칙과 FCCC의 CBDRRC 원칙을 모두 '인정'하면서, 이것의 MARPOL에 대한 적용가능성을 구체화하지는 않은 바 있다.[74] 이 결의안은 선박 관련 기술이전 촉진을 위한 임시 특별 전문가 실무그룹을 창설하였는데, 이들은 개발도상국이 필요로 하는 기술뿐만 아니라 기술이전을 막는 장벽을 파악하기 위한 그룹이다.

해상배출에 대한 IMO의 작업은 진행 중이며, 여전히 고려중인 한 가지 선택사항은 국제해운을 위한 시장기반 메커니즘을 개발하는 것이다. 그러나 최근 IMO가 집중하고 있는 일은 연료소비에 대한 정보의 수집 및 보고에 대한 새로운 요구사항을 포함하는 데이터 수집 및 분석에 있다.[75]

2. 국제민간항공기구(ICAO)

여러 측면에서 민간항공은 해상운송과 유사하다.

- 민간항공은 고도로 국제화된 산업분야로, 이 부문에 대한 국제적 접근이 적절하다.
- 현재 국제민간항공기에 의한 배출량은 상대적으로 적어서, 전세계 이산화탄

Maritime Organization or its Secretary-General Peforms Depositary or Other Functions, as at 10 October 2016 (London: IMO, 2016) 166.

74) IMO, Promotion of Technical Cooperation and Transfer of Technology Relating to the Improvement of Energy Efficiency of Ships' Res. MEPC.229 (65) (17 May 2013) IMO Doc. MEPC 65/22, Annex 4.

75) IMO는 2016년 새로운 정보보고 요구사항을 잠정적으로 승인하였다. Amendments to MARPOL Annex VI (Data Consumption System for Fuel Oil Consumption)' Res. MEPC.278(70) (27 October 2016). 이 요구사항은 2018년 3월 1일에 발효될 예정이다.

소 배출량의 약 1.3퍼센트에 불과하다.[76] 그러나 항공 배출량은 급속히 증가하고 있으며, 새로운 정책이 없다면, 효율성이 지속적으로 좋아진다고 할지라도 2050년까지 4배에서 6배 증가할 것으로 예상된다.[77]

- 민간항공의 배출은 현존하는 기술을 사용하여 현저하게 감소될 수 있다. 예를 들어, 새로운 경량자재와 더 효율적인 엔진을 사용하여 항공기의 연료효율을 높이거나, 기존의 연료를 저탄소 연료로 대체하거나, 연료를 더 적게 사용하는 방식으로 항공기를 작동할 수 있다. 한 추산에 따르면, 이러한 조치들은 2050년까지 민간항공의 배출을 50퍼센트까지 줄이는 데 기여할 수 있다.[78] 이는 정책이 없는 경우에 비해서는 배출량이 현저히 개선된다는 점을 보여주지만, 그럼에도 항공기를 이용한 여행이 4배 증가할 것이라는 예측에 따르면, 항공에 의한 배출은 2050년까지 두 배는 증가할 것이다.

ICAO는 국제민간항공의 거버넌스를 책임지는 UN 전문기관이다. ICAO는 1944년 국제민간항공협약(Convention on International Civil Aviation, 주로 시카고협약이라고 함)에[79] 의해 설립되었으며, 국제민간항공 분야에서 정책, 기준 및 지침들을 개발한다. ICAO 내에서 항공환경보호위원회(Committee on Aviation Environmental Protection, CAEP)가 환경문제에 대한 주요한 책임을 맡고 있다.

2010년 10월에 ICAO 총회는 기후변화에 대한 통합 결의안을 채택하면서, 국제적 목표로 (1) 평균 연료효율을 매년 2퍼센트씩 향상시키는 것과 (2) 2020년부터 탄소중립적인 성장을 달성하는 것(실제로 글로벌 이산화탄소 배출량을 2020년 수준으로 안정시키는 것을 의미함)을 설정하였다.[80] 이 결의는 국제항공 부문을 세계적인 배

76) ICAO, 'Top 3 Misconceptions about CORSIA' <http://www.icao.int/environmental-protection/Pages/A39_CORSIA_FAQ6.aspx> accessed 20 January 2017.

77) Gregg Fleming and Urs Ziegler, 'Environmental Trends in Aviation to 2050', in *ICAO Environmental Report 2013 : Aviation and Climate Change* (Montreal: ICAO, 2013) 22, 25.

78) McCollum, Gould, and Greene, Greenhouse Gas Emissions from Aviation and Marine Transportation (n 65) 14.

79) 국제민간항공협약(Convention on International Civil Aviation) 1944.12.07. 채택, 1947.04.04. 발효, 15 UNTS 295.

80) ICAO, 'Consolidated Statement of Continuing ICAO Policies and Practices Related to Environmental Protection-Climate Change' ICAO Assembly Res A37-19: Resolutions adopted at the thirty-seventh

출목표를 채택한 첫 번째 부문으로 만들었지만, 이 결의는 목적을 '야심찬' 것으로, 목표를 달성시키기 위한 국가들의 기여를 '자발적'인 것으로 설정하였다. 그리고 2퍼센트의 연비효율 목표와 2020년 안정화 목표가 "개별국가에 특정 의무를 부과하지 않는다"고 구체적으로 서술하였다.[81] 당사자들은 또한 항공기를 위한 국제 CO_2 효율기준을 개발하기로 합의하였는데, 이는 IMO가 만든 새로운 선박들을 위해 개발한 EEDI 기준과 유사한 것이다.

IMO와 마찬가지로 ICAO 결정도 가중다수결에 의해 결정된다. 그 결과, ICAO 총회는 2010년 중국, 인도 및 브라질의 반대에도 불구하고 결의안을 채택할 수 있었다. 많은 국가들이 결의의 특정 부분들에 대해서 유보를 표하였는데, 중국은 2020년 안정화 목표에 국가배출을 포함하는 것에 반대했고, EU는 2020년 목표가 너무 약하다고 비난하였으며,[82] 미국은 개발도상국에 대한 요건이 약화되도록 해석될 수 있는 표현에 반대했다.

ICAO 논의를 복잡하게 만든 요인으로는 2012년 EU의 일방적인 결정이 있는데, 이는 EU 회원국에 이착륙하는 모든 항공편의 배출량에 대해서까지 배출거래시스템(EU-ETS)의 적용범위를 확대하려는 결정이었다.[83] 일방적인 EU의 행동은 ICAO 내에서 기후변화 문제를 정치화시켰고, ICAO 행동의 중요한 동인으로 작용했다. 미국 항공사는 영국령 법원에 EU 지침의 시행을 금지하도록 소송을 제기하면서 그 근거로 그 지침이 EU의 영공 외의 배출을 규제하고 있다는 점에서 국제관습법을 위반하고, 교토의정서 제2조 제2항이 부속서I 국가들에게 ICAO를 통해 국제항공배출을 규제하도록 명시한 것에 위반하며, 추가요금을 부과했다는 점에서 시카고협약을 위반했다고 주장하였다. 이 사건은 유럽사법재판소(European Court of Justice, ECJ)로 이송되었는데, ECJ는 2011년에 EU지침을 유지하는 판결을 내렸

---

session by the Assembly (8 October 2010) 55, paras 4, 6.

81) Ibid, para 5.

82) EU는 국제적 배출감축의 목표를 2020년까지 민간항공에서 2005년 수준을 기준으로 10퍼센트 감축하는 것으로 규정하고자 하였다.

83) Directive 2008/101/EC of the European Parliament and of the Council of 19 November 2008 amending Directive 2003/87/EC so as to include aviation activities in the scheme for greenhouse gas emission allowance trading within the Community (Text with EEA relevance) (13 January 2009) *Official Journal of the European Union* L8/3.

다.[84] 그럼에도 불구하고, 중국, 인도 및 미국의[85] 강력한 공동의 압력에 의해 EU는 지침을 일시적으로 유예하기로 결정하였는데, 이는 ICAO로 하여금 민간항공기 배출을 제한하기 위한 국제적 시장기반 조치를 개발하는 프로세스를 허용하기 위한 것이기도 했다.[86]

EU지침이 유예됨에 따라, ICAO 내에서 항공배출에 대한 다자적 해결책을 찾는 프로세스가 긴급하게 진행되었다. ICAO는 두 가지 접근방식을 취하게 되었는데, 이는 항공기효율표준(aircraft efficiency standards)과 시장기반조치이다.[87] 2016년 2월, CAEP는 CO_2 배출활동표준(CO_2 performance standard)을 잠정적으로 승인했는데, 이는 2020년에서 2028년 사이에 단계적으로 새 항공기 모델부터 현재 생산되는 모든 모델에까지 적용된다. 그 후 2016년 10월, ICAO는 최초로 부문 전체에 대한 국제적인 시장기반 조치인 국제항공 탄소상쇄감축제도(Carbon Offset and Reduction Scheme for International Aviation, CORSIA)를 채택하는데, 이는 2020년부터 탄소중립 성장을 하겠다는 ICAO의 목표를 달성하기 위한 것이며, 프로그램이 시행되는 15년 동안 25억 톤의 항공배출을 상쇄할 것으로 예상된다.[88]

CORSIA는 적용대상 항공사들에게 2020년 수준 이상의 배출분이 있을 경우 항공부문 외에서 (예를 들어 REDD+나 파리협정의 새 시장 메커니즘을 통해) 배출권을 구입하여 초과분을 상쇄할 것을 요구한다. CORSIA는 2021년－2023년에 예비단계가, 그리고 2023년－2026년에 제1차 단계가 진행되며, 이에 대한 참여는 자발적이

84) Case C-366/10, *Air Transport Association of America v Secretary of State for Energy and Climate Change* [2011] ECR1-3755.

85) 인도와 중국은 CBDRRC 원칙에 위배되는 것 때문에 EU의 조치에 반대한 반면, 미국은 이 규제가 허용할 수 없는 역외관할권(extraterritorial jurisdiction)의 행사라는 이유로 반대했다. Joanne Scott and Lavanya Rajamani, "EU Climate Unilateralism", *European Journal of International Law*, 23/2 (2012): 469.

86) European Union, ‘Stopping the clock of ETS and aviation emissions following last weeks International Civil Aviation Organisation (ICAO) Council’, Press Release (12 November 2012) <http://europa.eu/rapid/press-release_MEMO-12-854_en.htm> accessed 20 January 2017.

87) ICAO Environment, ‘Carbon Offsetting and Reduction Scheme for International Aviation (CORSIA)’<http://www.icao.int/environmental-protection/Pages/market-based-measures.aspx> accessed 20 January 2017.

88) ICAO Assembly Resolution A39-3 (6 October 2016). 국제항공에 대한 시장기반 조치에 대한 더 많은 관점들에 대해서는 ‘Special Issue on Aviation and Climate Change’, *Carbon and Climate Law Review*, 2016/2 (2016): 91 참조.

다. 그 후 제2차 단계가 시작하는 2027년부터는 예외범주에 있는 국가들을 제외하고, 모든 국가가 CORSIA에 참여할 것으로 예상되는데, 그 예외범주에는 최빈개도국, 군소도서국가 및 항공활동이 일정수준 이하인 국가들이 포함된다. 전반적으로 이 계획은 예상배출량 증가의 약 4분의 3을 다루게 될 것으로 예상된다. CORSIA에 대한 협상에서 핵심 이슈는 항공사에 대한 상쇄 요구사항이 개별 항공사의 배출량 증가를(이는 개발도상국의 급성장중인 항공사에 막대한 부담을 안겨줄 것임) 기반으로 할 것인지, 아니면 부문의 총성장에(이는 정착한 저성장중인 항공사가 전세계 항공활동에서 차지하는 비중에 따라 부문 전체의 배출량 증가를 상쇄하는 데 책임을 지도록 할 것임) 둘 것인지의 문제였다. CORSIA는 '동적 접근법'을 채택하였는데, 이는 항공사의 상쇄 요구분이 초반에는 전세계 배출량 증가에 연계되도록 하고, 시간이 지남에 따라 항공사들의 개별적인 성장에 따라 추산되도록 하는 것이다.

IMO에서와 같이, ICAO에서도 CORSIA의 국가 간 차등화 정도에 대해 상당한 논쟁이 있었다. 몇몇 개발도상국이 원했음에도 불구하고, CORSIA는 국가 범주에 따라 상쇄 요구분을 차등화하지 않았다. 그러나 CORSIA는 여러 가지 다른 방법으로 차등화를 반영하였는데, 예를 들어, 예비단계 및 제1차 단계를 자발적 참여로 규정하고, 최빈개도국 및 군소도서국가를 제외하였으며, 역량강화를 제공하고, 정착한 항공사들이 급성장하는 개발도상국의 항공사들의 배출량 상쇄에 대한 부담을 공유하도록 하였다. 그리고 ICAO의 차별금지원칙을 반영하여, 면제국가의 항공사가 운영하는 노선에는 상쇄 요구사항이 적용되지 않도록 했다.

B. 오존파괴물질

오존층의 파괴는 기후변화보다 먼저 국제적 관심사였고, 국제오존체제(international Ozone regime)는[89] FCCC의 설계에 영향을 미쳤다.[90] 오존파괴물질(ozone-depleting

---

89) 오존체제는 1988년 9월 22일에 채택된 오존층 보호에 관한 비엔나 협약(Vienna Convention on the Protection of the Ozone Layer, 1985.03.22. 채택, 1988.09.22. 발효, 1513 UNTS 324) 및 몬트리올의정서, 관련 개정, 결정들로 구성된다.

90) Oberthur, Dupont(-roche Kelly) and Matsumoto, Managing Policy Contradictions between the Montreal and Kyoto Protocols (n 58).

substances, ODS)은 잠재적 온실가스이지만,[91] FCCC 체제에서 다루어지지 않았다.[92] 대신에, 기후체제는 몬트리올의정서에 이 문제를 미뤄왔는데, 몬트리올의정서는 사염화탄소, 메틸클로로포름, HCFCs 및 브롬화 메틸을 포함하는 광범위한 ODS의 감소 및 단계적 폐지의 문제에 대응한다.[93]

몬트리올의정서의 ODS 감소는 기후변화적 측면에서 상당히 유익했다.[94] 처음에는 이 기후변화적 측면에서 유익했던 것이 오존층을 보호하려는 노력에 있어 부산물이었다. 그러던 중 2007년 몬트리올의정서 당사자들이 처음으로 기후변화 문제를 그들의 의사결정에 명시하였는데, 이 의사결정은 HCFCs의 단계적 제거일정을 10년씩 단축하기로 합의한 것으로, '제2조 당사자'(사실상 선진국들)에 있어서 2030년까지가 아닌 2020년까지, 그리고 '제5조 당사자'(ODS의 1인당 소비량이 설정기준 이하인 개발도상국들)는 2040년까지가 아닌 2030까지로 단축한 것이다.[95] 이 HCFCs 관련 결정은 2010년에서 2050년 사이에 25 $GtCO_2e$에 이르는 배출감소를 이룩할 것으로 추정되었으며, 한 연구에 의하면 이는 기후변화 완화에 대한 순기여도가 교토의정서의 제1차 의무기간의 목표에 의한 배출감축보다 '더 크다'고 한다.[96]

---

91) 예를 들어, CFC-11은 '지구온난화지수(global warming potential, GWP)'가 4660으로, 이는 분자 하나하나가 CO_2보다 100년의 기간에 걸쳐 4,660배 더 큰 것이고, CFC-12의 GWP는 10,200이다. IPCC, Climate Change 2013: The Physical Science Basis (2013), Appendix 8 A.

92) FCCC의 의무들은 몬트리올의정서에 의해 통제되지 않는 온실가스에만 적용되며, FCCC 제4조 제1항 (a)호, 제4조 제2항 (a)호 그리고 교토의정서의 배출목표는 ODS를 포함하고 있지 않다. Kyoto Protocol, Annex A (규제대상 온실가스 목록).

93) 몬트리올의정서는 197개의 참가국을 가지고 있으며, 규제하는 모든 화학물질의 98퍼센트 이상을 단계적으로 폐지해왔다. UNEP, *Key Achievements of the Montreal Protocol to Date* <http://ozone.unep.org/Publications/MP_Key_Achievements-E.pdf> accessed 20 January 2017.

94) Guus J.M. Velders *et al.*, 'The Importance of the Montreal Protocol in Protecting Climate', *Proceedings of the National Academy of Sciences*, 104 (2007): 4814.

95) Decision XIX/6, Adjustments to the Montreal Protocol with Regard to Annex C, Group I Substances (Hydrochlorofluorocarbons) (21 September 2007) UNEP/OzL.Prol9/7, 33. 몬트리올의정서에 따르면, 제5조 당사자는 특정 규제물질의 소비가 1인당 0.3킬로그램 미만인 개발도상국이다. 제2조 국가는 그 이외의 모든 당사자이다.

96) Velders, Importance of Montreal Protocol (n 94); D.W. Fahey and M.I. Hegglin, *Twenty Questions and Answers about the Ozone Layer: 2010 Update* (Geneva: World Meteorological Organization, 2011), Q61 (기후변화 완화에 대한 몬트리올의정서의 기여도가 교토의정서의 기여도보다 제1차 의무기간 동안의 기여 기준으로 5-6배 더 큰 것으로 추산).

이 HCFCs 결정의 채택에 따라, HFCs라는 HCFCs의 대체물질에 관심이 쏟아졌는데, 이 물질은 몬트리올의정서가 의도치 않게 장려하게 된 물질이었다. HFCs는 오존층을 파괴하지 않지만, 가스에 따라 100년 시간단위로 보았을 때 CO_2보다 분자당 10,800배 더 강력한 매우 유력한 온실가스이며,[97] 이 HFCs는 교토의정서의 규제대상인 6가지 기체 중에 포함된다. 몬트리올의정서는 HFCs를 장려하게 되면서, 유엔기후체제와는 반대되는 목적에 부합하게 작용해왔다. 오늘날 HFCs는 전세계 온신가스 배출량의 약 2퍼센트만을 차지하고 있지만,[98] 이 수치는 무엇보다 개발도상국에서의 냉난방 수요 증가로 인해 급증할 것으로 예상된다. 한 추산에 따르면, HFCs는 반세기만에 매년 55억에서 88억 톤의 CO_2에 상당할 것이며(이는 오늘날 미국의 온실가스 총배출량과 거의 비슷함), 세계 온실가스 배출의 9－19퍼센트의 차지할 것으로 보는데,[99] 이 수치는 상당히 불확실한 것으로, 그 전제가 되는 IPCC의 대표농도경로(representative concentration pathways)가 '상당히 낮게 예상된 증가'만을 가진다고 전제한 것이다.[100]

처음에는 일부 국가들이 몬트리올의정서에 의거하여 HFCs를 규제하는 것에 의문을 제기했다. 이는 HFCs가 오존파괴물질이 아니기 때문이다. 그러나 2015년 11월, 몬트리올의정서 당사자들은 '두바이 경로회의(Dubai Pathway)'에 합의하고, HFCs의 생산과 사용을 단계적으로 중단하기 위한 협상을 개시했다.[101] 이 협상은 그 다음해 10월의 '키갈리 회의(Kigali conference)'에서 종료되었다.

몬트리올의정서에는 두 가지 수정절차가 있다. 첫 번째는 개정절차(amendment procedure)에 따라 새로운 화학물질을 추가하는 것으로, 의정서 당사자 3분의 2의 비준을 요구하고 비준하는 국가에게만 적용된다.[102] 두 번째는 '조정'절차(adjustment

97) IPCC, Climate Change 2013: Physical Science Basis (n 91) Appendix 8.A.
98) IPCC, Climate Change 2014: Mitigation of Climate Change (2014) 123.
99) Guus J.M. Velders *et al.*, 'The Large Contribution of Projected HFC Emissions to Future Climate Forcing', *Proceedings of the National Academy of Sciences*, 106/27 (2009): 10949.
100) IPCC, Climate Change 2013: Physical Science Basis (n 91) 701.
101) Decision XXVII/1, 'Dubai Pathway on Hyrdrofluorocarbons' (5 November 2015) UN Doc. UNEP/OzL.Pro.27/13.
102) 몬트리올의정서의 개정절차는 그 모체가 되는 조약인 비엔나 협약(Vienna Convention)에 명시되어 있다.

procedure)가 있는데, 이는 의정서가 이미 규제하고 있는 물질에 대한 통제의 정도를 강화하는 개정으로, 이러한 개정은 모든 당사자에게 적용되며, 2분의 3 표결을 요구한다. 이는 제5조 당사자들과 제5조 당사자가 아닌 국가들 모두의 과반수를 대변하는 것이다.[103] 위에서 소개한 2007년 결정은 HCFCs에 대한 단계적 폐지계획에 대한 조정(adjustment)의 형식을 취한 것이다. 이와 대조적으로, HFCs를 단계적으로 폐지하기로 결정한 키갈리 결정은 몬트리올의정서가 당시 HFCs를 규제하지 않고 있었기 때문에, 개정(amendment)의 형태를 취한 것으로, 그 개정은 이를 비준한 당사자에만 적용되는 것이다.

2016년 10월에 채택된 키갈리 개정은 HFCs의 생산 및 사용을 단계적으로 폐지하기 위한 세부일정을 수립했다.[104] 대부분의 제2조 당사자는 2019년에 HFCs의 생산과 사용을 줄이기 시작하고, 2036년까지 2011－2013년 수준 대비 85퍼센트를 줄이도록 요구하고 있다. 또한 제5조 당사자들에게 2024년에 동결을 하고, 2045년까지 2020－2022년 수준 대비 80퍼센트를 감축하는 계획의 의무를 부담하도록 한다.[105] 인도, 파키스탄, 걸프만 국가들을 포함하는 제5조 당사자 중 일부는 이 감축계획을 시작하는 데 추가로 4년의 시간을 더 가지며, 다른 기준선을 갖게 된다. 이 개정은 2030년까지 비(非)당사자에 대한 무역조치를 계획하고 있다. 또한 이 개정은 감축일정의 강화 여부를 고려하기 위해 매 5년마다 기술개발에 대한 주기적 검토를 제공한다. 한 공여국 그룹은 개발도상국이 조기행동을 하는 데에 8천만 달러를 제공하기로 동의했다. 이 감축이 완전히 이행되면, 2050년까지 80억 톤의 CO_2에 해당하는 배출을 방지하는 것이고, 이는 세기말까지 온난화를 최대 0.5℃까지 억제할 수 있는 것이 된다.[106]

---

103) Montreal Protocol, Art 2.9.

104) Decision XXVIII/1, 'Further Amendment of the Montreal Protocol' (15 November 2016) UNEP/OzL.Pro.28/12, 31. 키갈리 개정의 텍스트는 부속서I에 시작된다. Ibid, 46.

105) 벨라루스, 카자흐스탄, 러시아, 타지키스탄 및 우즈베키스탄은 약간 더 느린 단계별 폐지계획을 가지고 있다.

106) Jeff Tollefson, 'Nations Agree to Ban Refrigerants that Worsen Climate Change', *Nature* (15 October 2016) <http://www.nature.com/news/nations-agree-to-ban-refrigerants-that-worsen-climate-change-1.20810> accessed 20 January 2017.

C. 블랙카본 및 그 이외의 단명성 기후변화 강화물

블랙카본은 그을음의 주요성분인 탄소성 연무제(carbonaceous aerosol)이다. 블랙카본의 가장 큰 배출원은 농작물과 임업에서의 바이오매스 연소이며, 이는 총배출량의 약 40퍼센트를 차지한다. 블랙카본은 온실가스가 아니지만, 가시적인 일광을 직접 흡수하고, 적설을 어둡게 하며, 구름 형성에 영향을 주어 지구온난화를 가져온다. 일부 연구는, 블랙카본이 CO_2 다음으로 지구온난화를 야기하는 두 번째로 중요한 물질이라고 본다.[107] 그러나 기후변화에 대한 영향에 대한 수량적 추산에 관해서 과학적으로 합의된 지식은 아직 없다.[108]

수십 년 또는 수세기 동안 대기에 머물러 있는 CO_2 및 다른 온실가스와 달리, 블랙카본은 일주일에서 수주 동안만 대기 중에 머물러 있기 때문에, 종종 '단명성 기후 강화물'(short-lived climate forcer, SLCF)이라고 불린다. 다른 SLCFs로는 대류권 오존(tropospheric ozone), 메탄 및 일부 HFCs가 포함된다(후자의 두 가지 물질은 교토의정서에 의해 규제된다).

블랙카본이 단기간 동안에 대기 중에 머물러 있는 것은 몇 가지 중요한 결과를 초래한다. 첫째, 배출량 감축은 농도 수준에 즉각적인 영향을 미치므로 온도에 직접적인 영향을 미친다. 따라서 블랙카본을 통제하는 것이 가까운 시일 내에 지구온난화를 늦추는 데 결정적인 역할을 할 수 있다. 둘째, 블랙카본은 대기와 잘 혼합되지 않기 때문에 그 영향은 대체로 한 지역에 국한된다. 그 기후적 영향은 특히 눈 덮인 지역에서 심각하다. 블랙카본의 퇴적은 눈과 얼음을 어둡게 하여 일광의 흡수를 증가시켜 더 빨리 녹게 한다. 그래서 블랙카본의 배출문제를 해결하는 데 중요한 것은 감축의 총량뿐만 아니라 감축이 이루어져야 하는 장소이다. 블랙

---

107) T.C. Bond *et al.*, 'Bounding the Role of Black Carbon in the Climate System: A Scientific Assessment', *Journal of Geophysical Research: Atmospheres* 118 (2013): 5380, 5381. 한 연구는 블랙카본의 강화가 CO_2 강화의 25-88%에 이르는 것으로 추정한다. V. Ramanathan and G. Carmichael, 'Global and Regional Climate Changes Due to Black Carbon', *Nature Geoscience*, 1 (2008): 221.

108) IPCC, Climate Change 2013: The Physical Science Basis (n 91), 718 (noting 'wide uncertainties); LRTAP Convention, Black Carbon: Report by the Co-Chairs of the Ad Hoc Expert Group on Black Carbon (2010) UN Doc. ECE/EB.AIR/2010/7 and Corr.1, 6.

카본의 배출량 감소는 특히 북극과 같은 얼음으로 덮인 지역에서 유익할 것이고, 향후 30년 동안 북극의 온난화를 약 3분의 2 수준으로 감소시킬 수 있을 것이다.[109)]

블랙카본은 지역적으로 큰 영향을 미치기 때문에 블랙카본을 규제하는 제안은 LRTAP 협약에 초점을 맞추는데, 이는 유럽, 러시아 및 북미에 있는 북극의 모든 극지국을 포함하는 지역협약이다.[110)] 1979년 유럽경제위원회(UN Economic Commission for Europe, UNECE)의 주관하에 채택된 LRTAP 협약은 다양한 유형의 오염물질을 다루는 7개 의정서를 가지고 있는데, 여기에는 이산화황, 질소 산화물, 휘발성 유기화합물, 암모니아, 중금속 및 잔류성 유기오염물질이 포함된다. 또한 1999년에 채택된 예테보리 의정서(Gothenburg Protocol)는 다중-오염적이고, 다중-효과적인 접근법(multi-pollutant, multi-effect approach)을 채택한다.

2009년 LRTAP 협약 집행기구는 예테보리 의정서에 의거하여 블랙카본에 대한 임시 전문가그룹을 만들었으며, 이 전문가그룹은 2010년 보고서를 발간하여 의정서 개정을 권고했다. 2012년 25개의 예테보리 의정서 당사자들은 (1) 미립자 물질을 규제대상 오염물질로 추가하고, 특히 블랙카본을 미립자 물질의 구성요소로 규정하는 개정[111)] 및 (2) 블랙카본의 카본 배출보고에 대한 지침문서를 채택하였다. 이 개정이 발효되면, 당사자는 2020년까지 미립자 물질 배출을 2005년 수준에서 22퍼센트 줄여야 할 것이다. 그러나 이러한 요구사항들은 의정서 당사자들에게만 적용되는데, 여기에는 중국, 인도, 혹은 다른 개발도상국들을 포함되어 있지 않다.

LRTAP 협약과 병행하여, 미국과 6개의 파트너 국가들은 2012년에 기후 및 청정대기 연합(Climate and Clean Air Coalition to Reduce Short-Lived Climate Pollutants, CCAC)을 설립하였다. CCAC는 유엔환경계획(UNEP)이 관리하며, 국가, 주정부, 국제기구 및 비정부 주체도 참여가 가능한데, 여기에는 정부하부적 이니셔티브인 C40

109) UNEP/WMO, *Integrated Assessment of Black Carbon and Tropospheric Ozone* (Nairobi: UNEP, 2011) 3.
110) LRTAP Convention (n 30).
111) Decision 2012/2, 'Amendment of the Text and Annexes II to the 1999 Protocol and the Addition of New Annexes X and XI' (4 May 2012) UN Doc ECE/EB.AIR/111/Add.l, 6.

도시연합, 시민사회조직, 학술단체 및 기업들이 포함된다. 그래서 2016년 8월 기준으로 50개 국가, 16개 국제기구와 45개의 비정부 행위자가 CCAC 파트너로 되어 있다. CCAC에 합류하는 경우, 국가들은 SLCF의 배출을 통제하고 줄이기 위해 노력할 의무가 있다. 또한, CCAC는 몇 가지 부문별 이니셔티브를 수행해오고 있다.[112)]

마지막으로, 북극 이사회(Arctic Council) 또한 블랙카본 문제를 고려하기 시작했다. 북극 이사회는 1996년 고위급 정부 간 포럼으로 설립되었다.[113)] 상임이사국에는 8개의 북극 연안국들뿐만 아니라 북극 토착민 대표들도 포함한다. 2009년 북극 이사회는 단명성 기후강화물에 대한 대책위원회(Task Force on Short-Lived Climate Forcers)를 설립했으며, 2013년 블랙카본과 메탄 배출의 감축을 위한 제안성 조치들을 발표했다. 또한, 북극오염행동 프로그램(Arctic Contaminants Action Programme)은 블랙카본과 관련된 다양한 프로젝트를 수행하고 있으며, 2017년에 블랙카본 배출목록을 완성하기 위해 노력하고 있다.

D. 유엔 안전보장이사회

기후변화의 영향은 해수면 상승, 가뭄, 홍수, 극심한 기상현상 및 이주의 문제를 포함해 불안정과 갈등을 야기할 수 있으며, 이로 인해 심각한 안보문제를 가지고 올 수 있다.[114)] 유엔 안보장이사회(Security Council, 안보리)는 유엔헌장 제7장에 의거하여 국제평화와 안보에 대한 위협에 대응한다. 기후변화 문제는 영국이 2007년 유엔 안보리에서 처음 제기한 이후로, (독일에 의해) 2011년, 그리고 (파키스탄에 의해) 2013년에 다시 제기되었다. 중국, 러시아 및 대부분의 개발도상국들은 기후변화와 국제안보 사이의 연관성에 의문을 제기하고, 기후변화는 안보리에서가 아니라 FCCC와 유엔총회에 의해 검토되어야 한다고 주장한다. 그 안보리 논의는

112) Birgit Lode, 'The Climate and Clean Air Coalition to Reduce Short-Lived Climate Pollutants (CCAC)', *ASIL Insights,* 17/20 (2013).
113) Koivurova and VanderZwaag, Arctic Council at 10 Years (n 29).
114) Jurgen Scheffran *et al.* (eds), *Climate Change, Human Security and Violent Conflict: Challenges for Societal Instability* (Heidelberg: Springer-Verlag, 2012).

2007년 유엔총회 결의안과[115] 유엔사무총장의 보고서를 가져왔다.[116] 2011년 안보리 논의에 따라서, 이사회 의장은 기후변화가 '장기적으로 국제평화와 안전에 대한 현재하는 위협을 가중시키고', 해수면 상승으로 인한 군소도서국가들의 영토 손실은 안보상의 함의를 가지고 있다는 성명을 발표하였다.[117]

E. 비공식 정치포럼

기후변화는 IMO 및 ICAO와 같은 규제적 기구들뿐만 아니라, 다양한 비공식 정치포럼에 의해서 다루어지는데, 이들 중에는 '에너지 및 기후에 관한 주요경제국포럼(Major Economies Forum on Energy and Climate, MEF)'과 같이 구체적으로 기후문제에 집중하는 포럼들이 있고, 조금 더 일반적인 의제를 다루는 포럼들의 경우에는 기후변화를 그들의 많은 의제 중 하나로 다루기도 한다. 이 포럼들은 소규모 그룹의 국가들을 포함하고 있으며, 이는 '클럽'으로 설명되기도 하는데,[118] 엄격한 경제적 의미에서의 클럽, 즉 사적 유익을 위해 타자를 제외시키는 행위를 하는 클럽들은 거의 없다.[119] '작게 시작하기' 전략('starting small' strategy)에 대한 지지자들은 경제적 관점에서 클럽이 더 강한 집단적 행위를 가져오고 더 큰 배출감소를 가져올 것이라고 주장하기는 하지만, 실증적 연구가 밝히기는 기후클럽은 주로 '정치적 담화를 위한 포럼'으로 기능하고 있으며, '실제적 배출감축은 거의 성취하고 있지 않다'고 설명되었다.[120]

---

115) General Assembly Resolution 63/281, 'Climate change and its possible security implications' (11 June 2009) UN Doc. A/RES/63/281.

116) UN Secretary-General, 'Climate change and its possible security implications' (11 September 2009) UN Doc A/64/350.

117) 'Implications of Climate Change Important when Climate Impacts Drive Conflict' (20 July 2011) UN Doc SC/10332.

118) Lutz Weischer, Jennifer Morgan, and Milap Patel, 'Climate Clubs: Can Small Groups of Countries Make a Big Difference in Addressing Climate Change?', *Review of European Community and International Environmental Law*, 21/3 (2012): 177.

119) Hovi, Climate Change Mitigation: A Role for Climate Clubs? (n 5).

120) Ibid.

1. 에너지 및 기후에 관한 주요경제국포럼(MEF)

MEF는 '소다자적(minilateral)'[121] 포럼으로 주요 선진국과 개발도상국들 사이의 비공식적인 논의를 허용함으로써 FCCC 협상을 보완하기 위한 포럼이다. MEF를 구성하는 17개국이[122] 세계 온실가스의 80퍼센트 이상을 배출하고 있기 때문에,[123] 이들 국가들 간의 협약은 기후변화 문제에 크게 대응할 수 있다.

MEF는 2007년 George W. Bush 미국 대통령이 발족한 에너지안보 및 기후변화 주요 경제회의(Major Economies Meeting on Energy Security and Climate Change, MEM)의 후속인 조직으로, 선진국(특히 미국)들 사이에서 '주요 배출국들'에게 기후변화와 에너지 문제를 다루는 기회가 절실하게 필요하다는 인식에서 구성되었으며, 겉보기에 성가신 유엔절차와 교토협상이라는 제약의 족쇄를 쳐내고자 하는 것이다(여기에는 거대 개발도상국인 완화목표를 갖지 않는 중국 및 인도는 물론, 교토의정서를 거부한 미국도 포함되어 있지 않다). 당시 미국은 새로운 유엔 기후변화 조치의 협상에 반대했고, 많은 이들은 MEM이 미국이 유엔기후체제를 우회하고자 하는 시도라고 우려했다. 오바마 행정부는 이러한 우려를 불식하기 위해 MEM을 MEF로 재설립하였다. MEF는 FCCC 절차를 대체하는 것이 아니라, FCCC에 정치적 리더십과 방향을 제공하는 방식으로 보완하기 위한 것임을 분명히 했다. 창립 이래 MEF는 연내에 수차례 주요 국가들의 고위 공무원들이 비공식적으로 만날 수 있는 기회를 제공하였고, 이는 연례의 기후총회 및 회의에 수반되는 산만함이 없이 서로의 의견을 더 잘 이해하기 위한 방식으로 이루어졌다. MEF는 아이디어 창출에 도움을 주었지만, 대부분의 개도국들은 MEF보다 FCCC 절차에서 더 큰 권한과 주인의식을

---

121) '소다자적'이라는 용어는 소수의 국가 간 협력을 언급하기 위해 '다자간'과 대조적으로 사용된다. Moises Naim, 'Minilateralism', Foreign Policy (June 21,2009). (소다자주의를 '특정 문제 해결에 가장 큰 영향을 미칠 수 있는 가장 작은 수의 국가들'을 협상으로 모으는 것으로 정의) 참조.

122) Australia, Brazil, Canada, China, the EU, France, Germany, India, Indonesia, Italy, Japan, Korea, Mexico, Russia, South Africa, the United Kingdom, and the US. Major Economies Forum on Energy and Climate <http://www.majoreconomiesforum.org/> accessed 20 January 2017.

123) World Resources Institute, CAIT Climate Data Explorer <http://cait.wri.org/> accessed 20 January 2017.

느끼면서 이를 더 선호하게 되었고, 그리하여 주요 배출국가 간의 거래를 중개하고자 하던 MEF의 노력은 방해받아 왔다.

2. G-8/G-20

몇몇 'G' 클럽 또한 기후체제에 정치적 방향을 제공한다. 이 'G' 클럽은 일반적으로 지도자 또는 장관급 수준에서 개최되는 비공식 회의이다. 'G' 클럽은 공식 회원제, 순환적 의장직 그리고 기후변화보다 광범위한 주제를 다루는 임무가 주어진다는 점에서 협상 연합 및 단체와는 구별된다.[124] 이 'G' 클럽들은 정책 성명서를 도출하지만, 공동의 협상 포지션을 형성하지는 않는다.

G－8은 가장 오래된 G 클럽으로 선진국 8개국으로 구성되어 있으며,[125] 전세계 GDP의 약 절반을 차지하고, 세계 온실가스 3분의 1을 배출한다. G－8 지도자들은 1990년부터 정기적으로 기후변화에 대한 문언들을 그들의 성명서에 포함시켰으며,[126] 2003년부터 기후변화에 대한 별도의 의제를 가진 바 있다. '2005년 글렌이글 정상회의(2005 Gleneagles Summit)'에서 G－8 지도자들은 기후변화, 청정에너지 및 지속가능한 발전에 대한 '행동계획'을 채택하고, 의견을 교환하고 이행을 모니터링하기 위한 대화를 시작했다.[127] 그러나 일반적으로, G－8 회의는 지도자들이 FCCC 프로세스에 정치적 지침을 제공하는 포럼 역할을 해왔다. 예를 들어, 2009년 코펜하겐 회의의 준비기간 동안 G－8 지도자들은 지구온난화를 2°C 이하로 제한하고, 2050년까지 전세계적 배출량을 50퍼센트까지(그리고 자신들의 배출량을 80퍼센트까지) 줄이는 목표를 채택하였다.[128] 그 2°C 목표는 2009년 코펜하겐 합의문에서 승인되었고, 공식적으로는 2010년 칸쿤합의에서 FCCC 절차로 채택되었다.

124) 기후변화 협상에서 활발한 협상그룹에 관한 논의는 제3장 II.B.2 참조.

125) France, Germany, Italy, the United Kingdom, Japan, the US, Canada, and Russia (since 1998).

126) David Sandalow and Hannah Volfson, 'G8 Summit Leaders' Statements, Climate Change Language 1990-2004' (Washington: Brookings Institution, 30 June 2005).

127) Gleneagles Plan of Action: Climate Change, Clean Energy, and Sustainable Development (9 July 2005) <https://www.gov.uk/government/uploads/system/uploads/attachment_data/file/48584/gleneagles-planofaction.pdf> accessed 20 January 2017.

128) L'Aquila Declaration on Responsible Leadership for a Sustainable Future (8 July 2009) para 65 <http://www.g8italia2009.it/G8/Home/Summit/G8-G8_Layout_locale-1199882116809_Atti.htm> accessed 20 January 2017.

하지만 2050년까지 50퍼센트 감축을 하는 목표는 유엔기후체제에서 채택되기에는 너무 논란거리가 된다는 점이 입증되어 채택되지 않았다. 또한 G－8은 2005년 이래로 5개의 개발도상국 지도자들을 G8+5 형식으로 초청하여 개별 세션을 개최했다.[129]

G－20은 선진국과 개발도상국이 모두 참여하는 G－8과 유사한 클럽이다. 이것은 1997년 금융위기 이후 경제적 문제를 다루기 위해 1999년에 설립되었다. 원래는 재무장관들의 회의였던 G－20는 2008년에 정상회의가 되었다. G－20 회원국은 세계 GDP의 90퍼센트를 차지하고, 화석연료 배출량에 있어서는 84퍼센트를 차지한다. G－20의 위임사항은 경제성장 촉진에 초점을 두고 있지만, G－20은 최근 기후변화를 의제에 포함하기 시작했다. 그러나 기후변화에 대한 G－20에서의 진전은 G－8에 비해 그다지 높지 않다.[130] 2009년 G－20 회의는 '비효율적인' 화석연료 보조금의 단계적 폐지를 촉구했다.[131] 그리고 2015년 회의는 기후변화를 '우리 시대의 가장 큰 도전 중 하나'라고 규정하였다.[132]

3. 양자 간 이니셔티브

복수국 간(plurilateral) 포럼 이외에도 국가들 간의 양자 간 기후협력은 기후협약에 도달하고 그 윤곽을 형성하는 데 중요한 역할을 해왔으며, 기후변화협약을 이행하는 데 중요한 역할을 할 것으로 보인다. 특히 미국과 EU 그리고 특히 프랑스인들은 파리 회의를 앞두고 중국, 인도, 브라질과의 양자관계 및 이해를 적극적으로 모색했다.[133] 이러한 양자관계들은 공식 FCCC 절차에 대한 대화를 위한 병

---

129) G8+5 Academies Joint Statement, 'Climate Change and the Transformation of Energy Technologies for a Low Carbon Future' (May 2009) <http://www.nationalacademies.org/includes/G8+5energy-climate09.pdf> accessed 20 January 2017.

130) Doug Koplow and Steve Kretzmann, CG20 Fossil Fuel Subsidy Phase Out: A Review of Current Gaps and Needed Changes to Achieve Success' (November 2010) <http://priceofoil.org/content/uploads/2010/1l/OCI.ET_.G20FF.FINAL_.pdf> accessed 20 January 2017.

131) G20 Leaders' Statement, The Pittsburgh Summit (24-25 September 2009) <https://www.treas-ury.gov/resource-center/international/g7-g20/Documents/pittsburgh_summit_leaders_statement_250909.pdf> accessed 20 January 2017.

132) G20 Leaders' Communique, Antalya Summit (15-16 November 2015) <http://www.consilium.europa.eu/en/meetings/international-summit/2015/11/15-16/> accessed 20 January 2017.

행적 구조로서의 역할을 수행했다. 예를 들어, CBDRRC의 원칙에 대한 파리협정의 정치적 타개점은 '다른 국가적 상황에 비추어서'라는 문구가 추가된 것을 통해서 반영되었는데, 이것은 2014년의 미중 성명서로부터 나온 것이다.[134] 더욱이, 이러한 핵심국가들의 양자 간 협력은 이니셔티브와 프로젝트를 구조화하고 전달하는 것을 돕는데, 그 예로 인도와 미국 간의 기술에 대한 양자 간 협력이 있다.[135]

Ⅴ. 국가하부적 기후 거버넌스

기후변화는 전지구적 해결책을 필요로 하는 전형적인 국제적 문제이지만, 지역 및 지역기구 또한 기후 거버넌스에서 중요한 역할을 한다. 기후변화는 지역 및 지방 차원에서 다루어진 많은 정책과 연관되어 있는데, 그러한 지역 차원 정책의 예로 토지이용계획, 운송 및 폐기물 관리가 있다. 호주의 한 연구에 따르면, 지방정부는 총 온실가스 배출량의 절반 이상에 대한 영향력을 가지며,[136] 국제에너지기구(International Energy Agency, IEA)는 도시가 전세계 이산화탄소 배출량의 70퍼센트 이상을 차지한다고 추정했다.[137] 따라서 지방정부 정책들은 좋건 나쁘건 간에 기후변화 문제에 엄청난 영향을 미친다. 예를 들어, 한 도시는 대중교통에 투자해 자동차에 대한 의존도를 낮출 수도 있지만, 도시 난개발을 조장하는 구역화를 채택할 수도 있다. 도시는 또한 에너지효율을 높이는 건축법, 매립지에서 발생하는

133) EU-China Joint Statement on Climate Change, European Council, Brussels (29 June 2015) <http://www.consilium.europa.eu/en/press/press-releases/2015/06/29-eu-china-climate-statement> accessed 20 January 2017; Joint Statement on the First US-India Strategic and Commercial Dialogue, US Department of State, Office of the Spokesperson, Washington DC (22 September 2015); Jennifer Helgeson, Trance & Brazil: A Common Call to Climate Change Action in the Amazon!' (30 November 2009) <http://www.climaticoanalysis.org/post/france-brazil-a-common-call-to-climate-change-action-in-the-amazon/#> accessed 20 January 2017.

134) US-China Joint Announcement on Climate Change, Beijing, China (12 November 2014) <https://obamawhitehouse.archives.gov/the-press-office/2014/11/11/us-china-joint-announcement-climate-change> accessed 20 January 2017.

135) Joint Statement on the First US-India Strategic and Commercial Dialogue (n 133).

136) Betsill and Bulkeley, Cities and the Multilevel Governance of Climate Change (n 32) 143.

137) International Energy Agency, *World Energy Outlook* (Paris: OECD/IEA, 2008) 180.

메탄 배출량을 최소화하는 폐기물 관리법, 해수면 상승을 고려해서 해안지대 관리법을 채택할 수 있지만, 그저 그것을 하지 않고 평상시와 다를 바 없이 모든 것을 할 수도 있다.

지방정부는 기후변화 문제의 여러 측면에 대한 권한을 가질 뿐만 아니라, 지방 단위에서는 행위자들의 가치관과 이해관계가 국내 또는 국제 수준보다 균질하기 때문에 의견의 일치와 합의가 달성되기가 더 쉽다. 예를 들어, 미국에서 국가 차원의 기후정책이 정체에 빠져 있을 때에도, 많은 도시와 주에서는 야심찬 기후변화 정책을 채택해왔다. 예를 들어, '시장 기후보호 협정(Mayors' Climate Protection Agreement)'에 따라, 총합 인구가 거의 9천만에 달하는 미국의 1,000개가 넘는 도시의 시장들은 그들의 지역에서 교토의정서 배출목표를 충족하거나 능가하겠다고 서약했다.[138] 유사하게, 캘리포니아는 야심찬 배출권거래 프로그램을 도입하였는데,[139] 당시 연방의회에서는 비슷한 제안이 채택되지 않고 있었다. 2016년 당시, 전세계 20개 이상의 도시와 주 및 지역에서 배출권거래 프로그램이나 탄소세와 같은 탄소 가격책정 정책들을 채택했으며, 중국에 있는 7개의 도시들에 의해서는 임시 배출권거래 시스템을 통해서 중국에서 가장 많은 배출량(약 10억 톤의 CO2)을 처리하고 있다.[140]

지방자치단체들은 기후변화에 영향을 미칠 뿐만 아니라, 그것의 영향을 받는다. 기후변화는 예를 들어 혹서, 홍수, 물 공급의 감소 등 도시에 심각한 영향을 미칠 것이다. OECD의 연구에 따르면, "지구의 기후의 운명과 기후변화에 대한 인류사회의 취약성은 앞으로 도시가 발전하는 방식에 본질적으로 연관성을 가진다".[141]

---

138) US Conference of Mayors Climate Protection Agreement <http://www.usmayors.org/climate-protection/agreement.htm> accessed 20 January 2017. Compact of Mayors와 C40 (위 nn 19-20 참조)와는 달리 시장 기후보호 협정(Mayors' Climate Protection Agreement)은 미국의 시장들만 참여한다.

139) Center for Climate and Energy Solutions (C2ES), California Cap-and-Trade Program Summary (Arlington, VA, January 2014).

140) World Bank and Ecofys, *State and Trends of Carbon Pricing: 2015* (Washington, D.C.: World Bank, 2015) 10.

141) Corfee-Morlot *et al.*, Cities, Climate Change and Multilateral Governance (n 32) 13.

지역의 기후변화 정책과 국가의 기후변화 정책 사이의 수직적 관계는 하향식(top-down), 상향식(bottom-up) 또는 하이브리드(hybrid)가 될 수 있다. 프랑스와 같이 고도의 중앙집권적 국가에서는 국가의 기후변화 프로그램에 지방정책들이 포함되어 있고 하향식으로 시행된다. 이러한 정책의 시행에 있어서 지방정부는 본질적으로 정부의 대리인으로서 활동한다. 또한, 하향식 정책은 지방 혹은 지역의 정부를 제한할 수 있는데, 예를 들어, 획일적인 국가표준을 부과하거나 지역 활동을 선점하는 것으로 그러한 제한이 이루어진다. 그러한 경우들에 있어서, 국가정책은 지방정치의 기반이라기보다는 이로부터 벗어나는 것을 의미한다.[142)]

이와 대조적으로, 상향식 시스템에서는 지방정부가 자체적인 기후변화 정책을 개발하는 데 상당한 자율적 권한을 가지고 있으며, 이는 국가 수준까지 확장될 수 있다. 예를 들어, 미국에서는 연방정부가 권리포기를 통해서 캘리포니아가 자체 자동차 배기가스 기준을 개발하는 것을 허용하였는데, 이는 새 자동차에 의한 온실가스의 배출을 2025년까지 34퍼센트까지 감축하도록 요구하는 것이었다.[143)]

지방정부와 중앙정부 간의 수직적인 관계는 하이브리드 형태를 가질 수도 있다. 국가표준을 부과하거나 완전히 손을 떼기보다는, 중앙정부는 재정지원을 통해 하향식으로 지역활동을 촉진할 수 있지만, 여전히 지방정부로 하여금 중요한 자치권을 가지고 상향식으로 자체적 기후정책을 개발하도록 할 수 있다.

일반적으로, 지방정부는 국제법과 직접적인 관련이 없다. 국제법은 국가의 행동을 규제하지, 지방이나 도시와 같은 국가하부 주체를 규율하지 않기 때문이다. 결과적으로 지역 차원에서 많은 거버넌스가 이루어지더라도 지역기관은 일반적으로 국제기구와의 상호작용이 거의 없다. 국제규범이 지역 차원까지 이르게 되더라도, 이것은 오직 국내법의 중개를 통해서만 이뤄진다.

기후변화가 이 일반적인 규칙에 대한 예외는 아니지만, 기후변화를 다루는 지

---

142) 환경 연방주의에 대한 일반적인 논의는 다음 문헌을 참조. Michael D. Jones, Elizabeth A. Shanahan, and Lisa J. Hammer, 'Environmental Policy', in Donald P. Haider-Market (ed), *The Oxford Handbook of State and Local Government* (Oxford University Press, 2014) 778; see also Jonathan H. Adler, 'When Is Two a Crowd? The Impact of Federal Action on State Environmental Regulation', *Harvard Environmental Law Review*, 31/1 (2007): 67.

143) California Air Resources Board, 'California's Advanced Clean Car Program' <https://www.arb.ca.gov/msprog/acc/acc.htm> accessed 20 January 2017.

방정책은 순전히 지방적 문제만은 아니라, 이들이 타국가들의 지방정책들과 초국적으로 연결되어 서로 정보를 공유하고 공통의 가치를 증진시킨다.[144] 예를 들어, C40 도시 기후리더십 그룹은 80개 이상의 거대도시들의 네트워크로 6억의 인구와 세계경제의 25퍼센트 이상을 대표한다.[145] 이것의 전신인 ICLEI 도시 기후변화 프로그램(Cities for Climate Protection Program)은 전세계에서 1,000개 이상의 도시를 포함했다.[146] 마찬가지로, 배출권거래 프로그램을 채택한 국가하부의 관할영역들은 어떤 경우에는 서로 연결되어서 초국가적 탄소시장을 형성한다.[147] 예를 들어, 2014년에 시작된 캘리포니아와 퀘벡의 배출권거래 시스템의 연계가 있다. 이러한 국가하부적 그룹화는 국제법을 대신해 정책통합을 달성하기 위한 대안적 방법이다.

Ⅵ. 사법 거버넌스

전통적으로 법원과 재판소는 국제환경법의 발전과 이행에서 수행한 역할의 비중이 비교적 작았다.[148] FCCC를 포함한 대부분의 다자간 환경협정들(multilateral

---

144) Betsill and Bulkeley, Cities and the Multilevel Governance of Climate Change (n 32) 143 (twenty-eight transnational networks of subnational governments in Europe).

145) C40은 런던시장인 Ken Livingstone에 의해 2005년에 시작되었으며, 2010년부터 2013년까지 뉴욕시장인 Michael Bloomberg에 의해 주도되었다.

146) ICLEI는 International Environmental Council for Local Environmental Initiatives(지방정부 이니셔티브를 위반 국제환경위원회)를 의미한다. 이는 1990년에 설립되었으며, 지금은 '지속가능성을 위한 지방정부들(Local Governments for a Sustainable Future)'이라는 이름으로 불린다. 위 n 19 참조.

147) Matthew Ransom and Robert N. Stavins, 'Linkage of Greenhouse Gas Emissions Trading Systems: Learning from Experience' (Washington, D.C.: Resources for the Future, November 2013).

148) 기후변화를 다루는 데 있어 법원판결이 가지는 역할에 대한 광범위한 문헌은 다음과 같다: Jacqueline Peel and Hari M. Osofsky, *Climate Change Litigation: Regulatory Pathways to Cleaner Energy* (Cambridge University Press, 2015); William C.G. Burns and Hari M. Osofsky (eds), *Adjudicating Climate Change: State, National, and International Approaches* (Cambridge University Press, 2009); Michael Faure and Marjan Peeters, *Climate Change Liability* (Cheltenham: Edward Elgar, 2011); Richard Lord *et al.*,. (eds), *Climate Change Liability: Transnational Law and Practice* (Cambridge University Press, 2012); Michael J. Faure and Andre Nollkaemper, 'International Liability as an Instrument to Prevent and Compensate for Climate

environmental agreements, MEAs)은 분쟁해결 시스템을 제공하지만, 국제적으로[149] 혹은 국내적으로도[150] 이러한 협정을 해석하거나 집행하는 사건들은 거의 없었고, 이는 국제관습법에 있어서도 마찬가지이다. 그 대신, 정치적 기관들이 국제환경법 절차에서 주요 역할을 수행하였는데, 법규범의 발전에 대해서는 정부 간 협상과 입법부가 관여하였고, 그 이행에 있어서 행정부가 관여하였다.

최근에는 국제환경법 전반 그리고 특히 기후변화법 분야에서 상황이 변화하기 시작했다.[151] 국제적으로 그리고 국내적으로 제기된 기후변화 관련 소송의 수가 늘어나는 것은, 기후변화 거버넌스에 있어서 법원과 재판소의 역할이 커지고 있는 것을 반영하였다.[152]

- 국제적 차원에서 이누이트족은 2005년 미주인권위원회(Inter-American Commission on Human Rights)에 청원서를 제출했다. 이들은 미국이 배출을 줄이는 데 실패함으로써 그들의 인권인 문화, 생명, 건강 및 피난처에 관한 권리를 침해했다고 주장했다.[153]

Change', *Stanford Journal of International Law*, 43 (2007): 123. 기후변화 사법판결에 대한 비판은 다음 문헌을 참조. Eric A. Posner, 'Climate Change and International Human Rights Litigation: A Critical Appraisal', *University of Pennsylvania Law Review,* 155/6 (2007): 1925.

149) Roda Verheyen and Cathrin Zengerling, 'International Dispute Settlement', in Cinnamon P. Carlarne, Kevin R. Gray, and Richard G. Tarasofsky (eds), *The Oxford Handbook of International Climate Change Law* (Oxford University Press, 2016) 417; Cesare Romano, 'International Dispute Setdement', in Daniel Bodansky, Jutta Brunnée, and Ellen Hey (eds), *Oxford Handbook of International Environmental Law* (Oxford University Press, 2007) 1036.

150) Burns and Osofsky (eds), Adjudicating Climate Change (n 148). For a general discussion of the role of national courts, see Daniel Bodansky and Jutta Brunnée, 'The Role of National Courts in the Field of International Environmental Law', *Review of European Community and International Environmental Law*, 7/1 (1998): 11.

151) 최근 환경 관련 사례로는 아일랜드와 영국 간의 *MOX* 사건(2003년 7월 2일 상설중재재판소), 아르헨티나와 우루과이 간의 펄프공장 사건(*Pulp Mills* Case)(제2장 III.A.1 참조) 및 당사자 간 화해로 종결된 에콰도르와 콜롬비아 간 공중 제초제 스프레이 사건(*Aerial Herbicide Spraying* Case)이 있다. ICJ Press Release 2013/20 <http://www.icj-cij.org/docket/files/138/17526.pdf> accessed 20 January 2017.

152) Climate Justice이라는 NGO가 관리하는 기후변화와 관련된 사건 데이터베스는 다음을 참조: <http://www.climatelaw.org> accessed 20 January 2017.

153) Petition to the Inter-American Commission on Human Rights Seeking Relief from Violations Resulting from Global Warming Caused by Acts and Omissions of the United States (7 December 2005) <http://www.inuitcircumpolar.com/inuit-petition-inter-american-commission-on-human-rights-to-

- 2004년과 2006년 사이에 여러 환경 비정부기구(non-governmental organizations, NGOs)가 세계유산위원회(World Heritage Committee)에 청원서를 제출하면서 기후변화가 그레이트 배리어 리프(Great Barrier Reef, 역자주: 호주 북동해단의 산호초 지역), 워터턴-글레이셔국제평화공원(Waterton-Glacier National Park, 역자주: 미국 몬테나주의 빙하지형 국립공원) 및 기타 세계유산지역에 위협이 된다고 주장하였다.[154)]
- 2012년에 제안된 팔라우의 주도하에 다수의 도서국가들은 유엔총회가 국제사법재판소(International Cout of Justice)로부터 '자국의 관할권이나 통제하에서 행해진 온실가스 배출행위들이 타국에 피해를 주지 않도록 보장하는 국제법상의 국가책임'에 대한 권고적 의견을 요청할 것을 제안하였다.[155)]
- 국가 차원에서, 미국 연방대법원(US Supreme Court)은 *Massachusetts v. Environmental Protection Agency* 사건에서 이산화탄소는 청정공기법(Clean Air Act)에 의거하여 환경보호국(Environmental Protection Agency, EPA)이 규제할 수 있는 오염물질이라고 판결했다.[156)] 한편, 캐나다의 환경NGO인 '지구의 벗(Friends of the Earth)'은 캐나다 정부가 교토의정서의 규약을 준수하지 않음으로써 '교토의정서 이행법(Kyoto Protocol Implementation Act)'을 위반했다고 주장하면서 제소하였다.[157)]

---

oppose-climate-change-caused-by-the-united-states-of-america.html> accessed 20 January 2017. 제9장 II.D.l와 II.E.l도 참조.

154) World Heritage Committee, Decision 29 COM 7B.a, 'General Issues: Threats to World Heritage Properties' (9 September 2005) Doc WHC-05/29.COM/22, 36; Decision 30 COM 7.1, 'Issues Relating to the State of Conservation of World Heritage Properties: The Impacts of Climate Change on World Heritage Properties' (23 August 2006) Doc WHC-06/30.COM/19, 7. Erica J. Thorson, 'The World Heritage Convention and Climate Change: The Case for a Climate Change Mitigation Strategy beyond the Kyoto Protocol', in Burns and Osofsky (eds), Adjudicating Climate Change (n 148) 255. 세계유산협약 제4조와 제6조는 타국에 위치한 '세계유산 지역을 직간접적으로 손상시킬 수 있는 어떠한 의도적인 조치'를 취하지 말 것을 당사자들에게 요구한다.

155) Yale Center for Environmental Law and Policy, 'Climate Change and the International Court of Justice' (2013) <https://papers.ssrn.com/sol3/papers.cfm?abstractjd=2309943##> accessed 20 January 2017. ICJ 사건에 관해서는 제2장 IILB.2 참조.

156) *Massachusetts v EPA*, 549 U.S. 497 (2007).

157) *Friends of the Earth v Canada,* 2008 FC 1183 [2009] 3 F.C.R. 201.

- 호주의 뉴사우스 웨일즈의 '토지 및 환경 법원(Land and Environment Court)'은 석탄광산 프로젝트의 대한 환경영향평가가 석탄의 연속적인 연소로 인한 배출을 포함해야 한다고 판결했다.[158)]
- 네덜란드의 한 재단과 수백 명의 개인이 제기한 *Urgenda Foundation v The State of the Netherlands* 사건에서, 네덜란드 법원은 2015년 6월에 판결하기를 정부가 20퍼센트 감축목표를 설정한 것은 배출완화조치를 취해야 할 주의의무를 위반한 것으로, 정부는 적어도 25퍼센트 감축목표를 채택해야 한다고 판결했다.[159)]
- 최근 파키스탄의 '라호르 고등법원(Lahore High Court)'은 2015년 9월 *Leghari v Federation of Pakistan* 사건에서 정부가 국내 기후정책을 이행하는 데 진전이 없었으며, 이 실패가 시민들의 인권을 침해했다며 정부의 감축계획의 이행을 감독하는 위원회를 설립할 것을 판결했다.[160)]

기후변화와 관련된 판결은 그 기능, 관련 법의 연원(source of law) 및 사건을 다루는 법정 등의 요소에 따라 천차만별이다. 다음 절에서는 이 쟁점들을 각각 다루겠다.

A. 소송 기능

기후변화 소송은 잠재적으로 중복되는 여러 기능들을 수행할 수 있다. 예를 들어, 몇몇의 사건들은 입법 또는 규제 조치를 강제함으로써 온실가스 배출을 제한하려고 시도한다.[161)] 예를 들어, 세계유산위원회(World Heritage Committee)에 제

---

158) *Gray v Minister of Planning* [2006] LGERA 258; Brian J. Preston, 'The Influence of Climate Change Litigation on Governments and the Private Sector', *Climate Law*, 2/4 (2011): 485.

159) *Urgenda Foundation v. The State of the Netherlands,* C/09/456689/HA ZA 13-1396 (judgment of 24 June 2015); Jolene Lin, 'The First Successful Climate Negligence Case: A Comment on' *Urgenda Foundation v the State of the Netherlands, Climate Law*, 5/1 (2015): 65.

160) *Leghari v Federation of Pakistan*, Lahore High Court Green Bench, Case No. W.P. No. 25501/2015.

161) Preston, Influence of Climate Change Litigation (n 158).

출된 청원서는 세계유산협약(World Heritage Convention)이 그레이트 배리어 리프와 같이 기후변화로 위협받는 세계유산의 보호를 위해 각국의 온실가스를 줄이도록 의무를 지워야 한다고 주장했다. 최근까지 국제법원이나 국내법원은 모두 국제법이 정부들로 자국의 배출을 줄이도록 의무화해야 한다고 판결하기를 꺼렸는데, 이는 그러한 판결이 가져올 광범위한 정치적 영향을 고려한 것이다. 그레이트 베리어 프리 사건의 경우, 세계유산위원회가 배출감축문제는 유엔기후체제에서 다루어져야 한다고 판단하고, 그 대신 기후변화에 세계유산을 적응시키는 문제에 초점을 맞추었다.[162] 이와 유사하게, '지구의 벗'이 제기한 캐나다 소송에서, 법원은 캐나다 정부가 교토의정서를 위반했는지 여부는 정치적 문제이며, 법원이 "캐나다가 가지는 교토의정서에서의 서약에 대한 정부의 대응의 합리성을 검토하는 데 어떠한 역할도 담당하지 않는다"고 결론지었다.[163] 그러나 여러 국내 사건들은 정부가 규제 및 행정에 대한 의사결정에서 기후변화를 고려할 수 있거나 고려해야만 한다고 판결하였다. 예를 들어, *Massachusetts v EPA* 사건에서 원고는 미국 연방법이 EPA에 의한 온실가스 배출량 규제를 허용한다는 것을 성공적으로 주장하였는데, 이는 그 결과가 배출감축에 대한 결정이 법원이 아닌 EPA의 결정에 맡겨져 있다는 것이었기 때문이다. 정부결정을 허용하는 것과 관련된 소송들도 몇몇 성공을 거둘 수 있었는데, 이는 현존하는 국내법에 따라 특정 사업의 적법성을 다루는 분쟁들이지, 법원으로 하여금 배출감축을 위한 국제적 의무에 대해 광범위하고 정치적인 판결을 내리도록 하는 소송이 아니었다. 예를 들어, 뉴질랜드 법원은 정부가 풍력발전소와 석탄화력발전소 건설의 허용 여부를 결정할 때, 제안된 사업이 온실가스 배출에 미치는 영향을 고려해야 한다고 주장했다.[164] 호주 법원 또한 발전소에 관한 결정을 허가할 때에 온실가스 배출에 대한 영향을 고려해야만 한다고 판결했다.[165]

---

162) 위 n 154 및 그곳의 본문 참조.

163) Friends of the Earth v Canada, 2008 FC 1183 [2009] 3 F.C.R. 201. 캐나다 항소법원은 결국 하급법원의 판결을 유지했으며, 대법원은 상고를 각하하였다.

164) *Genesis Power Ltd. v Franklin District Council,* Decision No. A 148/2005; *Greenpeace New Zealand v Northland Regional Council and Might River Power Limited,* High Court of New Zealand, Auckland Registry, CIV 206-404-004617 (2006).

165) William C.G. Burns and Hari M. Osofsky, 'Overview: The Exigencies that Drive Potential

최근에 여러 법원들은 이보다 한 걸음 더 나아가 정부에게 강력한 기후 대책을 강구하도록 직접 명령해오고 있다. 위에서 설명한 *Urgenda* 사건에서, 네덜란드 법원은 정부에 보다 강력한 배출감축목표를 채택할 것을 명령했다.[166] 그리고 역시 앞서 언급한 *Leghari* 사건에서도, 파키스탄의 라호르 고등법원은 정부의 감축계획의 이행을 감독하는 위원회의 설립을 명령했다.[167]

다른 범주의 판례에는 기후변화로 인한 피해에 대한 불법행위법상의 청구가 있다. 그러한 청구들은 미래의 배출에 대한 제지효과를 가져올 수 있지만, 즉각적인 목표는 희생자에게 배상하는 것이다.[168] 이러한 소송들에서 주된 장애물 중 하나는 기후변화의 피해를 정의하고 특정 행위자에게 귀속시키는 문제이다.[169] 현시점에서 과학적으로 검증할 수 있는 것은 기후변화가 열풍이나 폭풍과 같은 특별한 종류의 자연사건들의 발생빈도나 강도를 증가시킨다는 것이지, 기후변화가 그 사건들의 '필연적 원인'이 된다는 것은 아니다.[170]

마지막으로, 기후변화 소송은 실패하더라도, 대중의 인식을 높이는 데 도움이 될 수 있다.[171] 특정 피해자 및 특정 영향에 초점을 맞춤으로써 소송은 기후변화 피해에 대해 인간적인 측면을 부여하는 데 기여한다. David Hunter가 지적하듯이, 이누이트의 청원서는 "전통적으로 국제기후협상에서 주도된 온실가스 농도나 지구 평균기온에 대한 건조한 논의와는 전혀 다른, 인간적 용어로 기후변화의 영향에 관한 이야기를 전했다".[172] 유사하게, '세계은행감사위원회(World Bank

---

Causes of Action for Climate Change', in Burns and Osofsky (eds), Adjudicating Climate Change (n 148) 1,23.

166) 위 n 159 및 그곳의 본문 참조.

167) 위 n 160 및 그곳의 본문 참조.

168) David A. Grossman, 'Tort-Based Climate Litigation', in Burns and Osofsky (eds), Adjudicating Climate Change (n 148) 193.

169) Christina Voight, 'Climate Change and Damages', in Carlarne, Gray, and Tarasofsky (eds), Oxford Handbook of International Climate Change Law (n 149) 464.

170) Myles Allen *et al.,* 'Scientific Challenges in the Attribution of Harm to Human Influence on Climate', *University of Pennsylvania Law Review,* 155/6 (2007): 1353.

171) David B. Hunter, 'The Implications of Climate Change Litigation: Litigation for International Environmental Law-Making,' in Burns and Osofsky (eds), Adjudicating Climate Change (n 148) 357.

172) Ibid, 360.

Inspection Panel)'에 대한 청원서는 한 프로젝트의 중단을 강요할 수 없었다. 그러나 프로젝트로 인한 피해에 주의를 환기함으로써, 청원서는 대중의 반대를 끌어낼 수 있었으며, 그것을 통하여 프로젝트 허용할지 또는 수정할지에 대한 결정에 영향을 줄 수 있었다.

B. 법의 연원

기후변화 소송은 관련된 법의 연원(source of law)에 따라 다양하다. 몇몇 경우에는 국제법 위반의 문제가 제기된다. 예를 들어, 캐나다의 지구의 벗 사건은 FCCC와 교토의정서 위반의 문제를 제기하였다. ICJ의 권고적 의견을 요구하는 팔라우의 제안은 국제법상 국가책임에 명시적으로 초점을 맞춘 것이다. 이와 유사하게, 이누이트 청원서는 국제인권법의 위반 문제를 제기하고, 세계유산위원회에 대한 청원은 세계유산협약에 따른 배출감축을 위한 징벌적 의무를 염두에 두고 있었으며, 나이지리아 석유회사의 천연가스 연소 등에 대한 판결은 나이지리아 헌법과 '아프리카 인권헌장(African Charter on Human and Peoples' Rights)'에 입각하여 가스연소가 지역주민들의 인권을 침해했다고 판결하였다.[173)]

몇몇의 판결에 있어서, 국내 법원들은 해석의 목적으로 국제규범을 적용하였다. 예를 들어, *Leghari* 사건에서 라호르 고등법원은 지속가능한 발전, 예방 및 세대 간 형평성의 원칙에 주목하면서, 파키스탄 정부가 기후변화 적응정책을 이행하지 않음으로써 국민의 기본권을 침해했다고 판결하였다. 이와 유사하게, 네덜란드 *Urgenda* 판결에서는, 네덜란드 법원이 2℃ 기온상승 상한선과 같은 국제규범을 검토해서, 정부가 보다 엄격한 완화조치를 취하지 않음으로써 국민보호의 의무를 위반했다고 결정했다.[174)]

그러나 지금까지의 많은 판례들은 국제법보다는 국내법과 관련되어 있었다.

---

173) *Jonah Gbemre v Shell Petroleum Development Co. Nigeria Ltd et al.* (2005) FHCNLR (Nigeria), (2005) AHRLR 151 (NgHC 2005). 이 사건에 관해서 다음 문헌을 참조한다. Amy Sinden, 'An Emerging Human Right to Security from Climate Change: The Case against Gas Flaring in Nigeria', in Burns and Osofsky (eds), Adjudicating Climate Change (n 148) 173.

174) Lin, First Successful Climate Negligence Case (n 159).

예를 들어, 미국 법원에 제기된 소송들은 대기청정법(Clean Air Act),[175] 국가환경정책법(National Environmental Policy Act)[176] 그리고 공중불법방해법(public nuisance law)[177] 및 멸종위기종보호법(Endangered Species Act)과 관련되어 있다.[178] 독일에서의 소송에서는 독일 수출신용기관에서 지원하는 프로젝트의 기후변화에 대한 영향을 공개하는 것이 요구되었는데, 이 사건은 독일환경정보접근법(German Access to Environmental Information Act)에 근거하여 결정되었다.[179] 뉴질랜드와 호주의 발전소 허가에 관한 사건에서는, 뉴질랜드의 경우에 1991년 자원관리법(Resource Management Act)에, 호주의 경우에는 빅토리아 주의 기획 및 환경법(Victorian Planning and Environment Act)에[180] 기초해서 판결이 났다. 대부분의 경우, 이들과 같은 국내법들은 FCCC나 세계유산협약과 같은 국제협약보다 더 구체적인 법적 의무를 수립하기 때문에, 사법 거버넌스를 위해 보다 강력한 기반을 제공한다.

C. 재판소

기후변화 소송에서 세 번째 변인은 어떤 재판소에 소송이 제기되었는가이다. 국내법원 이외에도, 국제적 수준에서의 재판소들은 다음과 같다.[181]

- 국제사법재판소(International Court of Justice, ICJ). 현재 ICJ의 강제관할권을 수락한 국가는 거의 없기 때문에, ICJ의 관련 판결은 거의 권고적 의견의 형태

175) *Massachusetts v EPA*, 549 U.S. 497 (2007).
176) *Friends of the Earth v Watson,* 2005 US Dist. LEXIS 42335 (2005). 정부는 2009년에 연방정부가 지원하는 프로젝트에 있어 기후변화 영향을 고려하는 데 동의하면서 이 사건을 종결하였다
177) *American Electric Power v Connecticut,* 131 S.Ct. 2527 (2011) (Clean Air Act displaces federal common law right to injunctive relief based on public nuisance); *Native Village of Kivalina v ExxonMobil Corp.* 696 E2d 849 (9th Cir. 2012) (대기청정법(Clean Air Act)은 공중불법방해법 (public nuisance claim for damages)을 대체).
178) Brendan R. Cummings and Kassie R. Siegel, 'Biodiversity, Global Warming, and the United States Endangered Species Act: The Role of Domestic Wildlife Law in Addressing Greenhouse Gas Emissions', in Burns and Osofsky (eds), Adjudicating Climate Change (n 148) 145.
179) Hans-Joachim Koch, Michael Luhrs and Roda Verheyen, Germany, in Lord et al. (eds), Climate Change Liability (n 148) 376,414.
180) Burns and Osofsky Overview (n 165) 22-4.
181) Verheyen and Zengerling, International Dispute Settlement (n 149) 417.

일 가능성이 높다.[182)]

- 국제해양법재판소(International Tribunal for the Law of the Sea, ITLOS). 이는 UN 해양법협약(UN Convention on the Law of the Sea),[183)] 1995년 어류자원협정 (Fish Stocks Agreement)[184)] 및 기타 관련 협약들에 관련된 사건을 관할하고 해양환경에의 피해에 대한 배상청구를 관할한다.[185)]
- WTO 분쟁해결패널(dispute settlement panels)과 항소기구(Appellate Body)는 WTO의 분쟁해결에 관한 양해(Dispute Settlement Understanding)에 따라 통상법에 저촉되는 기후정책과 관련된 분쟁을 위한 법정을 제공할 수 있다.[186)] 신재생에너지에 대한 발전차액지원제도와 관련된 사건들은 이미 이 체제에서 제기된 바 있다.[187)]
- 국제투자분쟁해결센터(International Centre for the Settlement of Investment Disputes, ICSID). 몇몇 ICSID 사례는 기후변화와 관련하여 발생했는데, 이들 사건은 석탄화력발전소에 대한 허가발급과 관련한 것이었다. 재생에너지에 대해서는 보조금에 대한 문제를 제기하는 청구 또한 가능할 것이다.
- 상설중재재판소(Permanent Court of Arbitration). 이는 배출권 이전과 관련한 공동이행(joint implementation) 사업과 관련하여 투자자가 제기한 사건을 다룬 바 있다.[188)]

---

182) ICJ와 그 이외의 국제법원 및 재판소의 기후변화 판결에 대한 논의는 다음 문헌을 참조한다. Philippe Sands, ‘Climate Change and the Rule of Law: Adjudicating the Future of International Law’, *Journal of Environmental Law*, 28/1 (2016): 19.

183) 해양법에 관한 국제연합 협약(United Nations Convention on the Law of the Sea) 1982.12.10. 채택, 1994.11.16. 발효, 1833 UNTS 3.

184) 1982년 12월 10일 해양법에 관한 국제연합협약의 경계왕래어족 및 고도회유성어족 보존과 관리에 관한 조항의 이행을 위한 협정(Agreement for the Implementation of the Provisions of the UN Convention on the Law of the Sea Relating to the Conservation and Management of Straddling Fish Stocks and Highly Migratory Fish Stocks), 1995.08.04. 채택; 2001.12.11. 발효, 2167 UNTS 3.

185) William C.G. Bums, ‘Potential Causes of Action for Climate Change Impacts under the United Nations Fish Stocks Agreement,’ in Burns and Osofsky (eds), Adjudicating Climate Change (n 148), 314

186) 제9장 IV.B.3 참조.

187) ibid, 제9장 IV.B.5.b 참조.

188) *Naftrac Limited v State Environmental Investment Agency of Ukraine* (4 December 2012), described

- 지역인권재판소(Regional human rights tribunals). 그 예로 미주인권위원회(Inter-American Commission)나 인권재판소(Court of Human Rights)가 있으며, 앞에서 설명한 이누이트 사건과 같은 사건들을 다룬다.[189)]

그러나 이누이트 청원과 같은 국제적인 사건은 많은 주목을 받았지만, 대중의 인식을 높이는 수단으로서의 효과를 제외하고는 지금까지 성공하지 못했다. 국제분쟁해결절차의 약점, 특히 대부분 강제관할권이나 집행권한이 결여되어 있다는 약점을 고려할 때, 국제판결은 배출감소 또는 피해보상에 있어 효과적인 구제수단을 제공하지 못할 가능성이 높다.[190)] 예를 들어, 군소도서국가들이 개별 국가에게 배출감축의 책임이 있다는 ICJ의 권고적 의견을 얻는 데 성공한다 할지라도, 이는 국가들이 FCCC에서 더 강력한 합의에 도달하도록 압력을 가한다는 것 이상의 효과가 없고, 개별 국가들이 배출을 줄이도록 직접적으로 영향을 줄 수는 없다.

이와 대조적으로, 국내법원에서의 소송은 어느 정도는 더 큰 성공을 거두어 왔다. 특히 정부결정에 대한 소송들이 그러한데, 그 예로 발전소 건설 또는 수출 프로젝트에 대한 허가를 승인하는 것이 있다. 이전에 언급했듯이 일부 국내법원들이 부분적으로는 국제법 규범에 근거한 결정을 내렸지만, 일반적으로는 이러한 판결들은 국내법에 기반을 두고 있다.

D. 평가

사법 거버넌스가 얼마나 유의미한지를 말하기는 아직 이르다. *Urgenda* 및 *Leghari* 사건은 국내법원이 국가 기후변화정책을 감독하는 데 있어 중요한 역할을 담당할 의사가 있다는 것을 보여준다. 그러나 국제적인 사건들인 이누이트 사건이나 세계유산위원회 사건 그리고 캐나다의 지구의 벗 사건은 기후변화를 다루는 데

---

in Verheyen and Zengerling, International Dispute Settlement (n 149) 423.

189) 위 n 153 및 그곳의 본문 참조.

190) 기후변화 피해에 대한 국가책임에 관한 판결의 문제점에 대한 논의는 제2장 III.B 및 III.C 참조.

있어서 소송의 역할이 제한되어 있다는 것을 보여준다. 기후변화 소송에 대한 지지자들조차 인정하듯이, 소송은 차선책이고, "모든 국가를 포함하여, 과학적으로 기후변화를 위해 필요하다고 검증된 행동을 규정하는 국제적 체제가 더 바람직한 접근방식이 될 것이다".[191]

Ⅶ. 탄소시장의 거버넌스

지난 10년 동안 세계 탄소시장은 현저하게 성장했다.[192] 배출권거래체제는 현재 거의 모든 단위의 거버넌스에서 채택되었는데, 세계 단위에서는 교토의정서에서, 지역 단위에서는 EU에서, 국가 단위에서는 카자흐스탄, 뉴질랜드, 한국 및 스위스와 같은 국가들에서, 그리고 국가하부적 단위에서는 브리티시 컬럼비아, 캘리포니아, 온타리오, 퀘벡, 사이트마, 도쿄와 같은 개별 주나 도시에서 이루어지고 있고, '지역 온실가스 이니셔티브(Regional Greenhouse Gas Initiative, RGGI)'와 같은 지역별 그룹에 의해서도 이루어지고 있다.[193] 2015년 현재, 39개국과 23개국의 국가하부적 관할영역에서 탄소가격제도를 구현했거나 시행할 예정이다. 유엔기후체제와 관련하여 생성된 국제탄소시장이 가장 크지만(특히 청정개발체제(CDM)), 세계은행은 국가, 지역 및 지방의 탄소 가격책정 이니셔티브가 전세계 온실가스 배출의 13퍼센트를 다루고 있다고 추산하였다.[194]

기존 또는 신설의 지역적, 국가적 및 국가하부적 배출권거래체제를 연계하면

191) Jutta Brunnée, *et al.*, 'Introduction', in R. Lord *et al.* (eds), Climate Change Liability (n 148) 3,6.

192) 이 절은 다음 문헌을 참고하여 작성되었다. Climate Change: Transnational Legal Order or Disorder, in Terence C. Halliday and Gregory Shaffer (eds), *Transnational Legal Orders* (Cambridge University Press, 2016) 287.

193) World Bank and Ecofys, State and Trends of Carbon Pricing (n 140) 10-11; Torbjorg Jevnaker and Jorgen Wettestad, 'Linked Carbon Markets: Silver Bullet, or Castle in the Air?', *Climate Law,* 6/1-2 (2016): 142, 144.

194) World Bank and Ecofys, Carbon Pricing Watch 2016 <https://openknowledge.worldbank.org/bitstream/handle/10986/24288/CarbonPricingWatch2016.pdf?sequence=48dsAllowed=y> accessed 20 January 2017.

많은 이익을 얻을 수 있는데, 특히 비용대비 효과성이 향상된다. 그러나 배출권거래체제의 설계에서 상당한 차이가 있다면(예를 들어, 경제부문과 대상 온실가스 종류들, 의무기간과 수당 할당방법들), 이들을 연계하기 위해 몇 가지 쟁점에 대한 최소한 공통의 규칙을 개발하는 것이 요구되는데, 그 쟁점에는 회계, 측정 · 보고 · 검증(measurement, reporting and verification, MRV), 할당 추적(allowance tracking) 그리고 탄소상쇄(carbon offset)와 같은 것들이 있다.[195] 국제적 체제가 없다면, 그 연계는 분권화되고 상향식의 방식으로 배출권거래체제에 대한 관할권 간의 협상을 통해 발달하기 시작한다.[196] 2014년에 캘리포니아와 퀘벡은 공식적으로 그들의 프로그램을 연계하면서 함께 공매를 개최했으며, 다른 국가 및 국가하부적 프로그램 간 다수의 연계가 계획되어 있다. 탄소가격 책정방식의 이질성은 연계를 복잡하게 만들지만, 불가능하지는 않다.[197]

배출권거래체제 간 연계의 초기상태와 비교할 때, 배출권(carbon credits)에 관한 규칙들은 보다 높은 수준으로 정립되어 있음을 보여준다. 다양한 초국가적 탄소표준이 개발되고 있는데, 이는 온실가스 배출감축 프로젝트에 의한 배출권을 인증하기 위한 것으로, 그 표준들에는 교토의정서의 CDM에[198] 의해 개발된 규칙들과 같이 공공표준들도 있고, 민간이 개발한 표준들도 있는데 여기에는 검증된 탄소표준(Verified Carbon Standard), 온실가스규약(GHG protocol), 골드 스탠다드 등이 포함되며, 이들은 자발적 탄소시장에서 사용된다. 한 조사에 따르면, 각각의 표준은 그 초점이 약간씩은 다르며, 지금까지 업계 표준으로 자리잡은 것은 없다.[199] 그럼에도 불구하고, 표준들 사이에는 '정책수렴에 대한 놀라운 증거'가 있다.[200]

---

195) Dallas Burtraw, *et al.*, 'Linking by Degrees: Incremental Alignment of Cap-and-Trade Markets' (Resources for the Future, April 2013); Andreas Tuerck *et al.*, 'Linking Carbon Markets: Concepts, Case Studies, and Pathways', *Climate Policy*, 9 (2009): 341.

196) Ranson and Stavins, Linkage of Greenhouse Gas Emissions Trading Systems (n 147).

197) Gilbert E. Metcalf and David Weisbach, 'Linking Policies When Tastes Differ: Global Climate Policy in a Heterogeneous World' (Cambridge, MA: Harvard Project on International Climate Agreements, 28 May 2010).

198) CDM에 대한 논의는 제6장 V.B 참조.

199) Anja Kollmuss, Helge Zink, and Clifford Polycarp, 'Making Sense of the Voluntary Carbon Market: A Comparison of Carbon Offset Standards' (Stockholm: Stockholm Environment Institute, March 2008) vi.

"교토의정서 이후 민간표준이 폭발적으로 증가하였지만 분명히 일부는 다른 표준들보다 더 중요하고 실제로 더 신뢰할 수 있는 것으로 나타났다."[201] EU-ETS는 현재 배출권시장의 주요 동인이며, EU-ETS로 들어오는 배출권에 적용되는 표준도 매우 영향력이 있다.[202] 또한, 교토의정서의 배출권 표준은 높은 수준의 명성을 지니고 있으며, 민간표준들에 내포되어 있기도 하다. 이것은 국제적, 지역적, 국가적, 사적으로 개발된 표준들의 일치가 이루어지고 있음을 보여주며, 교토의정서가 2020년 이후에 계속되지 않더라도 '장기적 잔류 효과'를 가질 것이라는 점을 제시한다.[203] 보다 일반적으로, 탄소시장에서 국제적으로 협상된 규칙들(예: CDM), 국가 및 국가하부적 규칙들 그리고 민간표준들의 상호 연계는 '공공'과 '민간' 거버넌스의 경계를 '모호하게' 했다.[204]

Ⅷ. 다중심적 거버넌스와 유엔기후변화체제

대부분의 정부 간 기구와 마찬가지로 유엔기후체제도 국가중심적이다. FCCC 협상을 위한 유엔총회의 첫 번째 위임사항은 시민사회 참여의 중요성을 인정하면서도 이러한 참여가 주로 국가 수준에서 "과학계, 산업계, 노동조합, 비정구기구 및 그 외의 이해관계를 가지는 집단이 적절하게 관여하는 광범위한 기반의 준비작업"을 통해 이루어져야 할 것으로 보았다.[205] 이 위임사항은 또한 '협상과정에 기

---

200) Jessica Green, 'Order Out of Chaos: Public and Private Rules for Managing Carbon', *Global Environmental Politics,* 13/2 (2013): 2.

201) Ibid, 14.

202) EU-ETS에 대해서 방대한 연구가 이루어졌다. A. Denny Ellerman, Frank J. Convery, and Christian de Perthuis, *Pricing Carbon: The European Emissions Trading Scheme* (Cambridge University Press, 2010); Jon Birger Skjaerseth and Jorgen Wettestad, *EU Emissions Trading: Initiation, Decision-Making and Implementation* (Surrey, UK: Ashgate Publishing, 2008). 최근의 평가는 다음 문헌을 참조한다. 'Symposium: The EU Emissions Trading System: Research Findings and Needs', *Review of Environmental Economics and Policy,* 10/1 (2016): 89.

203) Green에 따르면 민간 탄소표준의 79퍼센트가 교토의정서의 규칙을 인정하고 있다. Green, Order Out of Chaos (n 200) 2.

204) Ibid, 3.

205) UNGA Res 45/212, 'Protection of global climate for present and future generations of mankind'

여하도록' NGO를 초대하였지만, 이는 '이들 단체가 어떤 협상 역할을 갖는 것은 아니라는 이해'에 기초한 것이었다.[206]

그 이후, FCCC는 2,000개 이상의 NGO와 100개의 국제기구를 옵서버(observer)로 인증했으며,[207] 그중 일부는 FCCC 프로세스에 비공식적이기는 하지만 중요한 역할을 수행하였다. 예를 들어, 정보와 분석을 제공하고, 제안을 제출하며, 정부에 로비활동을 하는 등의 역할을 하였다. 그러나 NGO는 협상에서 공식적 역할을 하지 못하며, 최근에 이르러서야 FCCC 체제가 국가하부 및 비국가 행위자의 기후변화 활동에 직접 관여하고 있다.

기후변화를 다루기 위한 유엔기후체제와 비국가 행위자들에 의한 폭넓은 일련의 행동들은 파리협정을 위한 4년 간의 준비과정에서 변화하기 시작했다. 비국가 행위자들은 ADP의 '작업과정 II(Workstream II)'에 따른 기술적 심사과정에서 중요한 역할을 담당했는데, 이 과정은 2020년 이전에 이루어지는 기후행동에 대한 의욕을 고양시키는 방법을 모색하기 위한 것이었다. 페루와 프랑스의 COP 의장단이 주최한 '리마-파리 행동계획(Lima to Paris Action Agenda, LPAA)'은 비국가 행위자들의 배출감축행동에 중점을 두고, 이러한 행동들을 기록하기 위한 NAZCA 포털을 설립하였다.[208] 그리고 유엔사무총장의 2014년 기후정상회의는 정부, 민간 및 시민사회의 지도자들을 한자리에 모았으며, 배출감축을 위한 다수의 공적, 사적 및 공동 이니셔티브의 촉매작용을 도왔다.[209]

파리협정에 대한 협상 초기에서부터 파리협정이 국가하부 및 비국가 행위자의 기후변화대응에 대한 역할을 명시적으로 인정하거나, 심지어 비국가 행위자가 서명할 수 있게 할 것이라는 희망을 품고 있는 이들이 있었다.[210] 그러나 FCCC 절차는 그 성격에 비추어 보수적이었고, 다자간 환경협정의 규범으로부터 근본적으

UNGA (21 December 1990) UN Doc. A/RES/45/212, para 3.

206) Ibid, para 19.

207) 이 수치는 2016년 기준이다. <http://unfccc.int/parties_and_observers/observer_organizations/items/9524.php> accessed 20 January 2017.

208) NAZCA에 관해서는 위 n 3 참조.

209) Climate Summit 2014: Catalyzing Action <http://www.un.org/climatechange/summit/> accessed 20 January 2017.

210) Esty, Bottom-Up Climate Fix (n 6).

로 벗어나는 일은 협상에서 거의 경험하지 못하였다. 대신, 파리협정에서 비국가 행위자들에 대한 유일한 언급은 '기후변화를 다루는 데 있어서, 다양한 행위자들의 행동이 가지는 중요성'을 인정하는 전문에 나타난다.[211)]

그러나 파리협정을 채택한 COP결정에는 '비당사자 이해관계자'에 대한 더 큰 섹션이 포함되었는데, 여기에는 시민사회조직, 민간부문, 금융기관, 도시 및 기타 국가하부적 기관들이 포함되었다. 그 결정은 그들의 노력을 환영하였고, 이러한 노력을 확대할 것을 촉구하였으며, NAZCA 포털을 통해 그들의 노력을 명시하도록 권유하였다.[212)]

앞으로는, 국가하부적 그리고 비국가적 행위자들의 활동은 파리협정과 관련하여 다양한 역할을 할 수 있다.

- 첫째, 그들은 국가별 기여방안(NDCs)의 신뢰성을 강화하고 정치적 지원을 제공함으로써 지지적인 역할을 할 수 있다. 예를 들어, 파리행동서약(Paris Pledge for Action)은 파리협정의 이행에의 지원을 약속하였는데, 여기에 600개 이상의 기업, 180명의 투자자, 110개의 도시와 지방이 서명하였다.[213)]
- 둘째, FCCC 이외의 활동은 파리협정의 NDC와 장기적인 온도상승 제한목표 사이의 격차를 줄이는 데 도움이 될 수 있다. 그러나 이를 위해서 비국가 행위자는 그들의 활동이 개별 국가들의 NDC에 더해지는 것으로 보여야 할 것이다.
- 셋째, 시민사회와 민간부문의 행동은 정책혁신, 홍보적 효과 및 정치동원을 통해, 미래에 더 강화된 NDC를 갖도록 장려하는 데 촉매와 같은 역할을 할 수 있다.
- 마지막으로, 다중심적 기후 거버넌스는 유엔기후체제가 미래의 어떤 시점에 동력을 상실했을 때 이를 보완하는 데 도움이 될 수 있다.

211) Paris Agreement, preambular recital 15.
212) Decision 1/CP.21, Adoption of the Paris Agreement' (29 January 2016) FCCC/CP/2015/10/Add.1, 2, paras 133-4.
213) Paris Pledge for Action <http://www.parispledgeforaction.org/about/> accessed 20 January 2017.

Ⅸ. 결어

기후변화 쟁점과 관련하여 다중심적 거버넌스의 지지자들은 환경쟁점을 다양한 수준에서 다양한 행위자들에 의해 다루는 것이 목적지향적이고 점진적인 진보를 더 앞당길 수 있다고 주장한다. 국가 간 협상의 취약성과 유엔기후체제를 포함한 개별 협상과정의 성공 여부에 대한 불확실성을 감안할 때, 정책 접근방식을 다양화하면 실패 위험을 줄일 수 있다. 그러나 국가하부 및 비국가 행위자들의 배출감축 이니셔티브들의 효능을 평가하기 위해서는 이에 대한 더 나은 평가방법이 필요할 것이다.[214)]

주요 참고문헌

Abbott K.W., 'The Transnational Regime Complex for Climate Change', *Environment and Planning C: Government and Policy*, 30/4 (2011): 571.

Bulkeley H. *et al.*, *Transnational Climate Change Governance* (Cambridge University Press, 2014).

Etty T. et al., 'Transnational Dimensions of Climate Governance', *Transnational Environmental Law*, 1/2 (2012): 235.

Newell P., Pattberg P., and Schroeder H., 'Multiactor Governance and the Environment', *Annual Review of Environment and Resources*, 37 (2012): 365.

Okereke C., Bulkeley H., and Schroeder H., 'Conceptualizing Climate Governance Beyond the International Regime', *Global Environmental Politics*, 9/1 (2009): 58.

---

214) Hsu *et al.*, Track Climate Pledges of Cities and Companies (n 7).

Peel J., Godden L., and Keenan R.J., 'Climate Change Law in an Era of Multi-Level Governance', *Transnational Environmental Law*, 1/2 (2012): 245.

Rabe B., 'Beyond Kyoto: Climate Change Policy in Multilevel Governance Systems', *Governance: An International Journal of Policy, Administration and Institutions*, 20/3 (2007): 423.

제9장

국제기후변화법과 기타 국제법

Ⅰ. 도입
Ⅱ. 기후변화와 인권
Ⅲ. 기후변화, 이주 그리고 실향민
Ⅳ. 기후변화와 무역

Ⅰ. 도입

기후변화 문제는 그 원인과 효과에 있어서 범위가 매우 크다. 한편으로, 인류 발전의 모든 면은 기후변화에 영향을 주고, 이는 에너지 생성, 교통, 농업, 산업을 포함한다. 다른 한편, 기후변화는 다방면에 영향을 끼치게 되는데, 이는 낮은 해안가 지역, 농업, 건강, 생물다양성을 아우른다.

기후변화의 쟁점들은 기후변화의 원인과 효과가 폭넓다는 점으로 인하여 국제법의 다른 분야와도 교차하게 되고, 거기에는 다음과 같은 예들이 있다.

- 지구온난화는 식량이나 주거에 영향을 끼쳐 경제적·사회적 권리를 위협할 수 있다. 반대로 기후변화를 다룰 대응책은 인권문제를 일으킬 수도 있다.
- 해수면 상승과 같은 기후변화의 영향은 국내적인 또 국경을 넘나드는 대규모 실향민을 발생시킬 수 있다.
- 기후변화 대응책은 각국의 상품에도 영향을 미쳐 국제적인 통상문제를 일으킬 수 있다. 기후변화 정책이 있는 국가는 그러한 정책이 없는 국가에 대해, 또는 유엔기후체제의 의무를 받아들이지 않는 국가에 대해 무역조치를 취할 수 있을 것이다.

이 장에서는 국제기후변화법과 위 예시에 나타난 인권법, 강제이주와 난민 관련법 그리고 통상법이라는 세 가지 국제법 분야와의 교차점에 대해 알아본다. 교차되는 다른 분야도 있으나,[1] 이 장에서 다루어진 위 세 가지 분야에서는 기후변화가 하나의 쟁점으로 다루어지고 있는 양상을 보여준다. 각 분야는 상당한 학문적 논의와 국제적 관행을 불러 일으켰기 때문에, 국제기후변화법과 일반적인 국제법의 교차점을 확인하는 데 더욱 적절하다.

Ⅱ. 기후변화와 인권

A. 소개

기후변화의 심각한 부정적인 효과가 생존, 건강, 식량, 주거의 권리를 포함하는 인권법에 위협이 된다는 것은[2] "더 이상 논쟁거리가 아니다".[3] 전 유엔 인권고등판무관(United Nations High Commissioner for Human Rights) Mary Robinson은 기후변화를 "21세기 인류에 대한 가장 큰 위협"이라고 선언했다.[4] 또한 기후변화를 완화하고 그에 적응하려는 대응책은 인권을 침해할 가능성이 있다.[5]

---

1) 예를 들어, 투자법, 지적재산권법, 에너지법이 있다.

2) 이 절은 다음 문헌을 기반으로 한다. Daniel Bodansky, 'Introduction: Climate Change and Human Rights: Unpacking the Issues', *Georgia Journal of International and Comparative Law*, 38/3 (2010): 511; Lavanya Rajamani, 'Human Rights in the Climate Change Regime: From Rio to Paris, in John H. Knox and Ramin Pejan (eds), *The Human Right to a Healthy Environment* (Cambridge University Press, 2017, forthcoming); and Lavanya Rajamani, 'The Increasing Currency and Relevance of Rights-Based Perspectives in the International Negotiations on Climate Change', *Journal of Environmental Law*, 22/3 (2010): 391.

3) Office of the High Commissioner for Human Rights (OHCHR), 'Understanding Human Rights and Climate Change: Submission of the Office of the High Commissioner for Human Rights to the 21st Conference of the Parties to the United Nations Framework Convention on Climate Change' (26 November 2015) <http://www.ohchr.org/Documents/Issues/ClimateChange/COP21.pdf> accessed 20 January 2017; Human Rights Council (HRC) Res 32/33, 'Human Rights and Climate Change' (18 July 2016) UN Doc A/HRC/RES/32/33. 기후변화에 대한 인권법적 접근은 다음 문헌에서도 논의되고 있다. Intergovernmental Panel on Climate Change (IPCC), *Climate Change 2014: Mitigation of Climate Change* (Cambridge University Press, 2014) 1027. "더 이상 논쟁거리가 아니다(beyond debate)"라는 표현은 John Knox에 의해 사용된 바 있다 (3 December 2015. OHCHR, 'COP21: "States' human rights obligations encompass climate change"—UN expert' (Paris, 3 December 2015) <http://www.ohchr.org/EN/NewsEvents/Pages/DisplayNews. aspx?NewsID=l6836&LangID=E> accessed 20 January 2017).

4) 다음 문헌에서 재인용되었다. Report of the Special Rapporteur on the issue of human rights obligations relating to the enjoyment of a safe, clean, healthy and sustainable environment (1 February 2016) UN Doc A/ HRC/31/52,7.

지난 10년간 기후변화와 인권에 관한 관심은 상당히 높아졌다.[6] 변호사들은 기후변화와 연관된 인권침해에 대하여 소를 제기하고,[7] 학계에서는 관련된 이론적·실무적 쟁점을 살펴보게 되었다.[8] '유엔 인권고등판무관실(Office of the United

---

5) HRC Res 32/33 (n 3) preambular recital 5; HRC Res 29/15, 'Human Rights and Climate Change' (22 July 2015) UN Doc A/HRC/RES/29/15, preambular recital 3; HRC Res 26/27, 'Human Rights and Climate Change' (15 July 2014) UN Doc A7HRC/RES/26/27, preambular recital 3; HRC Res 18/22, 'Human Rights and Climate Change' (17 October 2011) UN Doc A/HRC/RES/18/22, preambular recital 4.

6) 이 연구는 '1972년 스톡홀름 선언(1972 Stockholm Declaration)'에서 유래하고, 지난 15년간 활발하게 논의된 인권과 환경에 관한 더 광범위한 연구의 일부에 해당한다. Donald K. Anton and Dinah L. Shelton, *Environmental Protection and Human Rights* (Cambridge University Press, 2011); John Bonine and Svitlana Kravchenko, *Human Rights and the Environment: Cases, Law, and Policy* (Durham, NC: Carolina Academic Press, 2008); Alan Boyle and Michael Anderson (eds), *Human Rights Approaches to Environmental Protection* (Oxford University Press, 1996). '2007년 세계적인 기후변화의 인권적 측면에 관한 말레선언(2007 Malé Declaration on the Human Dimension of Global Climate Change)'은 기후변화의 인권에 대한 영향을 다루는 첫 번째 국제적 문서이다. Malé Declaration on the Human Dimension of Global Climate Change (14 November 2007) <http://www.ciel.org/Publications/Male_Declaration_Nov07.pdf> accessed 20 January 2017. 기후변화와 인권의 관계에 대한 관심이 증폭되는 과정을 일반적으로 서술한 것으로 다음 문헌을 참조. Report of the Special Rapporteur (n 4) 3-7.

7) 제8장 VI 참조.

8) Stephen Humphreys (ed), *Human Rights and Climate Change* (Cambridge University Press, 2010); John H. Knox, 'Climate Change and Human Rights Law', *Virginia Journal of International Law,* 30/1 (2009): 163; Siobhan Mclnerney-Lankford, Mac Darrow, and Lavanya Rajamani, *Human Rights and Climate Change: A Review of the International Legal Dimension* (Washington, D.C.: The World Bank, 2011); Timo Koivurova, Sebastien Duych, and Leen Heinamaki, 'Climate Change and Human Rights', in Erkki J. Hollo, Kati Kulovesi, and Michael Mehling (eds), Climate Change and the Law (Dordrecht: Springer, 2013) 287; Sheila R. Foster and Paolo Galizzi, 'Human Rights and Climate Change: Building Synergies for a Common Future', in Daniel A. Farber and Marhan Peeters (eds), *Elgar Encyclopedia of Environmental Law vol. 1: Climate Change Law* (Cheltenham, UK: Edward Elgar, 2016) 43; John H. Knox, 'Human Rights Principles and Climate Change', in Cinnamon P. Carlarne, Kevin R. Gray, and Richard Tarasofsky (eds), *The Oxford Handbook of International Climate Change Law* (Oxford University Press, 2016) 213; Philippe Cullet, 'Human Rights and Climate Change: Broadening the Right to Environment', in Carlarne *et al.,* Oxford Handbook of International Climate Change Law, ibid, 495; Eric A. Posner, 'Climate Change and International Human Rights Litigation: A Critical Appraisal', *University of Pennsylvania Law Review*, 155/6 (2007): 1925; Amy Sinden, 'Climate Change and Human Rights', *Journal of Land Resources & Environmental Law*, 27/2 (2007): 255; Stephen M. Gardiner *et al.* (eds), *Climate Ethics: Essential Readings* (New York: Oxford University Press, 2010); Henry Shue, *Climate Justice: Vulnerability and Protection* (Oxford University Press, 2014).

Nations High Commissioner for Human Rights, OHCHR)'은 인권과 기후변화 관련된 여러 작업을 시작했고,[9] 2009년에 첫 보고서를 발표하였다.[10] 유엔인권이사회(Human Rights Council)는 인권과 기후변화 간의 상호연관성에 대해 각국에 경고를 보내는 일련의 결의안을 채택했고, 인권조약에 따른 각국의 의무에 대한 주의를 환기시켰다.[11] 2012년에 유엔은 기후변화에 대한 우려로 인하여 인권과 환경에 집중하기 위해 독립적인 전문가인 현재의 특별보고관(special rapporteur)을 임명하였고, 주거, 강제이주, 국내 실향민, 식량 관련 특별보고관을 포함한 다른 특별보고관들에게도 그들의 위임사항에 기후변화의 영향을 고려할 것을 지시하였다.[12]

기후변화를 인권문제로 다루자는 제안은 많은 근본적인 질문을 제기하였다. 이론적으로 보자면, 기후변화를 인권의 용어로 개념화한다는 것이 어떤 의미를 가지는지가 문제된다. 달리 말하면, 인권의 접근방식은 기후변화를 환경적, 경제적, 과학적 문제로 접근하는 것과 무엇이 다른지가 문제된다. 또 규범적으로 보자면, 기후변화를 인권문제로 접근하는 것이 합리적인지와 기후변화에 대해 인권적 접근방식의 장단점은 무엇인지가 문제된다. 마지막으로, 기술적 측면에서 인권법은 기후변화를 어떻게 명시하고 있고, 반대로, 기후변화는 인권을 어떻게 명시하고 있는지를 알아볼 필요가 있다.

B. 기후변화에 대한 인권적 접근방식의 특징

여러 면에서 기후변화에 대한 환경적 시각은 인권의 그것과 유사하다. 기후변화에 대한 정책 논의에서는 늘 사람에 대한 영향에 초점에 맞추어져 있었고, 이는 해안가 지역의 피해, 가뭄에 취약한 지역, 농업, 건강, 복지 문제까지를 포함한다. 또한 인권은 흔히 생각하는 것처럼 절대적인 것으로 군림하기보다 마치 환경법처

---

9) OHCHR, 'Human Rights and Climate Change' <http://www.ohchr.org/EN/Issues/HRAndClimateChange/Pages/HRClimateChangeIndex.aspx> accessed 20 January 2017.

10) Report of the Office of the United Nations High Commission for Human Rights on the Relationship between Climate Change and Human Rights (15 January 2009) UN Doc A/HRC/10/61.

11) HRC Res 32/33 (n 3); HRC Res 29/15 (n 5); HRC Res 26/27 (n 5); HRC Res 18/22 (n 5).

12) Report of the Special Rapporteur (n 4) 5.

럼 균형을 맞추기 위해 노력한다. 여러 국제인권재판소에서 결정된 몇 안 되는 환경 사건들은 "국가가 환경적 피해와 그 피해를 야기한 활동에서 비롯되는 이익을 비교하는 데 광범위한 재량권을 가진다"는 것을 확인하고 있다.[13] 마지막으로 "그 누구도 그보다 못한 대우를 받아서는 안 되는" 최저기준에 대한 초점은[14] 근본적으로 인권법과 기후변화법을 구별하지 못한다. 환경법은 또한 종종 최저 또는 최고 기준을 정의한다. 예를 들어, '유엔기후변화 기본협약(United Nations Framework Convention on Climate Change, FCCC)'은 그 목표를 더 이상 올라가면 위험한 기후변화상의 결과를 초래할 온실가스 농도의 최고한계치로 정의한다.[15] 파리협정은 이 최고한계치를 "2° C보다 현저히 낮은 수준"과 희망사항인 1.5° C로 보완하고 있다.[16]

그럼에도 불구하고, 인권의 접근방식과 환경의 접근방식에는 중요한 차이가 존재한다. 가장 두드러진 것은, 인권법이 국가의 개인에 대한 의무를 정의하는 것과 달리 국제환경법은 각국이 서로에게 지는 의무에 초점을 맞춘다는 것이다. 그 결과, 인권법은 기후변화와 같은 환경문제가 야기하는 개인에 대한 피해를 강조한다.

인권체제는 또한 국제환경체제보다 더욱 실증법적이다.[17] 무엇보다 인권조약을 기반으로 성립된 혁신적 기관인 전문가위원회는 주로 법조인으로 구성되어 있다. 반대로 다자간 환경협정(multilateral environmental agreements, MEAs)을 기반으로 형성된 핵심적 기관인 당사국총회(conference of the parties, COP)는 그 임무가 주로 체제의 이행과 진화와 같이 정치적인 것이다. MEA를 통해 형성되고 특수화된 이행위원회도 대개 독립적인 전문가보다 정부관료로 구성되어 있기 때문에 이행상의

13) Knox, Climate Change and Human Rights Law (n 8) 196.
14) Henry Shue, *Basic Rights: Subsistence, Affluence, and U.S. Foreign Policy* (Princeton University Press, 2nd edn, 1996) 18.
15) FCCC, Art 2.
16) Paris Agreement, Art 2.
17) 이 문단과 그 다음의 두 문단은 다음 문헌을 기반으로 한다. Daniel Bodansky, 'The Role of Reporting in International Environmental Treaties: Lessons for Human Rights Supervision, in Philip Alston and James Crawford (eds), *The Future of the UN Human Rights Treaty System* (Cambridge University Press, 2000) 361.

문제에 대해 엄격하게 법적으로 접근하기보다 정치적인 방식을 취하고 있다.[18)]

국제적인 환경체제의 '정치적' 성격은 그 제도적·절차적 구성에 반영되어 있을 뿐 아니라 실체적 의무에도 나타나는데, 이는 종종 합의에 이르기 위해서 달성된 정치적 타협을 반영한다. 물론 인권협정들도 협상의 결과물이지만 중요한 차이점이 있다. 인권협정에서 협상의 최종목표는 공통적인 인권의 존중이다. 반대로, 다자간의 환경협상에서는 종종 노골적인 거래가 이루어지는데, 이는 각국에 각기 다른 의무사항을 부과하면서도 이로 인해 더욱 엄격하고 구체적인 의무사항이 채택될 수 있도록 하였다.

국제환경법과 인권법의 또 다른 중요한 차이점은 국제환경법이 상호주의에 의존하는 반면 인권법은 그렇지 않다는 것이다. 국제환경법은 상호주의를 기반으로 하고 있다. 기후변화를 포함한 대부분의 국제환경문제는 각국이 개별적으로 해결할 수 없으며 집단적인 노력을 요한다. 반대로, 인권의무는 상호주의에 의존하지 않는다. 어느 한 국가의 인권존중은 타국의 의무준수에 의존하지 않으며 이를 조건으로 할 수도 없다.

C. 기후변화에 대한 인권적 접근방식의 장점과 단점

기후변화에 대한 인권의 접근방식이 개념적으로 구별될 수 있는지와 별개로, 인권적 접근은 정부 간 협상절차에 대한 몇 가지 실무적인 장점에 있어서 환경주의자들에게 매력적이다. 먼저, 국가가 국제적으로 배출감축의무에 합의하더라도 기후변화에 기여하는 활동이 인권을 위협하면 그 활동은 불법이 될 가능성이 있다. 법적 주장은 국가들이 '했으면 하는 것(should)'에 대한 정책 논의가 아닌 국가들이 반드시 '해야 하는 것(must)'을 기반으로 펼칠 수 있다.

인권법은 법적 주장을 할 수 있는 근거를 마련할 뿐 아니라, 그러한 주장을 펼칠 수 있는 포럼도 제공한다. 분쟁해결제도가 부족한 국제환경법과 대조적으로, 인권법에는 소를 제기할 수 있는 재판소와 더 일반적인 상황을 조사할 수 있는 특

---

18) 제6장 VI 참조.

별보고관들이 있다.[19] 이러한 절차들은 기후변화의 피해자들에게 영향력을 행사할 수 있는 여지가 적은 국가 간 협상보다 더 큰 영향력을 행사할 포럼을 제공한다.[20]

더욱이 인권절차는 특정 개인과 집단의 피해에 초점을 맞추며, 기후변화에 인간적인 측면을 부여하고, 그 효과를 더욱 구체화한다. 정치인들은 오래 전부터 대중이 일반적인 통계수치보다 개인의 이야기에 반응한다는 것을 알고 있다.[21] 인권사건들은 기후변화의 영향을 받은 자들의 이야기를 전달하는 통로가 되며, 그로써 대중의 의견을 이끌어내고 정책전환을 위한 정치적 기반을 구축한다.[22]

하나의 문제를 더 일반적으로 인권에 관한 질문으로 특정 짓게 되면, 다른 문제와 비교하여 그 위상이 높아지게 된다. 그 문제에 대해서 도덕적 시급성을 부여하고, 환경주의자가 아닌 자들에 대해서도 호소력을 갖게 된다. 이것은 기후변화를 에너지 또는 안보의 문제로 특정 지으려는 노력과 유사한 기능을 가지게 된다.

이러한 잠재적 장점에도 불구하고, 인권적 접근방식은 중요한 한계를 지니고

---

19) 국제적인 차원에서의 재판소로는 '시민적 및 정치적 권리에 관한 국제규약'에 의해 설립된 '인권위원회(Human Rights Committee)'와 '경제적, 사회적 및 문화적 권리에 관한 국제규약(International Covenant on Economic, Social and Cultural Rights)'에 의해 설립된 '경제적·사회적·문화적 권리에 관한 위원회(Committee on Economic, Social and Cultural Rights)'가 있다. 시민적 및 정치적 권리에 관한 국제규약(International Covenant on Civil and Political Rights), 1966.12.16. 채택, 1976.03.23. 발효, 999 UNTS 171 (ICCPR) Art 28; 시민적 및 정치적 권리에 관한 국제규약 선택의정서(Optional Protocol to the International Covenant on Economic, Social and Cultural Rights), 2008.12.10. 채택, 2013.05.05. 발효, UN Doc A/63/435 (경제적·사회적·문화적 권리에 관한 위원회에 개인적 청원을 제출하는 것을 허용함). 지역적인 차원의 재판소로는 '미주인권위원회(Inter-American Commission of Human Rights, IAComHR)'와 '유럽인권재판소(European Court of Human Rights, ECtHR)'가 있다. 이외에 인권과 관련된 청구는 잠정적으로 국내법원에 제기될 수 있다. Richard Lord *et al., Climate Change Liability: Transnational Law and Practice* (Cambridge University Press, 2012); William C.G. Burns and Hari M. Osofsky (eds), *Adjudicating Climate Change: State, National, and International Approaches* (Cambridge University Press, 2009). 제8장 VI도 참조.

20) Sinden, Climate Change and Human Rights (n 8) 264-5.

21) Joseph Stalin이 언급한 것처럼 "한 사람의 죽음은 비극이지만 수백만 명의 죽음은 통계수치에 불과하다". David B. Hunter, 'The Implications of Climate Change Litigation: Litigation for International Environmental Law Making', in Burns and Osofsky, Adjudicating Climate Change (n 19) 357과 그 문헌 내의 관련 인용을 참조.

22) International Council on Human Rights Policy, *Climate Change and Human Rights; A Rough Guide* (Geneva: International Council on Human Rights Policy, 2008) 41.

있다. 비록 인권에 관한 주장을 제기할 포럼이 다양하게 존재하고 있으나, 집행조치는 종종 취하기 어렵다. 관련 조약에 사용되는 맥락과 강제적이지 않은 용어를 고려하면, 구속력 있는 의무의 존재와 범위를 설정하는 데 있어서 국가들이 국제적 분쟁해결포럼의 관할권을 인정하지 않으려는 현상이 자주 나타난다는 점에서의 관할권, 국가의 온실가스 배출과 특정 개인이 입은 피해 간의 인과관계, 기후변화로 인한 영향의 대부분은 미래에 나타난다는 점에서의 손해와 같은 심각한 장애물들이 있다. 이러한 방법으로 기후변화 문제는 국제분쟁해결의 한계를 보여준다.[23] 더욱이 어떠한 인권은 긴급한 상황 속에서 지켜지지 못할 수 있다.

인권을 강제하는 데에 있어서 발생하는 이러한 실제적인 어려움에 더해, 인권적 접근이 지나치게 인간중심적이라는 도덕적 우려와 함께 환경의 내재적 가치에 대해 충분한 고려를 하지 않는다는 우려가 표명된다.[24] 예를 들어, 지구온난화의 결과로 멸종위기에 처한 여러 종에 대한 고려를 하지 않는다는 것이다. 또한 인권적 접근은 미래 세대의 희생을 전제로 현 세대를 지나치게 옹호한다는 지적이 있다. 개인과 지역사회에 대한 피해를 구체화하고, 예방 및 대응하면서 그 속성이 추상적이고 미지의 것인 미래 세대에 대한 피해는 타협의 대상이 된다는 것이다. 현 세대에 대한 구체적 피해로 초점을 맞추는 것은 감축노력에 따른 단기적인 비용을 개인에게 부과하는 것을 피하기 위하여 사회 전반의 장기적인 이익에 대한 기대를 저버리게 되는 꼴이 될 수 있다.

D. 어떠한 인권이 기후변화로 인해 영향을 받는가?

기후변화 쟁점에 있어서 인권의 시각을 적용하는 데 적어도 두 가지 방법이 있다. 첫 번째는 기후변화가 이미 형성된 인권, 즉 생존, 식량, 식수, 주거, 건강 그리고 자기 결정권을 포함한 권리를 누리고 현실화하는 데 어떠한 영향을 끼치는지 살펴보는 것이다. 두 번째는 기후변화가 건강하고 깨끗한 환경에 대한 자주적 인

23) 제2장 III.C 및 IV.C.1 참조, 제8장 VI 참조.

24) Catherine Redgwell, 'Life, the Universe and Everything: A Critique of Anthropocentric Rights', in Boyle and Anderson, Human Rights Approaches to Environmental Protection (n 6) 71, 87.

권에 끼치는 영향을 보는 것이다.

1. 기후변화의 영향에 대응하기 위하여 현존하는 권리의 범위 확장하기

다음과 같은 이미 형성된 인권은 기후의 영향을 받을 가능성이 높다.

- 생존권(거의 모든 인권문서의 보호를 받음)
- 적절한 식량·식수·주거에 대한 접근권
- 가장 높은 수준의 건강권
- 자기결정권[25)]

비록 기후변화에 대한 인권의 영향을 다룬 사건의 숫자는 적지만, 환경피해가 인권에 다각도로 영향을 미친다는 것은 이미 인정되고 있다.[26)] *Gabčíkovo-Nagymaros* 사건에서 Weeramantry 판사는 별개의견에서 "환경보호가 건강권과 생존권 같은 인권에 있어서 '필수 불가결적인 요소(sine qua non)'"라고 밝히고 있다.[27)] 유럽인권재판소(European Court of Human Rights, ECtHR)는 역사적인 *Lopez Ostra* 사건에서 "심각한 환경오염은 개인의 건강에 영향을 미치고, 개인과 가정생활에 피해를 줄 정도로 자신들의 집을 보유하는 것을 방해할 수 있다"라고 판시하고 있다.[28)] 그 이후의 사건에서 유럽인권재판소는 심각한 환경오염이 개인의 건강과 권리에 영향을 미칠 수 있다는 것을 확인하였다.[29)] 그러나 법원은 환경피해가

---

25) HRC Res 32/33 (n 3); HRC Res 29/15 (n 5); HRC Res 26/27 (n 5); HRC Res 18/22 (n 5); HRC, Report on Relationship between Climate Change and Human Rights (n 10).

26) Report of the Independent Expert on the issue of human rights obligations relating to the enjoyment of a safe, clean, healthy and sustainable environment, John H. Knox: Mapping Report (30 December 2013) UN Doc A/HRC/25/53, 6 (환경오염이 광범위한 종류의 인권의 향유에 부정적인 영향을 미칠 수 있다고 보는 견해에 대한 엄청난 지지를 서술).

27) *Gabčíkovo-Nagymaros Project* (*Hungary/Slovakia*) (Judgment) [1997] ICJ Rep 7, Separate Opinion of Vice-President Weeramantry, 88, 91.

28) *Lopez Ostra v Spain* (1994) 20 EHRR 277, para 51.

29) *Guerra and others v Italy* (1998) 26 EHRR 357; *Taskin v Turkey* (2006) 42 EHRR 50; *Moreno Gomez v Spain* (2005) 41 EHRR 40; *Fadeyava v Russia* (2007) 45 EHRR 10; *Tatar v Romania* App no 67021/01 (ECtHR, 27 January 2009); *Dubetska and others v Ukraine* App no 30499/03 (ECtHR, 10 February 2011). 경제개발에 대한 사회적 이익을 청구인의 인권과 형량하고 있는 사건으로는 다음을 참조. *Rayner and Powell v UK* (1990) 12 EHRR 355; *Hatton v UK* (2002) 34 EHRR 1. 자연재해에 관한 사건으로는 다음을 참조. *Budayeva and others v Russia* App

보호받는 권리를 침해하는 경우에만 인권침해라고 분명히 했다. *Krytatos v Greece* 사건에서 법원은 "핵심적인 요소는 바로 … 일반적인 환경의 악화가 아니라, 개인 또는 가정의 영역에 대한 부정적 영향"이라고 명시했다.[30)]

환경피해를 기반으로 한 사건들은 '시민적 및 정치적 권리에 관한 국제규약(International Covenant on Civil and Political Rights, ICCPR)'을[31)] 근거로 유엔인권위원회(Human Rights Committee)에서 다루어졌으며, '인간의 권리와 의무에 관한 미주선언(American Declaration of the Rights and Duties of Man)'을 근거로 한 '미주인권위원회(Inter－American Commission of Human Rights, IAComHR)'와 '미주인권협약(American Convention on Human Rights)'을 근거로 한 '미주인권재판소(Inter－American Court of Human Rights, IACtHR)'에서도 다루어졌다.[32)]

사실상 국제재판소에 회부된 유일한 기후변화 사건은 미주인권위원회에 제기된 이누이트족의 청원이다.[33)] 이들 청원인들은 기후변화로 인하여 해빙이 얇아지

---

nos 15339/02, 21166/02, 20058/02, 11673/02, and 15343/02 (ECtHR, 20 March 2008); *Özel and others v Turkey*, App nos 14350/05, 15245/05, and 16051/05 (ECtHR, 17 November 2015).

30) *Kyrtatos v Greece* (2005) 40 EHRR 16, para 52.

31) *Sara et al. v Finland*, Communication no 431/1990 (24 March 1994) UN Doc CCPR/C/50/D/431/1990; *Chief Bernard Ominayak and Lubicon Lake Band v Canada, Communication* no 167/1984 (10 May 1990) UN Doc CCPR/C/38/D/167/1984; *Ilmari Lansman et al. v Finland,* Communication no 511/1992 (8 November 1994) UN Doc CCPR/C/52/D/511/1992; *Apirana Mahuika et al. v New Zealand*, Communication no 547/1993 (16 November 2000) UN Doc CCPR/ C/70/D/547/1993; *Andre Brun v France,* Communication no 1453/2006 (23 November 2006) UN Doc CCPR/C/88/D/1453/2006; *Bordes and Temeharo v France*, Communication no 645/1995 (22 July 1996) UN Doc CCPR/C/57/D/645/1995; *E.H.P. v Canada*, Communication no 67/1980 (27 October 1982) CCPR/C/OP/1.

32) IAComHR: Organization of American States (OAS), 'Report on the Situation of Human Rights in Ecuador' (24 April 1997) OEA/Ser.L./V/II.96 Doc. 10 rev. 1; *Case of the Mayagna (Sumo) Awas Tingni Community v Nicaragua,* Inter-American Court of Human Rights Series C No 79 (31 August 2001); *Case of Yanomami Indians v Brazil*, Case no 7615 (Brazil), Res no. 12/85, Inter-American Commission of Human Rights (5 March 1985) OEA/Ser.L/V/II.66 Doc.10 rev. 1; *Case of Maya indigenous community of the Toledo District v Belize*, Case no 12.053, Report no 40/04, Inter-American Commission of Human Rights (12 October 2004) OEA/Ser.L/V/II.122 Doc. 5 rev. 1,727; *Case of La Oroya Community v Peru,* Case no 1473.06, Report no 76/09, Inter-American Commission of Human Rights (5 August 2009); *Saramaka People v Suriname*, Inter-American Court of Human Rights Series C No 172 (28 November 2007).

33) Petition to the Inter-American Commission on Human Rights Seeking Relief from Violations Resulting from Global Warming Caused by Acts and Omissions of the United States (7

고, 강설량이 변화하며, 영구동토증이 녹는 현상(permafrost melting), 동물의 이동경로가 변동되는 것으로 인하여 '인간의 권리와 의무에 관한 미주선언'에 의해 보호되는 인권인 재산, 건강, 주거와 주거 불가침성, 이주, 문화의 혜택 그리고 생존권이 침해되었다고 주장했다. 미주인권위원회는 근거를 제시하지 않고 이를 각하시켰다. 국내재판소 사건들의 결과는 이보다 더 좋았다. 예를 들어, *Gbemre v Shell Petroleum Development Corporation*에서[34] 나이지리아 연방고등법원은 Niger Delta에서 석유채굴 시 발생하는 가스를 연소하는 관행(gas flare)이 그 당시 사하라 사막 이남 아프리카의 모든 배출원보다도 기후변화에 기여하여, 헌법상의 권리인 생존권과 인간 존엄성을 침해한다고 판시했다.[35]

2. 건강하고 깨끗한 환경에 대한 권리

현존하는 권리를 환경문제에 적용하는 것 외에 몇몇 구속력 없는 국제문서(international instrument)들은[36] 건강하고 깨끗한 환경에 대한 독립된 권리를 보호·인정하고 있다. 다수의 지역적 인권문서도 독립된 환경에 대한 권리를 인정하나, 전지구적인 수준에서는 아직 없다.[37] 독립된 환경권은 90개국 이상의 헌법에서도

December 2005) <http://www.inuitcircumpolar.eom/uploads/3/0/5/4/30542564/finalpetitionicc.pdf> accessed 20 January 2017 (Inuit Petition).

34) *Jonah Gbemre v Shell Petroleum Development Co. Nigeria Ltd et al.* (2005) FHCNLR (Nigeria), (2005) AHRLR151 (NgHC 2005).

35) Ibid.

36) UNGA Res 2398 (XXII), 'Problems of the Human Environment' (3 December 1968) UN Doc A/RES/2398(XXII); Stockholm Declaration, preamble; 'Hague Declaration on the Environment' (11 March 1989) (1989) 28 ILM 1308; UNGA Res 45/94, 'Need to ensure a healthy environment for the well-being of individuals' (14 December 1990) UN DocA/RES/45/94.

37) 독립된 환경권을 인정하고 있는 지역협정으로는 아프리카 인권헌장(African Charter on Human and Peoples' Rights), 1981.06.27. 채택, 1986.10.21. 발효, 1520 UNTS 217, Art 24 ('일반적으로 만족할 만한 환경'에 대한 권리); 경제적·사회적·문화적 영역에서의 인권에 관한 추가의정서(또는 산살바도르 의정서, Additional Protocol to the American Convention on Human Rights in the Area of Economic, Social and Cultural Rights, Protocol of San Salvador), 1988.11.17. 채택, 1999.11.16. 발효, OAS Treaty Series No 69, reprinted in (1989) 28 ILM 156 (1988 San Salvador Protocol), Art 11 ('건강한 환경에 대한 권리'); 인권에 관한 아랍헌장(Arab Charter on Human Rights), 2004.05.22. 채택, 2008.03.15. 발효, <http://hrlibrary.umn.edu/instree/loas2005.html> accessed 20 January 2017, Art 38 ('건강한 환경에 대한 권리'). 지속가능한 발전의 맥락에서의 환경에 대해 일반적으로 언급하고 있는 것으로는 동아프리카공동체

인정이 되고 있다.[38] '차별방지 및 소수자보호 소위원회(Sub-Commission on Prevention of Discrimination and Protection of Minorities)'의 의뢰로 만들어진 Ksentini 보고서는 일찍이 1994년부터 다양한 환경권이 국내적, 지역적, 국제적 차원에서 '보편적으로 수용(universal acceptance)'되고 있다고 기술하고 있다.[39]

국내적 그리고 국제적인 모든 경우에 있어서 독립된 환경권은 논리적으로 기후보호까지로도 확장될 수 있을 것이다. 그러나 독립된 환경권을 인정한다고 하더라도 그 범위와 내용이 불확실하기 때문에, 그러한 권리의 인정이 어떠한 이익을 가져올지는 미지수다. 환경이 깨끗한 정도, 안전한 정도, 건강한 정도, 적절한 정도 또는 만족할 만한 정도 중 어떠한 질적 수준까지 보호되어야 하는지도 문제된다.[40] 기후변화에 관한 맥락에서 어느 정도의 온도증가가 적절한지도 문제된다. 파리협정에서 제안한 것처럼 지구온난화를 2°C나 1.5°C로 제한해도 어느 정도 기후변화와 인류에게 영향이 미칠 수밖에 없다. 보호의 질적 수준과 관련하여 다양한 표준(standard), 기준(benchmark), 한계치(threshold) 중 어느 것을 적용하여 분석을 해야 하는지도 문제된다. 예를 들어, 우리는 수용가능한 기후영향과 그렇지 않은 것을 어떤 기준으로 구별할 것인지가 문제된다. 깨끗한 환경을 에너지와 식량과 비교하였을 때, 어느 것이 우선순위를 가지는지도 문제된다. 그리고 어느 정도로 환경권을 보장해줘야 하는지도 문제이다. 이러한 질문들은 여전히 권위 있는 기관에 의해 고려 및 해결되고 있지 못하다.

의 설립에 관한 조약(Treaty for the Establishment of the East African Community), 199.11.30. 서명, 2000.07.07. 발효, 2144 UNTS 235에서 찾을 수 있다.

38) Report of the Independent Expert on the issue of human rights obligations relating to the enjoyment of a safe, clean, healthy, and sustainable environment, John H. Knox: Compilation of Good Practices (3 February 2015) UN Doc A/HRC/28/61, 15. 포르투갈이 '건강하고 생태학적으로 균형 잡힌 환경에 대한 권리(right to a healthy and ecologically balanced human environment)'에 관한 헌법상의 권리를 인정한 첫 국가이다. Report of the Independent Expert on the issue of human rights obligations relating to the enjoyment of a safe, clean, healthy, and sustainable environment, John H. Knox: Preliminary Report (24 December 2012) UN Doc A/HRC /22/43, 5.

39) Fatma Zohra Ksentini, 'Human Rights and the Environment, Final Report' E.CN.4/Sub.2/ 1994/9 (6 July 1994).

40) Dominick McGoldrick, 'Sustainable Development and Human Rights: An Integrated Conception', *International and Comparative Law Quarterly* 45/4 (1996): 796, 811.

E. 의무의 속성

기후변화가 인권에 영향을 준다는 것은 기후변화 그 자체가 인권을 침해하고 있다는 것을 의미하는 것은 아니다. 확정된 의무부담자가 확정된 의무를 침해한 경우에만 기후변화에 관한 인권침해로 이어진다. 이에 따라 기후변화가 인권을 침해한다는 것은 어떠한 의무가 관련되는지, 누가 의무를 부담하는지, 그 의무는 누구에 대해 부담하는지와 같은 세 가지 쟁점을 불러일으킨다.

1. 의무의 종류

인권학자들은 종종 존중할 의무, 보호할 의무 그리고 이행할 의무를 구분한다.[41] 국가가 인권을 존중할 의무는 가장 친숙한 의무로서 논쟁의 여지가 없다. 국가는 개인의 권리를 박탈해서는 안 된다. 예를 들어, 국가는 고문, 초사법적 살인(extrajudicial killings), 고의적 기아(deliberate starvation)와 같은 행위를 해서는 안 된다. 이러한 소극적 의무는 특정 행위를 절제하는 것을 의미한다. 기후변화에서는 존중할 의무가 정부시설이나 군사행동으로 인한 탄소배출과 같은 직접적으로 기후변화에 기여하는 정부의 활동에 영향을 미친다. 또한 석유채굴권을 부여할지에 관한 결정이나 석탄화력발전소 건설의 허용 여부에 관한 결정과 같은 사적 행위를 규제하는 정부의 결정에도 적용이 된다.

보호할 의무는 존중할 의무와는 달리 비정부 주체가 인권을 침해하지 않도록 국가가 이에 대한 대처를 하도록 하는 적극적인 의무를 말한다.[42] 예를 들어, 인종차별철폐협약은 국가가 인종차별을 행하는 것을 금지할 뿐 아니라, 인종차별금지

---

41) Knox, Climate Change and Human Rights Law (n 8) 179-80.

42) Decision of the African Commission on Human and Peoples' Rights in *Social and Economic Rights Action Centre (CERAC) and the Centre for Economic and Social Rights (CESR) v Nigeria*, Communication no 155/96 (27 October 2001) (*Ogoniland* Case) para 57 (국가들은 "사적 행위자들이 행하는 침해행위로부터 … 그들의 국민을 보호할" 의무를 가짐); IAComHR, Report on the Situation of Human Rights in Ecuador (n 32) 88 (국가들은 "[생명 및 건강에 대한] 위협을 방지하기 위한 합리적인 조치를 취하거나 사람들이 상해를 입었을 시 이에 대응하기 위한 필요한 조치를 취할 의무"를 가짐). 이에 관한 논의 제반에 관해서는 다음 문서를 참조한다. Knox Mapping Report (n 26) 16-17.

법의 제정을 통해 개인을 사적 인종차별로부터 보호할 것을 요구한다.[43] 보호할 의무는 작위보다 부작위로 인해 위반될 수 있다.

기후변화에 있어서의 인권보호는 사적 배출을 규제하고 온난화 피해를 줄이기 위해 적응조치를 취하는 것까지 포함할 수 있다. 기후변화 관련된 사건인 *Budayeva v Russia*에서 ECtHR는 러시아가 생존권을 위협하는 진흙사태(mudslide)에 대해 입법적·행정적 절차를 통해 그런 현상을 제지할 적극적 의무가 있다고 판단했다.[44] 기후변화의 영향이 그러한 자연현상으로 나타난다는 것을 고려하면, 국가가 그러한 현상의 영향을 완화하고 그에 대비할 의무가 있다고 법원이 명시한 것은 괄목할 만한 일이다.

보호할 의무와 관련된 중요한 문제로는 다음과 같은 것들이 있다. 상당한 주의의무(due diligence), 과실(negligence), 엄격한 책임(strict liability) 중 어느 것에 해당하는지가 문제된다. 국가들이 경제발전과 같은 중요한 사회적 목적과 형량하여 어느 정도로까지 인권을 보호할 수 있는지도 문제된다. 의무의 적용을 받는 활동의 범위가 오로지 국내적 활동으로 제한될 것인지 아니면 해외의 자국민에 대한 활동도 포함할 것인지도 문제된다. 기후변화로부터의 보호의무는 국가의 상황과 자원을 고려하여 어느 정도까지 변동될 수 있는지, 달리 말하자면 보호의무가 어느 정도로 차등화될 수 있는지도 문제된다.[45] 국가들이 토착민, 여성, 아동과 같은 취약계층에 대해 어느 정도로 강화된 보호의무를 부담하는지도 문제된다.[46]

존중의무와 보호의무에 더해 인권의 이행의무까지도 언급하는 인권기관들이 있다. 예를 들어, '경제적·사회적·문화적 권리에 관한 위원회(Committee on Economic, Social and Cultural Rights, CESCR)'는 '경제적, 사회적 및 문화적 권리에 관한 국제규약(International Covenant on Economic, Social and Cultural Rights, ICESCR)이 국

---

43) 모든 형태의 인종차별 철폐에 관한 국제협약(International Convention on the Elimination of All Forms of Racial Discrimination, 1965.12.21. 채택, 1969.01.04. 발효, 660 UNTS 195, Art 2.

44) *Budayeva v Russia* (2014) 59 EHRR 2.

45) 이와 관련하여 ICESCR은 국가들이 "자국의 가용 자원이 허용하는 최대한도까지" 조치를 취할 것을 명시하고 있다. ICESCR, Art 2.1.

46) 인권 및 환경에 관한 특별보고관은 이 문제에 대해서 긍정적인 답변을 하면서 그의 현황보고서에서 국가들이 특별히 취약한 계층에 대해 추가적인 의무를 가진다고 결론 내렸다. Knox Mapping Report (n 26) 19-21.

가들로 하여금 "대기, 물, 토양의 오염을 축소 및 제거하는 것을 목적으로 하는 국내정책"을 포함하여 "적절한 입법적, 행정적, 재정적, 사법적, 촉진적 조치를 채택하여 건강권을 완전히 실현"하도록 규정하고 있다고 보고 있다.[47] CESCR에 따르면, 국가들은 "적어도(at the very least)" 경제적 · 사회적 · 문화적 권리의 "최소한의 본질적 수준을 보장(ensure the satisfaction of minimum essential levels)"해야 한다는 것이다.[48] 마찬가지로, 이행할 의무는 가난한 국가들이 기후변화를 완화하거나 이에 적응할 수 있도록 부유한 국가들에 이들 국가들을 지원할 의무가 있다는 것을 의미할 수 있다.[49]

특정 인권은 연관된 의무를 다양하게 수반할 수 있다. 예를 들어, 환경피해로 생존권이 영향 받는 경우를 고려할 수 있을 것이다. 먼저, 국가의 행위가 환경피해를 일으켜 생존권이 침해될 수 있다. *Yanomami* 사건에서 IAComHR은 브라질이 고속도로 건설을 통해 전통적으로 Yanomami족의 땅이었던 지역에 타지역 주민들이 이주하여 치명적인 질병을 가져온 것은 Yanomami족의 생존권을 침해한다고 판시했다.[50] 또한 국가가 적절한 규제를 하지 않아 사적 주체로 인한 환경피해를 예방하지 못한 것으로 생존권이 침해될 수 있다. 한 예시로 *E.H.P. v Canada* 사건에서 유엔 인권위원회는 청원인의 주거 주변에 핵폐기물을 보관한 것은 "인간의 생명을 보호해야 하는 당사자들의 의무와 관련하여 심각한 문제"를 야기한다고 결론지었다.[51] 마지막으로 국가가 환경을 보호하지 않은 행위로 생존권이 침해될 수 있다.

---

47) Economic and Social Council, 'General Comment No. 14: The Right to the Highest Attainable Standard of Health (Article 12 of the International Covenant on Economic, Social and Cultural Rights)' (11 August 2000) UN Doc E/C. 12/2000/4, paras 33, 36.

48) Economic and Social Council, 'General Comment 3: The Nature of States Parties' Obligations (Article 2, para 1 of the Covenant)' (14 December 1990) UN Doc E/1991/23, para 10.

49) ICESCR 제2조는 국가들이 "이 규약에서 인정된 권리의 완전한 실현을 점진적으로 달성하기 위하여, 개별적으로 또한 … 국제지원과 국제협력을 통하여 … 조치를 취할 것"을 규정하고 있다. 그러나 Stephen Humphreys가 지적하는 것처럼 "이 간곡한 권고가 어느 정도로까지 의무로 볼 수 있을 것인지에 대해서는 논란의 여지가 많다". Stephen Humphreys, 'Introduction: Human Rights and Climate Change', in Humphreys, Human Rights and Climate Change (n 8) 10.

50) *Case of Yanomami Indians* (n 32).

51) *E.H.P. v Canada* (n 31) para 8.

기후변화로 인한 인권침해를 주장할 때에 관련 의무를 명확하게 가려내는 것이 쉽지 않은 경우가 많다. 예를 들어, IAComHR에 제출된 이누이트 청원은 미국이 "규제 관련한 작위와 부작위"를 포함하여, "기후변화 관련 작위와 부작위"를 통해 인권을 침해한다고 주장하였다. 존중할 의무의 논리에 따라, 해당 청원은 미국에게 "이누이트족이 스스로 자족할 수 있는 수단을 박탈하지 않을 국제적 의무"가 있다고도 주장하였다. 또한 보호할 의무의 논리에 따라, "미국에게 이누이트족의 생명권과 신체적 안전에 대한 권리를 보호할 의무"가 있다고 주장하였다.

청원을 제기한 환경단체는 성명을 통하여 다음과 같이 주장하였다.

> 인권보호는 문명국의 가장 근본적인 책임이다. 기후변화는 이누이트족의 생명, 건강, 문화, 생존을 위협하기 때문에, 미국은 온실가스의 가장 큰 배출원으로서 그들의 권리를 보호하기 위한 즉각적이고 실효적인 행동을 취해야 할 것이다.[52]

이 주장은 미국이 이누이트족의 피해에 대한 책임이 있는 한도 내에서 그들의 인권존중에 실패하였거나, 사적 행위를 규제하지 못한 것으로 이누이트족의 인권보호에 실패하였거나, 이누이트족이 기후변화에 적응할 수 있도록 지원하지 않아 그들의 인권보호 이행에 실패하였다고 주장한 것으로 해석될 수 있을 것이다.

마지막으로, 존중·보호·이행할 의무에 더해, 국가들은 환경 관련된 절차적 의무를 부담하는데, 여기에는 환경영향을 평가하고, 국민의 참여를 증진하며, 그리고 환경의무 위반 구제책에 대한 접근을 제공하는 것과 같은 의무가 포함된다.

2. 의무부담자

기후변화는 사적 주체의 행동에 주로 기인하기 때문에, 존중·보호·이행할 의무가 이들에게도 적용이 되는지, 만약에 된다면 그 범위가 어느 정도인지가 문제된다. 국제형사법은 국제법이 때로 개인에게 직접 의무를 부과할 수 있음을 보여주었고, 몇몇 학자들은 기업도 인권을 존중할 의무가 있다고 제안한다.[53] 따라

52) Inuit Petition (n 33) 7.
53) Stephen R. Ratner, 'Corporations and Human Rights: A Theory of Legal Responsibility', *Yale*

서 이론상으로 인권법은 사적 주체에게 온실가스 배출을 제한하는 것으로 인권을 존중할 의무를 부여할 수 있다.[54] *Gbemre v Shell Petroleum Development Corporation*에서[55] 나이지리아 법원은 Shell이 나이지리아법과 아프리카 인권헌장에 따라 인정되는 생명과 존엄성 그리고 "깨끗하고 무해하며 오염으로부터 자유로운 건강한 환경"에 대한 기본적인 권리를 침해하였다고 보았다. 필리핀에서 중요한 기후변화 관련 인권 조사에서 필리핀 인권위원회(Philippines Commission on Human Rights)는 석유 · 석탄 · 광산 업체 47개사에 탄소의 생산 및 온실가스 배출과정으로 인한 심각한 인권침해 주장에 대해 대응책을 강구하도록 명령하였다.[56]

그러나 일반적으로 인권법은 국제환경법처럼 기업보다는 국가에 책임을 부과한다. 이것이 기후변화에 대해서도 마찬가지라면, 인권법은 인권을 방해하는 사적 행위를 규제하고 책임 있는 주체에 대해 구제책을 마련해야 하는 국가의 의무 범위 내에서만 비(非)국가 주체의 행위를 제약할 수 있다.

3. 의무의 수혜자

마지막 쟁점은 인권적 의무의 지리적 범위와 관련된 것이다. 존중 · 보호 · 이행할 의무가 국가의 영토 내의 개인이나 집단에만 적용이 되는 것인지, 아니면 외국에 있는 자들에게까지 확대되는 연관된 권리를 부여하는지가 문제된다. 일반적으로, 해답은 인권법이 국경을 넘어서까지 적용되어, 다른 국가 내에서 행해지는 정부나 기업의 행위를 제한할 수 있는가에 달려 있다. 그러나 온실가스 배출이 국경

Law Journal, 111/3 (2001): 443.

54) Peter Newell, 'Climate Change, Human Rights and Corporate Accountability', in Humphreys, Human Rights and Climate Change (n 8) 126.

55) *Jonah Gbemre* (n 34). Amy Sinden, 'An Emerging Human Right to Security from Climate Change: The Case against Gas Flaring in Nigeria', in Burns and Osofsky, Adjudicating Climate Change (n 19) 173.

56) John Vidal, 'World's Largest Carbon Producers Face Landmark Human Rights Case', *The Guardian* (27 July 2016) <https://www.theguardian.com/environment/2016/jul/27/worlds-largest-carbon-producers-face-landmark-human-rights-case> accessed 20 January 2017; Petition Requesting for Investigation of the Responsibility of the Carbon Majors for Human Rights Violations or Threats of Violations Resulting from the Impacts of Climate Change (Quezon City, Philippines, 9 May 2016) <http://www.greenpeace.org/seasia/ph/PageFiles/735232/Climate_Change_and_Human_Rights_Petition.pdf> accessed 20 January 2017.

선과 무관하게 일어나고 순전히 한 국가의 영토 내에서 배출되었을지라도 그 정도의 차이가 있을지언정 모든 사람들의 인권 향유에 영향을 미친다는 점에서, 기후변화의 맥락에서 보았을 때, 정부가 자국의 영토 내에서 관련된 조치를 했거나 하지 않았더라도 권리보유자의 지리적 범위를 정하는 것이 중요하다.[57] 따라서 온실가스 배출의 초국경적 영향으로 인해 국가들이 과연 전세계 사람에 대한 인권상의 의무를 부담하는지가 문제된다. 예를 들어, 이누이트족의 청원은 알라스카뿐만 아니라, 북극지역, 러시아, 캐나다, 노르웨이, 핀란드의 모든 이누이트족을 대신하여 제기되었다.

F. 대응조치가 인권에 미치는 영향

기후변화가 인권에 주는 영향과 별도로, 기후변화에 대한 대응조치로 인해 두 가지 인권문제가 일어날 수 있다. 먼저 대응조치는 식량과 토착민의 경우처럼 실질적으로 인권을 향유하는 데 영향을 미칠 수 있다.[58] 이는 기후변화의 완화와 적응 정책 모두에 적용된다. 완화에 있어서는, 산림전용을 지연시키거나 재조림하는 것은 산림에 거주하는 공동체 등에 영향을 미칠 수 있다. 에탄올을 생산하기 위한 옥수수의 사용은 농업제품의 가격을 인상하여 식량권에 영향을 미칠 수 있다. 고비용의 배출통제기술에 대한 투자는 재원의 다른 용도로의 이용을 제한하고 적절한 생활수준을 보장하는 국가의 능력에 악영향을 미칠 수 있다. 마찬가지로, 적응과 관련하여 해안가나 홍수가 자주 일어나는 지역의 주민들을 이주시키는 것이 강제로 행해졌을 경우 인권문제를 불러일으킬 수 있다.[59]

인권의 시각에서 대응조치를 분석하는 것은 기후변화 그 자체의 영향을 분석

---

57) Mark Gibney and Sigrun Skogly (eds), *Universal Human Rights and Extraterritorial Obligations* (Philadelphia: University of Pennsylvania Press, 2010). 상기 논점을 기후변화 맥락에서 훌륭하게 논하고 있는 것으로 다음 문헌을 참조. Knox, Climate Change and Human Rights Law (n 8) 200-11.

58) Naomi Roht-Arriaza, '"First Do No Harm": Human Rights and Efforts to Combat Climate Change', *Georgia Journal of International and Comparative Law*, 38/3 (2010): 593; Knox, ibid, 198-200.

59) International Council on Human Rights, Climate Change and Human Rights Policy (n 22).

하는 것보다 많은 점에서 직접적이고 익숙하며, 실제 유엔기후체제는 인권에 대해 대응조치와 관련해서만 언급을 하고 있다.[60] 국가가 기후변화에 맞설 때 반드시 인권을 존중하는 방식으로 행동해야 할 것이다. 이와 관련해서 기후변화 조치는 테러나 범죄에 맞서는 조치와 크게 다를 것이 없다. 예를 들어, 산림정책은 토착민의 권리를 존중하고, 바이오연료 정책은 식량권을 존중해야 할 것이다.[61] 더욱 논쟁이 되는 부분은 몇몇 학자들이 기후변화 정책에 있어 '사치성 배출(luxury emission)'과 '최저생활(subsistence)' 또는 '생존성(survival)' 배출을 구별해야 한다고 하는 점이다. 생존성 배출은 식량, 식수, 주거에 대한 기본적인 인권을 향유하기 위해 필수적이므로 감축되지 않아야 한다는 것이다.[62]

두 번째로, 표현·결사의 자유, 정보에 대한 권리, 정부의 정책결정과정에 참여할 권리 그리고 구제책에 대한 접근권 등과 같은 다양하게 잘 정립된 절차적 권리는 국내적·국제적 기후변화정책에 명백하게 도움이 된다.[63] 비록 이러한 절차적 권리는 보편적으로 적용되지만, 인권법은 특히 취약계층인 여성, 아동, 토착민, 극빈층에 대해서 그 중요성을 인정하고 있다. '인권과 환경 특별보고관(Special Rapporteur on Human Rights and the Environment)'이 언급했듯이, 절차적 권리는:

> 정책을 더욱 투명하고, 관련 정보를 잘 알려주며, 그에 대한 대응을 유발하도록 하는 권리이다. … 환경문제와 관련하여 절차적 권리는 가장 영향 받는 자의 의사를 반영하는 정책을 가져오고, 그 결과, 그들의 생존권과 건강권 등을 환경피해로 인한

60) 아래 n 82 및 그곳의 본문 참조.
61) 아래 nn 67-68 및 그곳의 본문 참조.
62) Henry Shue, 'Subsistence Emissions and Luxury Emissions', *Law and Policy,* 15/1 (1993): 39; Paul Baer, Tom Athanasiou, and Sivan Kartha, *The Right to Development in a Climate Constrained World: The Greenhouse Development Rights Framework* (Berlin: Heinrich Boll Foundation, 2007) ('온실가스 발전할 권리 체제'를 제안).
63) 이 권리는 ICCPR(제2조, 제19조, 제21조, 제22조 및 제25조)와 같은 몇몇 인권문서에 의해 보호받고 있고, 리우선언 제10원칙과 같은 인권문서와 지역적 차원의 오르후스협약(Aarhus Convention)에서 확인할 수 있다. 환경정보에 대한 접근·이용권, 환경행정절차 참여권, 환경사법액세스권에 관한 협약(Convention on Access to Information, Public Participation in Decision-making and Access to Justice in Environmental Matters), 1998.06.25. 채택, 2001.10.30. 발효, 2161 UNTS 447. 인권문서는 또한 토착민, 여성, 아동과 같은 취약계층의 역할도 인정하고 있다. Report of the Special Rapporteur (n 4) 13-16.

침해로부터 더 잘 보호할 수 있게 된다.[64)]

G. 유엔기후체제의 인권

기후변화가 인간에게 미치는 영향은 처음부터 협상의 주요 사안이었으나, FCCC와 교토의정서에는 인권에 대한 구체적인 언급이 없다. FCCC는 제3조 제4항에서 "당사자는 지속가능한 발전을 증진할 권리를 보유하며 또한 증진하여야 한다"고 명시하면서 지속가능한 발전과 관련해서만 '권리'에 대해 언급하고 있다. 여기서의 권리는 '지속가능한 발전을 증진할 권리'이지 '발전할 권리'는 아니다. 발전할 권리는 선진국들이 수용할 수 있는 권리가 아니었는데,[65)] 이는 오랜 기간 논의되었던 집단적 권리에 대한 우려에서뿐만 아니라, 기후변화의 맥락에서 발전할 권리가 배출할 권리와 같은 것으로 이해될 수 있기 때문이었다.

2010년 칸쿤합의(Cancun Agreements)는 유엔기후체제에서 처음으로 인권에 대한 언급을 했는데, 국가들이 기후변화 관련 행동에서 "인권을 충분히 존중할 것"을 요구하였다.[66)] 칸쿤합의는 또한 개발도상국의 산림전용과 산림축소로 인한 배출의 완화에 관한 REDD+의 보호장치로[67)] 국가들이 "토착민과 지역공동체 주민의 권리와 지식"을 존중할 것을 요구한다.[68)]

기후가 인권에 미치는 영향에 대한 국제적인 관심이 증가하고 있는 것에 발맞추어 몇몇 국가,[69)] 비정부기구(non-governmental organizations, NGOs)[70)] 그리고 국

---

64) Knox Preliminary Report (n 38) 10. Svitlana Kravchenko, 'Procedural Rights as a Crucial Tool to Combat Climate Change', *Georgia Journal of International and Comparative Law,* 38/3 (2010): 613.

65) 이 조문에 관한 흥미로운 뒷이야기와 그 해석에 관해서는 다음 문헌을 참조. Susan Biniaz, 'Comma but Differentiated Responsibilities: Punctuation and 30 other ways negotiators have resolved issues in the international climate regime' (Columbia Law School-Sabin Centre for Climate Change Law, June 2016) <https://web.law.columbia.edu/sites/default/files/micro-sites/climate-change/files/Publications/biniaz_2016_june_comma_diff_responsibilities.pdf> accessed 20 January 2017. 제3장 II.D.5도 참조.

66) Cancun Agreements LCA, para 8.

67) Ibid, para 70 and Appendix I.

68) Ibid, Appendix I, para 2(c).

69) Submission of Chile on behalf of AILAC to the ADP on Human Rights and Climate Change (31

제기구에서[71] 파리협정에 인권 관련 내용을 포함할 것을 촉구하였다.[72] 인권문제를 강조하기 위해 18개의 국가들은 코스타리카가 주도가 되어 2015년 2월에 "더 나은 기후변화 조치를 위해 인권상의 의무가 제공할 수 있는 정보에 대한 이해를 돕고자 [FCCC와 인권이사회]라는 상이한 절차에서의 국가대표 간의 의미 있는 협력을 가능"하게 하자고 자발적으로 서약했다.[73] 파리협정의 협상과정에서 많은 국가들이 협정 본문에 인권 관련 구체적 언급을 넣기를 원했는데, 특히 파리협정의 목적, 장기적인 목표로 삼는 기온 그리고 기본적인 이행 내용을 규정하고 있는 제2조에[74] 포함시키려 하였다. 제2조 제2항의 초기 협상문은 대괄호에 인권에 관한

May 2015) <http://www4.unfccc.int/Submissions/Lists/OSPSubmissionUpload/195_99_130775585079215037-Chile%20on%20behalf%20of%20AILAC%20HR%20and%20CC.docx> accessed 20 January 2017; Proposal of Ecuador, Durban Platform (3 March 2013) <http://unfccc.int/files/documentation/submissions_from_parties/adp/application/pdf/adp_ecuador_work-stream_l_20130301.pdf> accessed 20 January 2017,2; EIG Surgical edits (19 October 2015) <http://unfccc.int/files/bodies/awg/application/pdf/adp2-11_wsl_eig_19oct2015.pdf> accessed 20 January 2017; EU Text Suggestions on Key Issues (19 October 2015) <http://unfccc.int/files/bodies/awg/application/pdf/l51019_eu_proposed_edits_agreement.pdf> accessed 20 January 2017, 2; Textual insertions of the Philippines for the Draft Agreement (19 October 2015) <http://unfccc.int/files/meetings/bonn_oct_2015/application/pdf/textual_insertions_of_the_philippines_for_the_draft_agreement.pdf> accessed 20 January 2017.

70) Submission to the Ad Hoc Working Group on the Durban Platform for Enhanced Action Calling for Human Rights Protections in the 2015 Climate Agreement (7 February 2015) <http://unfccc.int/files/documentation/submissions_from_non-party_stakeholders/application/pdf/489.pdf> accessed 20 January 2017; Human Rights and Climate Change Working Group, Submission to the Ad Hoc Working Group on the Durban Platform for Enhanced Action Regarding Information, Views and Proposals Related to the Durban Platform Workplan Under Workstream 1 (1 March 2013) <http://unfccc.int/resource/docs/2013/smsn/ngo/303.pdf> accessed 20 January 2017; Submission to the ADP by the Mary Robinson Foundation—Climate Justice (1 March 2013) <http://unfccc.int/resource/docs/2013/smsn/un/306.pdf> accessed 20 January 2017.

71) OHCHR, A New Climate Change Agreement Must Include Human Rights Protections for All' (17 October 2014) <http://www.ohchr.org/Documents/HRBodies/SP/SP_To_UNFCCC.pdf> accessed 2 August 2016; OHCHR, 'The Effects of Climate Change on the Full Enjoyment of Human Rights' (30 April 2015) <http://www.thecvf.org/wp-content/uploads/2015/05/human-rightsSRHRE.pdf> accessed 20 January 2017.

72) 파리협정까지의 인권변호 운동에 대한 개관으로는 다음 문헌을 참조. Benoit Mayer, 'Human Rights in the Paris Agreement', *Climate Law* 6/1 (2016): 109.

73) The Geneva Pledge for Human Rights in Climate Action, 13 February 2015 <http://www.forest-peoples.org/sites/fpp/files/news/2015/02/Annex_Geneva%20Pledge.pdf> accessed 20 January 2017.

74) Chile on behalf of AFLAC to the ADP on Human Rights and Climate Change (n 69). 미디어 보도에 있어서 다음 문헌도 참조. Human Rights Watch, 'UN: Human Rights crucial in

내용을 포함하였다.[75] 인권 지지자들은 동조에 인권을 언급하면, 파리협정 이행 시 인권보호가 장려될 것으로 기대했다.[76]

그러나 여러 가지 이유로 파리협정의 본문에 인권조항을 포함하는 것은 어렵다는 점이 드러났다. 무엇보다 먼저, 몇몇 국가들은 파리협정의 '목적'에 인권을 포함하는 것은 기후목표를 희석할 것이라는 우려를 표명하였고,[77] 인권보호에 이보다 더욱 적절한 조약이 많다고 주장하였다.[78] 또한 파리협정을 이행할 때에 보호 받는 권리를 어느 것으로 할지도 분명하지 않았다. 여성의 권리와 관련해서는 어느 정도 의견이 일치되었으나, 점령지 주민의 인권에 관해서는 격렬한 논쟁이 벌어졌다. 이에 관한 해결책으로 인권을 일반적으로 언급하자는 것이 제안되었는데, 서로 다른 권리가 당사자 또는 당사자집단들의 이익에 부합하였던 연유로 이 해결책은 대부분의 당사자들에 의해 배척되었다.[79] 몇몇 국가는 그러한 일반적인 언급이 개념적 모호성과 불확실성을 일으키고, 파리협정의 예측가능성성을 감소시

---

addressing climate change—Paris Agreement Should Ensure Transparency, Accountability and Participation (3 December 2015) <https://www.hrw.org/news/2015/12/03/un-human-rights-crucial-addressing-climate-change> accessed 20 January 2017.

75) Ad Hoc Working Group on the Durban Platform for Enhanced Action (ADP), Draft Paris Outcome, Revised draft conclusions proposed by the Co-Chairs (5 December 2015) FCCC/ADP/2015/L.6/Rev.l, Annex I: Draft Agreement and Draft Decision. Draft agreement and draft decision on workstreams 1 and 2 of the Ad Hoc Working Group on the Durban Platform for Enhanced Action (edited version of 6 November 2015, re-issued 10 November 2015), ADP.2015.11. Informal Note.

76) 인권에 대한 언급은 초기 협상문안의 제2조 제2항에 포함된 바 있다. Draft Paris Outcome, Proposal by the President, Version 1 of 9 December 2015 at 15:00 <http://unfccc.int/resource/docs/2015/cop21/eng/da01.pdf> accessed 20 January 2017; Draft Agreement and Draft Decision (5 December 2015), ibid.

77) Government of Norway, 'COP 21: Indigenous Peoples, Human Rights and Climate Change' (7 December 2015) <https://www.regjeringen.no/no/aktuelt/cop21-indigenous-peoples-human-rights-and-climat-changes/id2466047/> accessed 20 January 2016.

78) New Zealand Submission to the Ad Hoc Working Group on the Durban Platform for Enhanced Action: Views on options and ways for further increasing the level of global ambition (28 March 2012) <http://unfccc.int/resource/docs/2012/adpl/eng/misc01.pdf> accessed 20 January 2017.

79) Indigenous Rising: An Indigenous Environmental Network Project, 'Indigenous Rights on the Chopping Block of UN COP21 Paris Climate Accord' (4 December 2015) <http://indigenous-rising.org/indigenous-rights-on-chopping-block-of-un-cop21-paris-climate-accord/> accessed 20 January 2017.

켜 인권보호에도 그러한 영향을 미칠 것으로 우려하였다. 이러한 이유들로 인해 보다 큰 법적 의미를 가지는 파리협정의 본문이 아닌 문맥을 제공하는[80] 전문에 인권이 포함되는 절충안이 선택되었다.[81]

결론적으로, 파리협정에서의 인권에 대한 구체적 언급은 전문에만 명시되어 있고, 해당 전문의 단락(preambular recital)은 다음과 같다.

> 당사자는 기후변화에 대응하는 행동을 할 때, 양성평등, 여성의 역량강화 및 세대 간 형평뿐만 아니라, 인권, 보건에 대한 권리, 원주민 · 지역공동체 · 이주민 · 아동 · 장애인 · 취약계층의 권리 및 발전권에 관한 각자의 의무를 존중하고, 촉진하며, 고려하여야 함을 인정[한다].[82]

제7장에서 자세히 살펴본 바와 같이, 이 단락은 그 영향력을 조심스럽게 제한하고 있다. 무엇보다 이 단락은 대응조치에 대한 인권만을 논하고, 당사자 "각자의 의무(respective obligations)"를 언급하여 새로운 인권의무가 부과되는 것을 방지하고 있다.

국가들은 나열된 인권의 존부, 특징, 중요성 그리고 범위에 대해 각기 다른 견해를 가지고 있었다. 몇몇 국가들은 특정 권리에 대해 의무가 없다고 주장하였다. 또한 어떤 국가가 개인의 권리라고 여기는 권리를 다른 국가는 집단적 권리로 보고 있었다. 예를 들어, 최빈개도국(Least Developed Countries, LDCs)들은 발전할 권리가 개인에게도 있다고 하는 반면,[83] 에콰도르는 그것이 개발도상국이 보유하는

80) 조약법에 관한 비엔나 협약(Vienna Convention on the Law of Treaties), 1969.05.23. 채택, 1980.01.27. 발효, 1133 UNTS 331, 제31조 제2항. 조약의 해석과 관련하여 전문은 조약의 맥락의 일부에 해당할 뿐 아니라, 그 대상과 목적도 명시하고 있다. Anthony Aust, *Modern Treaty Law and Practice* (Cambridge University Press, 2nd edn, 2007) 425 (또한 "전문은 어찌 할 수 없는 조항의 찌꺼기를 넣기에 가장 용이한 곳이 될 수 있다"고 지적).

81) 법적 성격 여부를 판단하는 요소에 관한 논의로는 다음 문헌을 참조. Lavanya Rajamani, 'The 2015 Paris Agreement: Interplay between Hard, Soft and Non-Obligations', *Journal of Environmental Law*, 28/2 (2016): 337, 342-52; Daniel Bodansky, 'The Legal Character of the Paris Agreement', *Review of European, Comparative and International Law*, 25/2 (2016): 142.

82) Paris Agreement, preambular recital 11.

83) Angola on behalf of the Least Developed Countries Group—'surgical insertions' to co-chairs non-paper (v. 5 October 2015): ARTICLE 2: PURPOSE (19 October 2015) <http://unfccc.int/files/

권리라고 하였다.[84] 또한 '점령지 주민의 권리(rights of people under occupation)'와 같은 일부 권리는 너무 큰 논쟁을 불러일으켜 암시 정도로만 포함되는 것에 그쳤다. 이러한 경우 논란의 여지가 있지만 "취약계층(people in vulnerable situations)"에 점령지 주민이 포함될 수 있다. 이러한 구절의 불확실성과 모호성을 고려한다면, 당사자들이 전문에 나열된 모든 권리에 모든 당사자들이 동의한 것은 아니라는 것을 분명히 하고 싶었다는 것을 알 수 있다.

그러나 이러한 제약에도 불구하고, 많은 이들은 파리협정에서 인권을 구체적으로 언급하고 있다는 것은 매우 중요하고, 유엔기후체제에 있어서 인권문제에 대한 우려와 논의에 더욱 수용적인 태도를 보이는 계기가 될 수 있다고 보았다. 더구나 전문에서 인권을 명시적으로 언급한 것에 더하여, 파리협정은 전문을 통해서 그 중요성을 재확인하고 있는 공중의 참여와 공중의 정보접근을 증진하기 위하여, 당사자들이 협력할 것을 요청함으로써 일부 절차적 권리를 묵시적으로 강조하고 있다.[85]

Ⅲ. 기후변화, 이주 그리고 실향민

A. 서문

가뭄, 홍수, 기상이변, 해수면 상승과 같은 기후변화로 인한 이변은 대규모 이재민을 발생시킬 가능성이 있다. 1990년에 '기후변화에 관한 정부 간 협의체(Intergovernmental Panel on Climate Change, IPCC)'는 "기후변화의 가장 심각한 효과가 이재민 발생과 관련될 수도 있을 것"이라고 전망했다.[86] 최근의 발표는 이보다 더 누그러졌지만, 어찌되었든 간에 IPCC는 기후변화가 실향민의 증가를 가져올 것으

---

bodies/awg/application/pdf/adp2-11_art2_purpose_ldcs_l9oct2015.pdf> accessed 20 January 2017.

84) Ecuador, Views on options and ways for further increasing the level of ambition (28 March 2012) <http://unfccc.int/resource/docs/2012/adpl/eng/misc01.pdf> accessed 20 January 2017.

85) Paris Agreement, preambular recital 14.

86) IPCC, Climate Change: *The IPCC Scientific Assessment* (1990) (Cambridge University Press, 1990) 20.

로 예측한다고 보고 있다.[87] 이주의 범위와 정도 그리고 그러한 현상이 기후변화로 인한 것인지의 여부는 논쟁 중에 있다. 기후변화의 여파로 인해 발생될 실향민의 숫자에 대한 권위 있는 통계는 제시되고 있지 않으나, 학자들은 보수적으로는 25백만 명,[88] 중도적으로는 10억 명,[89] 그리고 최대 20억 명[90]까지도 추정하고 있다. 이렇듯 통계치가 다양하게 나타나고 있는 이유는 기후변화 여파의 불확실성과 '복잡하고 다중적인 원인으로 인한' 인간 이주 때문이다.[91] 기후의 여파와 실향민과는 분명한 연결고리가 있으나,[92] 개별적인 이주는 다양한 측면을 가지고 있고 사회적 · 경제적 · 정치적 요인도 중요한 역할을 한다.[93] 기후변화는 실향민을 발생시키고 이동을 야기하는 다른 요인들을 심화하기 때문에 '원인 증폭제(force multiplier)'[94] 또는 '영향력 증폭 · 가속기(impact multiplier and accelerator)'로[95] 작동

---

87) IPCC, *Climate Change 2014: Synthesis Report* (Cambridge University Press, 2014) Summary for Policymakers (SPM), 16 ("기후변화는 실향민의 증가를 가져올 것으로 전망된다(중간 정도 증명력, 높은 동의 수준). 계획된 이주를 할 수 있는 능력이 부족한 주민, 특히 소득이 낮은 개발도상국들은 극단적인 기상현상에 더 많이 노출된다.").

88) See Internal Displacement Monitoring Centre (IDMC), 'IDMC's Global Internal Displacement Database' <http://www.internal-displacement.org/database/> accessed 20 January 2017 (noting that on average 25 million are displaced internally every year due to disasters).

89) Informal group on migration/displacement and climate change of the Inter-Agency Standing Committee (IASC), 'Climate Change, Migration and Displacement: Who will be affected?' (Working Paper, 31 October 2008) <http://unfccc.int/resource/docs/2008/smsn/igo/022.pdf> accessed 20 January 2017.

90) Norman Myers, 'Environmental Refugees: An Emergent Security Issue' (13th Economic Forum, Prague, 22 May 2005) <http://www.osce.org/eea/14851?download=true> accessed 20 January 2017.

91) IPCC, *Climate Change 2014: Impacts, Adaptation and Vulnerability* (Cambridge University Press,2014) SPM, 20; M.K. Solomon and Koko Warner, 'Protection of Persons Displaced as a Result of Climate Change: Existing Tools and Emerging Frameworks', in Michael B. Gerrard and Gregory E. Wannier (eds), *Threatened Island Nations: Legal Implications of Rising Seas and a Changing Climate* (Cambridge University Press, 2013) 243, 281-4; UK Government Office for Science, 'Foresight: Migration and Global Environmental Change - Final Project Report' (London: UK Government Office for Science, 2011) <https://www.gov.uk/government/ uploads/system/uploads/attachment_data/file/287717/11-1116-migration-and-global-environmental-change.pdf> accessed 20 January 2017.

92) Submission from the Office of the United Nations High Commissioner for Refugees (UNHCR), 'Forced displacement in the context of climate change: challenges for states under international law' (25 May 2009) FCCC/AWGLCA/2009/MISC.5, 15.

93) Jane McAdam, *Climate Change, Forced Migration and International Law* (Oxford University Press, 2012) 15-16.

할 수도 있다. 이러한 연유로 학자들은 "기후관련 이주를 별개의 독립적인 현상보다는 이주의 전지구적 역학의 일부"로 접근하는 것을 제안하고 있다.[96)]

기후변화는 "해수면 상승, 기온의 증가, 바다의 산성화, 빙하의 후퇴와 그 관련 여파, 염류화, 토지와 산림의 감소, 생물다양성의 감소 그리고 사막화"와 같이 천천히 나타나는 환경의 피폐화로 나타날 수 있다.[97)] 기후의 여파는 또한 기상이변에서도 나타나고, 허리케인이나 태풍과 같은 급격한 자연현상으로도 나타난다.[98)] 두 종류의 기후현상 모두에서 이주는 일어날 수 있다. 사람들이 잠시 피신해 있다가 위협이 된 자연현상이 수그러들면 다시 주거지로 이동하는 것처럼 이주가 일시적일 수도 있지만, 환경변화가 지속된다면 이주가 영구적일 수도 있다. 이주는 점점 살기 힘들어지는 환경에 대한 '자발적인' 적응 전략일 수도 있고, 또는 주거지에서 더 이상 살 수 없거나 생계를 영위할 수 없다면 '강제적인' 적응이 될 수 있다.[99)] 그러나 자발적인 이주와 강제적인 이주의 구분이 힘들 뿐 아니라[100)] 기후로 인한 이주는 "강제이주가 명백한 경우와 자발적 이주가 명백한 경우이라는 양극단 선상의 가운데 회색 영역"이라고 볼 수 있을 것이다.[101)]

기후로 인한 이주는 동일한 국가 내에서 내부적으로 이루어지거나 국경선을 넘나들 수 있다. 타국의 원조를 찾아 국경을 넘는 '기후난민(climate refugees)' 현상이 대중의 뇌리에 강하게 각인되어 있지만,[102)] 사실 국내 실향민이 국경을 넘은

---

94) Antonio Gueterres, 'Millions Uprooted: Saving Refugees and the Displaced', *Foreign Affairs,* 87/5 (2008) <https://www.foreignaffairs.com/articles/2008-09-01/millions-uprooted> accessed 20 January 2017.

95) UNHCR, 'Summary of Deliberations on Climate Change and Displacement' (Expert Roundtable on Climate Change and Displacement, Bellagio, 25 February 2011) <http://www.unhcr.org/4da2b5el9.pdf> accessed 20 January 2017, 2.

96) Jane McAdam, 'Climate Change-Related Displacement of Persons', in Carlarne *et al.*, Oxford Handbook of International Climate Change Law (n 8) 519, 520.

97) Cancun Agreements LCA, para 25.

98) Walter Kälin, 'Conceptualizing Climate-Induced Displacement', in Jane McAdam (ed), *Climate Change and Displacement: Multidisciplinary Perspectives* (Oxford: Hart Publishing, 2010) 81, 85.

99) Ibid.

100) Diane C. Bates, 'Environmental Refugees? Classifying Human Migration Caused by Environmental Change', *Population and Environment*, 2315 (2002): 465, 467-8.

101) International Organisation for Migration (IOM), 'Migration, Climate Change and the Environment: A Complete Nexus' <https://www.iom.int/complex-nexus> accessed 20 January 2017.

실향민을 훨씬 추월할 것이다.[103] 실향민과 관련하여 현존하는 국제법체계 중 일부는 국내이주에 적용되고, 다른 일부는 국경 간 이주에 적용된다. 두 경우 모두, 그중에서 특히 국경 간 이주의 경우에 있어서 보호에 상당한 차이가 존재한다. 이주가 임시적이든 영구적이든, 자발적이든 강제적이든, 국내적이든 국경 간이든, 기후변화의 가장 심각한 영향은 가난한 지역과 나라 그리고 이미 취약한 계층에 더 큰 영향을 미칠 것으로 예상된다.[104]

B. 현존하는 국제적 보호체계

1. 국내 실향민

'1998년 국내실향지침(1998 Guiding Principles on Internal Displacement, GPID)'은 국내 실향민에 대한 법적 보호체제를 담고 있다.[105] 비록 구속력은 없으나, 국제인

---

102) Benoit Mayer, *The Concept of Climate Migration; Advocacy and Its Prospects* (Cheltenham, UK: Edward Elgar Publishing, 2016) 4-5.

103) The Nansen Initiative: Disaster-Induced Cross-Border Displacement, 'Agenda for the Protection of Cross-Border Displaced Persons in the Context of Disasters and Climate Change' (Vol 1, December 2015) <https://nanseninitiative.org/wp-content/uploads/2015/02/PROTECTION-AGENDA-VOLUME-l.pdf> accessed 20 January 2017, 14. IDMC, 'Global Estimates 2015: People Displaced by Disasters' (July 2015) http://www.internal-displacement.org/assets/library/Media/201507-global Estimates-2015/20150713-global-estimates-2015-en-vl.pdf> accessed 20 January 2017.

104) Nansen Initiative, ibid. Report on Relationship between Climate Change and Human Rights (n 10) paras 42-54.

105) United Nations Commission on Human Rights, Report of the Representative of the Secretary-General, Mr. Francis M. Deng, submitted pursuant to Commission resolution 1997/39, Addendum: Guiding Principles on Internal Displacement (11 February 1998) UN Doc E/CN.4/ 1998/53/Add.2, Annex (Guiding Principles on Internal Displacement). GPID는 '인도적 지원기관 간 상임위원회(Inter-Agency Standing Committee)의 'IASC 자연재해 상황에서의 인간 보호 운영지침(IASC Operational Guidelines on the Protection of Persons in Situations of Natural Disasters)'에 의해 보완된다 (The Brookings-Bern Project on Internal Displacement, January 2011) <http://www.ohchr.org/Documents/Issues/IDPersons/OperationalGuidelines.pdf> accessed 20 January 2017. Alice Edwards, 'Climate Change and International Refugee Law', in Rosemary Rayfuse and Shirley V. Scott (eds), *International Law in the Era of Climate Change* (Cheltenham, UK: Edward Elgar Publishing, 2012) 58, 62-5; McAdam, Climate Change, Forced Migration (n 93) 250-6; Katrina M. Wyman, 'Human Mobility and Climate Change', in Farber and Peeters (eds), Climate Change Law (n 8) 637, 639.

권법과 국제인도법 내의 국내 실향민과 관련된 보호장치를 성문화하고 있는 것으로 널리 받아들여지고 있다.[106] 2005년의 '세계정상회의 결과문(World Summit Outcome)'은 이러한 원칙들을 "국내 실향민 보호에 있어 중요한 국제법체계"라고 인정하고 있다.[107]

국내실향지침상의 실향민은 기후변화로 인해 이주한 자들도 포함할 수 있을 것이다. 국내 실향민은 "무력충돌의 영향과 일반화된 폭력 · 인권침해 · 자연재해 또는 인재 상황의 결과로 인하여 또는 그것을 피하기 위하여 주거지나 거주지로부터 강제적으로 도망가거나 이를 어쩔 수 없이 떠날 수밖에 없었던 사람이나 집단으로서 국제적으로 인정된 국경선을 넘지 않은 경우"에 해당한다.[108] 기후변화는 '인재(human-made disaster)'이지만, 국내실향지침의 정의는 인재와 자연재해 모두를 포함하기 때문에, 그 어느 것으로부터 기인하는지(attribution)는 중요하지 않고,[109] 기후로 인하여 발생한 실향민에게도 적용되는 것으로 널리 받아들여지고 있다.[110]

국내실향지침은 실향의 각기 다른 단계인 실향 전(pre-displacement), 실향(displacement) 그리고 재입주(resettlement)에서의 실향민의 권리를 확인하고 있다.[111] 특히 생명, 존엄성, 육체적 · 정신적 · 도덕적 건전성, 자유, 안전할 권리, 이동의 자유, 주거선택의 자유, 다른 곳으로 안전을 찾거나 망명할 자유, 친지의 행방을 알 권리, 가정과 가정의 화합에 대한 존중, 적절한 생활수준, 건강관리 및 치료, 법 앞의 평등, 재산을 자의적으로 빼앗기지 않을 권리, 차별받지 않을 권리 그리고 교육과 같은 실향민의 특정 권리들이 기후변화의 맥락에 연관성을 가진

106) Walter Kälin, *Guiding Principles on Internal Displacement: Annotation* (Washington, D.C.: American Society of International Law, 2nd edn, 2008) viii. See also UNHCR, Summary of Deliberations (n 95) para 19 (이 원칙들이 현존하는 국제법을 반영하고 통합한다는 것을 지적). 이와 다른 견해로는 다음 문헌을 참조. Marco Simons, 'The Emergence of a Norm Against Arbitrary Forced Relocation', *Columbia Human Rights Law Review*, 34/1 (2002): 95, 128 (GPID가 곧 관습의 지위를 취득하더라도 아직 국제관습법이 아니라는 것을 지적).

107) UNGA Res 60/1, '2005 World Summit Outcome' (24 October 2005) UN Doc A/RES/60/1, para 132.

108) Guiding Principles on Internal Displacement (n 105) para 2.

109) Kälin, Climate-induced displacement (n 98).

110) UNHCR, Summary of Deliberations (n 95) para 19; Edwards, Climate Change and International Refugee Law (n 105) 64; McAdam, Climate Change-Related Displacement (n 96) 529.

111) McAdam, Climate Change, Forced Migration (n 93) 250-2.

다.[112] 국내실향지침은 또한 실향민이 된 이들에 대한 인도적 지원[113]과 그들의 귀환, 재이주 그리고 통합의 과정까지 다루고 있다.[114]

국내실향지침은 실향민의 필요 및 권리를 포괄적이며 체계적으로 다루고 있지만, 기후변화에 대한 적용 및 실효성과 관련하여 한계가 있다. 먼저, 이 지침은 기후현상으로 인해 실향민이 된 자들에게만 적용되지, 그 현상의 영향을 받는 모든 인구에 대해 적용되는 것은 아니다.[115] 두 번째로, 이것이 급격하게 발생한 재해로 인한 문제에 대응하기 위해 마련된 지침으로 보인다는 점이다. 해수면 상승과 같이[116] 실향을 일으킬 가능성이 높은 상황을 국가들이 예측 및 사전계획하고, 이에 대한 예방·완화 조치를 취할 적극적 의무를 강조하도록 하는, 느리게 발생하는 현상에 대해서는 대비하지 못하고 있다.[117] 세 번째로, 국내실향지침은 보고나 감시 메커니즘을 가지고 있지 않다. 마지막으로, 이 원칙의 이행에 상당한 어려움이 뒤따르는데, 보고나 감시 메커니즘의 부재나 제한된 정치적 의지 및 재정적 재원으로부터 기인하는 것으로 보인다.[118] 그럼에도 불구하고, 국내 실향민에 대한 사법적 절차는 존재하고, 이는 자연재해와 기후변화의 맥락에서 얼마든지 적용가능하다. 하단에서 살펴볼 '난센 이니셔티브(Nansen Initiative)'는 국가들이 채택해야 할 효과적인 절차를 확인하고 있는데, 여기에는 국내 입법과 정책들을 국내실향지

---

112) Guiding Principles on Internal Displacement (n 105) principles 10-23.

113) Ibid, principles 24-7.

114) Ibid, principles 28-30.

115) Edwards, Climate Change and International Refugee Law (n 105) 64. 그러나 전체 인구가 국가의 국민에 대한 인권의무에 따른 보호를 받고 있다는 점에서 아무런 보호도 받고 있지 않는 것은 아니다.

116) Ibid. Sumundu Atapattu, 'Climate Change, Human Rights and Forced Migration: Implications for International Law', *Wisconsin International Law Journal* 27/3 (2009): 607,618.

117) UNGA, 'Protection of and assistance to internally displaced persons', Note by Secretary-General (9 August 2011) UN Doc A/66/285, para 54. Brookings Institution, Georgetown University, and UNHCR, 'Guidance on Protecting People from Disasters and Environmental Change Through Planned Relocation' (7 October 2015) <https://isim.georgetown.edu/sites/isim/files/files/upload/GUIDANCE_PLANNED%20RELOCATION_14%20OCT%202015.pdf> accessed 20 January 2017 (계획된 이주에 대한 세부적인 지침을 마련하려는 시도로 참조).

118) Wyman, Human Mobility and Climate Change (n 105) 639. Khalid Koser, 'Climate Change and Internal Displacement: Challenges to the Normative Framework', in Etienne Piguet *et al.* (eds), *Migration and Climate Change* (Cambridge University Press and UNESCO Publishing 2011) 289, 296-7 (국내실향지침의 한계를 논의).

침에 부합하도록 검토하는 과정이 포함된다.[119)]

국내실향지침은 비록 법적 구속력이 결여되어 있지만 널리 적용되고 있으며,[120)] 캄팔라 협약(Kampala Convention)[121)]이나 오대호 의정서(Great Lakes Protocol)와[122)] 같은 법적 구속력 있는 지역조약에 포함되어 더욱 구체화되었다. 이러한 조약들은 다음과 같이 국내실향지침을 보완하려는 시도를 한다. 예를 들어, 캄팔라 협약은 의무준수와 감시 메커니즘을 가지고 있다.[123)] 이들 조약은 또한 국내실향지침을 입법을 통해 국내적으로 수용하도록 하고,[124)] 국내법체계 내에 국내실향지침의 이행을 위한 법체계를 마련하도록 하고 있다.[125)] 캄팔라 협약에 대한 캄팔라 선언(Kampala Declaration)은 "기후변화를 비롯한 환경적 요인들이 유발하는 실향의 증가"를 명백하게 인정하고 국가들이 난민과 국내 실향민 문제에 대한 항구적인 해결책을 찾기 위하여 기후변화에 대응하도록 명시하고 있다는 점에서, 특히 기후변화가 유발한 실향민과 관련성을 가지고 있다.[126)]

---

119) Nansen Initiative (n 103) paras 99-103. Francois Gemenne and Pauline Brucker, 'From the Governance of Internal Displacement to the Governance of Environmental Migration: What Can the Latter Learn from the Former?' (American Political Science Association Annual Meeting, 2013) <http://papers.ssrn.com/sol3/papers.cfmPabstract_kL2299802> accessed 20 January 2017.

120) Guiding Principles on Internal Displacement (n 105) para 4. UNGA Res 58/177, 'Protection of and Assistance to Internally Displaced Persons' (12 March 2004) UN Doc A/RES/58/177 (국내 실향의 상황에 대처할 때 국내실향지침이 배포·홍보 및 적용되는 경우가 증가하고 있다는 것을 지적).

121) 아프리카연합 국내실향민의 보호 및 지원에 관한 협약(African Union Convention for the Protection and Assistance of Internally Displaced Persons), 2009.10.23. 채택, 2012.12.06. 발효, <https://treaties.un.org/doc/Publication/UNTS/No%20Volume/52375/Part/I-52375-08000002803f0260.pdf> accessed 20 January 2017 (Kampala Convention).

122) 국내 실향민의 보호 및 지원에 관한 의정서(Protocol on the Protection and Assistance to Internally Displaced Persons), 2006.12.15. 채택, 2008.06.21. 발효, (Great Lakes Protocol). Werner Scholtz, 'The Day After No Tomorrow? Persons Displaced Environmentally through Climate Change: AU Law to the Rescue?', South African Yearbook of International Law, 35 (2010): 36, 46; 아세안 재난 관리 및 위기 대응 협정(ASEAN Agreement on Disaster Management and Emergency Response), 2005.07.26. 채택, 2009.12.24 발효, <http://asean.org/? static_post=asean-agreement-on-disaster-management-and-emergency-response-vientiane-26-july-2005-3> accessed 20 January 2017.

123) Kampala Convention (n 121) Arts 14.1 and 14.4.

124) Great Lakes Protocol (n 122) Art 6.

125) Ibid; Kampala Convention (n 121) Art 3.2.

126) African Union, Kampala Declaration on Refugees, Returnees and Internally Displaced Persons in

2. 국경을 넘는 실향민

기후변화로 인해 국경을 넘어 실향민이 된 이들을 위한 법체계가 현재 없는 실정이다. 관련될 수 있는 법체계로는 국제난민법, 국제인권법 그리고 무국적자에 관한 법이 있다.

a) 국제난민법

물론 '기후난민'이라는 용어가 감정에 강하게 호소하는 도구이나, 대부분의 기후실향민들은 1951년 난민협약상 난민의 정의에 해당하지 않을 가능성이 높다. 난민협정은 인종적, 종교적, 정치적, 민족적 박해를 피해 이주하는 자들에게로 제한되어 있다.[127] 기후로 인한 실향민은 이 정의에 포함되지 않으며, 협약의 초안을 작성할 당시에도 염두에 둔 사항이 아니었다.[128]

난민은 "인종, 종교, 국적, 특정 사회집단의 구성원 신분 또는 정치적 의견을 이유로 박해를 받을 우려가 있다는 충분한 근거가 있는 공포로 인하여, 자신의 국적국 밖에 있는 자로서, 국적국의 보호를 받을 수 없거나, 또는 그러한 공포로 인하여 국적국의 보호를 받는 것을 원하지 아니하는 자"이다.[129] 기후변화는 인재이

Africa (23 October 2009) Ext/Assembly/AU/PA/Dra£t/Decl.(I) Rev.l, preambular recital 5 and para 22.

127) 난민의 지위에 관한 협약(Convention Relating to the Status of Refugees), 1951.07.28. 채택, 1954.04.22. 발효, 189 UNTS 137 (Refugee Convention). McAdam, Climate Change, Forced Migration (n 8) 42-8; Alisa Ceri Warnock, 'Small Island Developing States of the Pacific and Climate Change: Adaptation and Alternatives', *New Zealand Yearbook of International Law,* 4 (2007): 247, 271-8; David Keane, "The Environmental Causes and Consequences of Migration: A Search for the Meaning of 'Environmental Refugees'", *Georgetown International Environmental Law Review*, 16/2 (2004): 209, 215; Tracey King, 'Environmental Displacement: Coordinating Effects to Find Solutions', *Georgetown International Environmental Law Review*, 18/3 (2006): 543, 551—4; Aurelie Lopez, 'The Protection of Environmentally Displaced Persons in International Law', *Environmental Law*, 37/2 (2007): 365, 377; Susan F. Martin, 'Climate Change, Migration and Governance', Global Governance: A Review of Multilateralism and International Organizations, 16/3 (2010): 397, 404-5; Tiffany T.V. Duong, "When Islands Drown: The Plight of 'Climate Change Refugees' and Recourse to International Human Rights Law," *University of Pennsylvania Journal of International Law*, 31/4 (2010): 1239, 1249-50.

128) Kälin, Conceptualizing Climate-Induced Displacement (n 98) 88.

129) Refugee Convention, Art 1.

기는 하지만, 법적으로 박해라고 인정하기는 매우 어렵다.[130] 박해로 인정된다 해도, 인종, 종교, 국적, 특정 사회집단의 구성원 신분 또는 정치적 의견에 기인하여 박해가 이루어져야 한다. 기후변화는 차별적으로 영향을 미치는 것이 아니기 때문에, 박해라는 요건이 성립되는 것은 매우 어렵거나 거의 불가능하다.[131] 또한 이러한 맥락에서 국가들은 기후변화를 일으킨 것에 대하여 그 책임이 분배되어 있다는 점에서 '박해하는 자(persecutor)'를 확정하기도 어렵다. 기후변화의 영향을 근거로 호주와 뉴질랜드에 난민신청을 한 태평양 도서국 국민들의 실패 사례는 난민협약을 근거로 기후변화로 인한 실향을 다루는 것의 어려움을 보여준다.[132] 그러나 뉴질랜드 법원들은 난민협약의 적용을 완전히 배제하지는 않고 사건별 접근방식을 택하고 있다.[133] 매우 적은 수의 사건에서 기후변화로 인한 실향민이 논란의 여지 속에서도 난민의 정의에 속할 수 있을 것이다. 예를 들어, 기후변화로 인하여 자원이 부족한 상황 속에서 인종, 종교, 국적, 특정 사회집단의 구성원 신분 또는 정치적 의견으로 인하여 자원에 접근할 수 없다면, 난민으로 인정받을 수 있을 것이다.[134] 또한 상기 특성으로 인하여 국가가 자연재해의 피해자를 처벌하거나 소외시키려 할 의도로 그들에 대한 지원을 의도적으로 제한하거나 방해한다면, 자연재해의 피해자도 난민이 될 수 있다.[135] 그러나 이러한 경우에도 이들이 난민이 될 수 있는 것은 기후변화의 영향 그 자체로 인한 것이 아니라, 오히려 기후변화의 영향으로 인하여 상황이 취약해진 때에 이들이 상기 특성으로 인하여 박해를 받게

---

130) McAdam, Climate Change, Forced Migration (n 93) 42. Christopher M. Kozoll, 'Poisoning the Well: Persecution, the Environment, and Refugee Status', *Colorado Journal of International Environmental Law and Policy*, 15/2 (2004): 271. Jessica B. Cooper, 'Environmental Refugees: Meeting the Requirements of the Refugee Definition', *New York University Environmental Law Journal*, 6/2 (1998): 480.

131) McAdam, ibid, 46-7.

132) *Teititota v The Chief Executive of the Ministry of Business, Innovation and Employment* [2015] NZSC 107; AF(*Kiribati*) [2013] NZIPT 800413; 1004726 [2010] RRTA845 (Sept 2010) (Tonga). 전체 목록은 다음 문헌을 참조한다. McAdam, Climate Change-Related Displacement (n 96) 522.

133) *AF Kiribati*, ibid, para 64.

134) Martin, Climate Change, Migration (n 127) 405; King, Environmental Displacement (n 127) 554; and Lopez, Protection of Environmentally Displaced Persons (n 127) 377-89.

135) UNHCR, Summary of Deliberations (n 95) para 8; UNHCR, Forced Displacement (n 92) 21.

되었기 때문이다.[136)]

아프리카통일기구협약(Organization of African Unity Convention)[137)]이나 '난민에 관한 카르타헤나 선언(Cartagena Declaration on Refugees)'과[138)] 같은 지역조약의 경우 보다 광범위한 난민 정의를 채택하고 있다. 그러나 이러한 정의도 창의적인 해석 없이는 기후변화로 인한 실향민에는 적용되지 않으며, 국가들도 이러한 해석을 받아들이지 않을 것이다.[139)]

b) 국제인권법

이 장의 첫 부분이 보여주듯이 인권법은 기후변화와 상당한 연관성을 가진다. 또한 인권법은 실향민의 맥락에서 국제난민법의 부족한 부분을 보완해준다. 인권법은 국가들로 하여금 난민과 더불어 생명의 자의적인 박탈, 고문 또는 잔인하거나 비인간적이거나 모멸적인 처우나 처벌을 받을 위험이 있는 자를 보호할 의무를 부담하게 한다.[140)] 특히, 국가들이 생명의 자의적인 박탈, 고문 또는 잔인하거나 비인간적이거나 모멸적인 처우나 처벌을 받을 위험이 있는 지역으로 난민 또는 망명자를 보내는 것을 금지하고 있다.[141)] 이 의무는 국제법에서 '강제송환금지

---

136) Jane McAdam, 'From the Nansen Initiative to the Platform on Disaster Displacement: Shaping International Approaches to Climate Change, Disasters and Displacement', *University of New South Wales Law Journal*, 39/4 (2016): 1518.

137) 아프리카 난민문제의 특정양상을 규율하는 아프리카 통일기구 협약(Organization of African Unity Convention Governing the Specific Aspects of Refugee Problems in Africa), 1969.09.10. 채택, 1974.06.20. 발효, 1001 UNTS 45 (난민에 관한 정의에 "공공질서를 중대하게 훼손하는 사태"를 피하는 자를 포함). Tamara Wood, 'Protection and Disasters in the Horn of Africa: Norms and Practice for Addressing Cross-Border Displacement in Disaster Contexts' (January 2015) <http://www.nanseninitiative.org/wp-content/uploads/2015/03/190215_Technical_Paper_Tamara_Wood.pdf> accessed 20 January 2017.

138) Cartagena Declaration on Refugees (Colloquium on the International Protection of Refugees in Central America, Mexico and Panama, 22 November 1984) OAS Doc. OEA/Ser.L/V/II.66/doc.lO, rev. 1, at 190-3 (1984-85) (난민에 관한 정의에서 "국내충돌, 인권에 대한 심각한 위반 또는 그 외 공공질서를 중대하게 어지럽히는 상황"으로부터 피난을 하는 자를 포함).

139) McAdam, Climate Change, Forced Migration (n 93) 48-9; Alice Edwards, 'Refugee Status Determination in Africa', *African Journal of International and Comparative Law,* 14/2 (2006): 204,225-7.

140) McAdam, ibid, 53.

141) Sir Elihu Lauterpacht and Daniel Bethlehem, 'The Scope and Content of the Principle of Non-refoulement: Opinion', in Erika Feller *et al.* (eds), *Refugee Protection in International Law:*

(non-refoulement)' 원칙으로 일컬어진다. 기후실향민들은 그들이 피하는 기후변화의 영향이 '잔인하거나 비인간적이거나 모멸적인 처우'라는 것을 증명하여야 한다. 법원들은 기아와 '비참한 인도주의적 조건'과[142] 같은 사회적 · 경제적 권리의 침해가 '잔인하거나 비인간적이거나 모멸적인 처우'일 수 있다고 보고 있다. 그러나 법원들은 잔인하고 비인간적인 처우나 모멸적인 처우가 일반적인 가난, 실업, 자원이나 서비스의 부족을 의미하는 것으로 확장되는 것을 인정하지 않는다.[143] 그러므로 일반적인 기후변화의 영향 때문에 국가의 강제송환금지 의무가 발생한다고 입증하는 것은 어려울 것이다. 또한 기후변화의 가장 최악의 결과는 대부분 아직 나타나지 않았다는 것을 유념해야 할 것이다. 그 결과, 미래의 영향 또는 급박한 영향을 피해 떠나는 자들은 모국으로 돌아가는 것이 잔인하고 비인간적인 처우나 모멸적인 처우에 속한다는 것을 보이기 어려울 수 있다.[144] 국가의 강제송환금지 원칙을 적용함에 있어 추가적으로 고려할 점은 기후변화의 영향이 소규모 이주보다 대규모 이주를 일으킬 가능성이 많다는 것이다. 비록 강제송환금지 원칙이라는 근본적인 원칙은 대규모 이주에 있어서도 "엄격하게 준수(scrupulously observed)"되어야겠으나,[145] 그러한 상황은 접수국 입장에서 상당한 어려움을 불러일으킨다. 이러한 경우에 있어서 국가들은 "임시적 보호(temporary protection)"만을 제공하는데, 이는 안전에 대한 보장, 기본적인 인권의 존중, 송환의 방지, 상황종료 시의 안전한 귀환을 의미하는 것으로 볼 수 있다.[146] 안전한 귀환은 대이동의 원인이었던 상황이 종결되었다는 것을 의미하는데, 상황이 지속된다면 보호 역시 지속되어야

UNHCR's Global Consultations on International Protection (Cambridge University Press, 2003) 87, 89-93 and references therein.

142) *Rv Secretary of State* 2005 UKHL 66.

143) McAdam, Climate Change-Related Displacement (n 96) 525.

144) Ibid, 525-6. AF (*Kiribati*) (n 132).

145) Lauterpacht and Bethlehem, Non-refoulement (n 141) 119-21; Jean-Francois Durieux and Jane McAdam, 'Non-Refoulement through Time: The Case for a Derogation Clause to the Refugee Convention in Mass Influx Emergencies', *International Journal of Refugee Law*, 16/1 (2004): 4.

146) UNHCR, 'Protection of Asylum Seekers in Situations of Large-Scale Influx', Executive Committee Conclusion No. 22 (XXXII) (21 October 1981) UN Doc 12A (A/36/12/Add.l). Edwards, Climate Change and International Refugee Law (n 105) 73-76; Alice Edwards, 'Temporary Protection, Derogation and the 1951 Refugee Convention, *Melbourne Journal of International Law,* 13/2 (2012): 595.

한다. 그러므로 기후변화를 근거로 한 주장은 아예 배제되는 것은 아니나, 조심스럽게 그 주장을 펼쳐 국가의 강제송환금지 원칙 범위에 속할 수 있도록 해야 할 것이다.[147)]

기타 권리와 의무도 기후실향민에게 적용될 수 있다.[148)] 예를 들어, 이미 설명한 바와 같이 지역조약과 다수의 헌법에도 포함되어 있는 건강한 환경에 대한 권리는 심각한 기후변화의 여파로 인하여 이 권리가 침해될 수 있다는 점에서 연관성을 가질 수도 있다. 그러나 학자들은 그러한 권리가 있다고 하더라도 기후변화로 인한 실향과 관련하여 "단지 국제법상의 구제책이 아닌" '안식처를 제공할 권리(right of sanctuary)'를 도출할 수 있는지에 대해서는 의문을 갖는다.[149)]

기후실향민과 관련하여 학자들이 검토하고 있는 또 다른 방법으로 '보호할 책임(responsibility to protect)' 이론이 있다.[150)] 이 이론은 "국가에게 자국민을 대량학살, 강간, 기아와 같은 예방가능한 참사로부터 보호해야 할 책임이 있는데, 만약 그 책임을 수행할 수 없다면 더 나아가 국제공동체에 의해 행해져야 한다"고 보고 있다.[151)] 이 이론은 비록 기후변화의 맥락에서 탄생되거나 기후변화로 인한 피해가 야기하는 상황에 대응하기 위해 설계된 것은 아니지만, 일부 학자들은 기후변화에도 이 이론을 적용할 수 있다고 주장한다.[152)] 보호할 의무는 기후변화의 맥락에서 보면, "탄소배출에 진중히 대응"하고 실향과 같은 기후변화의 영향에 대응하기 위한 조치를 취하며 기후변화로 인해 실향민이 된 자들을 위한 "영구적이고 지속될 수 있는 해결책"을 제공할 책임을 수반한다.[153)] 그러나 보호할 의무 이론에

---

147) McAdam, Climate Change, Forced Migration (n 93) 54.

148) McAdam, ibid, ch 3; Duong, When Islands Drown (n 127) 1252-61.

149) Edwards, Climate Change and International Refugee Law (n 105) 71.

150) Susan F. Martin, 'Forced Migration, the Refugee Regime and the Responsibility to Protect', *Global Responsibility to Protect*, 2/1 (2010): 38; Ben Saul and Jane McAdam, 'An Insecure Climate for Human Security? Climate-Induced Displacement and International Law', in Alice Edwards and Carla Frestman (eds), *Human Security and Non-citizens: Law, Policy and International Affairs* (Cambridge University Press, 2010), 357,400-2.

151) Report of the International Commission on Intervention and State Sovereignty, *The Responsibility to Protect* (Ottawa: International Development Research Centre, December 2001) xi.

152) Saul and McAdam, Insecure Climate for Human Security (n 150) 24-5.

153) Ibid.

서와 마찬가지로, 국가의 책임이 국가의 재량으로 정치적인 동기에 의해 행사될 수 있다는 비판이 동일하게 적용이 될 수 있다.[154)]

c) 무국적자 관련 법

무국적자에 관한 법도 기후실향민에 대해 적용가능한데, 특히 침수 위험이 있는 군소도서국에서 그러하다.[155)] '침수하는 도서국'들의 상황은 복잡한 법적 · 기술적 문제를 일으키고 전통 국제법의 범위에 도전장을 내밀고 있다.[156)] 무국적과 관련한 조약으로는 1954년 무국적자의 지위에 관한 협약(Convention relating to the Status of Stateless Persons)[157)]과 1961년 무국적자 감소에 관한 협약(Convention on the Reduction of Statelessness)[158)]이 있기는 하지만, 침수하는 도서국 거주민들에게는 적용되기 어려울 것이다. 먼저, 이들 조약들에 대한 비준은 보편적인 수준이 아니기 때문에, 그 조항들은 소수의 국가에게만 구속력이 있다.[159)] 두 번째로, 이러한 조약들은 국제사법(私法)이나 국가승계로 인하여 발생하는 무국적 상황에 대응하기 위하여 고안되었지, 국가의 영토가 사라지거나 생존할 수 없는 환경이 된 경우에 대응하기 위한 것들이 아니다.[160)] 국가들은 타국들이 국가로서 대우해주는 동안에는 그 존재가 지속되는 것으로 강력하게 간주된다.[161)] 어찌되었든 간에, 대부분의

154) Ibid.

155) 'Climate Change and Statelessness: An Overview', Submission by UNHCR, IOM and Norwegian Refugee Council (NRC) to the AWG-LCA-6 (15 May 2009) <http://unfccc.int/resource/docs/2009/smsn/igo/048.pdf> accessed 20 January 2017, 12.

156) Jane McAdam, "'Disappearing States', Statelessness and the Boundaries of International Law," in Jane McAdam (ed), *Climate Change and Displacement: Multidisciplinary Perspectives* (Oxford: Hart Publishing, 2010) 105; Michael B. Gerrard and Gregory E. Wannier (eds), Threatened Island Nations (n 6).

157) 무국적자의 지위에 관한 협약(Convention relating to the Status of Stateless Persons), 1954.09.28. 채택, 1960.06.06. 발효, 360 UNTS 117.

158) 무국적자 감소에 관한 협약(Convention on the Reduction of Statelessness), 1961.08.30. 채택, 1975.12.13. 발효, 989 UNTS 175.

159) 2016년 9월 20일 현재, 무국적자의 지위에 관한 협약에는 89개국이 체약국이고, 무국적자 감소에 관한 협약에는 68개국이 체약국이다. United Nations Treaty Collection, 'Chapter V: Refugees and Stateless Persons' <https://treaties.un.org/Pages/ViewDetailsILaspx?src=TREATY&mtdsg,,.no=V-3&chapter=5&:Temp=mtdsg2&clang=_en> and <https://treaties.un.org/Pages/ViewDetails.aspx?src=IND&mtdsg_no=V-4&chapter=5&clang=_en> accessed 20 January 2017.

160) Edwards, Climate Change and International Refugee Law (n 105) 78.

161) McAdam, Disappearing States (n 156).

도서국은 침수되기 전에 식수의 부족과 경작할 토지의 부족으로 생존이 어려워질 것이므로, 그 영향을 받는 거주민을 계획에 따라 단계별로 이동시킬 수 있도록 보호장치를 마련하는 것이 중요하다.[162)]

C. 보호장치의 공백 보완하기

기후변화로 인한 실향, 특히 국경을 넘는 실향과 관련된 보호장치에 존재하는 상당수의 공백들을 해결하기 위해 여러 제안들이 제시되었다. 학자들은 새로운 조약[163)]과 제도적 구성[164)]을 제안하였고, 이중에는 FCCC 체제 내에 포함시키는 것이 제안되기도 하였다.[165)] 그러나 새로운 조약과 제도에 대한 학계의 제안들이 정

---

162) Ibid.

163) Dana Z. Falstrom, 'Stemming the Flow of Environmental Displacement: Creating a Convention to Protect Persons and Preserve the Environment', *Colorado Journal of International Environmental Law and Policy*, 13 (2002): 1 ('환경실향민의 보호에 관한 협약(The Convention on the Protection of Environmentally Displaced Persons)'); Benoit Mayer, 'The International Legal Challenges of Climate-Induced Migration: Proposal for an International Legal Framework', *Colorado Journal of International Environmental Law and Policy*, 22/3 (2011): 357; Julien Betaille *et al.*, 'Draft Convention on the International Status of Environmentally-Displaced Persons', *Revue Europeenne de Droit de Uenvironnement*, 4 (2008): 395; Bonnie Docherty and Tyler Giannini, 'Confronting a Rising Tide: A Proposal for a Convention on Climate Change Refugees', *Harvard Environmental Law Review,* 33/2 (2009): 349; David Hodgkinson *et al.*, 'The Hour When the Ship Comes In: A Convention for Persons Displaced by Climate Change', *Monash University Law Review*, 36/1 (2010): 69 (기후변화로 인한 실향민에 관한 협약을 제안).

164) King, Environmental Displacement (n 127) 543 (환경훼손이 '주된 원인'인 실향에 대응하기 위한 '환경실향에 관한 국제조정메커니즘(International Coordination Mechanism for Environmental Displacement)'을 제안함).

165) Frank Biermann and Ingrid Boas, 'Preparing for a Warmer World: Towards a Global Governance System to Protect Climate Refugees', *Global Environmental Politics,* 10/1(2010) : 60 ('기후난민의 인정·보호 및 재정착'에 관한 FCCC의 추가의정서를 제안); Brendan Gogarty, 'Climate Change-Displacement: Current Legal Solutions to Future Global Problems', *Journal of Law, Information and Science*, 21/1(2011): 167, 185-6 (FCCC에 이주와 실향에 관한 새로운 의정서를 제안); Angela Williams, 'Turning the Tide: Recognising Climate Change Refugees in International Law', *Law and Policy*, 30/4 (2008): 502 (지역적 요건을 기반으로 참여를 진작하고 규율을 구체화하기 위하여 FCCC에 대한 지역을 기반으로 한 여러 건의 의정서를 제안); Sujatha Byravan and Sudhir C. Rajan, 'The Ethical Implications of Sea-Level Rise Due to Climate Change', *Ethics and International Affairs*, 24/3 (2010): 239, 242 (기후로 인한 이주에 관한 조약을 제안).

치계의 수용한도를 훨씬 웃돌고 있다는 사실을 차치하더라도, 정도의 차이는 있지만 이러한 제안들에는 상당한 한계점들이 있다.166) 몇몇 제안들은 '기후난민' 또는 '기후망명자'라는 별개의 정의를 설정하는 것에서 출발하고 있다는 점이 문제된다. 이미 논의한 바와 같이, 실향이라는 현상은 다양한 원인에 기인하기 때문에, 상기 정의를 규정하고 그 범위를 확정하기 어렵다. 상기 정의를 규정하고 그 범위를 확정하였다 하더라도, '기후난민'의 필요와 권리에 대응하는 제안들은 자칫 기후변화로 인한 피해를 받은 자들에게 다른 피해를 받은 자와 비교하여 자의적으로 특혜를 주는 것이 될 수도 있다.167) 인권의 시각에서 보자면, 초점은 원인이 아닌 피해에 맞추어져야 할 것이다.168) 몇몇 학자들은, 해수면 상승 관련 '피해자'들은 독특한 도덕적 고려의 대상이 되어야 한다고 주장한다.169) 그러나 그렇다 할지라도, 그러한 도덕적 고려를 법적 문서로 전환해야 할지는 미지수다.

새로운 조약과 제도에 대한 우려와 이러한 새로운 제도에 대한 정치적 관심의 부재로 인하여 학자들은 오히려 "기존의 개념을 활성화"하고 "이익을 통합하며",170) 장기간에 걸쳐 기후변화로 인한 실향민의 보호를 위한 정책적 컨센서스를 구축할 것을 제안한다. 이러한 정책적 컨센서스를 구축하기 위한 중요한 시도로는 '재해로 인한 국경 넘는 실향에 관한 난센 이니셔티브(Nansen Initiative on Disaster-Induced Cross Border Displacement)'가 있다.171) 난센 이니셔티브는 국가 주도의 상향

---

166) Jane McAdam, 'Swimming Against theTide: Why a Climate Change Displacement Treaty Is Not the Answer', *International Journal of Refugee Law*, 23/1 (2011): 2; International Bar Association, 'The Peninsula Principles on Climate Displacement within States' (18 August 2013) <http://displacementsolutions.org/wp-content/uploads/2014/12/Peninsula-Principles.pdf> accessed 20 January 2017; Jane McAdam, 'Refusing Refuge in the Pacific: (De)constructing Climate-Induced Displacement in International Law', in Piguet *et al.* (eds), Migration and Climate Change (n 118) 102-37; Katrina M. Wyman, 'Responses to Climate Migration', *Harvard Environmental Law Review*, 37/1 (2013): 167.

167) Alexander Betts, *Survival Migration: Failed Governance and the Crisis of Displacement* (Ithaca: Cornell University Press, 2013).

168) McAdam, Refusing Refuge in the Pacific (n 166); McAdam, Climate Change-Related Displacement (n 96) 532.

169) Byravan and Rajan, Ethical Implications (n 165).

170) Edwards, Climate Change and International Refugee Law (n 105) 63; McAdam, Refusing Refuge in the Pacific (n 166); Wyman, Responses to Climate Migration (n 166).

171) Nansen Initiative (n 103). 난센 이니셔티브와 이 이니셔티브의 여러 결과물은 다음을 참조.

식 협의절차로 2016년 '재난 및 기후변화의 맥락에서의 국경을 넘는 실향민 보호에 관한 아젠다(Agenda for the protection of cross-border displaced persons in the context of disasters and climate change)'로 이어졌다.[172] 구속력을 가지지 않는 '보호 아젠다'는 앞으로의 작업을 위해 우선적으로 다루어야 할 영역과 권고를 제시하고 있고, 109개국이 이를 지지하고 있다.[173] 이 아젠다의 권고들은 난센 이니셔티브를 계승하는 '재난으로 인한 실향 플랫폼(Platform on Disaster Displacement)'에 의해 이행될 계획이다.[174]

난센 이니셔티브는 기후변화 및 자연재해로 인해 실향민이 된 자들에 대한 보호장치의 공백과 어려움에 대해 국가들이 최근에 보이는 정치적 관심을 나타내준다.[175] 2015년 '재난의 위험 감소를 위한 센다이 체제(Sendai Framework for Disaster Risk Reduction)'는 실향의 발생을 방지 및 완화하기 위한 행동과 국내외의 실향 위험성에 대응할 것을 촉구한다.[176] '2016년 세계인도주의정상회의(World Humanitarian Summit)'는 재난 및 기후변화로 인한 실향을 인도주의적 문제로 확인하고 있고,[177] 몇몇 참가국들은 "기후변화의 부정적 영향으로 인한 실향민의 보호를 위한 국제적인 기관과 법체계"의 마련을 촉구한다.[178] 유엔사무총장의 '인류를 위한 안건(Agenda for Humanity)'은 "재난취약지역에 있는 국가들이 난민의 지위가 없지만 국

<http://disasterdisplacement.org/resources/> accessed 20 January 2017.

172) Ibid.

173) Ibid., The Nansen Initiative, Global Consultation Conference Report, Geneva, 1213 October 2013 (Geneva: The Nansen Initiative, December 2015) <https://www.nanseninitia-tive.org/wp-content/uploads/2015/02/GLOBAL-CONSULTATION-REPORT.pdf> accessed 20 January 2017.

174) Platform on Disaster Displacement, Follow-up to the Nansen Initiative <http://disasterdisplacement.org/> accessed 20 January 2017.

175) 최근의 발전들에 대한 논의는 다음 문헌을 참조. McAdam, From the Nansen Initiative (n 136).

176) Third World Conference on Disaster Risk Reduction, 'Sendai Framework for Disaster Risk Reduction 2015-2030' (18 March 2015) UN Doc A/CONF.224/CRP. 1.

177) UNGA, 'Outcome of the World Humanitarian Summit', Report of the Secretary-General (23 August 2016) UN Doc A/71/353, para 23.

178) Chairs Summary by the United Nations Secretary General, 'Standing Up for Humanity: Committing to Action' (Istanbul: World Humanitarian Summit, 23-24 May 2016) <https://consultations, worldhumanitariansummit.org/bitcache/5171492e71696bcf9d4c571c93dfc6dcd7f361ee?vid=581078&dis position-inline&op=view> accessed 20 January 2017, 5.

경을 넘는 실향민을 접수 및 보호할 준비가 되어 있을 것을 보장하기 위하여 2025년까지 적절한 국제체제, 국내법 및 지역협력체제를 채택"할 것을 국가들에게 촉구하고 있다.[179] 또한 '2016년 난민 및 이주민에 관한 UN 정상회담(2016 UN Summit on Refugees and Migrants)'과 그 결과물인 '뉴욕선언(New York Declaration)' 모두 기후변화의 부정적인 영향으로 인해 이동이 일어날 수 있다는 것을 확인하였고, 국가들이 기후변화와 같은 대규모 이동의 요인에 대응할 것을 요구한다.[180]

D. 유엔기후체제 내의 기후변화 실향 및 이주

FCCC는 기후변화로 인한 실향을 언급하지 않지만,[181] 기후변화의 영향으로 인한 실향민의 보호를 위한 다양한 장치들을 마련하고 있다. 지난 십 년간, 여러 국가와 UNHCR, 국제이주기구(International Organization for Migration), 노르웨이 난민위원회(Norwegian Refugee Council)[182]와 같은 옵서버들의 의견들은 기후변화체제 내부와 외부에 보호체제를 마련할 필요성을 강조하였고, 이는 이주 및 실향에 관한 우려를 COP 결정과 파리협정에 지속적으로 표명하는 것으로 이어졌다.

FCCC는 실향이나 이주를 명시적으로 언급하지 않지만, 논란의 여지는 있지만, FCCC의 여러 조항에서 이 문제를 다루고 있다. FCCC는 '부정적 효과'에 '인간 건강과 복지'에 대한 '해로운' 효과를 포함하는 것으로 정의하고 있고, 여기에는 실향의 맥락에서 발생하는 보호에 관한 우려도 포함하는 것으로 볼 수 있다. 제3조는 "기후변화의 부정적 효과에 특별히 취약한 국가 등 개발도상국인 당사자[의]

179) UNGA, 'One Humanity: Shared Responsibility', Report of the Secretary-General for the World Humanitarian Summit (2 February 2016) UN Doc A/70/709, Annex, 55.

180) UNGA, 'New York Declaration for Refugees and Migrants' (13 September 2016) A/71/L.1, paras 1, 43.

181) David Hodgkinson *et al.*, 'Copenhagen, Climate Change "Refugees" and the Need for a Global Agreement', *Public Policy*, 4/2 (2009): 159 (arguing that the FCCC is 'not designed for and cannot appropriately address the problem of climate change displacement'); and see generally Christine Gibb and James Ford, 'Should the United Nations Framework Convention on Climate Change Recognize Climate Migrants?', *Environmental Research Letters,* 7/4 (2012): 1.

182) Submission by UNHCR, IOM and NRC, Climate Change and Statelessness (n 155); UNHCR, Forced Displacement (n 92).

… 특수한 필요와 특별한 상황은 충분히 고려되어야 한다"는 것을 확인하고 있다. 제4조 제8항도 "기후변화의 부정적 효과…로부터 발생하는 개발도상국인 당사자의 특수한 필요와 관심을 충족시키기 위하여 … 어떠한 조치가 필요한지를 충분히 고려한다"고 규정하고 있다. 이러한 필요와 우려에는 실향과 이주에 관한 것도 포함될 것이다.

이러한 우려는 발리행동계획(Bali Action Plan) 이후의 협상에서 두각을 나타냈다. AOSIS,[183] LDC,[184] 아르헨티나,[185] 볼리비아,[186] 이집트,[187] 가나,[188] 투발루,[189] 그리고 몇몇 아프리카 국가들을 대표하여 스와질란드가[190] 기후실향민에 대한 우려를 표명하였다. 이들 대부분은 선진국에게 기후변화로 인한 실향민에 대해 더 무거운 책임이 있기 때문에, 재원을 지원하고,[191] 때에 따라 기후변화 망명자와 '난민'을 받아들일 의무가 있다고 주장하였다.[192] 나머지 국가들은 적응에 대한 노력을 향상시키고 필요에 따라 이주를 계획할 국내 역량을 구축하고,[193] 국내적 · 지역적 · 국제적 차원에서의 조정과 협력을 향상시키는 것에 집중하였다.[194] 옵서버와 비국가 주체들도 기후실향민에 대한 관심을 촉구하는 데에 활발한 활동을 보였다.[195] 국가와 비국가 행위자의 노력으로 칸쿤합의는 유엔기후체제에서 처음으로 이주 및 실향에 대한 언급을 담고 있다.

---

183) Submission from Alliance of Small Island States (18 December 2009) FCCC/AWGLCA/2009/MISC.8, 15,20.

184) Submission from Lesotho (13 March 2009) FCCC/AWGLCA/2009/MISC. 1, 51, 52.

185) Submission from Argentina (27 October 2008) FCCC/AWGLCA/2008/MISC.5,10, 13.

186) Submission from Bolivia (10 December 2010) FCCC/AWGLCA/2010/MISC.8/Add.2, 1, 3; Submission from Bolivia (30 April 2010) FCCC/AWGLCA/2010/MISC.2,14,14-39.

187) Submission from Egypt (3 March 2008) FCCC/AWGLCA/2008/MISC. 1,23.

188) Submission from Ghana (30 April 2010) FCCC/AWGLCA/2010/MISC.2,42,43-4.

189) Submission from Tuvalu (22 May 2009) FCCC/AWGLCA/2009/MISC.4/Add.l, 9,14.

190) Submission from Swaziland (13 March 2009) FCCC/AWGLCA/2009/MISC.1,78.

191) Submission from Bolivia (30 April 2010) (n 186).

192) Submission from Bangladesh (19 May 2009) FCCC/AWGLCA/2009/MISC.4,26 (Part I). Submission from Bolivia, ibid; and Submission from Ghana (n 188).

193) Submission from Lesotho (n 184).

194) Submission from Ghana (n 188).

195) Koko Warner, 'Climate Change Induced Displacement: Adaptation Policy in the Context of the UNFCCC Climate Negotiations' (Background Paper, UNHCR Expert Roundtable, Bellagio, May 2011) <http://www.unhcr.org/4df9cc309.pdf> accessed 20 January 2017.

칸쿤합의는 "기후변화로 인한 실향, 이주 그리고 적절한 때에 계획된 재정착에 대한 이해·조정 및 협력을 국내적·지역적·국제적 차원에서 향상시키기 위한 조치"의 필요성을 확인하였다.[196] 그러나 여기서 눈여겨 볼 것은 이 언급은 "모든 당사자들에게" 적응에 관한 조치를 촉진할 것을 청하는 문단의 일부라는 것이다. 이 문단은 COP 결정들이 가지는 구속력과 같이 당사자들에게 그러한 조치를 취하도록 요구하지 않고 있고, 선진국들에게 더 무거운 책임을 부담시키자는 많은 개발도상국들이 제안을 받아들이고 있지 않다. 그 내재된 한계에도 불구하고, 이 조항은 기후변화로 인한 실향에 관한 연구, 정보교환 및 정책개발, 특히 영향력이 컸던 국가 주도의 다중이해관계자체제인 난센 이니셔티브를 촉발하는 데 중요한 역할을 하였다.[197]

칸쿤합의는 또한 적응위원회(Adaptation Committee)를 창설하고 손실과 피해에 관한 작업에 착수하였다.[198] 칸쿤합의 이후로 기후변화로 인한 실향과 이주에 관한 논의는 적응과 손실·피해의 맥락에서 이루어졌다.[199] 적응의 맥락에서는 실향과 이주에 관한 고려를 국가적응계획에 포함시키는 방법에 대해 논의되고 있다.[200] 손실·피해의 맥락에서는 '바르샤바 국제 메커니즘(Warsaw International Mechanism)' 집행위원회의 초기 2년 작업계획의 일부로 기후변화가 이주, 실향 및 인간이동에 미치는 영향에 대한 이해와 전문성을 형성하고 그 이해와 전문성을 적용하는 것을 향상시키는 것을 그 역할로 부여받았다.[201]

196) Cancun Agreements LCA, para 14(f).
197) Nansen Initiative (n 103).
198) Cancun Agreements LCA, para 26.
199) Submission from Bolivia *et al.* (19 November 2012) FCCC/SBI/2012/MISC.14/Add.l, 3, 5, 7, 10; Submission from Gambia on behalf of the LDCs, (19 November 2012) FCCC/SBI/ 2012/MISC.l4/Add.l, 16, 21, 24; Submission from Ghana (19 November 2012) FCCC/SBI/2012/ MISC.l4/Add.l, 29, 30; Submission of UNHCR *et al.,* 'Human mobility in the context of loss and damage from climate change: Needs, gaps, and roles of the Convention in addressing loss and damage' (19 November 2012) FCCC/SBI/2012/MISC.l4/Add.l, 36.
200) Koko Warner *et al.*, 'National Adaptation Plans and human mobility', *Forced Migration Review,* 49 (May 2015) <http://www.fmreview.org/climatechange-disasters/warner-kaelin-martin-nassef.html> accessed 20 January 2017.
201) FCCC, 'Initial two-year workplan of the Executive Committee of the Warsaw International Mechanism for Loss and Damage' <http://unfccc.int/adaptation/workstreams/loss_and_damage/items/8805.php> accessed 20 January 2017, action area 6.

파리협정의 협상에서도 몇몇 당사자와 옵서버들은 인간이동에 관한 문구의 삽입을 주장하였다.[202] 10년 동안 유엔기후체제에 기후변화로 인한 실향과 이주를 주류에 편입시키고자 한 노력 끝에 파리협정은 전문의 단락에 명시적으로 '이주민(migrant)'을 포함하고 있다. 이 단락에서 "당사자는 기후변화에 대응하는 행동을 할 때 … 인권…에 관한 각자의 의무를 존중하고, 촉진하며, 고려"해야 함을 권하면서 보호해야 할 인권에 '이주민'의 권리를 포함하고 있다. 이 장에서 이미 논의한 것처럼 이 권고는 "각자의 의무"라는 문구로 인하여 당사자들이 이주민의 권리와 관련하여 이미 존재하는 의무의 범위 내에서만 의무를 가진다는 제약을 가진 것으로 보인다.[203] 그러나 염두에 둘 것은 몇몇 NDC가 주로 국내적 차원에서 이주 및 실향에 대한 언급을 하고 있다는 것이다.[204]

이와 더불어 파리협정에 부속된 COP 결정은 바르샤바 국제 메커니즘 집행위원회에 기후변화의 부정적 영향과 관련된 실향을 방지·축소 및 대응하기 위한 통합된 접근을 위한 권고를 개발하기 위한 작업반을 설립할 것을 요청하였다.[205] LDC들은 파리협정 이전까지 '기후변화 실향조정시설(climate change displacement

---

202) Submission from Republic of Ecuador (28 March 2012) FCCC/ADP/2012/MISC. 1,17 (3 March 2013) <http://unfccc.int/files/documentation/submissions_from_parties/adp/application/pdf/adp_ecuador_workstream2_20130301.pdf> accessed 20 January 2017 (climate refugees'); Input by G-77 and China (19 October 2015) <http://unfccc.int/files/bodies/awg/application/pdf/g77_adaptation_rev2.pdf> accessed 20 January 2017 ('실향조정시설(displacement coordination facility)을 제안'); Recommendations from the Advisory Group on Climate Change and Human Mobility, 'Human Mobility in the Context of Climate Change UNFCCC—Paris COP 21' (November 2015) <http://www.internal-displacement.org/assets/publications/2015/201511-human-mobility-in-the-context-of-climate-change-unfccc-Paris-COP21.pdf> accessed 20 January 2017.

203) 제9장 II.G 참조.

204) INDCs from the Republic of Chad (1 October 2015), Egypt (16 November 2015), Republic of Kirbati (26 September 2015), Republic Of Malawi (8 October 2015), Republic Of Mauritius (28 September 2015), Nigeria (28 November 2015), Papua New Guinea (30 September 2015), etc, in FCCC, 'INDCs as communicated by Parties' <http://www4.unfccc.int/Submissions/INDC/Submission%20Pages/submissions.aspx> accessed 20 January 2017. Dina Ionesco, 'COP 21 Paris Agreement: A Stepping Stone for Climate Migrants', International Organisation for Migration Newsdesk (23 December 2015) <https://weblog.iom.int/cop21-paris-agreement-stepping-stone-climate-migrants> accessed 20 January 2017.

205) Decison 1/CP.21, 'Adoption of the Paris Agreement' (29 January 2016) FCCC/CP/2015/10/ Add. l, para 49.

coordination facility)'의 설립을 주장하였으나,[206] 논란의 여지가 많은 관계로 받아들여지지 않았다. 그러나 상기 작업반은 "칸쿤의 정보중심 의제를 행동중심의 것으로 전환"시키는 것에 도움이 될 수 있다.[207] 얼마나 효과적으로 이 작업을 할 것인지 여부는 앞으로 지켜보아야 할 것이다.

Ⅳ. 기후변화와 무역

아마도 가장 논란과 난제가 많은 국제법 간 충돌문제는 기후변화법과 국제통상법 사이에서 발생할 것이다. 기후변화에 대응하기 위한 많은 국내조치들은 국제무역에 영향을 미치므로 국제통상법적인 현안들을 야기할 수밖에 없다. 여기에는 국가들은 기후정책적 요구로 인해 비용이 증가하면서 자국 산업들이 수입품과의 경쟁에서 받을 수 있는 불이익을 줄이기 위해 부과하는 직접적 무역조치인 국경세조정과 수입제한뿐만 아니라, 일반적인 환경정책인 탄소세, 배출권거래제, 에너지효율표준, 재생에너지 보조금도 포함된다. 이러한 모든 조치들은 그 목적과 형태에 따라 국제통상법상의 의무와 상충될 수 있다. 기후정책의 경제적 영향을 감안할 때, 기후변화에 대한 조치와 국제무역체제 사이의 충돌가능성은 매우 크기 때문에, 국가 수준 및 국가하부 수준의 기후정책을 개발할 때에 국가들은 통상법을 최우선적이고 집중적으로 검토하고는 한다.

세계무역기구(World Trade Organization, WTO) 체제는 자유무역에 대한 국가들 공동의 이해를 증진시키기 위해 국가들이 기후조치를 포함한 정책수단들을 고안할 수 있는 자유에 대해 통상법 용어로 '규범(discipline)'이라 하는 다양한 규제들을 적용한다. 그러나 WTO법은 국가들에게 WTO의 다양한 정책들을 선택할 수 있는 상당한 유연성도 부여하고 있다. 따라서 어떤 기후정책이 WTO의 무역규범 중 하나

206) Submission by Nepal on behalf of the Least Developed Countries Group on the ADP Co-Chairs' Non Paper of 7 July 2014 on Parties Views and Proposal on the Elements for a Draft Negotiation Text <http://www4.unfccc.int/submissions/Lists/OSPSubmissionUpload/39_99_130584499817551043-Submission%20by%20Nepal%20ADP_21%20Oct%202014.pdf> accessed 20 January 2017.
207) McAdam, From the Nansen Initiative (n 136).

를 위반하더라도, 국가는 그 정책을 WTO법이 인정하는 예외 중 하나에 따라 정당화할 수 있다. 그러나 그렇게 정당화되기 위해서는, 그 정책은 기후변화라는 정책적 목적의 달성을 진정으로 의도하고 있어야 하지, 자의적이거나 위장된 방식으로 무역을 제한하려는 의도를 가지고 있어서는 안 된다. 이렇게 통상법과 균형을 이루는 것에 대해서는 FCCC에도 나타나 있다. 이러한 균형은 또한 FCCC가 "상호협력적이고 개방적인 국제경제체제"와 "일방적 조치를 포함하여 기후변화에 대처하기 위하여 취한 조치는 자의적 또는 정당화할 수 없는 차별수단이나 국제무역에 대한 위장된 제한수단이 되어서는 아니된다"고 명시하는 것에도 나타나 있다.[208]

이 절에서는 WTO체제의 기본규칙과 분쟁해결절차에 중점을 두고, WTO체제의 주요 특징들을 개관한다. 그런 다음 현재까지의 '무역과 환경' 관련 사건들을 둘러싼 법적 쟁점들을 검토하고, 이들이 기후정책에 가지는 잠재적 의미들에 주목하도록 한다. 결론에서는 유엔기후체제가 통상 쟁점에 대해 취하고 있는 접근법뿐 아니라, 무역과 기후 간의 상호협력적인 정책의 잠재성을 활용하고 정책간의 잠재적인 충돌을 최소화할 때에 나타날 수 있는 기회들에 대해서 간략하게 고찰하도록 하겠다.

A. 세계무역기구

1947년에 '관세 및 무역에 관한 일반협정(General Agreement on Tariffs and Trade, GATT 1947)'으로 세계적인 무역규범이 처음으로 정립되기 시작하였다.[209] GATT 1947은 1994년까지 세계무역의 주요한 제도로 기능했다. 1986년에서 1994년까지 있었던 '우루과이 라운드(Uruguay Round)'의 통상논의 끝에 WTO가 창설되어[210] 현재 회원국 수가 164개국에[211] 이르게 되었다. 우루과이 라운드는 국제무

208) FCCC, Art 3.5.; 제9장 IV.E 참조.

209) 관세 및 무역에 관한 일반협정(General Agreement on Tariffs and Trade), 1947.10.30. 채택, 1948.01.01. 잠정적으로 발효, 55 UNTS 188 (GATT 1947).

210) 우루과이라운드 다자간무역협상 결과를 구현하는 최종 의정서(Final Act Embodying the Results of the Uruguay Round of Multilateral Trade Negotiations), 1994.04.15. 채택, 1995.01.01. 발효, 1867 UNTS 14.

211) World Trade Organization (WTO), 'Members and Observers' <https://www.wto.org/eng-lish/

역을 위한 세계적인 규정서(rulebook)를 구성하는 일련의 협정들을 만들어냈다.[212] 이 절의 논의에 있어서 가장 중요한 협정들은 'WTO 설립을 위한 마라케시 협정(Agreement Establishing the World Trade Organization)',[213] GATT 1947에서 GATT 1994로의 개정,[214] '서비스무역에 관한 일반협정(General Agreement on Trade in Services, GATS)',[215] '보조금 및 상계조치에 관한 협정(Agreement on Subsidies and Countervailing Measures, SCM협정)',[216] 반덤핑협정,[217] '무역관련 투자조치에 관한 협정(Agreement on Trade-Related Investment Measures, TRIMs협정)'이다.[218] 우루과이 라운드 협정은 또한 '위생 및 식물위생조치의 적용에 관한 협정(Agreement on the Application of Sanitary and Phytosanitary Measures, SPS협정)'과 '무역에 대한 기술장벽에 관한 협정(Agreement on Technical Barriers to Trade, TBT협정)'을 포함하는데, 이들은 각각의 적용범위에 있어 GATT의 관련 규정들을 보완한다. SPS협정은 인간과 동식물의 건강과 관련된 구체적인 위해, 특히 식품안전을 다루고 있으며,[219] TBT협정

---

thewto_e/whatis_e/tif_e/org6_e.htm> accessed 20 January 2017.

212) WTO, 'WTO Legal Texts' <https://www.wto.org/english/docs__e/legal_e/legal_e.htm> accessed 20 January 2017. 통상법에 대한 일반적 개괄은 다음 문헌을 참조한다. Michael J. Trebilcock, *Understanding Trade Law* (Cheltenham, UK: Edward Elgar, 2011). 기후관련 협정의 대부분에 대해 유용하게 일반적인 설명을 하고 있는 것으로 다음 문헌을 참조한다. Susanne Droege *et al.*, *The Trade System and Climate Action: Ways Forward under the Paris Agreement* (Climate Strategies, Working Paper, October 2016) 15-20 <http://climatestrategies.org/wp-content/uploads/2016/10/Trade-and-climate-ways-forward-1.pdf> accessed 20 January 2017.

213) WTO 설립을 위한 마라케시 협정(Agreement Establishing the World Trade Organization), 1994.04.15. 채택, 1995.01.01. 발효, 1867 UNTS 154 (WTO Agreement).

214) 1994년 관세 및 무역에 관현 일반협정(General Agreement on Tariffs and Trade 1994), 1994.04.15., LT/UR/A-1A/1/GATT/1 (GATT).

215) 서비스무역에 관한 일반협정(General Agreement on Trade in Services), 1994.04.15., LT/UR/A-1B/S/1 (GATS).

216) 보조금 및 상계조치에 관한 협정(Agreement on Subsidies and Countervailing Measures), 1994.04.15., LT/UR/A-1A/9 (SCM Agreement).

217) 1994 GATT 제6조의 이행에 관한 협정(Agreement on Implementation of Article VI of the General Agreement on Tariffs and Trade 1994), 1994.04.15., LT/UR/A-1A/3 (Anti-Dumping Agreement).

218) 무역관련 투자조치에 관한 협정(Agreement on Trade-Related Investment Measures), 1994.04.15., LT/UR/A-1A/13 (TRIMs Agreement).

219) 위생 및 식물위생조치의 적용에 관한 협정(Agreement on the Application of Sanitary and Phytosanitary Measures), 1994.04.15., LT/UR/ A-1A/2 (SPS Agreement). 지금까지 SPS협정은 원칙상 그것이 적용될 수 있음에도 불구하고 기후 사건들에서 주요한 역할을 하지 않아 왔다.

은 SPS협정에 포함되지 않은 기술규정, 표준, 적합성 평가절차가 비차별적이고 무역에 불필요한 장벽을 만들지 않는 것을 보장하고자 한다.[220] 또한 이러한 실체적인 협정 외에도, 우루과이 라운드는 새로이 분쟁해결제도를 수립하면서, WTO '분쟁해결규칙 및 절차에 관한 양해(Dispute Settlement Understanding, DSU)'를[221] 제시하였다. WTO에 가입함으로써 국가들은 위에서 언급한 협정들을 포함한 사실상 모든 WTO의 협정들의 법적 구속력에 동의하게 된다.[222]

무역과 기후체제의 상호작용에 관한 광범위한 논의를 소개하기 위해 이 절에서는 WTO의 세계적 규범체계에 초점을 맞춘다. 그러나 이 규범체계와 병행되는 양자 간의 무역협정과 지역기반의 무역협정들이 채결되어 왔다는 것에도 주목해야 한다.[223] WTO협정과는 달리, 많은 양자협정이나 지역협정들은 투자챕터를 두고 있고 여기에는 가장 논쟁의 여지가 있는 투자자-국가 분쟁해결제도가 포함된다.[224] 이러한 분쟁해결절차는 국내 기후정책에 대한 또 하나의 대외적 도전으로 부상하기 시작했는데, 이 경우에 절차는 개별 기업이 국가를 직접 제소함으로써 이루어진다.[225] 최근 국가들은 점점 더 다루기 힘들어지고 있는 다수의 무역관련 합의들을 지역 기반의 대규모 무역협정을 통해 간소화하고자 하며, 그러한 지역협정에는 'EU-캐나다 포괄적 경제무역협정(EU-Canada Comprehensive Economic and

---

아래 n 271 참조.

220) 무역에 대한 기술장벽에 관한 협정(Agreement on Technical Barriers to Trade), 1994.04.15., LT/UR/A-1A/10 (TBT Agreement).

221) 분쟁해결규칙 및 절차에 관한 양해(Understanding on Rules and Procedures Governing the Settlement of Disputes), 1994.04.15., LT/UR/A-2/DS/U1 (DSU).

222) WTO Agreement, Art II.2.

223) 2016년 2월까지 625개의 지역무역협정이 WTO에 통보되었다. Droege *et al.*. Trade System and Climate Action (n 212) 11-12.

224) 북미자유무역협정(North American Free Trade Agreement), 1992.12.17. 채택, 1994.0101. 발효, (1993) 32 ILM 289 (NAFTA) ch XL. 개관은 다음 문헌을 참조. Gary Clyde Hufbauer and Cathleen Cimino-Isaacs, 'How Will TTP and TTIP Change the WTO System?', *Journal of International Economic Law,* 18/3 (2015): 679, 682.; Jorge E. Viñuales, *Foreign Investment and the Environment in International Law* (Cambridge University Press, 2012).

225) 'U.S. wind power firm awarded $28M after NAFTA challenge', *CBC News* (14 October 2016) <http://www.cbc.ca/news/business/windstream-ontario-nafta-dispute-1.3805486> accessed 20 January 2017. 더 많은 배경에 대해서는 다음 문헌을 참조. International Centre for Trade and Sustainable Development, 'NAFTA wind energy dispute ramps up' (18 February 2016) <http://www.ictsd.org/bridges-news/bridges/news/nafta-wind-energy-dispute-ramps-up> accessed 20 January 2017.

Trade Agreement, CETA)', 'EU－미국의 범대서양 무역투자동반자협정(Transatlantic Trade and Investment Partnership, TTIP)', '환태평양 전략적 경제동반자협정(Trans－Pacific Partnership, TPP)', 아시아－태평양 국가들 사이에 이루어진 '포괄적 경제동반자협정(Regional Comprehensive Economic Partnership, RCEP)'이 포함된다.[226] 그러나 이러한 대규모 지역무역협정들의 협상이 난항을 겪고 있는 것으로 드러났고, 유럽과 북미 지역에서는 상당한 정치적 저항과 시민사회의 저항에 직면하고 있다.[227]

B. GATT상의 원칙

GATT 1947은 환경에 대한 구체적 언급을 하고 있지 않다.[228] 반면 WTO협정의 전문은 명시적으로 "상이한 경제발전단계에서의 [회원국들]의 필요와 관심에 일치하는 방법으로 환경을 보호하고 보존하며 이를 위한 수단의 강화를 모색하면서, 지속가능한 발전이라는 목적에 일치하는 세계자원의 최적이용을 고려"한다고 규정하였다.[229] 다자무역협정에서 지속가능한 발전을 그 기본 목적 중 하나로서 인정한 것은 이 조항이 처음이다. 이 조항은 GATT의 핵심원칙에 대한 해석, 특히 무역규범의 예외들에 대한 해석에 있어 중요한 역할을 수행하게 되었다.[230]

---

226) Hufbauer and Cimino-Isaacs, TTP and TTIP (n 224); Slow Yue Chia, 'Emerging Mega-FTAs: Rationale, Challenges and Implications', *Asian Economic Papers,* 14/1 (2015): 1.

227) Paul Waldie, 'Growing European anti-trade movement threatens Canada-EU deal', *The Globe and Mail* (1 June 2016) <http://www.theglobeandmail.com/report-on-business/internationalbusiness/european-business/growing-european-anti-trade-movement-threatens-canada-eu-deal/article30229924/> accessed 20 January 2017.

228) '무역과 환경' 이슈에 대한 법적 관점에 대해서 일반적으로 다음 문헌을 참조. Gary Hufbauer and Meera Fielding, 'Trade and the Environment', in Amrita Narlikar, Martin Daunton, and Robert M. Stern (eds), *The Oxford Handbook on The World Trade Organization* (Oxford University Press, 2012) 719; Daniel Bodansky and Jessica C. Lawrence, 'Trade and Environment', in Daniel Bethlehem *et al.* (eds), *The Oxford Handbook of International Trade Law* (Oxford University Press, 2009) 505, 521. 무역과 환경 체제들 간의 관계에 대한 일반적 서술로는 다음 문헌을 참조. Rafael Leal-Areas, *Climate Change and International Trade* (Cheltenham: Edward Elgar, 2013); Tracey Epps and Andrew Green, *Reconciling Trade and Climate: How the WTO Can Help Address Climate Change* (Cheltenham, UK: Edward Elgar, 2010); Gary Clyde Hufbauer, Steve Charnovitz, and Jisun Kim, *Global Warming and the World Trading System* (Washington, D.C.: Peterson Institute for International Economics, 2009).

229) WTO Agreement (n 213), preamble.

1. 무역규범

GATT의 기본적인 의무들에는 다음과 같은 무역규범들이 포함된다.[231)]

- 최혜국대우원칙(Most-favored-nation, MFN, 제1조): 국가는 상품의 원산지 또는 목적지와 관계없이 '동종'상품(like products)을 동일하게 취급해야 한다. 그들은 타국의 상품을 차별할 수 없다. 예를 들어, 미국은 영국의 상품보다 중국의 상품을 덜 우호적으로 대우하는 기후정책을 채택할 수 없다.
- 관세 '양허'(제2조): GATT는 장문의 상품목록에 해당하는 GATT에 대한 양허표(schedule)에 허용가능한 관세의 최고치인 '관세양허(tariff bindings)'를 규정한다. 1947년 이후 대부분의 무역협상은 그 관세양허표에 농산물과 같은 새로운 상품유형을 추가하는 것과 그 허용관세들을 점차 낮추는 것에 초점을 맞추었다. 그러나 GATT는 수입상품에 부과된 세금이 '동종'의 국내상품에 부과된 국내세와 동일하다는 한도 내에서 (국경세와는 대비되는) 국경세조정(border tax adjustments, BTAs)을 허용한다(제2조 제2항 (a)호). 예를 들어, 국가가 국내적으로 탄소세를 부과하겠다는 입법을 할 때, 수입상품에 대해 동일한 세금을 부과하는 BTA를 채택할 수 있다.
- 내국민대우원칙(제3조): 일단 타국에서 상품이 수입되었다면, 수입국은 국내에서 생산된 동종상품보다 수입상품을 덜 우호적으로 대우해서는 안 된다. 예를 들어, 국가들은 자국의 상품에 비해 외국상품을 차별하는 더 높은 세금이나 보다 엄격한 규제를 부여하는 기후정책을 채택할 수 없다.
- 보조금 및 상계관세(제16조): 생산자는 보조금을 통하여 정상가격보다 낮은 가격으로 상품을 판매할 수 있다. 예를 들어, 기후변화에 대한 정책적 고려로 재생에너지나 에너지효율적인 상품에 보조금을 지급할 수 있다. GATT는 수출보조금을 금지하고 수입국이 보조금을 받은 상품에 대해서 상계관세를

---

230) WTO, United States—Import Prohibition of Certain Shrimp and Shrimp Products—Report of the Appellate Body (12 October 1998) WT/DS58/AB/R, para 153 (이 전문이 GATT를 포함한 WTO 협정의 해석에 "색, 질감, 음영(color, texture and shading)"을 준다고 본다).

231) 기본적 개관은 다음 문헌을 참조. WTO, 'Principles of the Trading System' <https://www.wto.org/english/thewto_e/whatis_e/tif_e/fact2_e.htm> accessed on 20 January 2017.

부과할 수 있도록 하고 있다.

- 수량제한의 금지(제11조): 특정한 예외적인 경우를 제외하고, GATT는 수출입에 대하여 관세 이외의 수량금지 또는 제한을 금지한다.

이러한 GATT의 기본적인 규범들은 WTO의 체제 내 다른 협정들을 통하여 더 명확하고 구체화되었다. 예를 들어, TBT협정은 GATT 제1조와 제3조를 구체화하는데, 이는 기술규정, 표준 또는 관련 절차가 MFN 원칙을 위반하거나 국내상품과 수입상품을 차별하지 않도록 보장하기 위한 것이다. 이와 유사하게, SCM협정은 보조금의 사용과 국가들이 보조금의 효과를 상쇄하기 위해 취할 수 있는 조치들을 규율하는 것을 통해서 GATT 제16조와 GATT의 다른 보조금 관련 규정들을 구체화하였다.

2. 예외

WTO하에서 GATT의 무역규범들을 위반하는 무역제한조치가 제20조 '일반예외'에 열거된 특정한 정책목적을 달성하기 위한 것이었다면 허용될 수 있다. 기후정책과 관련된 무역규범에 대한 예외적 조치들은 다음과 같다.

- "인간, 동물 또는 식물의 생명이나 건강을 보호하기 위하여 필요한 조치"(제20조 (b)호) 또는
- "고갈될 수 있는 천연자원의 보존과 관련된 조치로서 국내 생산 또는 소비에 대한 제한과 결부되어 유효하게 되는 경우"(제20조 (g)호).

그러나 제20조에 규정된 예외는 '두문(chapeau)'이라 불리는 제20조의 입문단락으로 시작되며, 이 두문은 무역조치가 "동일한 여건이 지배적인 국가 간에 자의적이거나 정당화할 수 없는 차별의 수단을 구성하거나 국제무역에 대한 위장된 제한을 구성하는 방식으로 적용되지 아니한다"고 정한다. 다시 말해, 어떤 무역조치가 제20조에 따라 정당화될 수 있는지 여부를 평가하는 것은 2단계 분석으로 이루어진다. 먼저 그 조치가 예외 중 하나에 속하는지 여부를 보고, 다음으로 그 조치가 두문의 요건을 일관적으로 충족하는지 여부를 결정한다.

많은 환경관련 분쟁들은 제20조 (b)호나 (g)호의 조건에 해당하는 무역제한조치들이 두문의 요건도 충족하는 방식으로 적용되었는지를 중점적으로 다루었다. 예를 들어, *Shrimp/Turtle* 사건의 경우, WTO 항소기구(WTO Appellate Body)는 미국이 채택한 바다거북에 대한 무역제한적 보호조치가 제20조 (g)호의 예외규정에 해당한다고 확인하였는데, 이는 바다거북이가 "고갈될 수 있는 천연자원"이기 때문이었다.[232] 또한 항소기구는 바다거북의 이주본능(migratory nature)과 미국 간에 충분한 연계가 있다고 봄으로써 제20조 (g)호가 국가의 관할권을 벗어난 위치의 천연자원을 보호하기 위한 조치를 정당화하기 위하여도 이용될 수 있다는 것을 확인하였다.[233] 그럼에도 불구하고 미국은 *Shrimp/Turtle* 사건에 패소하였는데, 그 이유는 미국이 다자적 해결방안에 도달하기 위한 충분한 노력을 기울이지 않았기 때문이었다.[234] 이로 인하여 미국이 조치를 개정하여 다자적 해결책에 모색하자, 항소기구는 그 개정된 조치가 두문의 요건을 충족한다고 결론지었다.[235]

기후변화 완화를 위해 이행된 국내정책에 대한 이의가 WTO 분쟁해결체제에 제기되기 시작하였지만,[236] 그 어느 것도 GATT 제20조 (b)호 또는 (g)호에 대한 고려를 수반하지는 않았다. 그러나 기후정책이 인간, 동물 또는 식물을 기후변화의 부정적인 영향으로부터 보호하는 것을 목표로 한다면, 그 기후정책들은 제20조 (b)호에 부합한다고 말할 수 있다.[237] "지구온난화의 결과로 멸종할 수 있는 동식물종"을 보존하기 위한 정책수단 또한 제20조 (g)호의 "고갈될 수 있는 천연자원의 보존과 관련된" 조치로 설명될 수 있다.[238] 실제로 *Shrimp/Turtle* 사건에서 항소기구는 "조약을 해석하는 자들은 제20조 (g)호의 문언인 '고갈될 수 있는 천연

---

232) *Shrimp/Turtle* (n 230) para 129.

233) Ibid, paras 72 and 168.

234) Ibid, paras 160-86.

235) WTO, *United States—Import Prohibition of Certain Shrimp and Shrimp Products, Recourse to Article 21.5 of the DSU by Malaysia—Report of the Appellate Body* (22 October XX01) WT/DS58/AB/RW, paras 153-4 (개정된 미국의 조치가 제20조의 두문에 부합하는지를 확인).

236) 제9장 IV.B.3 참조.

237) WTO, *United States—Standards for Reformulated and Conventional Gasoline—Panel Report* (29 January 1996) WT/DS2/AB/R, para 6.21.

238) Ludivine Tamiotti *et al., Trade and Climate Change* (United Nations Environment Programme and WTO, June XX09) xix.

자원'을 환경의 보호 및 보존에 관한 현안들에 대한 국제사회의 우려를 고려하면서 해석해야 한다"고[239] 보았다. 그로부터 2년 전인 *US-Gasoline* 사건에서 WTO 패널은 청정공기의 고갈을 줄이겠다는 정책이 제20조 (g)호에 부합한다고 보았다.[240] 이에 따르면, 지구의 기후 그 자체가 '고갈될 수 있는 천연자원'이며, 그에 대한 완화정책들은 천연자원의 보전과 관련되기 때문에, 제20조 (g)호의 조건에 부합한다는 주장이 성립된다. 그러므로 무역관련 기후정책들을 정당화하기 위한 주요 쟁점은 그 조치의 설계가 가지는 특징과 그 적용이 제20조의 두문을 충족시키는지가 될 가능성이 높다.

3. 분쟁해결절차

WTO의 DSU는 현대 국제법의 가장 강력한 분쟁해결절차 중 하나이다.[241] WTO에 앞서 GATT 1947에서는 GATT 이사회가 3인 패널(three-member panels)을 임명하여 협의나 중재를 통해서는 해결될 수 없는 당사자 간의 분쟁을 심리하도록 하였다.[242] 이러한 패널들은 권고만을 할 수 있었는데, 이 권고를 GATT 위원회가 채택하는 경우에만 당사자들을 구속하게 되었다. 더욱이, GATT는 컨센서스(consensus)에 의해 의사결정이 이루어졌는데, 이는 피제소국을 포함한 모든 회원국들이 분쟁이 패널에 회부되는 것이나 이사회가 패널 보고서를 채택하는 것을 막을 수 있었다.[243] WTO의 DSU는 예측가능하고 엄격한 일정,[244] 항소절차[245] 그리고

---

239) *Shrimp/Turtle* (n 230) para 129.

240) *US-Gasoline* (n 237) para 6.37.; WTO, *United States—Standards for Reformulated and Conventional Gasoline—Report of the Appellate Body* (29 April 1996) WT/DS2/AB/R, 9-10, 14-22 (미국은 이 문제에 대해 항소하지 않았기 때문에, 제20조 (g)호와 관련된 그 이외의 쟁점에 대한 패널 해석만 검토하고 있음을 지적).

241) WTO의 분쟁해결체제와 관련된 일반적인 설명으로는 다음 문헌을 참조. David Palmeter and Petros C. Mavroidis, *Dispute Settlement in the World Trade Organization: Practice and Procedure* (Cambridge University Press, 2nd edn, 2004); WTO, *A Handbook on the WTO Dispute Settlement System* (Cambridge University Press, 2004).

242) WTO, 'Historical Development of the WTO Dispute Settlement System' <https://www.wto.org/english/tratop_e/dispu_e/disp_settlement_cbt_e/c2s1p1_e.htm> accessed 20 January 2017.

243) Ibid.

244) DSU (n 221) Art 20.

245) Ibid, Art 17. 개혁된 제도에 대한 일반적 개관은 다음 문헌을 참조. WTO, 'WTO Bodies involved in the dispute settlement process' <https://www.wto.org/english/tratop_e/dispu_e/disp_

분쟁해결절차를 처리하는 분쟁해결기구(Dispute Settlement Body, DSB)를[246] 수립하는 것으로 GATT의 분쟁해결절차를 강화하였다. DSU는 또한 의사결정방식을 역컨센서스(negative 또는 reverse consensus)로 대체하였다. 이 규칙에 따라 분쟁당사자가 DSB에 공식적으로 항소할 의사를 통보하지 않거나 DSB가 컨센서스로 보고서를 채택하지 않겠다고 결정하지 않는 이상, 패널 보고서는 채택되도록 되어 있다.[247] 마찬가지로 DSB가 컨센서스로 달리 결정하지 않는 이상, 항소기구의 보고서도 채택되도록 하였다.[248]

4. 무역규정과 기후보호조치의 관계

a) 일방적 조치 또는 다자적 조치인지 여부

무역관련 환경조치(trade-related environmental measures, TREMs)는 일방적인(unilateral) 것이거나 다자적인(multilateral) 것으로 이행될 수 있다.[249] 국제적인 표준을 설정하는 것은 어려운 관계로, 대부분의 환경표준은 여전히 국가적 차원에서 개발되고 있다. 그러나 몬트리올의정서(비당사자와의 오존층 파괴물질의 수출입 금지), 바젤협약(유해폐기물의 수출제한),[250] CITES(특정 멸종위기종의 거래금지)와[251] 같은 무역조치들은 MEA의 비교적 보편적인 특징이 되었고, 현재 발효 중인 250개 이상의 MEA 중 약 20개가 그러한 조치를 포함하고 있다.[252] 또한 국제식품규격위원회

---

settlement_cbt_e/c3slpl_e.htm> accessed 20 January 2017; WTO, WTO Dispute Setdement Mechanism (n 241).

246) DSU, ibid, Art 2. WTO협정 중 어느 한 협정에 관한 분쟁에서 모든 WTO 회원국들이 DSB에서 대표로 참여한다.

247) Ibid, Art 16.4.

248) Ibid, Art 17.14.

249) 이 절과 다음 절은 다음 문헌을 참조한다. Bodansky and Lawrence, Trade and Environment (n 228) 519-24.

250) 유해폐기물의 국가 간 이동 및 그 처리의 통제에 관한 바젤협약(Basel Convention on the Control of Transboundary Movements of Hazardous Wastes and their Disposal), 1989.03.22. 채택, 1992.05.05. 발효, 1673 UNTS 57 (Basel Convention).

251) 멸종위기에 처한 야생동식물종의 국제거래에 관한 협약(Convention on International Trade in Endangered Species of Wild Fauna and Flora), 1973.03.03. 채택, 1975.07.01. 발효, 993 UNTS 243 (CITES).

252) WTO, 'The Doha mandate on multilateral environmental agreements (MEAs)', <https://www.wto.org/english/tratop_e/envir_e/envir_neg_mea_e.htm> accessed on 20 January 2017.

(Codex Alimentarius Commission) 및 국제표준화기구(International Organization for Standardization)와 같은 국제표준을 설정하는 국제기구들은 보건과 환경에 관련된 상품의 표준을 계속해서 개발해왔다.[253]

일반적으로 다자적 환경조치들이 일방적인 국내조치들보다 무역에 대한 리스크가 적은데, 이 때문에 무역체제에서는 이러한 다자적 환경조치들을 선호한다.[254] 국내조치는 다음과 같은 세 가지 문제점이 있다. 첫째, 그 조치들이 국내 생산자들에게 특혜를 부여하는 정도에 따라 보호주의에 대한 우려를 촉발시킨다. 둘째, 국내조치가 보호주의적 목적으로 채택되지 않을지라도, 그 조치들은 간접적으로 무역을 억제할 수 있는데, 이는 생산자들이 단일한 동종상품을 전세계에 판매하는 것을 더 어렵게 만들기 때문이다. 마지막으로, 일방적 국내조치가 다른 국가들로 하여금 그들의 환경정책을 변경하도록 압력을 가할 목적으로 이용될 경우, 그 국내조치들은 주권을 침해한다는 문제를 야기할 수 있다. 특히 개발도상국에서 이러한 염려를 표명하는데, 이들은 선진국들이 개발도상국들에게 환경표준을 의무화하는 것을 '친환경 제국주의(eco-imperialism)'라고 비판하고, 이는 환경보호를 세계 빈국의 국민들보다 더 중시하고, 농업보조금과 같은 선진국 정책들의 문제적 측면을 간과한 것이라고 비판하였다.[255]

다자조치는 위 세 가지 문제 모두를 야기할 가능성이 더 낮다. 어느 한 조치가 여러 국가들에 의해 받아들여졌다는 사실은 보호주의의 가능성을 감소시킨다.[256] 더욱이, 통일된 국제표준의 경우, 생산자들은 오직 하나의 표준만을 익혀서 하나의 균일한 상품만 생산하면 되기 때문에, 국제표준 그 자체에 내재된 무역에 대한 제한 외에 추가적인 제한을 가하지 않고 있다. 마지막으로 비록 유엔 안전보

253) 'Steve Charnovitz, International Standards and the WTO', *GW Law Faculty Publications & Other Works*, Paper 394 (2005) <http://scholarship.law.gwu.edu/faculty_publications/394> accessed 20 January 2017.

254) Hufbauer *et al.*, Global Warming (n 228) 100.

255) Paul K. Driessen, *Eco-Imperialism: Green Power, Black Death* (Bellevue, WA: Merril Press, 2003); Bradly J. Condon and Tapen Sinha, *The Role of Climate Change in Global Economic Governance* (Oxford University Press, 2013) 41-9; Rafael Leal-Areas, 'Unilateral Trade-related Climate Change Measures', *The Journal of World Investment & Trade,* 13/6 (2012): 875.

256) 다자조치와 관련해서도 형평성이 문제가 될 수 있는데, 이는 특히 MEA의 당사자가 비당사자에 대해 이행하는 다자무역조치에 있어서 그러하다.

장이사회(UN Security Council)의 제재가 보여주는 바와 같이 다자간 무역조치들도 강압적으로 사용될 수 있지만, 다자적 무역조치들은 더 넓은 참여과정을 통해 형성되기 때문에, 일반적으로는 일방적인 조치보다는 더 합법적이고 덜 남용되는 것으로 여겨진다.[257]

이러한 이유로, 통상법은 다자조치를 선호하는 경향이 있다. 앞서 언급한 지역무역협정 중 하나인 북미자유무역협정(NAFTA)의 제104조 제1항은[258] 심지어 명시된 MEA들을 위한 조치들에 대한 예외를 인정해주기까지 한다.[259] WTO협정은 그 규범으로부터 MEA를 특별히 면제해주지는 않지만, 다자협상에 중점을 둔 *Shrimp/Turtle* 사건의 판결도[260] 유사한 결론에 도달할 수도 있다는 것을 시사한다. 국제표준에 대한 선호는 SPS협정과 TBT협정에서 더욱 분명해지는데, 이들은 보건 및 기술 표준이 국제적 수준에 부합할 경우, 각각의 협정에도 합치하는 것으로 보고 있다.[261]

현재의 무역체제가 WTO 회원국들로 하여금 가능한 한 다자간 행동을 하도록 장려하고는 있지만, 일방적인 조치의 사용을 배제하지는 않는다.[262] 때로 국제표준이 존재하지 않고 합의가 불가능할 때가 있는데, 이 경우에는 국가들이 일방적 행동과 다자간 행동 사이에서 선택을 하는 것이 아니라, 행동을 하는가 하지 않을 것인가 중에서 선택해야 된다.[263] 더욱이, SPS협정과 TBT협정이 인정하듯이 WTO 회원국들은 서로 다른 가치관, 전통, 규제문화를 갖고 있기 때문에 통일된

---

257) 다자협정은 단지 강압적인 국가가 다른 국가에 대해 그들의 의지를 성공적으로 강제한 것의 반영일 수도 있기 때문에 강요의 문제를 완전히 해결하지 못한다. 안보리 제재의 정당성에 대한 논의는 다음 문헌을 참조. David Caron, 'The Legitimacy of the Collective Authority of the Security Council', *American Journal of International Law*, 87/4 (1993): 552.

258) 위 nn 223-224 참조.

259) NAFTA (n 224) Art 104 (Relation to Environmental and Conservation Agreements).

260) 위 n 234 참조.

261) SPS Agreement (n 219) Art 3.2; TBT Agreement (n 220) Art 2.4.

262) SPS협정과 TBT협정은 WTO 회원국들로 하여금 환경보호와 같은 합법적인 목표를 추구할 때는 국제표준, 지침, 권고보다 더 높은 수준의 표준을 정할 수 있도록 허락하고 있다. SPS Agreement (n 219) Art 3.3 and TBT Agreement (n 220) Art 2.4. 마찬가지로 리우선언의 원칙 12는 가능한 한 국제적 합의가 이루어져야 한다고 규정하고 있다.

263) Daniel Bodansky, 'What's So Bad about Unilateral Action to Protect the Environment?', *European Journal of International Law*, 11/2 (2000): 339.

표준이 적합하지 않을 수도 있다.[264]

미국이 *Shrimp/Turtle* 사건 이후에 바다거북에 대한 다자간 보호조치의 협상을 위해 성실하게 노력한 끝에[265] WTO가 미국의 일방적 조치를 궁극적으로 수용한 모습을 보고, 많은 환경운동가들, 특히 일방적 행동을 다자협력과 조화의 상승작용의 전제조건으로 보는 이들은 이를 좋은 소식으로 받아들였다.[266] 그러나 개발도상국들은 이 결정의 공정성에 의문을 제기했다. 이들은 *Shrimp/Turtle* 사건에서 암시하는 것처럼, 미국과 같은 선진국이 협상을 시도한다는 전제하에 무역제한적 환경조치를 일방적으로 채택할 수 있도록 하는 것은 그 협상의 장이 공평하지 않을 수 있다는 사실을 간과하는 것이라고 주장하였다. 일부 학자들은 개발도상국과 선진국 사이에는 시장권력과 '담론' 권력에서 엄청난 차이가 있기 때문에, 선진국이 사실상 규칙을 결정하는 공식적 협상과정을 거친 뒤, 개발도상국의 반대에 상관없이 일방적으로 무역제한적 환경규제들을 채택할 수 있다고 주장한다.[267]

b) 직·간접적 무역제한

전통적으로 환경조치가 무역체제에 합치하는지 여부를 판단할 때, 가장 먼저 던지는 중요한 질문은 그 조치가 무역을 직접적으로 제한하는지 아니면 간접적으로 제한하는지 여부였다. 표면적으로는 위에서 논한 바와 같이 GATT에 의해 부담하는 무역규범들은 주로 무역에 대한 직접적인 제한에 초점이 맞춰져 있다. 반면에 GATT는 WTO 회원국이 무역을 겨냥한 것이 아닌 보다 일반적인 성격의 정부조치를 채택하는 것을 거의 제한하지 않는데, 여기에 대한 예외로 GATT는 국가들

264) 항소기구가 지적하듯이 "주어진 상황에서 적절하다고 판단하는 보건의 수준을 결정할 권리가 WTO 회원국에게 있다는 것은 논란의 여지가 없다". *WTO, European Communities—Measures Affecting Asbestos and Asbestos-Containing Products—Report of the Appellate Body* (12 March 2001) WT/DS135/R, WT/DS135/AB/R, para 168.

265) *US—Shrimp (Article 21.5—Malaysia)* (n 235), para 153.

266) Steve Charnovitz, 'Free Trade, Fair Trade, Green Trade: Defogging the Debate', *Cornell International Law Journal,* 27/3 (1994): 459,493-8.

267) Gregory Shaffer, 'Power, Governance, and the WTO: A Comparative Institutional Approach', in Michael Barnett and Robert Duval (eds), *Power in Global Governance* (Cambridge University Press, 2005) 130; Donald McRae, 'Trade and the Environment: Competition, Cooperation or Confusion?', *Alberta Law Review*, 41/3 (2003): 745, 757.

이 그 조치를 통해서 국가들이 국내상품을 수입상품보다 선호하는 것으로 무역을 억제하는 것처럼 국가들이 직접적인 조치로 할 수 없는 것을 간접적으로라도 하는 것은 금지했다.

이러한 틀 안에서, 환경조치가 구체적으로 무역체제를 겨냥한 것인지 여부가 분석의 나머지 부분을 구성한다. CITES에 규정된 멸종위기종의 거래제한이나 바젤협약의 유해폐기물 거래제한과 같은 TREM은 일단 보기에(prima facie) GATT 제20조상의 예외 중 하나에 의해 정당화되지 않는 한 제11조에 합치하지 않아 금지되는 것처럼 보인다. 이와 대조적으로 일반적인 환경조치는 그 조치들이 '동종'의 수입상품에 '불리한 대우'('less favourable treatment')를 적용하여 GATT 제3조 내국민대우를 위반하거나 서로 다른 국가의 '동종'상품 중 하나를 불리하게 대우하여 GATT 제1조 MFN을 위반하지 않은 경우에 한하여 허용된다.[268] 그러므로 TREM 분석은 전통적으로 제20조 예외의 범위에 초점이 맞춰지는 경향이 있는 반면, 일반적인 환경조치에 대한 분석은 '동종성'과 '불리한 대우'의 개념에 초점이 맞춰지는 경향이 있다.

그러나 무역체제가 진화해감에 따라 TREM과 다른 조치들 사이의 이러한 구별은 그 중요성이 많이 상실된 것으로 보인다. 한편으로는 *Shrimp/Turtle* 사건에서 WTO 항소기구가 제20조 예외를 해석한 것을 본다면, TREM은 "무역에 대한 자의적이거나 정당화할 수 없는 제한"을 구성하는 방식으로 적용되지 않는 한에서는 허용되는 것으로 보이고,[269] 이 요건은 논란의 여지는 있지만 제3조와 유사하지만 이보다는 더 완화된 비차별규범이다. 다른 한편으로는 무역체제가 무역을 직접적으로 제한할 수 있는 여지를 둔 연유로 일반적인 정부조치에 대해 더 엄격한 기준을 점차적으로 적용하고 있는데, 이는 특히 TBT협정과 SPS협정에서 기술 및 건강에 대한 기준이 무역에 대한 비관세 장벽으로 작용하지 못하도록 규율하고 있는

---

268) WTO, *Dominican Republic—Measures Affecting the Importation and Internal Sale of Cigarettes—Panel Report* (26 November 2004) WT/DS302/R, para 96; WTO, *Turkey—Measures Affecting the Importation of Rice—Panel Report* (21 September 2007) WT/DS334/R; WTO, *European Communities—Measures Affecting Asbestos and Products Containing Asbestos—Panel Report* (18 September 2000) WT/DS135/R.

269) 위 nn 232-233 참조.

것에서도 나타나고 있다. 일부 학자에 따르면 이러한 변화로 인하여 무역체제는 직접적인 무역제한적 조치들보다는 일반적인 환경조치에 더 엄격한 규제가 적용될 수 있다는 역설적인 결과를 가져왔다.[270] 예를 들어, SPS 조치는 위해성평가와 과학적 증거에 관한 SPS협정상의 요건을 충족시켜야 하는 반면에,[271] 무역제한적인 환경보호조치는 위에 언급한 바와 같이 환경조치가 무역에 대한 '자의적이거나 정당화되지 않는' 제한을 구성하지 않아야 하는 제20조의 단순한 요건만을 충족하면 된다.

c) '동종성' 기준의 역할

국가들은 기후변화에 대처할 수 있는 다양한 국내적 정책수단을 갖추고 있다. 예를 들어, 자동차나 가전제품에 에너지효율 표준을 적용하거나, 전기 · 제조업 부문 · 특정 연료에 탄소세를 부과하거나, 배출권거래제를 채택하거나, 제품의 탄소배출량 표시를 의무화하거나, 또는 재생에너지 또는 에너지효율적인 제품에 보조금을 지급할 수 있다. 이러한 국가별 기후대책 중에 무역과 관련하여 어느 조치들이 우려를 야기하고, 왜 그러한 우려가 생기고 있는지에 관해서 알아보고자 한다.

일반적으로 국가들은 '동종'의 외국상품에 대한 차별을 금지하는 내국민대우원칙(GATT 제3조)이나 서로 다른 국가에서 온 '동종'상품의 차별을 금지하는 MFN 원칙(GATT 제1조)과 같은 WTO규범을 위배하지 않는 한, 환경제품표준을 자유롭게 채택할 수 있다. WTO규범에 위배되는 경우, GATT 제20조 (b)호 또는 (g)호에 따라 그 차별이 정당화되는지 여부가 문제가 된다. 개별국가의 국내 환경표준이 차별적인지 여부를 결정할 때, 분석의 첫 단계는 관련된 상품의 '동종성'에 초점이

---

270) Steve Charnovitz, 'The World Trade Organization and Environmental Supervision, International Environment Reporter> 17/2 (1994): 89, 92 (WTO의 보호주의에 대한 온건한 태도와 건강과 환경에 대한 엄격한 규율의 모순에 대하여 논의).

271) WTO, *European Communities—Measures Concerning Meat and Meat Products (Hormones)*—Panel Report (18 August 1997) WT/DS26/R/USA. 원칙적으로 SPS협정은 기후관련 상황에 적용될 수 있다. World Bank/Standards and Trade Development Facility, 'Climate Change and Trade: The Link to Sanitary and Phytosanitary Standards' (WTO Secretariat, 2011) <http://www.oie.int/doc/ged/D13282.PDF> accessed 20 January 2017 (기온상승과 기상이변과 관련된 위험과 관련하여 SPS 기준의 역할을 고려). 그러나 SPS협정이 해충방제와 같이 동식물의 건강에 관한 조치나 식품안전 조치의 규제에 집중되어 있다는 점을 고려하면, 무역 관련 기후정책조치에 적용되지 않을 것으로 보인다.

맞추어지는 경향이 있다.

d) '동종성' 평가의 요건

WTO 항소기구는 *Asbestos* 사건에서 동종성은 사안별로 다르게 평가되어야 한다고 지적했다.[272] 또한 평가를 돕기 위한 몇 가지 요건을 설정했는데, 여기에는 상품의 물리적 특성, 제품이 동일하거나 유사한 용도로 사용될 수 있는 정도, 소비자가 특정 기능이나 수요를 충족시키기 위한 대체상품으로 인식하고 취급하는 정도, 관세 목적을 위한 상품의 국제분류가 포함된다.[273] *Asbestos* 사건은 석면을 함유한 건축자재의 사용을 금지한 프랑스의 조치와 관련되어 있다. 캐나다는 특히 GATT 제3조에 의거하여 이 조치에 이의를 제기했다. 처음에 패널은 석면 제품이 시멘트 기반의 건축제품과 '동종'이기 때문에 프랑스의 조치가 제III조를 위반한 것이라고 보았으나, 그 조치가 인간의 생명이나 건강을 보호하기 위해 필요한 경우이기 때문에 GATT 제20조 (b)호에 의거해 정당화될 수 있다고 결론지었다. 반면에, 항소기구는 동종성 평가를 위해 상술한 요건을 적용할 때에 석면의 건강에 대한 위해성 여부가 관련성을 가지고 있고, 이에 따라 조치가 차별적인지 여부를 평가하는 것과도 관련성을 가진다고 보았다. 항소기구는 이러한 위해성으로 인하여 석면 제품은 시멘트 기반의 건축제품과는 다른 물리적 특성을 가지고 있으며, 다른 소비자의 필요를 위해서 만들어졌다고 보아, 이들 제품이 시멘트 기반 건축재와 '동종'상품이 아니라고 결론지었다.

기후정책조치들이 GATT 또는 TBT협정과 합치하는지를 판단하는 것과 관련하여 *EC－Asbestos* 사건은 국가들이 일반적인 제품 관련 표준을 부여할 수 있는 상당한 재량을 가지고 있음을 시사한다. 예를 들어, 국가들이 연료나 에너지효율 관련 요건을 부여하는 것으로 이를 충족하지 못하는 자동차 또는 가전제품의 수입에 영향을 주는 것은 GATT 제1조 또는 제3조를 위반하는 것이 되지 않을 것이다. 이는 '탄소배출량 라벨링 요건(carbon footprint labeling requirement)'에도 동일하게 적용되기는 하지만,[274] 운송 관련 배출을 그 배출량에 포함시킬 경우 다른 '동종'의

272) *EC—Asbestos* (n 264) paras 101 and 102.
273) Ibid, para 101.
274) Meinhard Doelle, 'Climate Change and the WTO: Opportunities to Motivate State Action on

수입상품에 대한 차별이 될 수 있다.[275] 더욱이 국가들은 TBT협정에 따라 그러한 라벨링 요건과 같은 환경표준들이 정책목표를 달성하기 위한 효과적이고 적절한 수단임을 증명하여야 한다(여기서의 정책목표는 GATT 제20조 (b)호와 (g)호 상의 정책목적에 해당한다).[276]

e) 공정 및 생산방식과 '동종성'

앞선 내용보다 해결점을 찾기 어려운 것은 국가들이 상품의 제조공정에 따른 온실가스 배출농도에 따라 제품을 규제하거나 과세할 수 있는지 여부이다. GATT 패널들은 상품의 '동종성'을 상품 자체의 특성을 기반으로 판단해야 하므로 상품이 아닌 '공정 및 생산방식(processes and production methods, PPM)'은 동종성 분석에서 제외해야 한다고 보았다. 예를 들어, 첫 번째 *Tuna/Dolphin* 사건의 패널은 참치가 '돌고래에게 안전한(dolphin-safe)' 방식으로 잡혔는지 여부에 따라 참치 통조림 상품을 구분될 수 없다고 판단하였다.[277] WTO협정의 도입 이전에 내려진 이 결정은 구 GATT 분쟁해결체제하에서는 구속력을 가지지 못했다. 그럼에도 불구하고, 이 결정은 환경옹호론자들 사이에서 국가들이 국내정책이나 MEA을 구성할 때 CO_2나 기타 오염물질의 배출 등과 같이 생산방식에서 발생하는 환경피해를 고려하지 않게 될 것이라고 우려를 야기하였다.[278]

Climate Change through the World Trade Organization', *Review of European, Comparative and International Environmental Law*, 13/1 (2004): 85, 99. 그러나 탄소배출량 라벨링이 생산방식에서 발생하는 탄소배출에 초점을 맞추고 있다는 점으로 인하여 다음 절의 문제점이 제기된다.

275) Vicki Waye, 'Carbon Footprints, Food Miles and the Australian Wine Industry', *Melbourne Journal of International Law,* 9/1 (2008): 271.

276) WTO, *European Communities—Trade Description of Sardines—Report of the Appellate Body* (26 September 2002) WT/DS231/R, WT/DS231/AB/R; Eric Vranes, 'Climate Labeling and the WTO: The 2010 EU Ecolabelling Programme as a Test Case under WTO Law', *European Yearbook of International Economic Law*, 2 (2011): 205 (생산방식에서의 배출을 포함하는 '생애주기 라벨링(life-cycle labeling)'에 대해 논의).

277) *United States—Restrictions on Imports of Tuna,* GATT Panel Report (3 September 1991) DS21/R-39S/155, DS21/R-39S/155, unadopted, para 5.42. 두 번째 *Tuna-Dolphin* 사건은 미국의 조치에 대한 유럽의 이의제기에서 비롯된 것으로, 이는 미국의 조치가 미치는 국가에서 잡힌 참치를 가공하는 국가인 '중개국가들(intermediary nation)'에 그 조치들이 미치는 영향에 관한 것이다. *United States—Restrictions on Imports of Tuna*, GATT Panel Report (16 June 1994) DS29/R444, unadopted.

278) 이에 대한 논의는 다음 문헌을 참조. Daniel C. Esty, Greening the GATT: Trade, Environment

많은 통상전문가들은 환경에 대한 영향이 상품의 동종성을 판별하기 위한 기준이 되어서는 안 되며, 정부는 생산방식에 따라 상품을 차별해서는 안 된다는 주장을 계속하고 있다.[279] 개발도상국인 몇몇 WTO 회원국들도 PPM을 동종성 분석에 포함시키는 것에 반대했다. 그들은 시장접근성과 경쟁우위의 상실을 우려하면서 선진국 NGO와 정부가 생산방식을 보호주의의 뻔히 보이는 핑계로 사용한다고 비난했다.[280] 이와 대조적으로 환경론자들은 '더러운' 에너지원보다 '깨끗한' 에너지원에 우호적인 세금이나 규정을 제정하는 것과 같은 방식으로 환경규정이 환경적으로 유해한 생산방식을 규제의 대상으로 삼는 것이 필수적이라고 주장하였다. 그들의 관점에서 보자면, 정부에서 환경친화적인 상품과 그렇지 않은 상품을 구분하는 것이 허용되는지를 결정하기 위하여 그 상품들의 '동종성'부터 판단하는 무역체제의 방식은 오히려 분석을 거꾸로 하고 있는 것이다.[281]

상품의 '동종성' 평가에서 PPM이 적절히 고려되고 있는지에 관한 의문은 해결되지 않았지만, GATT 제20조에 의해 PPM 조치가 정당화될 수 있는 여지가 있다는 것에는 의심의 여지가 없다.[282] 예를 들어, WTO 항소기구는 국제적인 협상으로 국제적 차원의 문제를 해결하는 것을 무역체제에서 선호하고 있다는 것을 강조하면서도, GATT 제20조 (b)호 또는 (g)호에 따른 '인간 또는 동식물의 생명 또는 건강을 보호'하거나 '고갈 될 수 있는 천연자원을 보존'하기 위한 규제당국의 정책과의 연관성이 충분하고, 환경조치가 제20조의 두문을 충족시키는 경우에 있어서, 개별 국가는 역외 PPM과 관련한 환경영향을 고려할 권리가 있다고 보았다. 그래서 항소기구는 *Tuna/Dolphin* 사건과 유사하게 어획방법과 관련된 표준에 관

---

and the Future (Washington, D.C.: Institute for International Economics, 1994) 29, 34-5.

279) 이 문단은 다음 문헌을 참조한다. Bodansky and Lawrence, Trade and Environment (n 228) 526.

280) Jagdish Bhagwati, 'The Question of Linkage', *American Journal of International Law*, 96/1 (2002): 126,133.

281) William J. Snape and Naomi B. Lefikovitz, "Searching for GATT's Environmental Miranda: Are 'Process Standards' Getting 'Due Process?'," *Cornell International Law Journal,* 27/3 (1994): 777.

282) 구체적인 예시에 관해서는 다음 문헌을 참조. Steve Charnovitz, "The Law of Environmental 'PPMs' in the WTO: Debunking the Myth of Illegality," *Yale Journal of International Law,* 27/1 (2002): 59; Christiane R. Conrad, *Processes and Production Methods (PPMs) in WTO Law: Interfacing Trade and Social Goals* (Cambridge University Press, 2011).

한 조치가 문제되었던 *Shrimp/Turtle* 사건에서 해당 조치가 GATT 제20조 (g)호에 따라 정당화된다고 결정하였다.[283] 달리 말하면, WTO법은 전력생산이나 제품의 생산에서 발생하는 이산화탄소의 배출과 같이 생산방식에 의해 발생한 기후영향에 대응하는 조치들을 국가들이 취할 수 있는 재량을 남겨 두는 것으로 볼 수 있다.[284] 이러한 유연성을 제1조와 제3조의 '동종성'에 대한 해석에 확대시키는 것으로 얻을 수 있는지,[285] 혹은 제20조상의 예외를 허용하는 것을 통하여 얻을 수 있는 것인지는 두고 보아야 할 것이다.[286]

5. 무역관련 기후조치

원칙적으로 무역관련 조치들은 기후정책을 촉진하는 데에 있어서 다양한 목적으로 이용될 수 있다. 첫째, 상술한 몬트리올의정서와 미국의 페리개정(Pelly Amendment)이 보여주듯이, 다른 국가들로 하여금 환경정책을 변화시키도록 유도하는 데 이용될 수 있다.[287] 기후문제의 맥락에서는 탄소에 대한 가격을 부여하지 않거나 그 외의 국내 환경기준이 낮은 나라를 대상으로 하는 무역조치에 대한 논의가 있었다.[288] 그러나 현재까지 국가들은 그러한 단호한 조치를 사용하는 것을 자제하는 양상을 보여 왔다.

둘째, 무역을 제한하는 환경조치는 탄소세 또는 배출권거래제를 채택한 국가

283) 위 nn 232-235 참조.
284) Doelle, Climate Change and the WTO (n 274) 98; Bradly J. Condon, 'Climate Change and Unresolved Issues in WTO Law', *Journal of International Economic Law*, 12/4 (2009): 895; Johannes Norpoth, 'Mysteries of the TBT Agreement Resolved? Lessons to Learn for Climate Policies and Developing Country Exporters from Recent TBT Disputes', *Journal of World Trade*, 47/3 (2013): 575.
285) Tamiotti *et al.*, Trade and Climate (n 238).
286) 제9장 IV.B.5.b 참조 (캐나다 재생에너지 사건에 대한 WTO 항소기구의 보고서가 향후 PPM 논의의 발전에 있어서 가지는 함의를 논의).
287) 페리개정은 국제적인 어장이나 멸종위기 생물의 보호 프로그램을 무용화하는 국가들로부터의 수산물이나 야생생물의 수입을 미국 대통령이 제한하는 것을 허용한다. 22 USCA §1978 (West 1990 & Supp 1994); Steve Charnovitz, 'Environmental Trade Sanctions and the GATT: An Analysis of the Pelly Amendment on Foreign Environmental Practices', *American University Journal of International Law & Policy*, 9/3(1994): 751.
288) William Nordhaus, 'Climate Clubs: Overcoming Free-riding in International Climate Policy', *American Economic Review*, 105/4 (2015): 1339.

들이 더 낮은 환경기준을 가지는 국가와의 '불공정한' 경쟁에 대응하는 데 이용될 수 있다. 논란의 여지는 있지만, 탄소에 가격을 상정하지 않는 국가들은 사실상 이를 통해 자국 기업들에게 보조금을 제공하고 있는 것이다. 이에 대해서, 일부 환경론자들은 국가들이 초국경적이거나 전지구적인 피해의 경우에 환경관세(eco-duty)나 BTA를 부과하는 것을 통해 국가들이 공정한 조건 속에서 경쟁할 수 있도록 해야 한다고 주장한다.[289] 이러한 방어적 조치들은 적어도 BTA가 있는 국가로의 수출과 관련하여 외국기업이 생산방식의 환경비용을 내재화하도록 강제할 것이며, 환경정책이 약한 국가들이 보다 엄격한 보호조치를 취하도록 압력을 가하고, 탄소에 가격을 부과하지 않는 저비용의 관할지역으로 배출량이 누출되는 것('leakage' of emissions)을 최소화할 것이다.[290]

다음 논의는 최근 관심을 받고 있는 두 가지 무역관련 기후정책조치들에 대한 것이다.

a) 국경세조정

지금까지 배출권거래제도를 도입한 관할영역들은 초기에 국제경쟁에 노출된 산업체들에게 일정한 배출권을 무상으로 할당함으로써 국제적 경쟁력에 관련된 우려를 해소하고자 하는 경향이 있었다.[291] 그러나 국경세조정 조치는 심각한 논쟁의 핵심주제가 되어 왔다.[292] 예를 들어, 국내 탄소세와 관련하여 국가들은 수입제

---

289) 그러나 비평가들이 지적하였듯이, 환경기준이 부족하다는 것이 덤핑비용의 근거나 보조금으로 인정되기 시작하면, 순식간에 정부의 다른 지출 혹은 그 지출의 부재를 보조금으로 인정하게 된다는 것은 곧 '미끄러운 경사의 오류(slippery slope)'이다. GATT Secretariat, 'Trade and the Environment' (3 February 1991) GATT/1529 20.

290) Bodansky and Lawrence, Trade and Environment (n 228) 520-1; Jacob Werksman, James A. Bradbury, and Lutz Weischer, 'Trade Measures and Climate Change Policy: Searching for Common Ground on an Uneven Playing Field' (Washington, D.C.: World Resources Institute, 2009); Harro van Asselt and Thomas Brewer, 'Addressing Competitiveness and Leakage Concerns in Climate Policy: An Analysis of Border Adjustment Measures in the US and the EU', *Energy Policy*, 38 (2010): 42.

291) Tamiotti *et al.*, Trade and Climate (n 238), 98-100. 그러한 무상 할당권이나 다른 단계적 도입을 위한 제도들이 설계된 방식에 따라 다르기는 하나, 그 조치 자체가 특정된 대상에게 보조금을 부여하는 것과 같이 무역규범을 위반할 수도 있다.

292) Werksman *et al.*, Trade Measures and Climate Change Policy (n 290) (미국 청정에너지와 안전법(US American Clean Energy and Security Act, ACESA)에서 고려된 국경세조정을 논함); van Asselt and Brewer Addressing competitiveness (n 290) (ACESA와 유럽연합 배출권거래 시

품에 동등한 세금을 부과하는 BTA를 고려할 수 있다. BTA는 담배, 주류, 화석연료에 대한 과세 등 많은 방식으로 보편적으로 사용되어 왔다.[293] 그러나 국내 배출권거래제의 경우, 국경세조정은 실제로 시행된 적이 없는데, 이는 개별 제품들의 탄소배출량을 평가하는 방법과 배출권거래 시스템에서 일반적으로 나타나는 탄소가격변동과 같은 조치의 설계와 관련한 실용화의 문제점들을 아직 극복하지 못했기 때문이다.[294] 더군다나 수입상품 내의 탄소성분의 특정치에 상응하는 배출거래권을 수입자가 포기하도록 하는 의무와 같은 국경세조정이 애초에 무역체제에서 말하는 국경세조정으로 볼 수 있는지 여부가 불명확하여 논란의 여지가 있다.[295]

WTO의 관점에서 보았을 때, 조세조정을 조세, 관세 또는 보조금과[296] 어떤 점에서 달리 정의해야 하는 것인지와 같은 고도의 기술적인 문제들을 제외하면, 국경조치에 관한 주요 질문들은 다른 무역제한조치들에 관련된 쟁점과 같은 것들을 중심으로 이루어졌다. 예를 들어, BTA의 경우 첫 질문은 수입상품에 부과된 조세가 GATT 제2조 제2항 (a)호에 부합하도록 동종의 국내상품에 부과된 것과 동일한지의 여부이다.[297] 달리 말하면, 상술한 '동종성'에 관한 논의와 *EC−Asbestos*

스템(EU emissions trading system, EU-ETS)하의 국경세조정에 대해서 논함).

293) Tamiotti *et al.,* Trade and Climate (n 238) 100.

294) 간략한 개괄은 다음 문헌을 참조. ibid (101-2); van Asselt and Brewer, Addressing competitiveness (n 290) 43; Sofia Persson, 'Practical Aspects of Border Carbon Adjustment Measures—Using a Trade Facilitation Perspective to Assess Trade Costs', *ICTSD Global Platform on Climate Change, Trade Policies and Sustainable Energy, Issue Paper No. 13* (International Centre for Trade and Sustainable Development, Geneva, 2010), 19 <http://www.ictsd.org/downloads/2011/05/persson-ictsd-practicalaspects-of-border-carbon-adjustment-measures.pdf> accessed 20 January 2017; Charles E. McLure, Jr., A Primer on the Legality of Border Tax Adjustments for Carbon Prices: Through a GATT Darkly, *Climate Change Law Review,* 4 (2011): 456.

295) 이러한 관찰에 대해서 Harro van Asselt에게 감사를 표한다. Droege *et al.*, Trade System and Climate Action (n 212) 32.

296) Joost Pauwelyn, CU.S. Federal Climate Policy and Competitiveness Concerns: The Limits and Options of International Trade Law', NI WP 07-02 (Nicholas Institute for Environmental Policy Solutions, Duke University, April 2007), 17-27. 종합적인 조치에 대해서는 다음 문헌을 참조한다. Kateryna Holzer, *Carbon-related Border Adjustment and WTO Law: The Case of Trade in Goods* (Cheltenham, UK: Edward Elgar, 2014).

297) 국경세조정은 또한 수출상품에 대한 세제환급의 형태를 취할 수 있으며, 이 경우 수출조정이 SCM협정에서 보았을 때 부적합한 액수가 되는지의 여부가 문제된다 (n 216). Tamiotti *et al.,* Trade and Climate (n 238) 104—5; Aaron Cosbey, 'Border Carbon Adjustment' (International Institute for Sustainable Development, August 2008) <https://www.iisd.org/pdf/2008/ cph_trade_

사건에서 제시된 기준이 국경세조정과 관련하여 핵심적인 역할을 할 것이다.298) 한 발 더 나아가 동종상품 간에 차별이 있을 경우, 그 다음 질문은 그 차별이 GATT 제XX조의 예외 중 하나에 의해 정당화될 수 있는지 여부이다.299) 이러한 맥락에서, *Shrimp/Turtle* 사건의 항소기구 보고서에서 강조되었듯이, 국경조치의 내용과 적용이 그 결정을 내리는 데 주요할 것이다.300)

b) 보조금

재생에너지에 대한 보조금, 특히 이른바 '발전차액지원제도(feed-in- tariffs, FITs)'는 GATT뿐만 아니라 보조금 및 상계관세에 중점을 둔 SCM협정과 TRIMs협정과 관련하여 WTO 내에서 기후변화 관련 무역분쟁의 새로운 시대를 열었다. FIT란 재생에너지 도입을 장려하는 인기 있는 정책으로 부상하였는데, 이 정책에서 정부는 재생에너지 생산자들로부터 정가로 전기를 구매는 장기계약을 체결한다.301)

지금까지 FIT에 대한 WTO의 결정들은 일반적인 허용성에 초점을 맞추기보다 FIT 제도에 포함되어 있는 '국내부품 사용요건(local content requirement)'에 집중하고 있는데, 이 요건이란 재생에너지 사업의 생산과정에서 사용된 제품의 일정 비율이 그 지역에서 생산된 것으로 충당하여야 한다는 것을 말한다.302) 최근 두

---

climate_border_carbon.pdf> accessed 20 January 2017, 3. Persson, Practical Aspects (n 294) 5 (수출조정에 영향을 줄 수 있는 정책적 이유를 다룸).

298) 제9장 IV.B.4 참조.

299) Cosbey, Border Carbon Adjustment (n 297) 3-4.

300) 일반적인 설계 선택지에 대해서 다음 문헌을 참조. Persson, Practical Aspects (n 294) 5-11; Jennifer Hillman, 'Changing Climate for Carbon Taxes: Who's Afraid of the WTO', Climate and Energy Paper Series 2013 (German Marshall Fund 2013); Pauwelyn, US Federal Climate Policy (n 296). 통상법에 관한 논의에 관해서는 다음을 참조. Werksman *et al.*, Trade Measures and Climate Change Policy (n 290) 5-7 (US ACESA 운임이 GATT 제20조와 관련해서 어떻게 고려되었는지 논의); Gary Hufbauer and Meera Fielding, 'Climate Negotiations, EITE Industries, and the WTO: Facing the Conflicts', *International Trade Journal* 25/3 (2011): 276; Christine Kaufmann and Rolf H. Weber, 'Carbon-related Border Tax Adjustment: Mitigating Climate Change or Restructuring International Trade?', *World Trade Review,* 10/4 (2011): 497.

301) Steve Charnovitz and Carolyn Fischer, '*Canada - Renewable Energy*: Implications for WTO Law on Green and Not-So-Green Subsidies', *World Trade Review,* 14/2 (2015): 177.

302) Marie Wilke, 'Feed-in Tariffs for Renewable Energy and WTO Subsidy Rules: An Initial Legal Review' (International Centre for Trade and Sustainable Development, Geneva, 2011)

건의 WTO 사건에서 국내부품 사용요건을 포함하는 FIT가 GATT의 내국민대우원칙과 TRIMs협정을 위반한 것으로 판단되었지만, FIT가 SCM협정에 정의된 보조금이었는지, 심지어 금지보조금에 해당하는지에 대해서조차 결정을 내리지 않았다. 많은 논평가들이 지적하였듯이, 기후관련 정책을 포함한 국가차원의 조치의 어떤 특징들이 보조금의 정의에 일치해서 SCM협정상 문제가 될 수 있는지에 대해서 더 명확히 해야 할 필요가 있다.[303]

Canada–Certain Measures Affecting the Renewable Energy Generation Sector[304]에서 EU와 일본은 캐나다 온타리오주에서 도입한 FIT 사업에 대해 이의를 제기하였는데, 이 사업은 풍력발전을 촉진하고 재생에너지 기술의 생산에 대한 투자에 인센티브를 제공하기 위한 것이었다. 여기에서의 이의제기는 해당 사업이 지역 생산자로부터 일정 수준의 구성부품과 서비스를 확보할 것을 요구하였다는 점에 초점을 맞추었다.[305] 이 이의는 TRIMs협정 제2조 제1항, GATT 제3조 제4항, SCM협정 제3조 제1항 (b)호와 제3조 제2항에 기초해 있다. WTO 패널과 항소기구는 모두 온타리오의 국내부품 사용요건이 GATT 제3조 제4항 및 TRIMs협정 제2조 제1항에 위반된다고 결정하였다. 그러나 이 국내부품 사용요건이 SCM협정상의 금지보조금에 해당하는지에 대한 결정은 없었다.[306] 항소기구는 앞으로 이 문제에

<http://www.ictsd.org/downloads/2011/11/feed-in-tariffs-for-renewable-energy-and-wto-subsidy-rules.pdf> accessed 20 January 2017, 17-18.

303) SCM협정의 제1조 제1항 (a)호와 (b)호는 (n 216) 보조금을 기업에 '혜택'을 부여하는 회원국 영토 내의 정부나 공공기관에 의한 재정적 기여라고 규정한다. 이 정의의 두 요소는 모두 WTO 분쟁해결절차에서 문제되었으며, 그중 '혜택'이라는 개념이 가장 논란의 여지가 있고 명확하게 정의하기 어렵다. FIT가 SCM협정의 네 가지 축에 있어서 보조금에 해당하는지에 대한 질문은 다음 문헌을 참조. Charnovitz and Fischer, Canada—Renewable Energy: Implications (n 301) 192-8. On climate-related subsidies in general, see eg Andrew Green, 'Trade Rules and Climate Change Subsidies', *World Trade Review*, 5/3 (2006): 377, 393-6; Robert Howse, 'Climate Mitigation Subsidies and the WTO Legal Framework: A Policy Analysis' (International Institute for Sustainable Development, May 2010) <https://www.iisd.org/ pdf/2009/bali_2_copenhagen_subsidies_legal.pdf> accessed 20 January 2017, 6-7.

304) WTO, *Canada—Certain Measures Affecting the Renewable Energy Sector—Panel Report* (19 December 2012) WT/DS412/R, WT/DS426/R; *Canada—Certain Measures Affecting the Renewable Energy Generation Sector—Report of the Appellate Body* (6 May 2013) WT/DS412/AB/R and WT/DS426/AB/R.

305) 이에 대한 요약은 다음 문헌을 참조 Charnovitz and Fischer, Canada—Renewable Energy: Implications (n 301) 179-81.

대한 확정적 평가를 위한 로드맵을 제시했지만, FIT가 SCM협정상의 보조금을 제공했는지 여부에 대한 결론에 도달할 만큼 사실심사에 대한 기록이 충분하지 않다고 결론지었다.[307]

India—Certain Measures Relating to Solar Cells and Solar Modules 또한 의무적인 국내부품 사용요건을 포함하고 있다.[308] *Canada—Renewable Energy*에서 패널과 항소기구는 이러한 국산부품 사용요건이 GATT 제3조 제4항 및 TRIMs협정 제2조 제1항에 반한다고 판결하였다. 그런데 *Canada—Renewable Energy*에서 캐나다가 주장한 바와는 달리[309] 인도는 FIT 조치를 GATT 제20조에 의해 정당화하려고 시도했는데, 이는 해당 조치가 제20조 (d)호(법률 또는 규정의 준수를 확보하기 위하여 필요한 조치) 및 제20조 (j)호(공급이 부족한 상품의 획득 또는 분배에 필수적인 조치)를 들어 정당화를 시도한 것이며, 환경적 예외에 관한 제XX조 (b)호나 (g)호를 원용한 것이 아니다. 인도는 제XX조 (j)호를 원용하여 태양전지 및 모듈의 국내 생산력 부족 및/또는 수입중단의 위험이 '일반적 또는 지역적으로 공급이 부족한' 경우라는 규정의 의미에 부합하여 국내부품 사용요건이 정당화된다고 주장했다.[310] 인

306) SCM협정의 제3조 제1항 (b)호와 제3조 제2항 (n 216)은 "유일한 조건으로서 또는 다른 여러 조건 중의 하나로서, 수입품 대신 국내상품의 사용을 조건으로 하는" 보조금을 금지하고 있다. 그럼에도 불구하고 자동적으로 금지되는 '금지'보조금의 범주에 속하지 않는 보조금은 SCM협정 제3조 (n 216)상의 '조치가능(actionable)'보조금이 될 수 있다는 것에 주목해야 한다. 이 조항은 영향을 받은 국가에게 상계관세를 부과할 수 있는 권한을 부여한다. SCM협정 제8조는 또한 '허용(non-actionable)보조금'의 범주를 계획했는데, 여기에는 '법률 및 규정에 의하여 부과된 새로운 환경요건에 기존 시설의 적응을 촉진하기 위한 지원'이 포함된다(제8조 제2항 (c)호). 그러나 이러한 면제조항들은 단지' 임시적인(provisional)' 것이며(제31조) 그 적용이 연장되지 않았다. Howse, Climate Mitigation Subsidies (n 303) 4.

307) 항소기구는 FIT 계약이 '재정적 기여'를 수반한다고 보았지만, FIT 수령자에게 그 기여가 혜택을 부여했는지 여부를 판단할 수 없다고 판정하였다. Charnovitz and Fischer, Canada—Renewable Energy: Implications (n 301) 192-8. 그 사이에 캐나다는 국내부품 사용요건을 FIT 정책에서 삭제하였다. 'Changes relating to domestic content requirements for microFIT after July 25, 2014' <http://microfit.powerauthority.on.ca/faqs/microfit-domestic-content-after-25-july-20l4> accessed 20 January 2017.

308) WTO, *India—Certain Measures Relating to Solar Cells and Solar Modules—Panel Report* (24 February 2016) WT/DS456/R, and Report of the Appellate Body (16 September 2016) WT/DS 456/AB/R.

309) Charnovitz and Fischer, Canada—Renewable Energy: Implications (n 301) 189.

310) *India—Solar Cells* (n 308) paras 7.237-7.264.

도는 제20조 (d)호에 대해서는 태양에너지 제도의 국내부품 사용요건은 FCCC를 포함한 다양한 국제법과 국내법과 같은 "법률 또는 규정의 준수를 확보하기 위하여 필요"했다고 주장하였다.[311] 두 주장은 모두 패널과 항소기구에 의해 기각되었다.[312]

어느 사건에서도 국내부품 사용요건을 차치하더라도 WTO법이 재생에너지의 환경적 및 기후적 이익 때문에 국가들로 하여금 FIT를 사용하여 재생에너지를 보조하는 것을 허용하는지에 대해서는 고려되지 않았다. 그렇다면 WTO법제에서 화석연료에서 나온 에너지와 친환경적인 에너지원에서 나온 에너지 간의 동종성 여부에 기초하여 환경친화적인 보조금이 허용될 수 있는지가 의문시된다. 일부 학자들은 WTO의 보조금 관련 규범이 '바람직한'과 '바람직하지 않은' 보조금을 구별할 수 있는 능력을 충분히 갖추고 있지 못하다는 비판을 제기했다.[313] 그러나 *Canada—Renewable Energy*는 청정에너지원으로 생산된 전기와 화석연료에 의해 생산된 전기가 '동종'의 전기가 아닐 수도 있다는 것을 암시하고 있다.[314] 예를 들어, SCM협정상의 분석을 위한 일반적 요건들을 보면, 항소기구는 관련 시장이 '풍력과 태양에너지을 위한 경쟁시장'이지,[315] 패널이 본 것처럼 모든 전력원을 위한 전력시장은 아니라고 보았다. 항소기구는 또한 전력에 대한 정부의 선호가 에너지원에 대한 소비자의 태도를 반영할 수 있다고 지적하였는데,[316] 이는 SCM협정의 맥락에서 유의미할 뿐 아니라 GATT 제1조와 제3조 하에서 청정에너지에서 생산한

311) Ibid, paras 7.285-7.301 (international instruments); paras 7.302-7.319 (domestic).
312) Ibid, para 5.154.
313) Alan O. Sykes, 'The Questionable Case for Subsidies Regulation: A Comparative Perspectives, *Journal of Legal Analysis*, 2/2 (2012): 473. 환경 맥락에서 보조금 간의 차이에 대한 세부적 질문은 다음 문헌을 참조. Howse, Climate Mitigation Subsidies (n 303); Luca Rubini, 'Ain't Wastin' Time No More: Subsidies for Renewable Energy, the SCM Agreement, Policy Space, and Law Reform', *Journal of International Economic Law,* 15/2 (2012): 525.
314) Charnovitz and Fischer, Canada—Renewable Energy: Implications (n 301) 200-2; Avidan Kent and Vyoma Jha, 'Keeping Up with the Changing Climate: The WTO's Evolutive Approach in Response to the Trade and Climate Conundrum', *The Journal o f World Investment and Trade*, 15/1-2 (2014): 258, 261; Rob Howse, 'Securing Policy Space for Clean Energy under the SCM Agreement: Alternative Approaches', in *Clean Energy and the Trade System Group: Proposals and Analysis* (International Centre for Trade and Sustainable Development, December 2013).
315) *Canada—Renewable Energy*, Appellate Body Report (n 304), para 5.178.
316) Ibid, para 5.177.

전기가 다른 에너지원으로부터 얻은 전기와 '동종'의 상품인지를 평가하는 데 있어서도 유의미하다.[317] 아마도 가장 중요한 것은, 캐나다가 GATT 제20조 (g)호에 대한 항변을 제기하지 않았음에도 불구하고, 항소기구가 "화석연료 자원은 고갈될 수 있기 때문에, 장기적 전기공급이 보장되기 위해서는 화석에너지를 점진적으로 대체할 필요가 있다"고 기록하고 있다.[318] 어떤 이들처럼 이러한 관점을 보고서가 단순히 환경친화적인 척하는 것으로 치부할 수 있으나,[319] 항소기구의 문언적 표현과 GATT 제20조 (g)호의 표현 사이의 유사점은 환경적 근거로 청정에너지에 대한 보조금을 정당화할 여지가 있을 수 있음을 시사한다. 그러나 GATT나 TRIMs협정과는 달리, SCM협정에는 제20조와 같은 일반 예외조항이 없다는 점을 유념하는 것이 중요하다. 그래서 제20조가 SCM협정에 해당하는 보조금에 적용되거나[320] 또는 적용되어야만 한다고[321] 주장되기도 하지만, 이러한 주장이 반드시 타당하지는 않다.

또한 WTO와 보조금의 양립성에 관한 논쟁은 재생에너지를 증진시키기 위한 조치에 초점을 두고 있고, 화석연료 보조금에 이의를 제기하지 않았다는 점도 주목할 가치가 있다.[322] 그러나 몇몇 논평가들은 화석연료 보조금에 대한 문제제기가 성립할 수 있는가라는 질문은 무역정책 안건에서 그 우선순위가 상승될 가능성이 있는 것으로 보았다.[323] 이 문제는 기후정책적 관점에서 매우 중요한데,[324] 이는 화석연료 보조금이 재생에너지 보조금보다 훨씬 널리 적용되기 때문

---

317) Charnovitz and Fischer, Canada—Renewable Energy: Implications (n 301) 201-2.
318) *Canada—Renewable Energy*, Appellate Body Report (n 305), para 5.186.
319) Charnovitz and Fischer, Canada—Renewable Energy: Implications (n 301) 207.
320) Howse, Climate Mitigation Subsidies (n 303) 17.
321) Green, Trade Rules (n 303) 407-10.
322) Henok Birhanu Asmelash, 'Energy Subsidies and WTO Dispute Settlement: Why Only Renewable Energy Subsidies Are Challenged', *Journal of International Economic Law*, 18 (2015): 261.
323) Droege *et al.*, Trade System and Climate Action (n 212) 33; Karl Mathiesen, 'G7 nations pledge to end fossil fuel subsidies by 2025', *The Guardian*, 27 May 2016, <https://www.heguardian.com/environment/2016/may/27/g7-nations-pledge-to-end-fossil-fuel-subsidies-by-2025> accessed 20 January 2017.
324) International Energy Agency (IEA), *World Energy Outlook Special Report 2015: Energy and Climate Change* (Paris: IEA, 2015) (세계 기후정책 목표달성에 있어 화석연료 보조금 폐지의 역할을 논의).

이다.[325] 원칙적으로 화석연료 보조금은 GATT, SCM협정, TRIMs협정과 같은 WTO 협정들의 적용을 받는다. 그러나 화석연료 보조금에 대하여 이러한 협정들을 실제 적용하기 어려운 것으로 보이는데, 이는 그러한 보조금의 범위와 성격에 대한 정보 부족, 그리고 보조금, 특히 금지보조금에 해당하는지가 분명하지 않기 때문이다.[326]

C. 유엔기후체제에서의 무역

CITES, 바젤협약, 몬트리올의정서와 같은 환경협정들과 달리,[327] 유엔기후체제를 구성하는 협정들은 완화목표를 추진하기 위해 무역제한을 사용하지도 않고, 기후변화 맥락에서 그런 무역조치에 의지하고자 하는 입장을 보이지도 않는다. 기후정책 목표를 지원하기 위한 무역조치의 적합성에 대한 견해가 다양하다는 점을 고려해볼 때, 이렇게 일정한 거리를 두는 태도는 놀랄 만한 일이 아니다.[328] 게다가 기후정책에 의해 제기될 수 있는 잠재적 무역문제의 규모를 고려할 때, 통상법과 기후체제 간의 관계는 정치적으로 민감한 문제들을 대거 제기한다.

이 절의 시작 부분에서 언급했듯이, FCCC는 협력적이고 개방적인 국제무역체

---

325) 세계 화석연료 보조금의 총 가치를 추정하는 다양한 접근들이 만연하다는 점에 주목해야 한다. IEA, 'World Energy Outlook: Energy Subsidies' <http://www.worldenergyoutlook.org/resources/energysubsidies/> accessed 20 January 2017; David Coady *et al.*, How Large Are Global Energy Subsidies? (International Monetary Fund (IMF) Working Paper, WP/15/105, 2015) 17-22 <http://www.imf.org/external/pubs/ft/survey/so/2015/NEW070215A.htm> accessed 20 January 2017.

326) Asmelash, Energy Subsidies (n 322) 267; Chris Wold, Grant Wilson, and Sara Foroshani, 'Leveraging Climate Change Benefits through the World Trade Organization: Are Fossil Fuel Subsidies Actionable?', *Georgetown Journal of International Law*, 43/3 (2012): 587. 위 nn 303, 306-307 참조.

327) 위 nn 250-251 참조.

328) 예를 들어, 개발도상국은 무역제한적 기후정책, 특히 일방적인 정책들에 대해 심각한 우려를 나타냈다. Proposals by India for inclusion of additional agenda items in the provisional agenda of the seventeenth session of the Conference of the Parties, FCCC/CP/2011/INF.2 (21 September 2011) (환경문제에 있어서 일방적 무역조치에 대한 억제를 옹호). 이와는 대조적으로 EU와 미국을 포함한 다른 FCCC 당사자들은 무역조치의 이용을 위한 구체적인 조치를 취했다. van Asselt and Brewer, Addressing Competitiveness (n 290).

제의 중요성을 강조한다. 그러나 "일방적 조치를 포함하여 기후변화에 대처하기 위하여 취한 조치는 국제무역에 대한 자의적 또는 정당화할 수 없는 차별수단이나 위장된 제한수단이 되어서는 아니된다"고 명시하는 것으로[329] FCCC 제3조 제5항은 GATT 제20조에 포함된 규칙을 재언급하는 정도로만 규정하고 있다.[330] 달리 말하자면, FCCC는 무역조치의 사용을 용인하지도 금지하지도 않고 있고, 그보다는 회원국들에게 현존하는 무역법을 따르도록 하고 있다. 교토의정서는 FCCC의 중립적인 접근법을 유지하면서도 개발도상국의 우려를 반영하여,[331] 부속서I 국가들이 그들의 "기후정책 및 조치를 이행하기 위해 노력"해야 하는데, 이는 "다른 당사자들, 특히 개발도상국들의 국제무역과 사회적·환경적·경제적 영향에 대한 부정적 영향을 최소화하는 방식으로 이루어져야 한다"고 규정하였다.[332]

교토의정서 이후의 기후체제의 발전에 있어서 무역문제는 계속해서 존재하고 있지만, 기후체제는 계속해서 이와 관련하여 무관심한 태도를 보이고 있다. 예를 들어, 칸쿤합의는 FCCC 제3조 제5항에[333] 규정된 원칙을 되풀이하였다. 더반에서 열린 COP17에서 인도는 무역조치에 관한 논의를 상정하려고 시도하다 실패하였는데, 인도는 여기서 당사자들이 무역조치를 명시적으로 금지하기를 요청했다.[334] 파리협정의 결과도 무역문제를 전혀 다루지 않은 관계로, FCCC 제3조 제5항의 접근방식은 그 권한을 유지한다. 그러나 통상문제에 대한 파리협정의 침묵은 이 문제가 해결되었다는 것을 암시하는 것과는 거리가 멀다. 칸쿤합의에[335] 따라 처음

329) FCCC, Art 3.5. Rio Declaration, principle 12: "… 수입국 관할권 밖의 환경문제를 다루는 일방적인 조치는 피해야 한다. 초국경적이거나 세계적인 환경문제를 다루는 환경조치는 가능한 한 국제합의를 기초해야 한다."

330) 제5장 III.C.5 참조. Daniel Bodansky', 'The United Nations Framework Convention on Climate Change: A Commentary, *Yale Journal of International Law*, 18/2 (1993): 451, 502.

331) G-77/중국의 제안에 따라, 부속서I 국가들은 그들의 기후 정책과 조치가 개발도상국의 사회적·경제적 여건에 "악영향을 미치지 않도록" 보장해야 한다는 요구를 받았다. Joanna Depledge, 'Tracing the Origins of the Kyoto Protocol: An Article-by-Article Textual History (25 November 2000) FCCC/TP/2000/2', paras 116-25 (이 조항의 협상과정).

332) Kyoto Protocol, Art 2.3. 이 조항은 특히 FCCC 제4조 제8항과 제4조 제9항에서 정의된 개발도상국들에 대한 것이다.

333) Cancun Agreements LCA, para 90.

334) Proposals by India for inclusion of additional agenda items in the provisional agenda of the seventeenth session of the Conference of the Parties, FCCC/CP/2011/INF.2 (21 September 2011).

335) Cancun Agreements LCA, para 93. 이 파리협정을 도입하는 COP 결정문은 그 포럼이 파리협

소집된 '대응방안과 실행에 관한 포럼(forum on the impact of the implementation of response measures)'은 무역과 기후정책 간의 관계가 계속 논의될 하나의 배경을 제공한다.[336] 한때 석유수출국들에 의해 지배되었던 대응조치 이슈에 관한 논의들은 개발도상국들에 의해서 '완화행동의 부정적 효과'에 대한 더 광범위한 우려들과 연관성을 가지게 되었는데,[337] 이러한 우려는 이 절에서 다루어진 국내조치들의 무역에 대한 영향을 포함한다.[338]

이러한 문제들은 파리협정의 진보와 적극성에 관한 조항에 의해 이루어지는 국내 기후행동의 가속화된 속도와 범위가 무역에 대한 도전을 촉발하는 정도에 따라서 중요성이 더 커질 것으로 예상된다.[339] 그러나 필연적으로 사례별로 이루어지는 무역체제와 파리협정의 이행조치들 사이의 관계를 명확하게 설명해야 할 필요성은 있지만, WTO 분쟁해결절차가 그 역할을 할 수 있을지가 불명확하고,[340] 이와 유사하게 WTO의 지원하에 기후정책조치에 대해 더 포괄적인 접근이 가능한지 여부 또한 불명확하다.[341] 최소한 중기적으로는 복수국간 관계에서 더 적극적인 접근을 할 가능성이 더욱 높은데, 이러한 예로 현재 일부 WTO 회원국들이 광범위한 녹색상품에 대한 관세를 철폐하는 환경상품협정(Environmental Goods

---

정에서도 지속적으로 기능할 것이라고 규정한다. Decision 1/CP.21 (n 205) paras 33-4.

336) 파리협정 자체는 당사자들이 "기후변화뿐만 아니라 기후변화에 대응하기 위하여 취해진 조치들의 영향을 받을 수 있다"는 것을 인정함으로써 이 주제에 대한 발판을 마련했다 (전문). 그리고 협정의 이행에 있어서 당사자들은 "대응조치에 특별히 영향을 받는 경제구조를 가지는 국가, 특히 개발도상국인 당사자를 고려해야 한다" (제4조 제15항).

337) 기후체제에서 이 논의들의 핵심은 FCCC 제4조 제8항이다.

338) 이에 대한 세부논의는 다음 문헌을 참조. Nicholas Chan, "The 'New' Impacts of the Implementation of Climate Change Response Measures," *Review of European, Comparative and International Environmental Law,* 25/2 (2016): 228.

339) Ingrid Jegou, Sonja Hawkins, Kimberly Botwright, 'A landmark universal emissions cutting deal offers both hope and challenges as stakeholders move to implementation', *Bridges Africa*, 5/2 (10 March 2016) <http://www.ictsd.org/bridges-news/bridges-africa/news/what-role-fortrade-and-investment-in-the-new-climate-regime> accessed 20 January 2017; Ilmi Granoff, 'Trade Implications of Climate Policy after the Paris Outcome', *Trade Hot Topics, Issue 130* (Commonwealth Secretariat, 2016) <http://unctadl4.org/Documents/U14ditc_d01d_FGE_Cont2_en.pdf> accessed 20 January 2017, 4-6.

340) Droege *et al.*, Trade System and Climate Action (n 212) 34.

341) Ibid, 11 (WTO의 '무역 및 환경위원회(Committee on Trade and Environment)'에 의한 제한된 진전에 대해 논의); ibid, 34-8 (WTO협정의 개정(amendment), 면제(waivers) 및 권위 있는 해석(authoritative interpretations)을 포함한 다양한 개혁 선택지에 관해 논의).

Agreement)을 체결하고자 노력하고 있다.[342] 다른 가능성들로는 이 절의 도입부에서 언급했던 지역무역협정 혹은 대규모 지역무역협정들이 표준의 조화(harmonization)를 꾀하거나 무역관련 환경조치에 대한 일반규칙들을 구체화하는 것이 있을 수 있고,[343] 이것은 이러한 협정들에 대한 정치권 및 시민사회의 우려를 완화하는 데 도움이 될 것이다.[344] 이러한 다양한 노력이 어떻게 실행될지를 파악하기에는 아직 이르다. 그러나 한 가지는 예측할 수 있는데, 이는 기후체제가 무역과 기후정책 사이의 긴장을 해결하는 것을 통상법에 대한 고려의 문제로 두었기 때문에, 통상법 영역의 표준설정과 분쟁해결이 상향식 기후행동을 형성하는 데 중요한 역할을 할 것이라는 점이다.

주요 참고문헌

Report of the Special Rapporteur on the issue of human rights obligations relating to the enjoyment of a safe, clean, healthy and sustainable environment' (1 February 2016) UN Doc A/HRC/31/52, 7.

Anton D.K. and Shelton D.L., *Environmental Protection and Human Rights*

---

342) International Centre for Trade and Sustainable Development, 'Environmental goods agreement negotiators agree roadmap for conclusion, BIORES: Analysis and News on Trade and Environment (4 August 2016) <http://www.ictsd.org/bridges-news/biores/news/environmentalgoods-agreement-negotiators-agree-roadmap-for-conclusion> accessed 20 January 2017. 참가국에는 캐나다, 중국, 일본, 미국 및 EU와 같은 주요 무역국이 포함된다. Arthur Neslen, 'Trade deal threatens Paris climate goals, leaked documents show', The Guardian (20 September 2016) <https://www.theguardian.com/environment/2016/sep/20/global-trade-dealthreatens-paris-climate-goals-leaked-documents-show> accessed 20 January 2017 (EU와 22개국 간의 새로운 '서비스무역협정(Trade in Services Agreement)'이 정부가 화석연료보다 청정에너지를 선호하는 것을 더 어렵게 만들 수 있다고 주장).

343) Leal-Areas, Climate Change and International Trade (n 228) 405-16; Droege *et al.*, Trade System and Climate Action (n 212) 38-9.

344) 위 n 227 참조.

(Cambridge University Press, 2011).

Bonine J. and Kravchenko S., *Human Rights and the Environment: Cases, Law, and Policy* (Durham, NC: Carolina Academic Press, 2008).

Boyle A. and Anderson M. (eds), *Human Rights Approaches to Environmental Protection* (Oxford University Press, 1996).

Conrad C.R., *Processes and Production Methods (PPMs) in WTO Law: Interfacing Trade and Social Goals* (Cambridge University Press, 2011).

Doelle M., 'Climate Change and the WTO: Opportunities to Motivate State Action on Climate Change through the World Trade Organization, *Review of European Community and International Environmental Law*, 13/1 (2004): 85.

Droege S. *et al.*, 'The Trade System and Climate Action: Ways Forward under the Paris Agreement' (Climate Strategies, Working Paper, October 2016) <http://climatestrategies.org/wp-content/uploads/2016/10/Trade-and-climate-ways-forward-1.pdf> accessed 20 January 2017.

Edwards A., 'Climate Change and International Refugee Law', in Rayfuse R. and Schott S.V. (eds), *International Law in the Era of Climate Change* (Cheltenham, UK: Edward Elgar Publishing, 2012) 58.

Holzer K., *Carbon-related Border Adjustment and WTO Law: The Case of Trade in Goods* (Cheltenham, UK: Edward Elgar, 2014).

Howse R., 'Climate Mitigation Subsidies and the WTO Legal Framework: A Policy Analysis' (International Institute for Sustainable Development, May 2010) <https://www.iisd.org/pdf/2009/bali_2_copenhagen_subsidies_legal.pdf> accessed 20 January 2017.

Hufbauer G.C., Charnovitz S., and Kim J., *Global Warming and the World Trading System* (Washington, D.C.: Peterson Institute for International Economics, 2009).

Knox J.H., 'Human Rights Principles and Climate Change', in Carlarne C.P., Gray K.R., and Tarasofsky R. (eds), *The Oxford Handbook of International Climate Change Law* (Oxford University Press, 2016) 213.

Leal-Areas R., *Climate Change and International Trade* (Cheltenham, UK: Edward Elgar, 2013).

McAdam J. (ed), *Climate Change and Displacement: Multidisciplinary Perspectives*

(Oxford: Hart Publishing, 2010).

McAdam J., *Climate Change, Forced Migration and International Law* (Oxford University Press, 2012).

McAdam J., 'From the Nansen Initiative to the Platform on Disaster Displacement: Shaping International Approaches to Climate Change, Disasters and Displacement', *University of New South Wales Law Journal* 39/4 (2016, forthcoming).

Rajamani L., 'Human Rights in the Climate Change Regime: From Rio to Paris', in Knox J.H. and Pejan R. (eds), *The Human Right to a Healthy Environment* (Cambridge University Press, 2017).

Wyman K.M., 'Human Mobility and Climate Change', in Farber D.A. and Peeters M. (eds), Elgar Encyclopedia of Environmental Law Series vol 1: Climate Change Law (Cheltenham, UK: Edward Elgar, 2016).

제10장

결　　　론

Ⅰ. 국제기후변화법제의 진화: 요약
Ⅱ. 국제기후변화법제의 특색
Ⅲ. 국제기후변화법제의 효과성
Ⅳ. 미래에 대한 전망

Ⅰ. 국제기후변화법제의 진화: 요약

국제환경법의 다른 분야들과는 다르게, 국제기후변화법은 한 방향의 직선경로를 따라 변화하지 않았다. 즉, 연성법에서부터 경성법에 이르거나, 상향식에서 하향식 구조로 변하거나, 일반적인 것에서 더 구체적인 의무들로, 혹은 덜 차등화하는 것에서 더 차등화하는 것으로 변하는 양태를 보이지 않았다. 그보다는 더 길고 굴곡이 많은 경로를 택하였다. 이는 Whig의 역사관과 같이[1] 체제가 점차 더 높은 엄격성과 효과성을 가지는 방향으로 진전하는 선형적 진행을 보이는 것이 아니라, 헤겔적(Hegelian) 역사관이[2] 말하는 것과 같이 변증법적으로 테제(정)와 안티테제(반)를 거쳐 통합(합)으로 이르는 것을 보여주는 것에 더 가깝다. 여기에서 교토의정서(Kyoto Protocol)는 테제(정)를, 코펜하겐 합의문(Copenhagen Accord)은 안티테제(반)를, 파리협정(Paris Agreement)은 통합(합)에 해당된다. 교토의정서는 그 당시의 지배적이었던 패러다임에 의해 구성되었기 때문에, 법적 구속력이 있는 하향식 구조의 수량적 목표와 온실가스 배출을 제한의 일정표를 가졌고, 이를 산출과 의무준수에 대한 복잡한 국제적 규칙들과 연결시켰다. 코펜하겐 합의문은 여러 측면에서 이와는 극단적으로 달랐는데, 그 정치적 합의는 국가에 상당한 유연성을 부여하는 상향식 서약을 기반으로 구축된 바 있다. 파리협정은 이 두 가지를 혼합

---

1) Julie E. Maybee, 'Hegels Dialectics', in Edward N. Zalta (ed), *Stanford Encyclopedia of Philosophy* (Fall 2016 edition) <http://plato.stanford.edu/entries/hegel-dialectics/> accessed 20 January 2017.

2) Herman Butterfield, *The Whig Interpretation of History* (London: George Bell and Sons Ltd, 1931) (Whig의 해석에 따르면 역사는 하나의 진행에 대한 이야기이다).

한 것으로, 이는 법적 구속력이 있는 법제이지만, 일부의 구속력 없는 요소를 포함하고 있으며, 상향식의 국가별 기여방안(NDCs)과 의욕과 책임성에 대한 국제적으로 협상된 하향식의 규칙들을 결합시키고 있다.[3)]

기후문제가 1980년대 후반에 처음 나타났을 때, 많은 사람들은 이 문제가 얼마나 정치적으로 해결하기가 어려운 것이며, 그들이 얼마나 비현실적으로 높은 기대치를 가졌는지를 인식하지 못했다. 여러 측면에서 볼 때, 그 비현실적 의욕의 최고봉은 1988년 토론토 선언(Toronto Declaration)에서 나타났는데, 이는 2005년까지 전세계 이산화탄소 배출량을 20퍼센트 줄이고, 화석연료에 부과하는 세금으로 만들어진 국제기금을 설립한다고 선언하였다.[4)] 이와는 대조적으로 약 30년이 지난 지금, 세계 배출량은 1990년 대비 거의 50퍼센트가 증가한 상황이고, 기후변화 문제를 다루는 데 있어서의 정치적 어려움이 명백하게 드러나 있으며, 2015년의 파리협정은 완화된 목표를 세우고, 세계 온실가스의 배출량이 최대한 조속하게(구체화되지는 않았지만 어느 선에서) 정점에 도달하게 될 것을 요청하고 있다.[5)]

처음에는 많은 국가들이 오존체제를 기후변화 문제를 다루기 위한 모델로 보았다. 오존문제는 기본협약과 의정서를 통해서 다루어졌는데, 이는 오존체제의 기초 시스템을 수립한 1985년 비엔나 협약(Vienna Convention)을 시작으로 1987년에 몬트리올의정서(Montreal Protocol)에서 오존층 파괴물질(ozone-depleting substances, ODS)의 국내생산과 소비를 수량적으로 제한하는 것으로 이어졌다. 이러한 접근방식을 반영하여 유엔기후체제는 1992년 '유엔기후변화 기본협약(United Nations Framework Convention on Climate Change, UNFCCC 혹은 FCCC)'이 시작된 뒤, 1997년 교토의정서와 2001년 마라케시 합의문(Marrakesh Accords)이 그 뒤를 따랐다. FCCC는 체제의 기본목표, 원칙 및 제도를 수립했으며, 교토의정서는 부속서I 국가들에게 법적으로 구속력 있는 배출제한을 두었고, 마라케시 합의문은 의정서의 규칙들을 구체화하였다.[6)]

3) 제1장, 제5장, 제6장 및 제7장 참조.
4) Proceedings of the World Conference on the Changing Atmosphere: Implications for Global Security, held in Toronto from 27 to 30 June 1988, (1988) WMO No. 710.
5) 제7장 IV 참조.
6) 제4징, 제5장 및 제6장 참조.

그러나 여기서부터 오존체제와 기후체제의 발전은 서로 다르게 진행된다. 설립 초기부터 몬트리올의정서는 꾸준히 그 범위와 깊이를 확장하였다. 이는 초기에는 당사자들에게 다섯 종류의 클로로플루오르카본(chlorofluorocarbons, CFCs)과 주요 ODS의 생산과 소비를 동결하고 그 뒤에 반감하고, 또한 세 종류의 할로겐의 생산과 소비를 동결할 것을 요구했다.[7] 시간이 지나 일련의 조정과 수정을 거치면서 당사자들은 몬트리올의정서에 수십 가지의 ODS를 규제물질 목록에 추가했으며, 통제 방법의 엄격성을 점차적으로 높여 오늘날 몬트리올의정서는 거의 100가지의 화학물질을 규제하고 대부분의 오존층 파괴물질을 단계적으로 제거하도록 하고 있다.[8] 또한 당사자들은 개발도상국의 참여를 유도하기 위해 다자기금(Multilateral Fund)을 설립하였고, 이행과 준수를 촉진하기 위해 비(非)준수 절차(non-compliance procedure)를 만들었다.

이와 대조적으로, 교토의정서에서는 범위와 깊이를 확장시키는 프로세스가 촉발되지 않았다. 의정서의 제2차 의무기간 목표가 제1차 의무기간의 목표보다 더 적은 세계 배출량에만 적용되었고, 이는 아마도 영원히 실행되지 않을 것이다. 그리고 거의 확실하게도 교토의정서의 배출목표는 제2차 의무기간이 끝나는 2020년 이후로는 확대되지 않을 것이다. 대신에 기후체제는 다른 방향으로 진행했고, 범위를 넓히기 위해 깊이를 얕게 하였다. 2009년 코펜하겐 합의문과 2010년 칸쿤합의는 법적으로 구속력 없는 상향식 서약체계를 수립했고, 이는 교토의정서의 구속력 있는 배출목표에서 보다 더 광범위한 참여를 이끌어냈다. 그런 후에 2015년 파리협정은 이러한 상향식 체제를 의욕과 감독을 촉진하기 위한 다자간 규칙과 연결하여, 법적 구속력이 있는 도구로 통합함으로써 코펜하겐 합의문과 칸쿤합의의 구조의 깊이를 심화하기 시작했다. 기후체제의 차등화 접근법도 이와 유사한 확장경로를 따랐는데, 이는 FCCC에서 모든 당사자의 공통된 서약과 부속서I 및 부속서II 국가의 차등화된 서약을 구별하는 온건한 차등화로 시작했다가, 교토의정서에서는 부속서I 국가가 아닌 국가들을 새로운 의무로부터 완전히 배제하는 극단적 차등화

7) Montreal Protocol, Art 2.

8) United Nations Environment Programme, *Handbook for the Montreal Protocol on Substances that Deplete the Ozone Layer* (7th edn, 2006) 6-12.

로 진행된 뒤, 가장 최근의 파리협정에서는 더 이상 부속서에 기반하지 않은 미묘한 접근법이 도입되었다.[9)]

한편 유엔기후체제가 지난 10년 동안 발전하기 위해 노력하면서, 국제기후변화법제의 광범위한 지형이 더 다양해졌다. 국제해사기구(International Maritime Organization, IMO)와 국제민간항공기구(International Civil Aviation Organization, ICAO)는 해운 및 국제 민간항공으로 인한 배출량을 다루어 왔다. 국가들은 몬트리올의정서를 통해 온실가스 중 두 가지 유력한 그룹인 염화불화탄화수소(HCFCs)와 수소불화탄소(HFCs)를 규제하는 데 동의하였고, '월경성 장거리 대기오염에 관한 협약(Convention on Long-Range Transboundary Air Pollution)'을 통해 블랙카본을 다루기로 합의했다. 또한 도시, 지방정부 및 비정부행위자들은 기후변화를 완화하고 적응하기 위한 다양한 조치들을 수행해왔다.[10)]

국제기후변화법제의 발전은 많은 요인들을 보여준다. 과학은 처음부터 핵심적인 역할을 해왔다. 과학의 발전은 1980년대에 처음으로 기후변화를 정책의제로 삼도록 하였고, 그 이후 기후변화의 위험에 대한 과학적 관심의 고조는 기후문제 해결에 대한 정치적 압력의 기초가 되었다. 1990년 '기후변화에 관한 정부 간 협의체(Intergovernmental Panel on Climate Change, IPCC)'의 제1차 평가보고서(First Assessment Report)는 FCCC의 생성을 촉진하였고, 1995년 제2차 평가보고서(Second Assessment Report)는 교토의정서에, 2007년 제4차 평가보고서는 코펜하겐 합의문에, 그리고 2013년 제5차 평가보고서는 파리협정에 있어 자극제가 되었다. 교토의정서, 코펜하겐 합의문 및 파리협정에서 채택된 완화조치들이 과학보다는 정치를 반영하는 양상을 보였지만, 과학은 체제의 다른 요소들에 영향을 미쳤다. 예를 들어, FCCC와 교토의정서의 포괄적인 '다중가스 접근법(multi-gas approach)'은 기후변화의 원인에 대한 과학적 이해를 반영하였다. 그리고 파리협정의 2°C 또는 1.5°C 기온상승 상한선은 세계가 안전하게 적응할 수 있는 온난화의 최대치에 대한 과학적 평가를 기반으로 했다.

그러나 처음부터 기후변화의 영향에 대한 과학적이고 환경적 관심은 배출제

---

9) 제4장, 제5장, 제6장 및 제7장 참조.
10) 제3장 II 및 III 참조.

한에 드는 비용에 대한 경제적 우려와 균형을 이루었다. 많은 국가들이 경제개발 및 시장경쟁력에 대한 잠재적 영향 때문에, 법적 구속력 있는 배출목표를 수용하는 것을 경계하고 있다. 이에 대한 파리협정의 해결책은 당사자들이 국가 차원에서 감축방안를 결정할 수 있도록 허용하고, 법집행보다는 이행을 장려하는 투명성과 감독에 중점을 두는 것이었다.[11)]

세계경제의 변화 또한 국제기후변화법의 발전에 중요한 역할을 하였다. FCCC의 협상이 시작된 1990년에 선진국은 전세계 배출량의 약 70퍼센트를 차지했다. 그 이후로 개발도상국의 배출량은 3배가 되었고, 현재 전세계 배출량의 거의 60퍼센트를 차지하고 있다.[12)] 중국경제는 단독으로 10배 이상 성장했으며,[13)] 배출량은 4배가 되었다. 1990년 미국의 배출량은 중국의 약 2배였지만, 2014년에는 상황이 바뀌어서 중국의 배출량이 거의 미국 배출량의 두 배가 되었다.[14)] 이러한 추세는 국제기후변화법이 선진국과 개발도상국 모두의 배출에 대해 더 집중하도록 하였고, 이는 파리협정의 완화체제가 가진 모든 당사자에 적용되는 방식에 반영되었으며, 또한 민간항공 배출을 다루는 ICAO와 HFCs 사용을 다루는 몬트리올의정서의 보완적 활동들에도 반영되었다.[15)]

형평성과 기후정의에 대한 우려는 국제기후변화법의 발전에 또 다른 중요한 영향을 미쳤다. 중국과 인도와 같은 개발도상국들은 선진국들이 기후변화 문제를 발생시켰고 이에 대해 대응할 능력이 더 많기 때문에, 기후변화에 대한 대응을 주도해야 한다고 지속적으로 주장해왔다. 부속서I 국가들이 1850년에서 2012년 사이에 배출한 누적 배출량은 비부속서I 국가들의 누적 배출량의 약 2.4배이며,[16)] 대부분의 개

11) 제7장 참조.

12) International Energy Agency, *CO_2 Emissions from Fuel Combustion: Key CO_2 Emission Trend* (2016) Figure 4.

13) 'GDP Statistics from the World Bank: China' <https://knoema.com/mhrzolg/gdp-statisticsfrom-the-world-bank?country=China> accessed 20 January 2017.

14) European Commission, Emission Database for Global Atmospheric Research, 'CO_2 Time Series 1990-2014 Per Region/Country' <http://edgar.jrc.ec.europa.eu/overview.php?v=CO2tsl990-20l4&sort=des9> accessed 20 January 2017.

15) 제7장 및 제8장 참조.

16) 1850년부터 2012년까지 부속서I 국가들의 CO_2 배출량은 937,952MtCO_2이었으며 비부속서I 국가들의 경우에는 388,623MtCO_2이었다. Data for Cumulative Total CO_2 Emissions Excluding

발도상국에서 1인당 CO_2 배출량은 선진국 배출량보다 현저히 적다. 예를 들어, 2013년 인도의 1인당 배출량은 1.7톤인데, 이에 반해 EU의 경우는 7.3톤이고 미국은 16.6톤에 달한다.[17] 반면에, 선진국들은 기후변화 문제가 세계적인 성격을 가지고 있기 때문에, 모든 국가들이 행동해야 한다는 점을 강조하였다. 의무를 어떻게 차별적으로 부과해야 하는지에 대한 갈등은 국제기후변화법제의 모든 부문에서 나타났는데, 여기에는 유엔기후체제, IMO, ICAO 및 몬트리올의정서가 포함된다.

국제기후변화법의 발전에서 가장 중요한 요소는 아마도 경험으로부터의 학습일 것이다. 파리협정의 혼합적 접근법에는 교토의정서와 코펜하겐 합의문에서 얻은 교훈이 반영되어 있다. 교토의정서는 구속력이 있는 절대적인 배출량 제한을 부과함으로써 성급하게 너무 많은 것을 시도한 것으로 볼 수 있고, 그 결과 거의 참여를 이끌어내지 못했다. 코펜하겐 합의문은 국가들에게 유연성을 제공함으로써 보편적 참여를 유도하려 했지만, 그 결과 불충분한 의욕을 가져왔다. 파리협정은 이 둘 사이의 균형을 잡고자 하였다.[18] 그 사이에 2000년대 유엔기후체제 발전이 둔화되면서, 다른 영역에서 기후변화 문제를 다루고자 하는 노력으로 이어졌는데, 그 예가 IMO, ICAO 및 몬트리올의정서와 같은 국제기구들과 지역이나 도시와 같은 국가하부 수준에서, 민간분야와 민관협력 이니셔티브를 통한 비국가행위자(non-state actors)들에 의한 것들이다.[19]

Ⅱ. 국제기후변화법제의 특색

국제기후변화법제는 자기완비적인 법체(self-contained body of law)가 아니

Land-Use Change and Forestry from 1850 to selected years—2012 from World Resources Institute (WRI), 'CAIT Climate Data Explorer' <http://cait.wri.org/> accessed 20 January 2017.

17) Jos G.J. Olivier *et al.*, Trends in Global CO_2 Emissions : 2014 Report (The Hague: PBL Netherlands Environmental Assessment Agency, 2014) <http://edgar.jrc.ec.europa.eu/news_docs/jrc-2014-trendsin-global-co2-emissions-2014-report-93171.pdf> accessed 20 January 2017, 49, Table A1.2.

18) 제5장, 제6장 및 제7장 참조.

19) 제8장 참조.

다.[20] 이는 국제공법과 국제환경법의 일반규칙, 원칙, 입법관행으로부터 발전되었다.[21] 또한 다른 국제법 분야와도 교차하는데, 그 주요한 분야들은 인권, 이주 및 통상법이다.[22] 그러나 국제기후변화법제는 특수한 성격을 가지는데, 이는 유엔기후체제의 발전에서 가장 명백하고,[23] 또한 다양한 초국가적, 국가적, 국가하부적, 민간의 표준설정 행위들이 혼합되는 것에서 명백하게 나타난다.[24]

첫째, 국제기후변화법제는 집행지향적 접근(enforcement-oriented approach)보다는 관리적 접근(managerial approach)을 취한다.[25] 국제 혹은 국내소송으로 문제를 해결하는 것은 지금까지는 비교적 제한되어 있는데, 이는 기후변화 문제의 복잡하고 다중심적인 성격과 법적 틀이 의미적 그리고 실용적 제한을 가지고 있기 때문이라고 볼 수 있다.[26] 유엔기후체제에서 교토의정서는 의무준수위원회의 집행분과와 부속서I 국가들이 목표 관련 의무에 있어서 비준수를 하는 것에 대한 대가의 범위를 포함하는 준사법적이고 집행지향적 요소들을 가지고 있다.[27] 그러나 교토의정서의 의무준수 시스템은 의정서의 특수한 특징과 밀접하게 관련이 있는데, 그 특징들은 특히 부속서I 국가들의 구속력이 있는 배출량목표와 시장 메커니즘 그리고 강력한 부속서I과 비부속서I 국가들에 대한 차등화이다. 그러한 집행지향적 접근법은 파리협정의 모든 당사자들에게 요구되는 법적 구속력을 가지지 않는 NDC라는 형태와는 맞지 않는다.[28] 대신에 파리협정은 시행을 확보하기 위해서 측정, 보고 및 검증(measurement, reporting and verification, MRV)에 대한 기후체제의 광범위한 경험을 이용한다. 정교한 MRV 요구사항은 FCCC에 의해 처음 구체화되었으며, 교토의정서와 파리협정의 감독체제의 중요한 구성요소가 되어 왔다. 또 다른 관리도구인 개발도상국의 이행(및 적응) 노력을 위한 재정 및 기술지원의 제공은 기후

---

20) 제1장 참조.
21) 제2장, 제3장 참조.
22) 제9장 참조.
23) 제4장, 제5장, 제6장, 제7장 참조.
24) 제8장 참조.
25) Abram Chayes and Antonia Handler Chayes, *The New Sovereignty: Compliance with International Regulatory Agreements* (Cambridge, MA: Harvard University Press, 1995).
26) 제2장, 제8장 참조.
27) 제6장 VI.B 참조.
28) 제7장 X.C 참조.

체제가 시작된 이래로 중요한 주제가 되어 왔다. 더 최근에는 녹색기후기금의 창설은 교토의정서를 넘어서서 국제적 기후행동을 위한 포괄적이고 장기적인 법적 틀을 개발하려는 당사자들의 노력의 핵심이 되었다. 간단히 말해서, 기후체제의 투명성, 또래집단의 압력과 지원에 대한 강한 강조는, 기후문제의 시급성에 접목시키고자 하는 지속적인 노력과 결합되어 기후체제를 전형적인 관리체제로 만들었다. 이 접근법은 국가들이 기후변화에 대처할 필요성에 폭넓게 동의한다는 근본적인 전제와 성공적인 기후체제란 기후행동을 강요하고자 하는 것이 아니라 기후행동을 저해하는 요인들(지식의 부족, 신뢰 부족, 역량의 문제 등)을 관리해야 한다는 전제와 맞물려 있다.

기후체제의 두 번째 독자적 특징은 차등화라는 쟁점이 차지하는 중심적 위치이다. 기후체제는 '공통의 그러나 차등화된 책임과 국가별 역량의 원칙(Common But Differentiated Responsibilities and Respective Capabilities)'을 명백한 하나의 지침원리로 규정하고 있다는 점에서 독특성을 갖는다. 그러나 이 원칙의 의미는 시작부터 논쟁이 되어 왔으며, FCCC와 교토의정서에서 부속서의 당사자 명단에 기반한 범주적 접근에서부터 파리협정의 좀 더 정교하고 특수화된 접근으로 옮겨갔다.

국제기후변화법제의 세 번째 특징은 법형태에 대한 실험이다. 다른 다자간 환경협정들에서 얻은 경험을 바탕으로 기후체제는 공식적으로 구속력을 갖는 요소와 비구속적인 요소를 혼합하는 혁신적인 접근법을 발전시켰다. 파리협정은 조약 형식의 법, 당사자의 결정 및 국내표준 설정을 신중하게 조정한 혼합물을 나타내는데, 이 요소들이 법적 구속력이 없는 NDC 안에 종합되어 있다. 법형식에 대한 이러한 복합적인 접근방식은 또한 내용적 요소와 절차적 요소의 신중한 결합에서도 사용되었다. 가장 중요한 것은 파리협정의 법적 구속력이 있는 절차적 의무(NDC의 준비, 의사소통 및 유지, NDC에 대한 명확하고, 투명하며, 이해가능한 정보제공, NDC에 대한 설명)와[29] 구속력이 없는 규범적 기대들(예를 들어, 가능한 최대치의 의욕, 시간경과에 따른 진전 및 선진국의 리더십과 관련된 규범적 기대들)이 연계되어 국가들의 국내행동을 규율하고 유도하게 된다.

29) Paris Agreement, Arts 4.2,4.8, and 4.13.

기후체제의 법형태에 대한 실험은 국제기후변화법의 네 번째 특징인 다중심성과 연관된다. 오늘날 유엔기후체제는 국제적 기후 거버넌스의 많은 영역 중 하나일 뿐이다. 공식적, 비공식적, 공적 및 사적으로 다양한 형태의 다양한 기관들이 지방 차원에서 국제적 차원에 이르기까지 기후변화 문제를 해결하기 위한 행동을 취하고 있다.[30] 유엔기후체제는 이러한 다른 노력들과 병행하여 작동하며, 그 중요성을 인식하고 있다.[31] 이러한 다양한 제도와 접근법은 기후변화가 사회와 모든 경제부문들의 거의 모든 면을 포함하는 다차원적 문제라는 사실을 반영하고 있다.

온실가스 배출의 생성과 감축에 있어서 경제활동의 핵심적인 역할은 국제기후변화법제의 다음 특징인 시장지향성을 보여준다. 배출을 줄이기 위한 시장 메커니즘의 확립은 FCCC 협상에서 뜨겁게 논의된 문제였다.[32] 이 논쟁은 교토의정서에서는 시장 메커니즘에 찬성하는 방식으로 귀결되었고, 파리협정은 그 사용을 계속 인정하고 있다.[33] 그러나 유엔기후체제만이 시장기반 메커니즘을 활용하는 것은 아니다. 다른 국제기관들은 해운 및 항공과 같은 특정 부문의 배출을 억제하기 위한 시장 메커니즘의 사용을 고려했으며,[34] 점점 더 많은 지역, 국가 및 국가하부단위의 배출권거래 시스템은 최종적으로 전세계적 탄소시장을 상향적으로 구성하도록 한다.[35] 마지막으로, 국가적 그리고 국가하부적 표준설정, 탄소가격책정 및 라벨링 제도가 점점 더 중요하게 여겨지면서 국제통상법은 세계시장과 다중심적 기후 거버넌스를 형성하는 데 점차 더 중요한 역할을 수행하고 있다.[36]

30) 제8장 참조.
31) Paris Agreement, preambular recital 15 (기후변화 대응을 위하여 모든 정부와 다양한 행위자의 참여가 중요함을 인정).
32) 제5장 IV.B.2 참조.
33) 제6장 V, 제7장 VI 참조.
34) 제8장 IV 참조.
35) 제8장 VII 참조.
36) 제9장 IV 참조.

Ⅲ. 국제기후변화법제의 효과성

30년 전 기후변화가 국제적 문제로 나타난 이래로, 국가들은 문제해결을 위한 국제적 협상을 하는 데 많은 노력을 기울였다. 1992년 FCCC, 1997년 교토의정서, 2001년 마라카시 합의문, 2009년 코펜하겐 합의문, 2010년 칸쿤합의 및 2015년 파리협정을 포함하는 유엔기후체제의 문서들뿐만 아니라, 국가들은 2011년 MARPOL 제6부속서의 개정 협상, 2016년 몬트리올의정서에 규정된 HFCs 규제에 대한 키갈리 개정(Kigali Amendment) 그리고 2016년 ICAO의 항공배출에 대한 국제적 시장 기반 조치에 대해서도 협상하였다.[37] 그러나 이렇게 많은 수의 협정이 있기는 하지만, 국제기후변화법제, 특히 유엔기후체제가 기후변화 대응에 어느 정도 효과적이었는지를 평가하기란 어렵다.

효과성이란 여러 가지 의미를 가진다.[38] 가장 단순한 의미는 문제의 체제가 근본적인 문제의 상태를 개선하거나,[39] 그 체제가 의도한 목표 또는 목적을 달성하는 정도를 가리킨다.[40] 국제기후변화법제의 목적은 위험한 기후변화를 예방하고 그 악영향에 적응하는 것이다. 지난 25년 동안 합의된 국제협정들은 우리로 하여금 기온상승을 제한하고 기후변화의 악영향을 관리할 수 있도록 하였는가?

이것은 본질적으로 대답하기 어려운 질문인데, 이는 법적인 체제와 환경적 결과를 연결시키는 일련의 행동이 "복잡하고, 불확실하며, 불연속적이기 때문이다".[41] 일부 학자들이 지적하였듯이, 사회적·정치적 구조는 복잡하고, 생태계는

---

37) 제8장 IV 참조.

38) Daniel Bodansky, *The Art and Craft of International Environmental Law* (Cambridge MA: Harvard University Press, 2010) ch 12.

39) Kal Raustiala, 'Compliance & Effectiveness in International Regulatory Cooperation, *Case Western Reserve Journal of International Law*, 32/3 (2000): 387, 393.

40) Andreas Hasenclever, Peter Mayer, and Volker Rittberger, 'Interests, Power, Knowledge: The Study of International Regimes', *Mershon International Studies Review*, 40/2 (1996): 117 ("체제가 효과적인 것을 그 체제가 의도한 목적이나 목적을 달성하는 정도나 당사자들이 그 체제의 규범과 규칙을 따르는 정도로 나타난다"고 지적).

41) Konrad von Moltke, 'Research on the Effectiveness of International Environmental Agreements: Lessons for Policy Makers' (Paper prepared for the Final Conference of the EU Concerted

영원한 진화의 과정 안에 있으며, 체제와 관측된 결과 사이의 인과관계를 확립하는 것은 어려운 과제이다.[42] 그러나 지난 수십 년 동안 온실가스 배출이 꾸준히 증가한 것은 주목할 가치가 있다. 실제로 21세기의 첫 10년 동안 배출량은 20세기의 지난 30년(연간 1.3퍼센트)보다 더 빠른 속도로 증가했다.[43] 이 증가에는 많은 원인이 있으나, 그에 대한 정확한 원인이 무엇이든 간에 국제기후변화법제가 미약했다는 것이 그 이유 중 하나가 된다. FCCC는 오직 안정화 목표만을 포함했고, 부속서I 국가들만을 대상으로 했다.[44] 교토의정서 제1차 의무기간 목표는 2010년 세계 온실가스 배출량의 24퍼센트에만 해당한다.[45] 제2차 의무기간은 더 적은 국가의 참여만 끌어들였고, 이에 따라 2012년 세계 온실가스 배출량의 12퍼센트 미만만을 포함했다.[46] 2020년 이전에 대한 칸쿤서약(Cancun pledges)들은 세계 배출의 83퍼센트를 차지하지만, 이 서약들은 온건한 것이며, (조건 없이) 완전하게 이행된다 할지라도[47] 온도상승분을 2°C 또는 1.5°C로 제한했을 때의 배출경로(emissions pathways)와는 상당한 차이가 나게 될 것이다.[48] 2020년 목표의 상승에 대한 의욕을 강화하도록 하기 위해 국가를 설득하려는 노력은 지금까지 성과가 없는 것으로 드러났다.[49] 파리협정의 맥락에서 당사자들이 제출한 NDC는 인상적이게도 세계 배출의 99퍼센트를 차지했지만, 이들 역시 장기간의 기온상승 상한선 목적에 일치하는 배출경로와 상당한 차이가 있다.[50] 유엔기후체제와 그 외의 다른 어떤 활동

Action on Regime Effectiveness, Institut d'Educacio Continua (IDEC), Barcelona, 9-12 November 2000) 4-5.

42) Ibid.

43) United Nations Environment Programme (UNEP), *The Emissions Gap Report 2015: A UNEP Synthesis Report* (Nairobi: UNEP, November 2015) 3.

44) 제5장 IV.B.1 참조.

45) Igor Shishlov, Romain Morel, and Valentin Bellassen, 'Compliance of the Parties to the Kyoto Protocol in the First Commitment Period', *Climate Policy*, 16/6 (2016): 768.

46) 이것은 호주, 벨라루스, EU-28, 아이슬란드, 카자흐스탄, 노르웨이, 스위스, 우크라이나의 (LULUCF를 제외한) 배출 점유율의 총합을 의미한다. WRI, CAIT Climate Data Explorer (n 16).

47) US Climate Action Network, 'Who's On Board with the Copenhagen Accord?', <http://www.usclimatenetwork.org/policy/copenhagen-accord-commitments> accessed 20 January 2017.

48) UNEP, 'Bridging the Emissions Gap: A UNEP Synthesis Report' (Nairobi: UNEP, November 2011) 9.

49) 제6장 X 참조.

들도 이에 있어서 유의미한 적응노력을 이끌어 내지는 못했다. 그러므로 국제기후변화법제는 그것이 명시한 목표를 달성하기 위한 궤도에는 오르지는 못하는 것으로 보인다.

두 번째로, 좀 더 온건하게 효과를 평가하는 방법은 국제기후변화법제가 국가의 행동들을 '올바른' 방향으로 변화하도록 유도했는지, 즉 기후변화에 대한 완화와 적응을 증진시키는 방향으로 유도했는지에 대해서 묻는 것이다.[51] 국제기후변화법이 '현행대로 진행되었을 경우(business-as-usual)'의 온실가스 배출의 궤적을 개선하였는가? 그것은 파리에서 동의한 '2°C보다 훨씬 낮은' 이상적 기온상승분 쪽으로 가도록 배출을 하향시키는 데 도움이 되었는가? 국제기후변화법이 개발되지 않았을 때보다 국가 및 다른 주체들이 기후변화에 적응하기 위해 더 많은 일을 했는가? 일부 학자들은 규칙이나 체제 이외에 많은 요인들이 환경적인 기후변화의 결과에 영향을 미치기 때문에, 국제기후변화법의 효과성 평가는 환경적 결과보다는 행동변화를 통한 규칙이나 체제의 효과를 측정하는 것이 현명한 방법이라고 주장한다.[52] 그러나 행동변화를 평가하는 것 역시 어렵고 추측적인 일인데, 이는 반(反)사실적인 조건을 둔 평가(counterfactual assessment), 즉 국제기후변화법이 없는 상황에서 '현행대로 진행되었을 때'에 일어났을 법한 상황에 기초해서 기후변화법의 효과를 평가해야하기 때문이다. 그럼에도 불구하고 국가들의 NDC 이행과 관련된 온실가스 총배출량은 파리 이전의 궤적보다(이것이 물론 2°C 및 1.5°C 시나리오보다 여전히 현저히 높지만) '크게 적을 것'으로 예상한다.[53] 전세계 1인당 평균 배출량도 또한 NDC의 영향으로 감소할 것으로 예상된다.[54] 국가의 행동변화를 평가할 때 더 중요한 것으로, 당사자들의 NDC에 대한 FCCC 사무국의 평가서는 기후변화에 대응하기 위해 국가들이 취하는 행동이 '명확해지고 증가하는 추세'로 나아간다고 밝혔다.[55] 또한 그 평가서는 "국내 정치적 의제에서 기후변화의 중요성이 커지고

---

50) FCCC, Aggregate effect of the intended nationally determined contributions: an update, Synthesis report by the secretariat (2 May 2016) FCCC/CP/2016/2, figure 2.
51) Raustiala, Compliance & Effectiveness (n 39).
52) Ibid, 394.
53) FCCC, Aggregate effect of the intended nationally determined contributions (n 50) para 38 and figure 2.
54) Ibid, para 37.

있다"고 밝힌 바 있다.[56] 이러한 발전은 칸쿤서약과 비교되는 NDC의 범위와 규모에 반영된다. 칸쿤에서는 총 61개 당사자들이 다양한 종류의 정량화된 배출목표를 제시했으나, NDC에서는 155개 당사자가 그러한 목표들을 통보하였다.[57]

효율성을 평가하는 세 번째 방법은 기후체제가 정치적으로 최선의 정도에 도달했는지 여부를 묻는 것이다. 당사자들이 기후변화 대응에 있어 당면해 있는 국제적 그리고 국내적인 수많은 정치적 제약을 감안했을 때 파리협정은 가능한 한도에서 성공적이었는가? 혹은 도달 범위 내에서 더 의욕적인 협상이 있었겠는가? 협상가들이 더 잘할 수도 있었는가? 이 질문에 대답하는 것은 행동적 효과를 평가하는 것보다 훨씬 어려운데, 그 이유는 그 대답이 주어진 시간에 정치적으로 달성할 수 있는 것이 무엇이었는지, 즉 의욕과 참여 간의 절충이 가능했는지에 대한 미묘하고 입증할 수 없는 질문에 달려 있기 때문이다. 일부 관찰자들은 유엔기후체제가 그 역사의 상당 부분에서 제 기능을 제대로 수행하지 못하였고, 더 적은 수의 국가들을 포함하는 다른 거버넌스 구조가 더 진전을 이룰 수 있다고 주장해왔다.[58] 그러나 대부분은 아니더라도 많은 관찰자들은 파리협정이 상당한 외교적 성과에 해당하고, 협상이 시작되었을 때, 협정의 규칙들은 투명성과 진전을 촉진함에 있어서 달성가능해 보였던 것보다 훨씬 더 많이 혹은 더 멀리 진행되었다고 본다.[59]

국제기후변화법의 효과성을 평가하기 위한 최종적인 측정기준은 기후변화 문제의 중요성을 높이고 더 큰 관심, 우려 및 정치적 의지를 창출하는 데 도움이 된 정도이다. 국제기후변화법은 미래의 더 강력한 행동을 가능하게 하고 촉진할 역동성을 창출했는가? 이 점에서 평가자들은 여전히 파리협정에 대해 평가하지 못하고 있다. 그러나 코펜하겐과 파리 회의가 국가와 정부의 원수뿐만 아니라 광범위한 이해관계자들로부터 전례 없는 수준의 참여를 가져왔다는 사실은 분명 고무적이다.

---

55) Ibid, para 51.
56) Ibid, para 52.
57) Ibid, para 48.
58) David G. Victor, *Global Warming Gridlock: Creating More Effective Strategies for Saving the Planet* (Cambridge University Press, 2011) 210-1$.
59) 제7장 참조.

Ⅳ. 미래에 대한 전망

파리협정이 1년 내에 채택되었다는 점, HFCs를 다루는 몬트리올의정서, 2016년 키갈리 개정, 2016년 ICAO 항공 배출량에 대한 국제수준의 시장기반 조치 그리고 파리협정의 예외적으로 빠른 발효는 기후변화를 다루기 위한 국제적인 노력의 큰 변화를 나타낸다. 파리협정은 선진국과 개발도상국 간의 차이를 해소하고, 모든 당사자들에게 적용가능한 법적 구조를 수립하는 데 있어 획기적인 성과를 거두었다. ICAO 결정은 최초로 하나의 부문에 특수화된 시장 메커니즘을 수립했다. 그리고 키갈리 개정은 중요한 온실가스의 단계별 삭감을 규정하였다. 이들 협정의 삼부작은 국제사회에 있어 기후변화가 가지는 중요성을 입증한다. 게다가 이러한 정부 간 협정은 여러 다른 행위자들이 기후변화를 다루기 위해 다양한 수준에서 하는 활동의 '거대한 파도'에 의해 더 강화되고 있다.

그러나 이러한 협정들과 활동들이 인상적이기는 하지만, 여전히 지구는 기후변화를 온도상승분 2℃ 이하, 혹은 훨씬 더 적게 1.5℃로 제한하는 경로로 진입하지는 않았다. 그리고 이들 협정은 모두 더 구체화가 필요하기 때문에 국제기후변화법제는 여전히 진행 중인 작업이다. 파리협정하에서 당사자들은 투명성, 회계, 새로운 시장 메커니즘, 전지구적 이행점검, 이행 및 의무준수 메커니즘에 관한 규정을 구체화해야 한다. 이러한 파리협정의 '하향식' 요소들의 강점과 엄격함은 시간이 지남에 따라 점진적으로 의욕을 높여 활동하는 것을 장려하는 데 중요한 역할을 할 것이다. ICAO 시장 기반 조치의 경우에 있어서, 국가들은 배출상쇄(emission offsets)에 대한 요구사항을 구체화할 필요가 있다. 그리고 키갈리 개정은 여전히 국가들의 수락을 통하여 발효되어야 한다.

더욱이 2015에서 2016년 사이에 국제기후변화법에 팽배한 낙관주의에도 불구하고 많은 어려운 문제들이 남아 있다. 이러한 세 가지 문서들이 모두 차등화의 난제에 관해 해결책을 찾았지만,[60] 국가들 간의 경제력, 역사적 배출, 1인당 배출량

---

60) Susan Biniaz, 'I Beg to Differ: Taking Account of National Circumstances under the Paris Agreement, the ICAO Market-Based Measure, and the Montreal Protocols HFC Amendment5

그리고 다른 상황들에 있어서의 불균형을 고려할 때, 부담을 배분하는 것의 문제는 지속될 것으로 보인다. 개발도상국은 계속적으로 자금조달의 증가와 기술접근용이성을 높이는 것을 추구할 것이다. 기후변화로 인한 비용이 증가함에 따라, 특별히 빈곤하고 취약한 국가의 경우 기후관련 피해보상의 문제가 전면으로 부상될 수 있다.

마지막으로, 최근 몇 년 동안의 급속한 진전은 수많은 외부요인에 의해 저해될 수 있다. 2016년 미국 대선은 그에 대한 극적인 일례이다. 유럽 내의 혼란이나 중국경제의 침체와 같은 다른 가능성들 또한 기후체제에 심각한 영향을 미칠 것이다.

국제기후변화법이 중요하기는 하지만, 이것이 기후정책의 많은 결정요인들 중 하나일 뿐이라는 것을 인식하는 것도 중요하다. 그것은 정치적 의지의 원동력의 정도 혹은 그 이상의 반영일 것이다. 국제기후변화법은 국가들의 행동을 촉진시킬 수는 있지만 강요하지는 않는다. 궁극적으로 이는 국가가 기후변화에 대처하고자 하는 열망에 달려 있다. 의지가 있다면, 국제기후변화법은 국제협력을 조직하고, 표준을 설정하며, 주로 국가에 의한 혹은 비국가 행위자들에 의한 행동을 장려하는 것으로, 그 행동에 필요한 수단을 제공할 수 있거나 이미 제공해왔다. 파리협정과 ICAO의 여러 문서들, IMO 및 몬트리올의정서의 당사자, 도시, 지역, 기업 및 시민단체는 기후변화에 대한 대중의 우려가 고조되고 있음을 반영한다. 그러나 이 우려가 위험한 기후변화를 방지하기 위한 충분한 조치로 전환될지는 아직 두고 보아야 할 것이다.

(New York: Sabin Center for Climate Change Law) <http://columbiaclimatelaw.com/files/2017/01/Biniaz-2017-01-Taking-Account-of-National-Circumstances.pdf> accessed 20 January 2017.

찾아보기

역자 약력

박덕영

연세대학교 법과대학 졸업
연세대학교 대학원 법학과 법학석사, 법학박사
영국 University of Cambridge 법학석사(L.L.M)
영국 University of Edinburgh 박사과정 마침
교육부 국비유학시험 합격
(현) 연세대학교 법학전문대학원 교수

대한국제법학회 부회장
한국국제경제법학회 회장
산업통상자원부 통상교섭민간자문위원
대한민국 국회 입법자문위원
법제처 정부입법자문위원
연세대학교 SSK 기후변화와 국제법연구센터장
연세대학교 외교통상학 연계전공 책임교수

이서연

연세대학교 법과대학 졸업
연세대학교 대학원 법학과 법학석사, 법학박사
서울여자대학교, 연세대학교, 가톨릭대학교 시간강사
(현) 연세대학교 법학연구원 전임연구원

한국연구재단 Global Ph.D. Fellowship 수혜자
홍진기법률연구재단 박사학위논문작성지원 수혜자

이일호

연세대학교 법과대학 졸업
연세대학교 대학원 법학과 법학석사
독일 뮌헨대학교 법과대학 법학박사(Dr. iur.)
(현) 연세대학교 SSK 기후변화와 국제법 연구센터 연구교수

독일 막스플랑크 지식재산권법과 경쟁법 연구소 연구원(Research associate)

최규연

이화여자대학교 사회학과 졸업
독일 베를린 훔볼트대학교 사회학석사(M.A.)
독일 베를린 훔볼트대학교·베를린 사회과학대학원 사회학박사(Dr. phil.)
(현) 연세대학교 SSK 기후변화와 국제법 연구센터 연구교수

독일 연구협회의 정부지원 Excellence Initiative 박사과정 장학생
카롤린 폰 훔볼트 박사과정 장학생
독일 정치사회학회 회원

최재철

서울대학교 불문과 졸업
스위스 제네바 Graduate Institute of International Studies 졸업(Diploma)
서울대학교 행정대학원 수료
제15회 외무고시 합격(1981)
주모로코 왕국 특명전권대사(2009-2012)
외교부 기후변화대사(2014-2016)
(현) 주덴마크 특명전권대사
(현) 국제박람회기구(BIE) 집행위원장(2013-현재, 3선)

오존층보호를 위한 비엔나 협약 총회 부의장(2000)
교토의정서 의무준수위원회 교체위원(2005-2009)

국제기후변화법제

초판발행 2018년 6월 29일

지은이 Daniel Bodansky · Jutta Brunnée · Lavanya Rajamani 공저
옮긴이 박덕영 · 이서연 · 이일호 · 최규연 · 최재철 공역
펴낸이 안종만

편 집 김명희 · 강민정
기획/마케팅 송병민
표지디자인 권효진
제 작 우인도 · 고철민

펴낸곳 (주) 박영사
서울특별시 종로구 새문안로3길 36, 1601
등록 1959. 3. 11. 제300-1959-1호(倫)
전 화 02)733-6771
f a x 02)736-4818
e-mail pys@pybook.co.kr
homepage www.pybook.co.kr
ISBN 979-11-303-3231-4 93360

* 잘못된 책은 바꿔드립니다. 본서의 무단복제행위를 금합니다.
* 저자와 협의하여 인지첩부를 생략합니다.

정 가 39,000원